문학
비책

전국 교·강사 선생님들의
문학 수업 노하우를 가득 담은 교재

학교 선생님(집필자 + 검토진)

고창균 서울	곽기영 부산	권태윤 부산	김동기 서울	김석이 서울	김순애 오산
김승필 광주	김용식 파주	김철주 의왕	김현경 서울	민경호 광주	박정곤 부산
박호현 대구	손우택 충북	손은경 용인	양응모 화성	양훈석 대전	오홍주 대전
유보윤 일산	윤장원 청주	이강빈 부산	이강휘 마산	이도실 순천	이명진 경기
이상준 전주	이승우 포항	장동준 서울	지상훈 대구	하성욱 서울	황택준 서울

학원 선생님(집필자 + 검토진)

구민경 대구	길자은 서울	김경희 서울	김기홍 평택	김민수 서울	김민주 서울
김상희 분당	김선미 수원	김세아 대구	김예은 분당	김용수 광주	김원석 대전
김유석 대구	김은옥 서울 강남	김 진 수원	김 현 분당	김 흙 분당	문동열 서울
문정화 파주	박수미 안산	박 원 동탄	박주환 인천	박혜영 부천	백승재 김해
손석표 서울	송용탁 창원	송화진 김해(장유)	신상욱 서울	신영수 서울	안정광 순천, 광양
안태준 영암	안한섭 광주	오지희 제주	옥성훈 부천	유정희 부산	윤선재 서울
윤선중 천안	윤 필 일산	이경직 화성	이근배 대전	이석주 대치	이영완 반포, 대치
이영지 안양, 평촌	이 철 대구 칠곡	이현수 구미	장연희 대구	장철웅 세종, 청주	정세영 베트남 호찌민
정연우 대구	정윤선 인천	정희숙 서울	조동윤 대구	조승연 대전	조혜정 분당
주현상 대구	차민기 창원	최인실 서울	하 랑 서울 송파	홍승억 평촌	황현정 부산

문학
비책

이 책의

구성과 특징

새 문학 교과서 중요 작품을 한 권으로 정리하여 내신과 수능을 동시에 대비하는 최고의 문학 문제집

- 새 문학 교과서 중요 작품과 국어 교과서 및 EBS 교재 수록 작품, 기출 작품, 내신과 수능 필수 작품들을 엄선하였습니다.
- 시대별 · 갈래별 흐름에 따라 차례대로 학습하여 문학 영역의 흐름을 익힐 수 있도록 구성하였습니다.
- 꼼꼼한 작품 분석과 함께 학교에서 출제될 가능성이 높은 유형의 문제와 수능형 문제를 수록하였습니다.

1 새 문학 교과서의 중요 작품 수록!

새 문학 교과서 및 국어 교과서 수록 작품, EBS 교재 수록 작품, 기출 작품 등에서 학교 시험과 수능에 출제될 가능성이 높은 고전 문학과 현대 문학 194개 작품을 엄선하고 시대별 · 갈래별로 수록하였습니다.

❶ 시대별 문학사 개관
작품 이해의 바탕이 되는 시대별 문학사 및 갈래별 특징을 알기 쉽게 설명하였습니다.

❸ 시대별 · 갈래별 수록
문학사의 흐름에 따라 고전 문학과 현대 문학을 차례대로 학습할 수 있도록 구성하였습니다.

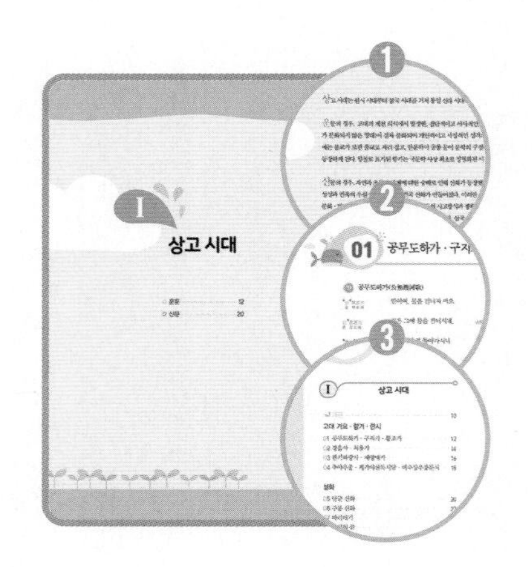

❷ 새 문학 교과서 반영
학습에 필수적인 새 문학 교과서의 중요 작품을 엄선하여 수록하였습니다.

2 핵심 내용을 정리한 작품 분석!

중요 작품의 핵심 내용을 한눈에 정리하는 작품 개관과 1등급 노트를 제시하고, 함께 엮어 읽기로 다른 작품과 연계하여 감상할 수 있도록 하여 복합 문제에도 대비할 수 있게 하였습니다.

❶ 작품 개관
작품 감상의 기본이 되는 작품의 갈래, 성격, 주제, 특징 등을 일목요연하게 정리하였습니다.

❸ 함께 엮어 읽기
다른 작품과 연계하여 작품을 감상함으로써 복합 문제에도 대비할 수 있게 하였습니다.

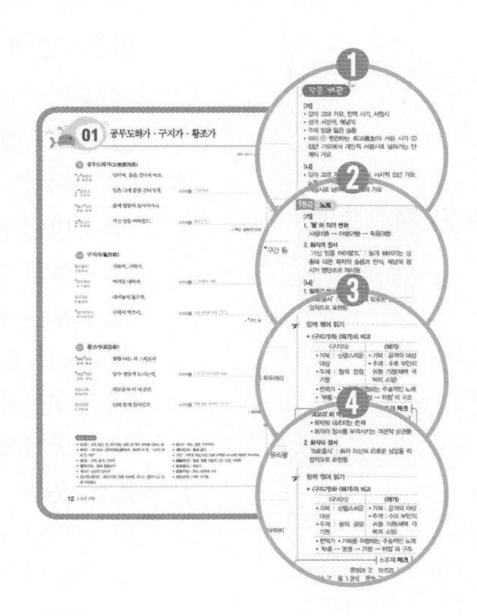

❷ 1등급 노트
시험에서 출제될 가능성이 높은 작품의 핵심 내용을 항목화하여 한눈에 파악할 수 있도록 하였습니다.

❹ 더 알아보기
작품 이해에 도움이 되는 보충 · 심화 자료를 실었습니다.

3 내신과 수능 대비 문제 수록!

학교 시험에서 출제될 가능성이 높은 출제 예감, 고득점을 약속하는 고난도, 수능 대비까지 알차게 준비할 수 있게 하는 수능형, 최신 서술형 출제 경향에 맞춘 서술형 문제를 제시하였습니다.

❶ 출제 예감
학교 시험에 출제될 가능성이 높은 문제들을 엄선하여 출제하였습니다.

❸ 고난도
난도가 높은 문제들을 풀어 봄으로써 내신 · 수능에서 고득점을 받을 수 있도록 하였습니다.

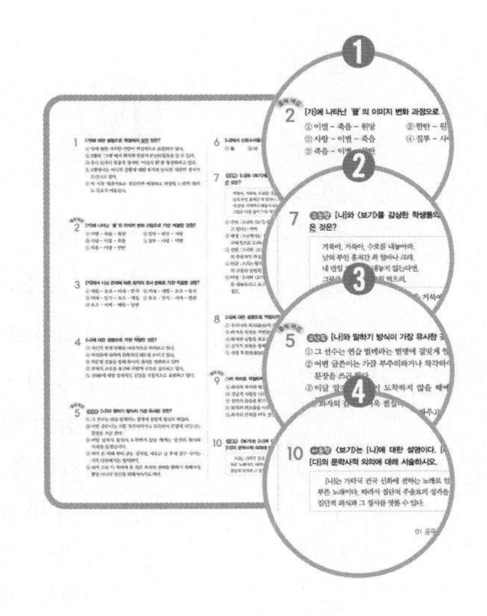

❷ 수능형
수능 문제 유형과 유사하게 구성하여 수능에도 대비할 수 있게 하였습니다.

❹ 서술형
최신 서술형 문제 경향을 반영하여 서술형에 대한 적응력을 높일 수 있도록 하였습니다.

이 책의

차례

I 상고 시대

II 고려 시대

III 조선 전기

IV 조선 후기

고전 소설 · 판소리 · 고전 수필 · 민속극

V 개화기 ~ 광복 이전

신체시 · 현대시

신소설 · 현대 소설 · 현대 수필 · 현대 희곡

VI 광복 이후

※ 작품의 내용에 대한 해석은 선생님이나 독자에 따라 다를 수 있습니다. 내신 대비를 할 때는 반드시 해당 학교의 선생님께서 어떻게 해석하고 있는지 확인해야 합니다.

찾아 보기

I

상고 시대

상고 시대는 원시 시대부터 삼국 시대를 거쳐 통일 신라 시대까지의 시기를 말한다.

운문의 경우, 고대의 제천 의식에서 발생한, 집단적이고 서사적인 성격의 원시 종합 예술(무용 · 음악 · 시가가 분화되지 않은 형태)이 점차 분화되어 개인적이고 서정적인 성격의 고대 가요로 변모하게 된다. 삼국 시대에는 불교가 보편 종교로 자리 잡고, 한문학이 공동 문어 문학의 구실을 하게 되면서 향가라는 새로운 갈래가 등장하게 된다. 향찰로 표기된 향가는 국문학 사상 최초로 정형화된 서정시라는 점에서 중요한 의의를 갖는다.

산문의 경우, 자연과 초월적 존재에 대한 숭배로 인해 신화가 등장했으며, 고대 국가가 형성되면서 건국의 신성성과 민족의 우월성을 강조하는 건국 신화가 만들어졌다. 이러한 신화가 토대가 되어 점차 전설과 민담으로 분화 · 발전해 나갔는데, 설화에는 우리 조상들의 사고방식과 생활 풍습 등이 반영되어 있고, 이후에 소설로 발전한다는 점에서 그 문학사적 의의가 크다고 할 수 있다. 삼국 시대와 통일 신라 시대에는 중국의 제도와 문물을 받아들이면서 한문 문학이 발전하기 시작했다.

01 공무도하가 · 구지가 · 황조가

배경 설화 ▶ p.296

가 공무도하가(公無渡河歌)

•公•無渡河 (공 무도하)	임이여, 물을 건너지 마오.	
公•竟渡河 (공 경도하)	임은 그예 물을 건너시네.	소주제 ❶ □의 떠남
•墮河•而死 (타하 이사)	물에 휩쓸려 돌아가시니	
當•奈公何 (당 내공하)	가신 임을 어이할꼬.	소주제 ❷ 임의 □□

– 백수 광부의 아내

나 구지가(龜旨歌)

龜何龜何 (구하구하)	거북아, 거북아,	
•首其現也 (수기현야)	머리를 내어라.	소주제 ❶ □의 출현 기원
若不現也 (약불현야)	내어놓지 않으면,	
•燔灼而喫也 (번작이끽야)	구워서 먹으리.	소주제 ❷ 소망 성취를 위한 □□

– •구간 등

다 황조가(黃鳥歌)

•翩翩•黃鳥 (편편 황조)	훨훨 나는 저 ㉠꾀꼬리	
•雌雄•相依 (자웅 상의)	암수 정답게 노니는데,	소주제 ❶ □□□의 다정한 모습
念我之獨 (염아지독)	외로울사 이 내 몸은	
誰其與歸 (수기여귀)	뉘와 함께 돌아갈꼬.	소주제 ❷ 짝을 잃은 화자의 □□□

– 유리왕

어휘 다지기

- 公(공) : 그대. 당신. 임. 여기서는 남편, 곧 백수 광부를 이르는 말
- 無(무) : 여기서는 금지사(禁止辭)로서 '물(勿)'의 뜻. '–하지 마라'는 의미
- 竟(경) : 그예. 끝내. 기어이
- 墮河(타하) : 물에 휩쓸리다
- 而(이) : 순접의 접속사
- 奈公何(내공하) : (돌아가신) 임을 어찌할 것인가. (돌아가신) 임을 어찌할꼬
- 首(수) : 머리. 생명. 우두머리
- 燔灼(번작) : 불에 굽다
- 구간 : 가락국 형성 이전 김해 지역을 다스리던 9명의 우두머리
- 翩翩(편편) : 펄펄. 훨훨 가볍게 나는 모양. 의태어
- 黃鳥(황조) : 꾀꼬리
- 雌雄(자웅) : 암수. 암컷과 수컷
- 相依(상의) : 서로 의지함

작품 개관

[가]
- 갈래 고대 가요, 한역 시가, 서정시
- 성격 서정적, 체념적
- 주제 임을 잃은 슬픔
- 의의 ① 현전하는 최고(最古)의 서정 시가 ② 집단 가요에서 개인적 서정시로 넘어가는 단계의 가요

[나]
- 갈래 고대 가요, 한역 시가, 서사적 집단 가요, 노동요, 주술요
- 성격 주술적, 집단적, 직설적
- 주제 수로왕(임금) 강림 기원
- 의의 현전 최고(最古)의 집단 무요이자 주술성을 지닌 노동요로, 가락국 건국 신화에 삽입되어 있음

[다]
- 갈래 고대 가요, 한역 시가, 서정시
- 성격 우의적, 애상적
- 주제 임을 잃은 슬픔
- 특징 ① 자연물을 빌려서 우의적으로 표현함 ② 선경 후정(先景後情)의 시상 전개 방식을 통해 화자의 외로운 심정을 노래함
- 의의 ① 〈공무도하가〉와 함께 현전하는 최고(最古)의 서정 시가 ② 집단 가요에서 개인적 서정시로 넘어가는 단계의 가요

1등급 노트

[가]

1. '물'의 의미 변화
   사랑(1행) → 이별(2행) → 죽음(3행)
2. 화자의 정서
   '가신 임을 어이할꼬.' : 임과 헤어지는 상황에 대한 화자의 슬픔과 탄식, 체념의 정서가 영탄조로 제시됨

[나]

1. 말하기 방식의 특성

1구	대상에 대한 호명
2구	대상에 대한 요구(명령)
3구	상황에 대한 가정
4구	위협적 행위의 표현

2. '머리'의 상징적 의미
   ① 생명의 근원 ② 우두머리(수로왕)

[다]

1. '꾀꼬리'의 역할
   - 화자와 대조되는 존재
   - 화자의 정서를 부각시키는 객관적 상관물
2. 화자의 정서
   '외로울사' : 화자 자신의 외로운 심정을 직접적으로 표현함

함께 엮어 읽기

◆ 〈구지가〉와 〈해가〉의 비교

〈구지가〉	〈해가〉
• 거북 : 신령스러운 대상 • 주제 : 왕의 강림 기원	• 거북 : 공격의 대상 • 주제 : 수로 부인의 귀환 기원(재액 극복의 소망)
• 한역가 • 거북을 위협하는 주술적인 노래 • '부름 → 명령 → 가정 → 위협'의 구조	

소주제 체크

[가] 1. 임 2. 죽음 [나] 1. 왕 2. 위협
[다] 1. 꾀꼬리 2. 외로움

정답과 해설 7쪽

1 [가]에 대한 설명으로 적절하지 않은 것은?

① 임에 대한 지극한 사랑이 역설적으로 표현되어 있다.
② 2행의 '그예'에서 화자의 만류가 무산되었음을 알 수 있다.
③ 우리 민족의 전통적 정서인 '이별의 한'을 형상화하고 있다.
④ 4행에서는 비극적 상황에 대한 화자의 탄식과 체념의 정서가 드러나고 있다.
⑤ 이 시를 대중가요로 부른다면 애절하고 처절한 느낌의 발라드 곡조가 어울린다.

출제 예감

2 [가]에 나타난 '물'의 이미지 변화 과정으로 가장 적절한 것은?

① 이별 – 죽음 – 원망
② 한탄 – 원망 – 사랑
③ 사랑 – 이별 – 죽음
④ 질투 – 사랑 – 이별
⑤ 죽음 – 이별 – 한탄

3 [가]에서 시상 전개에 따른 화자의 정서 변화로 가장 적절한 것은?

① 애원 – 초조 – 비애 – 탄식
② 비애 – 애원 – 초조 – 탄식
③ 비애 – 탄식 – 초조 – 애원
④ 초조 – 탄식 – 비애 – 달관
⑤ 초조 – 비애 – 애원 – 달관

4 [나]에 대한 설명으로 가장 적절한 것은?

① 자신의 현재 상황을 비판적으로 바라보고 있다.
② 자연물에 대하여 친화적인 태도를 보이고 있다.
③ 의문형 진술을 통해 화자의 정서를 강화하고 있다.
④ 주체의 소망을 요구와 위협의 구조로 강조하고 있다.
⑤ 신(神)에 대한 절대적인 신앙을 서정적으로 표현하고 있다.

출제 예감

5 고난도 [나]와 말하기 방식이 가장 유사한 것은?

① 그 선수는 연습 벌레라는 별명에 걸맞게 열심히 뛰었다.
② 어떤 글쓴이는 가끔 부주의하거나 착각하여 문법에 어긋나는 문장을 쓰곤 한다.
③ 이달 말까지 물건이 도착하지 않을 때에는 당신의 회사와 거래를 끊겠습니다.
④ 비가 온 뒤에 땅이 굳는 것처럼, 싸우고 난 후에 친구 사이는 더욱 단단해지는 법이란다.
⑤ 내가 오늘 이 자리에 온 것은 우리의 결백을 밝히기 위해서일 뿐만 아니라 친선을 위해서이기도 하다.

6 [나]에서 신령스러움의 대상으로 사용된 소재는?

① 龜 ② 何 ③ 現 ④ 若 ⑤ 燔

7 수능형 [나]와 〈보기〉를 감상한 학생들의 반응으로 적절하지 않은 것은?

보기

> 거북아, 거북아, 수로를 내놓아라.
> 남의 부인 훔쳐간 죄 얼마나 크랴.
> 네 만일 거역하고 내놓지 않는다면,
> 그물로 너를 잡아 구워 먹으리.
> – 작자 미상, 〈해가〉

① 주아 : [나]와 〈보기〉의 공통점은 거북에게 무엇인가를 요구하고 있다는 거야.
② 혜경 : [나]에서는 위협의 이유가 상징적으로, 〈보기〉에서는 구체적으로 드러나는 것 같아.
③ 선민 : [나]와 〈보기〉에 쓰인 '구워 먹으리.'라는 구절은 노래의 주술적인 특징을 드러내는 요소야.
④ 민규 : [나]는 왕의 출현과 관련된 공적인 노래, 〈보기〉는 여인의 구출과 관련된 사적인 노래로 볼 수 있겠어.
⑤ 아영 : [나]와 〈보기〉는 신령스러운 존재인 거북에게 우두머리를 내놓으라고 요구하는 것으로 볼 때, 건국 신화와 관련이 깊겠군.

8 [다]에 대한 설명으로 적절하지 않은 것은?

① 우리나라 최고(最古)의 개인 서정시이다.
② 화자의 심정을 자연물에 이입하여 표현하고 있다.
③ 화자의 상황을 꾀꼬리와 대비하여 부각시키고 있다.
④ 설의적 표현을 통해 화자의 외로움을 강조하고 있다.
⑤ 선경 후정(先景後情)의 시상 전개 방식이 사용되고 있다.

출제 예감

9 ㉠의 의미로 적절하지 않은 것은?

① 화자의 처지와 대조적인 존재
② 정답게 사랑을 나누는 자연물
③ 실연의 슬픔을 환기시켜 주는 존재
④ 화자의 외로움을 어루만져 주는 존재
⑤ 화자의 감회를 더욱 절실히 느끼게 하는 존재

10 서술형 〈보기〉는 [나]에 대한 설명이다. [나]와 비교하여 [가]와 [다]의 문학사적 의의에 대해 서술하시오.

보기

> [나]는 가락국 건국 신화에 전하는 노래로 임금을 맞는 제의에서 부른 노래이다. 따라서 집단적 주술요의 성격을 지니며, 고대인들의 집단적 의식과 그 정서를 엿볼 수 있다.

02 정읍사 · 처용가

배경 설화 ▶ p.296

가 정읍사(井邑詞)

前腔 전강	㉠ᄃᆞᆯ하 노피곰 도ᄃᆞ샤	달님이시여, 높이높이 돋으시어
	어긔야 머리곰 비취오시라.	아아, 멀리멀리 비추어 주십시오.
	어긔야 어강됴리	
小葉 소엽	아으 다롱디리	소주제 1 [기] □에게 남편의 안녕을 기원
後腔全 후강전	•져재 •녀러신고요.	시장에 가 계십니까?
	어긔야 즌 ᄃᆡ를 드ᄃᆡ욜셰라.	아아, 위험한 곳을 디딜까 두렵습니다.
	어긔야 어강됴리	소주제 2 [서] 남편의 안전에 대한 □□
過篇 과편	어느이다 노코시라.	어느 곳에나 (짐을 풀어) 놓으십시오.
金善調 금선조	어긔야 내 가논 ᄃᆡ 졈그를셰라.	아아, 내 임이 가는 곳에 (날이) 저물까 두렵습니다.
	어긔야 어강됴리	
小葉 소엽	아으 다롱디리	소주제 3 [결] 남편의 □□ □□ 기원

– 어느 행상인의 아내

나 처용가(處容歌)

東京明期月良 동경명기월량	•식ᄫᆞᆯ ᄇᆞᆯ기 ᄃᆞ래	서울 밝은 달밤에
夜入伊遊行如可 야입이유행여가	밤 드리 노니다가	밤 깊도록 놀고 다니다가
入良沙寢矣見昆 입량사침의견곤	드러ᅀᅡ 자리 보곤	들어와 잠자리를 보니
脚烏伊四是良羅 각오이사시량라	•가ᄅᆞ리 네히어라.	다리가 넷이로구나. 소주제 1 [기] □□의 아내 침범
二肹隱吾下於叱古 이힐은오하어질고	둘흔 •내해엇고	둘은 내 것인데
二肹隱誰支下焉古 이힐은수지하언고	둘흔 뉘해언고.	둘은 누구의 것인고? 소주제 2 [서] 역신을 발견한 □□
本矣吾下是如馬於隱 본의오하시여마어은	본ᄃᆡ 내해다마ᄅᆞᄂᆞᆫ	본디 내 것이었지마는
奪叱良乙何如爲理古 탈질량을하여위리고	㉡•아ᅀᅡᄂᆞᆯ 엇디ᄒᆞ릿고.	빼앗긴 것을 어찌하리. 소주제 3 [결] 처용의 □□과 □□

– 처용

어휘 다지기
- 져재 : 시장(市場)에
- 녀러신고요 : 가 계신가요
- 식ᄫᆞᆯ : 서울. 여기서는 경주
- 가ᄅᆞ리 : 가랑이가. 다리가
- 내해엇고 : 내 것이었는데
- 아ᅀᅡᄂᆞᆯ : 빼앗긴 것을

작품 개관

[가]
- 갈래 고대 가요, 서정시
- 성격 서정적, 비유적, 기원적
- 주제 행상 나간 남편의 무사 귀환 기원
- 의의
  ① 현전하는 유일한 백제의 가요
  ② 국문으로 표기되어 전해 오는 가장 오래된 노래
  ③ 시조 형식의 원형을 가진 노래

[나]
- 갈래 8구체 향가
- 성격 주술적, 축사(逐邪)적
- 주제 축신(逐神 ; 귀신을 쫓음), 아내를 범한 역신을 감복시켜 물러나게 함
- 의의
  ① 〈구지가〉, 〈해가〉로부터 이어지는 주술 시가의 맥을 잇고, 고려 가요 〈처용가〉의 모태가 됨
  ② 벽사진경(辟邪進慶 ; 사악한 귀신을 물리치고 경사를 맞아들임)의 성격을 띤 본격적인 무가(巫歌)의 기원이 됨
  ③ 한글로 표기된 고려 가요 〈처용가〉에 똑같은 구절이 전함으로써 향찰 해독의 단서가 됨
  ④ 의식무 또는 연희의 성격을 띠고 고려와 조선 시대까지 전승됨

1등급 노트

[가]
1. '달'의 이미지와 상징성
   - 소망과 기원의 대상으로서의 원형적 이미지
   - 인생 행로의 어둠을 물리치는 광명의 상징
2. 화자의 정서 및 태도
   화자인 아내는 남편이 처해 있을지도 모르는 위험('즌 ᄃᆡ')으로부터 안전하게 무사 귀환하기를 빌고 있음

[나]
1. 화자의 정서 및 태도
   '아ᅀᅡᄂᆞᆯ 엇디ᄒᆞ릿고.' : 이미 다른 사람의 여자가 되어 버린 상황에 대한 체념, 자신의 아내를 대상에게 바치는 관용이 나타남
2. 작품의 주술적 기능
   역신(疫神)을 물리치기 위한 축사(逐邪 ; 악함을 쫓음)의 노래로, 고대 가요 〈구지가〉의 주술성을 계승하고 있음

더 알아보기
◆ 향가의 특징
- 정의 : 신라 때부터 고려 초기까지 향유되었던, 향찰로 표기된 우리 고유의 시가
- 표기 : 한자의 음과 뜻을 이용한 향찰(鄕札)
- 형식 : 4, 8, 10구체
- 작가 : 주로 승려, 화랑 등 귀족층
- 수록 문헌 : 《삼국유사》(14수), 《균여전》(11수)
- 의의
  - 국문학 사상 최초로 정형화된 서정시
  - 신라어 연구의 귀중한 자료
  - 우리 문학의 주체성을 보여 주는 귀중한 우리 문화유산

소주제 체크
[가] 1. 달 2. 염려 3. 무사 귀환 [나] 1. 역신 2. 처용 3. 체념, 관용

정답과 해설 7쪽

1 [가]에 대한 설명으로 적절하지 않은 것은?

① 현전하는 유일한 백제 가요이다.
② 망부석(望夫石) 설화와 관련 있다.
③ 남녀상열지사(男女相悅之詞)에 해당한다.
④ 한글로 기록되어 전하는 가장 오래된 노래이다.
⑤ 화자의 감정을 자연물에 의탁하여 표현하고 있다.

출제 예감

2 〈보기〉는 [가]의 배경 설화이다. 〈보기〉를 참고하여 [가]를 감상한 내용으로 적절하지 않은 것은?

보기

정읍에 사는 한 행상(行商)인이 집을 떠나 오래도록 돌아오지 않자 그의 아내가 산 위 바위에 올라가 남편이 간 곳을 바라보며, 남편이 밤길에 해를 입지는 않을까 하는 두려운 마음을 진흙에 빠지는 것에 비유하여 노래를 불렀다. 세상 사람들은 훗날 아내가 올라가서 남편을 기다리던 바위를 망부석(望夫石)이라 불렀다.

① 남편을 걱정하는 아내의 극진한 마음을 달에 의탁해서 표현하고 있어.
② 남편을 돌아오지 못하게 하는 다른 여인에 대한 원망의 심정을 드러내고 있어.
③ 남편이 돌아오지 못하는 이유는 위험한 상황에 처하거나 유혹에 넘어가서였을 수도 있어.
④ 행상 나간 남편을 기다리는 아내의 모습에서 인고의 미덕을 갖춘 전통적인 여인상을 찾을 수 있어.
⑤ 망부석이라는 말이 전해질 만큼 남편을 절실하게 기다렸다니, 화자의 남편을 향한 숭고한 사랑에 감동을 받았어.

3 [가]를 바르게 이해한 사람을 〈보기〉에서 모두 골라 묶은 것은?

보기

철우 : '머리곰'을 해석하면 '멀리멀리'라는 뜻이야.
영균 : '어긔야 어강됴리 / 아으 다롱디리'는 시상 전개상 꼭 필요한 표현이야.
윤미 : '즌 ᄃᆡ'는 '흙탕물 고인 곳, 위험한 곳'을 의미하지.
민희 : '내 가논 ᄃᆡ'의 '내'는 화자 자신일 수도 있으며, 임(남편)을 의미할 수도 있지.
지은 : '드ᄃᆡ욜셰라'는 '디디지 마십시오.'로, '졈그롤셰라'는 '저물지 않습니다.'로 해석할 수 있어.

① 철우, 영균, 윤미 ② 영균, 민희, 지은
③ 철우, 영균, 지은 ④ 윤미, 민희, 지은
⑤ 철우, 윤미, 민희

4 ㉠에 대한 설명으로 적절하지 않은 것은?

① 어둠을 물리치는 광명을 상징한다.
② 화자에게 높임의 대상이 되고 있다.
③ 임에 대한 화자의 사랑을 내포하는 대상이다.
④ 성숙한 여성의 이미지와 연관 있는 대상이다.
⑤ 화자와 임 사이를 이어 주는 매개체 역할을 한다.

5 [나]의 갈래에 대한 설명으로 적절하지 않은 것은?

① 형식은 4구체, 8구체, 10구체가 있다.
② 신라 시대부터 고려 시대까지 존재하였다.
③ 우리 시가(詩歌) 사상 최초의 정형 시가이다.
④ 초기에는 중국의 한시의 형태를 모방하였다.
⑤ 《삼국유사》에 14수, 《균여전》에 11수가 전해진다.

6 〈보기〉에서 [나]에 대한 설명으로 적절한 내용끼리 묶인 것은?

보기

가. 영탄적 표현을 통해 체념과 관용의 감정을 드러냈다.
나. 현재 전하는 향가 중 가장 완성된 형태를 지니고 있다.
다. 벽사진경(辟邪進慶)의 성격을 띤 주술적 시가로 볼 수 있다.
라. 배경 설화가 없이는 시간적 배경과 공간적 배경을 알 수 없다.
마. 고려와 조선 시대에 걸쳐 의식에서 사용되는 무용, 연희로 계승되었다.
바. 연가풍의 여성적 어조로 남녀 사이의 치정(癡情) 관계를 표현하고 있다.

① 가, 나, 라 ② 가, 다, 마 ③ 나, 다, 마
④ 다, 라, 마 ⑤ 라, 마, 바

출제 예감

7 수능형 ㉡에 나타난 화자의 정서와 거리가 먼 것은?

① 임이여, 물을 건너지 마오. / 임은 그예 물을 건너시네. / 물에 휩쓸려 돌아가시니 / 가신 임을 어이할꼬.
– 백수 광부의 아내, 〈공무도하가〉

② 어듸라 더디던 돌코 누리라 마치던 돌코. / 믜리도 괴리도 업시 마자셔 우니노라. / 얄리얄리 얄라셩 얄라리 얄라
– 작자 미상, 〈청산별곡〉

③ 잡ᄉᆞ와 두어리마ᄂᆞᄂᆞᆫ / 선ᄒᆞ면 아니 올셰라 / 위 증즐가 대평셩ᄃᆡ(大平盛代) // 셜온 님 보내ᄋᆞᆸ노니 나ᄂᆞᆫ / 가시ᄂᆞᆫ ᄃᆞᆺ 도셔 오쇼셔 나ᄂᆞᆫ / 위 증즐가 대평셩ᄃᆡ(大平盛代)
– 작자 미상, 〈가시리〉

④ 거룩한 분노는 / 종교보다도 깊고 / 불붙는 정열은 사랑보다도 강하다. // 아! 강낭콩꽃보다도 더 푸른 / 그 물결 위에 / 양귀비꽃보다도 더 붉은 / 그 마음 흘러라.
– 변영로, 〈논개〉

⑤ 봄바람 가을 믈이 뵈오리 북 지나듯 / 설빈 화안(雪鬢花顔) 어ᄃᆡ 두고 면목가증(面目可憎) 되거고나. / 내 얼골 내 보거니 어느 님이 날 괼소냐. / 스스로 참괴(慚愧)ᄒᆞ니 누구를 원망(怨望)ᄒᆞ리.
– 허난설헌, 〈규원가〉

8 서술형 [나]를 무가(巫歌)로 보았을 때 작품의 내용을 어떻게 해석할 수 있을지 서술하시오.

03 찬기파랑가 · 제망매가

배경 설화 ▶ p.296

가 찬기파랑가(讚耆婆郎歌)

향찰	김완진 해독	현대어 풀이
咽嗚爾處米 열오이처미	늦겨곰 ᄇᆞ라매	흐느끼며 바라보매
露曉邪隱月羅理 노효사은월라리	이슬 ᄇᆞᆯ간 ᄃᆞ라리	이슬 밝힌 달이
白雲音逐干浮去隱安支下 백운음축간부거은안지하	ᄒᆡᆫ 구룸 조초 ᄠᅥ간 언저레	흰 구름 따라 떠간 언저리에
沙是八陵隱汀理也中 사시팔릉은정리야중	•몰이 가ᄅᆞᆫ •믈서리여ᄒᆡ	모래 가른 물가에
耆郎矣皃史是史藪邪 기랑의모사시사수사	기랑(耆郎)ᄋᆡ 즈ᅀᅵ올시 수프리야.	기랑의 모습과도 같은 수풀이여.

소주제 ❶ [기] □□□의 모습

향찰	김완진 해독	현대어 풀이
逸烏川理叱磧惡希 일오천리질적오희	일오(逸烏)나릿 •지벽긔	일오내 자갈 벌에서
郎也持以支如賜烏隱 낭야지이지여사오은	낭(郎)이여 디니더시온	낭이 지니시던
心未際叱肹逐內良齊 심미제질힐축내량제	ᄆᆞᅀᆞ미 ᄀᆞᇫᄋᆞᆯ 좇ᄂᆞ라져.	마음의 끝을 따르고 있노라.

소주제 ❷ [서] 기파랑의 원만하고 강직한 □□

향찰	김완진 해독	현대어 풀이
阿耶栢史叱枝次高支好 아야백사질지차고지호	아야 자ᄉᆡᆺ 가지 노포	아아, 잣나무 가지가 높아
雪是毛冬乃乎尸花判也 설시모동내호시화판야	누니 모ᄃᆞᆯ 두폴 곳가리여.	눈이라도 덮지 못할 고깔이여.

소주제 ❸ [결] 기파랑의 높은 □□

– 충담사(김완진 해독)

나 제망매가(祭亡妹歌)

향찰	김완진 해독	현대어 풀이
生死路隱 생사로은	생사(生死) 길흔	생사 길은
此矣有阿米次肹伊遣 차의유아미차힐이견	이에 이샤매 머믓거리고,	여기에 있음에 머뭇거리고,
吾隱去內如辭叱都 오은거내여사질도	나ᄂᆞᆫ 가ᄂᆞ다 말ᄉᆞ도	나는 간다는 말도
毛如云遣去內尼叱古 모여운견거내니질고	몯다 니르고 가ᄂᆞ닛고.	못다 이르고 어찌 갑니까.

소주제 ❶ [기] □□의 죽음로 인한 두려움과 슬픔

향찰	김완진 해독	현대어 풀이
於內秋察早隱風未 어내추찰조은풍미	어느 ᄀᆞᅀᆞᆯ 이른 ᄇᆞᄅᆞ매	어느 가을 이른 바람에
此矣彼矣浮良落尸葉如 차의피의부량락시엽여	이에 뎌에 •ᄠᅥ러딜 닙곤,	여기저기에 떨어지는 잎처럼
一等隱枝良出古 일등은지량출고	•ᄒᆞᄃᆞᆫ 가지라 나고	같은 나뭇가지에 나고서도
去奴隱處毛冬乎丁 거노은처모동호정	가논 곧 모ᄃᆞ론뎌.	가는 곳을 모르겠구나.

소주제 ❷ [서] □□ 간의 이별로 인한 삶의 고뇌와 인생무상

향찰	김완진 해독	현대어 풀이
阿也彌陁刹良逢乎吾 아야미타찰량봉호오	아야 •미타찰(彌陁刹)아 맛보올 나	아아, 극락 세계에서 만날 나는
道修良待是古如 도수량대시고여	도(道) 닷가 기드리고다.	도를 닦으며 기다리겠노라.

소주제 ❸ [결] 슬픔의 □□□ 극복 · 승화

– 월명사(김완진 해독)

어휘 다지기

- 몰 : 모래
- 믈서리여ᄒᆡ : 물가에
- 지벽긔 : 자갈 벌에서
- ᄠᅥ러딜 : 떨어지는
- ᄒᆞᄃᆞᆫ : 한(一), 같은(同)
- 미타찰(彌陁刹) : 서방정토(西方淨土), 극락

작품 개관

[가]
- 갈래 10구체 향가
- 성격 예찬적, 추모적, 서정적
- 주제 기파랑의 고매한 인품에 대한 찬양
- 특징
  ① 고도의 비유와 상징이 나타남
  ② 대상의 특성을 자연물을 통해 구체적으로 제시함
- 의의 〈제망매가〉와 함께 문학성, 서정성이 돋보이는 향가의 백미

[나]
- 갈래 10구체 향가
- 성격 추모적, 애상적, 서정적, 불교적
- 주제 죽은 누이에 대한 추모
- 특징 정제되고 세련된 표현 기교와 비유적 표현이 사용됨
- 의의 불교적 신앙심이 바탕이 된 노래로, 〈찬기파랑가〉와 함께 향가 중에서 표현 기교와 서정성이 가장 뛰어난 작품

1등급 노트

[가]~[나]

구성상의 특징
- '기-서-결'의 3단 구성
- 낙구에서 '아야'라는 감탄사를 통해 시상의 전환을 이루고 있음

[가]

1. 화자의 정서 및 태도
   대상(기파랑)에 대한 예찬과 추모가 드러나며, 대상을 뒤따르겠다는 화자의 미래 지향적이고 진취적인 기상이 엿보임
2. 표현상의 특징
   기파랑의 인물됨을 자연물에 비유하여 노래함

달	광명과 영원
물	맑고 깨끗한 모습
조약돌	원만하고 강직한 성품
잣나무	고결한 절개

↓

기파랑의 고매한 인품 예찬

[나]

1. 화자의 슬픔 극복 방식
   누이의 죽음으로 인한 슬픔을 종교적 차원(불교적 윤회 사상)에서 극복하고자 함
2. 시어의 상징적 의미
   - 이른 ᄇᆞᄅᆞ매 : 누이의 요절 암시(ᄇᆞᄅᆞᆷ : 삶과 죽음을 지배하는 초자연적인 질서)
   - ᄠᅥ러딜 닙 : 잎처럼 무상하게 생명을 마감한 누이
   - ᄒᆞᄃᆞᆫ 가지 : 같은 부모

소주제 체크

[가] 1. 기파랑 2. 성품 3. 절개 [나] 1. 누이 2. 혈육 3. 종교적

정답과 해설 7쪽

1

[가]에 대한 설명으로 적절하지 않은 것은?

① 10구체 향가로, 안정되고 세련된 형식을 보이고 있다.
② 한자의 음과 뜻을 빌려 쓰는 표기 방법으로 기록되었다.
③ 천상(天上)에서 지상(地上)으로 시선의 이동이 나타난다.
④ '아야'는 감탄사로, 훗날 시조의 종장 첫 구와 관련된다.
⑤ 과거 지향적 태도를 통해 현실의 모순을 비판하고 있다.

2

[가]에 나타난 화자의 태도로 가장 적절한 것은?

① 자아와 세계 사이에서의 갈등을 강하게 표출하고 있다.
② 자신의 과거를 돌아보며 자아 성찰적 태도를 보이고 있다.
③ 대상에 대한 비판적 시각을 바탕으로 현실 문제의 해결 방안을 모색하고 있다.
④ 대상에 대한 긍정적 평가를 바탕으로 미래 지향적이고 진취적인 의지를 보이고 있다.
⑤ 대상에 대한 절망적 인식을 바탕으로 부재하는 대상에 대한 원망을 직접 나타내고 있다.

출제 예감

3

다음 시어 중, 그 성격이 가장 이질적인 것은?

① ᄃᆞ라리 ② 힌 구룸 ③ 믈
④ 지벽긔 ⑤ 자싯 가지

4

고난도 〈보기〉는 〈찬기파랑가〉의 또 다른 해독이다. [가]의 말하기 방식(㉮)과 〈보기〉의 말하기 방식(㉯)을 바르게 비교한 것은?

보기

(구름 장막을) 열어 젖히매
나타난 달이
흰 구름 따라 떠가는 것 아니냐?
새파란 냇가에
기랑의 모습이 있구나
이로부터 냇가 조약돌에
낭이 지니시던
마음의 끝을 따르련다.
아아, 잣나무 가지 높아
서리조차 모르실 화랑의 우두머리여.

– 양주동 해독

① ㉮는 특정 상대를 염두에 둔 말하기인 데 반해, ㉯는 불특정 다수를 염두에 둔 말하기이다.
② ㉮는 자기 자신을 청자로 하는 말하기인 데 반해, ㉯는 특정 상대를 청자로 하는 말하기이다.
③ ㉮는 상대를 설득하기 위한 말하기인 데 반해, ㉯는 개인의 감정을 진솔하게 표현하기 위한 말하기이다.
④ ㉮와 ㉯는 스스로에게 묻고 답하는 형식을 통해 대상에 대한 자신의 태도를 강화하고 있다.
⑤ ㉮와 ㉯는 특정 상대를 청자로 하여 말하는 방식을 취하고 있지만, 그 상대가 부재한다는 특징이 있다.

5

[나]에 대한 설명으로 적절하지 않은 것은?

① 불교의 교리를 대중에게 알리기 위해 지은 노래이다.
② 고도의 비유를 적절히 구사하여 시상을 형상화하고 있다.
③ 감탄 어법을 사용하여 화자의 슬픔과 고뇌를 효과적으로 드러내고 있다.
④ 내용상 세 부분으로 나뉘어지며 낙구에서 시상의 전환이 이루어지고 있다.
⑤ 인간의 한계를 종교적 믿음으로 극복하고 자연의 섭리에 순응하는 삶의 모습을 보이고 있다.

6

수능형 [나]에 대한 감상 활동의 내용을 〈보기〉와 같이 정리해 보았다. 적절하지 않은 것은?

보기

[감상 전 활동]
• 이 작품의 갈래인 향가의 일반적인 특징을 잘 알고 있는지 점검해 본다.
– 향가는 신라 시대에 향찰로 표기된 작품
• 이 작품과 같은 제재를 다루고 있는 작품을 읽었던 경험을 떠올려 본다.
– 죽음에 대한 슬픔과 극복을 표현한 작품을 장르별로 정리한다. ······ ①

[감상 활동]
• 작품 속에 나타난 표현상의 특징을 살펴본다.
– 동일한 구절의 반복을 통해 화자의 심정을 강조하고 있다. ···· ②
– 비유를 통해 이별의 감정을 함축적으로 형상화하고 있다. ···· ③
• 작품의 주제를 파악해 본다.
– 누이의 죽음으로 인한 슬픔과 이에 대한 극복 ······ ④

[감상 후 활동]
• 화자의 심정에 공감하는 내용의 편지를 써 본다.
– 누이와 사별하고 슬퍼하는 당신의 모습이 제 마음도 아프게 하는군요. 죽은 누이 때문에 슬퍼하는 당신의 모습에 저 또한 같은 아픔을 느끼지만 그것을 극복해 나가는 당신의 모습에서 깊은 감동을 받았습니다. ······ ⑤

7

[나]의 화자가 죽은 누이에게 〈보기〉와 같은 편지를 썼다고 가정할 때, 적절하지 않은 것은?

보기

누이여! ⓐ 오랜 투병 생활 끝에 어린 누이가 저 세상으로 가니 허망한 마음 감출 수 없구나. ⓑ 동기로 한 부모 밑에 나 자랐던 우리가 이렇게 ⓒ 갑자기 이별을 하게 되다니, 어찌 이런 일이 있을 수 있는가! 하지만 누이여! ⓓ 헤어짐은 다시 만날 것을 예고하느니, 재회의 그 날까지 ⓔ 도를 닦으며 기다리리라.

① ⓐ ② ⓑ ③ ⓒ
④ ⓓ ⑤ ⓔ

8

서술형 [나]의 화자가 누이의 죽음으로 인한 슬픔을 극복하는 방식에 대해 서술하시오.

04 추야우중 · 제가야산독서당 · 여수장우중문시

가 추야우중(秋夜雨中)

秋風唯苦吟
추풍유고음

가을바람에 오직 괴로이 읊조리나니

소주제 ❶ [기] 가을밤에 괴롭게 □를 읊음

•世路少知音
세로소지음

세상에는 날 알아주는 이 드물구나.

소주제 ❷ [승] □□□과 외로움으로 인한 한탄

窓外三更雨
창외삼경우

창밖엔 비가 밤 깊도록 내리는데

소주제 ❸ [전] 창밖에 밤늦도록 □가 내림

燈前萬里心
등전만리심

등불 앞엔 내 마음 만 리 먼 곳을 내닫네.

소주제 ❹ [결] □□의 외로움과 고뇌

– 최치원

나 제가야산독서당(題伽倻山讀書堂)

狂奔疊石吼•重巒
광분첩석후 중만

첩첩 바위 사이를 미친 듯 달려 겹겹 봉우리 울리니,

소주제 ❶ [기] 산골을 흐르는 웅장한 □□□ 소리

人語難分咫尺間
인어난분지척간

지척에서 하는 말소리도 분간키 어려워라.

소주제 ❷ [승] 물소리로 인해 □□□가 들리지 않음

常恐是非聲到耳
상공시비성도이

늘 시비(是非)하는 소리가 귀에 들릴세라,

소주제 ❸ [전] □□에 대한 부정적 인식

故敎流水•盡籠山
고교류수 진롱산

짐짓 흐르는 ㉠물로 온 산을 둘러 버렸다네.

소주제 ❹ [결] 세상과 □□하려는 의지

– 최치원

다 여수장우중문시(與隨將于仲文詩)

神策•究天文
신책 구천문

[A] 그대의 신기한 계책은 하늘의 이치를 다했고

소주제 ❶ [기] 적장의 신기한 책략 □□

妙算•窮地理
묘산 궁지리

기묘한 헤아림은 땅의 이치를 다했도다.

소주제 ❷ [승] 적장의 기묘한 □□□ 예찬

戰勝功旣高
전승공기고

[B] 전쟁에 이겨 그 공이 이미 높으니

소주제 ❸ [전] □□의 전승 예찬

知足•願云止
지족 원운지

만족함을 알고 그만두기를 바라노라.

소주제 ❹ [결] □□에의 권유

– 을지문덕

어휘 다지기

- 世路(세로) : 세상살이, 처세의 방법
- 重巒(중만) : 겹겹이 들어선 산봉우리
- 盡籠山(진롱산) : 온 산을 감쌈
- 究天文(구천문) : 하늘의 운수를 꿰뚫어 앎
- 窮地理(궁지리) : 지리를 통달함
- 願云止(원운지) : 그만두자고 하기를 바람

작품 개관

[가]
- 갈래 한시(5언 절구)
- 성격 서정적, 애상적
- 주제
  ① 뜻을 이루지 못한 지식인의 고뇌
  ② 고향(고국)에 대한 그리움
- 특징 객관적 상관물을 통해 화자의 정서를 부각시킴

[나]
- 갈래 한시(7언 절구)
- 성격 서정적, 상징적
- 주제 세속과 멀어져서 산중에 은거하고 싶은 심정
- 특징 대조법과 의인법을 통해 화자의 심정을 나타냄

[다]
- 갈래 한시(5언 고시)
- 성격 풍자적
- 주제 적장 우중문에 대한 야유
- 특징 대구법과 반어법, 억양법을 사용하여 대상을 조롱함
- 의의 현전하는 우리나라 최고(最古)의 한시

1등급 노트

[가]

1. '萬里心(만리심)'에 나타난 화자의 정서

창작 시기	정서
당나라 유학 시절	고향(고국)을 그리워하는 마음 → 주제 : 고향에 대한 그리움. 수구초심(首丘初心)
당나라에서 귀국한 후	자신의 뜻을 펴지 못하는 현실에서 멀어진 화자의 마음 → 주제 : 자신의 뜻을 이루지 못한 지식인의 고뇌

→ 창작 시기를 언제로 보느냐에 따라 화자의 정서와 주제에 대한 해석이 달라짐

2. 시어의 기능(객관적 상관물)

가을바람, 비, 밤, 등불
↓
화자의 외로움과 고뇌 심화

[나]

시어의 대조적 관계

자연의 물소리
↕ 대조
인간의 소리(말소리, 시비하는 소리)

→ 세상과 단절하여 산중에 은둔하고 싶은 심경을 강조함

[다]

표현상의 특징

- 반어법

표면적 의미	우중문의 책략과 계획 칭찬
내면적 의미	야유와 조롱

- 억양법 : 적장에 대한 칭송 뒤 경고와 위협을 하며 적의 퇴각을 유도함

소주제 체크

[가] 1. 시 2. 소외감 3. 비 4. 화자
[나] 1. 시냇물 2. 말소리 3. 세상 4. 단절
[다] 1. 예찬 2. 헤아림 3. 적장 4. 만족

정답과 해설 7쪽

1 [가]의 구조를 분석한 내용으로 적절하지 않은 것은?

① 대구의 구조로 화자의 심회를 드러내고 있다.
② '기'에는 시를 읊고 있는 화자의 모습이 드러나 있다.
③ '승'에는 외로움으로 인해 고뇌하는 화자의 모습이 드러나 있다.
④ '전'에서 화자가 괴로워하는 이유는 비가 내리기 때문임을 알 수 있다.
⑤ '결'에서 화자는 세상과 자신이 매우 멀리 떨어져 있다고 생각하고 있다.

2 수능형 [가]에 대한 감상으로 가장 적절한 것은?

① 주연 : '비'는 화자의 슬픔을 심화시키는 객관적 상관물이다.
② 현애 : 화자는 현실적인 고뇌에 깊이 빠지지 않고 자연물을 통해 극복하고자 한다.
③ 윤정 : '가을바람'은 화자에게 고난, 시련을 의미하며 극복 의지를 일으키게 하는 소재이다.
④ 옥란 : 자신을 알아주는 사람이 없어 쓸쓸해질 때 어디론가 잠깐 가고 싶은 마음을 '만리심'으로 표현한 것이다.
⑤ 예선 : '창'은 이상적 세계와 화자를 연결시켜 주는 매개체인 동시에 이승과 저승을 차단하는 벽이라는 의미를 지닌다.

출제 예감

3 고난도 〈보기〉를 바탕으로 [가]의 '만리심(萬里心)'을 이해한 것으로 적절하지 않은 것은?

보기

최치원은 6두품 출신이라는 신분상의 한계를 뛰어넘기 어려움을 알고, 13세에 당나라에 유학하여 과거에 급제하였다. 879년 황소의 난 때는 〈토황소격문〉을 지어서 문장가로서 이름을 떨쳤다. 이후 당나라에서 귀국한 뒤 벼슬길에 올라 정치 개혁을 위한 노력을 기울였으나, 신라 집권층인 진골 귀족은 그를 용납하지 않았다. 이에 문란한 국정을 통탄하며 각지를 유랑하다가 가야산에서 일생을 마쳤다.

화자의 상황 / 이해	당나라에 머물 때	귀국한 이후
'만리심'에 대한 해석	화자와 고국 간의 물리적 거리 ········· ①	화자와 세상 간의 심리적 거리 ········· ②
주제	고향을 그리워하는 마음 ········· ③	자신의 뜻을 펼치지 못하는 지식인의 비애 ·④
갈등 해소 방식	귀국하여 당나라에서 익힌 학문적 기량을 최대한 발휘함 ········· ⑤	

4 [나]에 대한 설명으로 적절하지 않은 것은?

① 인간의 소리와 자연의 소리를 대조하고 있다.
② 산중에 은둔하고 싶은 심경을 나타내고 있다.
③ 인간 세계에 대한 부정적 인식이 드러나 있다.
④ 감정 이입을 통해 화자의 심리를 강조하고 있다.
⑤ 의인법을 통해 세상과의 단절 의지를 나타내고 있다.

출제 예감

5 ㉠이 상징하는 의미를 〈보기〉에서 골라 바르게 묶은 것은?

보기

ⓐ 인간의 세상　ⓑ 고독의 근원　ⓒ 평안의 공간
ⓓ 시비하는 장소　ⓔ 속세와의 단절

① ⓐ, ⓑ　② ⓐ, ⓒ　③ ⓑ, ⓓ
④ ⓒ, ⓔ　⑤ ⓓ, ⓔ

6 [다]에 대한 설명으로 적절하지 않은 것은?

① 현전하는 우리나라 최고(最古)의 한시이다.
② 자신감을 바탕으로 상대를 조롱하는 태도를 보인다.
③ 고구려인의 당당한 기개와 웅혼한 기상이 잘 드러난다.
④ 표면적 의미와 이면적 의미가 교묘한 대조를 이루고 있다.
⑤ 비유와 상징을 적절히 사용하여 서정적인 느낌을 주고 있다.

출제 예감

7 [A]에 사용된 언어 표현 방식이 가장 잘 드러나 있는 것은?

① 계절이 지나가는 하늘에는 / 가을로 가득 차 있습니다.
② 나 보기가 역겨워 / 가실 때에는 / 죽어도 아니 눈물 흘리오리다.
③ 모란이 피기까지는 / 나는 아직 기다리고 있을 테요, 찬란한 슬픔의 봄을.
④ 바람도 없는 공중에 수직(垂直)의 파문을 내며 고요히 떨어지는 오동잎은 누구의 발자취입니까?
⑤ 지금 눈 내리고 / 매화 향기(梅花香氣) 홀로 아득하니 / 내 여기 가난한 노래의 씨를 뿌려라.

8 서술형 작가가 [B]를 통해 궁극적으로 말하고자 하는 바에 대해 서술하시오.

비책

05 단군 신화

*고기(古記)에 이렇게 전한다.

옛날에 환인(桓因) — *제석(帝釋)을 이른다 — 의 *서자(庶子) 환웅(桓雄)이 항상 천하(天下)에 뜻을 두고 인간 세상(人間世上)을 몹시 바랐다. 아버지는 아들의 뜻을 알고, *삼위태백(三危太白)을 내려다보니, ㉠인간 세계를 널리 이롭게 할 만했다. 이에 환인은 ⓐ*천부인(天符印) 세 개를 환웅에게 주어, 인간 세계를 다스리게 하였다.

환웅은 그 무리 3천 명을 거느리고 ⓑ태백산(太白山) 꼭대기 — 태백산은 지금의 묘향산 — 의 *신단수(神壇樹) 아래 내려와 이곳을 *신시(神市)라 했으니, 이분이 바로 환웅 천왕(桓雄天王)이다. 그는 ⓒ*풍백(風伯) · 우사(雨師) · 운사(雲師)를 거느리고, 곡식 · 수명 · 질병 · 형벌 · 선악 등을 주관하고, 인간의 삼백예순여 가지 일을 맡아서 인간 세계를 다스리고 교화(敎化)하였다.

소주제 ① □□의 강림

이때, 곰 한 마리와 범 한 마리가 같은 굴에서 살았는데, 늘 신웅(神雄, 환웅)에게 사람 되기를 빌었다. 이때 신(神, 환웅)이 신령한 쑥 한 *심지(炷)와 마늘 스무 개를 주면서 말했다.

"너희들이 이것을 먹고 백 일(百日) 동안 햇빛을 보지 않는다면, 곧 사람이 될 것이다."

곰과 범은 이것을 받아서 먹었다. *기(忌)한 지 21일(三七日)만에 ⓓ곰은 여자의 몸이 되었으나, 범은 능히 기하지 못했으므로 사람이 되지 못했다. 웅녀(熊女)는 그와 혼인할 상대가 없었으므로 항상 신단수 아래에서 아이 배기를 축원했다. ⓔ환웅은 이에 임시로 변하여 그와 결혼해 주었더니, 그는 임신하여 아들을 낳았다. 이름을 단군왕검(檀君王儉)이라 하였다.

소주제 ② □□의 탄생 배경

단군은 요(堯)임금이 왕위에 오른 지 50년인 경인년 — 요임금의 즉위 원년은 무진이니, 50년은 정사이지 경인은 아니다. 확실한 여부가 의심스럽다. — 에 평양성(平壤城) — 지금의 서경(西京) — 에 도읍을 정하고 비로소 조선(朝鮮)이라 불렀다. 또 도읍을 백악산(白岳山) 아사달(阿斯達)로 옮기니, 그곳을 궁(弓) — 혹은 방(方)이라고도 한다. — 홀산(忽山) 또는 금미달(今彌達)이라 한다. 그는 1천 5백 년 동안 여기에서 나라를 다스렸다.

소주제 ③ 단군이 □□□을 건국함

주(周)나라 호왕(虎王)이 왕위에 오른 기묘년에 *기자(箕子)를 조선에 봉하니, 단군은 *장당경(藏唐京)으로 옮기었다가 후에 아사달(阿斯達)에 돌아와 은거하다가 산신(山神)이 되었는데, 그때 나이가 1천 9백 8세였다.

소주제 ④ 단군의 □□□

– 작자 미상

어휘 다지기

- 고기(古記) : 《단군고기》. 단군의 사적을 기록한 최고(最古)의 문헌
- 제석(帝釋) : 제석천(帝釋天). 불교에서 범왕과 더불어 불법을 지키는 신. 여기서는 하느님을 뜻함
- 서자(庶子) : 본래는 첩의 아들이라는 뜻이나 여기서는 맏아들을 제외한 여러 아들을 뜻함
- 삼위태백(三危太白) : ① 삼위산과 태백산 ② 세 개의 높은 산 가운데 태백산
- 천부인(天符印) : 신의 위력과 영험(靈驗)을 표상하는 부적과 도장
- 신단수(神壇樹) : 신단에 서 있는 나무. 여기서 '樹'는 고대 사회에서 신성한 지역을 나타내는 숲을 의미함
- 신시(神市) : 고대 사회에서 제(祭) · 정(政)의 집회지
- 풍백(風伯) · 우사(雨師) · 운사(雲師) : 바람, 비, 구름을 주관하는 주술사(呪術師)
- 심지(炷) : 묶음
- 기(忌) : 몸과 마음을 깨끗이 하여 삼감
- 기자(箕子) : 중국 은나라 주왕의 친척으로, 우리나라에 와서 기자 조선을 세웠다는 설이 있음
- 장당경(藏唐京) : 황해도 구월산 밑에 있던 지명

작품 개관

- 갈래 건국 신화
- 성격 신화적, 서사적, 민족적, 원시적
- 주제
  ① 민족의 시조인 단군의 탄생 및 고조선의 건국
  ② 홍익인간(弘益人間)의 이념과 단일 민족의 역사성
- 특징
  ① '환인 – 환웅 – 단군'의 삼대기(三代記) 구조를 보임
  ② 천손하강형(天孫下降型)의 화소(話素)
- 의의
  ① 한국 신화의 원형으로 존재함
  ② 홍익인간이라는 건국 이념을 밝힘
  ③ 농경 사회의 제의적 성격을 반영함
  ④ 천손의 혈통이라는 민족적 긍지를 반영함
  ⑤ 유구한 역사와 단일성을 드러내며 민족 문학으로서의 가치를 지님

1등급 노트

1. 전체 구성
   ① 환웅의 하강 : '천상(天上) → 지상(地上)'과 '신(神) → 인간(人間)'으로의 경로 이동은 이 땅이 하늘이 선택한 곳임을 의미함
   ② 웅녀와의 혼인 및 단군의 탄생 : 곰과 범이 인간이 되기를 희구한 것은 단군 신화의 인본주의적 성격을 보여 줌. 환웅과 웅녀의 결합은 신과 인간의 결합, 이주족(移住族)과 선주족(先住族)의 결합을 의미함
   ③ 고조선의 건국 : 건국 신화로서의 면모를 나타냄
   ④ 단군의 산신화(山神化) : 제정일치(祭政一致) 시대의 군장이 신격화되는 것을 보여 줌
2. 소재의 의미
   - 풍백, 우사, 운사 : 각각 바람, 비, 구름을 다스리는 신장(神將). 당시 사회가 농경을 중시했음을 보여 줌
   - 곰, 호랑이 : 각각 곰과 호랑이를 토템으로 숭배한 부족. 곰이 사람이 된 것을 부족 간 세력 대결에서 곰 부족이 승리한 것으로 해석함
   - 쑥과 마늘, 100일 : 사람이 되려는 소망을 이루기 위해 거쳐야 할 시련과 고난을 상징함
3. 사상적 배경
   광명 사상, 숭천(崇天) 사상, 토템 사상(totemism), 산악 숭배 사상

더 알아보기

◆ 천손 하강형의 화소

'화소(話素)'는 이야기를 구성하는 최소 단위를 뜻한다. 〈단군 신화〉에 나타난 화소는 '천손 하강형 화소'인데, '천손 하강형 화소'는 신선과 같은 천상의 존재가 인간 세상에 내려오거나, 인간으로 태어나는 내용이 들어 있는 것을 말한다.

소주제 체크

1. 환웅 2. 단군 3. 고조선 4. 산신화

정답과 해설 8쪽

1 이 작품과 같은 갈래의 특징으로 거리가 먼 것은?

① 초월적인 시간과 공간을 배경으로 한다.
② 이야기의 진실성보다는 신성성이 강조된다.
③ 민족 구성원들의 일체감을 조성하는 기능을 한다.
④ 천지 창조나 나라를 세우는 과정을 내용으로 한다.
⑤ 구체적 증거물이 있으며 등장인물의 성격이 다양하다.

2 이 작품에 대한 전반적인 설명으로 적절하지 않은 것은?

① 환웅은 천상과 지상을 연결하는 존재이다.
② 건국을 위한 투쟁의 과정이 생생하게 기록되어 있다.
③ '환인 - 환웅 - 단군'의 삼대(三代)에 걸친 이야기이다.
④ 우리 민족 최초의 건국 신화로 천손 하강형의 모티프를 가지고 있다.
⑤ 단군은 부계(父系)로부터는 하늘의 신성한 혈통과 숭고한 정신을, 모계(母系)로부터는 시련 극복의 의지를 이어받은 거룩한 존재이다.

출제 예감
3 이 작품의 신화적 의의로 적절하지 않은 것은?

① 천지합일(天地合一)에 의해 건국 시조가 탄생했다.
② 인간을 배려하고 존중하는 사고가 반영되어 있다.
③ 농사와 관련된 일은 통치 행위에서 중요한 비중을 차지하였다.
④ 덕성보다 투쟁성을 우위에 둔 민족성의 형성 과정을 볼 수 있다.
⑤ 천손(天孫)으로서의 민족적 자긍심을 주며, 민족정신의 원류가 된다.

4 수능형 ㉮의 관점에서 이 작품을 감상한 내용으로 가장 적절한 것은?

보기

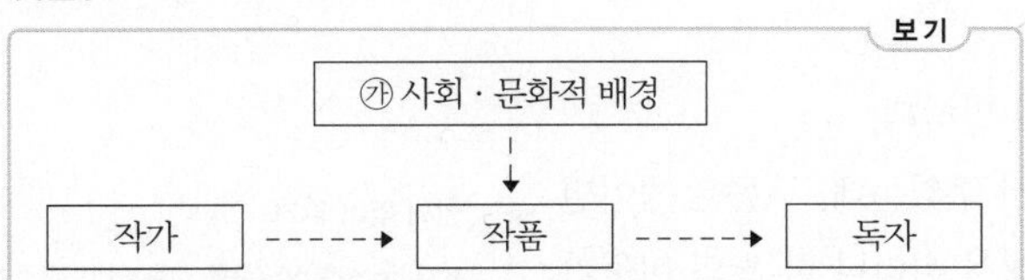

① 이 글을 통해 민족의 자부심을 느낄 수 있다.
② 《고기》의 내용을 인용하여 신빙성을 높이고 있다.
③ 이 글에서 쓰인 단어들은 상징적인 의미를 담고 있다.
④ '풍백, 우사, 운사'는 당시 사회가 농경을 중시했음을 나타낸다.
⑤ 작가를 알 수 없는 것은 이 글이 구비 전승된 사실과도 관련 있다.

5 〈보기〉와 같은 영웅 설화의 구조 중, 이 작품에 드러나는 것은?

보기

ㄱ. 고귀한 혈통을 지님
ㄴ. 기이한 형태로 태어남(난생, 기형적 출생 등)
ㄷ. 어려서부터 비범한 능력을 보임
ㄹ. 고난과 시련의 과정을 거침
ㅁ. 구출자, 양육자를 만나 도움을 받음
ㅂ. 평범한 인간의 수명을 초월함
ㅅ. 결국 영광스러운 존재가 됨

① ㄱ, ㄴ, ㄷ ② ㄱ, ㄷ, ㅅ ③ ㄱ, ㅂ, ㅅ
④ ㄷ, ㄹ, ㅂ ⑤ ㄹ, ㅁ, ㅅ

출제 예감
6 ㉠과 관련 있는 우리나라의 건국 이념은?

① 충효(忠孝) ② 인내천(人乃天)
③ 억불숭유(抑佛崇儒) ④ 무위자연(無爲自然)
⑤ 홍익인간(弘益人間)

7 고난도 ⓐ~ⓔ에 대한 설명으로 적절하지 않은 것은?

① ⓐ : 방울, 칼, 거울을 말하며, 환웅의 강력한 대외 진출 의지를 나타낸다.
② ⓑ : 산신을 숭배하고 큰 나무를 신성시하는 산악 숭배 사상이 반영되어 있다.
③ ⓒ : 농경 문화를 가진 부족이 이주해 왔음을 의미한다.
④ ⓓ : 부족 간 경쟁에서 곰 토템 부족이 승리했음을 의미한다.
⑤ ⓔ : 우리 민족이 하늘의 자손이라는 긍지가 반영되어 있다.

8 이 작품과 〈보기〉의 공통점으로 가장 적절한 것은?

보기

龜何龜何(구하구하) 거북아, 거북아,
首其現也(수기현야) 머리를 내어라.
若不現也(약불현야) 내어놓지 않으면,
燔灼而喫也(번작이끽야) 구워서 먹으리. - 구간 등, 〈구지가〉

① 영웅 서사시로 발전한다.
② 집단적 서사 무요에 해당한다.
③ 한 나라의 시조(始祖)와 관련된다.
④ 개인적 서정시로 발전하는 계기가 된다.
⑤ 산문적 성격으로 건국 신화를 모티프로 한다.

9 서술형 이 작품에서 알 수 있는 통과 제의적 요소에 대해 서술하시오.

비책

06 주몽 신화

▸ **앞부분 줄거리** ㉠천제(天帝)의 아들 해모수가 지상으로 내려와 물의 신 하백(河伯)의 장녀 유화와 인연을 맺게 된다. 하지만 해모수가 사라져 버리자, 하백이 크게 노하여 딸을 쫓아 버린다. 태백산에서 유화를 만난 부여의 왕 금와는 유화를 별궁에 거처하게 하는데, 이곳에서 유화는 주몽을 낳는다.

처음 주몽을 낳을 때 왼편 겨드랑이로 한 알을 낳았는데 크기가 닷 되(五升)들이쯤 되었다.(한 되를 담을 수 있는 분량) 왕(금와왕)이 이를 괴이하게 여겨 말하되, / "사람이 새알을 낳은 것은 상서롭지(복되고 길하지) 못하다." / 하고 사람을 시켜서 ㉡이 알을 *마목(馬牧)에 버렸으나 여러 말들이 밟지 않았고, 깊은 산에 버렸으나 백수(百獸)(온갖 짐승)가 모두 보호했다. 구름이 낀 날에도 그 알 위에는 언제나 일광(日光)이 있으므로 왕은 알을 가져다가 그 어미에게 보내고 기르도록 했다.

소주제 ❶ 신이한 □□

알은 마침내 열리고 한 사내아이를 얻었는데, 낳은 지 한 달이 못 되어 말을 하였다. (주몽은) 어머니에게 여러 파리들이 눈을 물어 잠을 잘 수 없으니 어머니는 나를 위하여 활과 화살을 만들어 달라고 했다. 그의 어머니가 갈대로 활과 화살을 만들어 주자 이것으로 *방거(紡車) 위의 파리를 쏘아서 화살이 날면 모두 맞았다. 부여에서 활 잘 쏘는 사람을 주몽이라고 하였다.

소주제 ❷ 비범한 □□

나이가 장대해지자 재능도 겸비하였다. 금와왕에게 아들 일곱이 있었는데 항상 주몽과 같이 사냥하였다. 왕자 및 종자 사십여 인은 겨우 사슴 한 마리를 잡았으나 주몽은 사슴을 쏘아 잡은 것이 아주 많았다. 왕자는 이를 질투해서 주몽을 잡아 나무에 매어 놓고 사슴을 빼앗아 가 버렸는데 주몽은 나무를 뽑아서 돌아왔다. 태자(太子)인 대소(帶素)가 왕에게 말하되,

"주몽은 *신용(神勇)이 있는 사람이고 눈길이 남다르니 만약 일찍 도모하지 않으면 반드시 뒷근심이 있을 것입니다."

하였다. 왕은 주몽에게 말을 기르게 하여 ㉢그 뜻을 시험코자 하였다. 〈중략〉

주몽은 그 말이 준마(빠르게 잘 달리는 말)임을 알고 몰래 말 혀끝에 바늘을 찔러 놓았더니 그 말은 혀가 아파서 물과 풀을 먹지 못하고 야위어 갔다.

소주제 ❸ 적대자로 인한 □□와 □□

왕이 마목을 순행하다가 여러 말이 모두 살찐 것을 보고 크게 기뻐하며 마른 말을 주몽에게 주었다. 주몽은 이를 얻어서 바늘을 뽑고 더욱 잘 먹였다. 주몽은 오이(烏伊), 마리(摩離), 협보(陜父) 등 삼인(三人)과 같이 남쪽으로 행하여 개사수(蓋斯水)에 이르렀으나 건널 배가 없었다. 추격하는 병사들이 문득 닥칠까 두려워서 이에 채찍으로 하늘을 가리키며 개연히 탄식하되,

"나는 천제의 손이요 하백의 외손으로서 지금 난을 피해 여기 이르렀으니 *황천후토(皇天后土)는 나를 불쌍히 여겨 급히 주교(舟橋)(배처럼 떠 있는 다리)를 보내소서."

하고 ㉣활로써 물을 치니 고기와 자라들이 떠올라 다리를 이루어서 주몽이 건널 수가 있었다. 얼마 안 있어 *추병(追兵)이 이르렀는데 추병이 물에 이르자 물고기와 자라들의 다리는 곧 없어지고 이미 다리로 올라섰던 자는 모두 몰사하였다.

주몽이 어머니와 이별에 임하여 차마 떨어지지 못하니 그 어머니가 말하되,

"너는 어미의 염려는 하지 말아라." / 하고 이에 오곡의 씨앗을 싸서 주었는데, 주몽은 생이별하는 마음이 간절해서 보리 씨앗을 잃고 말았다. 주몽이 큰 나무 아래서 쉬더니 한 쌍의 비둘기가 날아왔다.

주몽은, / "응당 이것은 신모(神母)가 보리 씨를 보내는 것이다." / 라고 말한 후 이에 활을 다려 이를 쏘아 한 살에 함께 잡아서 목구멍을 열고 보리 씨를 꺼낸 다음 비둘기에게 물을 뿜으니 비둘기는 다시 살아나서 날아갔다. 왕(주몽)은 스스로 *띠자리 위에 앉아서 임금과 신하의 위계를 정했다.

소주제 ❹ 시련의 극복과 □□

작품 개관

- 갈래 건국 신화, 난생(卵生) 신화
- 성격 신화적, 서사적, 영웅적
- 주제 주몽의 고구려 건국
- 특징
  ① 영웅 일대기의 구조를 보이는 영웅 서사 문학의 전형으로 후대에 많은 영향을 미침
  ② 난생(卵生) 이외에 천손 강림, 동물 양육 등 다양한 신화소(神話素)가 풍부하게 결합되어 있음

1등급 노트

1. 신화적 요소
- 천제의 자손인 주몽이 나라를 건국하는 전형적인 건국 신화
- 해모수와 유화의 결합은 천부지모(天父地母)형 신화의 특성임
- 난생 설화 중에서도 인생란 설화에 해당함

2. 영웅 일대기적 구조

고귀한 혈통	천부지모(天父地母) – 해모수와 유화의 결합
기이한 탄생	난생(卵生)
비범한 능력	활 솜씨가 뛰어남
기아(棄兒 : 아기를 버림)	금와왕이 알을 버림
조력자의 도움	짐승들이 알을 보호함
고난	금와왕의 아들들이 해치려고 함
고난의 극복	고기와 자라의 도움으로 탈출에 성공함
위업 달성	고구려의 건국

3. 소재의 의미
- 알 : 주몽의 기이한 탄생과 일차적으로 관련됨. 알은 하나의 세계를 상징하며, 주몽이 알을 깨고 나온다는 것은 새로운 세계를 연다는 것(건국)을 상징함
- 고기와 자라 : 어별성교(魚鼈成橋 : 물고기와 자라들이 다리를 이룸)와 관련된 주몽의 조력자. 주몽이 하백의 자손이라는 점과 관련됨
- 비둘기 : 주몽과 그의 어머니 유화를 이어 주는 매개 역할
- 보리 씨 : 농경의 중요성에 대한 당대인의 사고를 엿볼 수 있음

함께 엮어 읽기

◆ 〈단군 신화〉와 〈주몽 신화〉의 비교

〈단군 신화〉	〈주몽 신화〉
환웅과 웅녀의 혼인 : 천신(天神) + 지신(地神)	해모수와 유화의 혼인 : 천신(天神) + 수신(水神)
단군의 탄생 – 태생(胎生)	주몽의 탄생 – 난생(卵生)
건국을 위한 투쟁 x	건국을 위한 투쟁 o
고조선의 건국	고구려의 건국

정답과 해설 8쪽

▸ **뒷부분 줄거리** 고구려를 건국한 주몽은 즉위 1년에 비류국을 공격하여 비류 왕 송양(宋讓)을 굴복시키고 나라의 기틀을 잡았으며, 북옥저를 멸망시키는 등 활발한 대외 활동을 펼친다. ㉤그 뒤 나이 사십에 하늘로 올라가서 내려오지 않았다.

– 작자 미상

어휘 다지기

- 마목(馬牧) : 말들이 있는 목장
- 방거(紡車) : 물레
- 신용(神勇) : 사람의 지혜로서는 도저히 생각할 수 없는 신기한 용기
- 황천후토(皇天后土) : 하늘의 신과 땅의 신
- 추병(追兵) : 추격하는 병사
- 띠자리 : 방석, 높은 신분을 상징함

더 알아보기

◆ 〈탈해왕 신화〉

〈탈해왕 신화〉와 〈주몽 신화〉는 모두 난생(卵生) 설화이다. 특히 이들 신화는 다른 난생 설화와 달리 사람(탈해왕의 어머니인 적녀국의 왕녀와 주몽의 어머니인 유화)이 알을 낳는다. 이러한 신화를 인생란(人生卵) 신화라고 한다.

소주제 체크

1. 탄생 2. 능력 3. 위기, 시련 4. 건국

1 이 작품에 대한 설명으로 적절하지 않은 것은?

① 영웅의 일대기라는 서사 구조를 가지고 있다.
② 현세적인 성취보다는 내세적인 성취를 강조하고 있다.
③ 주인공이 위기를 겪고 그것을 극복하는 과정이 드러나 있다.
④ 천손 강림과 난생 등 풍부한 신화소(神話素)를 보여 주고 있다.
⑤ 기존 질서에 대한 반항을 통해 주인공은 새로운 세계를 건설하게 된다.

출제 예감

2 이 작품의 신화적 요소에 대한 설명으로 적절하지 않은 것은?

① 고구려 건국의 신성성을 드러내는 건국 신화이다.
② 주몽이 알에서 태어나는 난생(卵生) 설화에 속한다.
③ 주몽은 천신(天神)과 수신(水神)의 결합에 의해 태어난다.
④ 주몽에게 오곡의 씨앗을 주는 유화는 생산신(生産神)의 성격을 지닌다.
⑤ 주몽이 하늘로 올라가서 내려오지 않았다는 것은 천신과 수신의 대립을 의미한다.

출제 예감

3 〈보기〉는 〈단군 신화〉의 줄거리이다. 이 작품과 〈보기〉의 공통점으로 적절하지 않은 것은?

보기

옛날에 환인의 서자 환웅이 천하에 뜻을 두자, 환인이 환웅의 뜻을 알고 천부인 세 개를 주어, 가서 다스리게 하였다. 환웅이 무리를 이끌고 인간 세상을 다스리고 교화하는데, 곰과 범이 사람이 되게 하여 달라고 빌거늘, 곰은 환웅의 금기(禁忌)를 어기지 않아 여자의 몸이 되었으나, 범은 금기를 어겨 사람이 되지 못하였다. 환웅이 웅녀와 결혼하여 아이를 낳으니, 이름을 단군왕검(檀君王儉)이라고 하였다. 단군왕검은 평양성에 도읍을 정하고 비로소 이름을 조선(朝鮮)이라고 하였다.

① 나라의 건국에 대한 이야기가 중심 내용이다.
② 영웅 서사시로서의 투쟁 과정이 자세히 나타나 있다.
③ 주인공과 관련된 삼대기(三代記)의 형식을 띠고 있다.
④ 하늘과 땅의 결합에 의해 국조(國祖)가 탄생하고 있다.
⑤ 새로운 국가를 건설한 건국 시조(始祖)가 나타나 있다.

4 이 작품에 나타난 소재에 대한 설명으로 적절하지 않은 것은?

① 알 : 주몽이 알을 깨고 나온다는 측면에서 새로운 세계의 시작을 의미한다.
② 일광(日光) : 알 위에 일광이 계속 빛나는 것은 주몽이 천신의 후예임을 나타낸다.
③ 활과 화살 : 주몽의 비범한 능력을 부각하는 소재로, 제왕의 상징물로 볼 수 있다.
④ 고기와 자라 : 위험에 처한 주몽의 조력자로서 주몽이 하백의 자손이라는 점과 관련된다.
⑤ 큰 나무 : 공간적 배경의 전환을 알려 주고, 주몽이 나라를 세울 것임을 암시한다.

5 수능형 ㉠~㉤ 중, 〈보기〉의 밑줄 친 부분과 관계가 없는 것은?

보기

신화 속에는 한 집단이 가지고 있는 역사적 · 문화적인 경험들이 내포되어 있다. 특히 건국 신화는 신성성을 강조함으로써 타민족에 대한 우월성을 확보하려고 하는 경향이 있다.

① ㉠ ② ㉡ ③ ㉢ ④ ㉣ ⑤ ㉤

6 〈보기〉는 〈탈해왕 신화〉의 일부이다. 이 작품과 〈보기〉의 성격으로 적절한 것은?

보기

대접받은 지 7일 만에 말하기를
"우리 부왕 함달파가 적녀국의 왕녀를 맞아서 비를 삼았더니 7년 뒤에 큰 알 하나를 낳았다. 이에 대왕이 군신에게 묻기를 '사람으로서 알을 낳음은 고금에 없는 일이니 이것이 불길한 징조이다.' 하고 궤를 만들어 나를 그 속에 넣고 바다에 띄우면서 축원하기를 '마음대로 인연 있는 곳에 가서 나라를 세우고 집을 이루라.' 하였다."

① 환몽 설화 ② 우화 설화 ③ 인생란 설화
④ 인신 공희 설화 ⑤ 천부지모형 설화

7 서술형 이 작품에서 '주몽'이 영웅이 되기 위해 겪게 되는 시련에 대해 서술하시오.

비책

07 바리데기

▶ **앞부분 줄거리** 아들이 아닌, 일곱째 딸로 태어난 바리데기는 부모에게 버려지나 다행히 바리공덕 할멈 내외 밑에서 건강하게 자라난다. 바리데기는 부모가 위독하다는 말에 약려수를 구하러 나선다.

가 앉아서 멀리 바라보니 어렁성(어둑어둑해지는) 금바위에 반송(盤松)(키가 작고 가지가 옆으로 퍼진 소나무)이 덮혔는데, ㉠석가세존(釋迦世尊)님이 지장보살(地藏菩薩)님과 아미타불님과 설법(說法)(불교의 교의를 풀어 밝힘)을 하시는구나.

아기가 가까이 가서 삼배나삼배〔三拜又三拜〕(삼배 또 삼배) 삼삼구배(三三九拜)(세 번씩 세 번, 곧 아홉 번을 절함)를 드리니,

"네가 사람이냐 귀신이냐? 날짐승 길버러지(길벌레)도 못 들어오는 곳이어든 어찌 하야 들어왔느냐?"

아기 하는 말이, / "국왕의 세자이옵더니 부모 소양 나왔다가 길을 잃었사오니 부처님 은덕(恩德)으로 길을 인도하옵소서."

석가세존님 하시는 말씀이,

"국왕에 칠공주가 있다는 말은 들었어도 세자 대군이 있다는 말은 금시초문(이제야 비로소 처음으로 들음)이다. 너를 대양서촌(大洋西村)(큰 바다 가운데 있는 서촌)에 버렸을 때에 너의 잔명(殘命)(죽음에 가까운 쇠잔한 목숨, 여명(餘命))을 구해 주었거든 그도 그려 하려니와 평지 삼천 리를 왔지마는 험로(險路)(험난한 길) 삼천 리를 어찌 가려느냐?"

"가다가 죽사와도 가겠나이다." / "라화(羅花)(비단으로 만든 꽃)를 줄 것이니 이것을 가지고 가다가 큰 바다가 있을 테니 이것을 흔들면은 대해(大海)가 육지가 되나니라."

소주제 ❶ 석가세존이 바리데기에게 □□를 줌

나 가시성〔荊城〕 철성(鐵城)(가시와 철 울타리로 둘러친 성)이 하늘에 닿은 듯하니, 부처님 말씀을 생각하고 라화를 흔드니 팔 없는 귀신, 다리 없는 귀신, 눈 없는 귀신 억만귀졸(億萬鬼卒)(수많은 귀신 졸개)이 앙마구리 끌 듯하는구나.

칼산지옥(칼날이 산을 이룬 지옥) 불산지옥문과 팔만사천 제지옥문(온갖 지옥문)을 열어, 십왕(十王) 갈 이 십왕으로, 지옥(地獄) 갈 이 지옥으로 보낼 때,

㉡우여, 슬프다! 선후망의 아모 망재 썩은 귀 썩은 입에 자세히 들었다가 제보살님께 외오시면 바리공주 뒤를 따라 서방정토 극락세계로 가시는 날이로성이다.

아기가 한 곳을 바라보니, 동에는 청유리(靑琉璃) 장문(墻門)(담의 문)이 서 있고 북에는 흑유리(黑琉璃) 장문이 서 있고, 한가운데는 정렬문(貞烈門)(여성의 행실이나 지조가 곧음을 표창하기 위하여 세운 문)이 서 있는데 무상 신선이 서 계시다.

키는 하늘에 닿은 듯하고, 얼굴은 쟁반만 하고 눈은 등잔만 하고, 코는 줄병(진흙으로 만든 병) 매달린 것 같고, 손은 소 댕〔釜蓋〕(솥뚜껑)만 하고 발은 석 자 세 치라. / 하도 무서웁고 끔찍하야 물러나 삼배를 드리니,

무상 신선 하는 말이,

"그대가 사람이뇨 귀신이뇨? 날짐승 길버러지도 못 들어오는 곳에 어떻게 들어왔으며 어데서 왔느뇨?"

"나는 국왕마마의 세자로서 부모 봉양 왔나이다."

"부모 봉양 왔으면은 물값 가지고 왔소? 나무값 가지고 왔소?"

"총망길(바삐 오는 길)에 잊었나이다." / "물 삼 년 길어 주소, 불 삼 년 때어 주소, 나무 삼 년 베어 주소."

석 삼 년 아홉 해를 살고 나니 무상 신선 하는 말이,

"그대가 앞으로 보면 여자의 몸이 되어 보이고 뒤로 보면 국왕의 몸이 되어 보이니, 그대하고 나하고 백년가약을 맺어 일곱 아들 산전 받아 주고(낳아 주고) 가면 어떠하뇨?"

"그도 부모 봉양할 수 있다면은 그리하성이다."

소주제 ❷ 무상 신선이 바리데기에게 □□ □□과 □□을 요구함

▶ **뒷부분 줄거리** 바리데기는 약려수를 구하여 대왕마마와 중전마마를 살려 내고, 그 공으로 죽은 영혼을 천도하는 무신(巫神)이 된다.

– 작자 미상

작품 개관

- 갈래 서사 무가 (본풀이 : 신의 내력에 대한 풀이)
- 성격 신화적, 교훈적, 무속적
- 주제 부모에게 효도하려는 바리공주의 고난과 성취
- 특징
  ① 죽음을 주관하는 무조신(巫祖神)의 유래를 밝힌 본풀이
  ② 영웅 설화적 구조를 지님

1등급 노트

1. 서사 무가의 일반적 특징
- 무속 의식에 맞추어 무속신의 일생 등의 사연을 노래함
- 굿이라는 행위의 일부분이기 때문에 문자로 정착되지 않았으며, 이로 인해 구어체로 표현됨
- 고대 소설과 판소리에 영향을 미침

2. 영웅 일대기적 구조

고귀한 출생	일곱 번째 공주의 신분으로 태어남
버려짐〔棄兒〕	아들이 아닌, 딸이라는 이유로 버려짐 – 남아 선호 사상에 따른 여성의 수난
고난과 시련	약려수를 구하기 위해 이승과 저승을 오감 – 바리데기의 효심과 희생
목적 달성	약려수로 부모를 회생시킴 – 바리데기의 영웅적 면모와 주술적 능력
신(神)이 됨	죽은 영혼을 천도하는 무신(巫神)이 됨

3. 바리데기의 상징성

희생	구원
• 딸이라는 이유로 부모에게 버림받는 부당한 희생을 당함 • 효를 위해 자신을 희생하고 고난을 겪음	• 비참한 운명을 인내로 극복하고 자신을 버린 부모를 죽음에서 구원함 • 저승에서 고통받는 영혼을 천도함
당대 여성의 수난 상징	당대 여성들 자신의 정체성과 소망의 형상화

더 알아보기

◆ '여성의 수난과 그 극복' 모티프
- 〈단군 신화〉의 '웅녀'
  동굴에서 쑥과 마늘만 먹고 견뎌 결국 사람이 된 후, 환웅과 결혼하여 단군을 낳음
- 〈주몽 신화〉의 '유화'
  천상적 존재인 해모수와 관계를 맺고 집에서 쫓겨나 고구려의 시조 주몽을 낳음
- 〈심청전〉의 '심청'
  아버지의 눈을 뜨게 하기 위해 자신의 몸을 희생하여 공양미 삼백 석을 받고 인당수에 던져지나 죽지 않고 황후가 됨

소주제 체크

1. 라화 2. 가사 노동, 출산

정답과 해설 8쪽

1 이 작품에 대한 설명으로 적절하지 <u>않은</u> 것은?

① 한국 서사 문학의 한 특질인 영웅의 일대기적 구조를 잘 보여 준다.
② 무속 제의에서 불리는 구비 문학으로 오락적 · 문학적 기능을 지니고 있다.
③ 신을 즐겁게 하고 신에게 소망을 기원하는 주술성(呪術性)이 이 글의 중요한 요소이다.
④ 바리데기가 죽음을 관장하는 신이므로 이 글의 구연을 통해 위로하고자 하는 대상은 죽은 이에 국한된다.
⑤ 집에서 쫓겨난 딸이 나중에 부모를 위해 큰일을 하는 모습을 통해 남존여비 사상에 대한 비판적 태도를 보여 준다.

2 수능형 〈보기〉는 이 작품에 대한 감상이다. 밑줄 친 부분에 해당하는 것은?

> 보기
> 여성이 고난을 겪고 무엇인가를 이루었다는 이야기는 〈단군 신화〉의 웅녀와 〈주몽 신화〉의 유화의 사연에서 이미 나타난다. 또 아버지로부터 쫓겨난 딸이나 공주가 나중에 부모에게 좋은 일을 하게 된다는 이야기는 〈온달〉, 〈서동〉, 〈숯 굽는 총각〉 등에서, 부모를 위해 희생하는 이야기는 〈효녀 지은〉과 〈심청전〉에서도 볼 수 있다. 이처럼 <u>〈바리데기〉의 이야기 유형</u>은 다른 서사 문학에서도 두루 확인할 수 있다.

① 금기 모티프
② 열녀 모티프
③ 환생 모티프
④ 유혹자 모티프
⑤ 여성의 수난과 그 극복 모티프

출제 예감
3 이 작품 전체에서 '바리데기'가 상징하는 바로 거리가 <u>먼</u> 것은?

① 질병 구원의 여성
② 여성의 가사 노동의 우월성
③ 남아 선호 사상에 희생당한 여성
④ 효를 실천하기 위해 자신을 희생하는 여성
⑤ 죽은 사람의 혼령을 저승으로 이끄는 천도자

4 ㉠의 역할로 가장 적절한 것은?

① 주인공을 고난에 빠뜨리는 적대자
② 주인공과 갈등을 일으키는 대립자
③ 주인공의 희생을 강요하는 지배자
④ 주인공과 행동을 같이하는 동반자
⑤ 고난에 처한 주인공을 돕는 조력자

출제 예감
5 이 작품 전체는 〈보기〉와 같이 구조화할 수 있다. 각 부분에 해당하는 내용으로 적절하지 <u>않은</u> 것은?

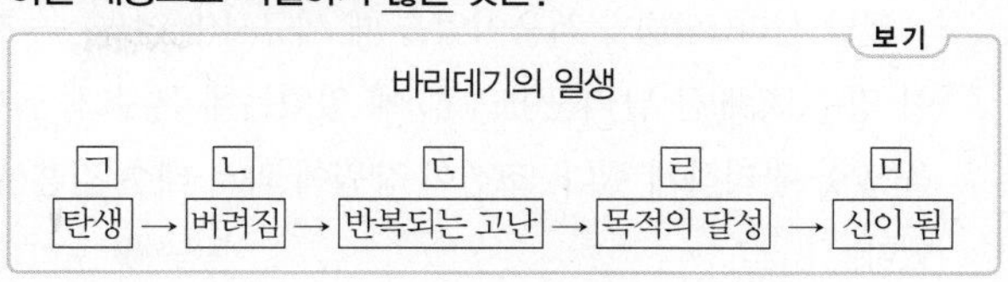

① ㄱ : 아들을 원하는 왕의 일곱 번째 딸로 태어난다.
② ㄴ : 딸이라는 이유로 부모에게 버려진다.
③ ㄷ : 병든 부모를 위해 약려수를 구하러 이승과 저승을 오가며 많은 고난을 겪는다.
④ ㄹ : 결국 약려수를 구하여 병든 부모에게 돌아간다.
⑤ ㅁ : 바리데기는 결국 부모를 살려내지 못하고, 죽은 영혼을 천도하는 신이 된다.

6 ㉡과 같은 서술상의 특징이 드러나지 <u>않은</u> 것은?

① 어찌 털어 부어 놨던지 쌀이 일만 구만 석이요, 돈이 일만 구만 냥이라, 나도 어쩐 회계인지 알 수가 없지. – 작자 미상, 〈흥보전〉
② 길동이 재배 하직하고 문을 나서매, 운산(雲山)이 첩첩(疊疊)하여 지향(指向) 없이 행(行)하니 어찌 가련(可憐)하지 아니하리요. – 허균, 〈홍길동전〉
③ 이튿날 한림이 일가 친척을 청해 놓고 사 씨의 전후 죄상을 이르고 쫓아내니 사 씨 영위에 나아가 사배 하직할 새, 눈물이 비 오듯 하니 일가들이 문밖에서 절하고 이별하며 모두 눈물을 흘렸다. – 김만중, 〈사씨남정기〉
④ 무수히 통곡타가 다시금 일어나서 바람 맞은 사람같이 이리 비틀 저리 비틀 치마폭을 무릅쓰고 앞니를 아드득 물고, 애고 나 죽네, 소리하고 물에 풍 빠졌다 하되, 그리하여서야 효녀 죽음 될 수 있나. – 작자 미상, 〈심청전〉
⑤ "모질구나, 모질구나, 우리 고을 원님이 모질구나. 저런 형벌이 왜 있으며 저런 매질이 왜 있는가. 저 집장사령 놈 낯짝이나 잘 봐 두자. 관아 문밖으로 나오면 당장에 죽이리라." / 보고 듣는 사람이야 누가 눈물을 흘리지 않으랴. – 작자 미상, 〈춘향전〉

7 서술형 바리데기가 무신(巫神)이 되는 과정은 '영웅의 일생'과 같다. [가]~[나]는 영웅의 일생 중 어느 부분에 해당하는지 그 이유와 함께 서술하시오.

08 조신의 꿈

옛날 신라(新羅)가 서울이었을 때 세규사(世逵寺) — 지금의 흥교사(興敎寺) — 의 *장원(莊園)이 명주(溟洲)군 날리군(捺李郡)에 있었는데 본사(本寺)에서 중 조신(調信)을 보내서 장원(莊園)을 맡아 관리하게 했다. 조신이 장원에 와서 태수 김흔(金昕)의 딸을 좋아하고 그녀에게 아주 반했다.

소주제 1 김흔의 딸에게 반한 □□

여러 번 낙산사(落山寺) 관음보살(觀音菩薩) 앞에 가서 남몰래 그 여인과 살게 해 달라고 빌었다. 이로부터 몇 해 동안에 그 여인에게는 이미 배필이 생겼다. 그는 또 불당(佛堂) 앞에 가서, 관음보살이 자기의 소원을 들어주지 않는다고 원망하며 날이 저물도록 슬피 울다가 생각하는 마음에 지쳐서 잠시 잠이 들었다.

소주제 2 관음보살을 원망하며 잠이 듦 (□□)

꿈속에 갑자기 김 씨 낭자(娘子)가 기쁜 낯빛을 하고 문으로 들어와 활짝 웃으면서,

"저는 일찍부터 스님을 잠깐 뵙고 알게 되어 마음속으로 사랑해서 잠시도 잊지 못했으나 부모의 명령에 못 이겨 억지로 딴 사람에게로 시집갔었습니다. 지금 내외(內外)(부부)가 되기를 원해서 온 것입니다."

이에 조신은 매우 기뻐하며 그녀와 함께 고향으로 돌아갔다. 그녀와 사십여 년간 같이 살면서 자녀 다섯을 두었다. 집은 다만 네 벽뿐이고, 좋지 못한 음식마저도 계속해 갈 수가 없었고, 마침내 꼴이 말이 아니어서 식구들을 이끌고 사방으로 다니면서 얻어먹고 지냈다. 이렇게 십 년 동안 초야(草野)(궁벽한 시골)로 두루 다니니 옷은 여러 조각으로 찢어져 몸도 가릴 수가 없었다. 마침 명주(溟洲) 해현령(蟹縣嶺)을 지날 때 십오 세 되는 큰아이가 갑자기 굶어 죽어 통곡하면서 길가에 묻었다. 남은 네 식구를 데리고 그들 내외는 우곡현(羽曲縣) — 지금의 우현(羽縣) — 에 이르러 길가에 *모옥(茅屋)을 짓고 살았다. 이제 내외는 늙고 병들었다. 게다가 굶주려서 일어나지도 못하니, 십 세 된 계집아이가 밥을 빌어다 먹는데, 다니다가 마을 개에게 물렸다. 아픈 것을 부르짖으면서 앞에 와서 누웠으니 부모도 목이 메어 눈물을 몇 줄이고 흘렸다.

소주제 3 소망은 이루었으나 고통이 따름 (□□의 체험)

부인이 눈물을 씻더니 갑자기,

"내가 처음 그대를 만났을 때는 얼굴도 아름답고 나이도 젊었으며 입은 옷도 깨끗했었습니다. 한 가지 음식도 그대와 나누어 먹었고 옷 한 가지도 그대와 나누어 입어, 집을 나온 지 오십 년 동안에 정(情)은 맺어져 친밀해졌고 사랑도 굳게 얽혔으니 *가위 두터운 인연이라고 하겠습니다. 〈중략〉 가만히 옛날 기쁘던 일을 생각해 보니, 그것이 바로 근심의 시작이었습니다. 그대와 내가 어찌해서 이런 지경에 이르렀습니까? 뭇새가 다 함께 굶어죽는 것보다는 차라리 짝 잃은 *난조(鸞鳥)가 거울을 향하여 짝을 부르는 것만 못할 것입니다. 추우면 버리고 더우면 친하는 것은 인정(人情)에 차마 할 수 없는 일입니다. 하지만 행하고 그치는 것은 인력(人力)으로 되는 것이 아니고, 헤어지고 만나는 것도 운수가 있는 것입니다. 원컨대 이 말을 따라 헤어지기로 합시다."

조신이 이 말을 듣고 크게 기뻐하여 각각 아이 둘씩 나누어 데리고 장차 떠나려 하니 여인이,

"나는 고향으로 갈 테니 그대는 남쪽으로 가십시오."

이리하여 서로 작별하고 길을 떠나려 하는데 꿈에서 깨었다.

소주제 4 부인과 이별하며 꿈에서 깸 (□□)

타다 남은 등잔불은 깜박거리고 밤도 이제 새려고 한다. 아침이 되었다. 수염과 머리털은 모두 희어졌고 망연(茫然)히(아무 생각없이 멍하게) 세상일에 뜻이 없다. 괴롭게 살아가는 것도 이미 싫어졌고 마치 한평

작품 개관

- 갈래 전설, 사원 연기(寺院緣起) 설화, 환몽 설화
- 성격 교훈적, 불교적, 환몽적
- 주제 세속적 욕망의 덧없음
- 특징
  ① '현실 – 꿈 – 현실'의 환몽 구조에 따른 액자식 구성을 취함
  ② 몽자류(夢字類) 소설의 근원 설화
  ③ 전설의 구체적인 증거물이 나타남

1등급 노트

1. 구성상의 특징
   - '현실 – 꿈 – 현실'로 이어지는 환몽 구조
   - '현실 – 외화', '꿈 – 내화'로 이루어진 액자식 구성

현실(외화)	김흔의 딸과 인연 맺기를 소망함
↓ 입몽(入夢)	
꿈(내화)	고통스러운 꿈속에서의 체험
↓ 각몽(覺夢)	
현실(외화)	세속적 욕망의 덧없음을 깨달음

2. 갈래상의 특징
   전설 – '세규사'와 '정토사'라는 구체적 증거물을 제시함
3. '꿈'의 역할
   조신이 소망하던 세속적 행복이나 쾌락이 얼마나 부질없는 것인지를 깨닫게 하기 위한 장치로 설정됨
4. '돌미륵'의 의미
   조신의 꿈과 현실을 연결시키는 매개체이며, 조신이 꾼 꿈이 부처의 의도에 의해 일어난 것임을 보여 줌

함께 엮어 읽기

▣ 김만중, 〈구운몽〉

〈조신의 꿈〉은 몽자류 소설의 근원 설화로, 조선 시대에 지어진 몽자류 소설에 많은 영향을 미쳤다. 대표적인 것이 김만중의 〈구운몽〉이다. 〈구운몽〉은 '환몽 구조'라는 구조적 특징뿐만 아니라 '인생무상'이라는 주제 면에서도 〈조신몽〉과 공통점을 갖는다. 〈구운몽〉은 꿈속의 꿈이 나타나는 이중적 환몽 구조를 보인다는 점에서 원래의 환몽 구조를 더욱 발전시켰다는 평가를 받는다. 또한 현실이 선계(仙界)로 설정되고 꿈이 지상계(地上界)로 설정되어 있다는 점에서 특징적이라고 할 만하다. 〈구운몽〉 이후에 나타난 소설로 환몽 구조를 보이는 작품으로는 〈운영전〉, 〈옥루몽〉과 〈옥련몽〉, 그리고 이광수의 〈꿈〉 등이 있다.

정답과 해설 9쪽

생의 고생을 다 겪고 난 것과 같아 재물을 탐하는 마음도 얼음 녹듯이 깨끗이 없어졌다. 이에 관음보살의 상(像)을 대하기가 부끄러워지고 잘못을 뉘우치는 마음을 참을 길이 없다. 그는 돌아와서 해현에 묻은 아이를 파 보니 그것은 바로 돌미륵(石彌勒)이다. 물로 씻어서 근처에 있는 절에 모시고 서울로 돌아가 장원을 맡은 책임을 내놓고 사재(私財)(개인이 소유하고 있는 재산)를 내서 정토사(淨土寺)를 세워 부지런히 착한 일을 했다. 그 후에 어디서 세상을 마쳤는지 알 수가 없다.

소주제 5 조신의 깨달음과 □□□ 건립

– 작자 미상

어휘 다지기

- 장원(莊園) : 절 소유의 농장
- 모옥(茅屋) : 이엉이나 띠 따위로 이은 조그만 집
- 가위(可謂) : 한 마디의 말로 이르자면
- 난조(鸞鳥) : 중국 전설에 나오는 상상의 새

소주제 체크

1. 조신 2. 입몽 3. 꿈속 4. 각몽 5. 정토사

1 이 작품에 대한 설명으로 적절하지 <u>않은</u> 것은?

① 몽자류(夢字類) 소설의 근원이 된다.
② 천상과 지상의 이원적 공간으로 구성된다.
③ '입몽'과 '각몽'을 거치는 환몽 구조를 보인다.
④ 절의 건립 내력을 말해 주는 사원 연기 설화이다.
⑤ '돌미륵'은 꿈과 현실을 연결하는 매개체로 작용한다.

출제 예감

2 고난도 이 작품의 서사 구조를 〈보기〉와 같이 정리할 때, 이에 대한 설명으로 적절하지 <u>않은</u> 것은?

보기

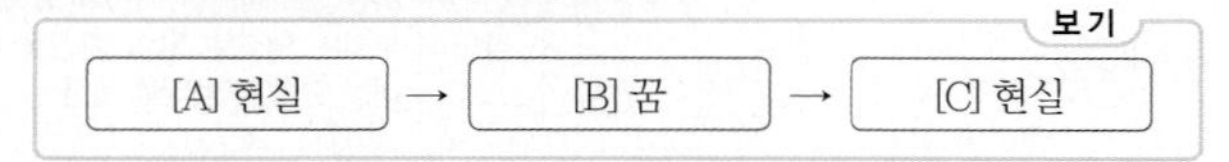

① [A]에서 이루어지지 않은 주인공의 소망이 [B]에서 실현된다.
② [A]와 [C]의 주인공은 동일하지만, 깨달음의 상태는 서로 다르다.
③ [B]는 [C]에서 주인공이 인생무상의 깨달음을 얻는 계기를 제공한다.
④ [A], [C]와 달리 [B]에는 주인공의 만남과 이별의 과정이 구체적으로 나타난다.
⑤ [A], [B], [C] 안의 사건들은 순차적인 시간의 연속으로 재구성될 수 있다.

출제 예감

3 수능형 이 작품의 주제 의식을 가장 잘 보여 주는 것은?

① 풍진(風塵)에 얽매이며 떨치고 못 갈게라도
강호일몽(江湖一夢)을 꾸운 지 오래던이
셩은(聖恩)을 다 갑픈 후(後) 호연장귀(浩然長歸)하리라.
② 꿈에 님을 보려 벼개 우희 지혓더니
반벽반등(半壁半燈)에 앙금(鴦衾)도 차갑구나.
밤중만 외기러기 소리에 잠 못 이뤄 하노라.
③ 삼동(三冬)에 뵈옷 닙고 암혈(巖穴)에 눈비 마자
구름 낀 볏뉘도 쬔 적이 업건마는,
서산(西山)에 히지다 ᄒᆞ니 눈물겨워 ᄒᆞ노라.
④ 풋잠에 꿈을 꾸어 십이루(十二樓)에 드러가니
옥황(玉皇)은 웃으시되 군선(群仙)이 꾸짖는다.
어즈버 백만억 창생(蒼生)을 어늬결에 무르리.
⑤ 호화도 거짓 것이요 부귀도 꿈이온대
북망산 언덕에 요령 소리 그쳐지면
아무리 뉘우치고 애다라도 미칠 길이 없다니.

4 이 작품과 〈보기〉를 비교 설명한 것으로 적절하지 <u>않은</u> 것은?

보기

스스로 제 몸을 보니 일백여덟 낱 염주가 손목에 걸렸고, 머리를 만지니 갓 깎은 머리털이 가칠가칠하였으니 완연히 소화상의 몸이요, 다시 대승상의 위의(威儀) 아니니, 정신이 황홀하여 오랜 후에 비로소 제 몸이 연화 도량(道場) 성진 행자인 줄 알고 생각하니, 처음에 스승에게 수책(受責)하여 풍도(酆都)로 가고, 인세에 환도하여 양가의 아들 되어 장원 급제 한림학사 하고, 출장입상(出將入相)하여 공명신퇴(功名身退)하고, 양 공주와 육 낭자로 더불어 즐기던 것이 다 하룻밤 꿈이라. 마음에 이 필연 사부가 나의 염려를 그릇함을 알고, 나로 하여금 이 꿈을 꾸어 인간 부귀와 남녀 정욕이 다 허사인 줄 알게 함이로다.

– 김만중, 〈구운몽〉

① 이 작품과 〈보기〉의 주인공은 꿈속에서 욕망을 성취한다.
② 이 작품과 〈보기〉의 주인공은 현실에서 종교적인 신분이 동일하다.
③ 이 작품이 〈보기〉보다 꿈속에 나타난 사건의 서사적 규모가 더 웅장하다.
④ 이 작품과 〈보기〉의 주인공은 현실에서 애정과 관련된 욕망으로 갈등했다.
⑤ 이 작품의 꿈속 사건은 비극적 결말을, 〈보기〉에서는 행복한 결말을 보인다.

5 서술형 이 작품을 전설로 볼 수 있는 근거가 되는 소재 2개를 제시하고, 그에 따른 효과를 서술하시오.

비책

09 화왕계(花王戒)

화왕(花王)께서 처음 이 세상에 나왔을 때, 향기로운 동산에 심고, 푸른 휘장으로 둘러싸 보호하였는데, 삼춘가절(三春佳節)[봄철 석 달의 좋은 시절]을 맞아 예쁜 꽃을 피우니 온갖 꽃보다 빼어나게 아름다웠다. 멀고 가까운 곳에서 여러 꽃들이 다투어 화왕을 뵈러 왔다. 깊고 그윽한 골짜기의 맑은 정기를 타고 난 탐스러운 꽃들이 다투어 모여 왔다.

소주제 1 □□의 빼어난 미모

문득 한 가인(佳人)이 앞으로 나왔다. 붉은 얼굴에 옥 같은 이와 신선하고 탐스러운 감색 나들이 옷을 입고 아장거리는 *무희(舞姬)처럼 얌전하게 화왕에게 아뢰었다.

"이 몸은 백설의 모래사장을 밟고, 거울같이 맑은 바다를 바라보며 자라났습니다. 봄비가 내릴 때는 목욕하여 몸의 먼지를 씻었고, 상쾌하고 맑은 바람 속에 유유자적하면서 지냈습니다. 이름은 장미라 합니다. ㉠임금님의 높으신 덕을 듣고, 꽃다운 침소에 그윽한 향기를 더하여 모시고자 찾아왔습니다. 임금님께서 이 몸을 받아 주실는지요?"

이때 베옷을 입고, 허리에는 가죽띠를 두르고, 손에는 지팡이, 머리는 흰 백발을 한 장부 하나가 둔중한 걸음으로 나와 공손히 허리를 굽히며 말했다.

"이 몸은 서울 밖 한길 옆에 사는 백두옹(白頭翁)입니다. 아래로는 *창망한 들판을 내려다보고, 위로는 우뚝 솟은 산 경치에 의지하고 있습니다. 가만히 보옵건대, 좌우에서 보살피는 신하는 *고량(膏粱)과 향기로운 차와 술로 수라상을 받들어 임금님의 식성을 흡족하게 하고, 정신을 맑게 해 드리고 있사옵니다. 또 고리짝에 저장해 둔 양약(良藥)으로 임금님의 기운을 돕고, ㉡금석(金石)의 극약(劇藥)으로써 임금님의 몸에 있는 독을 제거해 줄 것입니다. 그래서 이르기를 '비록 *사마(絲麻)가 있어도 군자 된 자는 *관괴(菅蒯)라고 해서 버리는 일이 없고, 부족에 대비하지 않음이 없다.' 고 하였습니다. 임금님께서도 이러한 뜻을 가지고 계신지 모르겠습니다."

소주제 2 장미와 백두옹의 □□

한 신하가 화왕께 아뢰었다.

"두 사람이 왔는데, 임금님께서는 누구를 취하고 누구를 버리시겠습니까?"

화왕께서는 이렇게 대답하였다.

"장부의 말도 도리가 있기는 하나, 그러나 가인을 얻기 어려우니 이를 어찌할꼬?"

소주제 3 화왕의 □□

그러자 장부가 앞으로 나와 말하였다.

[A] "제가 온 것은 임금님의 총명이 모든 사리를 잘 판단한다고 들었기 때문입니다. 그러나 지금 뵈오니 그렇지 않으십니다. 무릇 임금 된 자로서 간사하고 아첨하는 자를 가까이 하지 않고, 정직한 자를 멀리 하지 않는 이는 드뭅니다. 그래서 맹자(孟子)는 불우한 가운데 일생을 마쳤고, *풍당(馮唐)은 *낭관(郎官)으로 파묻혀 머리가 백발이 되었습니다. 예로부터 이러하오니 저인들 어찌하겠습니까?"

화왕은 마침내 다음의 말을 되풀이하였다. / "내가 잘못했다. 잘못했다."

소주제 4 백두옹의 □□와 잘못을 뉘우치는 □□

– 설총

어휘 다지기

- 무희(舞姬) : 춤을 추는 것을 업으로 삼는 여자
- 창망한 : 넓고 멀어서 아득한
- 고량(膏粱) : 기름진 고기와 좋은 곡식으로 만든 음식
- 사마(絲麻) : 명주실과 삼실
- 관괴(菅蒯) : 풀 이름. '관'은 도롱이와 삿갓을, '괴'는 돗자리를 짜는 원료
- 풍당(馮唐) : 중국 한나라의 어진 인재
- 낭관(郎官) : 하급 관리

작품 개관

- 갈래 창작 설화, 우화
- 성격 교훈적, 풍자적, 우의적
- 주제 군주의 마음가짐에 대한 경계
- 특징
  ① 우리나라 최초의 창작 설화
  ② 의인체 설화의 효시, 고려 시대 가전체 문학의 원류
  ③ 꽃을 의인화하여 군주의 마음가짐에 대한 교훈을 제시함

1등급 노트

1. 작품의 교훈성
   - 화왕의 갈등 과정을 통해 군주가 지녀야 할 마음가짐을 제시함
   - 본질을 보지 못하고 외양에 의지하여 인재를 알아보지 못하는 군주의 잘못을 비판함
   - 교언영색으로 일관하는 신하보다는 충언으로 임금의 잘못을 바로잡는 신하가 필요함을 역설함
2. 문학사적 의의
   - 사물을 의인화하여 인간 세계를 빗대어 놓은 의인체 문학의 효시
   - 고려 시대에 지어진 가전체 문학에 영향을 미침
   - 최초의 창작 설화
3. 인물의 대비

장미	아름답고 화려한 외양과 교태를 부리는 태도로 왕의 환심을 사려는 인물(교언영색) – 간신
↕ 대조	
백두옹	소박하고 검소한 옷차림에 충간을 꺼리지 않으며, 화왕에게 깨우침을 주는 인물 – 충신

함께 엮어 읽기

▣ 임제, 〈화사〉

조선 시대 임제가 지은 〈화사(花史)〉는 가전체 소설로, 매화(梅花), 모란(牧丹), 부용(芙蓉)의 세 꽃을 의인화하여 각각 군왕으로 삼고, 계절에 따른 여러 꽃을 충신(重臣), 간신(奸臣), 역신(逆臣), 은일(隱逸) 등으로 비유하여 국가의 흥망성쇠를 이야기하고 있다. 꽃을 의인화하여 군주의 도리 및 올바른 정치 행태에 대해 논하고 있다는 점에서 〈화왕계〉와 공통점을 찾을 수 있다.

소주제 체크

1. 화왕 2. 외양 3. 갈등 4. 충간, 화왕

정답과 해설 9쪽

1 이 작품에 대한 설명으로 적절하지 않은 것은?

① 교훈성과 풍자성을 강하게 드러낸 우화(寓話)이다.
② 군주의 마음가짐에 대해 완곡하게 당부하고 있다.
③ 우리나라 최초의 장편 창작 설화라고 할 수 있다.
④ 우의적 수법을 활용하여 주제 의식을 드러내고 있다.
⑤ 의인체 설화의 효시로, 후대의 가전체 문학에 영향을 미쳤다.

2 수능형 이 작품의 인물들에 대한 설명으로 적절하지 않은 것은?

① '장미'는 뛰어난 미모로 화왕의 환심을 사려는 인물이다.
② '화왕'은 타인의 충고를 배척하는 인물로, 비판의 대상이 된다.
③ '백두옹'은 제왕에게 간언하는 인물로, 작가 의식을 대변한다.
④ '화왕'은 제왕의 지위에 있는 인물로, 이 글의 주된 독자를 대표한다.
⑤ '장미'와 '백두옹'은 외양과 인품 면에서 서로 대조적인 모습을 보인다.

출제 예감

3 다음 소재의 내포적 의미가 가장 이질적인 것은?

① 가인(佳人) ② 백두옹(白頭翁)
③ 관괴(菅蒯) ④ 맹자(孟子)
⑤ 풍당(馮唐)

4 ㉠과 ㉡을 한자 성어로 표현한다고 할 때, 바르게 묶인 것은?

	㉠	㉡
①	교언영색(巧言令色)	양약고구(良藥苦口)
②	감탄고토(甘呑苦吐)	불사이군(不事二君)
③	감언이설(甘言利說)	살신성인(殺身成仁)
④	설부화용(雪膚花容)	유유상종(類類相從)
⑤	가인박명(佳人薄命)	구밀복검(口蜜腹劍)

5 이 작품이 현대의 독자들에게 설득력을 갖는다고 할 때, 그 이유로 적절하지 않은 것은?

① 이 글에서 말하고자 하는 주제가 현대 사회의 지도자가 갖추어야 할 덕목과 연결되기 때문이다.
② 자연의 진정한 가치를 망각하고 사는 현대인에게 자연이 얼마나 소중한지를 깨닫게 해 주기 때문이다.
③ 외적인 아름다움을 중요하게 생각하는 현대인이 자기 자신을 돌아볼 수 있는 계기를 제공해 주고 있기 때문이다.
④ 일반적으로 사람들은 간사하고 아첨하는 자의 말에 현혹되기 쉬운데, 이 글은 이를 경계하라는 교훈을 주고 있기 때문이다.
⑤ 시대를 떠나서 진실을 말하는 용기는 상대방에게 감동을 주기 마련인데, 이 글은 그런 용기 있는 인물을 부각시키고 있기 때문이다.

6 [A]에 나타난 '백두옹'의 말하기 방식으로 가장 적절한 것은?

① 전문가의 말을 인용하여 주장을 강화하고 있다.
② 다른 대안을 직접 제시하여 자신의 의견을 관철시키고 있다.
③ 다양한 의견을 절충하여 보편적인 이치를 이끌어 내고 있다.
④ 예상되는 반론을 비판하면서 주장의 정당성을 역설하고 있다.
⑤ 자신의 처지와 유사한 역사적인 사례를 들어 상대방을 설득하고 있다.

7 고난도 이 작품의 [A]와 <보기>의 [B]에 공통적으로 드러나는 문제의식을 가장 잘 표현한 것은?

보기

변씨가 이번에는 딴 이야기를 꺼냈다.
"방금 사대부들이 남한산성(南漢山城)에서 오랑캐에게 당했던 치욕을 씻어 보고자 하니, 지금이야말로 지혜로운 선비가 팔뚝을 뽐내고 일어설 때가 아니겠소? 선생의 그 재주로 어찌 괴롭게 파묻혀 지내려 하십니까?"
[B] "어허, 자고로 묻혀 지낸 사람이 한둘이었겠소? 우선, 졸수재(拙修齋) 조성기(趙聖期) 같은 분은 적국(敵國)에 사신으로 보낼 만한 인물이었건만 베잠방이로 늙어 죽었고, 반계 거사(磻溪居士) 유형원(柳馨遠) 같은 분은 군량(軍糧)을 조달할 만한 재능이 있었건만 저 바닷가에서 소요하고 있지 않습니까? 지금의 집정자들은 가히 알 만한 것들이지요. 나는 장사를 잘 하는 사람이라, 내가 번 돈이 족히 구왕(九王)의 머리를 살 만하였으되 바닷속에 던져 버리고 돌아온 것은, 도대체 쓸 곳이 없기 때문이었지요."

– 박지원, <허생전>

① 환자(還子) 타 산다 하고 그를샤 그르다 하니
이제(夷齊)의 노픈 줄을 이렁구러 알관디고.
어즈버 사람이야 외랴 해운의 타시로다. – 윤선도

② 님이 헤오시매 나는 전혀 미덧더니
날 사랑하던 정(情)을 뉘손대 옴기신고.
처음에 믜시던 거시면 이대도록 설오랴. – 송시열

③ 놉프락 나즈락하며 멀기와 갓갑기와
모지락 동그락하며 길기와 져르기와
평생(平生)을 이리하엿시니 무삼 근심 잇시리. – 안민영

④ 이 듕에 시름 업스니 어부(漁夫)의 생애(生涯)로다.
일엽편주(一葉片舟)를 만경파(萬頃波)에 띄워 두고
인세(人世)를 다 니젯거니 날 가는 줄을 안가. – 이현보

⑤ 어와 동량재(棟梁材)를 저리하야 어이할고.
헐뜯어 기운 집의 의논도 하도 할사.
뭇 목수 먹통자 들고 허둥대다가 말려나다. – 정철

8 서술형 이 작품의 주제를 <조건>에 맞게 서술하시오.

조건

- 속담을 활용할 것
- 대조의 방법을 사용할 것

Ⅱ

고려 시대

고려 시대는 통일 신라가 멸망한 후부터 조선이 건국되기 전까지의 시기를 말한다.

운문의 경우, 중국 문화와의 교류로 향찰이 한문에 밀려 향가가 쇠퇴하고 한문학이 융성하게 되었다. 이 시기에는 평민들의 삶의 애환과 생활 감정을 진솔하게 표현한 고려 가요도 발생했다. 고려 가요는 구전되다가 조선 시대 훈민정음 창제 후 문자로 정착된 것이기 때문에 원래의 모습과는 다소 차이가 있을 것으로 추측된다. 고려 말에는 한자 어휘의 나열과 이두식 후렴구로 신흥 사대부의 의식 세계를 나타낸 경기체가도 발생했다. 또한 이 시기에 다듬어진 시조는 우리 고유의 정형시로서 오늘날까지 이어져 대표적인 국문 양식으로 자리 잡게 되었다.

산문의 경우, 운문과 마찬가지로 한문학이 융성했으며, 패관 문학과 가전체 문학을 중심으로 발전했다. 패관 문학은 문인・학자들(패관)이 민간의 가담(街談)과 항설(巷說) 등을 수집하여 한문으로 기록한 문학이다. 가전체 문학은 계세징인(戒世懲人)의 교훈을 주기 위해 사물을 의인화하여 전(傳)의 형식으로 지은 의인체 문학이다. 패관 문학과 가전체 문학은 개인의 창의성과 허구성이 가미되어 있다는 점에서 설화에서 소설로 넘어가는 교량적 역할을 했다.

01 가시리 · 서경별곡

가 가시리

가시리 가시리잇고 나ᄂᆞᆫ
가시렵니까? 가시렵니까?

ᄇᆞ리고 가시리잇고 나ᄂᆞᆫ
(나를) 버리고 가시렵니까?

위 증즐가 대평셩ᄃᆡ(大平盛代)

소주제 1 [기] 이별에 대한 □□

날러는 엇디 살라 ᄒᆞ고
나는, 나더러는
나는 어찌 살라 하고

ᄇᆞ리고 가시리잇고 나ᄂᆞᆫ
(나를) 버리고 가시렵니까?

위 증즐가 대평셩ᄃᆡ(大平盛代)

소주제 2 [승] □□의 고조

*잡ᄉᆞ와 두어리마ᄂᆞᄂᆞᆫ
붙잡고 둘 일이지마는

*선ᄒᆞ면 아니 올셰라
서운하면 아니 오실까 두렵습니다.

위 증즐가 대평셩ᄃᆡ(大平盛代)

소주제 3 [전] 감정의 □□와 □□

*셜온 님 보내ᄋᆞᆸ노니 나ᄂᆞᆫ
서러운 임을 보내 드리오니

가시ᄂᆞᆫ 듯 *도셔 오쇼셔 나ᄂᆞᆫ
가시자마자 곧 돌아서서 오소서.

위 증즐가 대평셩ᄃᆡ(大平盛代)

소주제 4 [결] 이별 후의 □□에 대한 소망과 기원

– 작자 미상

나 서경별곡(西京別曲)

*서경(西京)이 아즐가 서경(西京)이 셔울히 마르는
서경이 서울이지마는

위 두어렁셩 두어렁셩 다링디리

*닷곤ᄃᆡ 아즐가 닷곤ᄃᆡ *쇼셩경 ㉠*고외마른
중수(重修)한 곳인 소성경을 사랑합니다마는

위 두어렁셩 두어렁셩 다링디리

여히므론 아즐가 여히므론 *질삼뵈 ᄇᆞ리시고
여의기보다는, 이별하기보다는
(임을) 이별하기보다는 (차라리) 길쌈하던 베를 버리고서라도

위 두어렁셩 두어렁셩 다링디리

㉡괴시란ᄃᆡ 아즐가 괴시란ᄃᆡ ㉢우러곰 *좃니노이다.
(저를) 사랑해 주신다면 울면서 따라가겠습니다.

위 두어렁셩 두어렁셩 다링디리

소주제 1 이별의 □□와 연모의 정(서경 노래)

구스리 아즐가 구스리 바회예 디신ᄃᆞᆯ
구슬이 바위 위에 떨어진들

위 두어렁셩 두어렁셩 다링디리

긴히ᄯᆞᆫ 아즐가 긴히ᄯᆞᆫ 그츠리잇가 나ᄂᆞᆫ
끈이야 끊어지겠습니까?

위 두어렁셩 두어렁셩 다링디리

*즈믄 ᄒᆡ를 아즐가 즈믄 ᄒᆡ를 *외오곰 *녀신ᄃᆞᆯ
(임과 떨어져) 천 년을 홀로 살아간들

위 두어렁셩 두어렁셩 다링디리

신(信)잇ᄃᆞᆫ 아즐가 신(信)잇ᄃᆞᆫ 그츠리잇가 나ᄂᆞᆫ
(임을 사랑하고 있는) 믿음이야 끊어지겠습니까?

위 두어렁셩 두어렁셩 다링디리

소주제 2 임에 대한 변함없는 사랑과 □□의 맹세

작품 개관

[가]
- 갈래 고려 가요
- 성격 서정적, 민요적, 전통적, 여성적
- 형식 4연, 각 2구의 분연체(分聯體)
- 운율 3 · 3 · 2조, 3음보
- 주제 이별의 정한(情恨)
- 특징
  ① 반복법의 사용
  ② 간결하고 소박하며 함축적인 시어 구사

[나]
- 갈래 고려 가요
- 성격 이별의 노래, 남녀상열지사(男女相悅之詞)
- 형식 전 3연의 분연체
- 운율 3 · 3 · 3조, 3음보
- 주제 이별의 정한(情恨)
- 특징
  ① 반복법과 설의법의 사용
  ② 간결하고 소박하며 함축적인 시어 구사

1등급 노트

[가]

1. 고려 가요의 특성
   - 개념 : 고려 시대 평민들에 의해 주로 창작 · 향유되었던 노래. 훈민정음 창제 이후 문자로 정착되었으며, 조선 시대에 궁중의 연향에 사용할 목적으로 윤색 · 개작되기도 함
   - 형식
     – 몇 개의 연이 연속되는 분연체(분절체)로 이루어진 경우가 많음
     – 아무런 뜻이 없이 악률을 맞추기 위한 후렴구가 발달함
     – 3 · 3 · 2조의 음수율이 주로 나타남
   - 작가 : 대부분이 작자 미상임
   - 내용 : 평민들의 소박하고 진솔한 생활과 감정을 노래함

2. 화자의 심리 변화

1연	원망
2연	원망의 고조
3연	절제와 체념
4연	소망과 기원

3. 화자의 태도

임이 곧 돌아오기만을 기다리며 이별의 슬픔을 참아 냄
↓
소극적 · 순종적 · 자기 희생적 태도

[나]

1. 화자의 정서

1연	이별을 아쉬워하는 연모의 정 – 여성의 목소리
2연	임에 대한 변함없는 사랑과 믿음의 맹세 – 남성의 목소리 → 고려 가요 〈정석가〉 6연과 동일함
3연	떠나는 임에 대한 원망과 걱정 – 여성의 목소리

2. 화자의 태도

정든 고향이나 일상적 삶을 모두 버리고 임을 따르겠다며 이별을 거부함
↓
적극적 · 자기 중심적 · 현세 지향적 태도

정답과 해설 9쪽

대동강(大同江) 아즐가 대동강(大同江) 너븐디 몰라셔 — 대동강 넓은 줄을 몰라서
　위 두어렁셩 두어렁셩 다링디리
비 내여 아즐가 비 내여 •노혼다 [샤공]아 — 배를 내어 놓았느냐 사공아.
　위 두어렁셩 두어렁셩 다링디리
네 •가시 아즐가 네 가시 •럼난디 몰라셔 — 네 아내가 음탕한 짓을 하는 줄도 모르고
　위 두어렁셩 두어렁셩 다링디리
•녈 비예 아즐가 녈 비예 •연즌다 샤공아 — 떠나는 배에 (내 임을) 태웠느냐 사공아.
　위 두어렁셩 두어렁셩 다링디리
대동강(大同江) 아즐가 대동강(大同江) 건넌편 •고즐여 — (나의 임은) 대동강 건너편 꽃을
　위 두어렁셩 두어렁셩 다링디리
비 타 들면 아즐가 비 타 들면 것고리이다 나는 — 배를 타면 꺾을 것입니다.
　위 두어렁셩 두어렁셩 다링디리

소주제 ❸ 떠나는 임에 대한 원망과 새 여인에 대한 □□

– 작자 미상

어휘 다지기

- 잡ㅅ와 : 붙잡아, 잡아
- 션ᄒᆞ면 : 서운하면, 마음에 거슬리면
- 셜온 : 서러운
- 도셔 : 돌아서서
- 서경(西京) : 지금의 평양
- 닷곤ᄃᆡ : 닦은 데, 중수(重修)한 곳
- 쇼셩경 : 작은 서울(평양)
- 고외마른 : 사랑하지마는, '괴요마른'의 오기(誤記)임
- 질삼뵈 : 길쌈하던 베
- 좃니노이다 : 따르겠습니다
- 즈믄 : 천(千)
- 외오곰 : 외따로
- 녀신돌 : 살아간들
- 노혼다 : 놓았느냐
- 가시 : 각시, 처(妻)
- 럼난디 : 음란한 마음이 난지, 과욕한지
- 녈 비 : 다니는 배, 떠나는 배
- 연즌다 : 얹었느냐, 태웠느냐
- 고즐여 : 꽃을

함께 엮어 읽기

◆ 〈가시리〉와 〈서경별곡〉의 비교

<table>
<tr><th>〈가시리〉</th><th>〈서경별곡〉</th></tr>
<tr><td colspan="2">• 이별의 정한을 노래한 고려 가요
• 형식 : 3음보, 후렴구, 분연체
• 화자 : 여성</td></tr>
<tr><td>자기 희생과 감정의 절제를 통해 재회를 기약함 → 인고와 순정의 미덕을 간직한 여인</td><td>이별을 거부하며 임과 함께 있는 행복과 애정을 강조함 → 적극적이고 현세 지향적인 여인</td></tr>
</table>

◆ '이별의 정한'의 계승

한국인의 보편적 정서인 '이별의 정한'은 고구려의 〈황조가〉에서 고려 가요인 〈가시리〉, 〈서경별곡〉, 정지상의 한시 〈송인〉, 조선 시대 황진이의 시조, 김소월의 〈진달래꽃〉과 같은 작품으로 계승되고 있다.

소주제 체크

[가] 1. 원망 2. 원망 3. 절제, 체념 4. 재회 [나] 1. 거부 2. 믿음 3. 질투

1 고려 가요에 대한 설명으로 적절하지 않은 것은?

① 평민들의 소박하고 진솔한 감정이 표현되어 있다.
② 한 연이 전대절(前大節)과 후소절(後小節)로 양분된다.
③ 몇 개의 연이 이어져 한 개의 작품을 이루는 분절체 형식이다.
④ 구전되어 오다가 조선 시대 한글 창제 이후 한글로 정착되었다.
⑤ 악률을 맞추기 위한 장치로 아무런 뜻이 없는 후렴구가 발달되어 있다.

2 [가]에 대한 설명으로 적절하지 않은 것은?

① 화자의 이별의 정한이 전통적 가락인 3음보로 표현되고 있다.
② 화자는 매우 외향적이고 적극적인 어조와 태도로 말하고 있다.
③ 화자의 소박하고 진솔한 감정이 표현되어 있어 서정성이 두드러진다.
④ 이별의 슬픔을 인고하며 재회를 소망하는 화자의 모습에서 비장미가 느껴진다.
⑤ 우리 문학사에 나온 이별의 노래 중 문학적 가치가 높은 작품으로 평가되고 있다.

출제 예감

3 수능형 [가]에 나타난 화자의 정서와 가장 이질적인 것은?

① 훨훨 나는 저 꾀꼬리 / 암수 정답게 노니는데,
　외로울사 이 내 몸은 / 뉘와 함께 돌아갈꼬. – 유리왕, 〈황조가〉
② 임이여, 물을 건너지 마오.
　임은 그예 물을 건너시네.
　물에 휩쓸려 돌아가시니,
　가신 임을 어이할꼬. – 백수광부의 아내, 〈공무도하가〉
③ 공산(空山)에 우난 접동, 너난 어이 우짖난다.
　너도 날과 갓치 같이 무음 이별하였나냐.
　아모리 피나게 운들 대답이나 하더냐. – 박효관
④ 산산이 부서진 이름이여!
　허공 중에 헤어진 이름이여!
　불러도 주인 없는 이름이여!
　부르다가 내가 죽을 이름이여! – 김소월, 〈초혼〉
⑤ 남(南)으로 창(窓)을 내겠소. / 밭이 한참갈이
　괭이로 파고 / 호미론 김을 매지요. //
　구름이 꼬인다 갈리 있소.
　새 노래는 공으로 들으랴오.
　강냉이가 익걸랑
　함께 와 자셔도 좋소. – 김상용, 〈남으로 창을 내겠소〉

4 다음은 [가]의 화자의 심리 변화를 정리한 것이다. Ⓐ~Ⓓ에 알맞은 단어를 각각 2음절로 쓰시오.

> [기] 임에게 떠나지 말라고 (　Ⓐ　)함
> [승] 떠나는 임에 대한 (　Ⓑ　)이 고조됨
> [전] 임을 붙잡지 못하고 (　Ⓒ　)함
> [결] 바로 돌아오라고 간절히 (　Ⓓ　)함

5 수능형 〈보기〉가 [가]의 화자가 쓴 일기라고 할 때, ⓐ~ⓔ 중 적절하지 않은 것은?

> 보기
>
> 임께서 나를 버리고 가신다기에 믿어지지 않아서 ⓐ나는 임께 몇 번이고 정말 갈 것이냐고 물어볼 수밖에 없었다. ⓑ이 험한 세상에서 임 없이 나 홀로 어떻게 살라는 것인지 하소연하며 원망할 수밖에 없었다. 하지만 그런 내게 다른 걱정이 생겼다. 그것은 ⓒ내가 호들갑스럽게 임을 붙잡는다면 임이 나에게 질린 나머지 다시는 안 돌아오실 생각을 하시면 그 때는 정말 큰일이라는 것이었다. 하는 수 없이 나는 임을 그냥 보내드리기로 했다. ⓓ하지만 지금 나는 그 때의 행동이 너무나 후회스럽다. 내가 간곡히 붙잡았다면 정말 나를 버리고 임이 그렇게 훌쩍 떠나셨을까? 아, 어쩔 수 없다. ⓔ이제는 임께서 빨리 돌아와 주시기만을 바라고 있을 수밖에…….

① ⓐ　② ⓑ　③ ⓒ　④ ⓓ　⑤ ⓔ

6 [가]의 시구 중, 행위의 주체가 다른 하나는?

① 가시리　② ᄇᆞ리고
③ 잡ᄉᆞ와　④ 선ᄒᆞ면
⑤ 가시ᄂᆞᆫ ᄃᆞᆺ

7 수능형 [가]와 〈보기〉의 화자가 동일인이라고 가정할 때, [가]에서 〈보기〉로 상황이 변한 데 따른 화자의 심정을 가장 잘 표현한 것은?

> 보기
>
> 어져 내 일이야 그릴 줄을 모로ᄃᆞ냐.
> 이시라 ᄒᆞ더면 가랴마ᄂᆞᆫ 제 구ᄐᆡ여
> 보내고 그리는 정은 나도 몰라 ᄒᆞ노라. - 황진이

① 임은 반드시 올 테니까 좀 더 참으면서 의지를 가지고 기다려야겠구나.
② 돌아올 것이라 기대했던 임이 오지를 않으니 안타깝고 그리운 마음만 간절하구나.
③ 나를 버리고 떠난 임인데 내가 무엇이 아쉬워 이럴까? 내 모습이 한심하기 짝이 없구나.
④ 돌아오고 싶어도 사정이 생겨서 못 돌아오는 임의 마음을 생각하니 임의 처지가 가련하구나.
⑤ 이제 돌아오지 않을 것이 확실하니 공연히 기다리는 것보다는 나만의 삶을 꾸려 갈 생각을 해야겠구나.

8 출제 예감 [가]와 〈보기〉의 화자의 태도상의 공통점을 바르게 설명한 것은?

> 보기
>
> 비 갠 긴 언덕에는 풀빛이 푸른데,
> 그대를 남포에서 보내며 슬픈 노래 부르네.
> 대동강 물은 그 언제 다할 것인가,
> 이별의 눈물 해마다 푸른 물결에 더하는 것을. - 정지상, 〈송인〉

① 선경 후정의 방식으로 정서를 드러내고 있다.
② 대상에 대해 다소 원망어린 어조로 말하고 있다.
③ 대상과 이별을 하는 애절한 마음을 표현하고 있다.
④ 임과의 이별의 정한을 대상에 빗대어 표현하고 있다.
⑤ 이별의 시간이 최소한으로 좁혀지기를 소망하고 있다.

9 [나]에 대한 설명으로 적절하지 않은 것은?

① 이 노래의 2연은 고려 가요 〈정석가〉에도 등장한다.
② 여러 개의 연으로 구성되어 있으며, 후렴구가 발달되어 있다.
③ 남녀 간의 사랑과 이에 대한 진솔한 감정을 잘 드러내고 있다.
④ 어려운 한자어를 사용하여 화자의 학식을 과시하려는 의도를 드러내고 있다.
⑤ 등장하는 화자를 각각 다른 사람으로도 볼 수 있는데, 이는 여러 사람에 의해 이 노래가 지어졌음을 말해 준다.

10 출제 예감 [나]와 〈보기〉를 비교한 내용으로 가장 적절한 것은?

> 보기
>
> 먼 후일 당신이 찾으시면
> 그때에 내 말이 "잊었노라."
>
> 당신이 속으로 나무라면
> "무척 그리다가 잊었노라."
>
> 그래도 당신이 나무라면
> "믿기지 않아서 잊었노라."
>
> 오늘도 어제도 아니 잊고
> 먼 후일 그때에 "잊었노라." - 김소월, 〈먼 후일〉

① [나]의 화자는 여성인 데 반해, 〈보기〉의 화자는 남성이군.
② [나]가 임에 대한 축복의 노래라면, 〈보기〉는 임에 대한 원망의 노래라고 할 수 있군.
③ [나]의 화자가 이별에 대해 소극적으로 대처하는 데 반해, 〈보기〉의 화자는 적극적으로 대처하고 있군.
④ [나]의 화자는 이별에 대해 수용적 태도를 보이고 있는 데 반해, 〈보기〉의 화자는 저항적 태도를 보이고 있군.
⑤ [나]의 화자는 자신의 생각을 직설적으로 드러내는 데 반해, 〈보기〉의 화자는 자신의 생각을 반어적으로 드러내고 있군.

정답과 해설 9쪽

11 고난도 〈보기〉의 내용과 관련 있는 미(美)와 [나]에서 〈보기〉에 해당하는 연을 바르게 묶은 것은?

> 보기
>
> 이 미(美)는 자연을 바라보는 '나'가 자연의 질서나 이치를 의의 있는 것으로 존중하지 않고 추락시킬 때 나타난다. 거짓과 위선의 진상을 모두 폭로했을 때 형상화되는 아름다움이다.

① 우아미 – 1연　② 비장미 – 2연
③ 골계미 – 3연　④ 숭고미 – 3연
⑤ 해학미 – 2연

12 수능형 [나]의 화자가 샤공에게 보이는 태도와 가장 유사한 것은?

① 돌하 노피곰 도ᄃᆞ샤
어긔야 머리곰 비취오시라.
어긔야 어강됴리
아으 다롱디리 – 〈정읍사〉

② 지뵈 바회 ᄀᆞᆺ새
자ᄇᆞ온손 암쇼 노히시고,
나ᄅᆞᆯ 안디 븟그리샤ᄃᆞᆫ
고ᄌᆞᆯ 것거 바도림다. – 〈헌화가〉

③ 어느 ᄀᆞᅀᆞᆯ 이른 ᄇᆞᄅᆞ매
이에 뎌에 ᄠᅥ러딜 닙ᄀᆞᆫ,
ᄒᆞᄃᆞᆫ 가지라 나고
가논 곧 모ᄃᆞ론뎌. – 〈제망매가〉

④ 간 봄 몯 오리매
모ᄃᆞᆯ 기ᅀᆞ샤 우롤 이 시름
ᄆᆞᄃᆞᆷ곳 ᄇᆞᆯ기시온
즈ᅀᅵ히 헤나삼 헐니져. – 〈모죽지랑가〉

⑤ 거북아, 거북아 수로를 내놓아라.
남의 아내 훔쳐간 죄 얼마나 크랴.
네 만일 거역하고 내놓지 않는다면,
그물로 너를 잡아 구워 먹으리. – 〈해가〉

13 [나]에 사용된 시어 중, 그 의미와 역할이 서로 유사한 것끼리 바르게 묶인 것은?

① 서경 – 긴　② 구슬 – 비
③ 바회 – 대동강　④ 즈믄 ᄒᆡ – 샤공
⑤ 가시 – 곶

14 ㉠~㉢의 주체를 바르게 연결한 것은?

	㉠	㉡	㉢		㉠	㉡	㉢
①	화자	화자	임	②	화자	임	화자
③	화자	임	임	④	임	화자	임
⑤	임	임	화자				

출제 예감

15 [가]와 [나]의 화자가 이별의 상황에 대처하는 태도상의 차이점을 설명한 것으로 적절하지 않은 것은?

① [가]의 화자는 이별을 받아들이나, [나]의 화자는 이별을 거부하고 있다.
② [가]의 화자가 미래 지향적 자세를 보이는 반면, [나]의 화자는 현실 지향적 자세를 보이고 있다.
③ [가]의 화자가 감정의 절제와 체념을 보이는 반면, [나]의 화자는 자신의 솔직한 감정을 강하게 표출하고 있다.
④ [가]의 화자가 임에 대한 원망과 미움을 보이는 반면, [나]의 화자는 임에 대한 자기 희생적 사랑을 강조하고 있다.
⑤ [가]의 화자가 임과의 재회를 기약하고 있는 반면, [나]의 화자는 떠나는 임을 따르겠다는 적극적인 모습을 보이고 있다.

출제 예감

16 [가], [나]와 같이 우리 민족의 전통적 정서인 이별의 정한을 드러내고 있는 것은?

① 내 마음의 어딘 듯 한편에 끝없는 / 강물이 흐르네.
돋쳐 오르는 아침 날 빛이 빤질한 / 은결을 도도네.
– 김영랑, 〈끝없는 강물이 흐르네〉

② 죽는 날까지 하늘을 우러러 / 한 점 부끄럼이 없기를,
잎새에 이는 바람에도 / 나는 괴로워했다. – 윤동주, 〈서시〉

③ 나 보기가 역겨워 / 가실 때에는
말없이 고이 보내 드리오리다. //
영변에 약산 / 진달래꽃
아름 따다 가실 길에 뿌리오리다. – 김소월, 〈진달래꽃〉

④ 어데다 무릎을 꿇어야 하나
한 발 재겨 디딜 곳조차 없다. //
이러매 눈 감아 생각해 볼밖에
겨울은 강철로 된 무지갠가 보다. – 이육사, 〈절정〉

⑤ 남들은 자유를 사랑한다지마는, 나는 복종을 좋아하여요. / 자유를 모르는 것은 아니지만, 당신에게는 복종만 하고 싶어요. / 복종하고 싶은 데 복종하는 것은 아름다운 자유보다 더 달콤합니다. 그것이 나의 행복입니다. – 한용운, 〈복종〉

17 서술형 [가]와 [나]에 시적 분위기와 어울리지 않는 후렴구가 쓰이게 된 이유를 [가], [나]가 전승되는 과정과 관련하여 서술하시오.

02 정석가(鄭石歌)

•딩아 돌하 ⓐ당금(當今)에 계샹이다. — 징이여 돌이여 지금 계시옵니다.
딩아 돌하 당금(當今)에 계샹이다. — 징이여 돌이여 지금 계시옵니다.
션왕셩ᄃᆡ(先王聖代)예 •노니ᄋᆞ와지이다. — 태평성대에 노닐고 싶습니다.

소주제 1 [서사] □□□□를 바람

•삭삭기 •셰몰애 ⓑ별헤 나ᄂᆞᆫ — 사각사각하는 모래 벼랑에
삭삭기 셰몰애 별헤 나ᄂᆞᆫ — 사각사각하는 모래 벼랑에
구은 밤 닷 되를 심고이다. — 구운 밤 닷 되를 심습니다.
그 바미 우미 도다 삭나거시아 — 그 밤이 움이 돋아 싹이 나야만
그 바미 우미 도다 삭나거시아 — 그 밤이 움이 돋아 싹이 나야만
유덕(有德)ᄒᆞ신 님믈 ⓒ여히ᄋᆞ와지이다. — 유덕하신 임을 여의고 싶습니다.

소주제 2 [본사] □□ □이 움이 돋아야 임과 이별함

옥(玉)으로 련(蓮)ㅅ고즐 ⓓ사교이다. — 옥으로 연꽃을 새기옵니다.
옥(玉)으로 련(蓮)ㅅ고즐 사교이다. — 옥으로 연꽃을 새기옵니다.
바회 우희 •접듀(接柱)ᄒᆞ요이다. — 바위 위에 접을 붙이옵니다.
그 고지 ⓔ삼동(三同)이 •퓌거시아 — 그 꽃이 세 묶음(혹은 한겨울에) 피어야만
그 고지 삼동(三同)이 퓌거시아 — 그 꽃이 세 묶음(혹은 한겨울에) 피어야만
유덕(有德)ᄒᆞ신 님 여히ᄋᆞ와지이다. — 유덕하신 임을 여의고 싶습니다.

소주제 3 옥으로 새긴 □□이 피어야 임과 이별함

므쇠로 •텰릭을 •ᄆᆞᆯ아 나ᄂᆞᆫ — 무쇠로 철릭을 마름질해
므쇠로 텰릭을 ᄆᆞᆯ아 나ᄂᆞᆫ — 무쇠로 철릭을 마름질해
텰ᄉᆞ(鐵絲)로 주롬 바고이다. — 철사로 주름을 박습니다.
그 오시 다 헐어시아 — 그 옷이 다 헐어야만
그 오시 다 헐어시아 — 그 옷이 다 헐어야만
유덕(有德)ᄒᆞ신 님 여히ᄋᆞ와지이다. — 유덕하신 임을 여의고 싶습니다.

소주제 4 □□로 만든 옷이 헐어야 임과 이별함

므쇠로 한쇼를 디여다가 — 무쇠로 큰 소를 만들어다가
므쇠로 한쇼를 디여다가 — 무쇠로 큰 소를 만들어다가
•텰슈산(鐵樹山)애 노호이다. — 쇠 나무 산에 놓습니다.
그 쇼 •텰초(鐵草)를 머거아 — 그 소가 쇠풀을 먹어야
그 쇼 텰초(鐵草)를 머거아 — 그 소가 쇠풀을 먹어야
유덕(有德)ᄒᆞ신 님 여히ᄋᆞ와지이다. — 유덕하신 임을 여의고 싶습니다.

소주제 5 무쇠로 만든 □가 쇠풀을 다 먹어야 임과 이별함

구스리 바회예 디신ᄃᆞᆯ — 구슬이 바위에 떨어진들
구스리 바회예 디신ᄃᆞᆯ — 구슬이 바위에 떨어진들
긴힛ᄃᆞᆫ 그츠리잇가 — 끈이야 끊어지겠습니까.
•즈믄 ᄒᆡ를 •외오곰 •녀신ᄃᆞᆯ — 천 년을 외따로 살아간들

작품 개관

- 갈래 고려 가요
- 성격 서정적, 민요적
- 형식 전 6연의 분연체
- 운율 3음보, 3·3·4조
- 주제
  ① 임에 대한 영원한 사랑
  ② 태평성대의 기원
- 특징
  ① 불가능한 상황을 설정하여 영원한 사랑을 노래함
  ② 대부분의 고려 가요에서 보이는 향락의 정서가 두드러지지 않음

1등급 노트

1. 구성상의 특징

구분	내용
서사(1연)	태평성대에 대한 소망(2~5연과 달리 송축가의 성격을 보임)
본사(2~5연)	불가능한 상황을 설정하여 영원한 사랑을 기원함
결사(6연)	임에 대한 영원한 사랑과 믿음

2. 표현상의 특징

불가능한 상황을 설정하여 임과의 영원한 사랑에 대한 소망을 역설적·반어적으로 나타냄

불가능한 상황	행위
구운 밤에 싹이 나면	유덕(有德)하신 임과 이별하겠다. → 유덕(有德)하신 임과 이별하지 않겠다.(임과 절대로 헤어지지 않겠다는 화자의 의지 및 소망 표현)
옥으로 새긴 연꽃에서 꽃이 피면	
무쇠로 만든 옷이 헐면	
무쇠로 만든 소가 쇠풀을 먹으면	

함께 엮어 읽기

◆ 〈서경별곡〉과의 관련성

〈서경별곡〉에는 다음과 같이 〈정석가〉와 동일한 표현이 나타난다.

구스리 아즐가 구스리 바회예 디신ᄃᆞᆯ
위 두어렁셩 두어렁셩 다링디리
긴히ᄯᆞᆫ 아즐가 긴히ᄯᆞᆫ 그츠리잇가 나ᄂᆞᆫ
위 두어렁셩 두어렁셩 다링디리
즈믄 ᄒᆡ를 아즐가 즈믄 ᄒᆡ를 외오곰 녀신ᄃᆞᆯ
위 두어렁셩 두어렁셩 다링디리
신(信)잇ᄃᆞᆫ 아즐가 신(信)잇ᄃᆞᆫ 그츠리잇가 나ᄂᆞᆫ
위 두어렁셩 두어렁셩 다링디리

이러한 표현은 구비 문학에서 나타나는 특징으로, 아마 당시에 이와 같은 구절이 널리 유행되었으리라고 추측된다. 또한 이 노래들이 민요처럼 민중 속에서 불리다가 궁중 음악으로 편입되는 과정에서 개편이 이루어진 결과로 볼 수도 있다.

정답과 해설 10쪽

즈믄 히롤 외오곰 녀신돌　　　　천 년을 외따로 살아간들

신(信)잇돈 그츠리잇가.　　　　믿음이 끊어지겠습니까.

소주제 6 [결사] 임에 대한 영원한 □□과 믿음

– 작자 미상

어휘 다지기

- 딩아 돌하 : ① 악기인 정경(鉦磬)을 의인화한 표현 ② 연모하는 인물의 이름
- 노니ᄋᆞ와지이다 : 놀고 싶습니다
- 삭삭기 : 바삭바삭한 모양
- 셰몰 : 가는(細) 모래
- 접듀(接柱)ᄒᆞ요이다 : 접합니다, 붙입니다
- 퓌거시아 : 피시어야, 피어야
- 텰릭 : 옛 무관의 제복
- 몰아 : 재단하여
- 텰슈산(鐵樹山) : 쇠로 된 나무가 있는 산
- 텰초(鐵草) : 쇠로 된 풀
- 즈믄 : 천(千)
- 외오곰 : 외따로
- 녀신돌 : 살아간들

소주제 체크

1. 태평성대 2. 구슬 끈 3. 연꽃 4. 무쇠 5. 소 6. 사랑

1 **수능형** 다음은 이 작품에 대한 수행 평가 과제로 제출하려는 보고서이다. 보고할 내용으로 적절하지 않은 것은?

작성자	○학년 ○반 이정수
작성 일시	○○○○년 ○월 ○일
제목	《악장가사》에 전해지는 고려 가요 〈정석가〉에 대하여
형식	• 고려 가요의 특징인 여음구를 가지고 있다. ………… ① • 모두 6연으로 구성된 분연체 형식의 작품이다. …… ②
내용	• 임과 이별하지 않겠다는 의지를 드러내고 있다. …… ③ • 이 노래는 내용상 1연을 서사, 2~5연을 본사, 6연을 결사로 보아 세 부분으로 나눌 수 있다. ………… ④ • 6연에는 괴로운 현실을 벗어나 이상적인 세계로 가고 싶어 하는 화자의 염원이 잘 드러나 있다. ………… ⑤

출제 예감 **2** **고난도** 이 작품과 유사한 발상에 의해 표현된 구절이 쓰이지 않은 것은?

① 동해물과 백두산이 마르고 닳도록
　하느님이 보우하사 우리 나라 만세　　– 〈애국가〉

② 산(山)새도 오리나무
　위에서 운다
　산새는 왜 우노, 시메 산골
　영(嶺) 넘어 가려고 그래서 울지　　– 김소월, 〈산〉

③ 오리의 짧은 다리가 학의 긴 다리로 될 때까지
　검은 까마귀가 하얀 백로가 될 때까지
　끝없이 복을 누리소서, 억만 년 영원히 복을 누리소서.　– 김구

④ 임이여, 당신은 백 번이나 단련한 금(金)결입니다.
　뽕나무 뿌리가 산호(珊瑚)가 되도록 천국(天國)의 사랑을 받읍소서. / 임이여, 사랑이여, 아침 별의 첫걸음이여.　– 한용운, 〈찬송〉

⑤ 나무 도막으로 당닭을 깎아
　젓가락으로 집어 벽에 앉히고
　이 새가 꼬끼오 하고 때를 알리면
　어머님 얼굴은 비로소 서쪽으로 기우는 해처럼 늙으시리.
　– 문충, 〈오관산요〉

3 이 작품에서 주제를 효과적으로 드러내기 위해 설정한 중심 소재로 적절하지 않은 것은?

① 구은 밤　② 련(蓮)ㅅ고즐　③ 텰릭
④ 한쇼　⑤ 바회

4 이 작품과 〈보기〉의 공통점으로 가장 적절한 것은?

보기

원슌문(元淳文) 인노시(仁老詩) 공노ᄉᆞ륙(公老四六)
니졍언(李正言) 딘한림(陳翰林) 솽운주필(雙韻走筆)
튱긔디칙(沖基對策) 광균경의(光鈞經義) 량경시부(良鏡詩賦)
위 시댱(試場)ㅅ 경(景) 긔 엇더ᄒᆞ니잇고.
엽(葉) 금흑ᄉᆞ(琴學士)의 옥슌문ᄉᆡᆼ(玉笋門生) 금흑ᄉᆞ(琴學士)의 옥슌문ᄉᆡᆼ(玉笋門生)
위 날조차 몃 부니잇고.　– 한림 제유, 〈한림별곡〉

① 향락적인 생활 태도가 나타난다.
② 3음보의 율격을 기본으로 하고 있다.
③ 노래의 주체가 상류 계층의 신분이다.
④ 객관적인 사물을 열거하며 그 느낌을 표현하였다.
⑤ 불가능한 상황을 설정하는 기발한 표현이 돋보인다.

5 ⓐ~ⓔ의 현대어 풀이로 적절하지 않은 것은?

① ⓐ 당금(當今)에 : 지금에
② ⓑ 별헤 : 벼랑에
③ ⓒ 여히ᄋᆞ와지이다 : 이별하고 싶습니다.
④ ⓓ 사교이다 : 새깁니다.
⑤ ⓔ 삼동(三同)이 : 세 번이나

출제 예감 **6** **서술형** 이 작품에서 화자가 이별을 거부하는 심리를 어떤 방식으로 표현하고 있는지 설명하시오.

03 동동(動動)

가 덕(德)으란 곰ᄇᆡ예 •받좁고, 복(福)으란 •림ᄇᆡ예 받좁고, — 덕은 뒤에 바치옵고, 복은 앞에 바치고자 하오니,
덕(德)이여 복(福)이라 •ᄒᆞ놀, 나ᅀᆞ라 오소이다. — 덕이며 복이라 하는 것을 드리러 오십시오.
㉮아으 동동(動動)다리.

소주제 ❶ □과 □을 빎 – 송도(頌禱)

나 정월(正月)ㅅ 나릿므른 아으 •어져 녹져 ᄒᆞ논ᄃᆡ, — 정월의 냇물은 아아, 얼려 녹으려 하는데,
•누릿 가온ᄃᆡ 나곤 몸하 ᄒᆞ올로 •녈셔. — 세상 가운데 태어난 이 몸이여, 홀로 살아가는구나.
아으 동동(動動)다리.

소주제 ❷ 홀로 살아가는 □□□

다 이월(二月)ㅅ 보로매 아으 노피 현 ⓐ등(燈)ㅅ블 •다호라. — (내 임은) 2월 보름에 아아, 높이 켜 놓은 등불 같구나.
만인(萬人) 비취실 •즈ᅀᅵ샷다. — 만인을 비추실 모습이시로구나.
아으 동동(動動)다리.

소주제 ❸ 임의 내면적인 면모 □□, 세시 풍속 : 연등제

라 삼월(三月) 나며 개(開)ᄒᆞᆫ 아으 만춘(滿春) ᄃᆞᆯ욋고지여. — 3월 지나면서 핀 아아, 늦봄 진달래꽃이여.
ᄂᆞᄆᆡ ᄇᆞᄅᆞᆯ 즈ᅀᅳᆯ 디녀 나샷다. — 남이 부러워할 모습을 지니고 나셨구나.
아으 동동(動動)다리.

소주제 ❹ 임의 외면적인 면모 □□

마 사월(四月) 아니 니저 아으 오실셔 곳고리새여 — 4월을 아니 잊어 아아, 오셨구나 꾀꼬리새여.
므슴다 녹사(錄事)니ᄆᆞᆫ 녯 나ᄅᆞᆯ 닛고신뎌. — 어찌하여 녹사님은 옛날의 나를 잊고 계시는가.
아으 동동(動動)다리.

소주제 ❺ 오지 않는 임에 대한 □□

바 오월(五月) 오일(五日)애 아으 수릿날 아ᄎᆞᆷ ⓑ약(藥)은, — 5월 5일에 아아, 단옷날 아침 약은
즈믄 ᄒᆡᆯ 장존(長存)ᄒᆞ샬 약(藥)이라 받좁노이다. — 천 년을 오래 사실 약이기에 바치나이다.
아으 동동(動動)다리.

소주제 ❻ 임의 □□를 기원, 세시 풍속 : 단오

사 유월(六月)ㅅ 보로매 아으 별해 •ᄇᆞ룐 빗 다호라. — 6월 보름에 아아, 벼랑에 버린 빗 같구나.
도라보실 니ᄆᆞᆯ •젹곰 좃니노이다. — 돌아보실 임을 잠시나마 따르겠나이다.
아으 동동(動動)다리.

소주제 ❼ 임에게 버려진 슬픔, 세시 풍속 : □□

어휘 다지기

- 받좁고 : 바치옵고
- 림ᄇᆡ예 : 앞에, 임(임금)께
- ᄒᆞ놀 : 하는 것을
- 어져 : 얼려
- 누릿 : 세상의
- 녈셔 : 살아가는구나
- 다호라 : 같구나
- 즈ᅀᅵ샷다 : 모습이시도다
- ᄇᆞ룐 : 버린(棄)
- 젹곰 : 조금, 잠시나마

작품 개관

- 갈래 고려 가요
- 성격 연가적, 민요적
- 형식 전 13연의 달거리 노래
- 주제 임에 대한 송축과 연모
- 특징
  ① 달거리(월령체) 노래
  ② 세시 풍속에 따라 화자의 정서를 나타냄
  ③ 분연체의 형식과 후렴구를 사용함
  ④ 전편(全篇)의 일관된 정서가 아닌, 각 연의 독자적 정서를 나타냄
  ⑤ 자연과 인간의 대조를 통해 화자의 정서를 강조함
  ⑥ 은유법, 직유법, 영탄법 등 다양한 표현 기법을 사용함
- 의의
  ① 현존하는 가장 오래된 달거리(월령체) 형식의 고려 가요
  ② 노래에 나오는 명절과 풍속의 모습은 민속 연구의 귀중한 자료가 됨

1등급 노트

1. 전체 구성

달에 따른 세시 풍속을 중심으로, 송도(頌禱)의 성격을 지닌 서사 1연과 임에 대한 연모의 정을 표현하고 있는 본사 12개의 연으로 구성됨

월별	소재	주제	세시 풍속
서사	덕, 복	송도	
정월	나릿믈	고독	
이월	등(燈)ㅅ블	송축	연등제
삼월	ᄃᆞᆯ욋곶	송축	
사월	곳고리새	애련	
오월	약(藥)	기원	단오
유월	빗	애련	유두
칠월	백종	연모	백중
팔월	가배	연모	한가위
구월	황화	적요	중양절
시월	ᄇᆞᄅᆞᆺ	애련	
십일월	봉당, 한삼	비련	
십이월	져	애련	

2. 비유적 표현

임	등(燈)ㅅ블(2월령)	임의 훌륭한 인격 비유
	ᄃᆞᆯ욋곶(3월령)	임의 아름다운 모습 비유
화자	빗(6월령)	임에게서 버림받은 화자의 모습 비유
	ᄇᆞᄅᆞᆺ(10월령)	
	져(12월령)	

3. 후렴구의 의미 및 역할

'아으 동동(動動)다리.'
- '동동(動動)'은 북소리를 본뜬 의성어
- 각 연을 나누면서 음악적 흥취를 고조시킴

소주제 체크

1. 덕, 복 2. 외로움 3. 예찬 4. 예찬 5. 원망 6. 장수 7. 유두

정답과 해설 10쪽

아 칠월(七月)ㅅ 보로매 아으 백종(百種) •배(排)ᄒᆞ야 두고,
니믈 ᄒᆞᆫ ᄃᆡ •녀가져 원(願)을 비ᅀᆞᆸ노이다.
아으 동동(動動)다리.

7월 보름에 아아, 백종을 벌여 놓고
임과 함께 살아가고자 소원을 비옵나이다.

소주제 8 임과 함께 살기를 기원, 세시 풍속 : □□

자 팔월(八月)ㅅ 보로ᄆᆞᆫ 아으 가배(嘉俳) 나리마ᄅᆞᆫ,
니믈 뫼셔 녀곤 오ᄂᆞᆳ날 가배(嘉俳)샷다.
아으 동동(動動)다리.

8월 보름은 아아, 한가윗날이지마는
임을 모시고 지내야 오늘이 뜻있는 한가윗날입니다.

소주제 9 임에 대한 □□□, 세시 풍속 : □□□

차 구월(九月) 구일(九日)애 아으 약(藥)이라 먹논 ㉠황화(黃花)
고지 안해 드니, •새셔 •가만ᄒᆞ애라.
아으 동동(動動)다리.

9월 9일에 아아, 약이라고 먹는 노란 국화꽃
꽃이 집 안에 피니 초가가 고요하구나.

소주제 10 임이 없는 쓸쓸함, 세시 풍속 : □□□

카 시월(十月)애 아으 져미연 ⓒᄇᆞᄅᆞᆺ 다호라.
것거 ᄇᆞ리신 후(後)에 디니실 ᄒᆞᆫ 부니 업스샷다.
아으 동동(動動)다리.

10월에 아아, 잘게 썬 보리수나무 같구나!
꺾어 버린 다음엔 지니실 한 분이 없으시도다.

소주제 11 임에게 버림받은 □□

타 십일월(十一月)ㅅ ⓓ•봉당 자리예 아으 •한삼(汗衫) 두퍼 누워
•슬ᄒᆞᆯᄉᆞ라온뎌 고우닐 •스싀옴 녈셔.
아으 동동(動動)다리.

11월 봉당 자리에 아아, 한삼 덮고 누워
슬픈 일이도다. 고운 임을 (여의고) 제각기 살아가고 있구나.

소주제 12 임과 헤어져 혼자 사는 □□

파 십이월(十二月)ㅅ •분디남ᄀᆞ로 갓곤, 아으 •나ᄉᆞᆯ •반(盤)잇 져 다호라.
니믜 알ᄑᆡ 드러 •얼이노니, ⓔ소니 가재다 므ᄅᆞᄋᆞᆸ노이다.
아으 동동(動動)다리.

12월 분지나무로 깎은 아아, (임께) 차려 올릴 소반 위의 젓가락 같구나.
임의 앞에 들어 가지런히 놓으니 손(客)이 가져다가 뭅니다.

소주제 13 임과 인연을 맺지 못한 □□

– 작자 미상

어휘 다지기

- 배(排)ᄒᆞ야 : 배열하여, 벌이어
- 녀가져 : 살아가고자
- 새셔 : 초가집
- 가만ᄒᆞ애라 : 적막하구나
- 봉당 : 안방과 건넌방 사이에 마루가 아닌 흙바닥이 그대로 있는 곳
- 한삼(汗衫) : 홑적삼. 저고리 속에 껴입는 속적삼
- 슬ᄒᆞᆯᄉᆞ라온뎌 : 슬픈 일이구나
- 스싀옴 : 제각기
- 분디남ᄀᆞ로 : 분지나무로
- 나ᄉᆞᆯ : (임께) 바칠
- 반(盤)잇 : 소반 위의
- 얼이노니 : 가지런히 놓으니

함께 엮어 읽기

◆ 정학유, 〈농가월령가〉

〈농가월령가〉는 농가의 일 년 행사와 세시 풍속을 달에 따라 읊으면서 세시 풍속과 그에 따른 예의범절을 가르치는 교훈적인 가사이다. 〈농가월령가〉는 달거리(월령체) 노래라는 점에서 〈동동〉의 형식을 계승했다고 볼 수 있다.

더 알아보기

◆ 월령체(月令體)

일반적으로 월령체는 '달거리 노래'라고 부른다. 월령체는 일 년 열두 달 시간의 흐름에 맞춰 각 연을 나누어 부르는 것으로, 내용상 각 절기의 세시 풍속과 관련된다. 자연, 기후, 명절놀이, 민속 행사 등을 반영하면서 서정적으로 노래하여 다양하고 풍부한 생활 감정을 표현하고 있는 것이 특징이다.

◆ 〈동동〉에 나타난 세시 풍속

연등제	2월 보름에 등에 불을 켜고 부처에게 복을 비는 풍속
단오	5월 5일로 단오떡을 해 먹고, 여자는 창포물에 머리를 감고 그네를 뛰며, 남자는 씨름을 하는 풍속
유두	음력 6월 15일에 여인들이 동쪽으로 흘러가는 물에 머리를 감고 그 빗을 멀리 던져 액땜을 하는 풍속
백중	음력 7월 15일로 승려들이 재(齋)를 설(設)하여 부처를 공양하고, 남녀가 모여 온갖 음식을 갖추어 놓고 즐겁게 노는 풍속
한가위	음력 8월 15일로 가을에 거둔 곡식으로 조상에게 제사를 지내는 풍속
중양절	음력 9월 9일로 각 가정에서는 국화전을 부쳐 먹고, 선비들은 교외로 나가 국화주를 마시는 풍속

소주제 체크

8. 백중 9. 그리움, 한가위 10. 중양절 11. 슬픔 12. 슬픔 13. 슬픔

1 이 작품에 대한 설명으로 적절하지 않은 것은?

① 국문학사상 현존하는 고려 가요 중 가장 오래된 것이다.
② 화자의 정서를 당시의 세시 풍속과 연관지어 표현하고 있다.
③ 자연물을 활용하여 이별한 임에 대한 그리움을 노래하고 있다.
④ 서민의 진솔한 감정이 담겨 있는 노래로 궁중에서도 연주되었다.
⑤ 계절의 변화에 따라 임과 이별한 화자의 절실한 마음이 드러나 있다.

출제 예감

2 이 작품의 표현상 특징으로 적절하지 않은 것은?

① 분연체(分聯體) 형식의 노래이다.
② 3음보의 율격을 바탕으로 한 민요풍의 노래이다.
③ 화자가 처한 비극적 상황을 익살스럽게 표현하고 있다.
④ 각 연의 끝에 후렴구가 반복적으로 사용되어 음악성을 높이고 있다.
⑤ 월령체 형식을 사용하여 화자의 다양한 감정을 효과적으로 표현하고 있다.

3 이 작품에서 〈보기〉에 제시된 세시 풍속이 나타난 연을 바르게 연결한 것은?

보기

Ⅰ. 동쪽으로 흐르는 물에 머리를 감고 그 빗을 멀리 던졌다. 동쪽으로 흐르는 물에 머리를 감는 것은 동쪽은 청이요, 양기가 왕성한 곳이라고 믿는 데서 기인한다. 이러한 풍속을 통해 액을 쫓고, 여름에 더위를 먹지 않는다고 믿었다.
Ⅱ. 이 날은 온 가족이 한자리에 모여 햇곡식과 햇과일로 차례를 지내고, 성묘를 한다. 성묘 후에는 만월 아래에서 축제를 벌이고 줄다리기, 씨름, 강강술래 등의 놀이를 즐겼다.
Ⅲ. 이 날은 중광(重光) 또는 중구(重九)라고도 한다. 중광은 양(陽)이 겹친다는 뜻이며, 중구는 '9(九)' 수가 겹친다는 뜻으로 풀이된다. 각 가정에서는 국화전을 부쳐 먹고, 선비들은 교외로 나가 국화주를 마시는 풍속이 있었다.

	Ⅰ	Ⅱ	Ⅲ
①	2월령 – 연등절	6월령 – 유두	7월령 – 백중
②	5월령 – 단오	7월령 – 백중	2월령 – 연등절
③	6월령 – 유두	8월령 – 한가위	9월령 – 중양절
④	7월령 – 백중	9월령 – 중양절	6월령 – 유두
⑤	9월령 – 중양절	2월령 – 연등절	8월령 – 한가위

4 이 작품에 나타난 화자의 모습으로 적절하지 않은 것은?

① 임을 송축하고 있다.
② 홀로 외롭게 지내고 있다.
③ 임이 반드시 돌아오리라 확신하고 있다.
④ 임에 대한 그리움을 안고 살아가고 있다.
⑤ 임을 여러 사람이 우러러볼 인물로 여기고 있다.

5 [가]~[파] 중, 〈보기〉와 표현 방법 및 화자의 정서가 유사한 연끼리 묶인 것은?

보기

펄펄 나는 꾀꼬리
암수 정답게 노니는데,
외로울사 이 내 몸은
뉘와 함께 돌아갈꼬.
– 유리왕, 〈황조가〉

① [가], [라] ② [나], [마] ③ [다], [사]
④ [바], [아] ⑤ [자], [파]

6 고난도 [자]~[파] 중, 〈보기〉의 밑줄 친 부분과 시적 발상이 가장 유사한 것은?

보기

얼굴을 못 보거든 그립기나 마르려믄
열두 째 김도 길샤 설흔 날 지리(支離)ᄒᆞ다.
옥창(玉窓)에 심근 매화(梅花) 몃 번이나 픠여 진고.
겨울 밤 차고 찬 제 자최눈 섯거 치고
여름날 길고 길 제 구즌비ᄂᆞᆫ 무스 일고.
<u>삼춘 화류(三春花柳) 호시절(好時節)에 경물(景物)이 시름업다.</u>
가을 ᄃᆞᆯ 방에 들고 실솔(蟋蟀)이 상(床)에 울 제
긴 한숨 디ᄂᆞᆫ 눈물 속절업시 혬만 만타.
– 허난설헌, 〈규원가〉

① [자] ② [차] ③ [카] ④ [타] ⑤ [파]

출제 예감

7 [파]에 드러난 화자의 심정을 가장 잘 이해한 사람은?

① 대석 : 임을 위해 최선을 다했지만, 자신을 끝내 외면하는 임을 원망하고 있어.
② 근우 : 임과 헤어지지만 임에 대한 영원한 사랑을 버리지 않겠다고 다짐하고 있어.
③ 중효 : 임에 대한 서운함으로 경솔하게 임과의 이별을 택한 자신의 결정을 후회하고 있어.
④ 윤지 : 임은 자신을 사랑하지 않고, 자신은 엉뚱한 사람과 인연을 맺게 된 안타까운 심정을 표현하고 있어.
⑤ 가희 : 기회만 닿는다면 임을 위해 풍성한 만찬을 마련하여 음식을 직접 먹여 주고 싶은 심정을 표현하고 있어.

정답과 해설 10쪽

8 이 작품의 화자를 여성으로 볼 수 있는 근거로 바르지 <u>않은</u> 것은?

① 연가풍의 노래라는 점
② 경어체를 사용하여 부드럽게 표현했다는 점
③ 임의 신분이 고려 시대의 벼슬 '녹사(錄事)'라는 점
④ 화자를 비유하는 소재들이 여성의 주변에서 쉽게 볼 수 있다는 점
⑤ 덕과 복을 빌고 임의 장수를 기원하는 송도, 송축적인 태도를 지녔다는 점

출제 예감

9 ㉮에 대한 설명으로 적절하지 <u>않은</u> 것은?

① 각 연을 나누는 기능을 하고 있다.
② 고려 가요의 형식상 특징 가운데 하나이다.
③ 음악적 흥취를 고조시키는 역할을 하고 있다.
④ 북소리에 화자의 감정을 이입하여 나타낸 표현이다.
⑤ 작품 전체 주제와 직접적인 관련은 없으나 제목명에 영향을 준 표현이다.

10 ㉠의 역할에 대한 설명으로 가장 적절한 것은?

① 임을 여읜 쓸쓸한 화자를 상징한다.
② 화자에게 임을 떠올리게 하는 소재이다.
③ 화자와 임의 사랑을 가로막는 장애물이다.
④ 화자가 그리워하는 임의 모습을 나타낸다.
⑤ 임이 없는 적막감을 두드러지게 하는 소재이다.

11 이 작품에 사용된 낱말의 풀이가 <u>잘못된</u> 것은?

① 곰비예 : 앞으로　　② 나ᄉᆞ라 : 드리러
③ 므슴다 : 어찌하여　　④ 별해 : 벼랑에
⑤ 져미연 : 잘게 자른

12 ⓐ~ⓔ 중, 〈보기〉의 밑줄 친 시어와 의미가 통하는 것은?

보기

열치매 / 나토얀 ᄃᆞ리
힌 구룸 조초 ᄠᅥ 가ᄂᆞᆫ 안디하.
새파ᄅᆞᆫ 나리여히
기랑(耆郞)ᄋᆡ 즈ᅀᅵ 이슈라.
일로 나리ㅅ 지벽히
낭(郎)ᄋᆡ 디니다샤온
ᄆᆞᅀᆞ미 ᄀᆞᇫ홀 좇누아져.
아으 <u>잣ㅅ가지</u> 노파
서리 몯누올 화반(花判)이여.　　– 충담사, 〈찬기파랑가〉

① ⓐ　② ⓑ　③ ⓒ　④ ⓓ　⑤ ⓔ

13 수능형 이 작품을 감상하는 방법에 대해 토의한 내용으로 적절하지 <u>않은</u> 것은?

① 시간과 공간의 변화에 따른 화자의 상황 변화를 점검하면서 주제를 파악해야 해.
② 작품에 드러난 세시 풍속에 초점을 맞추어 민속학적 입장에서 접근하는 것도 의의가 있을 것 같아.
③ 궁중 의식에 사용되었다는 점이 노래의 내용과 형식에 어떤 변화를 주었는지 생각해 보는 건 어떨까?
④ 다른 속요들과 달리 월령체 형식을 지니고 있다는 점을 고려하여 다른 월령체 작품과 비교해서 감상하는 게 좋겠어.
⑤ 시상의 흐름이 일관되지 않고 화자의 정서가 각 연마다 다르다는 점을 염두에 두고 작품을 감상해야 할 것 같아.

14 서술형 [가] 부분이 다음과 같은 특성을 지니게 된 이유를 고려 가요의 전승 과정과 연관 지어 서술하시오.

〈동동〉은 세시 풍속을 중심으로 임과 이별한 여인의 그리움을 노래하고 있으나, 서사(序詞) 부분은 송도(頌禱)의 성격을 지녀 다른 연과 내용상 차이를 보인다.

04 청산별곡(靑山別曲)

살어리 살어리랏다 ⓐ청산(靑山)애 살어리랏다.　　살겠노라 살겠노라. 청산에서 살겠노라.
*멀위랑 ᄃᆞ래랑 먹고, 청산(靑山)애 살어리랏다.　　머루와 다래를 먹고, 청산에서 살겠노라.
　㉠얄리얄리 얄랑셩 얄라리 얄라

소주제 1 청산에 대한 □□

우러라 우러라 새여 자고 니러 우러라 새여.　　우는구나 우는구나 새여, 자고 일어나 우는구나 새여.
*널라와 시름 한 나도 자고 니러 우니노라.　　너보다 근심이 많은 나도 자고 일어나 울며 지내노라.
　얄리얄리 얄라셩 얄라리 얄라

소주제 2 삶의 □□와 고독

가던 새 가던 새 본다 믈 아래 가던 새 본다.　　가던 새 가던 새 본다. 물 아래 가던 새 본다.
잉 무든 장글란 가지고 믈 아래 가던 새 본다.　　이끼 묻은 쟁기를 가지고, 물 아래 가던 새 본다.
　얄리얄리 얄라셩 얄라리 얄라

소주제 3 속세에 대한 □□

이링공 뎌링공 ᄒᆞ야 나즈란 디내와손뎌.　　이럭저럭하여 낮은 지내 왔지만,
오리도 가리도 업슨 바ᄆᆞ란 ᄯᅩ 엇디 호리라.　　올 사람도 갈 사람도 없는 밤은 또 어찌하리오.
　얄리얄리 얄라셩 얄라리 얄라

소주제 4 절망적인 □□과 비탄

어듸라 더디던 돌코 누리라 마치던 돌코.　　어디에다 던지던 돌인가? 누구를 맞히려던 돌인가?
*ᄆᆡ리도 괴리도 업시 마자셔 우니노라.　　미워할 사람도 사랑할 사람도 없이 (그 돌에) 맞아서 울며 지내노라.
　얄리얄리 얄라셩 얄라리 얄라

소주제 5 삶의 운명에 대한 □□

살어리 살어리랏다 바ᄅᆞ래 살어리랏다.　　살겠노라 살겠노라. 바다에서 살겠노라.
*ᄂᆞᄆᆞ자기 구조개랑 먹고, 바ᄅᆞ래 살어리랏다.　　나문재(해초)와 굴과 조개를 먹고, 바다에서 살겠노라.
　얄리얄리 얄라셩 얄라리 얄라

소주제 6 □□에 대한 동경

가다가 가다가 드로라 *에졍지 가다가 드로라.　　가다가 가다가 듣노라. 외딴 부엌을 지나가다가 듣노라.
사ᄉᆞ미 짒대예 올아셔 ᄒᆡ금(奚琴)을 혀거를 드로라.　　사슴(사슴으로 분장한 광대)이 장대에 올라가서 해금을 켜는 것을 듣노라.
　얄리얄리 얄라셩 얄라리 얄라

소주제 7 □□이 일어나기를 바라는 절박한 심정

가다니 ᄇᆡ브른 도긔 설진 *강수를 비조라.　　가더니(가다 보니), 배부른 독에 독한 술을 빚는구나.
조롱곳 누로기 ᄆᆡ와 잡ᄉᆞ와니 내 엇디 ᄒᆞ리잇고.　　조롱박꽃 같은 누룩이 매워 붙잡으니, 내 (안 마시고) 어찌하리오.
　얄리얄리 얄라셩 얄라리 얄라

소주제 8 □을 통한 고뇌의 해소

– 작자 미상

작품 개관

- 갈래 고려 가요
- 성격 현실 도피적, 애상적, 낙천적
- 운율 3·3·2조, 3음보
- 주제 삶의 고뇌와 비애에서 벗어나고자 하는 욕구
- 특징
  ① 〈서경별곡〉과 함께 문학성이 뛰어난 고려 가요로 평가됨
  ② 고려인의 삶의 애환이 잘 반영됨

1등급 노트

1. 시상 전개 방식
   - 대칭적 2단 구성 : 작품의 5연과 6연을 서로 바꾸면 1~4연의 '청산'과 5~8연의 '바다'가 의미상 조응 관계를 형성함
   - 서사적 구성 : 청산 소망 → 갈등의 지속 → 바다 소망 → 갈등 지속·비애와 체념
2. 후렴구의 역할
   - 노래의 흥을 돋우며, 노래의 운율을 맞춰 줌
   - 'ㄹ, ㅇ' 음의 반복을 통해 경쾌한 리듬감을 형성함
   - 각 연마다 반복되어 구조적 통일성과 안정감을 줌
   - 작품의 내용과는 상반되나, 고려인들의 낙천성이 드러남
3. 화자에 따른 시어의 의미 변화

화자	가던 새	잉 무든 장글
유랑민	갈던 밭이랑	녹슨 쟁기
실연한 여인	떠나는 임(비유)	녹슨 은장도
변방의 병사, 좌절한 지식인	날아가던 새	녹슨 병기

4. 시어의 의미

1연, 6연	청산, 바ᄅᆞᆯ : 현실과 대조되는 공간, 화자가 지향하는 이상향
2연	새 : 속세와 단절된 화자의 고통과 고독감이 감정 이입된 동병상련의 대상
3연	믈 아래 : 화자가 떠나온 속세, 이상향인 '청산'과 대조를 이루는 현실 속 세계
4연	밤 : 고독과 절망의 시간
5연	돌 : 피할 수 없는 인간의 숙명
7연	에졍지 : 속세와 단절된 공간
8연	강술 : 이상향 추구로도 해소되지 않는 현실적 고통을 일시적으로 해소하게 해 주는 매개체

어휘 다지기

- 멀위 : 머루
- 널라와 : 너보다
- ᄆᆡ리도 괴리도 : 미워할 사람도 사랑할 사람도
- ᄂᆞᄆᆞ자기 : 나문재, 바다에서 나는 해초의 일종
- 에졍지 : 외딴 부엌
- 강수 : 독한 술

소주제 체크
1. 동경 2. 비애 3. 미련 4. 고독 5. 체념 6. 바다 7. 기적 8. 술

정답과 해설 10쪽

1 이 작품에 대한 설명으로 적절하지 <u>않은</u> 것은?

① 3 · 3 · 2조, 3음보의 율격을 지니고 있다.
② 전 8연의 분연체로 구성된 고려 가요이다.
③ 고려인들의 삶의 애환이 진솔하게 드러나 있다.
④ 관념적인 내용이 두드러진, 사대부들의 노래이다.
⑤ 오랫동안 구전되어 오다가 조선 시대에 기록되었다.

2 이 작품에 나타난 화자의 삶의 태도로 적절하지 <u>않은</u> 것은?

① 현실을 벗어난 공간에서 고독을 즐기고자 한다.
② 현실에서 오는 시련을 음악과 술로 달래려고 한다.
③ 피할 수 없는 삶의 고통을 운명으로 받아들이고 있다.
④ 현실의 부정적 요소를 극복하기보다는 기적을 바라고 있다.
⑤ 현실의 고통에서 벗어나 이상적인 공간으로 도피하고자 한다.

출제 예감

3 각 연의 중심 소재와 그 함축적 의미의 연결이 적절하지 <u>않은</u> 것은?

①	1연	청산	동경하는 공간
②	2연	새	마음이 통하는 대상
③	4연	밤	고독의 시간
④	6연	바다	속세에 대한 희망
⑤	8연	술	시름을 달래는 수단

4 이 작품의 화자와 관련하여 '가던 새'와 '잉 무든 장글'의 의미를 다음과 같이 정리해 보았다. ㉮~㉰에 들어갈 내용으로 가장 적절한 것은?

화자	'가던 새'	'잉 무든 장글'
㉮	갈던 밭이랑	이끼 낀 쟁기
이별한 여인	㉯	이끼 묻은 은장도
변방의 병사	날아가던 새	㉰

	㉮	㉯	㉰
①	유랑 농민	떠나간 임	이끼 낀 병기
②	좌절한 지식인	떠나간 임	이끼 낀 병기
③	유랑 농민	새로운 임	이끼 낀 병기
④	좌절한 지식인	새로운 임	이끼 낀 서적
⑤	유랑 농민	새로운 임	이끼 낀 서적

5 각 연의 내용을 삽화로 표현하고자 한다. 고려할 사항으로 적절하지 <u>않은</u> 것은?

① 2연에서는 나무 위에서 우는 새를 바라보며 눈물짓는 화자의 모습을 그린다.
② 3연에서는 기운이 없이 물끄러미 아래쪽 밭을 바라보는 화자의 모습을 그린다.
③ 4연에서는 외롭게 혼자 앉아 고독과 절망감에 빠져 있는 화자의 모습을 그린다.
④ 5연에서는 고독한 화자와 다른 사람들이 서로를 향해 돌을 던지는 모습을 그린다.
⑤ 8연에서는 불룩한 독에 담긴 독한 술을 마시며 고뇌를 해소하려는 화자의 모습을 그린다.

출제 예감

6 ㉠에 대한 설명으로 적절하지 <u>않은</u> 것은?

① 고려 가요의 일반적 특징인 후렴구에 해당한다.
② 울림소리를 이용하여 경쾌한 음악적 효과를 낸다.
③ 노래 전체에 구조상의 통일성과 안정감을 부여한다.
④ 고려인의 낙천성을 반영한, 서사적인 내용을 담고 있다.
⑤ 사설의 내용과는 관련이 없이 운율을 맞추기 위해 사용된다.

7 수능형 이 작품의 ⓐ와 〈보기〉의 ⓑ를 비교한 내용으로 가장 적절한 것은?

보기

말 업슨 ⓑ청산(靑山)이요, 태(態) 업슨 유수(流水) ㅣ로다.
갑 업슨 청풍(淸風)이요, 임자 업슨 명월(明月)이로다.
이 중(中)에 병(病) 업슨 이 몸이 분별(分別) 업시 늙으리라. - 성혼

① ⓐ는 역동적 존재이고, ⓑ는 정적인 존재이다.
② ⓐ는 부정적 공간이고, ⓑ는 긍정적 공간이다.
③ ⓐ는 동경의 대상이고, ⓑ는 생활의 공간이다.
④ ⓐ는 시름을 해소하는 공간이고, ⓑ는 시름이 발생되는 공간이다.
⑤ ⓐ는 화자와 동일시되는 대상이고, ⓑ는 화자와 대비되는 대상이다.

8 서술형 이 작품의 5연과 6연을 바꾸어야 한다고 할 때, 그 이유를 구조적인 특징과 관련하여 서술하시오.

05 정과정(鄭瓜亭)

원문	현대어 풀이
㉮내 님믈 그리ᅀᆞ와 •우니다니	내가 임을 그리워하여 울고 지내더니,
산(山) 졉동새 난 •이슷ᄒᆞ요이다.	산 접동새와 나는 처지가 비슷합니다.
㉯아니시며 •거츠르신 돌 아으	(참소가 진실이) 아니며 거짓인 줄은 아!
㉠•잔월효성(殘月曉星)이 아ᄅᆞ시리이다.	천지신명이 아실 것입니다.

소주제 ❶ [기] 자신의 처지와 □□ 토로

원문	현대어 풀이
넉시라도 님은 ᄒᆞᆫᄃᆡ •녀져라 아으	넋이라도 임과 함께 살아가고 싶어라. 아!
㉰•벼기더시니 뉘러시니잇가.	(내가 허물이 있다고) 우기던 이는 누구였습니까?
과(過)도 허믈도 천만(千萬) 업소이다.	(나에겐) 잘못도 허물도 전혀 없습니다.
㉱•ᄆᆞᆯ힛마리신뎌	(모두 다) 뭇사람들의 모함입니다.
•ᄉᆞᆯ읏븐뎌 아으	슬프도다. 아!

소주제 ❷ [서] 결백에 대한 □□

원문	현대어 풀이
니미 나ᄅᆞᆯ •ᄒᆞ마 니ᄌᆞ시니잇가.	임께서 나를 벌써 잊으셨습니까?
㉲아소 님하, •도람 •드르샤 •괴오쇼셔.	아아 임이여, 돌이켜 들으시어 사랑해 주소서.

소주제 ❸ [결] 임에 대한 □□

– 정서

어휘 다지기

- 우니다니 : 울며 지내더니
- 이슷ᄒᆞ요이다 : 비슷합니다
- 거츠르신 돌 : 거짓인 것을
- 잔월효성(殘月曉星) : 지는 달과 새벽 별
- 녀져라 : 지내고 싶구나, 가고 싶구나
- 벼기더시니 : 우기던 이
- ᄆᆞᆯ힛마리신뎌 : 뭇사람들의 모함입니다
- ᄉᆞᆯ읏븐뎌 : 슬프도다
- ᄒᆞ마 : 벌써, 이미
- 도람 : 돌이켜
- 드르샤 : 들으시어
- 괴오쇼셔 : 사랑하옵소서

작품 개관

- 갈래 향가계 고려 가요
- 성격 충신연주지사(忠臣戀主之詞)
- 주제 자신의 결백과 임금에 대한 충절
- 특징
  ① 분연(分聯)되지 않고, 후렴구가 없음
  ② 감정 이입으로 연군의 정을 표출함

1등급 노트

1. 문학사적 의의
   - 유배 문학 · 충신연주지사(유배지에서 신하가 임금을 그리워하는 정을 애절하게 읊은 노래)의 원류로, 정철의 〈사미인곡〉, 〈속미인곡〉을 포함한 유배 문학에 영향을 미침
   - 한글로 전하는 고려 가요 중 작가와 연대를 알 수 있는 유일한 작품
   - 향가계 고려 가요
     - 고려 가요의 특징인 분연(分聯)이 되지 않음
     - 후렴구가 보이지 않음
     - 낙구의 감탄사('아소')가 나타남
     - 전 11행으로 되어 있지만 8~9행을 하나의 행으로 볼 여지가 있음
2. 표현상의 특징
   - '접동새'에 화자 자신의 감정을 이입하여 동병상련(同病相憐)의 정서를 표출함
   - '잔월효성'이라는 자연물에 의탁하여 자신의 결백을 주장함
3. '잔월효성'의 의미
   - 천지신명(天地神明)
   - 화자 자신의 결백을 증명해 줄 존재
   - 화자가 기원하는 대상

함께 엮어 읽기

◆ 백제 가요, 〈정읍사〉

〈정읍사〉와 〈정과정〉은 화자가 자연물에 초월적인 의미를 부여하여 자신의 소망을 기원한다는 점에서 공통점을 지닌다. 〈정읍사〉의 '달'과 〈정과정〉의 '잔월효성'은 천지신명(天地神明)의 의미를 가지며, 화자가 소망을 기원하는 대상이라고 할 수 있다.

더 알아보기

◆ 여성 화자 설정의 계승성

〈정과정〉의 작가는 '정서'로 남성이지만, 작품의 화자는 여성으로 설정되어 있다. 작가가 모함을 받아 유배지에서 지은 노래라는 점을 고려할 때, 임과 이별한 여성의 사랑에 빗대어 임금을 그리는 신하의 충성을 노래한 것임을 알 수 있다. 이와 같이 여성 화자를 설정하여 임금에 대한 충성을 표현하는 방식은 이후 정철의 〈사미인곡〉과 〈속미인곡〉으로 계승되었다.

소주제 체크

1. 결백 2. 해명 3. 애원

정답과 해설 11쪽

1 이 작품에 대한 설명으로 적절하지 않은 것은?

① 작가가 알려진 유일한 고려 가요이다.
② 충신연주지사의 원류라고 할 수 있다.
③ 향가의 영향을 받아 향찰로 표기되어 있다.
④ 후대의 유배 문학에 영향을 미친 작품이다.
⑤ 감정 이입을 통해 화자의 정서를 표현하고 있다.

2 수능형 이 작품을 연극으로 공연하려고 할 때, 연출자가 구상한 내용으로 적절하지 않은 것은?

① 전반적으로 주인공의 표정과 배경 음악을 비장한 분위기로 이끌어 가는 것이 좋겠어.
② 접동새의 구슬픈 울음 소리를 효과음으로 삽입한다면 주인공의 심리를 보다 효과적으로 전달할 수 있겠어.
③ 주인공이 하늘을 우러러 간절하게 기도하는 부분에서는 시간적 배경을 고려하여 무대를 어둡게 처리해야겠어.
④ 주인공의 죄를 두고 조정에서 격론을 벌이는 장면을 통해 주인공의 처지를 안타까워하는 신하들이 있었음을 나타내야겠어.
⑤ '아소 님하, 도람 드르샤 괴오쇼셔.'는 주인공의 독백으로 처리하여 주인공이 소망하는 바가 얼마나 절실한 것인지를 보여 줘야겠어.

3 ㉮~㉲ 중, 화자가 궁극적으로 소망하는 바가 가장 잘 드러난 것은?

① ㉮ ② ㉯ ③ ㉰ ④ ㉱ ⑤ ㉲

출제 예감

4 ㉠의 상징적 의미로 가장 적절한 것은?

① 화자의 결백을 증명해 줄 존재
② 화자의 억울한 감정이 이입된 존재
③ 화자의 처지를 자각하게 하는 존재
④ 화자의 상황과는 대비되는 부러움의 존재
⑤ 화자가 처한 현실을 잠시나마 잊게 해 주는 존재

5 고난도 〈보기〉의 ⓐ와 ⓑ를 뒷받침할 근거로 적절하지 않은 것은?

보기

ⓐ이 작품은 형식 면에서 10구체 향가의 전통을 잇고 있지만, ⓑ향가라고 단정짓기에는 무리가 있다.

① ⓐ : 10구체 향가처럼 '아소'와 같은 감탄사가 나타나 있다.
② ⓐ : 10구체 향가의 3단 구성 방식을 그대로 이어받고 있다.
③ ⓐ : 11행로 이루어져 있지만, 8~9행을 한 행으로 간주하면 10구체 향가와 형식이 비슷하다.
④ ⓑ : 3단 구성 방식을 취하는 것은 시조의 영향도 무시할 수 없다.
⑤ ⓑ : 오랫동안 구전되다가 우리말로 기록되었다는 점에서 향가라고 보기는 어렵다.

6 이 작품과 〈보기〉에 공통적으로 적용될 수 있는 내용으로 보기 어려운 것은?

보기

철령(鐵嶺) 높은 봉(峰)을 쉬어 넘는 저 구름아.
고신원루(孤臣冤淚)를 비 삼아 띄어다가
님 계신 구중심처(九重深處)에 뿌려 본들 어떠리. - 이항복

① 연군지정(戀君之情)을 나타내고 있다.
② 화자의 억울함을 간절하게 호소하고 있다.
③ 화자의 처지를 자연물에 빗대어 표현하고 있다.
④ 모함하는 사람들에 대한 원망이 직접 제시되어 있다.
⑤ 대상과의 거리감에서 유발된 안타까움을 표출하고 있다.

7 서술형 이 작품과 〈보기〉의 화자가 보여 주는 태도상의 차이점을 서술하시오.

보기

내 일 망녕된 줄 내라 하여 모랄 손가.
이 마음 어리기도 님 위한 탓이로세.
아뫼 아무리 일러도 임이 혜여 보소서. - 윤선도, 〈견회요〉

06 한림별곡(翰林別曲)

〈제 1 장〉

원슌문(元淳文) 인노시(仁老詩) 공노•ᄉᆞ륙(公老四六)
니정언(李正言) 딘한림(陳翰林) •솽운주필(雙韻走筆)
튱긔•ᄃᆡ칙(冲基對策) 광균•경의(光鈞經義) 량경•시부(良鏡詩賦)
㉠위 시당(試場)ㅅ 경(景) 긔 엇더ᄒᆞ니잇고.
•엽(葉) 금ᄒᆞᆨᄉᆞ(琴學士)의 •옥슌문ᄉᆡᆼ(玉笋門生) 금ᄒᆞᆨᄉᆞ(琴學士)의 옥슌문ᄉᆡᆼ(玉笋門生)
위 날조차 몃 부니잇고.

소주제 ❶ □□□과 □□의 제자들 찬양

〈제 2 장〉

•당한셔(唐漢書) •장로ᄌᆞ(莊老子) 한류문집(韓柳文集)
니두집(李杜集) •난ᄃᆡ집(蘭臺集) ᄇᆡᆨ락텬집(白樂天集)
•모시샹셔(毛詩尙書) 주역츈츄(周易春秋) •주ᄃᆡ례긔(周戴禮記)
위 주(註)조쳐 내 외옰 경(景) 긔 엇더ᄒᆞ니잇고.
엽(葉) •태평광긔(太平廣記) ᄉᆞᄇᆡᆨ여권(四百餘卷) 태평광긔(太平廣記) ᄉᆞᄇᆡᆨ여권(四百餘卷)
위 력남(歷覽)ㅅ 경(景) 긔 엇더ᄒᆞ니잇고.

소주제 ❷ □□의 나열과 □□에 대한 자긍심

〈제 8 장〉

당당당(唐唐唐) •당츄ᄌᆞ(唐楸子) •조협(皂莢)남긔
홍(紅)실로 홍(紅)㉡•글위 ᄆᆡ요이다.
•혀고시라 밀오시라 뎡쇼년(鄭少年)하
위 내 가논 ᄃᆡ ᄂᆞᆷ 갈셰라.
엽(葉) 샤옥셤셤(削玉纖纖) 솽슈(雙手)ㅅ길헤 샤옥셤셤(削玉纖纖) 솽슈(雙手)ㅅ길헤
위 휴슈동유(携手同遊)ㅅ 경(景) 긔 엇더ᄒᆞ니잇고.

소주제 ❸ □□□□의 풍류와 즐거움

– 한림 제유

어휘 다지기

- ᄉᆞ륙(四六) : 4자 또는 6자의 대구로 된 화려한 한문체
- 솽운주필(雙韻走筆) : 서로 운자를 주고 받으며 빨리 지은 글
- ᄃᆡ칙(對策) : 물음에 대답하는 형식의 글
- 경의(經義) : 경서 풀이
- 시부(詩賦) : 시와 부. 대구 형식으로 각운을 가지는 한문체
- 엽(葉) : 악곡의 용어로, '첨가하는 악곡'이라는 뜻
- 옥슌문ᄉᆡᆼ(玉笋門生) : 옥으로 만든 죽순처럼 뛰어난 제자들
- 당한셔(唐漢書) : 중국의 역사책
- 장로ᄌᆞ(莊老子) : 노장 사상을 대표하는 문집
- 난ᄃᆡ집(蘭臺集) : 한나라 때 난대령사(관직명)들의 시문집
- 모시샹셔(毛詩尙書) : 시경과 서경
- 주ᄃᆡ례긔(周戴禮記) : 오경의 하나인 《예기(禮記)》. 대덕의 《대대례》와 대성의 《소대례》
- 태평광긔(太平廣記) : 송나라 때 황제의 명에 의해 지어진 설화집
- 당츄ᄌᆞ(唐楸子) : 호두나무
- 조협(皂莢)남긔 : 쥐엄나무에
- 글위 : 그네
- 혀고시라 : 당기시라

작품 개관

- 갈래 경기체가
- 성격 과시적, 풍류적, 향락적, 귀족적
- 형식 전 8장의 분절체로, 각 장은 6구체(각 장에서 1~4행은 전대절, 5~6행은 후소절)
- 운율 3·3·4조, 3음보
- 주제
  ① 신흥 사대부들의 학문적 자부심과 의욕적 기개 영탄
  ② 귀족들의 사치스런 생활상과 향락적이고 퇴영적인 기풍
- 의의 최초의 경기체가

1등급 노트

1. 경기체가의 특성
   - 개념 : 고려 중엽 이후 등장한 신흥 사대부들의 노래
   - 형식
     - 몇 개의 연이 중첩되어 한 작품을 이룸
     - 한 연은 6행으로 되어 있으며, 1~4행은 전대절, 5~6행은 후소절로 양분됨
     - 대체로 3·3·4조 또는 4·4·4조의 3음보로 되어 있음
     - 시적 대상을 나열하고, 각 연의 끝에 '위 경기하여(景幾何如)' 또는 '위 경(景) 긔 엇더ᄒᆞ니잇고'라는 말이 되풀이됨
   - 내용 : 사물이나 경치를 나열함으로써 신흥 사대부의 호탕한 기상과 자부심을 드러냄
2. 각 장별 분석

장	소재	주제
1	시부(詩賦)	문인들의 명문장 예찬
2	서적(書籍)	학문과 독서에 대한 긍지
3	명필(名筆)	서체와 필기구
4	명주(名酒)	주흥(酒興)
5	화훼(花卉)	화원(花園)의 경치
6	음악(音樂)	흥겨운 주악(奏樂)
7	누각(樓閣)	후원(後園)의 경치
8	추천(鞦韆)	그네 뛰는 흥겨운 정경

   - 제1～3장 : 문인들의 학문적 기개와 자긍심
   - 제4~8장 : 향락적이고 풍류적인 생활 과시
3. 〈한림별곡〉의 특성
   - 한자어를 율격에 맞게 배열하여 3음보의 음보율을 형성함
   - 각 연의 규칙적 반복, 후렴구, 의도적인 음절수의 맞춤 등으로 음악적 효과를 드러냄
   - 지식의 과시를 위해 많은 한자어를 사용함
   - 제1~7장까지는 사물의 단순 나열·반복에 그치지만, 제8장은 우리말의 아름다움을 살려 생동감이 넘침
4. 후렴구에 담긴 의미
   '위 ~ 경(景) 긔 엇더ᄒᆞ니잇고.' : '아, ~ 모습, 그것이 어떠합니까?'의 의미로, 단순한 의문이 아니라 제시된 상황이 매우 훌륭하다는 의미임 → 신흥 사대부들의 의욕적인 기개와 의식 세계를 영탄적으로 드러냄

소주제 체크

1. 원순문, 금의 2. 서적, 독서 3. 그네뛰기

정답과 해설 11쪽

1 이 작품에 대한 설명으로 적절하지 않은 것은?

① 열거법, 설의법, 반복법 등의 표현법이 사용되고 있다.
② 신흥 사대부들의 자부심과 향락적 여흥이 잘 드러나 있다.
③ 고려 시대 시가 문학의 한 형태인 경기체가 양식의 작품이다.
④ 전체 8장으로 되어 있으며, 각 장은 전대절과 후소절로 구성되어 있다.
⑤ 귀족들의 생활과 심경을 표현하기에 적합한 양식으로 조선 후기까지 창작된 갈래이다.

출제 예감
2 이 작품의 시상 전개 방식에 대한 설명으로 가장 적절한 것은?

① 한 사람이 물으면 여러 사람이 화답하는 형식을 취하고 있다.
② 대립적 이미지를 드러내는 시어를 통해 감각적으로 전개하고 있다.
③ 여러 제재를 나열하여 제시하면서 그에 대한 느낌이나 흥취를 드러내고 있다.
④ 상황의 원인을 분석한 후 그에 따른 결과를 제시하여 청자의 호응을 유도하고 있다.
⑤ 의문형 어미의 사용과 계몽적인 내용의 제시로 화자의 태도를 명확히 하고 있다.

3 이 작품을 낭송할 때의 태도와 어조로 가장 적절한 것은?

① 외롭고 쓸쓸한 태도를 취하며, 애상적인 어조로 낭송한다.
② 후회하고 한탄하는 듯한 태도를 취하며, 자조적인 어조로 낭송한다.
③ 대상에 대한 관조적인 태도를 취하며, 차분하고 진지한 어조로 낭송한다.
④ 뽐내는 듯한 태도를 취하며, 자부심과 긍지가 드러나는 어조로 낭송한다.
⑤ 무언가를 간절히 바라는 듯한 태도를 취하며, 기원적인 어조로 낭송한다.

4 이 작품 전체 중, 〈제8장〉을 문학성이 가장 뛰어난 장으로 평가하는 이유는?

① 민속적인 소재를 다루었기 때문에
② 우리말 위주로 생동감 있게 표현했기 때문에
③ 압축적이고 상징적인 시어를 사용했기 때문에
④ 우아미가 느껴지는 형식을 지니고 있기 때문에
⑤ 개인의 서정성을 가장 섬세하게 표현했기 때문에

5 〈보기〉의 ㉮~㉲ 중, 외재적 관점에서 이 작품을 감상하고 있는 것은?

보기

이 작품은 당시의 귀족 계급의 생활상이 눈이 부시도록 호화찬란하게 그려져 있다. 곧, ㉮과거 시험장의 정경, 그네를 뛰는 정경이 병풍에 그려진 풍속도와도 같이 눈앞에 전개된다. ㉯이것은 당시 새로운 권력 계층으로 등장한 사대부들의 풍류적이며 향락적인 생활 감정이 그대로 잘 드러나 있음을 보여 준다. ㉰각 장마다, '아아, …… 모습, 그것이 어떠합니까?' 하는 설의법의 종결은 '참으로 좋구나.' 하는 흥과 향락의 절정을 보여 주고 있다. 그리고 ㉱〈제1장〉에서 한자어의 나열로 진행되다가 〈제8장〉에 와서는 우리말을 중심으로 하는 표현으로 바뀌면서 그들의 모습을 좀 더 사실적으로 보여 주고 있다. ㉲내용에서의 문학성은 빈약하다고 하더라도, 3음보와 후렴구로 이어지는 음악적 율동미는 지니고 있다.

① ㉮ ② ㉯ ③ ㉰
④ ㉱ ⑤ ㉲

6 ㉠이 지닌 의미를 가장 적절하게 설명한 것은?

① 자신들의 삶을 과시하는 표현이다.
② 부정의 의미를 포함한 설의적 표현이다.
③ 무신 세력의 허세를 풍자하는 표현이다.
④ 학문을 권장하는 교훈을 내포한 표현이다.
⑤ 백성들을 설득하여 동의를 구하려는 표현이다.

7 서술형 ㉡은 〈보기〉의 '그네'와 어떠한 차이가 있는지 시어의 함축적 의미를 중심으로 서술하시오.

보기

향단(香丹)아 [그넷줄]을 밀어라.
머언 바다로
배를 내어 밀듯이, / 향단아.

이 다소곳이 흔들리는 수양버들나무와
베갯모에 놓이듯 한 풀꽃더미로부터,
자잘한 나비 새끼 꾀꼬리들로부터,
아주 내어 밀듯이, 향단아.

산호(珊瑚)도 섬도 없는 저 하늘로
나를 밀어 올려 다오.
채색(彩色)한 구름같이 나를 밀어 올려 다오.
이 울렁이는 가슴을 밀어 올려 다오!

서(西)으로 가는 달같이는
나는 아무래도 갈 수가 없다.

바람이 파도(波濤)를 밀어 올리듯이
그렇게 나를 밀어 올려 다오. / 향단아.

– 서정주, 〈추천사〉

07 송인 · 사리화 · 부벽루

가 송인(送人)

雨歇長堤草色多
우 헐 장 제 초 색 다

비 갠 긴 언덕에는 풀빛이 푸른데,

소주제 ① [기] 비 온 뒤의 □□□□ 정경

送君南浦動悲歌
송 군 남 포 동 비 가

그대를 남포에서 보내며 슬픈 노래 부르네.

소주제 ② [승] 임을 보내는 애절한 □□

大同江水何時盡
대 동 강 수 하 시 진

대동강 물은 어느 때 마를 것인가,

소주제 ③ [전] □□□ 물에 대한 원망

別淚年年添綠波
별 루 년 년 첨 록 파

이별의 눈물 해마다 푸른 물결에 더하는 것을.

소주제 ④ [결] □□의 정한과 눈물

– 정지상

나 사리화(沙里花)

黃雀何方來去飛
황 작 하 방 래 거 비

참새야 어디서 오가며 나느냐,

一年農事不曾知
일 년 농 사 부 증 지

일 년 농사는 아랑곳하지 않고,

소주제 ① [기, 승] 농민을 수탈하는 □□□□

鰥翁獨自耕耘了
환 옹 독 자 경 운 료

늙은 홀아비 홀로 갈고 맸는데,

耗盡田中禾黍爲
모 진 전 중 화 서 위

밭의 벼며 기장을 다 없애다니.

소주제 ② [전, 결] 수탈당하는 농민들의 □□

– 이제현

다 부벽루(浮碧樓)

昨過永明寺
작 과 영 명 사

어제 영명사를 지나다가

暫登浮碧樓
잠 등 부 벽 루

잠시 부벽루에 올랐네.

소주제 ① [수련] □□□에 오름

城空月一片
성 공 월 일 편

텅 빈 성엔 조각달 떠 있고

石老雲千秋
석 로 운 천 추

천 년 구름 아래 바위는 늙었네.

소주제 ② [함련] 부벽루에서의 □□

麟馬去不返
인 마 거 불 반

기린마는 떠나간 뒤 돌아오지 않으니

天孫何處遊
천 손 하 처 유

천손은 지금 어느 곳에 노니는가?

소주제 ③ [경련] 지난날에 대한 □□

長嘯倚風磴
장 소 의 풍 등

돌계단에 기대어 길게 휘파람 부노라니

山青江自流
산 청 강 자 류

산은 오늘도 푸르고 강은 절로 흐르네.

소주제 ④ [미련] 변함없는 □□ 앞에서 느끼는 유한함

– 이색

작품 개관

[가]
- 갈래 한시(7언 절구)
- 성격 서정적, 송별시(送別詩)
- 주제 이별의 슬픔
- 특징 도치법과 과장법을 사용하여 정한을 극대화함

[나]
- 갈래 한시(7언 절구)
- 성격 풍자적, 상징적, 현실 비판적
- 주제 가혹한 수탈로 인한 농민들의 피폐한 삶
- 특징 당시 민족적 현실을 비판적으로 노래함

[다]
- 갈래 한시(5언 율시)
- 성격 회고적, 애상적
- 주제 지난 역사의 회고와 고려 국운 회복의 소망
- 특징
  ① 인간 역사의 유한함과 자연의 영원함을 대조함
  ② 시간의 흐름을 시각적 이미지로 표현함

1등급 노트

[가]
표현상의 특징
- 자연사와 인간사의 대조
  기(1구)와 승(2구)에서 싱그러운 자연적 배경과 슬픈 인간사를 대비하여 화자의 비애를 강조함
- 도치법과 과장법의 사용
  전(3구)과 결(4구)이 도치되고, 결(4구)의 과장을 통해 이별의 정한을 극대화함

[나]
1. 시어의 상징적 의미
- 참새 : 민중(평민)을 수탈하는 권력층(탐관오리)
- 늙은 홀아비 : 권력층(탐관오리)에게 수탈당하는 힘없는 민중

2. 주제 의식
당시 권력층(탐관오리)들의 농민 수탈과 횡포에 대한 비판

[다]
표현상의 특징
인간 역사의 유한함과 자연의 영원함을 대비함으로써 인생무상으로 인한 화자의 애상과 쓸쓸함을 부각시킴

인간 역사의 유한함
텅 빈 성
↕ 대조
자연의 영원함
달, 구름, 산, 강

소주제 체크

[가] 1. 싱그러운 2. 정한 3. 대동강 4. 이별 [나] 1. 탐관오리 2. 원망 [다] 1. 부벽루 2. 조망 3. 회고 4. 자연

정답과 해설 11쪽

출제 예감

1 [가]를 이해하기 위하여 다음과 같이 과제를 수행하였다. 그 내용이 적절하지 않은 것은?

- 화자가 위치하고 있는 공간은?
  → 대동강 가의 남포 ······ ①
- 화자의 정서가 구체적으로 표현된 시구는?
  → 이별의 눈물 ······ ②
- 화자가 처한 현실적 상황은?
  → 임과 이별하고 있음 ······ ③
- 1행에 묘사된 내용은?
  → 비 온 뒤의 풍경 ······ ④
- 시상 전환의 매개물이 되고 있는 것은?
  → 슬픈 노래 ······ ⑤

출제 예감

2 [가]의 원시에 대한 설명으로 적절하지 않은 것은?

① '雨歇(우헐)'은 '비가 그침'이라는 뜻으로 이제 임과 이별할 시간이 다가왔음을 의미한다.
② '草色多(초색다)'는 '풀빛이 짙다'라는 뜻으로 화자의 심정과 대조되어 애상감을 더해 주는 기능을 한다.
③ '送君(송군)'은 '임을 보낸다'라는 뜻으로 떠나는 이가 남성임을 알 수 있게 해 준다.
④ '何時盡(하시진)'은 '어느 때 마르리'라는 뜻으로 화자의 의지가 함축된 구절이다.
⑤ '添綠波(첨록파)'는 '푸른 물결에 보태다'라는 뜻으로 전구의 원인으로 볼 수 있다.

3 〈보기〉의 빈칸에 적절한 말을 [가]에서 찾아 쓰시오.

보기

[가]에서 비, 강, 물결 등에 공통되는 ______의 이미지는 '눈물'의 이미지로 귀결됨으로써 한(恨)으로 가득한 이별의 정서를 고조시키고 있다.

4 [가]에 대한 감상으로 적절하지 않은 것은?

① 슬픔을 직접적으로 토로하지 않아 여운을 더하고 있군.
② 한 폭의 그림으로 그릴 수 있을 만큼 시각적 이미지가 선명하군.
③ 3행과 4행에서 문맥상의 순서를 바꾸어 표현한 것이 깊은 인상을 남기는군.
④ 비 갠 자연의 생동감과 화자의 처지가 일치되면서 밝고 생명력 넘치는 정서가 강조되고 있군.
⑤ 4행은 감정을 잘 드러내기 위해 다소 과장되게 표현한 것이므로 비논리적이라고 비판하는 것은 불필요하겠군.

출제 예감

5 [나]에 대한 설명으로 가장 적절한 것은?

① 문답 형식을 활용하여 시상을 전개하고 있다.
② 상징적 표현을 통해 주제를 형상화하고 있다.
③ 작가의 내면세계를 직접적으로 나타내고 있다.
④ 사대부들의 관념적인 유교 이념을 노래하고 있다.
⑤ 역설적 표현을 통해 백성들의 한을 드러내고 있다.

6 수능형 〈보기〉를 참고할 때, [나]의 제목 '사리화(沙里花)'가 상징하는 의미로 가장 적절한 것은?

보기

'사리화(沙里花)'가 기장과 비슷한 풀, 또는 꽃을 의미한다는 설이 있다. 한자의 뜻으로 해석을 하면, '사(沙)'에는 '목이 쉰다'라는 뜻이 들어 있고, '리(里)'에는 '근심하다'라는 뜻이 있다.

① 민중을 수탈하는 탐관오리
② 편안한 삶을 누리는 지배층
③ 관리의 횡포에 저항하는 민중
④ 백성들이 힘들게 수확한 곡식
⑤ 삶의 터전을 잃고 떠도는 백성

7 [다]에 대한 설명으로 적절하지 않은 것은?

① 시간의 흐름을 시각적으로 표현하고 있다.
② 선경 후정의 방식으로 시상을 전개하고 있다.
③ 동명왕 신화와 관련된 시어가 사용되고 있다.
④ 인간 역사와 대조되는 자연의 모습을 보여 주고 있다.
⑤ 화자가 관찰자적 위치에서 상황을 객관적으로 전달하고 있다.

출제 예감

8 [다]와 〈보기〉에 공통적으로 드러나는 정서로 가장 적절한 것은?

보기

오백 년(五百年) 도읍지(都邑地)를 필마(匹馬)로 도라드니,
산천(山川)은 의구(依舊)ᄒᆞ되 인걸(人傑)은 간 듸 업다.
어즈버, 태평연월(太平烟月)이 ᄭᅮᆷ이런가 ᄒᆞ노라. - 길재

① 자신감을 바탕으로 한 자부심
② 자연 속에 묻혀 사는 한가로움
③ 죽음에 대한 달관에서 오는 체념
④ 인간 역사의 유한함에서 오는 쓸쓸함
⑤ 현실에 대한 불만족에서 오는 무심함

9 서술형 [가]의 '결구(結句)'에서 화자의 정서를 드러내는 표현 방법에 대해 서술하시오.

08 ᄒᆞᆫ 손에 막ᄃᆡ 잡고~ 외

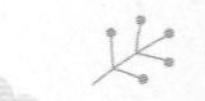

가 ᄒᆞᆫ 손에 막ᄃᆡ 잡고 ~

ᄒᆞᆫ 손에 막ᄃᆡ 잡고 ᄯᅩ ᄒᆞᆫ 손에 *가싀 쥐고,

늙는 길 가싀로 막고 오는 백발(白髮) 막ᄃᆡ로 치려터니,

백발(白髮)이 제 *몬져 알고 *즈럼길로 오더라.

– 우탁

한 손에 막대기를 잡고 다른 한 손에는 가시를 쥐고, / 늙음이 찾아오는 길은 가시로 막고 오는 백발은 막대기로 때리려고 했더니, / 백발이 제가 먼저 알고 지름길로 오더라.

나 이화(梨花)에 월백(月白)ᄒᆞ고 ~

*이화(梨花)에 월백(月白)ᄒᆞ고 *은한(銀漢)이 *삼경(三更)인 제

일지춘심(一枝春心)을 *자규(子規) ㅣ야 아랴마ᄂᆞᆫ,

다정(多情)도 병(病)인 냥ᄒᆞ여 ᄌᆞᆷ 못 드러 ᄒᆞ노라.

– 이조년

하얗게 핀 배꽃에 달빛은 은은히 비추고 은하수는 자정을 알리는 때에 / 배꽃 가지 끝에 맺힌 봄의 정서를 두견새가 알고서 저리 우는 것일까마는 / 다정다감한 나는 그것이 병인 듯해서 잠을 이루지 못하노라.

다 구룸이 무심(無心)ᄐᆞᆫ 말이 ~

㉠구룸이 무심(無心)ᄐᆞᆫ 말이 아마도 *허랑(虛浪)ᄒᆞ다.

중천(中天)에 ᄯᅧ 이셔 *임의(任意)로 ᄃᆞᆫ니면셔

구ᄐᆡ야 광명(光明)ᄒᆞᆫ 날빗ᄎᆞᆯ ᄯᅡ라가며 덥ᄂᆞ니.

– 이존오

구름이 무심하다는 말이 아마도 허무맹랑하다. / 중천에 떠 있어 마음대로 다니면서 / 구태여 밝은 햇빛을 따라가며 덮나니.

라 이 몸이 주거 주거 ~

이 몸이 주거 주거 일백 번(一百番) *고쳐 주거,

백골(白骨)이 *진토(塵土) 되여 넉시라도 잇고 업고,

님 향(向)ᄒᆞᆫ 일편단심(一片丹心)이야 가실 줄이 이시랴.

– 정몽주

이 몸이 죽고 또 죽어 백 번을 되풀이해서 죽어서 / 백골이 티끌과 흙이 되어 영혼이 있든 없든 / 임(고려 왕조)을 향한 일편단심의 충성심만은 변할 줄이 있겠는가?

어휘 다지기

- 가싀 : 가시
- 몬져 : 먼저
- 즈럼길 : 지름길
- 이화(梨花) : 배꽃
- 은한(銀漢) : 은하수
- 삼경(三更) : 밤11시~새벽1시 사이
- 자규(子規) : 두견새, 귀촉도, 접동새
- 허랑(虛浪)ᄒᆞ다 : 허무맹랑하다
- 임의(任意)로 : 마음대로
- 고쳐 : 다시, 거듭
- 진토(塵土) : 티끌과 흙

작품 개관

[가]
- 갈래 평시조, 단시조
- 성격 해학적, 탄로가(嘆老歌)
- 주제 탄로(늙음을 한탄함)
- 특징 추상적인 대상을 구체화, 시각화하여 참신하게 나타냄

[나]
- 갈래 평시조, 단시조
- 성격 애상적, 감상적
- 주제 봄밤의 애상적 정감
- 특징 ① 백색 이미지(이화, 월백, 은한)를 통해 애상적 정감을 불러일으킴 ② 시각적 심상을 통한 감각적 표현이 뛰어남

[다]
- 갈래 평시조, 단시조
- 성격 풍자적, 우의적
- 주제 간신 신돈의 횡포 풍자
- 특징 비판 대상을 자연물에 빗대어 우의적으로 풍자함

[라]
- 갈래 평시조, 단시조
- 성격 직설적, 의지적
- 주제 고려 왕조에 대한 일편단심
- 특징 직설적인 언어와 반복법, 점층법, 과장법을 통해 자신의 굳은 의지를 강조함

1등급 노트

[가]

1. 표현상의 특징

추상적 관념인 '세월'과 '늙음'을 구체적 대상인 '늙는 길'과 '오는 백발'로 나타냄

2. 화자의 정서 및 태도

인생무상의 서글픔을 여유롭게 받아들이는 달관의 경지를 엿볼 수 있음

[나]

표현상의 특징

시각적 심상과 청각적 심상을 활용하여 봄밤에 느끼는 애상감을 표현함

시각적 심상	이화, 월백, 은한 – 백색의 이미지
청각적 심상	자규 – '고독, 한(恨)'의 이미지

[다]

1. 표현상의 특징

간신(신돈)의 무리가 임금(공민왕)의 총애를 등에 업고 횡포를 일삼는 정치 현실을 구름이 햇빛을 가리는 자연 현상에 빗대어 우의적으로 풍자함

2. 시어의 상징적 의미
- 구룸 : 간신, 소인배(신돈)
- 중천 : 임금의 총애를 등에 업고 있는 높은 권세
- 광명ᄒᆞᆫ 날빗 : 임금의 총명

[라]

1. 화자의 정서 및 태도

직설적인 표현을 사용하여 고려 왕조에 대한 화자의 변함없는 충절을 강조함

2. 이방원의 〈하여가〉와의 비교

〈하여가〉	〈단심가〉
시류에의 영합을 권유함	일편단심의 지조를 강조함
비유적(칡덩굴에 비유함)	직설적(죽음을 각오함)

정답과 해설 11쪽

1 [가]~[라]의 갈래상 특징을 〈보기〉에서 찾아 바르게 묶은 것은?

보기
가. 우리 문학의 대표적 서정 갈래이다.
나. 초장 · 중장 · 종장의 3장으로 구성된다.
다. 궁중의 여러 의식과 행사에 쓰인 노래 가사이다.
라. 의미 없는 후렴구의 반복으로 음악성이 두드러진다.
마. 정해진 짧은 형식 속에 주제를 압축하여 표현한다.

① 가, 나, 마 ② 가, 다, 라 ③ 가, 라, 마
④ 나, 다, 라 ⑤ 다, 라, 마

출제 예감
2 [가]에 대한 감상으로 적절하지 않은 것은?

① 유리 : 추상적인 대상을 구체화, 시각화한 발상이 참신하게 느껴져.
② 석진 : 세월의 흐름을 가시로 막아 보겠다는 발상은 매우 해학적이야.
③ 재민 : 비유적 표현을 통해 늙음을 인위적으로 막아 보려는 어리석음을 비판하고 있어.
④ 현아 : 늙음을 피하려는 인간의 마음과 더욱 빠르게 찾아오는 세월의 무정함을 대조하고 있어.
⑤ 가연 : 화자는 늙음을 한탄하면서도 인생에 대한 여유와 관조의 자세를 지니고 있는 것 같아.

3 고난도 [가]의 종장에 드러난 화자의 정서를 가장 잘 표현한 것은?

① 나이가 들면 그에 어울리게 행동해야겠구나.
② 아무리 막으려 해도 늙음은 막을 수가 없구나.
③ 늙음은 세상 누구에게나 공평하게 오는 것이로구나.
④ 추하지 않게 늙는 것이 지금 나에게 가장 필요한 것이로구나.
⑤ 인생은 한 순간이니 젊다고 기뻐할 것도, 늙었다고 슬퍼할 것도 아니로구나.

4 〈보기〉는 [나]에 대한 감상이다. 적절하지 않은 것은?

보기
ⓐ 이 작품에서 시간적 배경을 나타내는 시어는 '이화(梨花)', '월백(月白)', '삼경(三更)'이다. 이러한 시어를 종합할 때, ⓑ 이 작품의 시간적 배경은 '달이 밝은 봄날 한밤중'이다. 그리고 ⓒ 백색의 이미지를 지니는 시각적 심상 '이화(梨花)', '월백(月白)', '은한(銀漢)'이 제시되어 있다. ⓓ 이러한 백색 이미지가 처절하고 고독한 이미지를 지니는 청각적 심상 '자규(子規)'와 어울리고 있으며, ⓔ 모든 이미지와 정서는 종장의 '병(病)'에 가장 잘 집약되어 있다고 할 수 있다.

① ⓐ ② ⓑ ③ ⓒ ④ ⓓ ⑤ ⓔ

5 [다]에 대한 설명으로 가장 적절한 것은?

① 비유를 통해 대상을 풍자하고 있다.
② 이별한 임에 대한 그리움이 잘 드러나 있다.
③ 전형적인 평시조로 3음보 율격이 돋보인다.
④ '중천(中天)'은 화자가 그리워하는 공간이다.
⑤ '구룸'과 '광명훈 날빗'은 부정적 의미를 지닌다.

출제 예감
6 [다]의 화자가 정서를 드러내는 방식으로 가장 적절한 것은?

① 생략과 반복을 통해 점층적으로 드러낸다.
② 전고(典故)를 인용해 함축적으로 드러낸다.
③ 자연물이나 사물의 속성을 통해 간접적으로 드러낸다.
④ 구체적 사물을 나열하여 시각적 심상을 통해 드러낸다.
⑤ '기 – 승 – 전 – 결'의 짜임으로 극적 전환을 통해 드러낸다.

7 [라]에 대한 설명으로 가장 적절한 것은?

① 반어적 표현으로 화자의 정서를 강조하고 있다.
② 직설적 화법으로 화자의 굳은 의지를 드러내고 있다.
③ 일반적 상식을 뒤집는 창의적 발상이 나타나고 있다.
④ 역설적 상황을 통해 우의적으로 주제를 표출하고 있다.
⑤ 청유형과 명령형 어미의 사용으로 설득의 효과를 높이고 있다.

8 수능형 〈보기〉의 화자(A)와 [라]의 화자(B)가 대화를 나눈다고 할 때, 적절하지 않은 것은?

보기
이런들 엇더ᄒᆞ며 져런들 엇더하료.
만수산(萬壽山) 드렁츩이 얼거진들 엇더ᄒᆞ리.
우리도 이ᄀᆞᆺ치 얼거져 백 년(百年)ᄭᆞ지 누리리라. – 이방원

① A : 이런들 어떻고, 저런들 어떻습니까. 우리와 함께 하는 것이 뭐가 다릅니까?
② B : 내가 백 번을 고쳐 죽더라도 그것은 안 됩니다.
③ A : 그러지 마시고 칡덩굴이 어울려 사는 것처럼 함께 손을 잡읍시다.
④ B : 무슨 말을 하시더라도 나의 일편단심을 꺾을 수는 없을 것입니다.
⑤ A : 그럼 저도 당신의 뜻을 따를 테니, 함께 어울려서 살아가도록 합시다.

9 서술형 [다]의 화자가 ㉠과 같이 말한 이유는 무엇인지 한 문장으로 간략하게 서술하시오.

비책

09 공방전(孔方傳)

▸ **앞부분 줄거리** 공방의 조상은 수양산 속에 살다가 황제 때 처음 세상에 나왔다. 아버지 천(泉)은 주나라 대재(大宰) 일을 맡았었다.

가 ㉠공방은 생김새가 밖은 둥글고 구멍은 모나게 뚫렸다. 그는 때에 따라서 변통을 잘 한다. 한번은 한나라에 벼슬하여 홍려경(鴻臚卿)(외국 손님을 접대하는 벼슬명)이 되었다. 그때 오왕(吳王) 비(妃)가 교만하고 •참람(僭濫)하여 나라의 권리를 혼자서 도맡아 부렸다. 방은 여기에 붙어서 많은 이익을 보았다. 무제 때에는 온 천하의 경제가 말이 아니었다. 나라 안의 창고가 온통 비어 있었다. 임금은 이를 보고 몹시 걱정했다. 방을 불러 벼슬을 시키고 부민후(富民侯)(백성을 부유하게 하는 직책)로 삼아, 그의 무리인 염철승(鹽鐵丞)(소금과 철을 관장하는 관직명) 근(僅)과 함께 조정에 있게 했다. 이때 근은 방을 보고 항상 형이라 하고 이름을 부르지 않았다.

소주제 ❶ 공방의 □□□와 정계 진출

나 방은 성질이 욕심이 많고 •비루(卑陋)하고 염치가 없었다. 그런 사람이 이제 재물을 맡아서 처리하게 되었다. 그는 돈의 본전과 이자의 경중을 다는 법을 좋아하여, 나라를 편안하게 하는 것은 반드시 질그릇이나 쇠그릇을 만드는 생산 방법에만 있는 것이 아니라고 생각했다. 그는 백성으로 더불어 한 푼 한 리의 이익이라도 다투고, 한편 모든 물건의 값을 낮추어 곡식을 몹시 천한 존재로 만들고 딴 재물을 중하게 만들어서, 백성들이 자기들의 본업인 농업을 버리고 사농공상(士農工商)의 맨 끝인 장사에 종사하게 하여 농사짓는 것을 방해했다.

소주제 ❷ 공방의 품성과 그로 인한 □□

다 이것을 보고 간관(諫官)(사간원, 사헌부의 벼슬아치)들이 상소를 하여 이것이 잘못이라고 간했다. 하지만 임금은 이 말을 듣지 않았다. ㉡방은 또 권세 있고 귀한 사람을 몹시 재치 있게 잘 섬겼다. 그들의 집에 자주 드나들면서 자기도 권세를 부리고 한편으로는 그들을 등에 업고 벼슬을 팔아, 승진시키고 갈아치우는 것마저도 모두 방의 손에 매이게 되었다. 이렇게 되니, 한다 하는 공경(公卿)(최고 관직에 있는 벼슬아치)들까지도 모두들 절개를 굽혀 섬기게 되었다. 그는 창고에 곡식이 쌓이고 뇌물을 수없이 받아서 뇌물의 목록을 적은 문서와 증서가 산처럼 쌓여 그 수를 셀 수 없이 되었다.

소주제 ❸ 공방의 □□와 재물 축적

라 그는 모든 사람을 상대하는 데 잘나거나 못난 것을 관계하지 않는다. 아무리 시정 속에 있는 사람이라도 재물만 많이 가졌다면 모두 함께 사귀어 상통한다. 때로는 거리에 돌아다니는 나쁜 소년들과도 어울려 바둑도 두고 투전도 한다. 이렇게 남과 사귀는 것을 좋아한다. 이것을 보고 당시 사람들은 말했다. / "공방의 한 마디 말이 황금 백 근만 못하지 않다."

소주제 ❹ □□을 많이 가진 사람을 상대하는 공방

마 원제(元帝)가 왕위에 올랐다. 공우(貢禹)가 글을 올려 말한다. / "공방이 어려운 직책을 오랫동안 맡아보는 사이, 그는 농사가 국가의 근본임을 알지 못하고, 오직 장사꾼들의 이익만을 •두호(斗護)해 주어서, 나라를 좀먹고 백성을 해쳐서 국가나 민간 할 것 없이 모두 곤궁에 빠지게 되었습니다. 그 위에 뇌물이 성행하고 •청탁하는 일이 버젓이 행해지고 있습니다. 대체로 '짐을 지고 또 타게 되면 도둑이 온다〔負且乘致寇至〕.' 한 것은 《주역》에 있는 분명한 경계입니다. 청컨대 그를 파면시켜서, 모든 욕심 많고 비루한 자들을 징계하시옵소서." / 그때 정권을 잡은 자 중에는 곡량(穀梁)의 학문을 쌓아 정계에 진출한 자가 있었다. 그는 군자(軍資)(군자금)를 맡은 장군으로 변방을 막는 방책을 세우려 했다. 이에 방이 하는 일을 미워하는 자들이 그를 위해서 조언했다. 임금은 이들의 말을 들어서 마침내 방은 조정에서 쫓겨나는 몸이 되었다.

소주제 ❺ 공방의 □□

작품 개관

- 갈래 가전(假傳)
- 성격 풍자적, 교훈적, 우의적
- 주제 돈이 우선되는 세태에 대한 비판, 재물욕에 대한 경계
- 특징
  ① 일대기적 · 전기적 · 순차적 구성
  ② 돈을 의인화하여 사회상을 비판함
  ③ 돈의 폐해에 대한 작가의 비판적 인식이 나타남
- 의의
  ① 〈국순전〉과 함께 우리 나라 문헌상 최초의 가전
  ② 돈의 문제를 본격적으로 다룬 우리 나라 최초의 문학 작품

1등급 노트

1. **갈래상의 특징**
   가전 : 가전체, 사물을 의인화하여 전기(傳記) 형식으로 서술하는 문학 양식. 창의성이 상당히 가미된 허구적 작품으로 설화와 소설의 교량적 역할을 하였으며, 작자층은 대부분 사대부 계층임
2. **주제 의식**
   욕심이 많고 염치가 없는 공방의 존재가 삶의 문제를 그릇되게 하므로, 후환을 막으려면 그를 없애야 함 → 돈이 우선시되는 세태와 재물욕에 대한 비판과 경계
3. **인물의 특성**

공방의 외양 묘사
밖은 둥글고(孔) 안에는 구멍이 모나게(方) 뚫림(엽전 모양)

↓

공방의 이중성(돈의 긍정적 측면과 부정적 측면)을 드러냄

4. **돈에 대한 작가의 태도**
   돈의 폐해에 대해 매우 부정적이며, 돈으로 인한 인간의 타락상을 고발 · 비판함

더 알아보기

◆ **작가의 경세관(經世觀)**
작가 임춘은 무신 집권기라는 난세(亂世)를 만나 극도로 가난한 처지에서 불우한 일생을 마친 귀족의 후예로, 돈이 벼슬하는 사람들에게 집중되어 자기와 같은 불우한 처지에 있는 사람들의 삶을 어렵게 한다고 생각하였다. 이러한 그의 사고 방식으로 인해 그는 세상의 그릇된 방향에 대해 비판적 관점을 보였으며, 〈공방전〉에서 돈을 없애야 한다는 주장까지 펼치게 된 것이다.

정답과 해설 12쪽

▸ **뒷부분 줄거리** 당나라 때 국가의 재산이 넉넉지 못하자 임금은 공방을 다시 기용하려 했지만, 그때는 이미 공방이 죽은 지 오래였다. 국가에서는 그의 제자들을 불러 모아 방 대신 쓰게 되었다. 하지만 이들 때문에 온 천하가 시끄러워졌고, 이로부터 방의 무리는 차츰 세력이 꺾이어 다시 강성하지 못했다. 방의 아들인 윤은 경박하여 세상의 욕을 먹었고, 뒤에 수형령이 되었으나 장물죄가 드러나 사형된다.

– 임춘

어휘 다지기

- 참람(僭濫) : 분수에 맞지 않게 지나침
- 비루(卑陋) : 더럽고 추하며 품위가 없음
- 두호(斗護) : 두둔하고 보호함
- 청탁 : 청하여 부탁함

소주제 체크

1. 생김새 2. 폐해 3. 권세 4. 재물 5. 퇴출

1 이 작품과 같은 갈래의 특성으로 적절하지 않은 것은?

① 작자층은 대부분 사대부 계층이었다.
② 설화와 소설을 잇는 교량적 기능을 한다.
③ 몇 개의 근원 설화를 바탕으로 창작되었다.
④ 사물을 역사적인 인물처럼 의인화하여 표현한다.
⑤ 사물의 내력, 속성, 가치에 대한 관심을 바탕으로 한다.

2 이 작품에 대한 설명으로 적절하지 않은 것은?

① 사물을 의인화하여 현실을 풍자하고 있다.
② 사물의 일대기를 서사적으로 보여 주고 있다.
③ 돈에 대한 작가의 부정적 인식이 드러나 있다.
④ 주로 인물의 대화를 통해 사건이 전개되고 있다.
⑤ 외양 묘사를 통해 인물의 특성을 제시하고 있다.

3 다음 중 이 작품과 관련된 각 항목들의 연결이 적절하지 않은 것끼리 묶은 것은?

㉮ 갈래	가전(假傳)
㉯ 성격	교훈적, 풍자적
㉰ 구성	일대기적, 순차적 구성
㉱ 내용	사실적인 내용
㉲ 중심인물의 특성	긍정적 인물

① ㉮, ㉰ ② ㉯, ㉱ ③ ㉯, ㉲ ④ ㉰, ㉱ ⑤ ㉱, ㉲

출제 예감

4 이 작품과 표현 기법이 가장 유사한 것은?

① 대쵸 볼 불근 골에 밤은 어이 뜻드르며,
벼 뷘 그르헤 게ᄂᆞᆫ 어이 ᄂᆞ리ᄂᆞ고.
술 닉쟈 체 쟝ᄉᆞ 도라가니 아니 먹고 어이리. – 황희

② 하하 허허 ᄒᆞᆫ들 내 우음이 졍 우움가
하 어쳑 업서셔 늣기다가 그리 되게
벗님ᄂᆡ 웃디들 말구려 아귀 ᄧᅧ여디리라. – 권섭

③ 청초(靑草) 우거진 골에 자ᄂᆞᆫ다 누엇ᄂᆞᆫ다.
홍안(紅顔)은 어듸 두고 백골(白骨)만 무쳣ᄂᆞ이.
잔(盞) 자바 권(勸)ᄒᆞ리 업스니 그를 슬허ᄒᆞ노라. – 임제

④ 두터비 ᄑᆞ리를 물고 두험 우희 치ᄃᆞ라 안자
것넌 산(山) ᄇᆞ라보니 백송골(白松鶻)이 ᄯᅥ 잇거ᄂᆞᆯ 가슴이 금즉ᄒᆞ여 풀덕 ᄯᅱ여 내ᄃᆞᆺ다가 두험 아래 쟛바지거고.
모쳐라 ᄂᆞᆯ랜 낼싀만졍 에헐질 번ᄒᆞ괘라. – 작자 미상

⑤ 창(窓) 내고쟈 창을 내고쟈 이 내 가슴에 창 내고쟈.
고모장지 셰살장지 들장지 열장지 암돌져귀 수돌져귀 비목걸새 크나큰 쟝도리로 둑닥 바가 이 내 가슴에 창 내고쟈.
잇다감 하 답답ᄒᆞᆯ 제면 여다져 볼가 ᄒᆞ노라. – 작자 미상

출제 예감

5 [가]~[마] 중, 이 작품의 주제가 뚜렷하게 드러난 부분은?

① [가] ② [나] ③ [다] ④ [라] ⑤ [마]

6 고난도 [나]에 나타난 작가 의식을 가장 잘 보여 주는 것은?

① 형아 아ᅌᆞ야 네 ᄉᆞᆯ흘 ᄆᆞᆫ져 보와,
뉘손ᄃᆡ 타나관ᄃᆡ 양지조차 ᄀᆞ타슨다.
ᄒᆞᆫ졋 먹고 길러나이셔 닷 ᄆᆞᅀᆞᆷ을 먹디 마라.

② 어버이 사라신 제 셤길 일란 다ᄒᆞ여라.
디나간 후면 애ᄃᆞᆲ다 엇디ᄒᆞ리.
평생(平生)애 고텨 못ᄒᆞᆯ 일이 이�뿐인가 ᄒᆞ노라.

③ ᄂᆞᆷ으로 삼긴 듕의 벗ᄀᆞᆺ티 유신(有信)ᄒᆞ랴.
내의 왼 이를 다 닐오려 ᄒᆞ노매라.
이 몸이 벗님곳 아니면 사ᄅᆞᆷ되미 쉬올가.

④ 오ᄂᆞᆯ도 다 새거다, 호믜 메고 가쟈ᄉᆞ라.
내 논 다 ᄆᆡ여든 네 논 졈 ᄆᆡ여 주마.
올 길헤 뽕 ᄯᅡ다가 누에 머겨 보쟈ᄉᆞ라.

⑤ 비록 못 니버도 ᄂᆞᄆᆡ 오ᄉᆞᆯ 앗디 마라.
비록 못 먹어도 ᄂᆞᄆᆡ 밥을 비디 마라.
ᄒᆞᆫ적곳 � 시른 휘면 고텨 씻기 어려우리.

7 ㉡에 어울리는 한자 성어로만 묶은 것은?

① 각주구검(刻舟求劍), 지록위마(指鹿爲馬)
② 교언영색(巧言令色), 호가호위(狐假虎威)
③ 곡학아세(曲學阿世), 목불식정(目不識丁)
④ 토사구팽(兎死狗烹), 다다익선(多多益善)
⑤ 임기응변(臨機應變), 함흥차사(咸興差使)

출제 예감

8  ㉠에 담긴 의미를 돈의 특성과 관련하여 서술하시오.

비책

10 국선생전(麴先生傳)

▶ **앞부분 줄거리** ⓐ국성(麴聖)은 주천(酒泉) 사람이다. 국성의 증조(曾祖)는 그 이름이 역사에 실려 있지 않다. 조부 ⓑ모(牟)가 주천이라는 곳으로 이사 와서 살기 시작하고 그의 아버지도 여기서 살아 드디어 주천 사람이 되었다. 그의 아버지 ⓒ차(醝)는 평원 독우(平原督郵)가 되어 사농경(司農卿) 곡씨(穀氏)의 딸과 결혼해서 성(聖)을 낳았다. 성은 도량이 넓어 손님들은 아버지를 보러 왔다가도 성을 보고 귀여워했다. 성이 자라서 *유영(劉伶), *도잠(陶潛)과 친구가 되었는데 이들은 서로 만나기만 하면 며칠 동안 모든 일들을 잊고 마음으로 취하고야 헤어지는 것이었다.

가 국가에서 성에게 *조구연(糟丘椽)을 시켰지만 부임하지 않았다. 또 청주 종사(淸州從事)로 불러, 공경(公卿)(높은 벼슬아치)들이 계속하여 그를 조정에 천거했다. 이에 임금은 조서를 내리고 공거(公車)(전쟁에 쓰는 수레)를 보내어 불러서 보고 눈짓하며 말했다.

"저 사람이 바로 주천의 국생인가? 내 그대의 향기로운 이름을 들은 지 오래다."

이보다 앞서 *태사(太史)가 임금께 아뢰었다.

"지금 주기성(酒旗星)이 크게 빛을 냅니다."

이렇게 아뢰고 나서 얼마 안 되어 성이 도착하니 임금은 태사의 말을 생각하고 더욱 성을 기특하게 여겼다. 임금은 즉시 성에게 주객 낭중(主客郎中)(손님을 맞이하는 벼슬) 벼슬을 주고, 얼마 안 되어 국자 좨주(國子祭酒)(나라의 제사에 올리는 술. 여기서는 벼슬 이름을 뜻함)로 옮겨 예의사(禮儀使)(예의범절을 관장하는 관리)를 겸하게 했다. / 이로부터 모든 조회의 잔치나 종묘의 제사·*천식(薦食)·*진작(進酌)의 예 모두 임금의 뜻에 맞지 않는 것이 없었다. 이에 임금은 그의 그릇이 믿음직하다 해서 승진시켜 승정원(承政院) 재상으로 있게 하고 융숭한 대접을 했다. 출입할 때에도 교자(벼슬아치들이 타던 가마. 여기서는 술상을 의미함)를 탄 채로 대궐에 오르도록 하고, 이름을 부르지 않고 국선생이라 일컬었다. 혹 임금의 마음이 불쾌할 때라도 성이 들어와 뵙기만 하면 임금의 마음은 풀어져 웃곤 했다. 성이 사랑을 받는 것은 대체로 이와 같았다. / 원래 성은 성질이 구수하고 아량이 있었다. 날이 갈수록 사람들과 친근해졌고 특히 임금과는 조금도 스스럼없이 가까워졌다. 자연 임금의 사랑을 받게 되어 항상 따라다니면서 잔치 자리에서 함께 놀았다.

소주제 1 국성의 정계 진출 및 □□의 사랑

나 성에게는 세 아들이 있었다. 혹(酷)과 폭(醭)과 역(醳)이다. 혹은 독한 술, 폭은 진한 술, 역은 쓴 술이다. 이들은 그 아비가 임금의 사랑을 받는 것을 믿고 방자하게 굴었다. 중서령(中書令) ⓓ모영(毛穎)이 임금에게 글을 올려 탄핵했다. 모영은 곧 붓이다. 그 글은 이러했다.

"행신(倖臣)(간사한 신하)이 폐하의 사랑을 독차지하고 있는 것을 천하 사람들은 모두 병통(해가 되는 점)으로 알고 있습니다. 이제 국성이 조그만 신임을 받고 조정에 쓰이고 있어 요행히 벼슬 계급이 3품에 올라서, 많은 도둑을 궁중으로 끌어들이고 사람들을 휘감아서 해치기를 일삼고 있사옵니다. 이것을 보고 모든 사람들이 분하게 여겨, 소리치고 반대하며 머리를 앓고 가슴 아파합니다. 이자야말로 국가의 병통을 바로잡는 충신이 아니옵고, 실상 만백성에게 해독을 주는 도둑이옵니다. 더구나 성의 자식 셋은 제 아비가 폐하께 총애받는 것을 믿고, 제 마음대로 세상에 횡행(아무 거리낌 없이 제멋대로 행동함)하고 방자하게 굴어서 모든 사람들이 다 괴로워하고 있사옵니다. 바라옵건대 이들에게 모두 사형을 내리셔서 모든 사람들의 입을 막으시옵소서."

이에 성의 아들 셋은 즉시 독약을 마시고 자살했다. 성도 죄를 받아 서인(庶人)으로 폐해졌다. 〈중략〉

소주제 2 국성의 아들들의 □□와 모영의 탄핵

다 성이 이미 벼슬을 그만두자 ⓔ제(齊) 고을과 격(鬲) 마을 사이에는 도둑들이 떼 지어 일어났

작품 개관

- 갈래 가전(假傳)
- 성격 교훈적, 우의적, 풍자적
- 주제 위국충절의 교훈, 군자의 처신 경계
- 특징
  ① 일대기적·전기적·순차적 구성
  ② 술을 의인화하여 현실을 풍자함
  ③ 가전 작품에서는 보기 드물게 인과 관계가 치밀함
  ④ 임춘의 〈국순전〉의 영향을 받음

1등급 노트

1. 집필 의도
   - 올바른 유생의 삶이란 근본적으로 신하로서 군왕을 보필하여 치국의 이상을 바르게 실현하는 데 있음을 드러냄
   - 신하는 신하의 도리를 지켜 나갈 때 어진 신하가 될 수 있고, 또한 때를 보아 물러날 줄도 알아야 한다는 점을 주장함
2. 인물의 특성
   국성(麴聖): 임금의 총애가 지나쳐 방종했지만, 나라가 위기에 처하자 백의종군하여 전쟁을 승리로 이끎으로써 신하의 도리를 회복함 → 위국충절의 대표적 인물
3. 사물들의 의인화 대상

국성	맑은 술
조부 모	보리
아버지 차	흰 술
세 아들 혹·폭·역	술의 속성

함께 엮어 읽기

◆ 임춘, 〈국순전〉

〈국순전〉은 가전체 문학의 효시가 되는 작품으로, 술의 내력과 그것의 흥망성쇠를 통해 방탕한 임금과 이를 따르는 간신배들을 풍자하고 있다. '술(누룩)'을 의인화한 가전체 문학이라는 점에서 〈국선생전〉과 공통점을 보이나, 다음과 같은 차이점도 발견된다.

	〈국순전〉	〈국선생전〉
사건	국순은 임금의 총애를 받으며 향락과 부정을 일삼다가 버림받고 죽음을 맞음	국성은 임금의 총애를 받고 방종하다가 잘못을 뉘우치고 백의종군하여 충성을 다함
인물	부정적 인물 → 술의 역기능 강조	긍정적 인물 → 술의 순기능 강조
주제	요사하고 아부하는 간신배들을 꾸짖고 방탕한 군주를 풍자함	위국충절하는 신하의 모습을 통해 사회적 교훈을 강조함

다. 이에 임금은 이 고을의 도둑들을 토벌하라는 명을 내렸다. 하지만 적임자가 쉽게 물색되지 않았다. 하는 수 없이 다시 성을 기용해서 원수로 삼아 토벌하도록 했다. 성은 부하 군사를 몹시 엄하게 통솔했고, 또 모든 고생을 군사들과 같이했다. 수성(愁城)에 물을 대어 한 번 싸움에 이를 함락시키고 나서 거기에 장락판(長樂坂)을 쌓고 회군하였다. 임금은 그 공로로 성을 상동후(湘東侯)에 봉했다.

장락판(長樂坂): 오래도록 즐거워하는 제방

소주제 ❸ □□을 제압한 국성의 공로

▶ **뒷부분 줄거리** [A] 2년이 지나자 성은 병을 핑계로 물러나기를 청하나 임금은 이를 거절했다. 성이 여러 번 글을 올리자 임금은 부득이 허락하여 성을 고향으로 보냈다. 그는 천수를 다하고 세상을 떠났다.

– 이규보

어휘 다지기

- 유영(劉伶) : 위 · 진 시대의 죽림칠현의 한 사람, 술을 좋아하던 사람
- 도잠(陶潛) : 시인 도연명. 술을 좋아하던 사람
- 조구연(糟丘椽) : 술지게미. 여기서는 벼슬 이름을 뜻함
- 태사(太史) : 천문과 역수를 담당하는 관리
- 천식(薦食) : 새로 난 과일이나 농산물을 신에게 바치는 일
- 진작(進酌) : 임금에게 술을 올리는 일

소주제 체크

1. 임금 2. 횡포 3. 도둑

1 〈보기〉는 이 작품의 뒷부분에 들어가는 내용이다. 이를 참고할 때, 인물에 대한 작가의 태도로 가장 적절한 것은?

보기

사신(史臣)은 말한다.

국씨는 원래 대대로 내려오면서 농가 사람들이었다. 성이 유독 넉넉한 덕이 있고 맑은 재주가 있어서 당시 임금의 심복이 되어 국가의 정사에까지 참여하고, 임금의 마음을 깨우쳐 주어, 태평스러운 푸짐한 공을 이루었으니 장한 일이다. 그러나 임금의 사랑이 극도에 달하자 마침내 국가의 기강을 어지럽히고 화가 그 아들들에게까지 미쳤다. 하지만 이런 일은 실상 그에게는 유감이 될 것이 없다 하겠다. 그는 만절(晩節)이 넉넉한 것을 알고 자기 스스로 물러나 마침내 천수를 다하였다. 《주역》에 "기미를 보아서 일을 해 나간다(見幾而作)."고 한 말이 있는데 성이야말로 거의 여기에 가깝다 하겠다.

① 긍정적 ② 부정적 ③ 절충적
④ 체념적 ⑤ 달관적

2 [다]에서 성(聖)이 불렀음 직한 노래로 가장 적절한 것은?

① 묏버들 갈히 것거 보내노라 님의손딕,
자시는 창(窓) 밧긔 심거 두고 보쇼셔.
밤비예 새닙곳 나거든 날인가도 너기쇼셔. – 홍랑

② 삭풍(朔風)은 나모 긋희 불고 명월(明月)은 눈 속에 춘듸,
만리변성(萬里邊城)에 일장검(一長劍) 집고 셔셔,
긴 ᄑᆞ람 큰 ᄒᆞᆫ 소릐에 거칠 거시 업세라. – 김종서

③ 공명(功名)을 즐겨 마라 영욕(榮辱)이 반(半)이로다.
부귀(富貴)를 탐(貪)치 마라 위기(危機)를 붋ᄂᆞ니라.
우리ᄂᆞᆫ 일신(一身)이 한가(閑暇)커니 두려온 일 업세라. – 김삼현

④ 삼동(三冬)에 뵈옷 닙고 암혈(巖穴)에 눈비 마자
구름 낀 볃뉘도 쬔 적이 업건마는,
서산(西山)에 히지다 ᄒᆞ니 눈물겨워 ᄒᆞ노라. – 조식

⑤ 청산(靑山)은 엇뎨ᄒᆞ야 만고(萬古)애 프르르며,
유수(流水)는 엇뎨ᄒᆞ야 주야(晝夜)애 긋디 아니ᄂᆞᆫ고.
우리도 그치디 마라 만고상청(萬古常靑)호리라. – 이황

3 ⓐ~ⓔ의 원관념으로 적절하지 않은 것은?

① ⓐ : 맑은 술 ② ⓑ : 보리 ③ ⓒ : 흰 술
④ ⓓ : 새 ⑤ ⓔ : 마음

4 이 작품과 〈보기〉를 비교한 내용으로 적절하지 않은 것은?

보기

순(醇)의 90대 할아버지 모(牟)가 후직(后稷)을 도와 공로가 많고 청렴하므로 중산후(中山侯)에 봉해졌고 국(麴)씨 성까지 받았다. 그의 5세손은 강왕(康王) 때 금고(禁錮)되었고, 위나라 때 순의 아버지 주(酎)가 출세하였다가 진(晉)이 어지러워지매 벼슬을 버리고 죽림에서 놀았다. 순은 도량이 넓고 풍류가 있어 국처사(麴處士)라는 칭호와 신임을 얻어 국가의 중대사에 필수적인 존재가 되었지만, 왕의 마음을 혼미케 하여 예법(禮法)의 선비들로부터 지탄을 받았다. 또 왕의 보호 아래 돈을 거둬 함부로 써서 비난을 받다가 벼슬에서 물러나서 죽었다.

– 임춘, 〈국순전〉

① 이 작품과 〈보기〉는 모두 일대기 형식의 구성을 취하고 있다.
② 이 작품과 〈보기〉는 모두 술을 의인화하여 교훈을 전달하고 있다.
③ 이 작품과 〈보기〉는 모두 지나친 방종에 대한 경계를 말하고 있다.
④ 이 작품에는 주인공에 대한 긍정적 관점이, 〈보기〉에는 부정적 관점이 나타난다.
⑤ 이 작품은 '위국충절(爲國忠節)'을, 〈보기〉는 '입신양명(立身揚名)'을 강조하고 있다.

5 서술형 [A]를 통해 작가가 궁극적으로 말하고자 하는 바를 서술하시오.

11 경설 · 이옥설

비책

가 경설(鏡說)

거사(居士)에게 거울 하나가 있었는데, 먼지가 끼어서 흐릿한 것이 마치 구름에 가리운 달빛 같았다. 그러나 그 거사는 조석으로 이 거울을 들여다보며 얼굴을 가다듬곤 하였다. 한 나그네가 거사를 보고 이렇게 물었다.

소주제 1 □□ 거울을 사용하는 거사

"거울이란 얼굴을 비추어 보는 물건이든지, 아니면 군자가 거울을 보고 그 맑은 것을 취하는 것으로 알고 있는데, 지금 거사의 거울은 안개가 낀 것처럼 흐리고 때가 묻어 있습니다. 그럼에도 당신은 항상 그 거울에 얼굴을 비추어 보고 있으니, 그것은 무슨 까닭입니까?"

소주제 2 □□□가 거사에게 이유를 물음

거사가 말하기를, / "얼굴이 잘생기고 예쁜 사람은 맑고 아른아른한 거울을 좋아하겠지만, 얼굴이 못생겨서 추한 사람은 오히려 맑은 거울을 싫어할 것입니다. 그러나 잘생긴 사람은 적고 못생긴 사람은 많습니다. 만일 못생긴 사람이 한 번 들여다보게 된다면 반드시 깨뜨리고야 말 것입니다. 그러니 차라리 깨쳐 버릴 바에야 먼지에 흐려진 그대로 두는 것이 나을 것입니다. 먼지로 흐리게 된 것은 겉뿐이지 거울의 맑은 바탕은 속에 그냥 남아 있는 것이니, 만일 잘생기고 예쁜 사람을 만난 뒤에 갈고 닦여져도 늦지 않습니다. 아! 옛날에 거울을 보는 사람들은 그 맑은 것을 취하기 위함이었지만, 내가 거울을 보는 것은 오히려 흐린 것을 취하는 것인데, 그대는 어찌 이를 이상스럽게 생각합니까?" / 하니, 나그네는 아무 대답이 없었다.

소주제 3 흐린 것을 취하는 이유를 설명하는 □□

– 이규보

나 이옥설(理屋說)

오래 되어 지탱할 수 없을 정도로 낡은 행랑채 세 칸이 있었는데, 나는 부득이 그것을 모두 수리하게 되었다. 그 중 두 칸은 비가 샌 지 오래 되었는데, 나는 그것을 알고도 어물어물 망설이다가 수리하지 못한 것이고, 나머지 한 칸은 비를 한 번밖에 맞지 않았지만 서둘러 기와를 갈았던 것이다. 그런데 수리하고 보니, 비가 샌 지 오래된 것은 서까래, 추녀, 기둥, 들보가 모두 썩어서 못 쓰게 되어 수리비가 많이 들었고, 한 번밖에 비를 맞지 않았던 한 칸의 재목들은 완전하여 다시 쓸 수 있었기 때문에 그 비용이 적게 들었다.

(행랑채: 대문간 곁에 있는 집채. 문간채)
(들보: 칸과 칸 사이의 두 기둥을 건너지르는 나무)

소주제 1 퇴락한 □□□의 수리 경험

나는 이에 느낀 것이 있었다. 사람의 몸에 있어서도 마찬가지라는 사실을. 잘못을 알고서도 바로 고치지 않으면 곧 그 자신이 나쁘게 되는 것이 마치 나무가 썩어서 못 쓰게 되는 것과 같으며, 잘못을 알고 고치기를 꺼리지 않으면 해(害)를 받지 않고 다시 착한 사람이 될 수 있으니, 저 집의 재목처럼 말끔하게 다시 쓸 수 있는 것이다.

소주제 2 □의 이치에 대한 깨달음

뿐만 아니라, 나라의 정치도 이와 같다. ㉠백성을 좀먹는 무리들을 내버려 두었다가는 백성들이 도탄에 빠지고 나라가 위태롭게 된다. 그런 연후에 ㉡급히 바로잡으려 하면 이미 썩어 버린 재목처럼 때는 늦은 것이다. 어찌 삼가지 않겠는가.

(도탄: 몹시 곤궁하여 고통스러운 지경을 이르는 말)

소주제 3 □□ 개혁의 필요성

– 이규보

작품 개관

[가]
- 갈래 한문 수필 – 설(說)
- 성격 교훈적, 상징적
- 주제 사물의 심층을 이해하고 수용하는 자세, 세상을 살아가는 처세
- 특징
  ① 문답법을 사용하여 주제를 드러냄
  ② 사물을 통해 올바른 삶의 자세를 상징적으로 드러냄

[나]
- 갈래 한문 수필 – 설(說)
- 성격 교훈적, 예시적, 경험적
- 주제 잘못을 알고 미리 고쳐 나가는 자세의 중요성
- 특징
  ① 일상적 경험을 통해 깨달음을 제시함
  ② 유추의 방법으로 글을 전개함

1등급 노트

[가]

1. 주제 의식
인간의 결점까지도 수용하는 현실적이고 유연한 처세와 숨겨진 본질을 꿰뚫는 통찰력이 필요함

2. '거울'의 의미 및 역할
교훈을 전달하는 매개체
– 유연한 처세의 필요성
– 때를 기다릴 줄 아는 자세의 필요성

3. 인물의 상징성
- 거사 : 작가의 허구적 대리인
- 나그네 : 고정 관념을 가진 사람
- 잘생긴 사람 : 군자, 성인과 같이 도덕적인 소수의 사람
- 못생긴 사람 : 도덕적으로 결함이 있는 다수의 사람

[나]

글의 전개 방식
유추 : 일상생활의 구체적 경험을 인간사 일반과 정치 현실에까지 적용함

행랑채 수리 – 즉시 수리하지 않으면 그 폐해가 큼(경험의 제시)

↓

사람의 몸 – 잘못을 알고서도 바로 고치지 않으면 나쁘게 됨(깨달음)

↓

정치 – 탐관오리를 그대로 두면 나라가 위태롭게 됨(깨달음의 확대 적용)

더 알아보기

◆ 설의 특성

설(說)이란 한문 문체의 한 종류로, 이치에 따라 사물을 해석한 뒤 그에 대한 자기의 의견을 설명하는 형태로 이루어진다. 우리 문학에서는 '수필'과 가장 근접한 편인데, 주로 우의적인 형태로 교훈을 드러내는 경향이 강하다. 이규보가 지은 〈경설〉, 〈이옥설〉, 〈슬견설〉 등이 전해지고 있다.

소주제 체크

[가] 1. 흐린 2. 나그네 3. 거사 [나] 1. 행랑채 2. 몸 3. 정치

정답과 해설 12쪽

1 [가]의 특징으로 적절하지 않은 것은?

① 작가의 철학적 사색이 담겨 있다.
② 작가가 세상을 대하는 방식이 드러난다.
③ 서정적인 문체로 흥미와 감동을 주기 위해 쓰였다.
④ 삶과 처세에 관한 시각을 상징적 수법으로 나타내고 있다.
⑤ 구체적인 사물을 통해 삶의 새로운 이치를 깨닫게 해 주고 있다.

2 [가]의 전개 방식으로 가장 적절한 것은?

① 묻고 답하는 형식으로 주제를 드러내고 있다.
② 대상의 특성과 개념을 자세하게 설명하고 있다.
③ 현상이 생겨난 원인과 결과를 구체적으로 분석하고 있다.
④ 대상에 대한 세밀한 관찰을 바탕으로 포괄적인 정보를 제시하고 있다.
⑤ 보편적 주장을 제시하고 이를 바탕으로 구체적 체험을 이끌어 내고 있다.

출제 예감

3 [가]의 '거사'가 궁극적으로 하고자 하는 말은?

① 옳지 못한 세태에 적극적으로 맞서야 한다.
② 깨끗한 거울을 가진 사람의 허물을 용서해야 한다.
③ 거울에 먼지나 티끌이 끼면 군자의 거울이라 할 수 없다.
④ 사람이 거울을 볼 때는 항상 깨끗하게 닦아서 보아야 한다.
⑤ 다른 사람의 허물까지도 수용하는 너그러운 태도가 필요하다.

4 [가]의 '나그네'와 '거사'에 대한 설명으로 가장 적절한 것은?

① 나그네는 현실에 안주하려 하고 있고, 거사는 이상을 추구하고 있다.
② 나그네는 부정적 현실을 옹호하고 있고, 거사는 부정적 현실을 비판하고 있다.
③ 나그네는 본질적인 문제를 제기하고 있고, 거사는 고정 관념에 사로잡혀 문제를 외면하고 있다.
④ 나그네는 상식에 근거하여 대상을 판단하고 있고, 거사는 새로운 관점에서 대상을 해석하고 있다.
⑤ 나그네는 직접 경험한 사실을 바탕으로 주장하고 있고, 거사는 그 허점을 논리적으로 반박하고 있다.

5 [나]에 대한 설명으로 가장 적절한 것은?

① 자문자답의 형식으로 논지를 확대하고 있다.
② 변증법적인 과정을 거쳐 결론을 내리고 있다.
③ 권위 있는 사람의 말을 논거로 사용하고 있다.
④ 삶의 깨달음을 일상 체험을 통해 제시하고 있다.
⑤ 가설을 검증하는 방식으로 주제를 도출하고 있다.

출제 예감

6 [나]의 주된 논지 전개 방식과 가장 유사한 것은?

① 모든 사람은 죽는다. 나는 사람이다. 그러므로 나도 죽는다.
② 동해의 바닷물은 짜다. 서해와 남해의 바닷물도 짜다. 그러므로 우리 나라의 바닷물은 모두 짜다고 할 수 있다.
③ 희곡은 언어를 매개로 한 문학이며, 일정한 인물과 사건과 배경을 가지고 있다는 점에서 소설과 다를 바가 없다.
④ 문장은 화자의 의도에 따라 평서문, 의문문, 명령문, 청유문, 감탄문으로, 그 구조에 따라 홑문장과 겹문장으로 나뉜다.
⑤ 건물을 짓는 데 사용되는 재료들은 서로 긴밀하게 결합되어 집이라는 구조를 이룬다. 문학 또한 다양한 요소들이 결합되어 작품의 전체적인 의미를 형성하는 하나의 구조물이라고 할 수 있다.

7 <보기>의 시어 중, ㉠과 상징적 의미가 유사한 것은?

> 보기
>
> 참새야 어디서 오가며 나느냐.
> 일 년 농사는 아랑곳하지 않고
> 늙은 홀아비 홀로 갈고 맸는데
> 밭의 벼며 기장을 다 없애다니.
>
> – 이제현, <사리화>

① 참새 ② 일 년 농사 ③ 늙은 홀아비
④ 벼 ⑤ 기장

8 ㉡의 상황을 속담으로 표현하고자 할 때, 가장 적절한 것은?

① 길러 준 개 주인 문다
② 다 된 밥에 재 뿌린다
③ 소 잃고 외양간 고친다
④ 까마귀 날자 배 떨어진다
⑤ 혹 떼러 갔다 혹 붙여 온다

9 서술형 [가]에서 '거울'이 상징하는 바가 무엇인지 서술하시오.

조선 전기

조선 전기는 조선이 건국된 후부터 임진왜란(1592년)까지의 시기를 말한다.

운문의 경우, 훈민정음의 창제로 인해 구비 문학이 문자로 정착되고 한글로 된 국문 문학이 활발하게 창작되었다. 이 시기에는 조선 왕조의 건국 위업을 찬양하고 왕실의 무궁한 번영을 축원하는 악장 문학이 나타나고, 중국의 문학 작품과 불경, 운서(韻書) 등이 한글로 번역되었다. 고려 시대에서부터 발달해 온 시조는 이 시기에 더욱 집중적으로 창작되었으며, 3 · 4조 또는 4 · 4조로 연속되는 가사가 새롭게 등장하여 조선 전기의 대표적인 문학 양식으로 자리 잡았다.

산문의 경우, 고려 시대에 성행한 패관 문학의 폭이 더욱 넓어져 설화(說話), 전기(傳奇), 야담(野談), 시화(詩話) 등 다양한 내용으로 확대되었으며, 훈민정음의 보급으로 인해 그 이전까지 한문으로 전해지던 수많은 문헌들이 한글로 번역되어 번역 문학이 전성기를 이루었다. 또한 기존의 설화와 패관 문학, 가전체 문학 등의 전통 위에 중국 소설의 영향을 받아 소설 형식을 갖춘 한문 소설이 창작되었다는 점도 이 시기 주요한 특징 중의 하나이다.

01 용비어천가(龍飛御天歌)

〈제 1 장〉

해동(海東) 육룡(六龍)이 ᄂᆞᄅᆞ샤 일마다 천복(天福)이시니.
(해동(海東): 우리나라(발해의 동쪽))
고성(古聖)이 ⓐ동부(同符)ᄒᆞ시니.

우리나라의 여섯 용(임금)이 나시어〔飛〕 하시는 일마다 하늘의 복을 받으시니.
(이것은) 중국 옛 성왕들이 하신 일과 딱 들어맞으시니.

소주제 ❶ 조선 □□의 천명성

〈제 2 장〉

불휘 기픈 남ᄀᆞᆫ ᄇᆞᄅᆞ매 아니 ⓑ뮐ᄊᆡ, 곶 됴코 여름 하ᄂᆞ니.
(남ᄀᆞᆫ: 나무는 / 여름: 열매 / 하ᄂᆞ니: 많으니)
ᄉᆡ미 기픈 므른 ᄀᆞᄆᆞ래 아니 그츨ᄊᆡ, 내히 이러 ᄇᆞᄅᆞ래 가ᄂᆞ니.
(ᄀᆞᄆᆞ래: 가뭄에)

뿌리가 깊은 나무는 바람에 흔들리지 아니하므로, 꽃이 좋고 열매가 많이 열리니.
샘이 깊은 물은 가뭄에 그치지 아니하므로, 내〔川〕가 이루어져 바다에 가나니.

소주제 ❷ 조선의 무궁한 발전 □□

〈제 4 장〉

적인(狄人)ㅅ 서리예 가샤 적인(狄人)이 ⓒᄀᆞᆯ외어늘 기산(岐山) 올ᄆᆞ샴도 하ᄂᆞᇙ ᄠᅳ디시니.
(적인(狄人)ㅅ: 북쪽 오랑캐의 / 서리예: 사이에)
야인(野人)ㅅ 서리예 가샤 야인(野人)이 ᄀᆞᆯ외어늘 덕원(德源) 올ᄆᆞ샴도 하ᄂᆞᇙ ᄠᅳ디시니.
(야인(野人)ㅅ: 여진족의)

(주나라 태왕 고공단보께서) 북쪽 오랑캐 사이(빈곡)에 가시어 살 때, 북쪽 오랑캐가 침범하므로 기산으로 옮기신 것도 하늘의 뜻이시니.
(익조께서) 여진족 사이(오동)에 가시어 살 때, 여진족이 침범하므로 덕원으로 옮기신 것도 하늘의 뜻이시니.

소주제 ❸ 익조에게 내린 □□

〈제 48 장〉

굴허에 ᄆᆞᄅᆞᆯ 디내샤 도ᄌᆞ기 다 도라가니 반(半) 길 노ᄑᆡᆫᄃᆞᆯ 년기 디나리잇가.
(도ᄌᆞ기: 도적이 / 노ᄑᆡᆫᄃᆞᆯ: 높이인들)
석벽(石壁)에 ᄆᆞᄅᆞᆯ 올이샤 도ᄌᆞᄀᆞᆯ 다 자ᄇᆞ시니 현번 ⓓᄠᅱ운ᄃᆞᆯ ᄂᆞ미 오ᄅᆞ리잇가.

(금나라 태조가) 좁은 골목에 말을 지나게 하시어 (뒤쫓아 오던) 도적이 다 돌아가니, 반 길 높이인들 남이 지날 수 있겠습니까?
(이 태조가) 돌 절벽에 말을 올라가게 하시어 도적을 다 잡으시니, 몇 번을 뛰어오른들 남이 오를 수 있겠습니까?

소주제 ❹ 태조의 초인적인 □□ 찬양

〈제 125 장〉

천 세(千世) 우희 미리 정(定)ᄒᆞ샨 한수(寒水)북(北)에 누인개국(累仁開國)ᄒᆞ샤 복년(卜年)이 ᄀᆞᇫ 업스시니, 성신(聖神)이 니ᅀᆞ샤도 경천근민(敬天勤民)ᄒᆞ샤ᅀᅡ, 더욱 ⓔ구드시리이다.
(ᄀᆞᇫ 업스시니: 끝이 없으시니 / 경천근민(敬天勤民): 하늘을 공경하고 백성을 위하여 부지런히 일함)
님금하, 아ᄅᆞ쇼셔. 낙수(洛水)예 산행(山行) 가 이셔 하나빌 미드니잇가.

천 년 전에 미리 정하신 한강 북쪽 땅에, (육조께서 여러 대에 걸쳐) 어진 덕을 쌓아 나라를 여시어 점지해 받은 왕조의 운수가 끝이 없으시니, 성자신손(성군의 자손)이 대를 이으셔도 하늘을 공경하고 백성을 다스리는 데에 부지런히 힘쓰셔야, (왕권이) 더욱 굳건할 것입니다.
(후대의) 임금이시여, 아소서. (하나라 태강왕처럼) 낙수에 사냥하러 가 있으면서 조상만 믿으시겠습니까?

소주제 ❺ 후대 왕에 대한 □□

– 정인지 외

작품 개관

- 갈래 악장, 영웅 서사시
- 성격 송축가(頌祝歌), 개국송(開國頌), 예찬적, 서사적, 설득적
- 주제 조선 건국의 정당성과 후대 왕에 대한 권계
- 특징
  - ① 문학적 측면 – 한글로 기록된 최초의 문헌, 최초의 악장 문학, 최초의 장편 영웅 서사시
  - ② 어학적 측면 – 15세기 국어 연구의 귀중한 자료

1등급 노트

1. 전체 구성

구성	중심 내용
서사(序詞) : 개국송(開國頌)	[제1장] 조선 건국의 천명성(天命性)
	[제2장] 조선 왕조의 무궁한 발전 송축
본사(本詞) : 사적찬(事績贊)	[제3~8장] 태조의 선조인 사조(四祖)의 사적 찬양
	[제9~89장] 태조의 사적 찬양
	[제90~109장] 태종의 사적 찬양
결사(結詞) : 계왕훈(戒王訓)	[제110~125장] 후대 왕에 대한 권계

2. 창작 동기
- 내적 동기
  - – 역성 혁명으로 이룬 조선 건국의 합리화, 민심 수습
  - – 후대 왕에 대한 권계
  - – 조선의 영원한 발전 송축
- 외적 동기
  - – 훈민정음의 실용성 실험
  - – 훈민정음에 권위 부여

3. 각 장의 형식상 특징
- 총 125장으로 되어 있으며, 대체로 2절 4구의 대구법을 사용함
- 주로 전절에는 중국의 사적, 후절에는 조선 육조의 사적을 찬양함
- 역사적 사실을 바탕으로 주관적 해석을 덧붙임

더 알아보기

◆ 악장의 특징

악장(樂章)은 조선 초기에 발생한 시가 형식으로 나라의 제전(祭典)이나 연례(宴禮) 때 궁중 음악에 맞추어 부르던 가사를 말한다. 주로 태조 이성계의 덕과 무공(武功)을 찬양하거나 조선 건국의 성업(聖業)과 왕실의 번영을 송축(頌祝)한 내용을 담고 있다. 용도가 제한적이어서 향유층이 두텁지 못했고 국가 체제가 정비된 후에는 더 이상 새로운 노래가 필요하지 않았기 때문에 이후 쇠퇴했다.

소주제 체크

1. 건국 2. 송축 3. 천명 4. 용맹 5. 권계

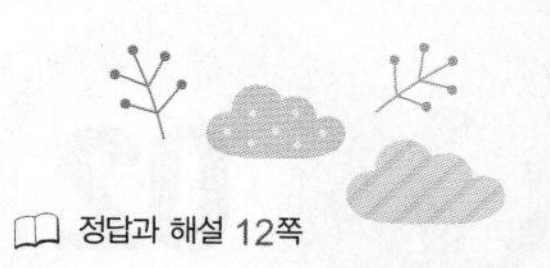

정답과 해설 12쪽

1 **이 작품에 대한 설명으로 적절하지 않은 것은?**

① 작품 전체가 고도의 상징과 비유에 의한 표현으로 이루어져 있다.
② 영웅 서사시의 요소를 지녔으며, 조선의 무궁한 발전을 기원하고 있다.
③ 후대 왕들에게 왕권의 확립과 수호를 당부하는 권계의 내용을 담고 있다.
④ 훈민정음으로 쓰여진 최초의 작품이며, 궁중의 음악 가사로 사용되었다.
⑤ 조선 왕조 창업을 합리화하기 위해 의도적으로 만들어진 목적 문학이다.

출제 예감

2 **이 작품의 창작 동기로 적절하지 않은 것은?**

① 육대조의 위업을 중국에 알리기 위해서이다.
② 후왕들에게 권계(勸戒)와 귀감(龜鑑)을 주기 위해서이다.
③ 새로 창작한 훈민정음의 실용성을 시험하기 위해서이다.
④ 조선 왕조의 치세(治世)와 왕권 확립을 목적으로 한 것이다.
⑤ 백성들에게 혁명의 정당성을 널리 알려 흐트러진 민심을 수습하기 위해서이다.

3 **이 작품의 형식상 특징에 대한 설명으로 적절하지 않은 것은?**

① 대체로 2절 4구의 대구 형식을 보이고 있다.
② 전체 125장에 서사, 본사, 결사로 구성된 장편 서사시이다.
③ 대체로 전절에서는 중국의 고사를, 후절에서는 조선 육조의 고사를 다루고 있다.
④ 선경 후정(先景後情)의 구조에 따라 사적 제시와 그에 대한 평가로 이루어져 있다.
⑤ 각 사적을 기술하면서 우리말 노래를 먼저 싣고, 그에 대한 한역시를 뒤에 붙였다.

4 **ⓐ~ⓔ의 뜻풀이로 적절하지 않은 것은?**

① ⓐ 동부(同符)ᄒᆞ시니 : 서로 꼭 들어맞으시니
② ⓑ 뮐ᄊᆡ : 흔들리지 않으므로
③ ⓒ ᄀᆞᆯ외어늘 : 침범하거늘
④ ⓓ ᄠᅱ운ᄃᆞᆯ : 뛰어오른들
⑤ ⓔ 구드시리이다 : 굳건할 것입니다

5 **다음 중 〈보기〉의 밑줄 친 부분의 특성을 모두 보여 주는 것은?**

> **보기**
> 이 작품은 몇 장의 파격이 있으나, 대체로 2절 4구의 대구 형식을 취하고 있다. 전절(前節)에서는 중국의 창업주의 행적을, 후절(後節)에서는 거기에 비견할 만한 육조(六祖)의 행적을 언급함으로써 조선의 건국이 천명(天命)에 의한 것임을 강조하고 있다. 서사(序詞)는 조선 연원의 심원함과 영원한 발전을 송축하고 있으며, 본사(本詞)는 조선 6대 조종의 사적을 중국의 역대 제왕의 사적에 견주어 노래하고 있다. 결사(結詞)는 후대 왕들에 대한 권계를 담고 있다.

① 1장 ② 2장 ③ 4장 ④ 48장 ⑤ 125장

6 **수능형** **〈보기〉를 참고할 때, 창작 동기가 이 작품과 다른 것은?**

> **보기**
> 작품의 창작 동기는 크게 표현 동기와 전달 동기로 나누어진다. 표현 동기는 작가 자신의 생각과 느낌을 직접 드러내 보이려는 주관적 목적에서 형성되며, 전달 동기는 독자의 의식을 고취하거나 독자를 설득하려는 객관적 목적에서 주로 형성된다.

① 잠을 ᄭᆡ세, 잠을 ᄭᆡ세, / ᄉᆞ쳔 년이 ᄭᅮᆷ 속이라. / 만국(萬國)이 회동(會同)ᄒᆞ야 / ᄉᆞ해(四海)가 일가(一家)로다. // 구구세절(區區細節) 다 ᄇᆞ리고 / 샹하(上下) 동심(同心) 동덕(同德)ᄒᆞ세. / ᄂᆞᆷ으 부강 불어ᄒᆞ고 / 근본 업시 회빈(回賓)ᄒᆞ랴. – 이중원, 〈동심가〉
② 학도야 학도야 청년 학도야, / 벽상의 괘종을 들어보시오. / 한 소리 두 소리 가고 못 오니, / 인생의 백 년 가기 주마 같도다. / 청산 속에 묻힌 옥도 갈아야 광채 나고 / 낙락장송 큰 나무도 깎아야 동량 되네. – 작자 미상, 〈권학가〉
③ 거긔 너의 애인(愛人)이 맨발로 서서 기다리는 언덕으로 곳추 너의 뱃머리를 돌니라. 물결 ᄭᅳ테서 니러나는 추운 바람도 무어시리오. 괴이(怪異)한 우슴 소리도 무어시리오, 사랑 일흔 청년의 어두운 가슴속도 너의게야 무어시리오, 기름자 업시는 '발금' 도 이슬 수 업는 거슬—. / 오오 다만 네 확실(確實)한 오늘을 노치지 말라. – 주요한, 〈불놀이〉
④ 합심ᄒᆞ고 일심되야 셔셰 동졈(西勢東漸) 막아 보세. / (합가) ᄉᆞ롱공샹(士農工商) 진력ᄒᆞ야 사ᄅᆞᆷ마다 ᄌᆞ유ᄒᆞ세. // 남녀 업시 입학ᄒᆞ야 세계 학식 ᄇᆡ화 보자. / (합가) 교육히야 ᄀᆡ화되고, ᄀᆡ화히야 사ᄅᆞᆷ되네. – 이필균, 〈애국하는 노래〉
⑤ 쉽지도 않고 외롭지도 않습니다. / 세상에 고마운 청년 오빠의 무수한 위대한 친구가 있고 오빠와 형님을 잃을 수 없는 계집아이와 동생 / 저희들의 귀한 동무가 있습니다. // 그리하여 이 다음 일은 지금 섭섭한 분한 사건을 안고 있는 우리 동무 손에서 싸워질 것입니다. – 임화, 〈우리 오빠와 화로〉

7 **서술형** **이 작품 각 장의 구성상의 특징에서 드러나는 사대주의적 요소에 대해 서술하시오.**

02 춘망 · 강촌 · 귀안

가 춘망(春望)

나라히 파망(破亡)ᄒᆞ니 뫼콰 ᄀᆞᄅᆞᆷᄲᅮᆫ 잇고
•잣 앉 보ᄆᆡ 플와 나모ᄲᅮᆫ 기펫도다

> 나라가 망하니 산과 강물만 남아 있고
> 성안에 봄이 오니 풀과 나무만 우거져 있구나.

소주제 ❶ [수련] 전란으로 인한 □□

시절(時節)을 감탄(感歎)호니 고지 눉믈를 ᄲᅳ리게코
(감탄(感歎)호니: 애통하게 여기니)
•여희여슈믈 슬호니 새 ᄆᆞᅀᆞᄆᆞᆯ 놀래노라.

> (어지러운) 시절을 한탄하니 꽃을 봐도 눈물을 뿌리고
> (가족들과) 이별하였음을 슬퍼하니 새소리에도 마음이 놀란다.

소주제 ❷ [함련] 전란으로 인한 □□

봉화(烽火)ㅣ 석ᄃᆞᆯᄅᆞᆯ 니어시니,
(니어시니: 이었으니)
지븻 음서(音書)ᄂᆞᆫ 만금(萬金)이 ᄉᆞ도다.
(음서(音書): 편지, 소식 / 만금(萬金)이 ᄉᆞ도다: 만금보다 값지도다)

> 전쟁을 알리는 봉화가 석 달을 이었으니,
> 집(고향)의 소식은 만금보다 값지구나.

소주제 ❸ [경련] □□에 대한 그리움

셴 머리ᄅᆞᆯ 글구니 또 뎌르니
(뎌르니: 짧으니)
다 빈혀ᄅᆞᆯ 이긔디 몯ᄒᆞᆯ ᄃᆞᆺᄒᆞ도다.
(빈혀: 비녀)

> 하얗게 센 머리를 긁으니 또 짧아져서,
> (남은 머리를) 다 모아도 비녀 하나를 이기지 못할 듯하구나.

소주제 ❹ [미련] 늙어 가는 육신에 대한 □□

– 두보

나 강촌(江村)

ᄆᆞᆯᄀᆞᆫ ᄀᆞᄅᆞᇝ ᄒᆞᆫ 고ᄇᆡ ᄆᆞᅀᆞᆯᄒᆞᆯ 아나 흐르ᄂᆞ니
긴 녀ᄅᆞᇝ 강촌(江村)애 일마다 •유심(幽深)ᄒᆞ도다.

> 맑은 강의 한 굽이가 마을을 안아 흐르니
> 긴 여름 강촌엔 일마다 그윽하도다.

소주제 ❶ [수련] □□의 한적한 모습

절로 가며 절로 오ᄂᆞ닌 집 우흿 져비오
서르 친(親)ᄒᆞ며 서르 갓갑ᄂᆞ닌 믌 가온ᄃᆡᆺ ᄀᆞᆯ며기로다.

> 절로 가며 절로 오는 것은 집 위의 제비요
> 서로 친하며 서로 가까운 것은 물 가운데의 갈매기로다.

소주제 ❷ [함련] 유유자적한 □□와 □□□

늘근 겨지븐 •죠ᄒᆡᄅᆞᆯ 그려 쟝긔파ᄂᆞᆯ ᄆᆡᇰᄀᆞᆯ어ᄂᆞᆯ
져믄 아ᄃᆞᄅᆞᆫ 바ᄂᆞᄅᆞᆯ 두드려 고기 낫ᄀᆞᆯ 낛ᄋᆞᆯ ᄆᆡᇰᄀᆞᄂᆞ다.

> 늙은 아내는 종이에 장기판을 그려 만들고
> 어린 아들은 바늘을 두드려 고기 낚을 낚시를 만든다.

소주제 ❸ [경련] 초당의 □□□ 정경

한 병(病)에 얻고져 ᄒᆞᄂᆞᆫ 바ᄂᆞᆫ 오직 약물(藥物)이니
•져구맛 모미 이 밧긔 다시 므스글 구(求)ᄒᆞ리오.

> 많은 병에 오직 필요한 것은 약물이니
> 하찮은 몸이 이 밖에 다시 무엇을 구하리오.

소주제 ❹ [미련] □□□□의 마음

– 두보

다 귀안(歸雁)

보ᄆᆡ •왯ᄂᆞᆫ 만 리(萬里)옛 나그내ᄂᆞᆫ

> 봄에 와 있는(봄을 맞이한) 만 리 밖의 나그네는

소주제 ❶ [기] 고향과의 □□□

난(亂)이 •긋거든 어느 ᄒᆡ예 도라가려뇨.

> 난이 그치거든 어느 해에 돌아갈까?

소주제 ❷ [승] 고향에 돌아갈 수 없는 □□

강성(江城)에 그려기
(강성(江城): 강가에 있는 성)

> 강성의 기러기가

소주제 ❸ [전] 기러기에 대한 □□□

노피 정(正)히 북(北)으로 ᄂᆞ라가매 애ᄅᆞᆯ •긋노라.

> 높이 똑바로 (고향이 있는) 북쪽으로 날아가니 (나의) 애를 끊는구나.

소주제 ❹ [결] 고향에 대한 □□□

– 두보

작품 개관

[가]
- 갈래 언해, 한시(5언 율시)
- 성격 애상적, 회고적, 영탄적
- 주제 전란의 비애와 가족에 대한 그리움
- 특징
  ① 선경 후정, 대구법의 사용
  ② 자연과 인간사의 대비
- 출전 《분류두공부시 언해》 중간본 권 10

[나]
- 갈래 언해, 한시(7언 율시)
- 성격 서정적, 한정적, 회화적
- 주제 여름날 강촌의 한가로운 삶
- 특징
  ① 선경 후정, 대구법의 사용
  ② 시선이 먼 곳에서 가까운 곳으로 이동함(원근법)
- 출전 《분류두공부시 언해》 초간본 권 7

[다]
- 갈래 언해, 한시(5언 절구)
- 성격 애상적
- 주제 고향에 대한 그리움(향수)
- 특징 자연과 인간의 대비
- 출전 《분류두공부시 언해》 중간본 권 17

1등급 노트

[가]

1. 화자의 정서 및 태도
   고향에 돌아가지 못하는 자신의 신세에 대해 한탄함
2. 시상 전개 방식

선경(先景)	전란의 피폐함을 부각시키는 자연(인간사 ↔ 자연)
후정(後情)	가족에 대한 그리움과 병약한 신세 한탄

[나]

1. 화자의 정서 및 태도
   강촌에서 가족과 더불어 살아가는 소박한 삶에 만족함
2. 시상 전개 방식

선경(先景)	강촌의 유한함 – 원경, 자연사
후정(後情)	안분지족(安分知足)의 생활 – 근경, 인간사

[다]

1. 화자의 정서 및 태도
   고향에 돌아갈 수 없어 안타까워하며, 향수(鄕愁)를 느낌
2. '기러기'의 의미 및 역할
   - 화자와 대비되는 자유로운 존재
   - 고향으로 돌아가기를 소망하는 화자에게 부러움의 대상
   - 고향으로 돌아가지 못하는 화자의 마음을 더욱 아프게 하는 대상

정답과 해설 12쪽

어휘 다지기

- 잣 : 성(城)
- 여희여슈믈 : 이별하였음을
- 유심(幽深)ᄒᆞ도다 : 고요하고 한가하도다
- 조히 : 종이
- 져구맛 : 조그만. 여기서는 '미천한, 하찮은'의 의미로 쓰임
- 왯ᄂᆞᆫ : 와 있는
- 긋거든 : 그치거든
- 긋노라 : 끊노라

소주제 체크

[가] 1. 폐허 2. 상심 3. 가족 4. 한탄
[나] 1. 강촌 2. 제비, 갈매기 3. 한가함
4. 안분지족 [다] 1. 거리감 2. 한탄 3. 님
원망 4. 그리움

1 [가]~[다]에 대한 설명으로 가장 적절한 것은?

① [가] – 색채의 대비를 통해 회화성을 드러내고 있다.
② [가] – 자연에 대한 화자의 예찬적 태도가 드러나 있다.
③ [나] – 현실 극복에 대한 화자의 의지가 강하게 나타나 있다.
④ [나] – 화자가 자신이 처한 상황을 해학적으로 바라보고 있다.
⑤ [다] – 대상과의 대조를 통하여 화자의 정서를 표현하고 있다.

2 [가]와 [다]의 공통적인 정서로 가장 적절한 것은?

① 애상(哀傷)　② 우국(憂國)　③ 연군(戀君)
④ 탄로(歎老)　⑤ 한정(閑情)

3 수능형 〈보기〉는 [가]의 화자가 쓴 일기이다. 그 내용으로 적절하지 <u>않은</u> 것은?

보기

○○년 ○○월 ○○일
① 벌써 전란이 석 달이나 계속되고 있다. ② 무너진 장안의 폐허에도 봄을 알리는 꽃이 피고, 새가 울건만 오히려 그로 인해 마음이 더 착잡하다. ③ 오직 남은 것은 산과 강뿐, 인간사 모든 것이 참으로 허망하기만 하다. ④ 전란 중에 목숨은 부지하고 있지만, 옆에 있는 아내를 보면 미안하고 애처롭기만 하다. ⑤ 요즘 들어 부쩍 머리가 빠진다. 하얗게 세어 듬성한 머리를 겨우 틀어 올렸다. 거울에 비친 내 머리도 주인을 닮아 참 처량하다.

4 [나]의 화자와 유사한 삶의 태도가 드러난 것은?

① 반중(盤中) 조홍(早紅)감이 고아도 보이ᄂᆞ다. / 유자(柚子)ㅣ 안이라도 품엄 즉도 ᄒᆞ다마ᄂᆞᆫ / 품어 가 반기리 업슬ᄉᆡ 글노 설워ᄒᆞᄂᆞ이다. – 박인로
② 국화야, 너난 어이 삼월 동풍(三月東風) 다 지내고 / 낙목한천(落木寒天)에 네 홀로 피었나니 / 아마도 오상고절(傲霜孤節)은 너뿐인가 하노라. – 이정보
③ 짚방석(方席) 내지 마라, 낙엽(落葉)엔들 못 안즈랴. / 솔불 혀지 마라, 어제 진 ᄃᆞᆯ 도다온다. / 아ᄒᆡ야, 박주산채(薄酒山菜)ㄹ망정 업다 말고 내여라. – 한호
④ 고인(古人)도 날 몯 보고 나도 고인(古人) 몯 뵈. / 고인(古人)을 몯 뵈도 녀던 길 알픠 잇니. / 녀던 길 알픠 잇거든 아니 녀고 엇뎔고. – 이황
⑤ 삭풍(朔風)은 나모 긋희 불고 명월(明月)은 눈 속에 촌되, / 만리변성(萬里邊城)에 일장검(一長劍) 집고 셔셔, / 긴 ᄑᆞ람 큰 ᄒᆞᆫ소릐예 거틸 거시 업세라. – 김종서

5 출제 예감 [다]의 '그려기'와 그 성격이 가장 유사한 것은?

① 훨훨 나는 저 <u>꾀꼬리</u> / 암수 정답게 노니는데, / 외로울사 이 내 몸은 / 뉘와 함께 돌아갈꼬. – 유리왕, 〈황조가〉
② 우러라 우러라 새여 자고 니러 우러라 <u>새</u>여. / 널라와 시름 한 나도 자고 니러 우니노라. / 얄리얄리 얄라셩 얄라리 얄라 – 작자 미상, 〈청산별곡〉
③ 내 님믈 그리ᅀᆞ와 우니다니 / 산(山) <u>졉동새</u> 난 이슷ᄒᆞ요이다. / 아니시며 거츠르신 ᄃᆞᆯ 아으 / 잔월효성(殘月曉星)이 아ᄅᆞ시리이다. – 정서, 〈정과정〉
④ <u>참새</u>야 어디서 오가며 나느냐, / 일 년 농사는 아랑곳하지 않고, / 늙은 홀아비 홀로 갈고 맸는데, / 밭의 벼며 기장을 다 없애다니. – 이제현, 〈사리화〉
⑤ 누나라고 불러 보랴 / 오오 불설워 / 시샘에 몸이 죽은 우리 누나는 / 죽어서 <u>접동새</u>가 되었습니다. // 아홉이나 남아 되던 오랩동생을 / 죽어서도 못 잊어 차마 못 잊어 / 야삼경(夜三更) 남 다 자는 밤이 깊으면 / 이 산 저 산 옮아가며 슬피 웁니다. – 김소월, 〈접동새〉

6 서술형 [나]를 〈보기〉의 밑줄 친 부분과 같은 관점에서 생각해 볼 때, [나]의 창작 의도를 〈조건〉에 맞게 서술하시오.

보기

[나]는 평화로운 강촌의 모습과 그 속에서 욕심 없이 살아가는 가족의 모습을 그리고 있다. 그러나 한편에서는 <u>[나]에 드러난 가족의 모습을 한가하고 평화로운 자연과는 대조적으로 이기적인 인간의 욕심을 나타내고 있다고 보기도 한다.</u>

조건

- [나]에 사용된 소재 2개를 언급할 것
- 60자 내외의 한 문장으로 쓸 것

03 무어별 · 곡자

가 무어별(無語別)

十五•越溪女 십오 월계녀	열다섯 아리따운 아가씨
羞人無語別 수인무어별	남 부끄러워 말 못하고 헤어졌고야.
歸來掩•重門 귀래엄 중문	돌아와 중문을 닫고서는
•泣向•梨花月 읍향 이화월	㉠배꽃 사이 달을 보며 눈물 흘리네.

소주제 ❶ [기, 승] 나이 어린 아가씨의 부끄러운 □□

소주제 ❷ [전, 결] 이별의 안타까움으로 흘리는 □□

– 임제

나 곡자(哭子)

•去年喪愛女 거년상애녀	지난해 사랑하는 딸을 여의고
今年喪愛子 금년상애자	올해는 사랑하는 아들 잃었네.
哀哀廣陵土 애애광릉토	슬프고 슬프구나 광릉 땅이여
雙墳相對起 쌍분상대기	두 무덤 나란히 마주하고 있구나.
•蕭蕭白楊風 소소백양풍	사시나무(백양목)엔 쓸쓸한 바람 불고
•鬼火明•松楸 귀화명 송추	도깨비불은 무덤가 나무 밝히네.
•紙錢招汝魄 지전초여백	종이돈 살라 너희 넋을 부르며
•玄酒奠汝丘 현주존여구	무덤에 술잔 따르며 제를 올리네.
應知弟兄魂 응지제형혼	너희 넋은 응당 오누이인 줄 알고
夜夜相追遊 야야상추유	밤마다 정답게 놀고 있으리라.
縱有腹中孩 종유복중해	비록 배 속에는 아이가 있다 하지만
安可冀長成 안가기장성	어찌 잘 자라길 바라겠는가.
浪吟黃臺詞 낭음황대사	부질없이 ㉡황대사를 읊조리다
血泣悲呑聲 혈읍비탄성	애끓는 피눈물에 목이 메는구나.

소주제 ❶ 두 □□을 잃음

소주제 ❷ □□ 앞에서 느끼는 쓸쓸한 심회

소주제 ❸ 술을 따르며 □를 올림

소주제 ❹ 죽은 이후라도 □□하기를 바라는 마음

소주제 ❺ 아이를 잃은 데 대한 □□□

소주제 ❻ □ 맺힌 마음

– 허난설헌

어휘 다지기

- 越溪女(월계녀) : 중국의 월(越)나라 약야계(若耶溪)의 여인 서시(西施)를 말함. 즉 서시같이 아름다운 여인을 가리킴
- 重門(중문) : 겹문. 덧문. 대문 안에 다시 세운 문
- 泣向(읍향) : 울면서 바라봄
- 梨花月(이화월) : 배꽃에 걸린 달. 또는 하얀 배꽃을 비추는 달
- 去年(거년) : 지난해
- 蕭蕭(소소) : 소소하다. 바람이나 빗소리 따위가 쓸쓸하다
- 鬼火(귀화) : 도깨비불
- 松楸(송추) : 산소 둘레에 심는 나무를 통틀어 이르는 말
- 紙錢(지전) : 돈 모양으로 오린 종이
- 玄酒(현주) : 제사 때 술 대신 쓰는 맑은 찬물. 무술

작품 개관

[가]
- 갈래 한시(5언 절구)
- 성격 서정적, 애상적
- 주제 이별의 정한(情恨)
- 특징 화자가 관찰자적 위치에서 시적 상황을 전달함

[나]
- 갈래 한시(5언 고시)
- 성격 애상적, 직설적
- 주제 자식을 잃은 어머니의 슬픔
- 특징 직설적인 어법과 고사를 통해 화자의 심정을 드러냄

1등급 노트

[가]

1. 화자의 위치
   관찰자의 입장에서 열다섯 살 소녀를 주인공으로 하여 이별의 상황을 객관적으로 그리고 있음
2. 시어의 기능
   배꽃, 달 : 배경을 드러내는 소재로 순백의 이미지를 가졌으며, 애상적인 분위기를 형성하여 이별의 안타까움을 더해 줌

[나]

표현상의 특징
- 직설적 표현 : 자식을 잃은 슬픔을 직설적으로 표현함
- 대조적 상황 제시 : 두 아이를 잃고 곧 아이가 태어날 대조적 상황을 통해 화자의 슬픔을 강조함
- 쓸쓸한 배경 묘사 : 쓸쓸한 무덤가의 배경 묘사를 통해 화자의 정서를 드러냄
- 고사 인용 : '황대사'를 통해 화자의 자책감을 표현함

더 알아보기

◆ 황대사(黃臺詞)

당 고종에게는 아들이 여덟 명 있었는데, 위로 넷은 천후(天后)의 소생이었다. 고종이 맏아들인 홍(弘)을 태자로 삼자, 계후(繼后 : 두 번째 왕비)가 시기하여 그를 독살하였다. 둘째인 현(賢)은 태자가 되자 수심에 가득 차게 되었다. 그는 자식을 죽인 어미를 책망하는 노래(황대사)를 지어 악공에게 부르게 하고, 아버지의 책임을 깨닫게 하려 했다. 하지만 그도 결국 궁에서 쫓겨나 죽고 말았다고 한다.

소주제 체크

[가] 1. 이별 2. 눈물 [나] 1. 자식 2. 무덤 3. 제 4. 화목 5. 자책감 6. 한

정답과 해설 13쪽

출제 예감

1 [가]와 [나]의 공통점으로 가장 적절한 것은?

① 계절적, 시간적 배경을 짐작할 수 있다.
② 타인의 시선을 의식하는 행동이 드러나 있다.
③ 대상의 행복을 비는 화자의 소망이 드러나 있다.
④ 화자가 자신의 상황과 정서를 직접 드러내고 있다.
⑤ 대상의 부재라는 부정적 상황이 시작(詩作)의 계기가 되고 있다.

2 [가]와 [나]의 시어나 시구에 대한 설명으로 적절하지 않은 것은?

① '남 부끄러워' 는 아가씨가 이별의 상황에서도 말을 못하는 이유이다.
② '중문을 닫고서는' 은 아가씨가 자신의 감정을 감추기 위한 행동이다.
③ '광릉 땅' 은 시적 화자가 죽은 아이들과 내세의 만남을 희망하는 공간이다.
④ '술잔' 에는 자식을 잃고 제를 올리는 어머니의 슬픔과 안타까움이 담겨 있다.
⑤ 배 속의 '아이' 는 화자의 비극적 상황을 부각하고 있다.

3 고난도 [가]와 〈보기〉를 비교하여 감상한 것으로 적절한 것은?

보기

산이란 산에는 새 한 마리 날지 않고
길마다 사람 자취 끊어졌는데,
외로운 배 위에 삿갓 쓴 늙은이
눈 내리는 강에서 홀로 낚시질하네. – 유종원, 〈강설(江雪)〉

① [가]와 달리 〈보기〉에서는 화자의 감정이 절제되어 표현되고 있다.
② [가]에서는 〈보기〉와 달리 시선의 이동에 따라 시상이 전개되고 있다.
③ [가]와 〈보기〉는 모두 반어적 표현을 통해 대상에 대한 인물의 인식을 드러내고 있다.
④ [가]와 〈보기〉는 모두 이별의 상황에서 오는 화자의 애틋한 마음을 드러내고 있다.
⑤ [가]와 〈보기〉는 모두 화자가 표면에 드러나지 않은 채 관찰자적인 입장에서 객관적으로 상황을 전달하고 있다.

4 [나]에서 화자의 정서를 형상화하는 방법으로 보기 어려운 것은?

① 설의적 표현으로 화자의 자책감을 강조하고 있다.
② 고사를 인용하여 화자의 심정을 뒷받침하고 있다.
③ 배경 묘사를 통해 쓸쓸한 분위기를 조성하고 있다.
④ 대조적인 상황을 보여 주어 화자의 슬픔을 부각하고 있다.
⑤ 제의적 행위를 통해 슬픔을 극복하려는 의지를 드러내고 있다.

출제 예감

5 [나]와 〈보기〉를 비교하여 감상한 것으로 가장 적절한 것은?

보기

유리(琉璃)에 차고 슬픈 것이 어린거린다.
열없이 붙어 서서 입김을 흐리우니
길들은 양 언 날개를 파다거린다.
지우고 보고 지우고 보아도
새까만 밤이 밀려 나가고 밀려와 부딪히고,
물 먹은 별이, 반짝, 보석(寶石)처럼 백힌다.
밤에 홀로 유리를 닦는 것은
외로운 황홀한 심사이어니,
고운 폐혈관이 찢어진 채로
아아, 늬는 산(山)ㅅ새처럼 날아갔구나! – 정지용, 〈유리창 1〉

① [나]와 〈보기〉는 모두 대상이 죽은 이유가 드러나 있다.
② [나]와 〈보기〉는 모두 역설적 표현으로 정서를 심화시키고 있다.
③ [나]는 감정을 직설적으로, 〈보기〉는 감정을 절제하여 드러내고 있다.
④ [나]는 상황에 대한 체념이, 〈보기〉는 재생에 대한 기대가 부각되고 있다.
⑤ [나]는 죽음을 운명적으로, 〈보기〉는 죽음을 자신의 탓으로 받아들이고 있다.

6 ㉡의 이유를 추리한 것으로 가장 적절한 것은?

① 자식을 잃은 상실감을 극복하기 위해서
② 노래를 매개로 죽은 자식과 만나기 위해서
③ 자신의 경험을 노래로나마 후대에 전하기 위해서
④ 자식의 죽음이 자신의 탓인 것 같은 자책감이 들어서
⑤ 죽은 자식이 좋아했던 노래를 불러 명복을 빌어주기 위해서

7 서술형 ㉠과 ⓐ의 공통적인 기능을 작품의 분위기와 관련하여 서술하시오.

보기

ⓐ이화(梨花)에 월백(月白)ᄒᆞ고 은한(銀漢)이 삼경(三更)인 제,
일지춘심(一枝春心)을 자규(子規) ㅣ야 아랴마는,
다정(多情)도 병(病)인 냥ᄒᆞ여 좀 못 드러 ᄒᆞ노라. – 이조년

04 흥망이 유수ᄒᆞ니~ 외

가 흥망(興亡)이 유수(有數)ᄒᆞ니 ~

흥망(興亡)이 •유수(有數)ᄒᆞ니 •만월대(滿月臺)도 •추초(秋草)ㅣ로다.

오백 년(五百年) 왕업(王業)이 •목적(牧笛)에 •부쳐시니,

석양(夕陽)에 지나는 객(客)이 •눈물계워 ᄒᆞ노라. – 원천석

나라가 흥하고 망함이 하늘의 운수에 달렸으니 만월대도 가을 풀만 우거져 있구나. / 오백 년 왕업이 목동의 피리 소리에 담겨 있으니 / 석양에 지나는 객이 눈물겨워 하노라.

나 눈 마ᄌᆞ 휘여진 ᄃᆡ를 ~

㉠눈 마ᄌᆞ 휘여진 ᄃᆡ를 뉘라셔 굽다턴고.

구블 절(節)이면 눈 속에 프를소냐.

아마도 •세한 고절(歲寒孤節)은 너뿐인가 ᄒᆞ노라. – 원천석

눈을 맞아 휘어진 대나무를 누가 굽었다고 하던가. / 굽힐 절개라면 눈 속에 어찌 푸르겠는가. / 아마도 한겨울의 추위를 이겨 내는 절개를 가진 것은 너뿐인가 하노라.

다 오백 년(五百年) 도읍지(都邑地)를 ~

오백 년(五百年) 도읍지(都邑地)를 •필마(匹馬)로 도라드니,

산천(山川)은 •의구(依舊)ᄒᆞ되 인걸(人傑)은 간 ᄃᆡ 업다.

어즈버 •태평연월(太平烟月)이 ᄭᅮᆷ이런가 ᄒᆞ노라. – 길재

오백 년 도읍지를 한 필의 말을 타고 들어가니 / 산천은 예나 다름없으나 인재들은 간 곳 없구나. / 아아! (고려의) 태평한 시절이 한낱 꿈처럼 허무하도다.

라 두류산(頭流山) 양단수(兩端水)를 ~

두류산(頭流山) •양단수(兩端水)를 녜 듯고 이제 보니,

도화(桃花) ᄯᅳᆫ ᄆᆞᆰ은 물에 산영(山影)조ᄎᆞ 잠겻셰라.

아희야, 무릉(武陵)이 어ᄃᆡ오, 나는 옌가 ᄒᆞ노라. – 조식

지리산의 두 갈래로 흐르는 물을 옛날에 듣고 이제 와 보니, / 복숭아꽃이 떠내려가는 맑은 물에 산 그림자까지 잠겨 있구나. / 아이야, 무릉도원이 어디냐? 나는 여기인가 하노라.

어휘 다지기

- 유수(有數)ᄒᆞ니 : 운수가 정해졌으니
- 만월대(滿月臺) : 고려의 왕궁 터
- 추초(秋草) : 가을의 풀
- 목적(牧笛) : 목동이 부는 피리
- 부쳐시니 : 깃들어 있으니
- 눈물계워 : 눈물겨워, 눈물을 이기지 못하여
- 세한 고절(歲寒孤節) : 한겨울의 추위도 이겨 내는 높은 절개
- 필마(匹馬) : 한 필의 말
- 의구(依舊)ᄒᆞ되 : 옛날과 같이 변함없는데
- 태평연월(太平烟月) : 근심이나 걱정이 없는 편안한 세월
- 양단수(兩端水) : 두 갈래로 갈라져 흐르는 물줄기

작품 개관

[가]
- 갈래 평시조, 단시조
- 성격 회고적, 감상적
- 주제 고려 왕조의 멸망에 대한 탄식과 무상감
- 특징
  ① 은유법과 영탄법, 중의법을 사용하여 주제를 형상화함
  ② 고려의 멸망을 시각적 · 청각적 이미지로 나타냄

[나]
- 갈래 평시조, 단시조
- 성격 회고적, 절의적, 의지적
- 주제 고려 왕조에 대한 굳은 지조
- 특징 상징법, 설의법, 의인법을 사용하여 작가의 굳은 의지를 나타냄

[다]
- 갈래 평시조, 단시조
- 성격 회고적, 감상적
- 주제 망국의 한과 인생무상
- 특징 비유적 표현을 통해 고려 왕조 멸망의 한을 노래함

[라]
- 갈래 평시조, 단시조
- 성격 예찬적, 자연 친화적
- 주제 지리산 양단수의 경치 예찬
- 특징 문답법을 사용하여 경치에 대한 감탄의 심정을 강조하여 나타냄

1등급 노트

[가]

1. 화자의 정서
   고려의 멸망을 한탄함 → 맥수지탄(麥秀之嘆)
2. 시어의 함축적 의미
   - 추초(秋草) : 황폐해진 고려 왕조
   - 목적(牧笛) : 세월의 무상감
   - 석양(夕陽) : 고려 왕조의 몰락
   - 객(客) : 화자(작가 자신)

[나]

1. 화자의 정서 및 태도
   충신의 지조와 절개를 상징하는 '대나무'의 이미지를 활용하여 고려 왕조에 대한 굳은 절의를 나타냄
2. 시어의 의미
   - 눈 : 새 왕조에 협력하도록 강요하는 무리들(이성계 일파)의 압력
   - 대 : 절개 있는 충신

[다]

1. 표현상의 특징

산천(山川)	유구한 자연 – 불변성, 무한성
↕ 대조	
인걸(人傑)	무상한 인간사 – 가변성, 유한성

2. 화자의 정서
   고려 왕조의 패망을 한탄하며 무상감을 느낌 → 맥수지탄(麥秀之嘆)

[라]

화자의 정서 및 태도
지리산의 뛰어난 경치를 선경(仙境)인 무릉도원에 빗대어 그 아름다움을 예찬하는 화자의 모습에서 소박함과 자연에 귀의한 은둔자로서의 자연 친화적인 모습이 드러남

정답과 해설 13쪽

출제 예감

1 [가]에 대한 설명으로 적절하지 않은 것은?

① 청각적인 이미지를 활용하고 있다.
② 대상에 대한 풍자적 태도가 드러나고 있다.
③ 시간적 배경과 역사적 배경이 중첩되어 있다.
④ 나라를 잃은 슬픔이 주된 정조를 이루고 있다.
⑤ 현재에서 과거를 돌아보는 회고적 자세를 취하고 있다.

2 수능형 [가]의 화자를 주인공으로 하여 한 편의 소설을 쓰고자 한다. 그 내용으로 적절하지 않은 것은?

① 왕궁 터 주변을 돌아보는 주인공의 모습을 보여 준다.
② 주인공의 의식이 현재와 과거를 수시로 넘나들게 한다.
③ 주인공은 저항적이고 적극적인 성격의 소유자로 묘사한다.
④ 지나간 세월에 대한 주인공의 안타까움이 잘 드러나게 서술한다.
⑤ 외적 상황에 대해 내면적인 번뇌와 갈등을 겪는 주인공의 모습을 그린다.

3 [나]에 대한 설명으로 가장 적절한 것은?

① 상식 뒤집기를 통해 시적 의미를 강화하고 있다.
② 대상과의 문답 형식을 통해 시상을 전개하고 있다.
③ 역사적 사건을 객관화하여 담담하게 표현하고 있다.
④ 상징법을 사용하여 화자의 굳은 의지를 드러내고 있다.
⑤ 자연물의 속성과 대조하여 자신의 충절을 강조하고 있다.

출제 예감

4 다음 밑줄 친 시어 중, ㉠의 상징적 의미와 가장 유사한 것은?

① 가마귀 싸호는 골에 백로(白鷺) ㅣ야 가지 마라. / 셩낸 가마귀 흰빗츨 새오나니, / 청강(淸江)에 좋이 시슨 몸을 더러일까 ᄒᆞ노라. – 정몽주의 어머니
② 풍상(風霜)이 섯거 친 날에 ᄀᆞᆺ 픠온 황국화(黃菊花)를 / 금분(金盆)에 ᄀᆞ득 담아 옥당(玉堂)에 보내오니, / 도리(桃李)야, 곳이온 양 마라, 님의 뜻을 알괘라. – 송순
③ 삼동(三冬)에 뵈옷 닙고 암혈(巖穴)에 눈비 마자 / 구름 낀 볏뉘도 쬔 적이 업건마는, / 서산(西山)에 ᄒᆡ지다 ᄒᆞ니 눈물겨워 ᄒᆞ노라. – 조식
④ 철령(鐵嶺) 높은 봉(峯)에 쉬어 넘는 저 구름아, / 고신원루(孤臣冤淚)를 비삼아 띄어다가, / 님 계신 구중심처(九重深處)에 뿌려 본들 어떠리. – 이항복
⑤ 삭풍(朔風)은 나모 긋틔 불고 명월(明月)은 눈 속에 ᄎᆞᆫᄃᆡ, / 만리변성(萬里邊城)에 일장검(一長劍) 집고 셔셔, / 긴 ᄑᆞ롬 큰 ᄒᆞᆫ 소리에 거칠 거시 업세라. – 김종서

5 [나]와 〈보기〉의 공통점으로 가장 적절한 것은?

> 보기
>
> 이 몸이 주거 가셔 무어시 될ᄭᅩ 하니,
> 봉래산(蓬萊山) 제일봉(第一峯)에 낙락장송(落落長松) 되야 이셔,
> 백설(白雪)이 만건곤(滿乾坤)홀 제 독야청청(獨也靑靑)ᄒᆞ리라.
> – 성삼문

① 우의적 표현을 통해 주제를 형상화하고 있다.
② 설의적 의문 형식으로 화자의 정서를 드러내고 있다.
③ 순백의 이미지를 통해 화자의 성품을 드러내고 있다.
④ 공감각적 이미지를 통해 시적 분위기를 형성하고 있다.
⑤ 함축적 시어를 통해 상황을 풍자적으로 제시하고 있다.

출제 예감

6 [가]와 [다]에 나타난 화자의 정서를 한자 성어로 표현할 때, 가장 적절한 것은?

① 비육지탄(髀肉之嘆)
② 고분지탄(鼓盆之嘆)
③ 만시지탄(晩時之嘆)
④ 맥수지탄(麥秀之嘆)
⑤ 풍수지탄(風樹之嘆)

7 [다]에 대한 감상으로 가장 적절한 것은?

① 열거법을 사용하여 리듬감을 잘 드러내고 있다.
② 상대방에 말을 건네는 듯한 어법을 구사하고 있다.
③ 무상한 인간사와 유구한 자연을 대조하여 나타내고 있다.
④ 임금에 대한 굳은 절개를 애절한 어조로 하소연하고 있다.
⑤ 일상생활의 어휘를 구사하여 민중의 삶을 구체적으로 제시하고 있다.

8 [라]에 대한 감상으로 적절하지 않은 것은?

① 유리 : '도화(桃花) 뜬 맑은 물'은 '무릉도원'을 연상하게 해.
② 담비 : 자연에 귀의한 은둔자로서의 자연 친화적 태도가 드러나 있어.
③ 지현 : 화자는 '아희'와 말을 주고받으며 자신의 정서를 드러내고 있어.
④ 근영 : 화자는 '도화(桃花)'와 '산영(山影)'을 통해 두류산의 절경을 예찬하고 있어.
⑤ 효진 : '무릉'은 세속의 일을 잊고 평화롭게 살아가는 공간으로 그려진 일종의 이상향이야.

9 서술형 화자의 정서와 태도 면에서 [가]와 [다]의 공통점을 한 문장으로 서술하시오.

05 수양산 ᄇᆞ라보며~ 외

가 수양산(首陽山) ᄇᆞ라보며 ~

•수양산(首陽山) ᄇᆞ라보며 •이제(夷齊)를 한(恨)하노라.

•주려 주글진들 •채미(採薇)도 ᄒᆞᄂᆞᆫ 것가.

아모리 •푸새엣 거신들 긔 뉘 •ᄯᅡ헤 낫ᄃᆞ니. – 성삼문

수양산 바라보면서 백이와 숙제를 한탄하노라. / 차라리 굶주려 죽을지언정 고사리를 뜯어 먹어서야 되겠는가? / 비록 산에 자라는 풀이라 하더라도 그것이 누구의 땅에서 났는가?

나 이 몸이 주거 가셔 ~

이 몸이 주거 가셔 무어시 될ᄭᅩ ᄒᆞ니,

•봉래산(蓬萊山) 제일봉(第一峯)에 •낙락장송(落落長松) 되야 이셔,

백설(白雪)이 •만건곤(滿乾坤)ᄒᆞᆯ 제 독야청청(獨也靑靑)ᄒᆞ리라. – 성삼문

이 몸이 죽은 후에 무엇이 될 것인가 생각해 보니, / 봉래산 제일 높은 봉우리에 낙락장송이 되었다가, / 흰 눈이 천지를 덮어 만물이 활동을 못할 때 홀로라도 푸른 빛을 발하리라.

다 방(房) 안에 혓는 촛(燭)불 ~

방(房) 안에 •혓는 ㉠촛(燭)불 눌과 이별(離別)ᄒᆞ엿관ᄃᆡ,

것츠로 눈물 •디고 속 타는 쥴 모로는고.

뎌 촛불 날과 갓트여 속 타는 쥴 모로도다. – 이개

방 안에 켜 있는 촛불 누구와 이별하였기에 / 겉으로 눈물 흘리고 속 타는 줄 모르는가. / 저 촛불 나와 같아서 속 타는 줄 모르는구나.

라 내 ᄆᆞᄋᆞᆷ 버혀 내여~

내 ᄆᆞᄋᆞᆷ 버혀 내여 별 ᄃᆞᆯ을 ᄆᆡᆼ글고져.

구만 리 •댱텬의 번드시 걸려 이셔,

고은 님 계신 고ᄃᆡ 가 비최여나 보리라. – 정철

내 마음을 베어 내어 저 달을 만들고 싶구나. / 구만 리 먼 하늘에 번듯하게 걸려 있어서 / 고운 임 계신 곳에 가 비추어나 보리라.

어휘 다지기

- 수양산(首陽山) : 백이와 숙제가 숨어 살던 중국의 산
- 이제(夷齊) : 백이와 숙제를 아울러 이르는 말
- 주려 주글진들 : 굶주려 죽을지언정
- 채미(採薇) : 고사리를 캠
- 푸새 : 산과 들에 저절로 나서 자라는 풀
- ᄯᅡ헤 : 땅에
- 봉래산(蓬萊山) : 신선의 땅. 세속에 물들지 않은 순수한 공간
- 낙락장송(落落長松) : 가지가 길게 축축 늘어진 큰 소나무
- 만건곤(滿乾坤) : 하늘과 땅에 가득 참
- 혓는 : 켜 있는
- 디고 : 지고, 떨어지고
- 댱텬 : 장천(長天). 끝없이 잇닿아 멀고도 넓은 하늘

작품 개관

[가]
- 갈래 평시조, 단시조
- 성격 지사적, 풍자적, 비판적
- 주제 죽음을 각오한 굳은 지조와 절개
- 특징
  ① 중의법, 설의법을 이용하여 일반적 상식을 뒤집어 표현함
  ② 백이와 숙제의 고사를 사용하여 화자의 절개를 부각시킴

[나]
- 갈래 평시조, 단시조
- 성격 의지적, 지사적, 절의적
- 주제 죽어서도 변할 수 없는 굳은 절개
- 특징 비유와 상징을 통해 주제를 부각시킴

[다]
- 갈래 평시조, 단시조
- 성격 여성적, 감상적, 절의적
- 주제 단종과의 이별의 슬픔
- 특징 감정 이입의 표현을 사용하여 화자의 정서를 효과적으로 나타냄

[라]
- 갈래 평시조, 단시조
- 성격 애상적, 감상적
- 주제 연군지정
- 특징 추상적 개념(마음)을 구체적인 사물(별, 달)로 형상화하여 표현함

1등급 노트

[가]

1. 표현상의 특징
   상식 뒤집기를 통한 의미의 강화 : 전통적으로 지조(志操)의 대명사로 알려진 백이와 숙제를 비판함으로써 그들보다 더욱 굳은 화자(작가) 자신의 절의를 강조함

2. 시어의 상징적 의미

중의법	수양산(首陽山)	① 백이와 숙제가 숨어 살던 산 ② 수양 대군
	채미(採薇)	① 고사리를 캠 ② 수양 대군이 주는 녹을 받음

[나]

1. 표현상의 특징
   전통적으로 충절을 상징하는 '소나무'의 이미지를 통해 수양 대군의 왕위 찬탈을 인정하지 않았던 충신의 절개를 우의적으로 나타냄

2. 시어의 상징적 의미
   - 백설 : 왕위를 찬탈한 수양 대군 일파
   - 낙락장송 : 선비(작가 자신)의 지조와 절개

[다]

표현상의 특징
촛불에서 떨어지는 촛농을 눈물에 비유한 다음, 임금(단종)과 이별한 화자의 슬픔을 촛불에 감정 이입하여 표현함

[라]

표현상의 특징
추상적 개념의 구체화 : 추상적인 대상인 '마음'을 '별', '달'이라는 구체적인 대상으로 형상화하여 임에 대한 화자의 그리움과 사랑을 나타냄

정답과 해설 13쪽

출제 예감

1 **[가]의 발상 및 표현상의 특징을 〈보기〉에서 바르게 묶은 것은?**

> 보기
> ㄱ. 익살스러운 표현으로 어지러운 세태를 풍자한다.
> ㄴ. 자연물이면서 특정인을 상징하는 중의법을 구사한다.
> ㄷ. 유사한 시어 및 시구를 열거하여 화자의 처지를 강조한다.
> ㄹ. 먼저 화자의 생각을 단정적으로 제시하고, 그 이유를 밝힌다.
> ㅁ. 화자의 생각을 강조하기 위해 기존의 통념에 대해 문제를 제기한다.

① ㄱ, ㄴ, ㄷ ② ㄱ, ㄴ, ㄹ ③ ㄴ, ㄷ, ㄹ
④ ㄴ, ㄹ, ㅁ ⑤ ㄷ, ㄹ, ㅁ

2 고난도 **[가]에 드러나는 미의식으로 가장 적절한 것은?**

① 자기의 희생정신에서 기인하는 골계미가 나타난다.
② 부재 혹은 상실감에서 기인하는 비장미가 나타난다.
③ 화려한 한문투의 문체에서 기인하는 지성미가 나타난다.
④ 높은 학식과 깊은 사고력에서 기인하는 우아미가 나타난다.
⑤ 풍자와 익살이 혼합된 내용에서 기인하는 해학미가 나타난다.

출제 예감

3 **[나]에 대한 설명으로 적절하지 않은 것은?**

① 비유와 상징을 통해 주제를 드러내고 있다.
② 중의법을 활용하여 풍자적 상황을 제시하고 있다.
③ 충의(忠義) 사상을 바탕으로 화자의 신념을 나타내고 있다.
④ 우의적 표현으로 화자의 절의를 효과적으로 표현하고 있다.
⑤ 수양 대군의 왕위 찬탈을 인정하지 않았던 충신의 시조이다.

4 **[나]와 [다]를 비교하여 감상한 것으로 가장 적절한 것은?**

① [나]와 [다]는 대상과의 사별로 인한 화자의 슬픔을 나타내고 있다.
② [나]와 [다]는 객관적 상관물을 사용하여 화자의 감정을 드러내고 있다.
③ [나]와 [다]는 대상에 대한 화자의 굳은 절개를 직접적으로 표출하고 있다.
④ [나]에는 남성적 어조가, [다]에는 여성적 어조가 강하게 드러난다.
⑤ [나]에는 화자의 의지적 태도가, [다]에는 풍자적 태도가 강하게 나타난다.

5 **[다]에 대한 설명으로 가장 적절한 것은?**

① 역사적 배경이 직접 제시되어 있다.
② 대상에 대해 예찬적 태도를 취하고 있다.
③ 문답 형식을 통해 정서를 구체화하고 있다.
④ 자신의 행동에 대한 화자의 반성을 보여주고 있다.
⑤ 이별한 대상에 대한 간절한 마음을 드러내고 있다.

6 수능형 **다음 밑줄 친 대상 중, ㉠과 유사한 역할을 하는 것은?**

① 저 산(山)에도 까마귀, 들에 까마귀, / 서산(西山)에는 해 진다고 / 지저귑니다. // 앞 강물, 뒷 강물, / 흐르는 물은 / 어서 따라오라고 따라가자고 / 흘러도 연달아 흐릅디다려.
– 김소월, 〈가는 길〉

② 뫼버들 갈희 것거 보내노라 님의손듸,
자시는 창(窓) 밧긔 심거 두고 보쇼셔.
밤비예 새닙곳 나거든 날인가도 너기쇼셔. – 홍랑

③ 천만 리(千萬里) 머나먼 길희 고은 님 여희ᄋᆸ고
ᄂᆡ ᄆᆞᄋᆞᆷ 둘 ᄃᆡ 업서 냇ᄀᆞ의 안쟈시니,
져 믈도 ᄂᆡ 안 ᄀᆞᆺᄒᆞ여 우러 밤길 녜놋다. – 왕방연

④ ᄇᆞ람이 눈을 모라 산창(山窓)에 부딋치니,
찬 기운(氣運) ᄉᆡ여 드러 ᄌᆞᆷ든 매화(梅花)를 침노(侵擄)ᄒᆞᆫ다.
아무리 얼우려 ᄒᆞ인들 봄 ᄯᅳᆺ이야 아슬소냐. – 안민영, 〈매화사〉

⑤ 내 가슴에 독(毒)을 찬 지 오래로다 / 아직 아무도 해(害)한 일 없는 새로 뽑은 독 / 벗은 그 무서운 독 그만 흩어 버리라 한다. / 나는 그 독이 선뜻 벗도 해할지 모른다 위협하고
– 김영랑, 〈독을 차고〉

7 **[라]에 대한 설명으로 가장 적절한 것은?**

① '별 돌'은 화자의 감정이 이입된 객관적 상관물이다.
② 대립적 이미지의 자연물을 통해 화자의 정서를 드러내고 있다.
③ 임에 대한 간절한 그리움과 원망의 심정이 직설적으로 나타나 있다.
④ 임에 대한 그리움과 사랑을 시각적 이미지를 통해 감각적으로 형상화하였다.
⑤ 화자는 현재의 부정적 상황을 개선하기 위해 적극적으로 노력하는 태도를 보인다.

8 서술형 **[가]에서 '백이와 숙제'를 비판한 화자의 의도를 서술하시오.**

06 어부단가 외

가 어부단가(漁父短歌)

〈1수〉

이 듕에 시름 업스니 어부(漁父)의 생애(生涯)이로다.

•일엽편주(一葉片舟)를 •만경파(萬頃波)에 ᄠᅴ워 두고

인세(人世)를 다 니젯거니 날 가ᄂᆞᆫ 줄ᄅᆞᆯ 안가.
(인세(人世): 인간의 세상. 속세 / 니젯거니: 잊고 있으니)

소주제 ❶ [1수] □□의 한가로운 삶

이 세상살이 가운데 걱정 없는 것이 어부의 삶이로구나. / 조그마한 배 한 척을 끝없이 넓은 바다 위에 띄워 두고 / 속세를 다 잊었으니 세월 가는 줄을 알겠는가?

〈2수〉

구버ᄂᆞᆫ •천심녹수(千尋綠水) 도라보니 •만첩청산(萬疊靑山)

•십장홍진(十丈紅塵)이 언매나 ᄀᆞ렷ᄂᆞᆫ고.
(ᄀᆞ렷ᄂᆞᆫ고: 가렸는고)

강호(江湖)에 월백(月白)ᄒᆞ거든 더옥 ㉠무심(無心)하얘라. - 이현보

소주제 ❷ [2수] □□□□하는 삶

굽어보면 천 길이나 되는 깊고 푸른 물, 돌아보니 첩첩이 둘러 있는 푸른 산 / 열 길이나 쌓인 속세의 먼지 때문에 얼마나 가렸는고. / 강호에 달 밝으니 더욱 인간사에 욕심이 없어라.

나 십 년(十年)을 경영(經營)ᄒᆞ여~

십 년(十年)을 경영(經營)ᄒᆞ여 •초려삼간(草廬三間) 지여 내니,
(경영(經營)ᄒᆞ여: 계획하여)

나 ᄒᆞᆫ 간 ᄃᆞᆯ ᄒᆞᆫ 간에 청풍(淸風) ᄒᆞᆫ 간 맛져 두고,
(맛져 두고: 맡겨 두고)

강산(江山)은 들일 듸 업스니 둘러 두고 보리라. - 송순

십 년을 살면서 초가삼간 지어 냈으니 / (그 초가삼간에) 나 한 칸, 달 한 칸, 맑은 바람 한 칸 맡겨 두고 / 강산은 들일 곳이 없으니 이대로 둘러 두고 보리라.

다 말 업슨 청산(靑山)이오 ~

말 업슨 ⓐ청산(靑山)이오, •태(態) 업슨 유수(流水)ㅣ로다.

갑 업슨 청풍(淸風)이오, 임자 업슨 명월(明月)이라.
(갑 업슨: 값이 없는)

이 중(中)에 병(病) 업슨 이 몸이 ㉡분별(分別) 업시 늙으리라. - 성혼

말이 없는 청산이고 형태가 없는 흘러가는 물이로다. / 값을 낼 필요가 없는 맑은 바람이요 임자 없는 밝은 달이로다. / 이 가운데 병(病) 없는 이 몸이 걱정 없이 늙으리라.

어휘 다지기

- 일엽편주(一葉片舟) : 한 척의 조그마한 배
- 만경파(萬頃波) : 한없이 넓고 넓은 바다
- 천심녹수(千尋綠水) : 천 길이나 되는 푸른 물
- 만첩청산(萬疊靑山) : 겹겹이 둘러싸인 푸른 산
- 십장홍진(十丈紅塵) : 열 길이나 되는 붉은 먼지. 속세를 이름
- 초려삼간(草廬三間) : 초가삼간. 세 칸밖에 안 되는 초가라는 뜻으로, 아주 작은 집을 이름
- 태(態) : 겉에 나타나는 모양새. 억지로 꾸민 모양

작품 개관

[가]
- 갈래 평시조, 연시조(전 5수)
- 성격 강호 한정가, 자연 친화적
- 주제 자연에 묻혀 사는 어부의 한정
- 특징 한자어가 많이 사용되었고, 정경 묘사가 관념적임

[나]
- 갈래 평시조, 단시조
- 성격 한정가, 전원적, 풍류적
- 주제 자연에의 귀의, 안빈낙도
- 특징 자연과 벗하며 살아가려는 화자의 정서를 기발한 발상으로 과장되게 표현함

[다]
- 갈래 평시조, 단시조
- 성격 풍류적, 전원적, 달관적, 한정가
- 주제 자연을 벗삼는 즐거움
- 특징 대구와 반복을 통해 운율을 형성함

1등급 노트

[가]~[다]
화자의 정서 및 태도
세속적 명리(名利)를 초탈한 전원(자연)에서의 멋과 풍류를 느낌

[가]
전체 구성

제1수~제4수	강호에서 유유자적하는 어부 생활의 즐거움을 노래하여 자연과 벗하는 삶에 대한 화자의 인식과 태도를 드러냄
제5수	우국충정 – 강호에 있으면서도 애국과 우국의 심정을 노래하여, 속세를 잊지 못하는 사대부들의 문학적 한계를 보여 줌

[나]
시적 화자의 태도
- 초장 : 안빈낙도(安貧樂道), 안분지족(安分知足)하는 삶
- 중장, 종장 : 물아일체(物我一體), 물심일여(物心一如)를 추구함

[다]
자연의 함축적 의미

청산, 유수	말 없음, 모양 없음	의연하고 꾸밈이 없는 자연
청풍, 명월	값 없음, 임자 없음	마음껏 즐길 수 있는 자연

소주제 체크
[가] 1. 어부 2. 유유자적

정답과 해설 13쪽

출제 예감

1 [가]의 표현상 특징으로 가장 적절한 것은?

① 반어적 표현을 통해 화자의 정서를 강조하고 있다.
② 정경을 세밀하게 묘사하여 현장감을 부여하고 있다.
③ 자연물에 인격을 부여하여 친근감을 유발하고 있다.
④ 주로 한자어를 사용하여 주변 풍경을 드러내고 있다.
⑤ 음성 상징어를 활용하여 생동감 있게 표현하고 있다.

2 수능형 [가]에 드러난 공간을 〈보기〉와 같이 정리할 때, 화자의 태도에 대한 설명으로 가장 적절한 것은?

보기

자연 세계[A] ———— 인간 세계[B]

① A에서의 즐거움을 B에서도 펼쳐 보이려 하고 있다.
② A를 긍정하면서 B에 대한 거부감을 드러내고 있다.
③ A에서 살기 위한 준비 공간으로 B를 인식하고 있다.
④ A와 B가 조화되어 자유롭게 왕래하기를 바라고 있다.
⑤ A의 부족한 점을 보충해 주는 공간으로 B를 인식하고 있다.

3 [가]를 〈보기〉와 같은 관점에서 감상한 내용으로 가장 적절한 것은?

보기

문학 작품은 독자와 가치 있는 체험을 공유한다는 데 그 의의를 두고, 독자에게 긍정적인 영향을 줄 수 있어야 한다.

① 힘겨운 노동을 하면서 살아가야 하는 어부의 현실적인 삶과는 거리가 있어.
② 고향에 은거하던 작가가 옛 노래를 개작하여 새롭게 만든 작품으로 알려져 있어.
③ 자연을 대하는 화자의 가치관과 태도는 오늘날 우리가 본받아야 할 필요가 있어.
④ 의문형 종결 어미와 대조적인 의미의 시어를 사용하여 화자의 정서를 강조하고 있어.
⑤ 관념적인 풍류의 공간으로 자연을 대했던 조선 시대 사대부들의 의식이 반영되어 있어.

4 [나]에 대한 설명으로 적절하지 않은 것은?

① 초장에서는 화자의 소박한 삶의 태도를 엿볼 수 있다.
② 초장에 드러난 공간은 자연과 인간을 연결시켜 주고 있다.
③ 중장의 자연물들은 초월적이고 절대적인 존재로 그려진다.
④ 종장에서 관조적이고 여유로운 어조로 시상을 매듭짓는다.
⑤ 종장에서는 자연을 보는 화자의 기발한 발상이 두드러진다.

5 [나]에 나타난 화자의 태도를 설명하기 위한 한자 성어로 적절하지 않은 것은?

① 물심일여(物心一如)
② 안빈낙도(安貧樂道)
③ 연하고질(煙霞痼疾)
④ 청운지지(青雲之志)
⑤ 풍월주인(風月主人)

6 [다]의 표현상 특징과 효과를 〈보기〉에서 모두 찾아 묶은 것은?

보기

ㄱ. 자연물에 가치를 부여하여 주제를 드러내고 있다.
ㄴ. 특정한 시어를 반복하여 자연의 속성을 강조하고 있다.
ㄷ. 유사한 통사 구조를 반복하여 리듬감을 형성하고 있다.
ㄹ. 원근법을 이용한 시상 전개로 입체감을 부여하고 있다.
ㅁ. 자연 현상과 인간사를 대조하여 정서를 부각하고 있다.

① ㄱ, ㄴ, ㄷ
② ㄱ, ㄴ, ㅁ
③ ㄱ, ㄹ, ㅁ
④ ㄴ, ㄷ, ㄹ
⑤ ㄷ, ㄹ, ㅁ

7 [다]와 〈보기〉의 '청산(青山)'을 비교한 내용으로 적절하지 않은 것은?

보기

ⓑ청산(青山)은 엇뎨ᄒᆞ야 만고(萬古)애 프르르며,
유수(流水)는 엇뎨ᄒᆞ야 주야(晝夜)애 긋디 아니ᄂᆞᆫ고.
우리도 그치디 마라 만고상청(萬古常青)호리라.

– 이황, 〈도산십이곡〉 중 〈언학 5〉

① ⓐ와 ⓑ 모두 화자의 의지를 다지게 하고 있다.
② ⓐ와 ⓑ 모두 이상적인 대상으로 예찬되고 있다.
③ ⓐ는 의연함, ⓑ는 불변함의 속성이 나타나고 있다.
④ ⓐ는 ⓑ와 달리 의인화를 통해 속성을 표현하고 있다.
⑤ ⓑ는 ⓐ와 달리 현실 도피적인 공간으로 나타나고 있다.

8 ㉠과 ㉡의 의미를 바르게 연결한 것은?

	㉠	㉡
①	초라하여라	욕심 없이
②	고요하여라	부담 없이
③	관심 없구나	생각 없이
④	욕심 없어라	걱정 없이
⑤	맑고 깨끗하여라	따지지 않고

출제 예감

9 서술형 [가]~[다]에 나타난 화자의 공통된 삶의 태도를 〈조건〉에 맞게 서술하시오.

조건

• 사대부들의 자연관과 관련지어 서술할 것
• 30자 내외의 한 문장으로 쓸 것

07 동지ㅅ돌 기나긴 밤을~ 외

가 동지(冬至)ㅅ돌 기나긴 밤을 ~

동지(冬至)ㅅ돌 기나긴 밤을 한 허리를 •버혀 내여,

춘풍(春風) 니불 아레 •서리서리 너헛다가,

•어론 님 오신 날 밤이여든 •구뷔구뷔 펴리라.

– 황진이

동짓달 긴긴 밤의 한가운데를 베어 내어, / 봄바람처럼 따뜻한 이불 아래에 서리서리 넣어 두었다가, / 정든 임이 오시는 날 밤에 굽이굽이 펴리라.

나 어져 내 일이여 ~

어져 내 일이여 그릴 줄을 모로ᄃᆞ냐.

이시라 ᄒᆞ더면 가랴마ᄂᆞᆫ 제 구ᄐᆡ야

보내고 그리ᄂᆞᆫ 정(情)은 나도 몰라 ᄒᆞ노라.

– 황진이

아! 내가 한 일을 이렇게도 그리워할 줄을 미처 몰랐더냐? / 있으라 했더라면 굳이 떠나려 했겠느냐마는 굳이 / 보내고 이제 와서 새삼 그리워하는 마음을 나 자신도 모르겠구나.

다 청산(青山)은 내 ᄯᅳᆺ이오 ~

청산(青山)은 내 ᄯᅳᆺ이오 녹수(綠水)ᄂᆞᆫ 님의 정(情)이,

녹수(綠水) 흘러간들 청산(青山)이야 변(變)ᄒᆞᆯ손가.

녹수(綠水)도 청산(青山)을 못 니져 우러 예어 가ᄂᆞᆫ고.

– 황진이

청산은 내 뜻이요, 녹수는 임의 정이로다. / 녹수가 흘러가더라도 청산이 변하기야 하겠는가. / 녹수도 청산을 잊지 못하여 울면서 흘러가는구나.

라 묏버들 갈ᄒᆡ 것거 ~

묏버들 •갈ᄒᆡ 것거 보내노라 •님의손ᄃᆡ,

자시ᄂᆞᆫ 창(窓) 밧긔 심거 두고 보쇼셔.

밤비예 •새닙곳 나거든 날인가도 너기쇼셔.

– 홍랑

묏버들 가려 꺾어 보내노라, 임에게. / 주무시는 창문 밖에 심어 두고 보소서. / 밤비에 새 잎이 나거든 나인가 여기소서.

마 이화우(梨花雨) 흣ᄲᅮ릴 제 ~

•이화우(梨花雨) 흣ᄲᅮ릴 제 울며 잡고 이별(離別)ᄒᆞᆫ 님,

•추풍낙엽(秋風落葉)에 저도 날 ᄉᆡᆼ각ᄂᆞᆫ가.

천 리(千里)에 외로운 ᄭᅮᆷ만 오락가락 ᄒᆞ노매.

– 계랑

배꽃이 비처럼 흩날리는 봄에 손잡고 울며 헤어진 임, / 바람 불고 낙엽이 지는 이 가을에 임도 나를 생각하고 계실까? / 천 리 길 머나먼 곳에 외로운 꿈만 오락가락하는구나.

어휘 다지기

- 버혀 : 베어
- 서리서리 : 국수, 새끼, 실 따위를 헝클어지지 아니하도록 둥그렇게 포개어 감아 놓은 모양
- 어론 : 정분(精分)을 맺은
- 구뷔구뷔 : 굽이굽이
- 갈ᄒᆡ : 골라
- 님의손ᄃᆡ : 님에게
- 새닙곳 : 새 잎만
- 이화우(梨花雨) : 비 오듯이 떨어지는 배꽃
- 추풍낙엽(秋風落葉) : 가을바람에 떨어지는 나뭇잎

작품 개관

[가]
- 갈래 평시조, 단시조
- 성격 감상적, 낭만적, 연정가
- 주제 임을 기다리는 절실한 그리움
- 특징
  ① 추상적 개념(시간)을 구체적 사물로 표현함
  ② 우리말의 묘미를 잘 살림

[나]
- 갈래 평시조, 단시조
- 성격 감상적, 애상적, 여성적, 연정가
- 주제 이별의 정한(情恨)
- 특징 도치법과 행간 걸침의 수법을 통해 화자의 정서를 나타냄

[다]
- 갈래 평시조, 단시조
- 성격 상징적, 연정가
- 주제 임을 향한 변함 없는 사랑
- 특징 대조적 시어를 사용하여 화자의 사랑을 드러냄

[라]
- 갈래 평시조, 단시조
- 성격 애상적, 여성적, 연정가
- 주제 임에게 보내는 사랑
- 특징 청순가련하고 섬세한 여인의 이미지가 드러남

[마]
- 갈래 평시조, 단시조
- 성격 감상적, 애상적, 여성적, 연정가
- 주제 임을 그리워하는 마음
- 특징 하강의 이미지를 통해 정서를 나타냄

1등급 노트

[가]
표현상의 특징
임 없는 동짓달의 기나긴 밤을 베어서 '서리서리' 넣었다가 임 오신 날 밤에 '구뷔구뷔' 펴겠다고 함 → 추상적인 개념인 시간을 마치 형태가 있는 것처럼 구체적인 사물로 형상화함

[나]
'제 구ᄐᆡ야'의 중의성

도치법	제 구ᄐᆡ야 가랴마ᄂᆞᆫ → 임의 행위를 강조함
행간 걸침	가랴마ᄂᆞᆫ / 제 구ᄐᆡ야 보내고 → 주어는 '나'가 됨

[다]
시어의 대비적 속성

청산(青山)	변하지 않는 화자의 마음 – 불변성, 무한성

↕ 대조

녹수(綠水)	변화무쌍한 임의 마음 – 가변성, 유한성

[라]
'묏버들'의 상징적 의미
- 임에게 보내는 화자의 정성과 사랑
- 임을 그리워하는 화자의 분신

[마]
표현상의 특징
시각적 · 하강적 이미지('이화우', '추풍낙엽')를 통해 화자의 정서(임에 대한 그리움, 애상감)를 심화시킴

정답과 해설 14쪽

1 [가]~[다]는 같은 작가의 작품이다. 이를 바탕으로 작가의 작품 경향을 파악한다고 할 때, 바르지 않은 것은?

① 순우리말의 묘미를 잘 살려 표현하였다.
② 자신의 감정을 진솔하게 드러내는 경향을 보였다.
③ 참신한 표현과 발상으로 화자의 정서를 그려 내었다.
④ 부재하는 임에 대한 그리움의 정서가 드러난 작품을 많이 썼다.
⑤ 가부장제 속에서 존재감을 찾으려는 여성의 목소리를 드러내었다.

출제 예감

2 [가]의 발상 및 표현 방법에 대한 설명으로 가장 적절한 것은?

① 생략을 통해 여운을 형성하고 있다.
② 시적 의미를 점층적으로 확대하고 있다.
③ 연쇄의 기법으로 앞뒤의 의미를 연결하고 있다.
④ 추상적 개념을 구체적 사물로 형상화하고 있다.
⑤ 화자의 감정을 사물에 이입하여 표현하고 있다.

3 [나]에 대한 설명으로 가장 적절한 것은?

① 고사를 인용하여 화자가 처한 상황을 나타내고 있다.
② 반어법과 설의법을 통해 화자의 태도를 강조하고 있다.
③ 도치법과 행간 걸침을 통해 화자의 심리를 표현하고 있다.
④ 시각적 이미지를 사용하여 대상의 모습을 형상화하고 있다.
⑤ 객관적 상관물을 사용하여 화자의 정서를 심화시키고 있다.

4 〈보기〉는 [나]에 대한 감상이다. 다음 빈칸에 들어갈 말을 차례대로 배열한 것은?

보기

이 작품은 (　　　)과 (　　　) 사이에 오는 심리적 갈등을 우리말의 절묘한 구사를 통해 드러내고 있다.

① 자존심, 연정　② 자만심, 연정　③ 그리움, 연민
④ 자긍심, 연민　⑤ 외로움, 연민

출제 예감

5 [다]와 〈보기〉의 공통점으로 가장 적절한 것은?

보기

산은 녯 산이로되 물은 녯 물이 안이로다.
주야(晝夜)에 흘은이 녯 물리 이실쏜야.
인걸(人傑)도 물과 ᄀᆞᆺ도다, 가고 안이 오노ᄆᆡ라. - 황진이

① 화자의 체험을 직설적으로 표출하고 있다.
② 과거와 현재를 병치하여 시상을 전개하고 있다.
③ 역설적 표현을 통해 시적 의미를 전달하고 있다.
④ 의미 구조의 대립을 통해 주제를 형상화하고 있다.
⑤ 자연의 속성에 비추어 유한한 인간사를 관조하고 있다.

6 [라]에 대한 설명으로 가장 적절한 것은?

① 임에게 보내는 사랑을 도치법을 활용해서 표현하고 있다.
② 감각적 이미지를 활용하여 가을의 계절감을 드러내고 있다.
③ 이별로 인한 체념과 그로 인한 현실 도피의 감정이 나타나 있다.
④ 다른 사람과 화자의 처지를 대조하여 임에 대한 연정을 보여 주고 있다.
⑤ 여성 특유의 섬세한 감각으로 규방 여인의 고달픈 시집살이를 나타내고 있다.

7 [마]에 대한 설명으로 가장 적절한 것은?

① 불가능한 상황을 설정하여 화자의 소망을 드러낸다.
② 중의적 표현을 통해 계절의 흐름을 느낄 수 있게 한다.
③ 서민 생활과 밀착된 어휘들을 열거하여 생동감을 부여한다.
④ 대구법을 통해 정적인 모습과 동적인 모습을 모두 나타낸다.
⑤ 이별의 상황을 하강적 이미지를 가진 시어를 통해 제시한다.

8 서술형 [라]의 '묏버들'과 〈보기〉의 '아ᄎᆞᆷ 약(藥)'의 공통된 의미를 서술하시오.

보기

오월(五月) 오일(五日)애 아으 수릿날 아ᄎᆞᆷ 약(藥)은,
즈믄 힐 장존(長存)ᄒᆞ샬 약(藥)이라 받ᄌᆞᆸ노이다. - 작자 미상, 〈동동〉

08 강호사시가(江湖四時歌)

가 〈춘사(春詞)〉

*강호(江湖)에 봄이 드니 미친 흥(興)이 절로 난다.
*탁료계변(濁醪溪邊)에 *금린어(錦鱗魚) ㅣ 안주로다.
㉠이 몸이 한가(閑暇)히옴도 역군은(亦君恩)이샷다.

강호에 봄이 찾아오니 깊은 흥이 절로 난다. / 막걸리를 마시며 노는 시냇가에 싱싱한 물고기가 안주로다. / 이 몸이 한가롭게 지내는 것도 역시 임금님의 은혜이시도다.

소주제 ① □□에서 느끼는 □의 정취

나 〈하사(夏詞)〉

강호(江湖)에 녀름이 드니 *초당(草堂)에 일이 업다.
유신(有信)한 *강파(江波)ᄂᆞᆫ 보내ᄂᆞ니 ᄇᆞ람이다.
이 몸이 서늘히옴도 역군은(亦君恩)이샷다.

강호에 여름이 찾아오니 초가집에 할 일이 없다. / 믿음직스러운 강의 물결은 보내는 것이 시원한 바람이로다. / 이 몸이 시원하게 지내는 것도 역시 임금님의 은혜이시도다.

소주제 ② □□에서 한가로이 보내는 생활

다 〈추사(秋詞)〉

강호(江湖)에 ᄀᆞ을이 드니 고기마다 ᄉᆞᆯ져 잇다.
*소정(小艇)에 그물 시러 *흘리 ᄢᅴ여 더뎌 두고,
이 몸이 소일(消日)히옴도 역군은(亦君恩)이샷다.

강호에 가을이 찾아드니 물고기마다 살이 올라 있다. / 작은 배에 그물을 실어 물결 따라 흐르도록 띄워 던져 두고, / 이 몸이 소일하며 지내는 것도 역시 임금의 은혜이시도다.

소주제 ③ 고기잡이하며 소일하는 □□□□

라 〈동사(冬詞)〉

강호(江湖)에 겨월이 드니 눈 기픠 *자히 남다.
삿갓 *빗기 쓰고 *누역으로 오슬 삼아,
이 몸이 칩지 아니히옴도 역군은(亦君恩)이샷다.

강호에 겨울이 찾아드니 쌓인 눈의 깊이가 한 자가 넘는다. / 삿갓을 비스듬히 쓰고 도롱이를 둘러 입어 덧옷을 삼으니, / 이 몸이 추위를 모르고 지내는 것도 역시 임금의 은혜이시도다.

소주제 ④ 눈 쌓인 가운데 □□□□하는 생활

– 맹사성

어휘 다지기

- 강호(江湖) : 시골이나 자연
- 탁료계변(濁醪溪邊) : 막걸리 마시며 노는 시냇가
- 금린어(錦鱗魚) : 물고기, 쏘가리
- 초당(草堂) : 억새, 짚으로 지붕을 이은 작은 별채
- 강파(江波) : 강의 물결
- 소정(小艇) : 작은 배
- 흘리 ᄢᅴ여 : 흘러가는 대로 띄워
- 자히 남다 : 한 자가 넘는다
- 빗기 : 비스듬히
- 누역 : 도롱이, 풀을 엮어 만든 비옷

작품 개관

- 갈래 평시조, 연시조
- 성격 풍류적, 전원적, 강호 한정가, 연군가
- 주제 자연을 벗삼아 즐기며 임금의 은혜에 감사함
- 특징
  ① 계절에 따라 한 수씩 읊음
  ② 각 연마다 초장과 종장의 형식을 통일하여 주제를 효과적으로 드러냄
- 의의
  ① 최초의 연시조로 이황의 〈도산십이곡〉과 이이의 〈고산구곡가〉에 영향을 줌
  ② 강호가도(자연에 귀의하여 자연을 예찬함)의 선구가 됨
  ③ 충의 사상(고려 말~조선 초에 널리 유행하던 시조풍)이 잘 나타남

1등급 노트

1. 전체 구성
자연을 즐기는 생활을 계절에 따라 한 수씩 읊음

춘사(春詞)	봄	강가에서 물고기를 안주 삼아 탁주를 마시는 흥겨움
하사(夏詞)	여름	시원한 강바람이 불어오는 초당에 앉아 더위를 잊고 지내는 한가로움
추사(秋詞)	가을	강가에 배를 띄워 놓고 고기잡이하는 즐거움
동사(冬詞)	겨울	삿갓과 도롱이로 추위를 막을 수 있는 행복함

2. 형식상의 특징

강호(江湖)에 (㉠)이 드니 (㉡)
(㉢)
이 몸이 (㉣)도 역군은(亦君恩)이샷다.

① ㉠에는 계절(봄, 여름, 가을, 겨울)이 들어가 계절의 바뀜이 나타나고, ㉡에는 그에 맞는 계절의 풍취가 표현되었으며, ㉢에는 ㉣의 생활 모습('한가히옴, 서늘히옴, 소일히옴, 칩지 아니히옴')의 구체적인 내용이 나타남
② 각 연은 '강호(江湖)에'로 시작하여 '역군은(亦君恩)이샷다'로 끝남
→ ①, ②와 같은 형식적 통일성은 자연의 변함없는 조화와 임금의 끝없는 은혜를 나타내는 데 효과적임

3. 화자의 자연관
자연을 극복의 대상으로 보지 않고 조화의 대상으로 보는 관점을 드러냄

4. 화자의 유교적 가치관
'역군은(亦君恩)이샷다' : 자연을 벗삼아 유유자적하면서도 그것이 오직 임금의 은혜로 가능하다고 노래함 → 충의(忠義) 사상

소주제 체크
1. 강호, 봄 2. 초당 3. 어부생활 4. 안분지족

정답과 해설 14쪽

1 이 작품에 대한 설명으로 적절하지 <u>않은</u> 것은?

① 유유자적, 안분지족하는 삶의 자세가 드러나 있다.
② 자연을 은둔의 장소로 생각하여 현실 도피처로 삼고 있다.
③ 각 연마다 3장 6구 12음보라는 시조의 기본 형식을 지키고 있다.
④ 전원에서 한가로운 삶을 누리면서도 임금의 은혜에 감사하고 있다.
⑤ 연시조의 효시로, 이황의 〈도산십이곡〉과 이이의 〈고산구곡가〉 등 후대의 연시조에 영향을 끼쳤다.

출제 예감

2 〈보기〉는 이 작품의 구조를 정리한 것이다. ㉮~㉲에 들어갈 내용의 상위 개념으로 적절하지 <u>않은</u> 것은?

보기

강호(江湖)에 (㉮)이 드니 (㉯)
(㉰)
이 몸이 (㉱)도 (㉲)

① ㉮ : 계절
② ㉯ : 계절의 풍취
③ ㉰ : 자연의 아름다운 경치
④ ㉱ : 화자의 생활 모습
⑤ ㉲ : 임금의 은혜를 찬양

출제 예감

3 수능형 화자의 태도가 ㉠에서 보이는 것과 가장 유사한 것은?

① 하하 허허 ᄒᆞᆫ들 내 우음이 졍 우움가.
하 어쳑 업서셔 늣기다가 그리 되게.
벗님ᄂᆡ 웃디를 말구려 아귀 ᄠᅴ여디리라. – 권섭
② 짚방석(方席) 내지 마라, 낙엽(落葉)엔들 못 안즈랴.
솔불 혀지 마라, 어제 진 ᄃᆞᆯ 도다온다.
아희야, 박주산채(薄酒山菜)ㄹ망정 업다 말고 내여라. – 한호
③ 나모도 아닌 거시, 플도 아닌 거시,
곳기ᄂᆞᆫ 뉘 시기며, 속은 어이 뷔연ᄂᆞᆫ다.
뎌러코 사시(四時)예 프르니 그를 됴하ᄒᆞ노라. – 윤선도, 〈오우가〉
④ 어버이 그릴 줄을 처엄부터 알아마는
님군 향한 뜻도 하날이 삼겨시니
진실로 님군을 잊으면 긔 불효(不孝)인가 여기노라.
– 윤선도, 〈견회요〉
⑤ 내 언제 신(信)이 업서 님을 언제 소겻관ᄃᆡ
월침삼경(月沈三更)에 온 ᄠᅳᆺ이 전혀 업ᄂᆡ.
추풍(秋風)에 디ᄂᆞᆫ 닙 소리야 낸들 어이 ᄒᆞ리오. – 황진이

4 다음 밑줄 친 부분 중, 이 작품의 '강호(江湖)'와 의미하는 바가 가장 유사한 것은?

① <u>홍진(紅塵)</u>에 뭇친 분네 이내 생애(生涯) 엇더ᄒᆞᆫ고. 녯 사ᄅᆞᆷ 풍류(風流)를 미ᄎᆞᆯ가 ᄆᆞᆺ 미ᄎᆞᆯ가. 천지간(天地間) 남자(男子) 몸이 날만ᄒᆞᆫ 이 하건마ᄂᆞᆫ, ② <u>산림(山林)</u>에 뭇쳐 이셔 ③ <u>지락(至樂)</u>을 ᄆᆞᄅᆞᆯ 것가. ④ <u>수간모옥(數間茅屋)</u>을 벽계수(碧溪水) 앏픠 두고, 송죽(松竹) 울울리(鬱鬱裏)예 ⑤ <u>풍월주인(風月主人)</u> 되여셔라. – 정극인, 〈상춘곡〉

출제 예감

5 [다]와 같은 계절감이 드러나는 것은?

① ᄭᅩᆺ 디고 새 닙 나니 녹음(綠陰)이 ᄭᆞᆯ렷ᄂᆞᆫᄃᆡ / 나위(羅幃) 젹막(寂寞)ᄒᆞ고 슈막(繡幕)이 뷔여 잇다. – 정철, 〈사미인곡〉
② 추강(秋江)에 밤이 드니 물결이 차노매라. / 낚시 드리치니 고기 아니 무노매라. / 무심(無心)한 달빛만 싣고 빈 배 저어 오노라. – 월산 대군
③ 영듕(營中)이 무ᄉᆞ(無事)ᄒᆞ고 시절(時節)이 삼월(三月)인 제 / 화쳔(花川) 시내길히 풍악(楓岳)으로 버더 잇다. – 정철, 〈관동별곡〉
④ 산촌(山村)에 눈이 오니 들길이 무쳐셰라. / 시비(柴扉)를 여지 마라, 날 ᄎᆞ즈리 뉘 이시리. / 밤중만 일편명월(一片明月)이 긔 벗인가 ᄒᆞ노라. – 신흠
⑤ 간밤의 눈 갠 후(後)에 경물(景物)이 달랃고야. / 이어라 이어라 / 압희ᄂᆞᆫ 만경류리(萬頃琉璃) 뒤희ᄂᆞᆫ 천텹옥산(千疊玉山) / 지국총(至匊悤) 지국총(至匊悤) 어사와(於思臥) / 션계(仙界)ㄴ가 블계(佛界)ㄴ가, 인간(人間)이 아니로다. – 윤선도, 〈어부사시사〉

6 〈보기〉의 관점에 따라 이 작품을 감상한 것으로 적절하지 <u>않은</u> 것은?

보기

문학 작품을 그 자체로 하나의 자족적(自足的)인 존재로 생각하여 일체의 문학 외적 정보를 배제한 상태에서 작품 자체만을 연구한다.

① '눈 기픠 자히 남다.'의 장면 묘사가 거두고 있는 효과를 분석해 본다.
② 중장에서 계절에 따라 달리 표현되는 생활 모습을 머릿속에 그려 본다.
③ 네 마디의 율격과 강호 한정의 주제와는 어떤 관계가 있는지 분석해 본다.
④ '이 몸이 ~ 역군은(亦君恩)이샷다.'를 반복하는 작가의 의도를 헤아려 본다.
⑤ '강호(江湖)'가 지닌 상징적 의미가 작품 내에서 어떤 역할을 하는지 생각해 본다.

7 서술형 이 작품의 문학사적 의의에 대해 간략히 서술하시오.

09 도산십이곡(陶山十二曲)

가 〈제1곡 ; 언지(言志) 1〉

이런ᄃᆞᆯ 엇더ᄒᆞ며 뎌런ᄃᆞᆯ 엇다ᄒᆞ료.

•초야우생(草野愚生)이 이러타 엇더ᄒᆞ료.

ᄒᆞ믈며 •천석고황(泉石膏肓)을 고텨 •므슴ᄒᆞ료.

이런들 어떠하며 저런들 어떠하랴? / 시골에 파묻혀 있는 어리석은 사람이 이렇다고(공명이나 시비를 떠나 살아가는 생활) 어떠하랴? / 더구나 자연을 사랑하는 것이 고질병처럼 된 버릇을 고쳐서 무엇하랴?

소주제 ❶ □□에 대한 지극한 사랑

나 〈제9곡 ; 언학(言學) 3〉

㉠고인(古人)도 날 몯 보고 나도 고인(古人) 몯 뵈.

고인(古人)을 몯 뵈도 ⓐ•녀던 길 알ᄑᆡ 잇ᄂᆡ.

ⓑ녀던 길 알ᄑᆡ 잇거든 아니 ⓒ녀고 엇뎔고.

옛 성현도 나를 보지 못하고 나도 그 분들을 보지 못하네. / 하지만 그 분들이 행하던 길은 지금도 가르침으로 남아 있네. / 이렇듯 올바른 길이 우리 앞에 있는데 따르지 않고 어찌하겠는가?

소주제 ❷ □ □□들의 삶을 따르려는 의지

다 〈제10곡 ; 언학(言學) 4〉

당시(當時)예 ⓓ녀던 길흘 몃 ᄒᆡᄅᆞᆯ ᄇᆞ려 두고,

어듸 가 ᄃᆞᆫ니다가 이제야 도라온고.

이제야 도라오나니 ⓔ•년 ᄃᆡ ᄆᆞᄋᆞᆷ 마로리.

당시에 가던 길을 몇 해 동안 버려 두고, / 어디 가 다니다가 이제야 돌아왔는가? / 이제라도 돌아왔으니 다른 데 마음 두지 않으리라.

소주제 ❸ □□ □□에 전념할 것을 결의

라 〈제11곡 ; 언학(言學) 5〉

청산(靑山)은 엇뎨ᄒᆞ야 •만고(萬古)애 프르르며,

유수(流水)는 엇뎨ᄒᆞ야 주야(晝夜)애 긋디 아니ᄂᆞᆫ고.

우리도 그치디 마라 •만고상청(萬古常靑)호리라.

푸른 산은 어찌하여 영원히 푸르며, / 흐르는 물은 또 어찌하여 밤낮으로 그치지 아니하는가? / 우리도 그치지 말아 영원히 푸르리라.

소주제 ❹ 영원히 변하지 않는 □□ □□

– 이황

어휘 다지기

- 초야우생(草野愚生) : 시골에 묻혀 사는 어리석은 사람
- 천석고황(泉石膏肓) : '천석(泉石)'은 자연, '고황(膏肓)'은 불치의 고질병을 일컫는 말. 자연에 대한 병이 깊음
- 므슴ᄒᆞ료 : 무엇하겠는가. 무엇하리
- 녀던 길 : 행하던 길을. 실천하던 도리를
- 년 ᄃᆡ : 다른 곳
- 만고(萬古) : 오랜 세월
- 만고상청(萬古常靑) : 영원히 푸름

작품 개관

- 갈래 평시조, 연시조
- 성격 교훈적, 예찬적, 도학가(道學歌)
- 구성 전체 12수(전6곡과 후6곡)
- 주제
  [전6곡] 자연에 동화된 생활
  [후6곡] 학문 수양 및 학문애
- 특징
  ① 학문에 대한 의지가 드러남
  ② 생경한 한자어를 많이 사용함

1등급 노트

1. 전체 구성

전6곡 [언지(言志)]	도산 서원 주변의 경관에서 일어나는 감흥을 노래함 → 자연 관조
후6곡 [언학(言學)]	학문 수양에 임하는 자세를 노래함 → 학문 수양 의지

2. 화자의 태도
자연을 사랑하는 천석고황(泉石膏肓)의 심정을 노래하면서 세속의 명예와 영달을 떠나 초야에 묻혀 살며 자연의 영원성을 본받아 학문 수양에 정진하려고 노력함

3. 시어의 의미
- 초야우생(草野愚生) : 시골에 사는 어리석은 사람을 뜻하는 말로, 화자 자신을 겸손하게 이르는 말
- 천석고황(泉石膏肓) : 자연에 대한 병이 깊음을 의미하는 말로, '연하고질(煙霞痼疾)'과 상통함
- 고인(古人) : 학문과 덕이 높은 성현(聖賢)
- 녀던 길 : 학문 수양의 길
- 년 ᄃᆡ : 벼슬길, 입신양명의 길

더 알아보기

◆ 〈도산십이곡 발(跋)〉에 나타난 작가의 문학관
〈도산십이곡 발〉은 작가 이황이 지은 〈도산십이곡〉의 발문으로, 작가가 〈도산십이곡〉을 짓게 된 이유를 밝히면서 우리 가요를 비평한 내용을 담고 있다. 이 글에서 작가는 한시는 읊을 수는 있으나, 노래 부를 수 없는 것이기에 우리말 노래를 찾았으나 '한림별곡'류의 경기체가는 방탕스럽게 들떠 있는 것이어서 배격하고, 이별(李鼈)이 지은 '육가(六歌)' 형식을 본떠서 '도산육곡' 전6곡과 후6곡 등 12수의 시조를 짓는다고 하였다. 작가는 문학이 재도지기(載道之器 ; 도를 담는 그릇)가 되어야 한다고 하며 문학의 효용론을 강조하면서 문학을 통해 도학(道學)을 전하고자 하였다. 그러나 문학 자체의 가치보다는 문학의 목적성을 강조한 결과, 독창적이고 참신한 내용과 표현을 개척하는 데는 한계를 지니게 되었다.

소주제 체크
1. 자연 2. 옛 성현 3. 학문 수양 4. 학문 수양

정답과 해설 14쪽

1 이 작품에 대한 설명으로 적절하지 않은 것은?

① [가]는 자연에 대한 지극한 사랑을 노래하고 있다.
② [가]~[나]는 설의적 표현을 통해 교훈적 의도를 드러내고 있다.
③ [가]는 자연에 동화된 생활을, [나]~[라]는 학문 수양의 자세를 노래하고 있다.
④ [가]에서는 자연에 대한 자신의 사랑을 병적인 것으로 표현함으로써, 정신적인 면을 추구하는 화자의 가치관을 보여 준다.
⑤ [나]에서 화자는 옛 성현의 가르침을 따르지 않았던 자신에 대한 회한과 절망을 토로하고 있다.

출제 예감

2 [가]에 드러난 화자의 태도와 가장 유사한 것은?

① 보리밥 픗ᄂᆞ물을 알마초 머근 후(後)에,
바횟긋 믉ᄀᆞ의 슬ᄏᆞ지 노니노라.
그나믄 녀나믄 일이야 부롤 줄이 이시랴. - 윤선도, 〈만흥〉
② 동창(東窓)이 밝았느냐 노고지리 우지진다.
소 치는 아이는 상기 아니 일었느냐.
재 너머 사래 긴 밭을 언제 갈려 하나니. - 남구만
③ 풍상(風霜)이 섯거 친 날에 ᄀᆞᆺ 픠온 황국화(黃菊花)를
금분(金盆)에 ᄀᆞ득 담아 옥당(玉堂)에 보내오니,
도리(桃李)야, 곳이온 양 마라, 님의 뜻을 알괘라. - 송순
④ 반중(盤中) 조홍(早紅)감이 고아도 보이ᄂᆞ다.
유자(柚子)ㅣ 안이라도 품엄 즉도 ᄒᆞ다마는
품어 가 반기리 업슬시 글노 설워ᄒᆞᄂᆞ이다. - 박인로
⑤ 지당(池塘)에 비 ᄲᅮ리고 양류(楊柳)에 ᄂᆡ 끼인 제,
사공(沙工)은 어듸 가고 뷘 비만 ᄆᆡ엿ᄂᆞ고.
석양(夕陽)에 ᄧᅡᆨ 일흔 ᄀᆞᆯ며기ᄂᆞᆫ 오락가락 ᄒᆞ노매. - 조헌

3 고난도 [나]의 내용을 통해 얻을 수 있는 교훈적 가치를 가장 바르게 말한 사람은?

① 민정 : 옛 성현들이 남긴 훌륭한 말씀을 늘 마음에 새기며 외우고 있어야겠어.
② 현중 : 옛 성현들이 진리를 좇기 위해 끊임없이 학문에 정진했던 자세를 본받아야겠어.
③ 지훈 : 진리의 길을 좇다 보면 고난과 시련을 이겨 낼 수 있는 강인한 정신이 길러지는구나.
④ 승우 : 돈과 명예를 좇아 살아가는 삶은 덧없는 거야. 세상의 명리(名利)에 담담해져야 해.
⑤ 정혜 : 인간이 아무리 노력해도 거스를 수 없는 자연의 섭리가 있는 법이야. 자연 속에서 물 흐르듯 순리에 맞게 살아야 해.

출제 예감

4 ⓐ~ⓔ 중, 그 성격이 다른 하나는?

① ⓐ ② ⓑ ③ ⓒ ④ ⓓ ⑤ ⓔ

5 ㉠의 의미로 가장 적절한 것은?

① 가문의 훌륭한 조상
② 이미 세상을 떠난 사람
③ 학문적 업적이 높은 성현
④ 함께 학문을 수양하던 친구
⑤ 어릴 적 자신을 가르친 스승

6 [나]에 주로 사용된 수사법끼리 묶인 것은?

① 대유법, 설의법
② 대구법, 은유법
③ 연쇄법, 영탄법
④ 점층법, 반어법
⑤ 설의법, 연쇄법

출제 예감

7 [라]에서 궁극적으로 드러내고자 하는 주제 의식을 담고 있는 작품은?

① 춘산(春山)에 눈 녹인 ᄇᆞ롬 건듯 불고 간 듸 업다.
져근덧 비러다가 머리 우희 불니고져.
귀 밋틔 히묵은 서리ᄅᆞᆯ 녹여 볼가 ᄒᆞ노라. - 우탁
② 흥망(興亡)이 유수(有數)하니 만월대(滿月臺)도 추초(秋草)ㅣ로다.
오백 년(五百年) 왕업(王業)이 목적(牧笛)에 부쳐시니,
석양(夕陽)에 지나ᄂᆞᆫ 객(客)이 눈물계워 ᄒᆞ노라. - 원천석
③ 대쵸 볼 불근 골에 밤은 어이 ᄠᅳᆺ드르며,
벼 뷘 그르헤 게ᄂᆞᆫ 어이 ᄂᆞ리ᄂᆞᆫ고.
술 닉쟈 체 쟝ᄉᆞ 도라가니 아니 먹고 어이리. - 황희
④ 고산 구곡담(高山九曲潭)을 살롬이 몰으든이,
주모복거(誅茅卜居)ᄒᆞ니 벗님네 다 오신다.
어즙어, 무이(武夷)를 상상(想像)ᄒᆞ고 학주자(學朱子)를 ᄒᆞ리라. - 이이
⑤ 가마귀 눈비 마ᄌᆞ 희ᄂᆞᆫ 듯 검노ᄆᆡ라.
야광명월(夜光明月)이 밤인들 어두오랴.
님 향(向)ᄒᆞᆫ 일편단심(一片丹心)이야 고칠 줄이 이시랴. - 박팽년

8 서술형 이 작품의 전체 구성은 〈언지(言志)〉와 〈언학(言學)〉으로 나눌 수 있다. 각각에 따른 주제를 간단하게 서술하시오.

10 상춘곡(賞春曲)

원문	현대어 풀이
홍진(紅塵)에 뭇친 분네 이내 생애(生涯) 엇더ᄒᆞᆫ고.	속세에 묻혀 사는 사람들이여 이 나의 생활이 어떠한가?
녯 사ᄅᆞᆷ 풍류(風流)ᄅᆞᆯ 미ᄎᆞᆯ가 ᄆᆞᆺ 미ᄎᆞᆯ가.	옛 사람의 풍류에 미치겠는가, 못 미치겠는가.
천지간(天地間) 남자(男子) 몸이 날 만ᄒᆞᆫ 이 하건마ᄂᆞᆫ,	세상에 남자의 몸으로 태어나 나와 비슷한 사람이 많건마는,
산림(山林)에 뭇쳐 이셔 지락(至樂)을 ᄆᆞᄅᆞᆯ 것가. (지락: 자연에 묻혀 사는 즐거움)	그들은 왜 자연에 묻혀 지내는 지극한 즐거움을 모른단 말인가?
수간모옥(數間茅屋)을 벽계수(碧溪水) 앏픠 두고, (벽계수: 푸른 시냇물)	몇 칸짜리 초가집을 푸른 시냇물 앞에 두고,
송죽(松竹) 울울리(鬱鬱裏)예 풍월주인(風月主人) 되여셔라. (울울리: 울창한 속에)	소나무와 대나무가 울창한 속에서 자연의 주인이 되어 살고 있도다.

소주제 1 [서사] □□에 묻혀 사는 즐거움

원문	현대어 풀이
엇그제 겨을 지나 새봄이 도라오니,	엊그제 겨울이 지나고 새봄이 돌아오니,
도화 행화(桃花杏花)ᄂᆞᆫ 석양리(夕陽裏)예 퓌여 잇고, (도화 행화: 복숭아꽃과 살구꽃)	복숭아꽃 살구꽃은 석양 속에 피어 있고,
녹양방초(綠楊芳草)ᄂᆞᆫ 세우 중(細雨中)에 프르도다. (녹양방초: 푸른 버드나무와 향기로운 풀)	푸른 버드나무와 향기로운 풀은 가랑비 속에 푸르구나.
칼로 ᄆᆞᆯ아 낸가, 붓으로 그려 낸가,	칼로 마름질해 내었는가? 붓으로 그려 내었는가?
조화신공(造化神功)이 물물(物物)마다 *헌ᄉᆞ롭다. (조화신공: 조물주의 신비로운 솜씨)	조물주의 신비로운 재주가 사물마다 야단스럽다.
수풀에 우ᄂᆞᆫ 새ᄂᆞᆫ 춘기(春氣)ᄅᆞᆯ ᄆᆞᆺ내 계워 / 소ᄅᆡ마다 교태(嬌態)로다.	수풀에서 우는 새는 봄기운을 끝내 못 이겨 소리마다 교태로구나.

소주제 2 [본사 1] □의 아름다운 경치

원문	현대어 풀이
물아일체(物我一體)어니, 흥(興)이ᄋᆡ 다ᄅᆞᆯ소냐.	자연과 내가 한 몸이 되니, 흥겨움이 다르겠는가?
시비(柴扉)예 거러 보고, 정자(亭子)애 안자 보니, (시비: 사립문)	사립문 주변을 걸어 보기도 하고, 정자에도 앉아 보며,
*소요음영(逍遙吟詠)ᄒᆞ야, 산일(山日)이 적적(寂寂)ᄒᆞᆫᄃᆡ,	이리저리 거닐며 나직이 시를 읊조려, 산속의 하루가 적적한데,
한중진미(閑中眞味)ᄅᆞᆯ 알 니 업시 호재로다.	한가로움 속에서 느끼는 참다운 맛을 알 사람 없이 나 혼자로구나.

소주제 3 [본사 2] 봄의 □□

원문	현대어 풀이
이바 니웃드라, 산수(山水) 구경 가쟈스라.	여보게 이웃 사람들아, 산수 구경 가자꾸나.
*답청(踏靑)으란 오ᄂᆞᆯ ᄒᆞ고, *욕기(浴沂)란 내일(來日) ᄒᆞ새.	풀 밟기는 오늘 하고, 개울에 멱 감기는 내일 하세.
아ᄎᆞᆷ에 *채산(採山)ᄒᆞ고, *나조ᄒᆡ *조수(釣水)ᄒᆞ새.	아침에는 산에서 나물을 캐고, 저녁에 낚시하세.

소주제 4 [본사 3] □□ □□ 권유

원문	현대어 풀이
ᄀᆞᆺ 괴여 닉은 술을 *갈건(葛巾)으로 밧타 노코,	이제 막 익은 술을 칡베로 만든 두건으로 걸러 놓고,
곳나모 가지 것거, 수 노코 먹으리라.	꽃나무 가지 꺾어, 술잔을 세어 가며 마시리라.
화풍(和風)이 건ᄃᆞᆺ 부러 녹수(綠水)ᄅᆞᆯ 건너오니,	화창한 봄바람이 문득 불어 푸른 물을 건너오니,
청향(淸香)은 잔에 지고, 낙홍(落紅)은 옷새 진다.	맑은 향기는 잔에 스미고, 붉은 꽃잎은 옷에 떨어진다.
*준중(樽中)이 뷔엿거든 날ᄃᆞ려 알외여라.	술동이가 비었거든 나에게 알려라.
소동(小童) 아ᄒᆡᄃᆞ려 주가(酒家)에 술을 믈어,	심부름하는 아이에게 술집에 술이 있는지 물어,
얼운은 막대 집고, 아ᄒᆡᄂᆞᆫ 술을 메고,	어른은 지팡이 짚고, 아이는 술동이 메고,
*미음완보(微吟緩步)ᄒᆞ야 시냇ᄀᆞ의 호자 안자,	시를 나직이 읊조리며 천천히 걸어가 시냇가에 혼자 앉아,
명사(明沙) 조ᄒᆞᆫ 믈에 잔 시어 부어 들고,	고운 모래 맑은 물에 잔을 씻어 들고,
청류(淸流)ᄅᆞᆯ 굽어보니, ᄯᅥ오ᄂᆞ니 도화(桃花)ㅣ로다.	맑은 물을 바라보니, 떠오는 것이 복숭아꽃이로구나.
무릉(武陵)이 갓갑도다. 져 *ᄆᆡ이 긘 거인고.	무릉도원이 가까운 듯하다. 저 들이 그곳인가?

소주제 5 [본사 4] □과 풍류

작품 개관

- 갈래 서정 가사, 양반 가사, 정격 가사
- 성격 서정적, 묘사적, 예찬적
- 운율 3(4) · 4조, 4음보의 연속체
- 주제 봄날의 아름다운 경치 감상과 안빈낙도(安貧樂道)
- 특징
  ① 직유법 · 대구법 · 설의법 · 의인법 등의 다양한 표현법을 사용함
  ② 감정 이입의 기법을 사용함
  ③ 공간의 이동에 따라 시상을 전개함
- 의의
  ① 조선 시대 사대부 가사의 효시
  ② 강호 한정 가사의 출발점이 되는 작품
  ③ 18세기 표기법으로 되어 있어 국어 연구에 도움이 됨

1등급 노트

1. 시상 전개 방식

화자의 시선이 좁은 공간에서 점점 넓은 공간으로 옮겨 가는, 공간의 확장에 의해 시상이 전개됨

수간모옥 → 정자 → 시냇가 → 산봉우리

2. 화자의 정서 및 태도

자연의 아름다움을 예찬하고, 속세를 떠나 자연과 조화를 이루며 소박하게 살고자 함 → 안빈낙도(安貧樂道), 안분지족(安分知足), 물아일체(物我一體), 주객일체(主客一體), 단표누항(簞瓢陋巷)

3. 표현상의 특징

'수풀에 우ᄂᆞᆫ 새ᄂᆞᆫ 춘기(春氣)ᄅᆞᆯ ᄆᆞᆺ내 계워 소ᄅᆡ마다 교태(嬌態)로다.' : 빼어난 봄 경치에 도취된 화자는 울어대는 '새'에 자신의 감정을 이입하여 표현함

함께 엮어 읽기

◆ 송순, 〈면앙정가〉

〈면앙정가〉는 작가가 향리(鄕里)인 전남 담양의 제월봉 아래에 '면앙정'이라는 정자를 짓고, 그 곳 주변 산수의 아름다움에 몰입하여 자연을 감상하는 즐거움을 읊은 가사이다. 〈면앙정가〉와 〈상춘곡〉은 모두 자연 친화 의식을 바탕으로 자연을 즐기는 풍류를 그린 강호가도(江湖歌道)의 작품으로 볼 수 있지만, 〈상춘곡〉에는 〈면앙정가〉에서 보이는 군은(君恩)에 대한 유교적 충의 이념이 나타나지 않는다.

더 알아보기

◆ 〈상춘곡〉의 표기법

〈상춘곡〉의 표기법은 창작 당대(15세기)의 것이 아니고, 후손에 의해 정극인의 문집인 《불우헌집》이 간행된 18세기의 음운과 어법을 따르고 있다. 〈상춘곡〉이 정극인 당대에 기록된 것이 아니라 훨씬 후대에 기록된 것이어서 창작 당시의 작품이 그대로 담겨 있다고 보기는 어렵다고 할 수 있다. 따라서 정극인이 창작한 작품이 가사의 성숙기에 이를 무렵인 18세기에 세련되게 다듬어져 기록되었을 것이라는 견해도 있다.

정답과 해설 15쪽

원문	풀이
송간(松間) 세로(細路)에 두견화(杜鵑花)를 부치 들고, (송간 세로: 소나무 숲 사이 가느다란 길 / 두견화: 진달래꽃)	소나무 사이로 난 좁은 길에 진달래꽃을 붙들고,
봉두(峰頭)에 급피 올나 구름 소긔 안자 보니,	산봉우리에 급히 올라 구름 속에 앉아 보니,
천촌만락(千村萬落)이 곳곳이 버려 잇ᄂᆡ.	수많은 촌락이 곳곳에 벌여져 있네.
•연하일휘(煙霞日輝)ᄂᆞᆫ •금수(錦繡)ᄅᆞᆯ 재폇ᄂᆞᆫ ᄃᆞᆺ.	안개와 노을, 빛나는 햇살은 수놓은 비단을 펼쳐 놓은 듯.
엇그제 검은 들이 봄빗도 유여(有餘)ᄒᆞᆯ샤.	엊그제까지만 해도 거뭇거뭇한 들에 이제 봄빛이 흘러넘치는구나.

소주제 ❻ [본사 5] □□□□에서 조망한 봄의 정경

원문	풀이
공명(功名)도 날 ᄭᅴ우고, 부귀(富貴)도 날 ᄭᅴ우니,	공명도 날 꺼리고, 부귀도 날 꺼리니,
청풍명월(淸風明月) 외(外)예 엇던 벗이 잇ᄉᆞ올고.	맑은 바람과 달 외에 어떤 벗이 있겠는가?
•단표누항(簞瓢陋巷)에 ㉠흣튼 혜음 아니ᄒᆞᄂᆡ.	소박한 시골 생활에도 헛된 생각 아니하네.
아모타, 백년행락(百年行樂)이 이만ᄒᆞᆫᄃᆞᆯ 엇지ᄒᆞ리.	아무튼 평생 누리는 즐거움이 이만하면 만족스럽지 아니한가?

소주제 ❼ [결사] □□□□의 추구

– 정극인

어휘 다지기

- 헌ᄉᆞ롭다 : 야단스럽다
- 소요음영(逍遙吟詠) : 천천히 거닐며 나직이 시를 읊조림
- 답청(踏靑) : 봄에 풀을 밟고 놂
- 욕기(浴沂) : 시냇물에서 목욕하면서 놂
- 채산(採山) : 산나물을 캠
- 나조ᄒᆡ : 저녁에
- 조수(釣水) : 낚시
- 갈건(葛巾) : 칡베로 만든 두건. 여기서는 술을 걸러 마시는 도구로 사용됨
- 준중(樽中) : 술독의 안
- 미음완보(微吟緩步) : 나직히 읊조리며 천천히 걸음
- 미 : 들판
- 연하일휘(煙霞日輝) : 안개와 노을과 빛나는 햇살
- 금수(錦繡) : 수놓은 비단
- 단표누항(簞瓢陋巷) : 누항에서 먹는 한 그릇의 밥과 한 바가지의 물이라는 뜻으로, 선비의 청빈한 생활을 이르는 말

소주제 체크

1. 자연 2. 봄 3. 흥취 4. 산수 구경 5. 술 6. 산봉우리 7. 안빈낙도

1 이 작품에 대한 설명으로 적절하지 않은 것은?

① 조선 시대 가사 문학의 효시로 볼 수 있다.
② 조선 전기 가사의 균제된 형식미가 드러나 있다.
③ 봄의 풍경을 구체적으로 노래함으로써 계절감을 느끼게 한다.
④ 자연에 몰입하는 화자의 낙천적인 삶의 태도를 드러내고 있다.
⑤ 자연에 대한 화자의 정서 변화를 역행적 구성을 통해 보여 주고 있다.

2 이 작품의 주된 시상 전개 방식을 바르게 설명한 것은?

① 중심 사건이 복잡하게 발전하면서 시상이 전개되고 있다.
② 대상의 외형을 객관적으로 묘사하면서 시상을 전개하고 있다.
③ 계절 변화에 따른 대상의 속성을 중심으로 시상이 전개되고 있다.
④ 좁은 공간에서 넓은 공간으로 시선을 이동하면서 시상을 전개하고 있다.
⑤ 일 년 동안 겪은 일을 노래하되 시간적 순서에 따라 순차적으로 시상을 전개하고 있다.

출제 예감

3 이 작품에 나타난 화자와 자연의 관계에 대한 설명으로 가장 적절한 것은?

① 자연은 화자에게 삶의 교훈을 주는 존재이다.
② 자연은 화자에게 기쁨과 즐거움을 주는 존재이다.
③ 자연은 화자에게 고단한 현실의 도피처에 해당한다.
④ 자연은 화자가 이루고자 하는 이상적인 세계를 상징한다.
⑤ 자연은 화자가 처한 현실적 상황을 상징적으로 드러내는 존재이다.

4 이 작품의 내용을 바탕으로 한 폭의 그림을 그리고자 한다. 어울리지 않은 장면은?

① 초가집은 가능한 한 소박하게 그려서 주인의 청빈한 삶을 나타내야겠어.
② 숲 속에서 새가 흥겹게 지저귀는 모습을 통해 봄의 정취를 살려야겠어.
③ 시를 지어 주고받는 장면을 그려서 풍류를 즐기는 선비의 모습을 나타내야겠어.
④ 높이 솟은 소나무와 대나무를 주변에 둘러 그려서 세속을 벗어난 모습을 나타내야겠어.
⑤ 복사꽃과 살구꽃이 만발한 모습을 통해 화사하면서도 여유로운 분위기를 보여 줘야겠어.

5 수능형 **이 작품을 읽고 감상한 내용으로 적절하지 않은 것은?**

① 화자는 부귀와 공명이 덧없는 것임을 알고 있어. 나도 부귀공명보다 더 소중한 것을 찾는 삶을 살아가겠어.
② 화자는 직접 보고 듣고 느낀 봄날의 경치를 노래하고 있어. 마치 내가 실제로 보고 느끼는 것처럼 실감이 넘치는군.
③ 화자는 자연의 아름다움을 즐기면서 그 속에서 한가롭고 여유 있는 삶을 누리고 있어. 늘 바쁘게 허덕이는 나의 삶을 돌아보게 해.
④ 화자는 세속적 삶을 사는 사람들에게 그것을 떠나서 사는 삶의 넉넉함을 보여 주고 있어. 나도 세속적 삶에 얽매이지 말고 나만의 삶의 방식을 개척하겠어.
⑤ 화자는 자연 속에서 살아가는 가난한 삶에 힘겹고 어려운 점이 있음을 은연중에 드러내고 있어. 먼저 가난에서 벗어나야 자연의 아름다움도 더 잘 느낄 수 있는 것 같아.

6 **이 작품에 나타난 시적 형상화 방법으로 적절하지 않은 것은?**

① 의인법, 대구법 등의 다양한 표현 기법을 구사하였다.
② 봄 경치의 아름다움을 사실적으로 묘사하여 생동감이 드러난다.
③ 의문형 문장을 사용하여 의미를 강조하는 설의법이 사용되었다.
④ 고사(故事)를 인용하여 화자의 심리와 태도를 표현하고 있다.
⑤ 보조적인 인물이 등장하여 화자와 대화를 나누는 방식이 사용되었다.

출제 예감

7 **이 작품에서 대립적인 의미를 지닌 시어끼리 바르게 묶인 것은?**

① 홍진(紅塵) – 산림(山林)
② 벽계수(碧溪水) – 송죽(松竹)
③ 수간모옥(數間茅屋) – 시비(柴扉)
④ 풍월주인(風月主人) – 수풀에 우는 새
⑤ 도화 행화(挑花杏花) – 녹양방초(綠楊芳草)

8 고난도 **화자의 관점에서 볼 때, ㉠과 가장 관계 깊은 것은?**

① ᄉᆡᄫᆞᆯ ᄇᆞᆯ기 ᄃᆞ래 / 밤 드리 노니다가 – 처용, 〈처용가〉
② 몸을 셰워 도(道)를 ᄒᆡᆼ(行)하야 일홈을 후셰(後世)예 베퍼 – 〈소학언해〉
③ ᄉᆡ미 기픈 므른 ᄀᆞᄆᆞ래 아니 그츨ᄊᆡ, 내히 이러 바ᄅᆞ래 가ᄂᆞ니. – 정인지 외, 〈용비어천가〉
④ ᄒᆞᆫ 잔(盞) 먹새그려 ᄯᅩ ᄒᆞᆫ 잔(盞) 먹새그려 곳 것거 산(算) 노코 무진무진(無盡無盡) 먹새그려. – 정철, 〈장진주사〉
⑤ 살어리 살어리랏다 청산(靑山)애 살어리랏다. / 멀위랑 ᄃᆞ래랑 먹고, 청산(靑山)애 살어리랏다. – 〈청산별곡〉

출제 예감

9 **이 작품에서 추구하는 삶의 태도와 거리가 먼 한자 성어는?**

① 물아일체(物我一體)
② 단표누항(簞瓢陋巷)
③ 안분지족(安分知足)
④ 풍수지탄(風樹之嘆)
⑤ 안빈낙도(安貧樂道)

10 **이 작품의 화자(A)와 〈보기〉의 화자(B)가 나눈 대화 내용으로 적절하지 않은 것은?**

보기

술리 닉엇거니 벗지라 업슬소냐.
블니며 ᄐᆞ이며 혀이며 이아며
온가지 소리로 취흥(醉興)을 ᄇᆡ야거니
근심이라 이시며 시름이라 브터시랴.
누으락 안즈락 구브락 져츠락
을프락 ᄑᆞ람ᄒᆞ락 노혜로 소긔니
천지(天地)도 넙고넙고 일월(日月) ᄒᆞᆫ가ᄒᆞ다.
희황(羲皇)을 모ᄅᆞᆯ러니 이 젹이야 긔로고야.
신선(神仙)이 엇더턴지 이 몸이야 긔로고야.
강산풍월(江山風月) 거ᄂᆞᆯ리고 내 백 년(百年)을 다 누리면
악양루상(岳陽樓上)의 이태백(李太白)이 사라 오다
호탕정회(浩蕩情懷)야 이에서 더ᄒᆞᆯ소냐.
이 몸이 이렁 굼도 역군은(亦君恩)이샷다. – 송순, 〈면앙정가〉

① A : 자연 속에서 풍류를 즐기는 모습이 참으로 보기 좋습니다.
② B : 사람 사는 데는 이런 풍류가 제일이지요. 이태백이 온다 한들 이보다 낫겠습니까?
③ A : 그렇습니다. 저도 봄의 아름다운 경치를 즐기다 보니 세상에 나가고 싶은 생각은 들지 않거든요.
④ B : 그럴 겁니다. 어쨌든 우리가 이렇게 자연과 더불어 살 수 있는 것도 모두 임금님의 은혜 덕분이지요.
⑤ A : 맞습니다. 자연과 어울려 살아가는 삶이 만족스러울 때마다 저 역시 임금님의 은혜에 거듭 감사하게 됩니다.

11 서술형 **이 작품은 조선 전기 가사에 속한다. 〈보기〉를 참고하여 조선 후기 가사와 대비되는 조선 전기 가사의 특징을 그 향유층과 내용을 중심으로 서술하시오.**

보기

조선 후기에는 다양한 계층에 의한 다양한 내용의 가사가 출현하였다. 우선, 민중들의 의식이 향상되면서 일상적이고 현실적인 체험을 사실적으로 표현한 평민 가사가 나타났다. 또한 비교적 짓기 쉬운 형식에 힘입어 부녀자 계층을 중심으로 규방 가사가 다수 창작되기도 했다.

11 사미인곡(思美人曲)

원문	현대어 풀이
가 이 몸 삼기실 제 님을 조차 삼기시니	이 몸이 태어날 때 임을 따라 태어났으니,
ᄒᆞᆫᄉᆡᆼ 연분(緣分)이며 하ᄂᆞᆯ 모ᄅᆞᆯ 일이런가. (ᄒᆞᆫᄉᆡᆼ: 한평생)	한평생 함께 살아갈 인연임을 하늘이 (어찌) 모를 일이던가?
나 ᄒᆞ나 졈어 잇고 님 ᄒᆞ나 날 •괴시니	나는 오직 젊어 있고 임은 오직 나만을 사랑하시니,
이 ᄆᆞᄋᆞᆷ 이 ᄉᆞ랑 견졸 ᄃᆡ 노여 업다. (노여: 전혀)	이 마음과 이 사랑을 비교할 데가 전혀 없다.
평ᄉᆡᆼ(平生)애 원(願)ᄒᆞ요ᄃᆡ ᄒᆞᆫᄃᆡ 녜쟈 ᄒᆞ얏더니	평생에 원하기를 임과 함께 살아가고자 하였더니,
늙거야 므ᄉᆞ 일로 외오 두고 글이ᄂᆞᆫ고.	늙어서야 무슨 일로 외따로 두고 그리워하는고.
엇그제 님을 뫼셔 광한뎐(廣寒殿)의 올낫더니	엊그제까지만 해도 임을 모시고 광한전에 올라 있었는데,
그 더ᄃᆡ 엇디ᄒᆞ야 하계(下界)예 ᄂᆞ려오니	그동안에 어찌하여 속세에 내려왔는가.
올 적의 비슨 머리 얼킈연 디 삼 년(三年)이라.	내려올 때 빗은 머리가 헝클어진 지 삼 년이 지났구나.
연지분(臙脂粉) 잇ᄂᆡ마ᄂᆞᆫ ᄂᆞᆯ 위ᄒᆞ야 고이 ᄒᆞᆯ고.	연지분이 있지마는 누구를 위해서 곱게 단장할 것인가.
ᄆᆞᄋᆞᆷ의 ᄆᆡ친 실음 텹텹(疊疊)이 ᄡᅡ혀 이셔	마음에 맺힌 근심이 겹겹이 쌓여 있어,
짓ᄂᆞ니 한숨이오 디ᄂᆞ니 눈믈이라.	짓는 것은 한숨이요, 떨어지는 것은 눈물이라.
인ᄉᆡᆼ(人生)은 유ᄒᆞᆫ(有限)ᄒᆞᆫᄃᆡ 시ᄅᆞᆷ도 그지업다.	인생은 유한한데 근심은 끝이 없다.
무심(無心)ᄒᆞᆫ 셰월(歲月)은 믈 흐ᄅᆞᄃᆞᆺ ᄒᆞᄂᆞᆫ고야.	무심한 세월은 물 흐르듯 흘러가는구나.
•염량(炎涼)이 ᄯᆡᄅᆞᆯ 아라 가ᄂᆞᆫ ᄃᆞᆺ 고텨 오니	더웠다 서늘해졌다 하는 계절의 바뀜이 때를 알아 지나갔다 가는 이내 다시 오니,
듯거니 보거니 늣길 일도 하도 할샤.	듣고 보고 하는 가운데 흐느낄 일이 많기도 하구나.

소주제 1 [서사] 임과의 인연과 이별 후의 □□□

원문	현대어 풀이
나 동풍(東風)이 건듯 부러 젹셜(積雪)을 헤텨 내니	봄바람이 문득 불어 쌓인 눈을 헤쳐 내니,
창(窓) 밧긔 심근 ᄆᆡ화(梅花) 두세 가지 픠여셰라.	창밖에 심은 매화가 두세 가지 피었구나.
ᄀᆞᆺ득 ᄂᆡᆼ담(冷淡)ᄒᆞᆫᄃᆡ 암향(暗香)은 므ᄉᆞ 일고.	가뜩이나 날이 쌀쌀한데, 그윽이 풍겨오는 향기는 무슨 일인고.
황혼(黃昏)의 ᄃᆞᆯ이 조차 벼마ᄐᆡ 빗최니	황혼에 달이 따라와 베갯머리에 비치니,
늣기ᄂᆞᆫ ᄃᆞᆺ 반기ᄂᆞᆫ ᄃᆞᆺ 님이신가 아니신가.	흐느껴 우는 듯 반기는 듯도 하니 (이 달이 바로) 임이신가, 아니신가?
뎌 ᄆᆡ화(梅花) 것거 내여 님 겨신 ᄃᆡ 보내오져.	저 매화를 꺾어 내어 임 계신 곳에 보내고 싶구나.
님이 너ᄅᆞᆯ 보고 엇더타 너기실고.	임께서 너를 보고 어떻다 생각하실꼬?

소주제 2 [본사 1] 임을 향한 변함없는 □□ – 춘사(春詞)

원문	현대어 풀이
다 ᄭᅩᆺ 디고 새 닙 나니 녹음(綠陰)이 ᄭᆞᆯ렷ᄂᆞᆫᄃᆡ	꽃이 지고 새 잎이 나니, 녹음이 우거졌는데,
•나위(羅幃) 젹막(寂寞)ᄒᆞ고 슈막(繡幕)이 뷔여 잇다. (슈막(繡幕): 수놓은 장막)	비단 장막 안이 적막하고 수놓은 장막 안이 텅 비어 있다.
부용(芙蓉)을 거더 노코 공작(孔雀)을 둘러 두니 (부용(芙蓉): 연꽃 무늬 휘장 / 공작(孔雀): 공작을 수놓은 병풍)	연꽃 무늬 휘장을 걷어 놓고 공작을 수놓은 병풍을 둘러 두니,
ᄀᆞᆺ득 시ᄅᆞᆷ 한ᄃᆡ 날은 엇디 기돗던고.	가뜩이나 근심이 많은데 날은 어찌 이리도 길던가.
원앙금(鴛鴦錦) 버혀 노코 오ᄉᆡᆨ션(五色線) 플텨 내여, (원앙금(鴛鴦錦): 원앙새 수놓은 비단)	원앙새를 수놓은 비단을 잘라 놓고 오색실을 풀어내어
•금자ᄒᆡ 견화이셔 님의 옷 지어 내니	금자로 재어서 임의 옷을 만들어 내니,
슈품(手品)은ᄏᆞ니와 졔도(制度)도 ᄀᆞᄌᆞᆯ시고. (슈품(手品)은ᄏᆞ니와: 솜씨는 물론이거니와)	손재주는 물론이거니와 격식조차 갖추었구나.
산호슈(珊瑚樹) 지게 우ᄒᆡ ᄇᆡᆨ옥함(白玉函)의 다마 두고	산호수로 만든 지게 위에 백옥함에 임의 옷을 담아 두고,
님의게 보내오려 님 겨신 ᄃᆡ ᄇᆞ라보니	임에게 보내려고 임 계신 곳을 바라보니,
산(山)인가 구롬인가 •머흐도 머흘시고.	산인지 구름인지 험하기고 험하구나.
쳔 리(千里) 만 리(萬里) 길흘 뉘라셔 ᄎᆞ자갈고.	천만 리나 되는 길을 누가 찾아갈까.
니거든 여러 두고 날인가 반기실가.	가거든 이 함을 열어 놓고 나를 보신 듯이 반가워하실까?

소주제 3 [본사 2] 임에 대한 알뜰한 □□ – 하사(夏詞)

작품 개관

- 갈래 서정 가사, 양반 가사, 정격 가사
- 성격 서정적, 충신연주지사(忠臣戀主之詞)
- 운율 3(4) · 4조, 4음보 연속체
- 주제 임금을 그리는 정 – 연군지정
- 특징
  ① 뛰어난 우리말 구사와 세련된 표현을 사용함
  ② 비유와 상징을 활용하여 문학성을 높임
- 의의
  ① 우리말 구사의 극치를 보여 줌
  ② 〈속미인곡〉과 더불어 가사 문학의 절정을 이룸

1등급 노트

1. 전체 구성

구분		내용
서사(序詞)		임과의 인연과 이별 후의 그리움
본사(本詞)	춘사(春詞)	임을 향한 변함없는 충정
	하사(夏詞)	임에 대한 알뜰한 정성
	추사(秋詞)	임의 선정에 대한 갈망
	동사(冬詞)	임에 대한 염려와 고독감
결사(結詞)		임을 향한 변함없는 사랑(충성심)

2. 시상 전개 방식

화자의 시름과 임에 대한 연모의 정을 계절의 변화(시간의 흐름)에 따라 전개함

3. 시어의 의미

계절	시어	의미
봄	매화	임에 대한 그리움과 충정을 형상화한 객관적 상관물
여름	옷	
가을	청광(달빛)	
겨울	양춘(봄볕)	

4. 구절의 의미

'출하리 싀어디여 범나븨 되오리라.' : '범나븨'는 화자의 분신(分身)으로, 이 구절에서는 차라리 죽어서 영혼으로나마 임의 곁에 있고 싶다는 화자의 강렬한 집념(일편단심)이 나타남 → 불교의 윤회 사상

함께 엮어 읽기

◆ 정서, 〈정과정〉

〈정과정〉은 고려 의종 때 정서가 억울한 누명을 쓰고 유배지로 귀양 간 자신의 처지를 노래한 향가계 고려 가요이다. 고려 가요 중 작가가 밝혀진 유일한 작품으로 유배 문학의 원류로 볼 수 있다. 〈정과정〉은 유배지에서 신하가 임금을 그리워하는 정을 애절하게 표현한 '충신연주지사(忠臣戀主之詞)'라는 점에서 〈사미인곡〉과 접맥되어 있다고 할 수 있다.

라 ᄒᆞᄅᆞ밤 •서리김의 기러기 우러 녤 제 — 하룻밤 서리 내릴 무렵 기러기가 울며 날아갈 때,

위루(危樓)에 혼자 올나 슈졍념(水晶簾)을 거든말이 — 높은 누각에 혼자 올라 수정으로 만든 발을 걷으니,
(슈졍념(水晶簾): 수정을 꿰어서 만든 발)

동산(東山)의 ᄃᆞᆯ이 나고 븍극(北極)의 별이 뵈니, — 동산에 달이 떠오르고 북극성이 보이므로

님이신가 반기니 눈믈이 절로 난다. — 임이신가 하여 반가워하니 눈물이 절로 난다.

[A]
쳥광(淸光)을 쥐여 내여 봉황누(鳳凰樓)의 븟티고져. — 맑은 달빛을 쥐어 내어 임 계신 궁궐에 부쳐 보내 드리고 싶구나.
누(樓) 우ᄒᆡ 거러 두고 •팔황(八荒)의 다 비최여 — (그러면, 임께서 그 달빛을) 누각 위에 걸어 두고 온 세상을 다 비추어
심산(深山) 궁곡(窮谷) 졈낫ᄀᆞᆺ티 ᄆᆡᆼ그쇼셔. — 깊은 산골까지도 대낮같이 환하게 만드소서.
(심산(深山) 궁곡(窮谷): 깊은 산의 궁핍한 골짜기)

소주제 4 [본사 3] 임의 □□에 대한 갈망 – 추사(秋詞)

마 •건곤(乾坤)이 폐ᄉᆡᆨ(閉塞)ᄒᆞ야 ᄇᆡᆨ셜(白雪)이 ᄒᆞᆫ 빗친 제 — 천지가 추위에 얼어 생기가 막히고 흰 눈으로 온통 덮여 있을 때에,
(폐ᄉᆡᆨ(閉塞): 생기가 막힘)

사ᄅᆞᆷ은ᄏᆞ니와 ᄂᆞᆯ새도 긋쳐 잇다. — 사람은 물론이거니와 날아다니는 새도 자취를 감추었도다.

쇼샹남반(瀟湘南畔)도 치오미 이러커든 — 소상강 남쪽 언덕같이 따뜻하다는 이곳(전남 창평)도 추위가 이러한데
(쇼샹남반(瀟湘南畔): 따뜻한 남쪽)

옥누 고쳐(玉樓高處)야 더옥 닐러 므ᄉᆞᆷᄒᆞ리. — 하물며 임 계신 북쪽이야 더 말해 무엇하랴.
(옥누 고쳐(玉樓高處): 옥으로 된 누각)

양츈(陽春)을 부쳐 내여 님 겨신 ᄃᆡ 쏘이고져. — 따뜻한 봄볕을 부쳐 내어 임 계신 곳에 쏘이게 하고 싶어라.

모쳠(茅簷) 비쵠 ᄒᆡᄅᆞᆯ 옥누(玉樓)의 올리고져. — 초가집 처마에 비친 따뜻한 햇볕을 임 계신 궁궐에 올리고 싶어라.

홍샹(紅裳)을 니믜ᄎᆞ고 •취슈(翠袖)ᄅᆞᆯ 반(半)만 거더 — 붉은 치마를 여며 입고 푸른 소매를 반쯤 걷어
(홍샹(紅裳): 붉은 치마)

•일모슈듁(日暮脩竹)의 혬가림도 하도 할샤. — 해가 저물 무렵, 대나무에 기대어 서니 잡념이 많기도 많구나.

ᄃᆞ론 ᄒᆡ 수이 디여 긴 밤을 고초 안자 — 짧은 (겨울) 해가 이내 넘어가고 긴 밤을 꼿꼿이 앉아,
(ᄃᆞ론: 짧은)

쳥등(靑燈) 거른 겻ᄐᆡ 뎐공후(鈿箜篌) 노하 두고 — 청사초롱을 걸어둔 옆에 자개로 수놓은 공후를 놓아두고,
(뎐공후(鈿箜篌): 자개 장식을 한 공후(악기))

ᄭᅮᆷ의나 님을 보려 ᄐᆞᆨ 밧고 비겨시니 — 꿈에서라도 임을 보려고 턱을 괴고 기대어 있으니,

앙금(鴦衾)도 ᄎᆞ도 ᄎᆞᆯ샤 이 밤은 언제 샐고. — 원앙새를 수놓은 이불이 차기도 차구나. (혼자 외로이 지내는) 이 밤은 언제나 샐 것인가?
(앙금(鴦衾): 원앙새를 수놓은 이불)

소주제 5 [본사 4] 임에 대한 □□와 고독감 – 동사(冬詞)

바 ᄒᆞᄅᆞ도 열두 ᄣᅢ, ᄒᆞᆫ ᄃᆞᆯ도 셜흔 날 — 하루도 열두 때, 한 달도 서른 날,

져근덧 ᄉᆡᆼ각 마라 이 시ᄅᆞᆷ 닛쟈 ᄒᆞ니 — 잠시라도 임 생각을 말아 이 시름을 잊으려 하여도

ᄆᆞᄋᆞᆷ의 ᄆᆡ쳐 이셔 골슈(骨髓)의 ᄢᅦ터시니 — 마음속에 맺혀 있어 뼛속까지 사무쳤으니,
(골슈(骨髓)의: 뼛속까지)

•편쟉(扁鵲)이 열히 오나 이 병을 엇디ᄒᆞ리. — 편작과 같은 명의가 열 명이 온다 한들 이 병을 어찌하랴.

어와 내 병이야 이 님의 타시로다. — 아, 내 병이야 임의 탓이로다.

[B]
ᄎᆞᆯ하리 •ᄉᆡ어디여 범나븨 되오리라. — 차라리 죽어서 범나비가 되리라.
곳나모 가지마다 간 ᄃᆡ 족족 안니다가 — (그리하여) 꽃나무 가지 간 데마다 앉아 다니다가
향 므든 ᄂᆞᆯ애로 님의 오ᄉᆡ 올므리라. — 향기 묻은 날개로 임의 옷에 옮아 가 앉으리라.
님이야 날인 줄 모ᄅᆞ셔도 내 님 조ᄎᆞ려 ᄒᆞ노라. — 임께서야 나인 줄 모르셔도 나는 끝까지 임을 따르려 하노라.

소주제 6 [결사] □을 향한 변함없는 마음

– 정철

어휘 다지기

- 괴시니 : 사랑하시니
- 염량(炎凉) : 더위와 추위. 곧 계절의 순환
- 나위(羅幃) : 얇은 비단으로 만든 휘장
- 금자히 견화이셔 : 금으로 된 자로 재어서
- 머흐도 머흘시고 : 험하기도 험하구나
- 서리김 : 서리 내릴 무렵에
- 팔황(八荒) : 온 세상
- 건곤(乾坤) : 하늘과 땅
- 취슈(翠袖) : 푸른 소매
- 일모슈듁(日暮脩竹) : 해가 저물 무렵 긴 대나무에 의지함
- 편쟉(扁鵲) : 중국 춘추 시대의 명의
- ᄉᆡ어디여 : 죽어 없어져서. 사라져서

더 알아보기

◆ 〈사미인곡〉의 문학적 우수성

〈사미인곡〉은 중국 초나라 굴원(屈原)의 〈이소(離騷)〉 제9장 〈사미인(思美人)〉과 제목이 같고, 내용도 거의 유사하다. 그러나 〈이소〉에서 한 구절의 인용도 없이 오히려 훨씬 뛰어난 표현 기교를 보여 줌으로써 그를 능가하고 있는 작품이라고 할 수 있다. 〈사미인곡〉은 임금을 사모하는 연군의 정을 한 여인이 임과 이별하고 연모하는 마음에 비겨서 노래하였는데, 비유법 · 미화법 · 변화법 등 다양한 기법과 절묘한 언어가 구사되고, 자연의 변화에 맞추어 정서의 흐름을 표현하여 가사 작품 중에서도 그 문학성이 두드러진다고 할 수 있다.

◆ 〈사미인곡〉의 창작 배경

송강 정철은 16세기 조선의 대표적인 문인으로, 가사 문학의 대가라고 할 수 있다. 정철은 당시 조정의 당파 싸움에 연루되어 거의 평생을 귀양살이로 보내는 불우한 삶을 살았다. 동서 분당(分黨)이 구체화되면서 정철은 서인(西人)의 영수(領袖)로서 정쟁(政爭)에 깊이 관여하게 되고, 이로 인해 출사(出仕)와 낙향(落鄕)을 반복하게 된다. 그의 나이 50세인 1585년(선조 18년)에는 동인들의 공박과 사간원, 사헌부의 논척을 받아 고향인 전남 창평에 내려가 은거하면서 충신연주지사의 대표작으로 평가받고 있는 〈사미인곡〉과 〈속미인곡〉을 남기게 된다.

소주제 체크

1. 그리움 2. 충정 3. 정성 4. 선정 5. 염려 6. 임

정답과 해설 15쪽

1 이 작품에 대한 설명으로 적절하지 않은 것은?

① 세시 풍속과 관련하여 내용을 전개하고 있다.
② 3·4조 혹은 4·4조의 4음보 연속체 시가이다.
③ 화자의 정서를 자연물에 의탁하여 표현하고 있다.
④ 〈본사〉 부분의 시상 전개는 계절의 순서로 되어 있다.
⑤ 여성 화자를 등장시켜 연군의 정을 절절하게 나타내고 있다.

출제 예감
2 이 작품의 화자와 유사한 정서를 드러낸 작품이 아닌 것은?

① 이화우(梨花雨) 흣ᄲᅮ릴 제 울며 잡고 이별(離別)ᄒᆞᆫ 님,
추풍낙엽(秋風落葉)에 저도 날 ᄉᆡᆼ각ᄂᆞᆫ가.
천 리(千里)에 외로운 ᄭᅮᆷ만 오락가락 ᄒᆞ노매. – 계랑
② 어져 내 일이야 그릴 줄을 모로ᄃᆞ냐.
이시라 ᄒᆞ더면 가랴마ᄂᆞᆫ 제 구ᄐᆞ여
보내고 그리ᄂᆞᆫ 정(情)은 나도 몰라 ᄒᆞ노라. – 황진이
③ 동지(冬至)ㅅ달 기나긴 밤을 한 허리를 버혀 내어,
춘풍(春風) 니블 아러 서리서리 너헛다가,
어론 님 오신 날 밤이여든 구뷔구뷔 펴리라. – 황진이
④ 잔 들고 혼자 안자 먼 뫼흘 ᄇᆞ라보니
그리던 님이 오다 반가옴이 이러ᄒᆞ랴.
말ᄉᆞᆷ도 우음도 아녀도 몯내 됴하ᄒᆞ노라. – 윤선도, 〈만흥〉
⑤ ᄇᆞ람도 쉬여 넘ᄂᆞᆫ 고기, 구름이라도 쉬여 넘ᄂᆞᆫ 고기.
산진(山眞)이 수진(水眞)이 해동청(海東靑) 보ᄅᆞ미도 다 쉬여 넘ᄂᆞᆫ 고봉(高峯) 장성령(長城嶺) 고기.
그 너머 님이 왓다 ᄒᆞ면 나ᄂᆞᆫ 아니 ᄒᆞᆫ 번도 쉬여 넘어가리라.
– 작자 미상

3 이 작품과 〈보기〉를 비교한 내용으로 적절하지 않은 것은?

보기

내 님믈 그리ᅀᆞ와 우니다니
산(山) 졉동새 난 이슷ᄒᆞ요이다.
아니시며 거츠르신 둘 아으
잔월효성(殘月曉星)이 아ᄅᆞ시리이다.
넉시라도 님은 ᄒᆞᆫᄃᆡ 녀져라 아으
벼기더시니 뉘러시니잇가.
과(過)도 허믈도 천만(千萬) 업소이다.
ᄆᆞᆯ힛마리신뎌 / ᄉᆞᆯ읏븐뎌 아으
니미 나ᄅᆞᆯ ᄒᆞ마 니ᄌᆞ시니잇가.
아소 님하, 도람 드르샤 괴오쇼셔. – 정서, 〈정과정〉

① 이 작품과 〈보기〉의 화자는 임과 떨어져 있는 상태이다.
② 이 작품과 〈보기〉는 모두 여성이 남성을 그리는 형식을 이용하여 임금에 대한 충성을 노래하고 있다.
③ 이 작품은 충신연주지사의 원류로, 〈보기〉는 유배 문학의 원류로 볼 수 있다.
④ 이 작품에는 임에 대한 화자의 염려가, 〈보기〉에는 울며 지내고 있는 화자의 슬픔이 나타나 있다.
⑤ 이 작품에는 죽어도 임을 따르겠다는 화자의 다짐이, 〈보기〉에는 화자 자신의 억울함에 대한 호소가 드러나 있다.

4 [나]~[바] 중, 〈보기〉와 시간적 배경이 동일한 것은?

보기

남여(藍輿)를 ᄇᆡ야 ᄐᆞ고 솔 아릐 구븐 길로 오며 가며 ᄒᆞᄂᆞᆫ 적의 녹양(綠楊)의 우ᄂᆞᆫ 황앵(黃鶯) 교태 겨워 ᄒᆞᄂᆞᆫ괴야. 나모 새 ᄌᆞᄌᆞ지여 수음(樹陰)이 얼린 적의 백 척(百尺) 난간(欄干)의 긴 조으름 내여 펴니 수면(水面) 양풍(凉風)이야 긋칠 줄 모르ᄂᆞᆫ가. – 송순, 〈면앙정가〉

① [나] ② [다] ③ [라] ④ [마] ⑤ [바]

출제 예감
5 [나]~[마]에서 임에 대한 사랑과 그리움을 드러내는 소재를 적절하게 연결한 것은?

	[나]	[다]	[라]	[마]
①	미화	님의 옷	팔황	빅셜
②	미화	님의 옷	청광	양츈
③	암향	녹음	봉황누	빅셜
④	암향	빅옥함	팔황	앙금
⑤	젹셜	나위	위루	옥누 고쳐

출제 예감
6 [B]에 대한 설명으로 적절하지 않은 것은?

① 간절한 사랑을 표현한 부분이다.
② 임에 대한 일편단심을 노래한 것이다.
③ 이 작품 전체에서 가장 핵심이 되는 부분이다.
④ '향'은 임금에 대한 충성심을 의미하는 시어이다.
⑤ 살아서 반드시 임과 재회하겠다는 의지를 직접 드러낸 부분이다.

7 이 작품에 대한 감상으로 가장 적절한 것은?

① 정현 : 대화체를 사용하여 사실적인 느낌을 주고 있군.
② 원국 : 자연물에 빗대어 자신의 처지와 결백을 주장하고 있군.
③ 대영 : 자신이 고독한 존재임을 깨닫고 내적 성숙을 갈망하는 마음을 담고 있군.
④ 도웅 : 이별을 새로운 희망으로 받아들이면서 낙관적인 미래를 그리고 있군.
⑤ 동원 : 자연과 생활의 변화를 그리면서 그 가운데 솟아오르는 연모의 정을 절실하게 그리고 있군.

8 서술형 [A]에 담긴 화자의 의도를 '심산(深山) 궁곡(窮谷)'의 의미와 관련지어 서술하시오.

12 속미인곡(續美人曲)

뎨 가ᄂᆞᆫ 뎌 각시 본 듯도 ᄒᆞ뎌이고.
저기 가는 저 각시 (어디서) 본 듯도 하구나.

텬샹(天上) *ᄇᆡᆨ옥경(白玉京)을 엇디ᄒᆞ야 니별(離別)ᄒᆞ고
임이 계시는 궁궐을 어찌하여 이별하고,

ᄒᆡ 다 뎌 져믄 날의 눌을 보라 가시ᄂᆞᆫ고.
해 다 져서 저문 날에 누구를 만나러 가시는가?

소주제 ❶ [서사] 갑녀(甲女) : □□□을 떠난 이유를 물음

어와 네여이고 내 ᄉᆞ셜 드러 보오.
아아, 너로구나. 내 이야기를 좀 들어 보오.

내 얼굴 이 거동이 님 괴얌즉 ᄒᆞᆫ가마ᄂᆞᆫ
(얼굴: 모습, 형태 / 괴얌즉: 사랑받음직)
내 모습과 이 행동이 임에게 사랑을 받음 직한가마는

엇던디 날 보시고 네로다 녀기실ᄉᆡ
(녀기실ᄉᆡ: 생각하시기에)
어찌된 일인지 나를 보시고 너로구나 하며 특별히 여겨 주시기에

나도 님을 미더 *군ᄠᅳ디 젼혀 업서
나도 임을 믿어 딴 생각이 전혀 없어

*이ᄅᆡ야 교ᄐᆡ야 어ᄌᆞ러이 구돗ᄯᅥᆫ디
(구돗ᄯᅥᆫ디: 굴었던지)
아양도 부리고 교태도 떨며 어지럽게 굴었던지

반기시ᄂᆞᆫ ᄂᆞᆺ비치 녜와 엇디 다ᄅᆞ신고.
(ᄂᆞᆺ비치: 얼굴빛이 / 녜와: 예전과)
반기시는 얼굴빛이 옛날과 어찌 달라졌는가?

누어 ᄉᆡᆼ각ᄒᆞ고 니러 안자 *혜여ᄒᆞ니
누워 생각하고 일어나 앉아 생각해 보니

내 몸의 지은 죄 뫼ᄀᆞ티 ᄡᅡ혀시니
(ᄡᅡ혀시니: 쌓여 있으니)
내 몸의 지은 죄가 산처럼 쌓였으니

하ᄂᆞᆯ히라 원망ᄒᆞ며 사ᄅᆞᆷ이라 허믈ᄒᆞ랴.
하늘을 원망하며 사람을 탓할 수 있으랴.

셜워 플텨 혜니 조믈(造物)의 타시로다.
(플텨 혜니: 풀어 생각하니 / 조믈: 조물주)
서러워 여러 가지를 풀어 내어 생각해 보니 조물주의 탓이로구나.

소주제 ❷ 을녀(乙女) : □□□의 탓이라고 하며 □□과 체념을 함

글란 ᄉᆡᆼ각 마오.
(글란: 그렇게는)
그렇게 생각하지 마오.

소주제 ❸ [본사] 갑녀 : □□의 말

ᄆᆡ친 일이 이셔이다.
내 마음속에 맺힌 일이 있습니다.

님을 뫼셔 이셔 님의 일을 내 알거니
예전에 임을 모시어서 임의 일을 내가 잘 알거니

믈 ᄀᆞᄐᆞᆫ 얼굴이 편ᄒᆞ실 적 몃 날일고.
물같이 연약한 몸이 편하실 때가 몇 날일꼬?

츈한고열(春寒苦熱)은 엇디ᄒᆞ야 디내시며
(츈한고열: 이른 봄의 추위와 여름철의 무더위)
이른 봄날의 추위와 여름철의 무더위는 어떻게 지내시며

츄일동텬(秋日冬天)은 뉘라셔 뫼셧ᄂᆞᆫ고.
(츄일동텬: 가을과 겨울의 날씨, 가을과 겨울의 추위)
가을날과 겨울날은 누가 모셨는가?

*쥭조반(粥早飯) 죠셕(朝夕) *뫼 녜와 ᄀᆞᆺ티 *셰시ᄂᆞᆫ가.
(죠셕: 아침저녁)
자릿조반과 아침저녁 진지는 예전과 같이 잡수시는가?

기나긴 밤의 ᄌᆞᆷ은 엇디 자시ᄂᆞᆫ고.
기나긴 밤에 잠은 어찌 주무시는가?

소주제 ❹ 을녀 : 임에 대한 □□

*님다히 쇼식(消息)을 아므려나 아쟈 ᄒᆞ니
(아므려나: 어떻게든지)
임 계신 곳의 소식을 어떻게라도 알려고 하니

오ᄂᆞᆯ도 거의로다. ᄂᆡ일이나 사ᄅᆞᆷ 올가.
(거의로다: 거의 지났도다)
오늘도 날이 거의 저물었구나. 내일이나 되어야 (임의 소식을 전해 줄) 사람이 올까?

내 ᄆᆞ음 둘 ᄃᆡ 업다. 어드러로 가쟛 말고.
(가쟛 말고: 가자는 말인가)
내 마음 둘 곳이 없다. 어디로 가자는 말인가?

잡거니 밀거니 놉픈 뫼히 올라가니
(나무와 바위 등을) 잡기도 하고 밀기도 하면서 높은 산에 올라가니

구롬은ᄏᆞ니와 안개ᄂᆞᆫ 므ᄉᆞ 일고.
구름은 물론이거니와 안개는 또 무슨 일로 끼어 있는가?

산쳔(山川)이 어둡거니 일월(日月)을 엇디 보며
산천이 어두운데 일월을 어찌 보며

지쳑(咫尺)을 모ᄅᆞ거든 쳔 리(千里)ᄅᆞᆯ ᄇᆞ라보랴.
(지쳑: 눈앞의 가까운 곳)
바로 앞도 분간할 수 없는데 천 리나 되는 먼 곳을 바라볼 수 있으랴.

ᄎᆞᆯ하리 믈ᄀᆞ의 가 ᄇᆡ 길히나 보쟈 ᄒᆞ니
차라리 물가에 가서 뱃길이나 보려고 하니

작품 개관

- 갈래 서정 가사, 양반 가사, 정격 가사
- 성격 서정적, 충신연주지사(忠臣戀主之詞)
- 형식 대화체, 3(4) · 4조, 4음보의 연속체
- 주제 임금을 그리는 정 – 연군지정
- 특징 대화체(두 여인의 대화) 형식으로 화자의 내적 슬픔을 일반화함
- 의의
  ① 우리말의 구사가 뛰어남
  ② 대화 형식으로 된 최초의 가사 작품
  ③ 〈사미인곡〉과 더불어 가사 문학의 극치를 이룸

1등급 노트

1. 시상 전개 방식

갑녀(보조 인물)와 을녀(중심 화자)의 대화 형식으로 내용을 전개함

구분	내용
갑녀의 질문	백옥경을 떠난 이유를 물음
을녀의 답변	조물주의 탓이라고 답함
갑녀의 위로	을녀에게 위로의 말을 함
을녀의 하소연	임에 대한 충정과 임의 소식에 대한 궁금증, 독수공방의 외로움, 임에 대한 간절한 사모의 정을 말함
갑녀의 위로	을녀에게 위로의 말을 함

2. 시어의 의미 차이

시어	의미
낙월	• 멀리서 잠깐 동안 임을 바라보다 사라지는 달 • 임과의 만남이 이루어질 수 없으리라는 화자의 절망감을 내포함 • 소극적 애정관(임시적, 간접적)
구즌 비	• 오랫동안 내리며 임의 옷을 적실 만큼 가까이 갈 수 있는 비 • 임을 그리워하는 애타는 마음을 임에게 전하고자 하는 간절함을 내포함 • 적극적 애정관(지속적, 직접적)

3. 화자의 성격

갑녀(甲女)	을녀(乙女)
보조적 위치에 있는 인물	작가의 처지를 대변하는 중심 화자
을녀의 하소연을 유도함	갑녀의 질문에 응하며 하소연을 함
작품의 전개와 종결을 위한 기능적 역할	작품의 주제 구현을 위한 중심 역할

정답과 해설 15쪽

ᄇᆞ람이야 믈결이야 •어둥졍 된뎌이고. — 바람과 물결 때문에 어수선하게 되었구나.

샤공은 어ᄃᆡ 가고 뷘 ᄇᆡ만 걸렷ᄂᆞ니. — 뱃사공은 어디 가고 빈 배만 걸려 있는가?

•강텬(江天)의 혼쟈 셔셔 디ᄂᆞᆫ ᄒᆡ를 구버보니 — 강가에 혼자 서서 지는 해를 굽어보니

님다히 쇼식(消息)이 더옥 아득ᄒᆞᆫ뎌이고. — 임 계신 곳 소식이 더욱 아득하기만 하구나.

소주제 5 을녀 : 임에 대한 □□을 애타게 기다림

•모쳠(茅簷) ᄎᆞᆫ 자리의 밤듕만 도라오니 — 초가집 찬 잠자리에 한밤중이 돌아오니

•반벽쳥등(半壁靑燈)은 눌 위ᄒᆞ야 볼갓ᄂᆞᆫ고. — 벽 가운데 걸려 있는 청사초롱은 누구를 위하여 밝혀 놓았는가?

오ᄅᆞ며 ᄂᆞ리며 •헤ᄠᅳ며 •바니니 — (산을) 오르내리며 (강가를) 헤매며 방황하니

ⓐ져근덧 녁진(力盡)ᄒᆞ야 픗ᄌᆞᆷ을 잠간 드니 — 잠깐 사이에 힘이 다해 풋잠을 잠깐 드니

졍셩(精誠)이 지극ᄒᆞ야 ᄭᅮᆷ의 님을 보니 — 정성이 지극했던지 꿈에 임을 보니

옥(玉) ᄀᆞᄐᆞᆫ 얼굴이 반(半)이나마 늘거셰라. — 옥같이 곱던 얼굴이 반도 넘게 늙어 있구나.

ᄆᆞᄋᆞᆷ의 머근 말ᄉᆞᆷ ⓑ슬ᄏᆞ장 ᄉᆞᆲ쟈 ᄒᆞ니 — 마음속에 품은 생각을 실컷 사뢰려 하니

ⓒ눈믈이 바라 나니 말인들 어이ᄒᆞ며 — 눈물이 계속 쏟아져 말도 하지 못하고

졍(情)을 못다ᄒᆞ야 목이조차 메여ᄒᆞ니 — 정회도 못다 풀어 목조차 메니,

ⓓ오뎐된 계셩(鷄聲)의 ᄌᆞᆷ은 엇디 ᄭᆡ돗던고. — 방정맞은 닭 울음소리에 잠은 왜 깬단 말인가?

소주제 6 을녀 : □□□□의 애달픔과 □□에서 임과의 재회

어와, 허ᄉᆞ(虛事)로다. 이 님이 어ᄃᆡ 간고. — 아아, 헛된 일이로다. 이 임이 어디 갔는가?
(허ᄉᆞ: 허황된 일)

ⓔ결의 니러 안자 창(窓)을 열고 ᄇᆞ라보니 — 잠결에 일어나 앉아 창을 열고 바라보니

•어엿븐 그림재 날 조ᄎᆞᆯ 뿐이로다. — 불쌍한 그림자만이 나를 따를 뿐이로다.

ᄎᆞᆯ하리 •싀여디여 낙월(落月)이나 되야이셔 — 차라리 죽어서 지는 달이나 되어
(싀여디여: 사라져서, 죽어서)

님 겨신 창(窓) 안희 번ᄃᆞ시 비최리라. — 임 계신 창 안에 환하게 비치리라.
(번ᄃᆞ시: 뚜렷이)

소주제 7 [결사] 을녀 : 임에 대한 간절한 □□의 정

각시님 ᄃᆞᆯ이야ᄏᆞ니와 구ᄌᆞᆫ 비나 되쇼셔. — 각시님, 달은커녕 궂은 비나 되십시오.
(ᄃᆞᆯ이야ᄏᆞ니와: 달은커녕)

소주제 8 갑녀 : □□의 말

– 정철

어휘 다지기

- ᄇᆡᆨ옥경(白玉京) : 하늘 위에 옥황상제가 산다고 하는 곳
- 군ᄠᅳ디 : 딴 생각이, 다른 생각이
- 이릐야 : 아양이야, 재롱이야, 어리광이며
- 혜여ᄒᆞ니 : 헤아리니, 곰곰이 생각하니, 따져 보니
- 쥭조반(粥早飯) : 아침밥을 먹기 전에 먹는 죽, 자릿조반
- 뫼 : 궁중에서 '밥'을 이르던 말
- 셰시ᄂᆞᆫ가 : 잡수시는가
- 님다히 : 임 계신 곳
- 어둥졍 : 어수선하게
- 강텬(江天) : 툭 터진 강가
- 모쳠(茅簷) : 띠로 지붕을 이은 초가집
- 반벽쳥등(半壁靑燈) : 벽 가운데 걸려 있는 등불
- 헤ᄠᅳ며 : 헤매며
- 바니니 : 방황하니
- 어엿븐 : 가련한, 불쌍한
- 싀여디여 : 사라져서, 죽어서

함께 엮어 읽기

◆ 〈사미인곡〉과 〈속미인곡〉의 비교

구분	〈사미인곡〉	〈속미인곡〉
진술 방식	독백체	대화체
내용 전개	계절의 변화	장소의 이동
문체	한문 구절의 인용	고유어의 활용
주제	연군지정	
갈래	정격 가사	
화자	(임에게 버림 받은) 여성	
태도	임을 간절히 그리워함	

더 알아보기

◆ 〈속미인곡〉에 대한 후대의 평가

- 김만중, 《서포만필(西浦漫筆)》
  "옛날부터 우리나라의 참된 문장은 오직 이 세 편뿐인데, 다시 이 세 편에 대하여 논할 것 같으면, 그중에서 〈속미인곡〉이 더욱 뛰어났다. 〈관동별곡〉과 〈사미인곡〉은 오히려 한자음을 빌려서 그 가사 내용을 꾸민 데 지나지 않는다."라는 극찬과 더불어 초나라 굴원(屈原)의 〈이소경(離騷經)〉에 비겨 '동방의 이소'라고 하였다.
- 홍만종, 《순오지(旬五志)》
  "〈사미인곡〉도 역시 송강이 지은 것이다. 이것은 《시경(詩經)》에 있는 미인이라는 두 글자를 따가지고 세상을 걱정하고 임금을 사모하는 뜻을 붙였으니, 이것은 옛날 초나라에 있었던 〈백설곡(白雪曲)〉만이나 하다고 할 것이다.", "〈속미인곡〉도 역시 송강이 지은 것으로, 앞의 노래가 다하지 못한 말을 다시 펴서 그 꾸밈이 더욱 공교하고 뜻이 더욱 간절하여 가히 제갈공명의 〈출사표(出師表)〉와 맞먹는다."

소주제 체크

1. 백옥경 2. 조물주, 자책 3. 위로 4. 염려 5. 소식 6. 독수공방, 꿈속 7. 사모 8. 위로

1 **이 작품에 대한 설명으로 잘못된 것은?**

① 순우리말을 절묘하게 구사하고 있다.
② 두 인물의 대화 형식으로 이루어져 있다.
③ 형태상 시조의 종장과 유사성을 보이는 구절이 있다.
④ 계절의 변화에 따른 화자의 심정의 변화를 알 수 있다.
⑤ 자연물에 상징적 의미를 부여하여 화자의 심정을 표현하고 있다.

2 **이 작품은 그 내용으로 보아 두 여인의 대화로 볼 수 있다. 다음 중 같은 사람의 말이라고 보기 어려운 것은?**

① 뎨 가ᄂᆞᆫ 뎌 각시 본 듯도 ᄒᆞᆫ뎌이고.
② 어와 네여이고 내 ᄉᆞ셜 드러 보오.
③ 미친 일이 이셔이다.
④ 님다히 쇼식(消息)이 더옥 아득ᄒᆞᆫ뎌이고.
⑤ 님 겨신 창(窓) 안희 번드시 비최리라.

출제 예감
3 **다음 시어들의 상징적 의미가 적절하지 않은 것은?**

① 구름 : 순수성과 열정의 대상
② 일월(日月) : 기원과 존경의 대상
③ ᄇᆞ람 : 화자의 발길을 묶는 장애물
④ 강 : 화자가 임과 떨어져 살아야만 하는 이별의 상황
⑤ 구즌 비 : 슬픈 눈물이라도 전하고 싶은 화자의 간절한 마음

4 **수능형 이 작품의 두 여인이 세월이 흐른 뒤 다시 만나 대화를 나눈다고 할 때, 적절하지 않은 것은?**

① 을녀 : 차라리 궂은 비가 되라는 너의 말은 임에게 나의 슬픔을 직접적으로 전달하라는 의미였지.
② 갑녀 : 그리워하는 임의 소식을 알 수 없어 이리저리 방황하는 너의 모습이 너무나 안타까웠거든.
③ 을녀 : 임의 곁에서 일상생활을 돌봐드렸는데, 그러던 내가 없으니 임이 어떻게 지내실까 몹시 걱정되었지.
④ 갑녀 : 그래도 다행인 것은 꿈에서나마 임을 만나 회포를 마음껏 풀고 임이 너의 하소연을 들어주었다는 점이야.
⑤ 을녀 : 그때 방정맞은 닭 울음소리에 잠이 깨어 얼마나 서운했는지 몰라. 오죽했으면 꿈결에 일어나 앉아 창을 열고 임을 찾았겠어?

5 **이 작품과 〈보기〉를 비교한 내용으로 가장 적절한 것은?**

> **보기**
> ᄎᆞᆯ하리 ᄉᆡ어디여 범나븨 되오리라. / 곳나모 가지마다 간 ᄃᆡ 죡죡 안니다가 / 향 므든 ᄂᆞᆯ애로 님의 오ᄉᆡ 올므리라. / 님이야 날인 줄 모ᄅᆞ셔도 내 님 조ᄎᆞ려 ᄒᆞ노라.
> – 정철, 〈사미인곡〉

① 이 작품과 〈보기〉는 모두 대화체의 형식을 취하고 있다.
② 이 작품의 어조는 남성적이고, 〈보기〉의 어조는 여성적이다.
③ 이 작품은 궁극적으로 연군의 정을, 〈보기〉는 남녀 간의 정을 읊고 있다.
④ 이 작품은 임과 이별한 후의, 〈보기〉는 임과의 이별을 예감한 화자의 심정을 표현하고 있다.
⑤ 이 작품은 임에게 자신의 심정을 드러내려는 적극성을, 〈보기〉는 자신을 알아주지 않아도 임을 따르려는 소극성을 띤다.

6 **작가와 창작 배경을 고려할 때, 다음 밑줄 친 시어 중 이 작품의 '님'과 그 의미가 유사한 것은?**

① 내 언제 신(信)이 업서 님을 언제 소겻관ᄃᆡ
월침삼경(月沈三更)에 온 뜻이 전혀 업ᄂᆡ.
추풍(秋風)에 디ᄂᆞᆫ 닢 소리야 낸들 어이 ᄒᆞ리오. – 황진이
② ᄆᆞ음이 어린 후(後)ㅣ니 ᄒᆞᄂᆞᆫ 일이 다 어리다.
만중 운산(萬重雲山)에 어ᄂᆡ 님 오리마ᄂᆞᆫ,
지ᄂᆞᆫ 닙 부ᄂᆞᆫ ᄇᆞ람에 ᄒᆡᆼ여 귄가 ᄒᆞ노라. – 서경덕
③ 천만 리(千萬里) 머나먼 길ᄒᆡ 고은 님 여희ᄋᆞᆸ고
ᄂᆡ ᄆᆞᄋᆞᆷ 둘 ᄃᆡ 업서 냇ᄀᆞ에 안쟈시니,
져 믈도 ᄂᆡ 안 ᄀᆞᆺᄒᆞ여 우러 밤길 녜놋다. – 왕방연
④ 묏버들 갈ᄒᆡ 것거 보내노라 님의손ᄃᆡ,
자시ᄂᆞᆫ 창(窓) 밧긔 심거 두고 보쇼셔.
밤비예 새닙곳 나거든 날인가도 너기쇼셔. – 홍랑
⑤ 창밖이 어른어른커늘 님만 여겨 펄떡 뛰어 뚝 나서 보니
님은 아니 오고 으스름 달빛에 녈 구름 날 속였구나.
마초아 밤일세 망정 행여 낮이런들 남 우일 뻔하여라. – 작자 미상

7 **ⓐ~ⓔ의 의미로 적절하지 않은 것은?**

① ⓐ : 잠깐 사이에 기운이 다해서
② ⓑ : 실컷 아뢰려고 하였더니
③ ⓒ : 눈물이 잇달아 나니
④ ⓓ : 잘못 전해진 닭 울음소리에
⑤ ⓔ : 꿈결에 일어나 앉아

8 **서술형 이 작품에서 을녀가 '낙월(落月)'이 아니라 '구즌 비'가 되었을 때 생기는 변화에 대해 서술하시오.**

13 규원가(閨怨歌)

엇그제 저멋더니 ᄒᆞ마(이미, 벌써) 어이 다 늘거니.
(엇그제까지 젊었는데, 어찌 벌써 이렇게 다 늙어 버렸는가?)

•소년 행락(少年行樂) 생각ᄒᆞ니 일러도 속절업다.
(어릴 적 즐겁게 지내던 일을 생각하니 (이제 아무리 말해도) 아무 소용이 없구나.)

늘거야 서른 말ᄉᆞᆷ ᄒᆞ자니 목이 멘다.
(이렇게 늙은 뒤에야 설운 사연을 말하자니 목이 멘다.)

부생 모육(父生母育)(아버지께서 낳으시고 어머니께서 길러주심) 신고(辛苦)ᄒᆞ야 이내 몸 길러 낼 제
(부모님이 낳아 기르시며 몹시 고생하여 이 내 몸 길러 낼 때,)

공후 배필(公侯配匹)(높은 벼슬아치의 아내)은 못 바라도 군자 호구(君子好逑)(군자의 좋은 짝) 원(願)ᄒᆞ더니
(높은 벼슬아치의 배필은 바라지 못할지라도 군자의 좋은 짝이 되기를 바랐었는데,)

•삼생(三生)의 원업(怨業)(원망스런 업보)이오 •월하(月下)의 연분(緣分)ᄋᆞ로
(전생에 지은 원망스러운 업보이자 부부의 인연으로)

•장안 유협(長安遊俠) •경박자(輕薄子)를 ᄭᅮᆷᄀᆞᆺ치 만나 잇서
(장안의 호탕하면서도 경박한 사람을 꿈같이 만나)

당시(當時)의 •용심(用心)ᄒᆞ기 살어름 디듸는 ᄃᆞᆺ
(당시에 (시집간 뒤) 남편 시중들면서 조심하기를 마치 살얼음 디디는 듯했다.)

삼오 이팔(三五二八)(열다섯 열여섯 살) 겨오 지나 •천연 여질(天然麗質) 절로 이니(나타나니)
(열다섯, 열여섯 살을 겨우 지나 타고난 아름다운 모습이 절로 나타나니,)

이 얼골(모습, 형상) 이 태도(態度)로 백년 기약(百年期約) ᄒᆞ얏더니
(이 얼굴 이 태도로 평생을 약속하였는데)

연광(年光)(세월) 훌훌ᄒᆞ고 조물(造物)(조물주)이 •다시(多猜)ᄒᆞ야
(세월이 빨리 지나고, 조물주마저 시기하여)

봄바람 가을 믈이 •뵈오리 북 지나듯
(세월이 베틀의 베올 사이에 북이 지나가듯 빨리 지나가)

•설빈 화안(雪鬢花顔) 어ᄃᆡ 두고 •면목가증(面目可憎) 되거고나.
(꽃같이 아름답던 얼굴 어디 두고 모습이 밉게도 변했구나.)

내 얼골 내 보거니 어느 님이 날 괼소냐.
(내 얼굴 내가 보고 알거니와 어느 임이 이러한 나를 사랑할 것인가?)

스스로 •참괴(慚愧)ᄒᆞ니 누구를 원망(怨望)ᄒᆞ리.
(스스로 부끄러워하니 누구를 원망하리오?)

소주제 ❶ [기] □□의 덧없음과 늙은 자신의 모습 □□

삼삼 오오(三三五五) 야유원(冶遊園)의 새 사람이 나단 말가.
(여러 사람이 다니는 술집에 새 사람이 나타났다는 말인가?)

곳 피고 날 저물 제 정처(定處) 업시 나가 잇어
(꽃 피고 날 저물 때 정처 없이 나가서)

•백마 금편(白馬金鞭)으로 어ᄃᆡ어ᄃᆡ 머무는고.
(호사로운 차림을 하고 어디어디 머물러 노는가?)

원근(遠近)을 모르거니 소식(消息)이야 더욱 알랴.
(바깥출입이 없어 원근 자리를 모르는데, 임의 소식이야 더욱 알 수 있으랴.)

인연(因緣)을 긋쳐신들 ᄉᆡᆼ각이야 업슬소냐.
(겉으로는 인연을 끊었다지만 임에 대한 생각이야 어찌 없겠는가.)

얼골을 못 보거든 그립기나 마르려믄
(임의 얼굴을 못 보거든 그립지나 말았으면 좋으련만,)

열두 ᄣᅢ 김도 길샤 설흔 날 지리(支離)ᄒᆞ다.
(하루 열두 때가 길기도 길구나. 한 달 서른 날이 지루하다.)

•옥창(玉窓)에 심근 매화(梅花) 몃 번이나 픠여 진고.
(규방 앞에 심은 매화 몇 번이나 피었다 졌는가?)

겨울밤 차고 찬 제 자최눈(발자국이 날 만큼 조금 내린 눈) 섯거 치고,
(겨울밤 차고 찬 때 적은 눈 섞어 내리고)

여름날 길고 길 제 구즌 비ᄂᆞᆫ 므스 일고.
(여름날 길고 긴 때 궂은 비는 무슨 일인고?)

•삼춘 화류(三春花柳) 호시절(好時節)의 경물(景物)(아름다운 경치)이 시름업다.
(봄날, 꽃 피고 버들잎이 돋아나는 좋은 계절에 아름다운 경치를 보아도 아무 생각이 없다.)

[A]
가을 ᄃᆞᆯ 방에 들고 •실솔(蟋蟀)이 상(床)에 울 제
(가을 달이 방에 비치고 귀뚜라미가 침상에서 울 때,)

긴 한숨 디ᄂᆞᆫ(떨어지는) 눈물 속절업시 혬(헤아림, 생각)만 만타.
(긴 한숨과 떨어지는 눈물에 생각만 헛되이 많다.)

아마도 모진 목숨 죽기도 어려울사.
(이 모진 목숨 죽기도 어렵구나.)

소주제 ❷ [승] 임에 대한 □□과 □□□ 심정

작품 개관

- 갈래 서정 가사, 내방 가사(규방 가사)
- 성격 체념적, 절망적, 원망적, 한탄적
- 운율 3(4) · 4조, 4음보 연속체
- 주제 봉건 제도하에서의 부녀자의 한(恨) 또는 원정(怨情)
- 특징
  ① 감정 이입과 객관적 상관물을 통해 화자의 정서를 표현함
  ② 설의법, 의인법, 대구법, 직유법 등의 다양한 표현 기법을 사용함
  ③ 고사의 인용으로 유려하고 세련된 분위기를 형성함
- 의의
  ① 내방 가사의 선구자적인 작품
  ② 현전하는 최고(最古)의 여류 가사

1등급 노트

1. 화자의 처지
오랫동안 집으로 돌아오지 않고 기생집에 출입하는 남편으로 인해 남편의 사랑을 잃고 외로이 세월을 보내고 있음

2. 화자의 정서 및 태도
자신의 신세에 대해 자탄하며 임을 원망하면서도 임을 간절히 기다림 → 남성 중심의 유교 사회에서 남존 여비(男尊女卑), 여필 종부(女必從夫)라는 규범을 따르며 인종(忍從)해야 했던 부녀자들의 정한(情恨)이 드러남

3. 표현상의 특징
- 감정 이입 : 임에게 사랑을 받지 못한 화자의 서글픈 심정을 '새 소리'에 이입함
- 객관적 상관물 : '자최눈, 구즌 비, 실솔' 등은 화자의 쓸쓸하고 외로운 정서를 효과적으로 전달함

함께 엮어 읽기

◆ 작자 미상, 〈가시리〉

〈가시리〉는 사랑하는 임을 보내는 여인의 애절한 마음을 형상화한 고려 가요로, 우리 민족의 전통적인 한(恨)을 노래하고 있다. 〈규원가〉에서도 남편의 사랑을 잃은 여성의 정한(情恨)이 잘 드러나 있다.

도로혀 풀쳐 혜니 이리ᄒᆞ여 어이ᄒᆞ리.
돌이켜

청등(靑燈)을 돌라 노코 •녹기금(綠綺琴) 빗기 안아
청사초롱 : 신혼방에 걸어 놓는 등 / 비스듬히

•벽련화(碧蓮花) 한 곡조를 시름 조ᄎᆞ 섯거 타니,

•소상 야우(瀟湘夜雨)의 댓소리 섯도ᄂᆞᆫ ᄃᆞᆺ,

•화표(華表) 천 년(千年)의 별학(別鶴)이 우니ᄂᆞᆫ ᄃᆞᆺ,

옥수(玉手)의 타는 수단(手段) 녯 소래 잇다마ᄂᆞᆫ,
여성의 아름답고 고운 손 / 솜씨

부용장(芙蓉帳) 적막(寂寞)ᄒᆞ니 뉘 귀에 들리소니.
연꽃을 수놓은 휘장

•간장(肝腸)이 구곡(九曲) 되야 구븨구븨 끈쳐서라.

> 돌이켜 여러 가지 일을 생각하니 이렇게 살아가서 어찌할 것인가?
> 등불을 돌려 놓고 푸른 거문고를 비스듬히 안아
> 〈벽련화〉 한 곡조를 시름에 싸여 타니,
> 소상강 밤비에 댓잎 소리가 섞여 들리는 듯,
> 망주석에 천 년 만에 찾아온 특별한 학이 울고 있는 듯하다.
> 아름다운 손으로 타는 솜씨는 옛 가락이 그대로 남아 있지만,
> 연꽃무늬가 있는 휘장을 친 방 안이 텅 비어 있으니 누구의 귀에 들리겠는가?
> 구곡간장이 굽이굽이 끊어지는 것 같구나.

소주제 ③ [전] □□□를 타며 달래는 □□□과 한

ᄎᆞᆯ하리 잠을 드러 ᄭᅮᆷ의나 보려 ᄒᆞ니,

바람의 디ᄂᆞᆫ 닢과 풀 속에 우는 즘생,

므스 일 원수로서 잠조차 ᄭᆡ오ᄂᆞᆫ다.

천상(天上)의 견우직녀(牽牛織女) 은하수(銀河水) 막혀서도,

칠월 칠석(七月七夕) 일년 일도(一年一度) 실기(失期)치 아니거든,
일 년에 한 번씩 / 시기를 놓침

우리 님 가신 후는 무슨 ㉠•약수(弱水) 가렷관듸,

오거나 가거나 소식(消息)조차 ᄭᅳ쳣는고.

난간(欄干)의 비겨 셔서 님 가신 ᄃᆡ 바라보니,
기대어

초로(草露)ᄂᆞᆫ 맷쳐 잇고 모운(暮雲)이 디나갈 제,
풀잎에 맺힌 이슬 / 날이 저물 무렵의 구름

㉡죽림(竹林) 푸른 고ᄃᆡ 새소리 더욱 설다.

세상의 서룬 사람 수업다 ᄒᆞ려니와,

박명(薄命)ᄒᆞᆫ •홍안(紅顔)이야 날 가ᄐᆞ니 ᄯᅩ 이실가.
운명이 기구함

아마도 이 님의 지위로 살동말동 ᄒᆞ여라.
까닭으로, 탓으로

> 차라리 잠이 들어 꿈에나 임을 보려 하니
> 바람에 지는 잎과 풀 속에서 우는 벌레 소리는
> (나와) 무슨 일이 원수가 되어 잠마저 깨우는고?
> 하늘의 견우성과 직녀성은 은하수가 막혔어도,
> 칠월 칠석 일 년에 한 번씩 기약을 어기지 않고 만나는데,
> 우리 임 가신 후는 무슨 장애물이 가리었길래,
> 오고 가는 소식마저 끊어졌는가?
> 난간에 기대어 서서 임 가신 곳을 바라보니,
> 풀 이슬은 맺혀 있고 저녁 구름이 지나갈 때,
> 대 수풀 우거진 푸른 곳에 새소리가 더욱 슬프다.
> 세상에는 서러운 사람이 많다고 하지만
> 기구한 운명을 가진 여자야 나와 같은 이가 또 있을까?
> 아마도 이 임의 탓으로 살동말동 하여라.

소주제 ④ [결] 임을 □□□□ 마음과 기구한 □□ 한탄

– 허난설헌

◆ 허난설헌, 〈빈녀음〉

手把金剪刀 (수파금전도)
夜寒十指直 (야한십지직)
爲人作嫁衣 (위인작가의)
年年還獨宿 (년년환독숙)

가위로 싹둑싹둑 옷 마르노라면
추운 밤에 손끝이 호호 불리네.
시집살이 길옷은 밤낮이건만
이 내 몸은 해마다 새우잠인가.

〈빈녀음(貧女吟)〉은 '가난한 여인이 읊조리다'라는 의미로, 가난한 여자의 처지를 읊은 한시이다. 여성 특유의 섬세한 감각으로 고달픈 삶을 형상화하고 있으며, 추운 겨울밤 남을 위해 밤을 새워 옷을 짓는 여인의 모습을 통해 사회적 불평등을 표현하고 있다. 〈빈녀음〉에서 화자는 남(시집가는 타인)과 자신의 처지를 대조하여 겨울밤 남의 옷을 짓는 자신의 처지를 한탄하는데, 이와 같은 화자의 정서는 〈규원가〉에서도 찾아볼 수 있다.

더 알아보기

◆ 내방 가사

내방 가사(內房歌辭)는 규방 가사(閨房歌辭)라고도 하는데, 넓은 의미로는 양반집 부녀자들이 지은 가사를 뜻하고, 좁은 의미로는 영남 지방에서 유행한 가사를 뜻한다. 주로 봉건적 규범 아래서의 여성들의 생활의 고민과 정서를 호소하는 내용을 담고 있다. 따라서 신분상으로는 양반 문학이지만, 내용적으로는 평민 가사와 근접해 있다고 할 수 있다.

어휘 다지기

- 소년 행락(少年行樂) : 어린 시절에 즐겁게 지냄
- 삼생(三生) : 전생, 금생, 내생. '삼생전업'의 준말. 여기서는 '전생'의 뜻
- 월하(月下) : 월하 노인의 약칭으로, 부부의 인연을 맺어 준다는 전설 속의 인물. 중매인
- 장안 유협(長安遊俠) : 장안의 호탕한 풍류객
- 경박자(輕薄子) : 경거 망동하는 사람
- 용심(用心) : 정성스러운 마음을 씀
- 천연 여질(天然麗質) : 타고난 아름다운 모습
- 다시(多猜)ᄒᆞ야 : 시기심이 많아서
- 뵈오리 : 베틀의 베올 사이에
- 설빈 화안(雪鬢花顔) : 고운 머릿결과 꽃 같은 얼굴
- 면목가증(面目可憎) : 얼굴 생김생김이 남에게 미움을 살 만한 데가 있음
- 참괴(慚愧) : 매우 부끄러워함
- 백마 금편(白馬金鞭) : 좋은 말과 금 채찍
- 옥창 : 여자가 거처하는 방. 또는 그 방 앞의 뜰
- 삼춘 화류(三春花柳) : 꽃이 피고 버드나무 물드는 좋은 계절(=봄)
- 실솔(蟋蟀) : 귀뚜라미
- 녹기금(綠綺琴) : 푸른 빛깔의 거문고
- 벽련화(碧蓮花) : 거문고의 곡조명. 매우 슬픈 곡조
- 소상 야우(瀟湘夜雨) : 중국 소상강에 내리는 밤비
- 화표(華表) : 묘 앞에 세우는 망주석
- 간장(肝臟)이 구곡(九曲) : 구곡간장(九曲肝腸). 굽이굽이 서린 창자라는 뜻으로 굽이굽이 뒤틀리고 시름이 쌓인 마음속을 이름
- 약수(弱水) : 누구도 건너지 못한다는 중국 서쪽의 전설 속의 강
- 홍안(紅顔) : 붉이 발그레한 젊고 아름다운 (여인의) 얼굴

소주제 체크

1. 세월, 한탄 2. 원망, 애달픔 3. 거문고, 외로움 4. 기다리는, 운명

정답과 해설 15쪽

1 이 작품에 대한 설명으로 적절하지 않은 것은?

① 현전하는 최고(最古)의 여류 가사이다.
② 운문적 문체 속에 산문적 내용을 담고 있다.
③ 3(4)·4조의 4음보 연속체의 율격을 지니고 있다.
④ 남성 중심의 사회에서 희생당하는 여인의 고통이 드러난다.
⑤ 양반 가문의 아녀자의 도리에 대해 구체적으로 설명하고 있다.

2 이 작품을 감상한 후의 평가로 적절하지 않은 것은?

① 여성적이며 애틋한 필치가 잘 나타나 있다.
② 다양한 소재를 통해 정서를 표현하고 있다.
③ 가부장적 봉건 제도의 모습이 드러나 있다.
④ 한자 어구와 상투적인 문구가 사용되고 있다.
⑤ 자신의 감정을 최대한 절제하는 모습이 보인다.

출제 예감
3 이 작품의 화자에 대한 설명으로 가장 적절한 것은?

① 주위 사람들의 질시로 인해 심적 고통을 받고 있다.
② 혼인에 대한 부모님의 결정에 대해 아쉬워하고 있다.
③ 결혼 이후 눈물과 한숨으로 힘겨운 생활을 하고 있다.
④ 자신의 불찰로 인한 결과에 대해 깊이 반성하고 있다.
⑤ 운명에 적극적으로 대응하여 이를 벗어나려고 노력하고 있다.

4 [A]에 드러난 화자의 정서와 가장 유사한 것은?

① 거문고 타쟈 ᄒᆞ니 손이 알파 어렵거늘,
북창 송음(北窓松陰)의 줄을 언져 거러 두고,
ᄇᆞ람의 제 우ᄂᆞᆫ 소릐 이거시야 듯기 됴타. – 송계연월옹
② 눈 마ᄌᆞ 휘여진 ᄃᆡ를 뉘라셔 굽다턴고,
구블 절(節)이면 눈 속에 프를소냐.
아마도 세한 고절(歲寒孤節)은 너뿐인가 ᄒᆞ노라. – 원천석
③ 이시렴 브디 갈ᄯᅡ, 아니 가든 못ᄒᆞᆯ쏘냐.
무단(無端)이 슬튼야 ᄂᆞᆷ의 말을 드럿는야.
그려도 하 애도래라, 가는 ᄯᅳᆺ을 닐러라. – 성종
④ 님 글인 상사몽(相思夢)이 실솔(蟋蟀)의 넉시 되야
추야장(秋夜長) 깁흔 밤에 님의 방(房)에 드럿다가
날 닛고 깁히 든 ᄌᆞᆷ을 ᄭᆡ와 볼가 ᄒᆞ노라. – 박효관
⑤ 님이 헤오시매 나는 전혀 미덧ᄃᆞ니
날 ᄉᆞ랑ᄒᆞ던 정(情)을 뉘손ᄃᆡ 옴기신고.
처음에 뮈시던 거시면 이대도록 셜오랴. – 송시열

5 〈보기〉에서 ㉠과 유사한 역할을 하는 시어는?

> 보기
> 원앙금(鴛鴦錦) 버혀 노코 오식션(五色線) 플텨 내여, 금자히 견화 이셔 님의 옷 지어 내니, 슈품(手品)은ᄏᆞ니와 졔도(制度)도 ᄀᆞᄌᆞᆯ시고. 산호슈(珊瑚樹) 지게 우히 빅옥함(白玉函)의 다마 두고, 님의게 보내오려 님 겨신 ᄃᆡ ᄇᆞ라보니, 산(山)인가 구롬인가 머흐도 머흘시고. 천리(千里) 만 리(萬里) 길흘 뉘라셔 ᄎᆞ자갈고. – 정철, 〈사미인곡〉

① 원앙금(鴛鴦錦) ② 님의 옷
③ 산호슈(珊瑚樹) 지게 ④ 빅옥함(白玉函)
⑤ 구롬

출제 예감
6 수능형 ㉡과 발상 및 표현이 가장 유사한 것은?

① 짚방석(方席) 내지 마라, 낙엽(落葉)엔들 못 안즈랴.
솔불 혀지 마라, 어제 진 ᄃᆞᆯ 도다온다.
아희야, 박주산채(薄酒山菜)ㄹ망정 업다 말고 내여라. – 한호
② ᄒᆞᆫ 손에 막더 잡고 ᄯᅩ ᄒᆞᆫ 손에 가싀 쥐고,
늙는 길 가싀로 막고 오는 백발(白髮) 막더로 치려터니,
백발(白髮)이 제 몬져 알고 즈럼길노 오더라. – 우탁
③ 방(房) 안에 혓는 촛(燭)불 눌과 이별(離別)ᄒᆞ엿관ᄃᆡ,
것츠로 눈믈 디고 속 타는 쥴 모로ᄂᆞᆫ고.
뎌 촛(燭)불 날과 갓트여 속 타는 쥴 모로도다. – 이개
④ 청초(靑草) 우거진 골에 자는다 누엇는다.
홍안(紅顔)은 어듸 두고 백골(白骨)만 무쳣ᄂᆞ이.
잔(盞) 자바 권(勸)ᄒᆞ리 업스니 그를 슬허ᄒᆞ노라. – 임제
⑤ 오ᄂᆞᆯ도 다 새거다, 호믜 메고 가쟈ᄉᆞ라.
내 논 다 ᄆᆡ여든 네 논 졈 ᄆᆡ여 주마.
올 길헤 ᄲᅩᆼ ᄲᅡ다가 누에 머겨 보쟈ᄉᆞ라. – 정철, 〈훈민가〉

7 이 작품을 내재적 관점으로 감상한 것은?

① 창진 : 다양한 표현 방법으로 화자의 서글픈 감정을 드러내고 있어.
② 민수 : 이 글에는 작가의 섬세하고도 우아한 시풍이 잘 반영되어 있어.
③ 수희 : 부부간에 존중하면서 살아가는 것이 행복이라는 것을 알게 되었어.
④ 희원 : 이 글의 작가는 남편과의 사이가 원만하지 않아서 불행했었나 봐.
⑤ 예윤 : 조선 사회는 남성과 여성이 불평등한 관계를 형성하고 있었나 봐.

8 서술형 내방 가사는 봉건적 규범 아래 속박된 여성들의 삶의 고민과 정서를 토로하는 내용으로 이루어져 있다. 이 작품에서 화자가 처해 있는 상황을 구체적으로 서술하시오.

비책

14 주옹설(舟翁說)

손〔客〕이 *주옹(舟翁)에게 묻기를,

"그대가 배에서 사는데, 고기를 잡는다 하자니 낚시가 없고, 장사를 한다 하자니 돈이 없고, *진리(津吏) 노릇을 한다 하자니 물 가운데만 있어 왕래(往來)가 없구려. / 변화불측(變化不測)한 물에 조각배 하나를 띄워 *가없는 *만경(萬頃)을 헤매다가, 바람 미치고 물결 놀라 돛대는 기울고 노까지 부러지면, ⓐ정신과 혼백(魂魄)이 흩어지고 두려움에 싸여 명(命)이 *지척(咫尺)에 있게 될 것이로다. 이는 지극히 험한 데서 위태로움을 무릅쓰는 일이거늘, 그대는 도리어 이를 즐겨 오래오래 물에 떠 가기만 하고 돌아오지 않으니 무슨 재미인가?" / 하니,

소주제 ❶ 손의 질문 : □□이 위태로운 삶을 선택한 이유를 물음

주옹이 말하기를,

"아아, 손은 생각하지 못하는가? 대개 사람의 마음이란 다잡기와 느슨해짐이 무상(無常)하니, 평탄한 땅을 디디면 태연하여 느긋해지고, 험한 지경에 처하면 두려워 서두르는 법이다. 두려워 서두르면 조심하여 든든하게 살지만, 태연하여 느긋하면 반드시 흐트러져 위태로이 죽나니, 내 차라리 위험을 딛고서 항상 조심할지언정, 편안한 데 살아 스스로 쓸모없게 되지 않으려 한다.

소주제 ❷ 주옹의 대답 ① : □□하고 □□하는 삶을 살고자 함

하물며 내 배는 정해진 꼴이 없이 떠도는 것이니, 혹시 무게가 한쪽에 치우치면 그 모습이 반드시 기울어지게 된다. 왼쪽으로도 오른쪽으로도 기울지 않고, 무겁지도 가볍지도 않게시리 내가 배 한가운데서 평형을 잡아야만 기울어지지도 뒤집히지도 않아 내 배의 평온을 지키게 되나니, 비록 풍랑이 거세게 인다 한들 편안한 내 마음을 어찌 흔들 수 있겠는가?

소주제 ❸ 주옹의 대답 ② : □□을 지키는 삶을 살고자 함

또, 무릇 인간 세상이란 한 거대한 물결이요, 인심이란 한바탕 큰 바람이니, 하잘것없는 내 한 몸이 아득한 그 가운데 떴다 잠겼다 하는 것보다는, 오히려 한 잎 조각배로 만 리의 부슬비 속에 떠 있는 것이 낫지 않은가? 내가 ㉠배에서 사는 것으로 ㉡한 세상 사는 것을 보건대, 안전할 때는 후환(後患)을 생각지 못하고, 욕심을 부리느라 나중을 돌보지 못하다가, 마침내는 빠지고 뒤집혀 죽는 자가 많다. 손은 어찌 이로써 두려움을 삼지 않고 도리어 나를 위태하다 하는가?" 하고,

소주제 ❹ 주옹의 대답 ③ : □□□□가 배 위에서의 삶보다 위태로움

주옹은 뱃전을 두들기며 노래하기를,

[A]
아득한 강 바다여, 유유(悠悠)하여라. / 빈 배를 띄웠네, 물 한가운데,
밝은 달 실어라, 홀로 떠가리./ 한가로이 지내다 세월 마치리.

하고는 손과 작별하고 간 뒤, 더는 말이 없었다.

소주제 ❺ 주옹의 □□

- 권근

어휘 다지기

- 주옹(舟翁) : 배에서 사는 사람. 뱃사람
- 진리(津吏) : 나루터를 관리하는 벼슬아치
- 가없는 : 끝없는
- 만경(萬頃) : 아주 많은 이랑이라는 뜻으로, 지면이나 수면이 아주 넓음을 이르는 말
- 지척(咫尺) : 아주 가까운 거리

작품 개관

- 갈래 한문 수필, 설(說)
- 성격 비유적, 우의적, 교훈적, 계몽적
- 주제 조심하고 경계하며 사는 태도의 중요성
- 특징
  ① 질문을 던지고 이에 답하는 형식으로 참다운 삶의 자세를 드러냄
  ② 역설적인 발상을 통해 안일한 삶의 태도를 풍자 · 비판함

1등급 노트

1. 구성상의 특징

'질문 – 대답'이라는 대화(문답) 형식의 2단 구성

손	주옹의 삶에 대한 의문 제기 – 질문
주옹	세상을 살아가는 바른 삶의 태도 제시 – 대답

2. 주제 의식

위험 속에서 조심하는 것과 중심을 잃지 않는 삶의 자세를 강조함

3. 인물의 관점 및 태도

손	주옹
땅(세상)에서의 삶 지향	배(물)에서의 삶 지향
위험을 부정적으로 보며 안정된 삶을 긍정함	• 위험을 긍정적으로 보며 안정된 삶을 부정적으로 봄 • 중용(中庸)의 태도를 강조함

4. 인물의 말하기 방식

- 손 : 상식과 통념에 입각하여 극단적인 예를 들어 위태롭게 배 위에서 사는 주옹의 삶에 대해 의문을 제기함
- 주옹 : 늘상 위태로운 지경에 처하게 되면 조심하고 경계하게 되므로 오히려 더욱 안전하다는 역설적 발상을 통해 위태로운 삶의 긍정적인 면을 강조함

더 알아보기

◆ 작품에 나타난 역설적 발상

글쓴이는 늙은 뱃사람을 허구적 대리인으로 내세워 삶에 대한 자신의 생각을 전달하고 있는데, 요컨대 '어떻게 살아야 하는가'라는 손의 물음에 대해 늘 경계하고 조심하며 중용(中庸)의 자세로 마음의 평정을 잃지 않으며 살아야 한다고 말한다. 일반적으로 '배 위에서의 삶'은 위태로운 삶이지만, 그런 가운데 오히려 조심하게 된다는 논리를 내세우고 있으므로, 이는 상식과 통념을 뒤집는 역설적 발상에 해당한다고 볼 수 있다.

소주제 체크

1. 주옹 2. 경계, 조심 3. 중심 4. 세상살이 5. 노래

정답과 해설 16쪽

1 이 작품에 대한 설명으로 적절하지 않은 것은?

① 상식과 통념을 뒤엎는 역설적인 발상이 나타나 있다.
② 해학적인 언어를 구사하여 독자에게 재미를 주고 있다.
③ 질문을 던지고 답하는 형식을 통해 주제를 제시하고 있다.
④ 시를 통해서 인물의 삶의 태도를 압축적으로 드러내고 있다.
⑤ 사물의 이치를 풀이하고 의견을 덧붙이는 '설(說)'에 해당한다.

2 이 작품과 유사한 구성 방식이 사용된 것은?

① 개를 여라믄이나 기르되 요 개ᄀᆞᆺ치 얄믜오랴. / 뮈온 님 오며는 ᄭᅩ리를 홰홰 치며 ᄯᅱ락 ᄂᆞ리 ᄯᅱ락 반겨서 내ᄃᆞᆺ고 고온 님 오며는 뒷발을 버동버동 므르락 나으락 캉캉 즈져셔 도라가게 ᄒᆞᆫ다. / 쉰밥이 그릇 그릇 난들 너 머길 줄이 이시랴.
② 서방님 병 들여 두고 쓸 것 업셔 / 종루(鐘樓) 져지 달릭 파라 배 ᄉᆞ고 감 ᄉᆞ고 유자(柚子) ᄉᆞ고 석류(石榴) 삿다. 아ᄎᆞᄎᆞ 이저고 오화당(五花糖)을 니저발여고ᄂᆞ. / 수박에 술 ᄭᅩᄌᆞ 노코 한숨계워 ᄒᆞ노라.
③ 댁들에 동난지이 사오. 져 쟝스야, 네 황후 긔 무서시라 웨ᄂᆞᆫ다, 사쟈. / 외골내육(外骨內肉), 양목(兩目)이 상천(上天), 전행후행(前行後行), 소(小)아리 팔족(八足), 대(大)아리 이족(二足), 청장(淸醬) ᄋᆞ스슥ᄒᆞᄂᆞᆫ 동난지이 사오. / 쟝스야, 하 거복이 웨지 말고 게젓이라 ᄒᆞ렴은.
④ 창(窓) 내고쟈 창을 내고쟈 이 내 가슴에 창 내고쟈. / 고모장지 셰살장지 들장지 열장지 암돌져귀 수돌져귀 비목걸새 크나큰 쟝도리로 뚝닥 바가 이 내 가슴에 창 내고쟈. / 잇다감 하 답답ᄒᆞᆯ 제면 여다져 볼가 ᄒᆞ노라.
⑤ 귀ᄯᅩ리 져 귀ᄯᅩ리 어엿부다 져 귀ᄯᅩ리 / 어인 귀ᄯᅩ리 지는 돌 새는 밤의 긴 소릐 쟈른 소릐 절절(節節)이 슬픈 소릐 제 혼자 우러 녜어 사창(紗窓) 여윈 좀을 술ᄯᅳ리도 ᄭᆡ오ᄂᆞᆫ고야. / 두어라, 제 비록 미물(微物)이나 무인동방(無人洞房)에 내 뜻 알리는 너ᄲᅮᆫ인가 ᄒᆞ노라.

3 수능형 이 작품에 나타난 주옹의 삶에 대한 인식을 가장 잘 보여주는 상황은?

① 어려서 충격을 받은 사람이 비슷한 경우가 닥치면 과민 반응을 보이는 경우
② 한 번 잘못을 저질렀지만 자신의 행위를 반성하고 더욱 훌륭한 사람이 된 경우
③ 일곱 번 넘어져도 여덟 번 일어나는 강인한 정신으로 올림픽에서 메달을 딴 경우
④ 어려서부터 몸이 약했던 사람이 더욱 신경을 써서 몸을 관리하여 건강해진 경우
⑤ 가난한 삶 속에서도 희망을 잃지 않고 살아가던 사람이 좋은 기회를 만나서 성공한 경우

4 [A]의 주제 의식이 잘 드러난 것은?

① 높으나 높은 낡에 날 권하여 올려 두고
이보오 벗님네야 흔드지나 말았으면
떨어져 죽기는 섧지 아녀도 님 못 볼까 하노라. - 이양원
② 어져 내 일이야 그릴 줄을 모로ᄃᆞ냐.
이시라 ᄒᆞ더면 가랴마는 제 구ᄐᆞ여
보내고 그리는 정(情)은 나도 몰라 ᄒᆞ노라. - 황진이
③ 녹초(綠草) 청강상(晴江上)에 굴레 버슨 ᄆᆞᆯ이 되여
때때로 멀이 들어 북향(北向)ᄒᆞ야 우는 뜻은
석양(夕陽)이 재 넘어 감애 님자 글여 우로라. - 서익
④ 추강(秋江)에 밤이 드니 물결이 ᄎᆞ노ᄆᆡ라.
낚시 드리치니 고기 아니 무노ᄆᆡ라.
무심(無心)ᄒᆞᆫ 달빛만 싯고 뷘 ᄇᆡ 저어 오노라. - 월산 대군
⑤ 수양산(首陽山) ᄇᆞ라보며 이제(夷齊)를 한(恨)하노라.
주려 주글진들 채미(採薇)도 ᄒᆞᄂᆞᆫ 것가.
아모리 푸새엣 거신들 긔 뉘 ᄯᅡ헤 낫ᄃᆞ니. - 성삼문

5 출제 예감 ㉠과 ㉡에 대한 설명으로 가장 적절한 것은?

① ㉠은 과거를 지향하는 삶을, ㉡은 미래를 지향하는 삶을 의미한다.
② ㉠은 평범한 사람들이 지향하는 삶을, ㉡은 글쓴이가 지향하는 삶을 의미한다.
③ ㉠은 위태롭지만 조심스러운 삶을, ㉡은 안정적이지만 나태에 빠진 삶을 의미한다.
④ ㉠과 ㉡은 모두 균형 잡힌 삶을 의미한다.
⑤ ㉠과 ㉡은 모두 위험을 감수하려는 삶을 의미한다.

6 ⓐ에 해당하는 한자 성어로 적절하지 않은 것은?

① 명재경각(命在頃刻)
② 누란지위(累卵之危)
③ 백척간두(百尺竿頭)
④ 과유불급(過猶不及)
⑤ 풍전등화(風前燈火)

7 서술형 이 작품에서 주옹의 말을 통해 그가 강조하는 삶의 자세가 무엇인지 서술하시오.

비책

15 만복사저포기(萬福寺樗蒲記)

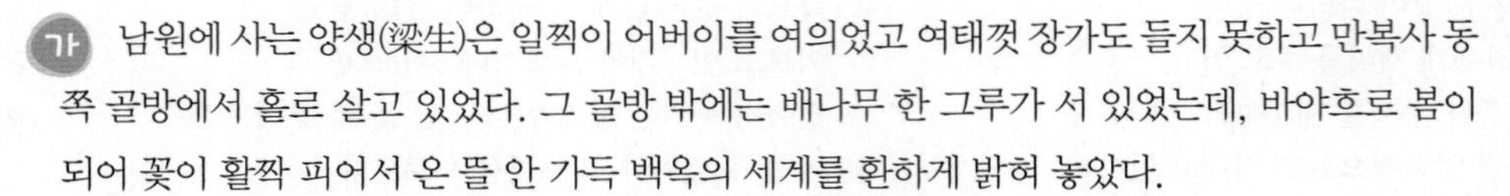

가 남원에 사는 양생(梁生)은 일찍이 어버이를 여의었고 여태껏 장가도 들지 못하고 만복사 동쪽 골방에서 홀로 살고 있었다. 그 골방 밖에는 배나무 한 그루가 서 있었는데, 바야흐로 봄이 되어 꽃이 활짝 피어서 온 뜰 안 가득 백옥의 세계를 환하게 밝혀 놓았다.

양생은 어느 날 밤 그 꽃다운 정서를 걷잡지 못하고 문득 시 두 수(首)를 지어 읊었다.

[A]

한 그루 배꽃나무 쓸쓸한 마음 벗해 주나 / 달 밝은 밤을 외로이 저버리니 가련하도다.
청춘의 나이에 홀로 누운 호젓한 창가에 / 어디선가 어여쁜 이가 퉁소를 부는구나.

비취새는 외로이 날아 짝을 짓지 못하고 / 원앙새는 짝 잃고 맑은 강물에 멱 감는데
어느 집에 언약 있나 바둑돌 두드리고 / 밤 등불에 점치고는 시름겨워 창에 기대노라.

시(詩)를 다 읊고 나자, ㉮홀연히 공중에서 소리가 들려왔다. / "그대 좋은 배필을 얻으려 할진대, 어찌 이루어지지 않는다고 걱정하리오?" / 양생은 속으로 기뻐했다.

소주제 1 외롭게 지내던 양생이 공중에서 □□을 들음

▸ **중간 부분 줄거리** ㉯다음 날 양생은 부처와 •저포 놀이를 하여 만약 자신이 지면 •법연(法筵)을 베풀어 제사를 지내고, 부처가 지면 아름다운 여인을 얻게 해 달라고 하면서 저포를 던져 이겼다. 그는 불좌 밑에 숨어서 그 약속을 기다렸다.

나 얼마 후, 한 아름다운 여인이 나타났는데 나이는 열 대여섯쯤이요, 새까만 머리에 화장을 곱게 하였다. 자태가 아름다워서 선녀나 천녀(天女) 같았는데, 바라보니 태도가 단정하고 조심스러웠다. / 손으로 기름병을 이끌어 등불을 돋우고 향을 꽂은 다음, 세 번 절하고 무릎을 꿇고는 한숨지으며 탄식했다. / "인생의 박명(薄命)함이 어찌 이렇듯 할까?"

박명(薄命): 복이 없고 팔자가 사나움

그러고 나서 품속에서 축원문을 꺼내어 탁자 앞에 바쳤다. 그 글은 다음과 같다.

'아무 지역 아무 곳에 거주하는 하씨 아무개가 삼가 올립니다. 지난번 변방이 무너져 왜구가 침입하여 무기들이 눈앞에 가득 찼고 횃불은 한 해 내내 이어졌습니다. 집들을 불태우고 백성들을 잡아가니 사방팔방으로 달아나고 도망쳐서 친척과 하인들도 난리통에 흩어졌습니다. 첩은 버들 같은 약한 몸으로 멀리 달아날 수 없어서 깊은 규방에 들어가 끝내 그윽한 정절을 지켜, 밤이슬에 옷이 젖는 짓을 하지 않고 뜻밖에 재앙을 피했습니다. 부모님은 여자가 수절한 것을 틀리지 않았다고 여겨 외딴 곳으로 피하여 들판에 살도록 하였는데, 이제 이미 3년이 지났습니다. 그러나 달 밝은 가을과 꽃피는 봄을 상심하면서 헛되이 보내고, 들판 위로 구름이, 아래로 물이 흐르는 것처럼 무료하게 세월을 보냈습니다. 텅 빈 골짜기에 숨어 지내며 한평생이 박명함을 한탄하였고, 좋은 밤을 홀로 보내면서 오색 빛깔의 •난새가 홀로 춤춘다고 상심하였습니다. 세월 속에 혼백이 사라지고 여름날 겨울 밤에 가슴이 찢어집니다. 이러한 저를 부처님께서 불쌍히 여겨 주시기를 간곡히 바라옵니다. 사람의 생애는 미리 정해져 있고 업보(業報)는 피할 수 없습니다. 저에게 주어진 운명에도 인연은 있을 것이니, 일찍 배필을 얻어서 즐기도록 해 주십시오. 이토록 지극히 간절한 기도를 내버려 두지 마옵소서.'

업보(業報): 선악의 행업으로 말미암은 과보(果報)

여인은 글을 바친 후 여러 번 소리내어 오열하였다.

양생은 틈으로 그 자태를 보고는 정을 진정하지 못하고 뛰쳐나와 말했다.

"아가씨, 당신은 도대체 누구며, 방금 불전에 바친 글월은 무엇이오?"

작품 개관

- 갈래 한문 소설, 전기(傳奇) 소설, 명혼(冥婚) 소설, 염정 소설
- 성격 전기적(傳奇的), 낭만적, 비극적
- 배경 [시간적] 조선 시대 [공간적] 남원
- 주제 생사를 초월한 남녀 간의 사랑
- 특징
  ① 시를 삽입하여 인물의 심리를 효과적으로 전달함
  ② 비현실적이고, 전기적 내용을 다룸
  ③ 설화가 소설로 발전하게 되는 과정을 보여 줌
- 출전 《금오신화》

1등급 노트

1. 사건의 전개 양상
'산 사람과 저승 영혼의 만남 → 사랑 → 일시적 이별 → 만남 → 영원한 이별'이라는 인물들의 몇 번의 만남과 이별의 과정을 통해 두 인물의 운명적인 사랑을 절실하게 그림

2. 삽입 시의 역할
양생의 외로운 심정을 '배꽃나무, 비취새, 원앙새'라는 객관적 상관물을 사용하여 나타냄

3. 인물의 처지와 심리

양생과 하씨녀	짝(배필)을 만나지 못하여 외로워함

4. 전기성과 우연성
- 전기성 : 양생이 나무 아래에서 시를 읊고 나자 공중에서 소리가 들림
- 우연성 : 양생이 저포 놀이에서 이긴 후 불좌 밑에 숨자 얼마 후 아름다운 처녀가 등장함

함께 엮어 읽기

◆ 작자 미상, 〈운영전〉

〈운영전〉은 궁녀 운영과 선비 김 진사의 이루어질 수 없는 사랑을 다룬 고전 소설이다. 조선 시대의 고전 소설 중에 남녀 간의 애정을 미화한 대표적인 작품으로 평가받는다. 〈운영전〉과 〈만복사저포기〉는 모두 사회적 전통이나 관습에 얽매이지 않은, 자유연애 사상을 바탕으로 한다.

더 알아보기

◆ 김시습, 《금오신화》

《금오신화》는 김시습이 경주 금오산에 은거하면서 지은 한문 소설집이다.

• 수록 작품
〈만복사저포기〉, 〈이생규장전〉, 〈용궁부연록〉, 〈취유부벽정기〉, 〈남염부주지〉

• 특성
– 재자가인(才子佳人)형의 인물을 주인공으로 설정함
– 세련되고 아름다운 한문 문장을 구사함
– 초현실적이며 신비로운 내용(전기성)을 담고 있음

정답과 해설 16쪽

여인이 바친 글월을 다 읽고는 그의 얼굴에 기쁨이 흘러넘쳤다. 여인에게 말하기를,
"아가씨, 당신은 도대체 어떤 사람이기에 이 밤에 여기까지 오셨소?" / 하자, 그녀는,
"저도 역시 사람입니다. 저를 의아한 눈으로 보지 마십시오. 당신은 다만 좋은 배필을 얻으려는 것뿐이시겠지요?" / 하였다.

소주제 ❷ 양생이 □□□를 만남

▸ **뒷부분 줄거리** 양생과 하씨녀는 인연을 맺은 후 다시 만날 것을 약속하고 헤어진다. 양생은 약속한 장소에서 기다리다가 딸의 •대상(大祥)을 치르러 가는 양반집 행차를 만나고 자기와 사랑을 나눈 여자가 3년 전에 죽은 그 집 딸의 혼령임을 알게 된다. 어느 날 밤, 하씨녀는 양생 앞에 나타나 자신은 타국에서 남자로 다시 태어났으니 당신도 불도를 닦아 윤회를 벗어나라고 한다. 양생은 하씨녀를 그리워하며 다시 장가들지 않고 지리산으로 들어가 버린다.

– 김시습

• 의의
  – 국문학 사상 최초의 소설
  – 자유연애 사상을 반영함
  – 명나라 구우가 지은 《전등신화》의 영향을 받았지만, 배경과 인물을 우리나라로 설정하여 주체성을 드러냄

어휘 다지기

- 저포 놀이 : 주사위 같은 것을 나무로 만들어 던져서 그 끗수로 승부를 겨루는 놀이
- 법연(法筵) : 부처님을 기리고 불법을 선양하는 집회
- 난새 : 난조(鸞鳥). 중국 전설에 나오는 상상의 새
- 대상(大祥) : 사람이 죽은 지 두 돌 만에 지내는 제사

소주제 체크

1. 응답 2. 하씨녀

1 이 작품에 대한 설명으로 적절하지 않은 것은?

① 남녀의 애정을 주된 소재로 삼고 있다.
② 중국 소설인 《전등신화》에 영향을 주었다.
③ 우리나라 최초의 소설이라는 의의를 지닌다.
④ 비현실적이며, 전기적(傳奇的)인 사건이 전개된다.
⑤ 우리나라를 배경으로 하여 자주적 성격이 나타난다.

출제 예감

2 이 작품에서 양생과 여인의 공통적인 심리로 가장 적절한 것은?

① 지당(池塘)에 비 ᄲᅮ리고 양류(楊柳)에 ᄂᆡ ᄭᅵ인 제,
사공(沙工)은 어ᄃᆡ 가고 빈 ᄇᆡ만 ᄆᆡ엿ᄂᆞᆫ고.
석양(夕陽)에 ᄧᅡᆨ 일흔 ᄀᆞᆯ며기ᄂᆞᆫ 오락가락 ᄒᆞ노매. – 조헌
② 초암(草庵)이 적료(寂寥)ᄒᆞᆫᄃᆡ 벗 업시 ᄒᆞᆫᄌᆞ 안ᄌᆞ,
평조(平調) 한 닙히 백운(白雲)이 절로 존다.
언의 뉘 이 죠흔 ᄠᅳᆺ을 알리 잇다 ᄒᆞ리오. – 김수장
③ 농암(聾巖)애 올라 보니 노안(老眼)이 유명(猶明)이로다.
인사(人事)이 변(變)ᄒᆞᆫ들 산천(山川)잇ᄃᆞᆫ 가실가.
암전(巖前)에 모수 모구(某水 某丘)이 어제 본 ᄃᆞᆺᄒᆞ예라. – 이현보
④ 반중(盤中) 조홍(早紅)감이 고아도 보이ᄂᆞ다.
유자(柚子)ㅣ 안이라도 품엄 즉도 ᄒᆞ다마ᄂᆞᆫ
품어 가 반기리 업슬ᄉᆡ 글노 설워ᄒᆞᄂᆞ이다. – 박인로
⑤ 춘산(春山)에 눈 녹인 바ᄅᆞᆷ 건듯 불고 간 ᄃᆡ 업다.
져근덧 비러다가 마리 우희 불니고져.
귀 밋ᄐᆡ ᄒᆡ묵은 서리ᄅᆞᆯ 녹여 볼가 ᄒᆞ노라. – 우탁

출제 예감

3 [A]에 대한 설명으로 적절하지 않은 것은?

① 산문의 단조로움을 극복하게 한다.
② 작품의 낭만적 분위기를 조성한다.
③ 작품의 서정성을 강화하는 효과를 준다.
④ 인물의 내면 심리를 효과적으로 드러낸다.
⑤ 인물 간의 갈등을 심화시키는 기능을 한다.

4 수능형 〈보기〉의 ㉠~㉤ 중, ㉮에 나타난 고전 소설의 일반적 특성에 해당하는 것끼리 묶인 것은?

보기

조선 인조 때 서울에서 태어난 ㉠이시백은 어려서부터 매우 총명하고 문무를 겸비하여 명망이 조야(朝野)에 떨쳤다. 아버지 이 상공이 자신의 주객으로 지내던 박 처사의 청혼을 받아들여 ㉡시백은 박 처사의 딸과 가연(佳緣)을 맺게 된다. 그러나 ㉢시백은 부인 박 씨의 용모가 천하의 박색임을 알고 실망하여 박 씨와 대면조차 하지 않는다. 이로 인해 박 씨는 이 상공에게 청하여 후원에 피화당(避禍堂)을 짓고 여기에서 홀로 소일한다. ㉣박 씨가 시기가 되어 허물을 벗고 절세가인이 되자, 시백은 크게 기뻐하며 박 씨의 뜻을 그대로 따른다. 이 때 중국의 가달(可達)이 용골대 형제에게 삼만의 병사를 거느리고 조선을 침략하게 한다. 그러나 ㉤박 씨는 도술을 부려 오랑캐의 무리를 물리친다. 이후 박 씨와 이시백은 행복한 여생을 보낸다.

① ㉠, ㉢ ② ㉠, ㉣ ③ ㉡, ㉤
④ ㉢, ㉣ ⑤ ㉣, ㉤

5 고난도 ㉯를 통해 짐작할 수 있는 양생의 인생관으로 가장 적절한 것은?

① 합리주의적 인생관 ② 윤회론적 인생관
③ 계몽주의적 인생관 ④ 운명론적 인생관
⑤ 허무주의적 인생관

6 서술형 〈보기〉에 해당하는 소재를 [A]에서 모두 찾고, 그 소재들이 어떤 역할을 하는지 인물의 심리와 연관 지어 서술하시오.

보기

창작자가 표현하려는 자신의 감정을 직접 나타내지 않고 다른 사물에 빗대어 표현할 때, 이를 객관적 상관물이라고 한다.

비책

16 이생규장전(李生窺墻傳)

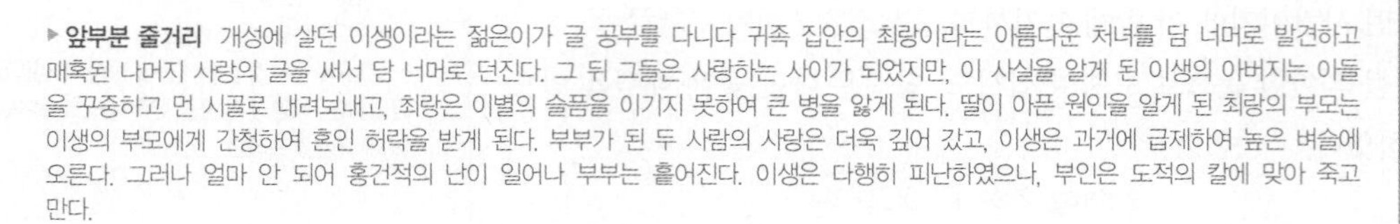

▸ **앞부분 줄거리** 개성에 살던 이생이라는 젊은이가 글 공부를 다니다 귀족 집안의 최랑이라는 아름다운 처녀를 담 너머로 발견하고 매혹된 나머지 사랑의 글을 써서 담 너머로 던진다. 그 뒤 그들은 사랑하는 사이가 되었지만, 이 사실을 알게 된 이생의 아버지는 아들을 꾸중하고 먼 시골로 내려보내고, 최랑은 이별의 슬픔을 이기지 못하여 큰 병을 앓게 된다. 딸이 아픈 원인을 알게 된 최랑의 부모는 이생의 부모에게 간청하여 혼인 허락을 받게 된다. 부부가 된 두 사람의 사랑은 더욱 깊어 갔고, 이생은 과거에 급제하여 높은 벼슬에 오른다. 그러나 얼마 안 되어 홍건적의 난이 일어나 부부는 흩어진다. 이생은 다행히 피난하였으나, 부인은 도적의 칼에 맞아 죽고 만다.

이생은 황폐한 들에 숨어서 목숨을 보전하다가 도적의 무리가 떠났다는 소식을 듣고 부모님이 살던 옛집을 찾아갔다. 그러나 집은 이미 병화(兵火)(전쟁으로 인한 재앙과 화재)에 타 버리고 없었다. 다시 아내의 집에 가 보니 ㉮ 행랑채(행랑으로 이루어진 집채, 문간채)는 쓸쓸하고 집 안에는 쥐들이 우글거리고 새들만 지저귈 뿐이었다. 그는 슬픔을 이기지 못해, 작은 누각에 올라가서 눈물을 거두고 길게 한숨을 쉬며 날이 저물도록 앉아서 지난날의 즐겁던 일들을 생각해 보니, 완연히 한바탕 꿈만 같았다. 밤중이 거의 되자 희미한 달빛이 들보를 비춰 주는데, *낭하(廊下)에서 발자국 소리가 들려왔다. 그 소리는 먼 데서 차차 가까이 다가왔다. 살펴보니 사랑하는 아내가 거기 있었다. 이생은 그녀가 이미 이승에 없는 사람임을 알고 있었으나, 너무나 사랑하는 마음에 반가움이 앞서 의심도 하지 않고 말했다.

"부인은 어디로 피난하여 목숨을 보존하였소?"

여인은 이생의 손을 잡고 한바탕 통곡하더니 곧 사정을 얘기했다. 〈중략〉

이윽고 이야기가 가산(家産)(한 집안의 재산)에 미치자, 여인은 말했다.

"조금도 잃지 않고 어떤 산골짜기에 묻어 두었습니다." / 이생이 또 묻기를,

"우리 두 집 부모님의 해골은 어디에 있소?" / "하는 수 없이 어떤 곳에 그냥 버려 두었습니다."

서로 쌓였던 이야기가 끝나고 잠자리를 같이하니 지극한 즐거움은 옛날과 같았다. 〈중략〉

소주제 ❶ □□한 이생과 최랑이 그 동안의 사정을 이야기함

여인은 대답했다.

"저승길은 피할 수가 없습니다. 하느님께서, 저와 낭군의 연분이 끊어지지 않았고 또 전생에 아무런 죄악도 없었으므로, 이 몸을 *환신시켜 잠시 낭군을 뵈어 시름을 풀게 했던 것입니다. 오랫동안 인간 세상에 머물러 있으면서 산 사람을 유혹할 수는 없습니다."

하더니 *시비(侍婢)에게 명하여 술을 올리게 하고는 옥루춘곡(玉樓春曲)에 맞추어 노래를 지어 부르면서 이생에게 술을 권했다.

[A]
도적 떼 밀려와서 처참한 싸움터에 / 몰죽음(여럿이 한꺼번에 죽는 죽음)을 당하니 원앙도 짝 잃었네.
여기저기 흩어진 해골 그 누가 묻어 주리. / 피투성이 그 *유혼(遊魂)은 하소연도 할 곳 없네.

[B]
슬프다 이내 몸은 무산(巫山) 선녀 될 수 없고 / 깨진 거울 갈라지니 마음만 쓰라리네.
이로부터 작별하면 둘이 모두 아득하네. / 저승과 이승 사이 소식조차 막히리라.

노래 한 가락씩 부를 때마다 눈물에 목이 막혀 거의 곡조를 이루지 못했다. 이생도 또한 슬픔을 걷잡지 못했다.

소주제 ❷ 최랑이 이생과의 □□을 예고함

▸ **뒷부분 줄거리** 이생은 최랑의 말대로 최랑의 유골을 거두어 장사 지낸 후 그 길로 병이 들어 신음하다가 아내의 뒤를 따라 세상을 떠나고 만다.

– 김시습

어휘 다지기

- 낭하(廊下) : 행랑, 복도
- 환신 : 변하여 바뀌어진 몸. 곧 죽은 이가 산 사람의 모습으로 됨
- 시비(侍婢) : 곁에서 시중을 드는 계집 종
- 유혼(遊魂) : 죽어서 떠도는 혼

작품 개관

- 갈래 한문 소설, 전기(傳奇) 소설, 명혼(冥婚) 소설, 염정 소설
- 성격 전기적(傳奇的), 낭만적, 비극적, 환상적
- 배경 [시간적] 고려 시대 [공간적] 개성
- 주제 죽음을 초월한 남녀 간의 애절한 사랑
- 특징
  ① 시를 삽입하여 인물의 심리를 효과적으로 나타냄
  ② 개인과 세계 사이의 갈등이 드러남
  ③ 비현실적이고 신비로운 내용을 다룸
- 출전 《금오신화》

1등급 노트

1. 사건의 전개 양상
주인공들의 만남과 이별이 거듭되는 복합 구성을 보임

	외부적 시련		만남과 이별
전반부 (최랑 죽음 전)	–		이생과 최랑의 만남
	부모님의 반대	▸	극복 후 결혼
후반부 (최랑 죽음 후)	홍건적의 난	▸	최랑의 죽음 후 살아 있는 이생과 죽은 최랑의 재회
	명부의 법칙	▸	이생과 최랑의 영원한 이별
효과	두 사람의 사랑이 더욱 애틋하고 절실한 것임을 드러냄과 동시에 결말을 더욱 비극적으로 만듦		

2. 삽입 시의 역할
이생과 이별하는 최랑의 슬픔을 효과적으로 부각시키며, 작품 전체의 주제를 집약해서 보여 줌

함께 엮어 읽기

◆ 〈만복사저포기〉와 〈이생규장전〉 비교

주제	남녀 간의 시공(時空)을 초월한 사랑
인물	재자가인(才子佳人)형 인물
결말	비극적 결말

소주제 체크

1. 재회 2. 이별

정답과 해설 16쪽

1 이 작품에 대한 설명으로 적절하지 않은 것은?

① 일상적이고 현실적인 내용보다는 환상적인 내용을 담고 있다.
② 귀신과의 사랑을 다룬다는 점에서 명혼(冥婚) 소설로 분류할 수 있다.
③ 만남과 이별, 행복과 불행의 구조가 교차되면서 독자의 흥미를 끌고 있다.
④ 인간의 힘으로 해결할 가능성이 없는 이별의 현실을 문학적 상상력으로 해결하고 있다.
⑤ 고전 소설의 일반적인 특징인 권선징악(勸善懲惡)적 주제와 행복한 결말로 이루어져 있다.

출제 예감
2 〈보기〉는 이 작품 전체의 중심 사건을 정리한 것이다. 이를 순서대로 재구성할 때, 적절하게 연결된 것은?

보기
(ㄱ) 이생과 최랑이 평생의 가약을 맺고 정을 나눔
(ㄴ) 이생과 최랑의 재회
(ㄷ) 이생과 최랑의 영원한 이별
(ㄹ) 이생 부모의 반대로 인한 일시적 이별
(ㅁ) 이생이 최랑의 담장을 엿봄
(ㅂ) 홍건적의 난으로 최랑이 죽음

① (ㅁ)-(ㄱ)-(ㄹ)-(ㄴ)-(ㅂ)-(ㄷ)
② (ㅁ)-(ㄱ)-(ㅂ)-(ㄷ)-(ㄴ)-(ㄹ)
③ (ㅁ)-(ㄷ)-(ㅂ)-(ㄱ)-(ㄴ)-(ㄹ)
④ (ㅁ)-(ㄹ)-(ㄱ)-(ㅂ)-(ㄴ)-(ㄷ)
⑤ (ㅁ)-(ㄹ)-(ㄱ)-(ㄴ)-(ㅂ)-(ㄷ)

3 〈보기〉를 참고하여 이 작품의 주제를 파악한 것으로 가장 적절한 것은?

보기
소설의 주제는 일반적으로 주인공에게 닥친 시련과 이를 극복하는 과정을 통해 드러나게 된다.

① 참된 사랑은 전란 속에서 피어난다.
② 진정한 사랑은 생사와 시공을 초월한다.
③ 세속적인 사랑은 덧없고 허무한 것이다.
④ 사랑은 용기 있는 자만이 쟁취할 수 있다.
⑤ 사랑의 완성은 자기희생을 통해 이루어진다.

4 이 작품의 주제와 관련하여 볼 때, 가장 중심이 되는 갈등 유형은?

① 개인과 개인의 갈등
② 개인과 집단의 갈등
③ 개인의 내면적 갈등
④ 개인과 운명의 갈등
⑤ 개인과 자연의 갈등

출제 예감
5 이 작품에 삽입된 시의 기능으로 적절하지 않은 것은?

① 글의 단조로움을 피하고 감동을 지속시킨다.
② 시적 상상력을 자극하여 서정적인 분위기를 고조시킨다.
③ 절제된 언어를 통해 독자로 하여금 자신의 삶을 성찰하게 한다.
④ 등장인물의 내면의 정서를 절실하게 보여 줌으로써 주제를 효과적으로 전달한다.
⑤ 사건 전개 방향을 암시하여 독자로 하여금 앞으로 벌어질 사건을 짐작할 수 있게 한다.

6 수능형 [A]와 [B]를 비교한 것으로 적절하지 않은 것은?

① [A]는 과거의 일을 말하고 있는 데 반해, [B]는 현재의 상황을 말하고 있다.
② [A]에는 이별의 원인이 나타나 있고, [B]에는 이별 후의 상황이 암시되어 있다.
③ [A]에는 원통함의 정서가 지배적이라면, [B]에는 슬픔과 안타까움의 정서가 지배적이다.
④ [A]에서는 '짝 잃은 원앙'이, [B]에서는 '깨진 거울'이 주인공의 처지를 드러내 주고 있다.
⑤ [A]에서는 '흩어진 해골'이, [B]에서는 '저승과 이승 사이'가 두 사람 사이의 장애물이 되고 있다.

7 이 작품에 대한 감상으로 적절하지 않은 것은?

① 이생과 최랑의 자유연애는 작가의 진보적 애정관이 반영된 것이라고 할 수 있어.
② 죽은 사람이 환신(幻身)하여 산 사람과 재회하고 사랑을 나누는 데서 전기적(傳奇的) 요소가 드러난다고 할 수 있어.
③ 이생이 최랑을 장사 지내고 곧 죽는 것은 최랑과의 사랑을 단념하려는 이생의 의지에서 비롯된 것이라고 볼 수 있어.
④ 죽은 몸으로도 이승에서 못다 한 사랑을 이루려는 데서 삶과 죽음의 경계를 넘어선 숭고한 사랑의 힘을 보여 주고 있어.
⑤ 주인공들의 만남과 시련, 이별이 반복되는 구조는 두 사람의 사랑을 더욱 애틋하고 비극적인 것으로 만드는 효과를 주고 있어.

8 서술형 이 작품에 나타난 ㉮의 묘사가 어떤 역할을 하는지 서술하시오.

IV

조선 후기

조선 후기는 임진왜란(1592년) 이후부터 갑오개혁(1894년)까지의 시기를 말한다.

운문의 경우, 시조의 향유 계층이 사대부에서 평민층으로 확대되었으며, 산문 정신이 대두되면서 기존의 시조를 장형화하여 사설시조가 등장했다. 이러한 사설시조는 기존 사대부의 관념적 · 유교적 내용에서 벗어나 평민층의 진솔한 생활 감정을 바탕으로 하여 현실을 풍자 · 비판한 것이 특징이다. 가사 또한 작자층의 확대로 인해 평민 가사와 내방 가사가 활발하게 창작되었으며, 기존의 가사와 달리 실생활의 구체적인 내용을 다루었다. 이 시기에는 서민들의 노동과 의식, 놀이 등에서 민요도 많이 불렸다.

산문의 경우, 훈민정음의 보급이 일반화되면서 국문 소설이 발생하고, 이것이 평민층과 여성들의 성원에 힘입어 더욱 발전하면서 본격적인 소설의 시대가 전개되었다. 또한 사회의 변동에 따른 역사적 체험을 기록하는 기록 문학도 발달했으며, 일기나 서간문 등의 다양한 수필 작품도 창작되었다. 전문 예술가인 광대가 고수(鼓手)의 장단에 맞추어 부르는 판소리가 발전했으며, 연극의 오랜 전통이 탈춤(가면극)으로 정립되었는데, 이는 평민 의식이 가장 극명하게 표현된 예술이라고 할 수 있다.

01 보리타작 · 고시 7

가 보리타작〔打麥行〕

한문	음	번역
新篘濁酒如湩白	신추탁주여동백	새로 거른 막걸리 젖빛처럼 뿌옇고
大碗麥飯高一尺	대완맥반고일척	큰 사발에 보리밥, 높기가 한 자로세.
飯罷取耞登場立	반파취가등장립	밥 먹자 도리깨 잡고 마당에 나서니
雙肩漆澤翻日赤	쌍견칠택번일적	검게 탄 두 어깨 햇볕 받아 번쩍이네.

도리깨: 곡식의 알을 떠는 농기구의 하나

소주제 1 [기] 농민의 □□□ 삶의 모습

한문	음	번역
呼邪作聲擧趾齊	호야작성거지제	옹헤야 소리 내며 발맞추어 두드리니
須臾麥穗都狼藉	수유맥수도랑자	삽시간에 보리 낟알 온 마당에 가득하네.
雜歌互答聲轉高	잡가호답성전고	주고받는 노랫가락 점점 높아지는데
但見屋角紛飛麥	단견옥각분비맥	보이느니 지붕 위에 보리 티끌뿐이로다.

소주제 2 [승] □□□□하는 마당의 정경

한문	음	번역
觀其氣色樂莫樂	관기기색락막락	그 기색 살펴보니 즐겁기 짝이 없어
了不以心爲形役	요불이심위형역	마음이 몸의 노예 되지 않았네.

소주제 3 [전] 심신이 조화된 □□의 삶

한문	음	번역
樂園樂郊不遠有	낙원락교불원유	낙원이 먼 곳에 있는 게 아닌데
何苦去作風塵客	하고거작풍진객	무엇하러 벼슬길에 헤매고 있으리요.

소주제 4 [결] 자신의 삶에 대한 □□

– 정약용

나 고시 7

한문	음	번역
百草皆有根	백초개유근	풀이면 다 뿌리가 있는데
浮萍獨無蔕	부평독무체	부평초만은 매달린 꼭지가 없이

부평초: 개구리밥. 물에 떠 있는 풀 – ① 핍박받는 백성 ② 유배지에 있는 화자 자신

소주제 1 홀로 □□ 없는 부평초

한문	음	번역
汎汎水上行	범범수상행	물 위에 둥둥 떠다니며
常爲風所曳	상위풍소예	언제나 바람에 끌려다닌다네

소주제 2 □□에 떠돌아다니는 신세인 부평초

한문	음	번역
生意雖不泯	생의수불민	목숨은 비록 붙어 있지만
寄命良瑣細	기명량소세	더부살이 신세처럼 가냘프기만 해

소주제 3 □□□ 모습의 부평초

한문	음	번역
蓮葉太凌藉	연엽태릉자	[A] 연잎은 너무 괄시를 하고
荇帶亦交蔽	행대역교폐	[A] 행채도 이리저리 가리기만 해

행채: 물에서 자라는 마름과의 한해살이 풀

소주제 4 부평초를 괴롭히는 □□과 행채

한문	음	번역
同生一池中	동생일지중	[A] 똑같이 한 못 안에 살면서
何乃苦相戾	하내고상려	[A] 어쩌면 그리 서로 어그러지기만 할까

소주제 5 더불어 살아가지 못하는 현실에 대한 □□□□

– 정약용

작품 개관

[가]
- 갈래 한시[행(行 ; 자신의 감정이나 사물을 거침없이 가볍게 노래하는 한시의 한 형태)]
- 성격 사실적, 묘사적, 반성적, 예찬적
- 주제 육체와 정신이 합일된 노동의 기쁨을 누리는 농민의 건강한 삶
- 특징
  ① 선경 후정의 방식으로 시상을 전개함
  ② 보리타작하는 농민의 모습을 사실적이고 현장감 있게 묘사함

[나]
- 갈래 한시(5언 고시)
- 성격 우의적, 풍자적, 상징적, 현실 비판적
- 주제
  ① 벼슬살이의 정치적 어려움
  ② 지배층의 횡포와 피지배층의 고통
- 특징
  ① 우의적 수법을 통해 지배층의 횡포를 풍자함
  ② 지배층에 대한 비판적 태도와 백성에 대한 연민을 드러냄

1등급 노트

[가]

1. 화자의 태도

보리타작하는 농민들의 모습 관찰 (정신과 합일된 노동의 기쁨 발견)
↓
벼슬길에 나가 헛된 명분을 좇던 자신의 삶에 대한 반성

2. 배경 사상

실사구시(實事求是)의 실학사상, 중농주의 사상

[나]

1. 시어의 상징적 의미

연잎, 행채		부평초
피지배 계층을 억압하고 수탈하는 지배 계층	수탈 →	지배 계층으로부터 억압을 당하는 백성

2. 표현상의 특징

우의적인 수법을 사용하여 지배 계층이 약자를 억압·수탈하는 당시의 시대 현실을 풍자함

소주제 체크

[가] 1. 건강한 2. 보리타작 3. 농민 4. 반성
[나] 1. 뿌리 2. 바람 3. 가냘픈 4. 연잎
5. 안타까움

정답과 해설 16쪽

1 [가]와 [나]에 대한 설명으로 적절하지 않은 것은?

① [가]와 [나]는 모두 지난 삶에 대한 화자의 반성을 드러내고 있다.
② [가]와 [나]는 모두 대조적인 의미의 시어를 사용하여 주제를 드러내고 있다.
③ [가]는 [나]와 달리 선경 후정의 구조로 시상이 전개되고 있다.
④ [나]는 [가]와 달리 우의적인 수법으로 부정적 세태를 풍자하고 있다.
⑤ [나]는 [가]와 달리 민중에 대한 안타까움과 연민의 정을 은근히 드러내고 있다.

2 [가]에 대한 설명으로 적절하지 않은 것은?

① 작가의 중농주의 사상이 드러나 있다.
② 농민에 대한 애정과 친밀감이 드러나 있다.
③ 농민과 화자의 삶에서 공통점을 찾으려 하고 있다.
④ 농민의 삶을 건강하고 즐거운 것으로 파악하고 있다.
⑤ 농민들의 일상을 반영한 시어를 통해 사실성을 높이고 있다.

출제 예감

3 [가]의 화자의 인식 과정을 〈보기〉와 같이 구조화하였다. 빈칸에 들어갈 내용으로 가장 적절한 것은?

보기

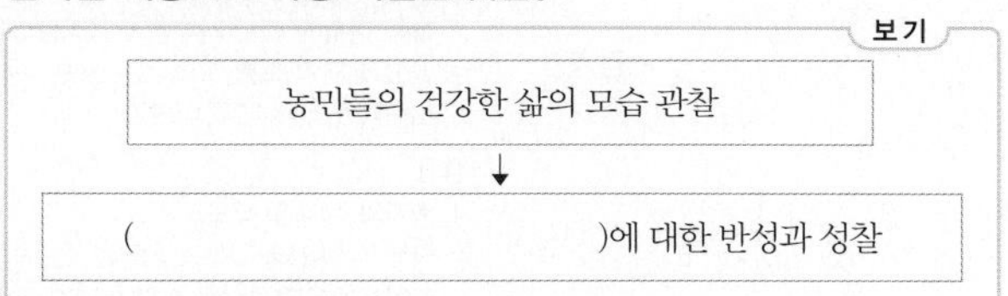

① 학문에 좀 더 정진하지 못했던 삶
② 건강을 관리하지 못하여 쇠약해진 자신
③ 헛된 명분을 좇아 벼슬에 집착했던 자신
④ 스스로 감정을 솔직하게 표현하지 못했던 지난 삶
⑤ 노동하지 않고 무위도식(無爲徒食)하며 살았던 삶

4 [가]를 〈보기〉의 감상 방법에 따라 이해한 내용으로 가장 적절한 것은?

보기

작품의 가치는 독자에게 어떠한 영향을 얼마나 주었느냐에 따라 달라질 수 있다.

① 이 작품은 실사구시의 실학을 집대성했던 작가의 사상을 반영하고 있다.
② 이 작품은 조선 후기 농민들의 공동체적인 삶의 모습을 잘 반영하고 있다.
③ 이 작품은 농사일과 관계 깊은 단어들을 사용해서 작품의 사실성을 높이고 있다.
④ 이 작품은 정직하게 노동하는 삶이 얼마나 아름다운 것인지를 깨닫게 해 주고 있다.
⑤ 이 작품은 서민들의 일상에서 새롭고 가치 있는 삶을 찾고자 하는 진보적 지식인으로서의 작가의 가치관을 잘 보여 주고 있다.

5 [나]의 화자에 대한 설명으로 가장 적절한 것은?

① 외부의 현실 상황과 갈등하고 있다.
② 의문형 진술을 통해 현실 도피적 태도를 드러내고 있다.
③ 사물의 새로운 가치와 속성을 통해 시상을 전개하고 있다.
④ 연군(戀君)과 우국(憂國)이라는 유교적 관념을 드러내고 있다.
⑤ 현재의 부정적인 상황이 개선되리라는 기대감을 드러내고 있다.

출제 예감

6 수능형 〈보기〉를 참고하여 [나]를 이해한 내용으로 적절하지 않은 것은?

보기

이 작품은 다산(茶山) 정약용이 신유사옥으로 유배를 간 경상도 장기에서 지어진 것이다. 당쟁이 끊이지 않는 조정에서 한 임금을 섬기는 신하로서, 서로 화합하지 못하고 중상모략을 꾸미는 무리들을 비판함과 동시에 자신의 든든한 후원자였던 정조의 승하로 위태로운 처지에 놓인 자신의 처지를 형상화한 작품이다.

① '뿌리'는 '바람'으로부터 '풀'을 보호해 주는 존재로, 정조와 같은 정치적 후원자를 나타내는군.
② '부평초'는 정조의 든든한 후원을 받던 작가의 과거 모습을 의미하는군.
③ '가냘프기만 해'는 당쟁을 일삼는 정치적 세력에 좌지우지될 만큼 정치적 기반이 약한 작가의 처지를 드러내는군.
④ '연잎'과 '행채'는 중상모략을 일삼으며 작가의 삶에 시련을 주었던 정치적 무리를 나타내는군.
⑤ '한 못 안'은 '연잎'과 '행채', '부평초' 등이 공존하는 공간으로 조정을 나타내는군.

7 고난도 [A]와 〈보기〉를 비교한 것으로 적절한 것은?

보기

술리 닉엇거니 벗지라 업슬소냐
블니며 ᄐᆞ이며 혀이며 이아며
온가지 소리로 취흥(醉興)을 ᄇᆡ야거니
근심이라 이시며 시름이라 브터시랴

– 송순, 〈면앙정가〉

① 〈보기〉는 화자와 현실의 조화를, [A]는 화자와 현실의 갈등을 드러내고 있다.
② 〈보기〉는 상황에 대한 만족감이, [A]는 상황이 개선되리라는 기대감이 나타나 있다.
③ 〈보기〉는 [A]와 달리 의인화를 통해 자연에서 받은 감흥을 표현하고 있다.
④ [A]는 〈보기〉와 달리 청유형 어미를 통해 부정적인 현실을 드러내고 있다.
⑤ 〈보기〉와 [A]는 모두 동일한 문장 구조의 반복을 통해 시각적 인상을 구체화하고 있다.

8 서술형 [가]에 나타난 화자의 태도 변화에 대해 서술하시오.

02 내 삿갓 · 절명시

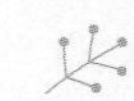

가 내 삿갓

浮浮我笠•等虛舟
부부아립 등허주
가뿐한 내 ㉠삿갓이 빈 배와 같아

一着平生四十秋
일착평생사십추
한 번 썼다가 사십 년 평생 쓰게 되었네.

소주제 1 [수련] 길고 긴 □□ 생활의 가뿐함

牧竪輕裝隨野犢
목수경장수야독
목동은 가벼운 삿갓 차림으로 소 먹이러 나가고

漁翁本色伴沙鷗
어옹본색반사구
어부는 갈매기 따라 삿갓으로 본색을 나타냈지.

소주제 2 [함련] 친근한 □□들의 소박한 삶

醉來脫掛看花樹
취래탈괘간화수
취하면 벗어서 구경하던 꽃나무에 걸고

興到携登翫月樓
흥도휴등완월루
흥겨우면 들고서 다락에 올라 달구경하네.

소주제 3 [경련] 자연을 벗삼는 생활의 □□

俗子衣冠皆•外飾
속자의관개 외식
㉡속인(俗人)들의 의관은 모두 겉치장이지만

滿天風雨獨無愁
만천풍우독무수
하늘 가득 비바람 쳐도 나만은 걱정이 없네.

소주제 4 [미련] 방랑 생활에 대한 □□□

– 김병연

나 절명시(絶命詩)

鳥獸•哀鳴海岳嚬
조수 애명해악빈
새 짐승도 슬피 울고 강산도 찡그리네.

•槿花世界已•沈淪
근화세계이 침륜
무궁화 온 세상이 이젠 망해 버렸어라.

소주제 1 [기, 승] 국권 □□의 비애

秋燈•掩卷•懷千古
추등 엄권 회천고
가을 등불 아래 책 덮고 지난날 생각하니,

•難作人間•識字人
난작인간 식자인
인간 세상에 식자 노릇하기 어렵기만 하구나.

소주제 2 [전, 결] □□□의 고뇌

– 황현

어휘 다지기

- 等虛舟(등허주) : 빈 배와 같음
- 外飾(외식) : 겉치장
- 哀鳴(애명) : 슬피 욺
- 槿花(근화) : 무궁화. 여기서 '槿花世界(근화 세계)'란 우리나라를 일컬음
- 沈淪(침륜) : 침몰. 몰락. 망해 버림
- 掩卷(엄권) : 책을 덮음
- 懷千古(회천고) : 지난날을 생각함. '千古(천고)'는 오랫동안 흘러 내려온 역사를 뜻함
- 難作(난작) : 하기 어려움
- 識字人(식자인) : 글을 아는 사람. 지식인

작품 개관

[가]
- 갈래 한시(7언 율시)
- 성격 상징적, 관조적
- 주제 자연을 벗삼는 방랑 생활의 풍류
- 특징 상징적 시어를 사용하여 화자의 풍취를 드러냄

[나]
- 갈래 한시(7언 절구)
- 성격 우국적, 비탄적, 고백적
- 주제 나라를 잃은 지식인의 비탄과 절망
- 특징 감정 이입과 활유법, 대유법 등 다양한 비유적 표현을 사용함

1등급 노트

[가]

1. '삿갓'의 상징적 의미
   - 화자의 분신
   - 무소유의 자유와 흥취
   - 허위와 가식을 벗어 버린 삶
   - 세상의 모진 풍파를 막아 주는 존재
   - 현실적인 고통으로부터 자유롭게 해 주는 방어막
2. 화자의 정서 및 태도
   방랑 생활에 대한 자부심과 욕심을 버린 초탈한 삶의 태도를 드러내는 한편, 사대부의 허위와 위선에 대해 비판함

[나]

1. 화자의 정서 및 태도
   국권 상실(경술국치)의 참담한 현실에 절망하며 지식인으로서의 소임에 대해 고민함
2. 작품과 관련된 미의식
   비장미(悲壯美) : 작가가 국권을 빼앗긴 나라의 지식인으로서 책임감을 통감하고, 국치(國恥)를 통분하며 선비의 절개를 지키기 위해 자결하기 전에 지은 작품임

함께 엮어 읽기

◆ 최익현, 〈창의시〉

皓首奮畎畝(호수분견묘)
草野願忠心(초야원충심)
亂賊人皆討(난적인개토)
何須問古今(하수문고금)
백발로 밭이랑에서 분발하는 것은
초야의 충심을 바랐음이라.
난적은 누구나 쳐야 하니,
고금을 물어서 무엇하리.

〈창의시〉는 1905년 을사조약 체결 후, 의병을 일으켜 적에 대항할 것을 결의하는 내용의 한 시이다. 〈창의시〉와 〈절명시〉 모두 국난의 상황을 그리고 있으며, 우국적인 성격을 보인다는 점에서 공통된다.

소주제 체크

[가] 1. 방랑 2. 서민 3. 흥취 4. 자부심
[나] 1. 피탈 2. 지식인

정답과 해설 17쪽

1 [가]에 대한 설명으로 적절하지 <u>않은</u> 것은?

① 야박한 인심과 세태를 비판적으로 고발하고 있다.
② 사대부에 대한 부정적 인식을 직접 표현하고 있다.
③ 서민에 대한 애정과 안빈낙도의 삶을 반영하고 있다.
④ 방랑의 삶에 대한 자부심이 작품 전면에 드러나 있다.
⑤ 소탈한 태도를 견지하려는 무욕의 의지가 전제되어 있다.

출제 예감
2 ㉠의 상징적 의미로 적절하지 <u>않은</u> 것은?

① 자유로운 방랑자의 삶
② 허위와 가식을 벗어 버린 삶
③ 풍류를 즐기는 사대부들의 삶
④ 세상의 모진 비바람을 막아 주는 존재
⑤ 현실적 고통에서 자유롭게 해 주는 존재

3 〈보기〉의 ⓐ~ⓔ 중, ㉡과 가장 관계 깊은 것은?

보기

安樂城中欲暮天 (안락성중욕모천)
關西孺子聳詩肩 (관서유자용시견)
村風厭客遲炊飯 (촌풍염객지취반)
店俗慣人但索錢 (점속관인단색전)
虛腹曳雷頻有響 (허복예뢰빈유향)
破窓透冷更無穿 (파창투랭갱무천)
朝來一吸江山氣 (조래일흡강산기)
試向人間辟穀仙 (시향인간벽곡선)

안락성 안에 날이 저무는데
ⓐ <u>관서 지방 못난 것들이 시 짓는다고 우쭐대네.</u>
ⓑ <u>마을 인심이 나그네를 싫어해 밥 짓기는 미루면서</u>
ⓒ <u>주막 풍속도 야박해 돈부터 달라네.</u>
배에선 자주 천둥소리가 들리는데
ⓓ <u>뚫릴 대로 뚫린 창문으로 냉기만 스며드네.</u>
아침이 되어서야 강산의 정기를 한 번 마셨으니
ⓔ <u>인간 세상에서 벽곡의 신선이 되려 시험하는가.</u>

– 김병연, 〈안락성을 지나며〉

① ⓐ ② ⓑ ③ ⓒ ④ ⓓ ⑤ ⓔ

4 [나]에 대한 설명으로 가장 적절한 것은?

① 망국의 상황에서 느끼는 감회를 서술하고 있다.
② 현실의 문제에 대한 긍정적인 시각을 나타내고 있다.
③ 이상과 현실의 사이에서 절충점을 찾으려 하고 있다.
④ 자연과 인간의 대비를 통해 애절한 정서를 표현하고 있다.
⑤ 과거의 삶보다 현재의 삶에 대한 강한 애착을 드러내고 있다.

출제 예감
5 [나]의 시어 및 시구에 대한 설명으로 적절하지 <u>않은</u> 것은?

① '새 짐승', '강산'은 화자의 감정이 이입된 대상이다.
② '무궁화'는 '우리나라'를 대유적으로 표현한 시어이다.
③ '가을 등불'은 과거 회상을 통해 화자의 현재 상황을 성찰하게 하는 매개체이다.
④ '책 덮고'는 화자가 지식인으로서의 역할을 포기했음을 보여 준다.
⑤ '식자 노릇하기 어렵기만 하구나'는 지식인으로서 책임을 다하지 못하는 화자의 처지를 가리킨다.

출제 예감
6 [나]에 나타난 화자의 내면 심리로 가장 적절한 것은?

① 종교적 구도자로서의 신앙심
② 국토 수호를 위한 무인의 충정
③ 부정한 현실에 대한 도덕적 결벽증
④ 역사 앞에 선 지식인으로서의 소명 의식
⑤ 개화기를 사는 선비의 선구자적 계몽 의식

7 수능형 〈보기〉의 작가가 [나]를 감상한 후 〈보기〉를 지은 것이라고 할 때, 고려했을 사항으로 적절하지 <u>않은</u> 것은?

보기

인생(人生)은 살기 어렵다는데
시(詩)가 이렇게 쉽게 씌어지는 것은
부끄러운 일이다. //
육첩방(六疊房)은 남의 나라
창(窓) 밖에 밤비가 속살거리는데, //
등불을 밝혀 어둠을 조금 내몰고,
시대(時代)처럼 올 아침을 기다리는 최후(最後)의 나, //
나는 나에게 적은 손을 내밀어
눈물과 위안(慰安)으로 잡는 최초(最初)의 악수(握手).

– 윤동주, 〈쉽게 씌어진 시〉

① 차분한 목소리로 자성적 태도를 강조해야지.
② '등불'을 소재로 활용하되 미래에 대한 긍정적 인식을 담도록 하자.
③ 어두운 시대를 살아가는 두 개의 자아가 대립할 수밖에 없음을 드러내야겠어.
④ 고난의 역사 속에서 지식인으로서의 처신의 어려움은 변하지 않는다는 것을 보여 주자.
⑤ 소극적인 모습에서 벗어나 현재의 상황을 극복해 나가고자 하는 모습을 보여 주자.

8 서술형 [나]에서 느껴지는 미의식에 대해 서술하시오.

03 짚방석 내지 마라 ~ 외

가 짚방석(方席) 내지 마라 ~

짚방석(方席) 내지 마라, 낙엽(落葉)엔들 못 안즈랴.

•솔불 혀지(켜지) 마라, 어제 진 둘 도다 온다(돋아온다).

아히야, ㉠•박주산채(薄酒山菜)ㄹ망정 업다 말고 내여라.

– 한호

짚으로 만든 방석을 내오지 마라, 수북이 쌓인 낙엽엔들 못 앉겠느냐. / 솔불도 켜지 마라, 어제 진 달이 다시 떠오르고 있구나. / 아이야, 막걸리와 산나물로 족하니 없다 말고 내어 오너라.

나 전원(田園)에 나믄 흥(興)을 ~

전원(田園)에 나믄 흥(興)을 전나귀(다리 저는 나귀)에 모도 싯고

계산(溪山)(계곡 낀 산) 니근 길로 흥치며(흥겨워하며) 도라와셔

아히야(아이야) •금서(琴書)를 다스려라 나믄 히를 보내리라.

– 김천택

전원을 즐기다가 남은 흥을 발을 저는 나귀의 등에 모두 싣고 / 계곡이 있는 산의 익숙한 길로 흥겨워하며 돌아와서 / 아이야, 거문고와 책을 준비하여라. (그것으로) 남은 세월을 보내리라.

다 서검(書劍)을 못 일우고 ~

•서검(書劍)을 못 일우고 쓸쯰 업쓴 몸이 되야

•오십 춘광(五十春光)을 •히옴 업씨 지닉연져

두어라 언의 곳 청산(靑山)이야 날 씰 쭐이 잇시랴.

– 김천택

입신양명을 이루지 못하고 쓸데없는 몸이 되어(벼슬자리에 오르지 못하여) / 오십 년 세월을 해온 일 없이 지냈구나. / 두어라 어느 곳의 청산이야 날 꺼릴 줄이 있으랴.

라 미암이 뮙다 울고 ~

미암이 뮙다 울고 쓰르람이 쓰다 우니,

산채(山菜)(산나물)를 뮙다는가 박주(薄酒)(맛없고 질이 떨어지는 술)를 쓰다는가.

우리는 초야(草野)에 뭇쳐시니 뮙고 쓴 줄 몰닉라.

– 이정신

매미가 맵다고 울고 쓰르라미가 쓰다고 우니 / 산나물이 맵다고 하는가, 박주가 쓰다고 하는가? / 우리는 초야에 묻혀 살고 있으니 맵고 쓴 줄을 모르겠노라.

어휘 다지기

- 솔불 : 송진이 많이 엉긴, 소나무의 가지나 옹이에 붙인 불
- 박주산채(薄酒山菜) : 값싼 술과 안주
- 금서(琴書) : 거문고와 서책
- 서검(書劍) : 책과 칼. 문(文)과 무(武). '벼슬'의 대유
- 오십 춘광(五十春光) : 50년 세월
- 히옴 : 업적

작품 개관

[가]
- 갈래 평시조, 단시조
- 성격 풍류적, 전원적
- 주제 산촌 생활에서의 안빈낙도(安貧樂道)
- 특징 생활 소재를 대조하여 주제를 드러냄

[나]
- 갈래 평시조, 단시조
- 성격 풍류적, 전원적
- 주제 전원에서 여유롭게 즐기는 풍류
- 특징 중의법을 통해 화자의 정서를 드러냄

[다]
- 갈래 평시조, 단시조
- 성격 자연 귀의적
- 주제 자연에 귀의하려는 마음
- 특징 시어의 대조로 주제를 강조함

[라]
- 갈래 평시조, 단시조
- 성격 한정가
- 주제 자연에 묻혀 지내는 한가로운 삶
- 특징 언어유희를 통해 현실을 풍자함

1등급 노트

[가]

1. 시어의 대조적 의미

인공적 요소	짚방석, 솔불
↕ 대조	
자연적 요소	낙엽, 달

2. 화자의 정서 및 태도
   자연과 인간이 합일되는 주객일체(主客一體)의 모습

[나]

1. 화자의 정서 및 태도
   자연 속에서 실컷 풍류를 즐기다가 거문고와 서책으로 남은 시간을 보내려고 함 → 화자의 한가하고 여유로운 모습
2. 표현상의 특징 – 중의법
   나믄 히 : ① 하루 중 남은 시간 ② 남은 생애

[다]

1. 화자의 정서 및 태도
   입신양명(立身揚名)을 하지 못하고 좌절하여 현실에 대해 비판적인 인식을 보이며 자연에 귀의하고자 함
2. 시어의 대조적 의미

세속	자연
서검(書劍)	청산(靑山)
유교적 입신양명	자연에로의 귀의

[라]

1. 표현상의 특징 – 언어유희
   '매미 – 맵다', '쓰르라미 – 쓰다'라는 소리의 유사성을 이용함
2. 시어의 대조적 의미

매미, 쓰르라미	세속적인 일에 얽매인 사람들
↕ 대조	
우리	초야에 묻혀 안분지족하는 사람들

1 [가]를 〈보기〉와 같이 정리해 보았다. 적절하지 않은 것은?

보기
- 갈래 : 평시조, 단시조
- 성격 : 전원적 ······ ①
- 제재 : 산촌 생활 ······ ②
- 주제 : 산촌 생활에서 느끼는 안빈낙도(安貧樂道) ······ ③
- 특징
  - 과감한 생략을 통해 시상을 전개함 ······ ④
  - 인공적인 요소와 자연적인 요소를 대조함 ······ ⑤

출제 예감
2 〈보기〉는 [가]의 구조를 정리한 것이다. [A]에 들어갈 한자 성어로 가장 적절한 것은?

보기
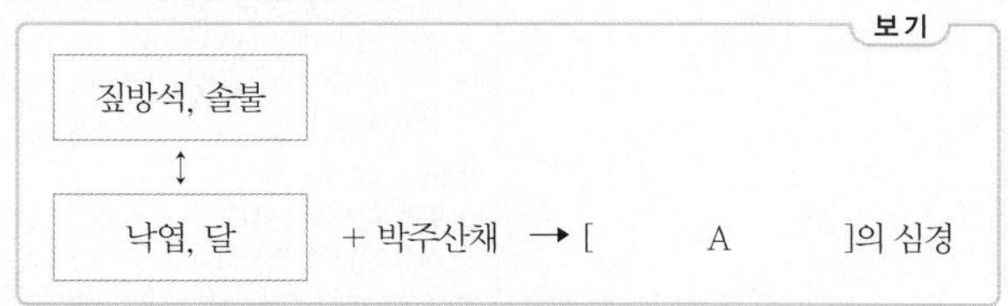

① 주객일체(主客一體) ② 주경야독(晝耕夜讀)
③ 주객전도(主客顚倒) ④ 주마가편(走馬加鞭)
⑤ 주마간산(走馬看山)

3 고난도 다음 밑줄 친 시어 중, ㉠의 함축적 의미와 가장 유사한 것은?

① 봄이 왓다 ᄒᆞ되 소식(消息)을 모로더니, / 냇ᄀᆞ에 프른 버들 네 몬져 아도괴야. / 어즈버 인간 이별(人間離別)을 ᄯᅩ 엇지 ᄒᆞᄂᆞ다. - 신흠
② 두류산 양단수를 녜 듯고 이제 보니, / 도화(桃花) ᄯᅳᆫ 맑은 물에 산영(山影)조ᄎᆞ 잠겻세라. / 아희야, 무릉이 어ᄃᆡ오, 나ᄂᆞᆫ 옌가 ᄒᆞ노라. - 조식
③ 쓴 나물 데온 물이 고기도곤 맛이 이셰. / 초옥 좁은 줄이 긔 더욱 내 분(分)이라. / 다만당 님 그린 탓으로 시름계워 하노라. - 정철
④ 추강(秋江)에 밤이 드니 물결이 차노매라. / 낚시 드리치니 고기 아니 무노매라. / 무심(無心)한 달빛만 싣고 빈 배 저어 오노라. - 월산 대군
⑤ 어리고 성긘 매화 너를 밋지 아녓더니, / 눈 기약(期約) 능히 직혀 두세 송이 퓌엿고나. / 촉(燭) 잡고 갓가이 ᄉᆞ랑헐 제 암향(暗香)조ᄎᆞ 부동(浮動)터라. - 안민영

출제 예감
4 [나]에 대한 설명으로 가장 적절한 것은?

① 자연에서 느끼는 적막함과 고독을 표현하고 있다.
② 노동을 통해 얻은 흥취와 풍요로움을 나타내고 있다.
③ 자연에서 풍류를 즐기는 화자의 모습이 드러나 있다.
④ 현실에서 도피하고자 하는 의지를 직접 표출하고 있다.
⑤ 지난 과거에 대한 화자의 반성과 성찰을 보여 주고 있다.

5 수능형 〈보기〉의 화자(A)와 [나]의 화자(B)가 나눈 대화의 내용으로 적절하지 않은 것은?

보기

청산(靑山)은 엇뎨ᄒᆞ야 만고(萬古)애 프르르며,
유수(流水)는 엇뎨ᄒᆞ야 주야(晝夜)애 긋디 아니ᄂᆞᆫ고.
우리도 그치디 마라 만고상청(萬古常靑)호리라. - 이황

① A : 인간은 부족한 존재이기에 자연으로부터 배워야 한다고 생각합니다.
② B : 전 자연 속에서 여유로움과 흥겨움을 즐기는 것이 더 의미 있다고 봅니다.
③ A : 자연은 영원히 변함없으므로 우리가 자연으로부터 배워야 하는 것이지요.
④ B : 하지만 자연 속에서 실컷 풍류를 즐기다 보면 학문은 다 잊어버리게 됩니다.
⑤ A : 학문에 정진하는 것도 우리가 유한성을 극복할 수 있는 길임을 잊지 마세요.

6 [다]에 대한 설명으로 적절하지 않은 것은?

① 전문 가객에 의해 창작된 작품이다.
② 평시조의 정형성을 유지하고 있는 편이다.
③ 조선 전기 양반 사대부층의 세계관을 보이고 있다.
④ 대조적인 시어를 통해 화자의 심정을 표출하고 있다.
⑤ 화자는 지나온 삶에 대한 회한을 해소하려는 모습을 보이고 있다.

7 〈보기〉는 [다]의 화자가 쓴 편지를 가정해 본 것이다. [다]의 내용과 거리가 먼 것은?

보기

벗에게
(ㄱ) 이제 나이가 드니 내가 세상에 나와 이룬 것이 무엇인가 하는 회의감이 드네. (ㄴ) 벼슬길에 나아가지도 않았으니 남들이 보기에는 세월을 헛되이 보낸 것처럼 비칠 수도 있겠지. (ㄷ) 사실 남들이 부러워하는 특별한 업적 같은 것은 이루지 못했다네. (ㄹ) 대신에 이 사회를 바꿔 보려고 적극적으로 나서 보기는 했었네. (ㅁ) 그러나 지금은 자연을 벗삼아 아무 욕심 없이 사는 삶에 만족하고 있다네.

① (ㄱ) ② (ㄴ) ③ (ㄷ) ④ (ㄹ) ⑤ (ㅁ)

출제 예감
8 [라]에 대한 설명으로 적절하지 않은 것은?

① 소리의 유사성을 이용한 언어유희가 돋보인다.
② 촉각적 심상을 활용하여 세태를 비판하고 있다.
③ 초야에서 안분지족(安分知足)하는 삶을 노래하고 있다.
④ 대조 형식으로 화자 자신의 삶에 대한 만족감을 드러낸다.
⑤ '매미'와 '쓰르라미'는 세속적인 일에 얽매인 사람들을 뜻한다.

9 서술형 [다]의 주제를 대조적 의미의 시어를 사용하여 서술하시오. (명사나 명사형으로 끝맺을 것)

04 붉가버슨 아해ㅣ들리~ 외

가 붉가버슨 아해(兒孩)ㅣ들리 ~

㉠붉가버슨 아해(兒孩)ㅣ들리 거믜줄 테를 들고 ᄀᆡ천(川)으로 왕래(往來)ᄒᆞ며,

붉가숭아 붉가숭아 져리 가면 죽ᄂᆞ니라. 이리 오면 ᄉᆞᄂᆞ니라. *부로나니 ⓐ붉가숭이로다.

아마도 세상(世上)일이 다 ㉡이러ᄒᆞᆫ가 ᄒᆞ노라.

– 이정신

발가벗은 아이들이 거미줄 테를 들고 개천을 왕래하며, / "발가숭아 발가숭아, 저리 가면 죽고 이리 오면 산다."고 하며 부르는 것이 발가숭이로다. / 아마도 세상 일이 모두 이러한 것인가 하노라.

나 국화야 너난 어이 ~

국화야 너난 어이 삼월동풍(三月東風) 다 지내고

ⓑ*낙목한천(落木寒天)에 네 홀로 피엿나니

아마도 *오상고절(傲霜孤節)은 너뿐인가 하노라.

– 이정보

국화야 너는 어찌하여 따뜻한 봄철이 다 지나간 후에야 / 낙엽 떨어지는 추운 계절에 너 홀로 피어 있느냐? / 아마도 서릿발도 꿋꿋이 이겨 내는 절개를 가진 이는 너뿐인가 하노라.

다 님 그린 상사몽(想思夢)이 ~

님 그린(그리워하는) ⓒ상사몽(想思夢)(남녀가 서로 그리워하며 꾸는 꿈)이 ⓓ*실솔(蟋蟀)의 넉시 되여

추야장(秋夜長)(기나긴 가을밤) 깁픈 밤에 님의 방(房)에 드럿다가

날 잇고 깁피 든 잠을 ᄭᅢ와볼가 ᄒᆞ노라.

– 박효관

임을 그리워하는 상사몽이 귀뚜라미의 넋이 되어 / 기나긴 가을 깊은 밤에 임의 방에 들어가서 / 나를 잊고 깊이 든 (임의) 잠을 깨워 볼까 하노라.

라 노래 삼긴 사롬 ~

ⓔ노래 *삼긴 사롬 시름도 *하도할샤.

닐러 다 못 닐러(말로 하려 하나 다 못 하여) 불러나 푸돗듼가(풀었던가).

진실(眞實)로 풀릴 거시면은 나도 불러 보리라.

– 신흠

노래를 처음으로 만든 이는 시름도 많기도 많았겠구나. / 말로 다 표현하지 못해 노래를 불러 풀었단 말인가. / 이렇게 하여 진실로 풀릴 것이라면 나도 불러 보리라.

어휘 다지기

- 부로나니 : 부르는 이
- 낙목한천(落木寒天) : 나뭇잎이 떨어진 겨울의 추운 풍경
- 오상고절(傲霜孤節) : 서릿발이 심한 속에서 외로이 지키는 절개
- 실솔(蟋蟀) : 귀뚜라미
- 삼긴 : 만든
- 하도할샤 : 많기도 많구나

작품 개관

[가]
- 갈래 사설시조
- 성격 풍자적
- 주제 서로 모함하고 속이는 세태 풍자
- 특징 중의법을 통해 각박한 세태를 풍자함

[나]
- 갈래 평시조, 단시조
- 성격 예찬적, 의지적
- 주제 선비의 높은 지조와 절개 예찬
- 특징 의인법을 사용하여 대상의 굳은 절개를 예찬함

[다]
- 갈래 평시조, 단시조
- 성격 연정가
- 주제 임에 대한 간절한 사랑
- 특징 임에 대한 사랑을 자연물에 이입하여 은근하게 나타냄

[라]
- 갈래 평시조, 단시조
- 성격 영탄적, 의지적
- 주제 노래로써 시름을 풀고자 하는 마음
- 특징 앞 구의 끝말을 뒤 구의 처음에 연결시키는 연쇄법을 사용함

1등급 노트

[가]

1. 주제 의식
   잠자리를 잡는 아이들의 모습을 통해 서로 모해하는 약육강식(弱肉强食)의 각박한 세태를 해학적으로 풍자함
2. 시어의 상징적 의미
   - 붉가버슨 아해, 붉가숭이 : 벌거벗은 아이들, 모해하는 자
   - 붉가숭아 : 고추잠자리, 모해를 당하는 자

[나]

1. 시어의 상징적 의미
   - 국화 : 지조, 절개
   - 삼월동풍 : 평온하고 순탄한 시절
   - 낙목한천 : 정치적 시련과 고난
2. 표현상의 특징
   의인법의 사용으로 대상에 대한 예찬과 친근감을 나타냄

[다]

1. 시어의 의미 및 역할 – 귀뚜라미
   - 임에 대한 화자의 그리움을 이입한 대상(감정 이입)
   - 화자와 임과의 사랑을 연결시켜 주는 매개체
2. 화자의 정서
   임도 없이 혼자 지내는 상황에서 임을 그리워하며 임과 항상 함께 있고 싶어 함

[라]

화자의 정서 및 태도
노래로써 자신의 시름을 풀고 마음의 평정을 얻으려고 함

정답과 해설 17쪽

1

[가]를 창작하면서 고려했을 사항으로 보기 <u>어려운</u> 것은?

① 설의법을 사용해서 해학적 효과를 나타내 보자.
② 풍자와 비판 의식을 담은 점잖은 목소리로 표현해 보자.
③ 어린이가 잠자리를 잡는 놀이에 착안해서 시상을 전개해 보자.
④ 역설적 상황을 제시하여 서로 속고 속이는 세태를 나타내 보자.
⑤ 비교적 형식에 구애됨이 없는 사설시조의 형식으로 나타내 보자.

출제 예감

2

〈보기〉의 ㉮~㉴ 중, ㉠의 상징적 의미와 가장 유사한 것은?

보기

> 내 ㉮<u>님믈</u> 그리ᅀᆞ와 우니다니
> ㉯<u>산(山) 졉동새</u> 난 이슷ᄒᆞ요이다
> 아니시며 거츠르신ᄃᆞᆯ 아으
> ㉰<u>잔월효성(殘月曉星)</u>이 아ᄅᆞ시리이다
> 넉시라도 님은 ᄒᆞᆫᄃᆡ 녀져라 아으
> ㉱<u>벼기더시니</u> 뉘러시니잇가.
> 과(過)도 ㉲<u>허믈</u>도 천만(千萬) 업소이다
> ᄆᆞᆯ힛 마리신뎌
> ᄉᆞᆯ읏븐뎌 아으
> 니미 나ᄅᆞᆯ ᄒᆞ마 니ᄌᆞ시니잇가
> 아소 님하 도람 드르샤 괴오쇼셔
>
> – 정서, 〈정과정〉

① ㉮ ② ㉯ ③ ㉰ ④ ㉱ ⑤ ㉲

3

㉡이 의미하는 바로 가장 적절한 것은?

① 서로 모함하는 약육강식의 현실
② 무신보다 문신을 더 우대하는 현실
③ 양반의 신분 매매가 성행하는 현실
④ 적서 차별로 인한 불평등이 만연한 현실
⑤ 부패한 관리들에게 백성들이 저항하는 현실

4

[나]에 대한 설명으로 가장 적절한 것은?

① 시구의 반복을 통해 운율감을 형성한다.
② 대구적인 표현으로 대상의 속성을 강화한다.
③ 감정 이입의 기법으로 화자의 심리를 드러낸다.
④ 의인법을 사용하여 주제를 해학적으로 제시한다.
⑤ 자연물의 속성을 이용하여 화자의 절개를 나타낸다.

5

[다]에 대한 감상으로 적절하지 <u>않은</u> 것은?

① 임의 부재와 그리움이 창작의 동기가 되고 있군.
② '상사몽'에는 임에 대한 화자의 연모의 정이 애절하게 나타나 있군.
③ '실솔'은 화자와 임을 연결해 주는 매개물이라고 할 수 있겠군.
④ '추야장'은 임이 없는 밤을 보내야 하는 화자의 외로운 처지를 드러내고 있군.
⑤ 'ᄌᆞᆷ을 ᄭᆡ와볼가 ᄒᆞ노라'에서 화자는 임의 일을 방해하고 싶은 심리를 드러내고 있군.

6

[라]에 대한 설명으로 가장 적절한 것은?

① 상황을 극복하려는 화자의 의지가 나타나 있다.
② 심상의 대비를 통해 화자의 내면을 보여 주고 있다.
③ 화자가 처한 상황이 특정 공간을 통해 표현되고 있다.
④ 특정한 청자를 설정하여 화자의 심정을 토로하고 있다.
⑤ 시상의 전개와 더불어 화자의 정서가 급격하게 변하고 있다.

7

〈보기〉를 고려할 때, [라]의 창작 동기에 대한 추측으로 가장 적절한 것은?

보기

> [라]의 작가 신흠은 어지러운 당쟁(黨爭)과 광해군의 난정(亂政) 속에서 삼공(三公)의 벼슬을 지내면서 권력이란 것이 얼마나 허무한 것인가를 체득했다. 영창대군을 옹호하다가 억울하게 벼슬에서 물러나 전원 생활을 하던 신흠은 나라 걱정에 마음이 편한 날이 없었다.

① 자연 속의 삶을 예찬하기 위해
② 시련 많은 자신을 위로하기 위해
③ 자신의 방탕한 삶을 반성하기 위해
④ 부정적 현실을 직접적으로 비판하기 위해
⑤ 세속에서의 삶을 되돌아보면서 스스로를 반성하기 위해

8

ⓐ~ⓔ 중, 〈보기〉의 설명에 해당하는 것은?

보기

> 감정 이입이란, 타인이나 자연물 또는 예술 작품 등에 자신의 감정이나 정신을 불어넣거나, 대상으로부터 느낌을 직접 받아들여 대상과 자신과의 융화를 꾀하는 일을 의미한다.

① ⓐ ② ⓑ ③ ⓒ ④ ⓓ ⑤ ⓔ

9

서술형 [다]의 화자가 자신의 내면적 문제를 해결하는 방식에 대해 서술하시오.

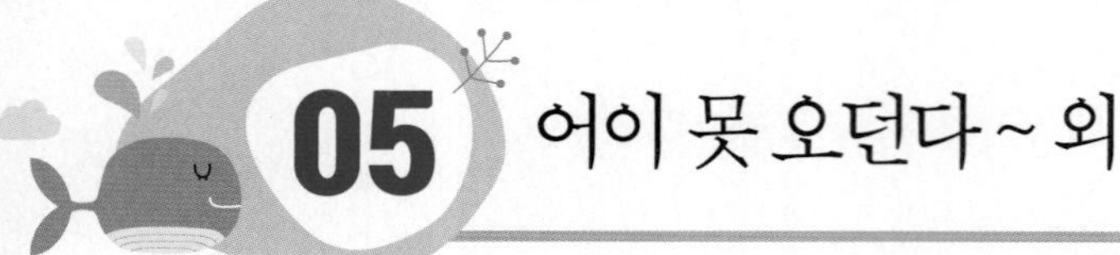

05 어이 못 오던다 ~ 외

가 어이 못 오던다 ~

어이 못 오던다 므슴 일로 못 오던다.

너 오ᄂᆞᆫ 길 우희 무쇠로 성(城)을 ᄡᅡ고 성(城) 안헤 담 ᄡᅡ고 담 안헤란 집을 짓고 집 안헤란 두지 노코 두지 안헤 궤(櫃)를 노코 궤(櫃) 안헤 너를 결박(結縛)ᄒᆞ여 노코 쌍(雙)비목 외걸새에 Ⓐ용(龍)거북 ᄌᆞ믈쇠로 수기수기 줌갓더냐 네 어이 그리 아니 오던다.

ᄒᆞᆫ ᄃᆞᆯ이 셜흔 날이여니 날 보라 올 ᄒᆞᆯ리 업스랴. – 작자 미상

어찌 못 오던가, 무슨 일로 못 오던가? / 너 오는 길에 무쇠로 성을 쌓고, 성 안에 담을 쌓고, 담 안에 집을 짓고, 집 안에 뒤주를 놓고, 뒤주 안에 궤를 놓고, 궤 안에 너를 결박하여 놓고 쌍배목 외걸쇠에 용거북 자물쇠로 꼭꼭 잠가 두었느냐? 너 어찌 그리 아니 오던가? / 한 달이 서른 날이나 되는데 날 보러 올 하루가 없겠는가?

나 일신(一身)이 ᄉᆞ쟈 하엿더니~

일신(一身)이 ᄉᆞ쟈 ᄒᆞ엿더니 ㉠물ᄭᅥᆺ 계워 못 ᄉᆞᆯ니로다.

비파(琵琶) 것튼 •빈아(蠙蛾) ᄉᆞᆺ기 •사령(使令) 것튼 등에, 어이 •갈ᄯᅡ귀 •ᄉᆞᆷ위약이 센 박쿼 누른 바쿼, •핏겨 것튼 •가랑니며 보리알 것튼 •수퉁니며, 듀린 니 갓 ᄭᅡᆫ 니 쟌 벼룩 왜(倭)벼룩 ᄯᅱ는 놈 긔는 놈에, 다리 기다헌 모긔 부리 ᄲᅧ족ᄒᆞᆫ 모긔, ᄉᆞᆯ딘 모긔 여윈 모긔, •그림아 ᄲᅧ록이 심(甚)ᄒᆞᆫ •당(唐)비루에 더 어려웨라.

그즁에 ᄎᆞᆷ아 못 견딜 ᄡᆞᆫ, 오뉴월(五六月) •복다림에 쉬ᄑᆞ린가 ᄒᆞ노라. – 작자 미상

이내 몸이 살자 하였더니 물것 많아 괴로워 못 살겠구나. / 비파 같은 빈대 새끼, 사령 같은 등에, 어이 각다귀, 사마귀, 흰 바퀴, 누런 바퀴, 피 껍질 같은 가랑니며, 보리알 같은 살찐 이며, 굶주린 이, 갓 깐 알에서 나온 이, 잔 벼룩, 왜벼룩, 뛰는 놈 기는 놈에, 다리 기다란 모기, 부리 뾰족한 모기, 살찐 모기, 여윈 모기, 그리마, 뾰록이, 심한 피부병에 더 (견디기가) 어려워라. / 그중에 차마 못 견딜 것은, 오뉴월 복더위에 쉬파리인가 하노라.

다 개를 여라믄이나 기르되~

개를 여라믄이나 기르되 요 ㉡개ᄀᆞᆺ치 얄믜오랴.

뮈온 님 오며ᄂᆞᆫ ᄭᅩ리를 홰홰 치며 ᄯᅱ락 ᄂᆞ리 ᄯᅱ락 반겨서 내ᄃᆞᆺ고 고온 님 오며ᄂᆞᆫ 뒷발을 버동버동 ᄆᆞ르락 나으락 캉캉 ᄌᆞ져셔 도라가게 ᄒᆞᆫ다.

쉰밥이 그릇 그릇 난들 너 머길 줄이 이시랴. – 작자 미상

개를 열 마리 넘게 기르지만 이 개처럼 얄미우랴. / 내가 미워하는 임이 오면 꼬리를 휘저으며 뛰어올랐다 내리뛰었다 하면서 반겨서 맞이하고, 사랑하는 임이 오면 뒷발을 바둥거리며 뒤로 물러났다 앞으로 나아갔다 하면서 캉캉 짖어서 돌아가게 한다. / 쉰밥이 그릇그릇 쌓인다 한들 너에게 먹일 성싶으냐.

어휘 다지기

- 빈아(蠙蛾) ᄉᆞᆺ기 : 빈대 새끼
- 사령(使令) : 옛 관청의 심부름꾼
- 갈ᄯᅡ귀 : 각다귀(모기의 일종)
- ᄉᆞᆷ위약이 : 사마귀
- 핏겨 : 피의 겨. '피'는 볏과의 한해살이풀
- 가랑니 : 이의 새끼
- 수퉁니 : 크고 굵고 살찐 이
- 그림아 : 그리마. 지네와 비슷하게 생긴 벌레
- 당(唐)비루 : 피부병의 일종
- 복다림 : 복달임. 복(伏)이 들어 매우 더운 철

작품 개관

[가]
- 갈래 사설시조
- 성격 해학적, 과장적, 원망적
- 주제 임을 기다리는 안타까운 마음
- 특징
  ① 열거법, 연쇄법 등을 사용하여 운율을 형성하고 임이 오지 않는 상황을 강조함
  ② 해학과 과장을 통해 임을 기다리는 화자의 간절한 마음을 표현함

[나]
- 갈래 사설시조
- 성격 풍자적, 해학적, 우의적
- 주제 세상살이의 어려움과 가렴주구를 일삼는 탐관오리 비판
- 특징 '물것'의 종류를 장황하게 열거함으로써 부정적인 세태를 우의적으로 풍자함

[다]
- 갈래 사설시조
- 성격 해학적, 사실적
- 주제 임에 대한 연모의 정
- 특징 의성어와 의태어를 효과적으로 활용하여 얄미운 개의 행동을 과장되면서도 해학적으로 표현함

1등급 노트

[가]
1. 표현상의 특징
   연쇄법 : 임이 오는 길을 가로막는 장애물들을 구체적으로 열거함으로써, 임이 오지 않는 상황에서 화자가 느끼는 답답하고 안타까운 심정을 생동감 있게 표현함
2. 화자의 정서 및 태도
   자신에게 오지 않는 임에 대한 원망과 간절한 그리움을 해학적으로 드러냄. 임이 자신을 찾지 않는 이유를 임이 구속된 것과 같은 가정적 상황을 설정하여 과장되게 표현함

[나]
표현상의 특징
- 백성을 착취하는 부패한 온갖 무리를 '물것'에 빗대어 표현함(우의적)
- 백성들을 괴롭히는 무리들이 너무 많아 살기 어려운 현실을 풍자함

[다]
화자의 정서 및 태도
개가 짖어서 오는 임을 쫓아 버린다고 원망함으로써 웃음을 자아내는 한편, 기다려도 오지 않는 임에 대한 원망과 간절한 그리움을 간접적으로 드러냄

정답과 해설 18쪽

1 [가]~[다]에 대한 설명으로 적절하지 않은 것은?

① [가]는 상황을 과장하여 표현함으로써 해학성을 유발하고 있다.
② [나]는 우의적 수법을 사용하여 부정적인 현실을 풍자하고 있다.
③ [다]는 음성 상징어를 활용하여 상황을 생동감 있게 드러내고 있다.
④ [가]~[다]는 일상적인 어휘를 통해 평민들의 소박한 감정을 드러내고 있다.
⑤ [가], [다]는 가상적인 상황을 장황하게 제시하여 화자의 마음을 표현하고 있다.

2 [가]와 관련하여 〈보기〉의 빈칸에 들어갈 말로 가장 적절한 것은?

> 보기
> 이 작품의 중장에서는 임이 오는 것을 막는 여러 가지 장애물들을 연결하여 나열함으로써 화자의 답답하고 안타까운 심정을 나타내고 있는데, 이러한 표현 방식을 (　　　　)이라고 한다.

① 도치법 ② 영탄법 ③ 역설법 ④ 연쇄법 ⑤ 설의법

3 수능형 다음 밑줄 친 시어 중, Ⓐ와 시적 기능이 유사하지 않은 것은?

① 우리 님 가신 후는 무슨 약수(弱手) 가렷관듸 / 오거나 가거나 소식(消息)조차 ᄭᅳ첫는고. – 허난설헌, 〈규원가〉
② 풀 한 포기 없는 이 길을 걷는 것은 / 담 저쪽에 내가 남아 있는 까닭이고, // 내가 사는 것은, 다만, / 잃은 것을 찾는 까닭입니다. – 윤동주, 〈길〉
③ 이별은 이별은 끝나야 한다. / 말라붙은 은하수 눈물로 녹이고 / 가슴과 가슴을 노둣돌 놓아 / 슬픔은 슬픔은 끝나야 한다, 연인아. – 문병란, 〈직녀에게〉
④ 잡거니 밀거니 놉픈 뫼히 올라가니 / 구롬은ᄏᆞ니와 안개ᄂᆞᆫ 무ᄉᆞ 일고. / 산쳔(山川)이 어둡거니 일월(一月)을 엇디 보며 / 지쳑(咫尺)을 모ᄅᆞ거든 쳔 리(千里)ᄅᆞᆯ ᄇᆞ라보랴. – 정철, 〈속미인곡〉
⑤ 천 리 먼 고향 산은 만 겹 봉우리로 막혔으니, / 가고픈 마음은 오래도록 꿈속에 있네. / 한송정 가에는 외로운 둥근 달이요, / 경포대 앞에는 한 줄기 바람이로다. – 신사임당, 〈사친〉

출제 예감

4 ㉠과 ㉡에 대한 이해로 가장 적절한 것은?

① ㉠과 ㉡ 모두 화자가 부정적으로 바라보는 대상이다.
② ㉠과 ㉡ 모두 화자의 고통을 유발하는 근본적인 원인이다.
③ ㉠과 달리 ㉡에 대한 화자의 태도는 계속 변화하고 있다.
④ ㉠과 달리 ㉡은 의인화된 대상으로 친근감을 유발하고 있다.
⑤ ㉡과 달리 ㉠은 화자의 현실 개선 의지를 북돋우는 역할을 하고 있다.

출제 예감

5 [나]와 〈보기〉를 비교하여 감상한 내용으로 가장 적절한 것은?

> 보기
> 두터비 ᄑᆞ리를 물고 두험 우희 치ᄃᆞ라 안자
> 건넛 산(山) ᄇᆞ라보니 백송골(白松骨)이 ᄯᅥ 잇거ᄂᆞᆯ 가슴이 금즉ᄒᆞ여 풀덕 ᄯᅱ여 내ᄃᆞᆺ다가 두험 아래 잣바지거고.
> 모쳐라 ᄂᆞᆯ랜 낼싀만졍 에헐질 번ᄒᆞ괘라. – 작자 미상

① [나]의 ‘쉬ᄑᆞ리’와 〈보기〉의 ‘ᄑᆞ리’는 모두 연약한 존재를 상징한다.
② [나]와 〈보기〉는 모두 지배 계층이 허장성세를 부리는 모습을 비판하고 있다.
③ [나]와 〈보기〉는 모두 부정적인 대상을 해학적으로 표현하여 풍자의 효과를 높이고 있다.
④ 〈보기〉는 [나]와 달리 화자 교체를 통해 특정 대상에 대한 연민의 정을 부각시키고 있다.
⑤ [나]는 〈보기〉와 달리 구체적인 대상들을 장황하게 나열하여 위기감을 고조시키고 있다.

6 [다]의 상황을 속담으로 표현하고자 할 때, 가장 적절한 것은?

① 닭 쫓던 개 지붕 쳐다보듯
② 가랑비에 옷 젖는 줄 모른다
③ 종로에서 뺨 맞고 한강에서 눈 흘긴다
④ 개 꼬리 삼 년 묵어도 황모 되지 않는다
⑤ 뒷간에 갈 적 마음 다르고 올 적 마음 다르다

7 고난도 [다]와 〈보기〉의 화자에 대해 분석한 내용으로 가장 적절한 것은?

> 보기
> 창밖이 어른어른커늘 님만 여겨 펄떡 뛰어 뚝 나서 보니
> 님은 아니 오고 으스름 달빛에 녈 구름 날 속였구나.
> 마초아 밤일세망정 행여 낮이런들 남 우일 뻔하여라. – 작자 미상

① [다]와 〈보기〉의 화자 모두 적극적인 현실 극복 의지를 보이고 있다.
② [다]와 〈보기〉의 화자 모두 임에 대한 그리움의 정서를 지니고 있다.
③ [다]와 〈보기〉의 화자 모두 특정 대상에 대한 원망의 감정을 표출하고 있다.
④ 〈보기〉의 화자는 [다]와 달리 자신의 경거망동한 행동에 대해 후회하고 있다.
⑤ 〈보기〉의 화자는 [다]와 달리 임과 재회할 것이라는 강한 확신을 보이고 있다.

8 서술형 〈보기〉와 비교하여 [가]~[다]의 공통된 형태적 특징에 대해 서술하시오.

> 보기
> 백구(白鷗) ㅣ야 말 무러보쟈 놀라지 마라스라.
> 명구승지(名區勝地)ᄅᆞᆯ 어듸어듸 ᄇᆞ렷ᄃᆞ니
> 날ᄃᆞ려 자세(仔細)히 닐러든 네와 게 가 놀리라. – 김천택

06 동기로 세 몸 되어~ 외

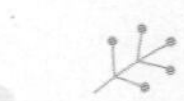

가 동기로 세 몸 되어 ~

동기로 세 몸 되어 한 몸같이 지내다가

두 아운 어디 가서 돌아올 줄 모르는고

날마다 석양 문외에 한숨 겨워 하노라.

– 박인로

삼형제로 태어나 한 몸처럼 지내다가 / 두 아우는 어디 가서 돌아올 줄 모르는가 / 날마다 저녁 나절 문 밖에서 (두 동생을 기다리며) 한숨을 이기지 못하노라.

나 귓도리 져 귓도리 ~

귓도리 져 귓도리 에엿부다 져 귓도리

어인 귓도리 지는 달 새는 밤의 긴 소릐(소리) 자른(짧은) 소릐 절절(節節)이(마디마디) 슬픈 소릐 제 혼자 우러 녜어(울어서) *사창(紗窓) 여윈 잠을 *살드리도 깨오는고나.

두어라 제 비록 미물(微物)이나 무인동방(無人洞房)(임이 없는 여인의 방)에 내 뜻 알리는 너뿐인가 하노라.

– 작자 미상

귀뚜라미, 저 귀뚜라미, 불쌍하다 저 귀뚜라미 / 어찌 된 귀뚜라미가, 지는 달 새는 밤에 긴 소리 짧은 소리 마디마디 슬픈 소리로 저 혼자 울고 다니며 규방에서 자는 (나의) 옅은 잠을 잘도 깨우는구나. / 두어라, 제가 비록 미물이지만 임 없이 지내는 텅 빈 방에서 나의 뜻을 알아줄 이는 너뿐인가 하노라.

다 님이 오마 ᄒᆞ거늘 ~

님이 오마 ᄒᆞ거늘 져녁밥을 일지어 먹고

중문(中門) 나서 대문(大門) 나가 지방(地方) 우희 치ᄃᆞ라 안자 *이수(以手)로 *가액(加額)ᄒᆞ고 오ᄂᆞᆫ가 가ᄂᆞᆫ가 건넌 산(山) ᄇᆞ라보니 *거머흿들 셔 잇거ᄂᆞᆯ 져야 님이로다. 보션 버서 품에 품고 신 버서 손에 쥐고 *곰븨님븨 님븨곰븨 쳔방지방 지방쳔방 즌 듸 ᄆᆞ른 듸 ᄀᆞᆯ희지 말고(가리지 않고) *위렁충창 건너가셔 정(情)엣말(정에 넘치는 말) ᄒᆞ려 ᄒᆞ고 겻눈을 흘긧 보니 상년(上年) 칠월(七月) 사흔날 ᄀᆞᆯ가벅긴 ㉠주추리 삼대 ᄉᆞᆯ드리도 날 소겨다.

모쳐라(아서라) 밤일싀망졍 힝여 낫이런들 ᄂᆞᆷ 우일 번ᄒᆞ괘라(웃길 뻔했구나).

– 작자 미상

임이 온다고 하기에 저녁밥을 일찍 지어 먹고 / 중문을 나와서 대문으로 나가 문지방 위에 달려가 앉아서 손을 이마에 대고 임이 오는가 하여 건너편 산을 바라보니, 거무희뜩한 것이 서 있기에 저것이야말로 임이로구나. 버선 벗어 품에 품고 신 벗어 손에 쥐고, 엎치락뒤치락 허둥거리며, 진 곳 마른 곳 가리지 않고 우당탕퉁탕 건너가서, 정이 넘치는 말을 하려고 곁눈으로 흘깃 보니, 작년 7월 3일날 껍질 벗긴 주추리 삼대(씨를 받느라고 그냥 밭머리에 세워 둔 삼의 줄기)가 알뜰히도 나를 속였구나. / 마침 밤이기에 망정이지 행여 낮이었다면 남 웃길 뻔했구나.

작품 개관

[가]
- 갈래 평시조, 연시조
- 성격 애상적
- 주제 이별한 형제에 대한 그리움
- 특징 연시조 〈오륜가〉 중 한 수

[나]
- 갈래 사설시조
- 성격 연정가
- 주제 임에 대한 그리움
- 특징
  ① 대상에 화자의 감정을 이입함
  ② 반어법을 사용함

[다]
- 갈래 사설시조
- 성격 해학적, 과장적, 연정가
- 주제 임을 기다리는 애타는 마음
- 특징
  ① 음성 상징어를 사용한 과장된 행동 묘사로 화자의 그리움을 드러냄
  ② 자연물을 임으로 착각하는 화자의 모습을 해학적으로 표현함

1등급 노트

[가]

화자의 정서 및 태도

전란(임진왜란)으로 인해 헤어진 두 아우를 날마다 문 밖에서 기다리며 아우들에 대한 그리움을 드러냄

[나]

1. 표현상의 특징

감정 이입	'귓도리' : 임을 그리워하는 화자의 감정이 이입된 대상 – 동병상련(同病相憐)
반어법	'살드리도' : 귀뚜라미에 대한 원망을 반어적으로 나타냄

2. 화자의 정서

임이 없는 외로운 방에서 밤을 지새는 화자의 애절한 심정을 드러냄

[다]

1. 표현상의 특징
- 의태어와 의성어('곰븨님븨 님븨곰븨 쳔방지방 지방쳔방', '위렁충창')를 사용하여 화자의 행동을 과장되게 묘사함
- 자연물('주추리 삼대')을 임으로 착각하는 화자의 모습을 해학적으로 나타냄

2. 화자의 정서 및 태도

오지 않는 임을 애타게 기다리며 그리워함

어휘 다지기

- 사창(紗窓) : 비단 휘장을 친 창. 여인의 창
- 살드리도 : 알뜰하게도, 잘도
- 이수(以手)로 : 손으로써
- 가액(加額) : 잘 보려고 이마에 손을 얹는다는 뜻으로, 사람을 몹시 기다림을 이르는 말
- 거머흿들 : 검은색과 흰색이 뒤섞인 모양
- 곰븨님븨 님븨곰븨 쳔방지방 지방쳔방 : 급히 달려가는 모양
- 위렁충창 : 우당탕퉁탕

정답과 해설 18쪽

1 [가]에서 알 수 있는 내용이 <u>아닌</u> 것은?

① 화자는 삼형제 중 맏이이다.
② 화자는 현재 형제들의 행방을 알지 못한다.
③ 화자는 형제들이 돌아오지 않아 안타까워하고 있다.
④ 화자는 날마다 형제들을 그리워하면서 한숨을 짓고 있다.
⑤ 화자는 저녁 무렵 나가서 돌아오지 않는 형제들을 염려하고 있다.

출제 예감
2 [가]에 나타난 화자의 정서와 가장 유사한 것은?

① 놉프락 나즈락ᄒᆞ며 멀기와 갓갑기와
모지락 동그락ᄒᆞ며 길기와 져르기와
평생(平生)을 이리ᄒᆞ엿시니 무삼 근심 잇시리. – 안민영

② 창(窓) 밧기 국화(菊花)를 심어 국화 밋틔 술을 비저
술 닉자 국화 ᄑᆡ자 벗님 오쟈 ᄃᆞᆯ 도다온다.
아희야 검은고 청(淸)쳐라 밤새도록 놀리라. – 작자 미상

③ 오ᄂᆞᆯ도 다 새거다, 호ᄆᆡ 메고 가쟈ᄉᆞ라.
내 논 다 ᄆᆡ여든 네 논 졈 ᄆᆡ여 주마.
올 길헤 뽕 ᄲᅡ다가 누에 머겨 보쟈ᄉᆞ라. – 정철, 〈훈민가〉

④ 왜 푸른 산중에 사느냐고 물어봐도
대답 없이 빙그레 웃으니 마음이 한가롭다.
복숭아꽃 흐르는 물 따라 묘연히 떠나가니
인간 세상이 아닌 별천지에 있다네. – 이백, 〈산중문답〉

⑤ 나라히 파망(破亡)ᄒᆞ니 뫼콰 ᄀᆞᄅᆞᆷ뿐 잇고,
잣 안 보ᄆᆡ 플와 나모뿐 기펫도다.
시절(時節)을 감탄(感歎)호니 고지 눉믈를 ᄲᅳ리게코,
여희여슈믈 슬호니 새 ᄆᆞᅀᆞᄆᆞᆯ 놀래노라.
봉화(烽火)ㅣ 석 ᄃᆞᄅᆞᆯ 니어시니,
지븻 음서(音書)ᄂᆞᆫ 만금(萬金)이 ᄉᆞ도다. – 두보, 〈춘망〉

3 [나]에 대한 독자의 감상으로 적절하지 <u>않은</u> 것은?

① 그리움이라는 정서를 점점 증폭시키며 시상을 전개하고 있어.
② 반어적인 표현을 사용하여 임에 대한 그리움을 표현하고 있군.
③ '귀뚜라미'는 원망의 대상이자 화자의 처지와 상반되는 사물이군.
④ 청각적 심상을 효과적으로 사용하여 화자의 감정을 고조시키고 있어.
⑤ 마치 누군가에게 말하는 듯한 어조를 통해 화자의 애절함을 표현하고 있네.

출제 예감
4 수능형 [나]와 발상 및 표현이 가장 유사한 것은?

① 구즌비 개단 말가 흐리던 구름 걷단 말가.
압 내희 기픈 소히 다 ᄆᆞᆰ앗다 ᄒᆞᄂᆞᄉᆞᆫ다.
진실(眞實)로 ᄆᆞᆰ디온 ᄆᆞᆰ아시면 갇긴 시서 오리라. – 윤선도

② 가노라 삼각산(三角山)아 다시 보자 한강수(漢江水)야.
고국 산천(古國山川)을 ᄯᅥ나고쟈 하랴마ᄂᆞᆫ
시절(時節)이 하 수상(殊常)하니 올동 말동 ᄒᆞ여라. – 김상헌

③ 백설(白雪)이 ᄌᆞ자진 골에 구루미 머흐레라.
반가온 매화(梅花)ᄂᆞᆫ 어ᄂᆡ 곳에 ᄑᆡ엿ᄂᆞᆫ고.
석양(夕陽)에 홀로 셔 이셔 갈 곳 몰라 ᄒᆞ노라. – 이색

④ 방(房) 안에 혓는 촛(燭)불 눌과 이별(離別)ᄒᆞ엿관ᄃᆡ,
것츠로 눈믈 디고 속 타는 쥴 모로는고.
뎌 촛(燭)불 날과 갓트여 속 타는 쥴 모로도다. – 이개

⑤ ᄆᆞ음이 어린 후(後)ㅣ니 ᄒᆞᄂᆞᆫ 일이 다 어리다.
만중 운산(萬重雲山)에 어ᄂᆡ 님 오리마ᄂᆞᆫ
지ᄂᆞᆫ 닙 부ᄂᆞᆫ ᄇᆞ람에 힝여 귄가 ᄒᆞ노라. – 서경덕

5 [다]에 대한 설명으로 적절한 것은?

① 중립적이고 객관적인 서술 태도를 유지하고 있다.
② 경험을 통해 얻은 이치를 우회적 수법으로 풀고 있다.
③ 고답적인 표현으로 작가의 지적 수준을 나타내고 있다.
④ 자연물에 이입하여 자신의 기구한 운명을 토로하고 있다.
⑤ 의성어와 의태어를 사용한 과장된 행동 묘사가 드러나 있다.

6 〈보기〉와 같이 [다]에 나타난 화자의 심리 변화를 정리해 보았다. [A]에 들어갈 내용으로 가장 적절한 것은?

보기

임을 기다리는 초조함	→	임을 보고 반가워함	→	경솔한 행동에 대한 [A]

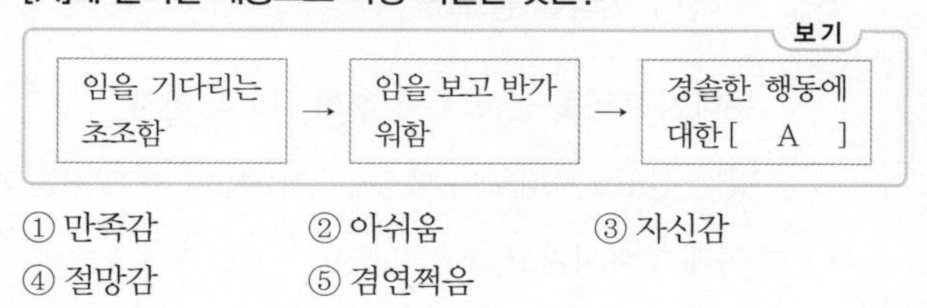

① 만족감 ② 아쉬움 ③ 자신감
④ 절망감 ⑤ 겸연쩍음

출제 예감
7 〈보기〉에서 ㉠과 시적 기능이 가장 유사한 것은?

보기

<u>창밖</u>이 어른어른커늘 <u>님</u>만 여겨 펄떡 뛰어 뚝 나서 보니
님은 아니 오고 으스름 <u>달빛</u>에 녈 <u>구름</u> 날 속였구나.
마초아 <u>밤</u>일세망정 행여 낮이런들 남 우일 뻔하여라. – 작자 미상

① 창밖 ② 님 ③ 달빛 ④ 구름 ⑤ 밤

8 서술형 [가]와 [나]·[다]의 형식상의 차이점이 무엇이며, 그러한 차이가 발생하게 된 이유를 서술하시오.

07 나모도 바히 돌도 업슨 뫼헤~ 외

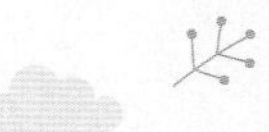

가 나모도 바히 돌도 업슨 뫼헤~

나모도 바히 돌도 업슨 뫼헤 매게 ᄯᅩ친 •가토릐 안과(마음),

대천(大川)(넓은 바다) 바다 한가온대 일천 석(一千石) 시른 ᄇᆡ에 노도 일코 닷(닻)도 일코 •뇽총도 근코(끊어지고) 돗대도 것고 •치도 ᄲᆞ지고 ᄇᆞ람 부러 물결치고 안개 뒤섯계 ᄌᆞ자진 날에 갈 길은 천리만리(千里萬里) 나믄듸(남았는데) 사면(四面)이 거머어득 •져믓 천지(天地) 적막(寂寞) •가치노을 ᄯᅥᆺᄂᆞᆫ듸 수적(水賊)(해적) 만난 도사공(都沙工)의 안과,

엇그제 님 여흰 내 안히야 엇다가 •ᄀᆞ을ᄒᆞ리오.

– 작자 미상

나무도 바윗돌도 없는 산에 매에게 쫓기는 까투리의 마음과, / 넓은 바다 한가운데 일천 석이나 되는 짐을 실은 배가 노도 잃고, 닻도 잃고, 돛줄도 끊어지고, 돛대도 꺾어지고, 키도 빠지고, 바람 불어 물결치고, 안개는 뒤섞여 자욱한 날에 갈 길은 천리만리 남았는데, 사방은 깜깜하고 어둑하게 저물어서 천지는 고요하고 사나운 파도는 이는데 해적을 만난 도사공의 마음과, / 엊그제 임과 이별한 나의 마음이야 어디다가 비교할 수 있으랴.

나 창(窓) 내고쟈 창을 내고쟈 ~

㉠창(窓) 내고쟈 창을 내고쟈 이 내 가슴에 창 내고쟈

•고모장지 •셰살장지 •들장지 •열장지 •암돌져귀 •수돌져귀 •ᄇᆡ목걸새 크나큰 쟝도리로 ᄯᅮᆨ닥 바가(뚝딱 박아) 이 내 가슴에 창 내고쟈

잇다감 하(너무) 답답ᄒᆞᆯ 제면 여다져(열고 닫아) 볼가 ᄒᆞ노라.

– 작자 미상

창을 내고 싶구나, 창을 내고 싶구나, 이 내 가슴에 창을 내고 싶구나. / 고모장지, 세살장지, 들장지, 열장지, 암톨쩌귀, 수톨쩌귀, 배목걸쇠를 커다란 장도리로 뚝딱 박아 이 내 가슴에 창을 내고 싶구나. / 이따금 너무 답답할 때면 여닫아 볼까 하노라.

다 두터비 ᄑᆞ리를 물고 ~

두터비 ᄑᆞ리를 물고 두험 우희 치ᄃᆞ라 안자

것넌 산(山) ᄇᆞ라보니 백송골(白松鶻)이 ᄯᅥ 잇거ᄂᆞᆯ 가슴이 금즉ᄒᆞ여 풀덕 ᄯᅱ여 내ᄃᆞᆺ다가 두험 아래 쟛바지거고.

모쳐라 ᄂᆞᆯ낸 낼싀만졍 •에헐질 번 ᄒᆞ괘라.

– 작자 미상

두꺼비가 파리를 물고 두엄 위에 뛰어올라가 앉아 / 건너편 산을 바라보니 흰 송골매가 떠 있거늘 가슴이 섬뜩하여 펄쩍 뛰어 내닫다가 두엄 아래 자빠졌구나. / 마침 날랜 나였기에 망정이지 (하마터면) 피멍들 뻔했구나.

어휘 다지기

- 가토릐 : 까투리
- 뇽총 : 용총(龍驄), 돛대에 맨 줄
- 치 : 키, 방향 조절 기구
- 져믓 : 저물고
- 가치노을 : 큰 파도
- ᄀᆞ을ᄒᆞ리오 : 비교하리오, 견주리오.
- 고모장지 : 고무래 들창(T자 모양)
- 셰살장지 : 가는 살의 장지
- 들장지 : 들어 올려서 매다는 장지
- 열장지 : 좌우로 열 수 있는 장지
- 암돌져귀 : 문설주에 박는 돌쩌귀
- 수돌져귀 : 문짝에 박는 돌쩌귀
- ᄇᆡ목걸새 : 문고리에 꿰는 쇠
- 에헐질 번 ᄒᆞ괘라 : 다쳐서 멍들 뻔했구나

작품 개관

[가]
- 갈래 사설시조
- 성격 이별가
- 주제 임을 여읜 절망적 슬픔
- 특징 다양한 표현법을 사용하여 화자의 심정을 강조함

[나]
- 갈래 사설시조
- 성격 해학적(골계적)
- 주제 삶의 답답함으로부터 벗어나고 싶은 마음
- 특징
  ① 기발한 발상을 통해 문학성을 획득함
  ② 열거법, 반복법 등 다양한 표현법을 사용함

[다]
- 갈래 사설시조
- 성격 풍자적, 우의적, 해학적
- 주제 탐관오리(양반)의 횡포와 허장성세 풍자
- 특징 우의적 표현을 통해 탐관오리(양반)의 횡포를 풍자함

1등급 노트

[가]

1. 표현상의 특징
   - 화자의 상황을 다른 구체적인 상황과 비교하여 화자의 주관적 심정을 객관화함
   - 다양한 표현 방법(점층법, 열거법, 비교법, 과장법)을 사용하여 임을 여읜 화자의 절박한 심정을 강조함
2. 관련 한자 성어
   까투리나 도사공은 나쁜 일에 나쁜 일이 겹쳐 어찌할 바를 몰라 하는 상황에 놓여 있음 → 사면초가(四面楚歌), 설상가상(雪上加霜)

[나]

1. 발상 및 표현상의 특징
   - 세상살이의 어려움과 고달픔에서 오는 답답한 가슴을 꽉 막힌 방에 빗대고, 거기에 창을 달아 답답한 심정으로부터 벗어나고 싶다는 기발하고 신선한 발상을 보여 줌
   - 중장에서 구체적인 사물을 열거함으로써 삶의 괴로움을 강조하면서도 해학적인 분위기를 조성함
2. 화자의 정서
   가슴에 구멍을 뚫지 않고는 못 배길 정도로 답답한 마음을 해학과 웃음으로 달래고자 함

[다]

1. 구조상의 특징
   화자의 전환(초 · 중장의 화자 : 작가 → 종장의 화자 : 두터비)을 통해 작가의 표현 의도를 반대로 나타냄 – 풍자적 아이러니
2. 시어의 상징적 의미
   - 두꺼비 : 지방 관리(무능한 양반)
   - 백송골 : 중앙 관리(외세)
   - 파리 : 힘없는 백성

정답과 해설 18쪽

1 [가]~[다]와 같은 사설시조에 대한 설명으로 적절하지 <u>않은</u> 것은?

① 대부분 작가와 창작 연대를 알 수 없다.
② 평민 계급의 참여로 작가층이 확대되었다.
③ 당시의 사회 현실을 사실적으로 반영하였다.
④ 거리낌 없는 자기 폭로와 사회 비판의 내용이 있다.
⑤ 평민들의 관념적이고 철학적인 생활 감정을 진솔하게 표현하였다.

2 [가]에 대한 설명으로 적절하지 <u>않은</u> 것은?

① '수심가(愁心歌)'의 성격을 보이고 있다.
② 임을 여읜 절망적인 슬픔을 형상화하고 있다.
③ 임에 대한 그리움을 풍자적으로 표현하고 있다.
④ 화자의 상황을 다른 구체적인 상황과 비교하고 있다.
⑤ 다양한 표현 방법을 사용하여 화자의 심정을 강조하고 있다.

출제 예감

3 [가]에 나타난 표현 방법이 사용되지 <u>않은</u> 것은?

① 우리 모두 가자, 저 높은 산을 향하여.
② 내가 한 것보다는 네가 한 게 더 잘 한 것 같다.
③ 내가 네게 백만 번도 더 강조한 게 결국 시험에 나왔다.
④ 우리의 국토는 우리의 역사이며, 철학이며, 시이며, 정신이다.
⑤ 신록은 먼저 나의 눈을 씻고, 가슴을 씻고, 마음의 모든 구석 구석을 씻어 낸다.

4 [가]의 상황을 설명할 수 있는 한자 성어로 적절하지 <u>않은</u> 것은?

① 사면초가(四面楚歌)
② 설상가상(雪上加霜)
③ 고립무원(孤立無援)
④ 인과응보(因果應報)
⑤ 진퇴양난(進退兩難)

5 [나]에 대한 감상으로 적절하지 <u>않은</u> 것은?

① 대화하는 형식을 사용하여 화자의 마음을 구체화하고 있다.
② 일상적인 사고나 착상으로는 생각할 수 없는 기발한 발상이 담겨 있다.
③ 세상살이의 고달픔이나 근심에서 오는 답답한 심정을 '창'을 통해 해소하고자 한다.
④ 삶의 비애와 고통을 웃음을 통해 극복하려는 우리 문화적 전통을 바탕으로 하고 있다.
⑤ 구체적인 생활 언어와 친근한 일상적 사물을 열거함으로써 삶의 괴로움과 그것을 극복하고픈 마음을 강조하고 있다.

출제 예감

6 〈보기〉는 [나]에 대한 설명의 일부이다. 빈칸에 들어갈 말로 적절한 것은?

보기

이 작품은 초장에서 답답한 심정을 토로하며 가슴에 창을 내고 싶다고 하다가, 별안간 중장에서 문의 종류와 그 부속품을 다소 수다스럽게 열거하고 있다. 이는 화자의 답답한 심정을 강조하는 동시에 작품의 (　　　)인 성격을 드러내 주는 표현이다.

① 해학적
② 풍자적
③ 비판적
④ 냉소적
⑤ 예찬적

7 형식 구조상 ㉠과 거리가 <u>먼</u> 것은?

① 살어리 살어리랏다 바ᄅᆞ래 살어리랏다.
② 가다니 배부른 도긔 설진 강수를 비조라.
③ 우러라 우러라 새여 자고 니러 우러라 새여.
④ 가던 새 가던 새 본다 믈 아래 가던 새 본다.
⑤ 가다가 가다가 드로라 에정지 가다가 드로라.

출제 예감

8 [다]에 대한 설명으로 가장 적절한 것은?

① 작가의 감정을 직설적으로 표출하고 있다.
② 동어 반복을 통해 운율감을 형성하고 있다.
③ 시간의 흐름에 따라 시상을 점층적으로 전개하고 있다.
④ 관념적인 어휘의 나열로 익살스러운 웃음을 자아내고 있다.
⑤ 화자가 바뀌는 구조를 통해 풍자적 아이러니를 표현하고 있다.

9 고난도 [다]와 〈보기〉를 비교하여 감상한 내용으로 적절한 것은?

보기

ᄒᆞᆫ 눈 멀고 ᄒᆞᆫ 다리 저는 두터비 셔리 마즌 전ᄑᆞ리 물고 두엄 우희 치다라 안자
건넌 산(山) ᄇᆞ라보니 백송골(白松骨)리 ᄯᅥ 잇거ᄂᆞᆯ 가슴이 금죽ᄒᆞ여 플ᄶᅥᆨ 쒸여 내ᄃᆞᆺ다가 그 아ᄅᆡ 도로 잣바지거고나.
모쳐라 ᄂᆞᆯ낸 낼싀만정 힝혀 둔자(鈍者)런들 어혈질 번ᄒᆞ괘라.

— 작자 미상

① [다]와 〈보기〉 모두 예스러운 한자어와 고사가 많이 사용되었군.
② [다]보다 〈보기〉가 탐관오리의 모습을 더욱 부정적으로 형상화했군.
③ [다]에서는 두꺼비를 희화화한 반면, 〈보기〉에서는 백송골을 희화화했군.
④ [다]는 〈보기〉보다 탐관오리의 횡포와 허장성세가 더욱 신랄하게 표현되었군.
⑤ [다]에는 대상의 자기 합리화가 드러나 있는 반면, 〈보기〉에서는 드러나 있지 않군.

10 서술형 [나]의 시적 발상이 기발하고 신선한 이유를 서술하시오.

08 댁(宅)들에 동난지이 사오~ 외

가 댁(宅)들에 동난지이 사오 ~

댁(宅)들에 •동난지이 사오. 져 ㉠장사야 네 ⓐ황화 그 무엇이라 웨는다(무엇이라 외치는가) 사자.

외골내육(外骨內肉)(겉은 뼈 속은 살) 양목(兩目)이 상천(上天)(하늘로 향함) 전행(前行) 후행(後行) 소(小)아리(작은 다리) 팔족(八足) 대(大)아리(큰 다리) 이족(二足) •청장(淸醬) 아스슥 하는 동난지이 사오.

장사야 하 거북이(매우 거북하게) 웨지 말고 게젓이라 하렴은.

– 작자 미상

사람들아, 동난젓 사오. 저 장수야, 네 물건 그 무엇이라 외치느냐? 사자. / 밖은 단단하고 안은 물렁하며, 두 눈은 위로 솟아 하늘을 향하고, 앞뒤로 기는 작은 발 여덟 개, 큰 발 두 개, 푸른 장이 아스슥하는 동난젓 사오. / 장수야, 그렇게 거북하게(장황하게) 말하지 말고 게젓이라 하려무나.

나 논밭 갈아 기음 매고 ~

논밭 갈아 기음(김. 논밭에 난 잡풀) 매고 •뵈잠방이 •다임 쳐 •신들메고,

낫 갈아 허리에 차고 도끼 벼려(날카롭게 갈아) 두러메고 ⓑ무림 산중(茂林山中) 들어가서 삭다리(삭정이, 죽어 마른 나뭇가지) 마른 섶을 뷔거니(베거니) 버히거니 지게에 질머 집팡이 바쳐 놓고 새암(샘)을 찾아가서 점심(點心) 도슭(도시락) ⓒ부시고 곰방대를 톡톡 떨어 닙담배(잎을 말아 피는 담배) 퓌여 물고 코노래 조오다가(졸다가),

석양(夕陽)이 재 넘어 갈 제 어깨를 추이르며 긴 소래(노래) 저른(짧은) 소래하며 어이 갈고 하더라.

– 작자 미상

논밭 갈아 김 매고 베잠방이 대님 쳐 신을 벗어지지 않게 하고 / 낫 갈아 허리에 차고 도끼를 갈아 둘러메고 울창한 산 속에 들어가서 삭정이 마른 섶을 베기도 하고 자르기도 하여 지게에 짊어 지팡이 받쳐 놓고 샘을 찾아가서 점심 도시락 다 비우고 곰방대를 툭툭 털어 잎담배 피워 물고 콧노래를 부르면서 졸다가, / 석양이 고개를 넘어갈 때 어깨를 추스르며, 긴 소리 짧은 소리 하며 어이 갈까 하더라.

다 싀어마님 며ᄂᆞ라기 낫바 ~

싀어마님 며ᄂᆞ라기 낫바(나빠, 미워하여) 벽(부엌) 바닥을 구로지 마오.

빗에 바든 며ᄂᆞ린가 갑셰 쳐 온(값을 매겨 사 온) 며ᄂᆞ린가 밤나모 셕은 둥걸 휘초리 나니ᄀᆞᆺ치 ⓓ앙살픠신 싀아버님 볏 뵌(찐) 쇠똥ᄀᆞᆺ치 ⓔ되죵고신 싀어마님 삼 년(三年) 겨론 망태에 시 승곳부리ᄀᆞᆺ치 뾰죡ᄒᆞ신(성격이 모난) 싀누의님 •당(唐)피 가튼 밧틔 •돌피 나니ᄀᆞᆺ치 시노란 •외곳 ᄀᆞᄐᆞᆫ 피똥 누ᄂᆞᆫ 아들 ᄒᆞ나 두고

건 밧틔(기름진 밭에) •메곳 ᄀᆞᄐᆞᆫ 며ᄂᆞ리를 어듸를 낫바 ᄒᆞ시ᄂᆞᆫ고.

– 작자 미상

시어머님 며늘아기 미워하여 부엌 바닥을 구르지 마오. / 빚에 받은 며느리인가, 물건 값에 쳐 온 며느리인가. 밤나무 썩은 등걸에 회초리 난 것같이 매서우신 시아버님, 볕 쬔 쇠똥같이 말라빠진 시어머님, 삼 년 동안 엮은 망태에 새 송곳부리같이 뾰족하신 시누이님, 좋은 곡식 갈아 놓은 밭에 나쁜 곡식 난 것같이 샛노란 오이꽃 같은 피똥 누는 아들 하나 두고, / 기름진 밭에 메꽃 같은 며느리를 어디를 미워하시는고?

어휘 다지기

- 동난지이 : 게젓
- 청장(淸醬) : 맑은 간장. 게의 뱃속에 들어 있는 푸른 빛깔의 장
- 뵈잠방이 : 베잠방이. 가랑이가 무릎까지 오는 짧은 남자용 홑바지
- 다임 : 대님. 바짓가랑이의 발회목(다리 끝 복사뼈 위의 잘록하게 들어간 곳) 부분을 매는 끈
- 신들메고 : 신들메하고. 신이 벗겨지지 않게 들어 잡아매고
- 당(唐)피 : 품질이 좋은 곡식
- 돌피 : 품질이 나쁜 곡식
- 외곳 : 오이꽃
- 메곳 : 메꽃

작품 개관

[가]
- 갈래 사설시조
- 성격 해학적, 풍자적
- 주제 장사꾼의 현학적 태도에 대한 풍자
- 특징
  ① 게를 현학적으로 묘사함
  ② 대화체를 사용하며 세태를 풍자함

[나]
- 갈래 사설시조
- 성격 전원적, 사실적, 한정가
- 주제 농촌 생활의 즐거움
- 특징
  ① 농민들의 생활상을 구체적이면서 실감나게 묘사함
  ② 시간적 순서에 따른 시상 전개를 보임

[다]
- 갈래 사설시조
- 성격 해학적, 풍자적
- 주제 고된 시집살이에 대한 해학적 원망
- 특징
  ① 시집 식구의 성품을 일상적 소재에 비유하여 열거함
  ② 시집 식구의 성품을 일반화하여 풍자함으로써 공감대를 형성하고, 서민 문학으로서의 성격을 잘 드러냄

1등급 노트

[가]

1. 형식상의 특징
   화자와 게젓 장수의 대화 형식으로 이루어졌다는 점에서 다른 사설시조와 구별됨
2. 화자의 태도
   '게젓'이라는 쉬운 우리말이 있음에도 불구하고 어려운 한자어로 외치는 게젓 장수를 통해 실속 없이 허세를 부리며 현학적인 학문만을 뽐내는 양반 계층을 비판 · 풍자함

[나]

1. 시상 전개 방식의 특징
   농가의 하루 일과를 시간의 흐름에 따라 서사적으로 전개함
2. 화자의 정서
   논밭을 갈고 산에 가 나무하고 샘터에서 점심 먹고 해가 지면 집에 돌아오는 농가의 일상생활 속에서 즐거움을 만끽함 → 안분지족(安分知足), 낙천적, 풍류적

[다]

1. 표현상의 특징
   며느리를 억압하는 시댁 식구들을 일상적이면서도 재미 있는 소재를 통해 비유함(직유법) → 풍자의 대상을 희화화하여 웃음을 유발함
2. 인물의 비유적 표현

인물	비유	평가	
싀아버님	휘초리	앙살픠신	매서움
싀어마님	쇠똥	되죵고신	까다로움
싀누의님	시 승곳부리	뾰죡ᄒᆞ신	날카로움
아들	돌피	피똥 누는	어림, 병약함

정답과 해설 19쪽

1 [가]~[다]와 같은 시가 나타나게 된 배경으로 적절하지 않은 것은?

① 산문 정신의 대두
② 실학 사상의 영향
③ 양란 이후 서민들의 각성
④ 성리학에 대한 관심의 고조
⑤ 조선 후기 서민 문학의 발전

2 [가]~[다]에 대한 설명으로 적절하지 않은 것은?

① 작자층은 주로 서민으로 볼 수 있다.
② 구체적인 일상 언어를 사용하고 있다.
③ 개인의 생활 감정을 솔직하게 드러내고 있다.
④ 내용이 사설조로 길어지는 경향을 보이고 있다.
⑤ 정제된 표현을 통해 세련된 형식미를 갖추고 있다.

3 [가]에 대한 설명으로 적절하지 않은 것은?

① 대화를 인용하여 생동감과 현실감을 주고 있다.
② 의성어를 사용하여 감각적으로 형상화하고 있다.
③ 우리말 대신에 어려운 한자어를 쓰는 인물을 꼬집고 있다.
④ 강자 앞에서 비굴해지는 약육강식의 세태를 비판하고 있다.
⑤ 사람들이 흔히 가질 수 있는 위선과 허위의식을 풍자하고 있다.

출제 예감

4 [나]를 분석하는 표를 다음과 같이 작성하였다. 그 내용으로 적절하지 않은 것은?

	구분	특징
①	표현면	열거법과 서사적 진술이 사용되었다.
②	성격면	전원적, 사실적, 한정가(閑情歌)의 성격을 지녔다.
③	운율면	수미 상관(首尾相關) 구조로 운율미가 돋보인다.
④	소재면	서민의 일상생활에서 소재를 취해 친근감을 준다.
⑤	주제면	농촌 생활에서 누리는 한가로운 삶을 드러내었다.

5 [다]에서 인물에 대한 비유적 표현의 성격이 다른 것은?

① 앙살픠신 ② 되종고신 ③ 쌔쭉ᄒᆞ신
④ 피똥 누는 ⑤ 메곳 ᄀᆞᄐᆞᆫ

출제 예감

6 [다]의 인물들에 대해 다음과 같이 정리해 보았다. 적절하지 않은 것은?

	인물	비유	인물에 대한 평가
①	시아버님	회초리	매서움
②	시어머님	볕 쬔 쇠똥	까다로움, 깐깐함
③	시누이님	새 송곳부리	날카로움
④	아들	돌피, 피똥	똑똑함
⑤	며느리	메꽃	착하고 참함

출제 예감

7 수능형 ㉠에게 할 수 있는 말로 가장 적절한 것은?

① 허장성세(虛張聲勢)가 심하군요.
② 견강부회(牽强附會)도 유분수지.
③ 동문서답(東問西答)을 계속하고 있군요.
④ 조삼모사(朝三暮四)라더니, 말을 자꾸 바꾸시네요.
⑤ 안하무인(眼下無人)이라고 남을 업신여겨서야 되겠습니까?

8 ⓐ~ⓔ의 뜻풀이로 적절하지 않은 것은?

① ⓐ : 누런 빛깔의 꽃
② ⓑ : 수풀이 무성하게 우거진 산 가운데
③ ⓒ : 깨끗이 씻고
④ ⓓ : 매서운
⑤ ⓔ : 말라빠진

9 [가]~[다]를 읽은 후의 반응으로 적절하지 않은 것은?

① 진솔하고 발랄하게 자신의 삶을 노래하고 있어.
② 시조의 정형성을 완전히 깨뜨리지는 않은 것 같아.
③ 일상적인 소재를 통해 자신의 감정을 솔직히 노래하고 있어.
④ 사대부들의 평시조를 모방하고 싶었던 서민들의 욕구가 반영된 것 같아.
⑤ 삶의 희로애락을 담아 내면서 인생의 바람직한 방향을 생각해 보게 하고 있어.

10 서술형 [가]와 [다]에 공통적으로 나타난 화자의 태도에 대해 서술하시오.

09 어부사시사(漁父四時詞)

가 〈춘사(春詞) 4〉

우ᄂᆞᆫ 거시 벅구기가 프른 거시 버들숩가.
　이어라 이어라
漁어村촌 두어 집이 닛 속의 나락들락.
　至지匊국悤총 至지匊국悤총 於어思사臥와
말가ᄒᆞᆫ 기픈 소희 온갇 고기 뛰노ᄂᆞ다.

닛: 안개 / 소희: 연못 속에

우는 것이 뻐꾸기인가, 푸른 것이 버드나무 숲인가.
노 저어라 노 저어라.
어촌의 두어 집이 안개 속에 들락날락하는구나.
찌그덩 찌그덩 어여차
맑고 깊은 못에 온갖 고기가 뛰노는구나.

소주제 ❶ 배에서 바라본 □□의 평화로운 봄 풍경

나 〈하사(夏詞) 2〉

년닙희 밥 싸 두고 반찬으란 쟝만마라.
　닫 드러라 닫 드러라
靑청蒻약笠립은 써 잇노라, 綠녹蓑사衣의 가져오냐.
　至지匊국悤총 至지匊국悤총 於어思사臥와
無무心심ᄒᆞᆫ 白백鷗구ᄂᆞᆫ 내 좃ᄂᆞᆫ가, 제 좃ᄂᆞᆫ가.

靑蒻笠: 푸른 갈대로 만든 삿갓 / 綠蓑衣: 짚이나 띠 따위로 만든 푸른 도롱이 / 無心ᄒᆞᆫ: 아무 욕심이 없는 / 白鷗: 갈매기

연잎에 밥을 싸 두고 반찬은 장만하지 마라.
닻 올려라 닻 올려라.
삿갓은 이미 쓰고 있노라, 도롱이는 가져왔느냐?
찌그덩 찌그덩 어여차
무심한 갈매기는 내가 저를 좇는 것인가, 제가 나를 좇는 것인가?

소주제 ❷ 안분지족과 □□□□의 즐거움

다 〈추사(秋詞) 1〉

物믈外외예 조ᄒᆞᆫ 일이 漁어父부 生생涯애 아니러냐.
　ᄇᆡ 떠라 ᄇᆡ 떠라
漁어翁옹을 욷디 마라, 그림마다 그렷더라.
　至지匊국悤총 至지匊국悤총 於어思사臥와
四ᄉᆞ時시興흥이 ᄒᆞᆫ가지나 秋츄江강이 은듬이라.

속세를 떠난 곳에서 깨끗한 일로 소일함이 어부의 생활이 아니더냐.
배 띄워라 배 띄워라.
고기 잡는 늙은이를 비웃지 마라. 그림마다 (늙은 어부가) 그려져 있더라.
찌그덩 찌그덩 어여차
사계절의 흥취가 다 마찬가지이나 그중에도 가을 강이 제일이라.

소주제 ❸ 어부 생활의 □□□과 가을 강에 배를 띄우는 흥취

라 〈동사(冬詞) 4〉

간밤의 눈 갠 後후에 景경物물이 달랃고야.
　이어라 이어라
압희ᄂᆞᆫ 萬만頃경 琉류璃리, 뒤희ᄂᆞᆫ 千쳔疊텹 玉옥山산.
　至지匊국悤총 至지匊국悤총 於어思사臥와
仙션界계ㄴ가 佛블界계ㄴ가, 人인間간이 아니로다.

景物: (눈 내린) 경치 / 달랃고야: 달라졌구나 / 萬頃 琉璃: 넓고 맑은 바다 / 千疊 玉山: 겹겹이 둘러싸인 하얗게 눈 덮인 산

지난 밤 눈이 갠 후에 경치가 달라졌구나.
노 저어라 노 저어라.
앞에는 넓고 맑은 바다, 뒤에는 겹겹이 둘러 있는 흰 산
찌그덩 찌그덩 어여차
신선의 세계인지 불교 세계인지 인간 세상은 아니로다.

소주제 ❹ □ 덮인 강촌의 아름다움

– 윤선도

작품 개관

- 갈래 평시조, 연시조(전 40수)
- 성격 자연 친화적, 한정적
- 주제 계절에 따라 바뀌는 자연의 아름다움과 어부 생활의 흥취, 어촌에서의 유유자적한 삶
- 특징
  ① 계절에 맞춰 시상을 전개함
  ② 춘하추동 각 10수씩 40수의 연장체 노래
  ③ 시조 형태의 독창적 변형 : 후렴구의 사용으로 민요의 형태를 계승함

1등급 노트

1. 시상 전개 방식
계절의 변화(시간적 순서)에 따라 시상을 전개함
※ 계절감을 표현하는 시어
[춘사 4] 벅구기, 버들숩
[하사 2] 년닙, 청약립, 녹사의
[추사 1] 츄강
[동사 4] 눈, 만경류리, 천텹옥산

2. 후렴구의 의미 및 역할
① 초장과 중장 사이의 후렴구 : 각 계절마다 출항에서 귀항까지의 어부 일과를 읊고 있음

1수	비 떠라(배 띄워라)	6수	돋 디여라(돛 내려라)
2수	닫 드러라(닻 올려라)	7수	비 셰여라(배 세워라)
3수	돋 ᄃᆞ라라(돛 달아라)	8수	비 ᄆᆡ여라(배 매어라)
4수	이어라(저어라)	9수	닫 디여라(닻 내려라)
5수	이어라(저어라)	10수	비 브텨라(배 대어라)

② 중장과 종장 사이의 후렴구 : '지국총 지국총 어사와' – 노를 저을 때 나는 '삐그덕 삐그덕' 소리와 어부의 외침 소리를 흉내 낸 의성어
→ 의성어를 사용하여 경쾌한 느낌이 들게 함
→ 평시조의 단조로움에서 벗어나는 변화를 주게 됨

3. 화자의 정서 및 태도
계절마다 달라지는 자연의 아름다움을 누리며 지내는 여유롭고 넉넉한 어부의 삶과 소일거리로 고기잡이를 하는 풍류객으로서의 어부의 삶을 보여 줌

함께 엮어 읽기

◆ 이현보의 〈어부사〉와의 관계
고려 때부터 전하여 온 〈어부가〉를 명종 때 이현보가 〈어부사〉로 개작(단가 5수, 장가 9수)하였고, 이것을 다시 윤선도가 후렴구를 넣어 40수로 된 〈어부사시사〉로 고쳤다.

구분	〈어부사〉	〈어부사시사〉
성격	개작 시조	독창적인 창작 시조
어휘	한자어가 많음	순 우리말 사용
속세	미련의 대상	염증, 경계의 대상
특징	도피적 태도로 어부 생활을 동경함	어부의 생활을 사실적으로 묘사함

소주제 체크
1. 어촌 2. 물아일체(물심일여) 3. 자유로움 4. 눈

정답과 해설 19쪽

1 이 작품에 대한 설명으로 적절하지 않은 것은?

① 고려 이후 구전되어 오던 〈어부가〉의 맥을 이은 작품이다.
② 계절의 변화에 따른 어부의 생활을 총 40수로 엮은 연시조이다.
③ 우리말의 묘미와 아름다움을 잘 살려 낸 작품으로 평가되고 있다.
④ 세속을 벗어나 자연과의 합일을 추구하는 삶의 경지를 드러내고 있다.
⑤ 치열한 삶의 공간 속에서 살아가는 어부의 구체적인 생활상을 실감나게 그리고 있다.

2 수능형 이 작품의 표현상 특징으로 적절하지 않은 것은?

① [가]~[라] – 종장의 음수율이 일반적인 시조와 달라 계속 이어지는 느낌을 주고 있다.
② [가] – 청각적 심상과 시각적 심상이 어우러져 한 폭의 동양화를 연상시키고 있다.
③ [나] – 자연물과의 대비를 통해 고기잡이를 나가는 화자의 즐거움과 흥겨움을 드러내고 있다.
④ [다] – 설의적 표현을 통해 자신의 생활에 대한 화자의 자부심과 긍지를 드러내고 있다.
⑤ [라] – 시각적 심상과 대구 형식을 통해 눈 덮인 자연의 모습을 예찬하고 있다.

출제 예감
3 이 작품의 후렴구에 대한 설명으로 적절하지 않은 것은?

① 모든 연의 중장과 종장 사이에는 '지국총 지국총 어사와'라는 후렴구가 나타난다.
② 특별한 의미가 없는 후렴구가 사용된 고려 가요와는 달리 의미를 지닌 후렴구도 사용되었다.
③ 제약적 형식의 시조에 후렴구를 삽입하여 평시조에서 볼 수 없는 독특한 형식을 보여 주고 있다.
④ '지국총 지국총 어사와'라는 후렴구는 노 젓는 소리를 흉내 낸 의성어로 작품 전체에 생동감을 부여하고 있다.
⑤ 초장과 중장 사이의 후렴구는 작품 전체의 내용과는 별다른 관련이 없지만, 화자의 흥취를 고조시키는 역할을 한다.

출제 예감
4 이 작품에서 계절적 배경을 드러내는 시어와 거리가 먼 것은?

① 버들숩
② 靑청蒻약笠립
③ 白백鷗구
④ 눈
⑤ 千천疊텹 玉옥山산

출제 예감
5 〈보기〉는 이 작품의 다른 부분이다. [가]~[라] 중, 〈보기〉와 같은 계절감을 지닌 연을 모두 찾으면?

> 보기
> 水슈國국의 ᄀᆞᄋᆞᆯ히 드니 고기마다 ᄉᆞᆯ져 읻다.
> 닫 드러라 닫 드러라
> 萬만頃경 澄딩波파의 슬ᄏᆞ지 容용與여ᄒᆞ쟈.
> 至지匊국悤총 至지匊국悤총 於어思ᄉᆞ臥와
> 人인間간을 도라보니 머도록 더옥 됴타.

① [가]
② [나]
③ [다]
④ [라]
⑤ [다], [라]

6 [나]와 〈보기〉에 공통적으로 드러나는 화자의 태도와 가장 관계 깊은 것은?

> 보기
> 산슈간 바회 아래 뛰집을 짓노라 ᄒᆞ니,
> 그 몰론 놈들은 웃는다 ᄒᆞ다마는
> 어리고 하암의 ᄯᅳ디ᄂᆞᆫ 내 분(分)인가 ᄒᆞ노라. – 윤선도, 〈만흥〉

① 안분지족(安分知足)
② 우국충정(憂國忠情)
③ 물아일체(物我一體)
④ 망양지탄(亡羊之嘆)
⑤ 연군지정(戀君之情)

7 고난도 이 작품이 〈보기〉를 개작한 것이라고 할 때, 그 과정에서 고려했을 사항으로 적절하지 않은 것은?

> 보기
> 이 듕에 시름 업스니 어부(漁父)의 생애(生涯)이로다.
> 일엽편주(一葉片舟)를 만경파(萬頃波)에 ᄯᅴ워 두고
> 인세(人世)를 다 니젯거니 날 가ᄂᆞᆫ 줄를 안가.
>
> 장안(長安)을 도라보니 북궐(北闕)이 천 리(千里)로다.
> 어주(魚舟)에 누어신ᄃᆞᆯ 니즌 스치 이시랴.
> 두어라 내 시름 아니라 제세현(濟世賢)이 업스랴. – 이현보, 〈어부단가〉

① 속세에 대한 미련과 안타까움의 심정이 구체적으로 드러나도록 한다.
② 한시구보다는 순우리말을 사용하여 우리말의 묘미를 살리도록 한다.
③ 후렴구를 활용하여 운율감을 살리고 흥겨운 분위기를 조성하도록 한다.
④ 어부의 생활을 좀 더 사실적으로 그려 내어 현실감을 느낄 수 있도록 한다.
⑤ 계절에 따라 펼쳐지는 아름다운 어촌의 풍경을 더욱 구체적으로 그리도록 한다.

8 서술형 이 작품의 화자는 어디에서 어떠한 삶을 살고 있는지 서술하시오.

10 만흥(漫興)

〈제1수〉

산슈간 바회 아래 •뛰집을 짓노라 ᄒᆞ니,
그 몰론 ᄂᆞᆷ들은 웃ᄂᆞᆫ다 ᄒᆞᆫ다마ᄂᆞᆫ
어리고 •하암의 뜻ᄃᆡᄂᆞᆫ 내 분(分)인가 ᄒᆞ노라.

산수 간 바위 아래 움막을 지으려 하니,
나의 뜻을 모르는 남들은 비웃는다지만
어리석고 시골뜨기인 내 생각에는 이것이 내 분수인가 하노라.

소주제 ❶ 자신의 분수에 만족하는 □□□□

〈제2수〉

보리밥 풋ᄂᆞᄆᆞᆯ을 •알마초 머근 후(後)에,
바횟긋 믉ᄀᆞ의 •슬ᄏᆞ지 노니노라.
그나믄 녀나믄 일이야 •부롤 줄이 이시랴.

보리밥과 풋나물을 알맞게 먹은 후에,
바위 끝 물가에서 실컷 노니노라.
그 밖의 다른 일이야 부러워할 줄이 있으랴.

소주제 ❷ 가난 속에서 즐거움을 찾는 □□□□

〈제3수〉

잔 들고 혼자 안자 먼 뫼흘 ᄇᆞ라보니,
•그리던 님이 오다 반가옴이 이러ᄒᆞ랴.
말숨도 •우움도 아녀도 몯내 됴하ᄒᆞ노라.

잔 들고 혼자 앉아 먼 산을 바라보니,
그리워하는 임이 온들 반가움이 이 정도이랴.
말도 없고 웃음도 없지만 마냥 좋아하노라.

소주제 ❸ 자연 속에서 느끼는 □□

〈제4수〉

•누고셔 •삼공(三公)도곤 낫다ᄒᆞ더니 •만승(萬乘)이 이만ᄒᆞ랴.
이제로 •헤어든 •소부 허유(巢父許由) ㅣ •냑돗더라.
아마도 •임천한흥(林泉閑興)을 비길 곳이 업세라.

누가 (자연 속에서 생활이) 삼정승보다 낫다더니 만승천자가 이만하겠는가?
이제 와서 생각해 보니 소부와 허유가 영리했구나.
아마도 자연 속에서 한가로이 지내는 흥취는 비할 데가 없으리라.

소주제 ❹ 자연 속에서 느끼는 한가한 □□

– 윤선도

어휘 다지기

- 뛰집 : 띠로 지붕을 이은 집
- 하암 : 향암(鄕闇). 시골에서 지내 온갖 사리에 어둡고 어리석은 사람
- 알마초 : 알맞게
- 슬ᄏᆞ지 : 실컷
- 부롤 : 부러워할
- 그리던 : 그리워하는
- 우움 : 웃음
- 누고셔 : 누가, 누군가가
- 삼공(三公) : 삼정승(영의정, 우의정, 좌의정)
- 만승(萬乘) : 만승천자(萬乘天子) 천자. 황제.
- 헤어든 : 생각해 보니
- 소부 허유(巢父許由) : 허유(許由)는 요 임금이 천하를 맡기려 하자 오히려 자신의 귀가 더러워졌다 하여 영수(潁水)에 귀를 씻고 기산(箕山)에 은거하고, 소부(巢夫)는 이 말을 듣고 그 물을 소에게 먹일 수 없다고 한, 중국 요순 시대의 은사(隱士)
- 냑돗더라 : 영리하더라
- 임천한흥(林泉閑興) : 자연 속에서 느끼는 한가한 흥취

작품 개관

- 갈래 평시조, 연시조(전 6수)
- 성격 자연 친화적, 한정가
- 주제 자연에 묻혀 사는 즐거움
- 특징
  ① 한문투의 표현 없이 우리말의 묘미를 잘 살림
  ② 자연 속에서 즐거움을 찾으며 안분지족(安分知足)·안빈낙도(安貧樂道)의 태도를 보임

1등급 노트

1. 화자(작가)의 태도 및 정서

작가는 벼슬길에서 많은 좌절을 맛보았기 때문에 속세를 벗어나 자연 속에 은거하고자 함 → 속세에 대해 현실 도피적인 태도를 보이며, 자연 속에서 안분지족(安分知足), 안빈낙도(安貧樂道)하려고 함

2. 자연과 현실에 대한 화자의 인식

자연	화자가 지향하는 이상적인 공간

↕ 대조

현실	정치 현실이나 속세를 의미하는 부정적인 공간

3. 시어의 대립적 의미

구분	자연	현실(속세)
1수	산수 간 바위 아래	남의 비웃음
2수	바위 끝 물가	그 밖의 일
3수	먼 산	님
4수	임천	삼공, 만승

함께 엮어 읽기

◆ 윤선도, 〈어부사시사〉

〈어부사시사〉는 윤선도의 또다른 작품으로, 춘하추동에 따라 변하는 어부의 생활과 경치를 읊은 연시조이다. 연시조라는 형식과 자연 친화적인 내용을 담고 있다는 점에서 〈만흥〉과 공통점을 갖는다.

◆ 이황, 〈도산십이곡〉

〈도산십이곡〉은 이황이 벼슬을 사직하고 향리로 돌아와 도산 서원에서 후진을 양성할 때 지은 작품으로, 자연에 동화된 삶과 학문 수양 및 학문애를 그린 연시조이다. 〈도산십이곡〉은 연시조의 형식 면에서 〈만흥〉과 동일하지만, 그 내용이 '자기 수양'이라는 점에서는 차이를 보인다.

소주제 체크

1. 안분지족 2. 안빈낙도 3. 한정 4. 흥취

정답과 해설 19쪽

출제 예감

1 이 작품에 대한 설명으로 적절하지 않은 것은?

① 화자는 다른 사람들이 추구하는 세속적인 삶에서 벗어나고 싶어 한다.
② '하암'은 자연 속에 묻혀 사는 화자 자신을 겸손하게 표현한 말이다.
③ '임천한흥(林泉閑興)'은 화자의 삶을 가장 단적으로 보여 주는 표현이다.
④ 〈제3수〉에서는 화자와 자연이 하나 되는 물아일체(物我一體)의 모습이 나타난다.
⑤ 〈제4수〉에서 화자는 대상을 의인화하여 친근하게 표현하면서 자연에 몰입하고 있다.

2 고난도 〈보기〉는 이 작품을 지은 작가의 또 다른 작품이다. 이 작품과 〈보기〉에 대한 감상으로 적절하지 않은 것은?

보기

〈하사(夏詞) 2〉
년닙희 밥 싸두고 반찬으란 쟝만 마라.
닫 드러라 닫 드러라
청약립(靑蒻笠)은 써 잇노라, 녹사의(綠蓑衣) 가져오냐.
지국총(至匊悤) 지국총(至匊悤) 어사와(於思臥)
무심(無心)훈 백구(白鷗)는 내 좃는가 제 좃는가.

〈추사(秋詞) 1〉
믈외(物外)에 조훈 일이 어부(漁父) 생애(生涯) 아니러냐.
비 떠라 비 떠라
어옹(漁翁)을 욷디 마라, 그림마다 그렷더라.
지국총(至匊悤) 지국총(至匊悤) 어사와(於思臥)
ᄉ시흥(四時興)이 훈 가지나 츄강(秋江)이 은듬이라.

– 윤선도, 〈어부사시사〉

① 두 작품 모두 자연 친화적인 강호 한정(江湖閑情)을 노래하고 있다.
② 두 작품 모두 하나의 제목 아래 여러 개의 평시조가 오는 형식을 취하고 있다.
③ 이 작품의 〈제3수〉와 〈보기〉의 〈하사 2〉의 종장에 나타난 화자의 태도는 동일하다.
④ 이 작품의 '보리밥, 풋ᄂᆞ물'은 〈보기〉의 '년닙희 밥'과 서로 상통하는 이미지라고 할 수 있다.
⑤ 이 작품의 '하암'이 화자 자신의 무지를 탓하는 표현이라면, 〈보기〉의 '어부'는 자연을 즐기는 화자 자신의 만족감이 담긴 표현이다.

3 이 작품의 시어 중, 서로 관련된 것끼리 바르게 묶인 것은?

① 산슈간 바회 아래, 그나믄 녀나믄 일, 삼공
② 산슈간 바회 아래, 바흿긋 믉ᄀᆞ, 임천
③ 산슈간 바회 아래, 그리던 님, 만승
④ 바흿긋 믉ᄀᆞ, 그리던 님, 임천
⑤ 바흿긋 믉ᄀᆞ, 먼 뫼, 삼공

4 수능형 이 작품을 바탕으로 파워 포인트를 이용한 발표 수업을 하려고 한다. 수업 계획 내용으로 적절하지 않은 것은?

① 간단한 음식을 먹고 물가에서 쉬는 화자의 모습을 담도록 하자.
② 술을 마시며 먼 산을 바라보면서 생각에 잠겨 있는 화자의 모습을 담도록 하자.
③ 속세와 자연의 모습을 번갈아 보여 줌으로써 화자의 생각을 드러내도록 하자.
④ 다른 사람들의 비웃음을 피해 자연으로 들어오는 화자의 모습을 담도록 하자.
⑤ 소부 허유에 관한 자료를 제시하면서 그들과 화자와의 공통점에 대해 이야기하도록 하자.

출제 예감

5 이 작품의 주제 의식과 관계 깊은 한자 성어가 아닌 것은?

① 안빈낙도(安貧樂道)
② 풍월주인(風月主人)
③ 안분지족(安分知足)
④ 물아일체(物我一體)
⑤ 연목구어(緣木求魚)

6 이 작품과 〈보기〉를 비교해 볼 때, 〈보기〉에만 해당하는 내용으로 가장 적절한 것은?

보기

당시(當時)에 녀던 길흘 몇 ᄒᆡ를 ᄇᆞ려 두고,
어듸 가 ᄃᆞ니다가 이제야 도라온고.
이제야 도라오나니 년 듸 ᄆᆞ음 마로리.

청산(靑山)은 엇뎨ᄒᆞ야 만고(萬古)에 프르르며,
유수(流水)는 엇뎨ᄒᆞ야 주야(晝夜)에 긋지 아니는고.
우리도 그치디 마라 만고상청(萬古常靑)호리라.

– 이황, 〈도산십이곡〉

① 자연을 빌어 학문을 통한 자기 수양을 강조하고 있다.
② 자연 속에서 무위도식(無爲徒食)하는 삶을 그리고 있다.
③ 화자는 자연에 은거하며 현실 도피적인 태도를 보이고 있다.
④ 계절에 흐름에 따른 자연의 경치를 아름답게 묘사하고 있다.
⑤ 화자는 세속에서 명리(名利)를 추구하는 삶을 지향하고 있다.

7 서술형 이 작품의 화자에게 '자연'이란 어떤 곳인지 현실에 대한 화자의 태도와 관련하여 서술하시오.

11 누항사(陋巷詞)

〈전략〉

어와 긔 뉘신고 염치(廉恥) 업산 ᄂᆡ옵노라. — "어, 거기 누구신가?" 묻기에 "염치없는 저올시다."

초경(初更)도 거윈ᄃᆡ 긔 엇지 와 겨신고. — "초경도 거의 지났는데 무슨 일로 와 계신고?"
(초경(初更): 저녁 7시부터 9시)

연년(年年)에 이러ᄒᆞ기 구차(苟且)ᄒᆞᆫ 줄 알건마ᄂᆞᆫ — "해마다 이러기가 구차한 줄 알지마는,

쇼 업ᄉᆞᆫ 궁가(窮家)애 혜염 만하 왓삽노라. — 소 없는 궁핍한 집에서 걱정 많아 왔소이다."

공ᄒᆞ니나 갑시나 주엄즉도 ᄒᆞ다마ᄂᆞᆫ — "공짜로나 값을 치거나 간에 주었으면 좋겠지마는,

다만 어제 밤의 거넨 집 져 사ᄅᆞᆷ이 — 다만 어젯밤에 건넛집에 사는 사람이

목 불근 수기치(雉)를 옥지읍(玉脂泣)게 ᄭᅮ어 ᄂᆡ고 — 목이 붉은 수꿩을 구슬 같은 기름에 구워 내고,
(수기치(雉): 장끼(수꿩) / 옥지읍(玉脂泣): 구슬 같은 기름)

간 이근 •삼해주(三亥酒)를 취(醉)토록 권(勸)ᄒᆞ거든 — 갓 익은 좋은 술을 취하도록 권하였는데,

이러한 은혜를 어이 아니 갑흘넌고. — 이러한 은혜를 어떻게 갚지 않겠는가?

내일(來日)로 주마 ᄒᆞ고 큰 언약(言約)ᄒᆞ야거든 — 내일 (소를 빌려) 주마 하고 굳게 약속을 하였기에,

실약(失約)이 미편(未便)ᄒᆞ니 사셜이 어려왜라. — 약속을 어기기가 편하지 못하니 (당신에게 빌려 주겠다는) 말하기가 어렵구료."
(실약(失約): 약속을 어김 / 미편(未便): 편하지 못함 / 사셜: 말씀)

실위(實爲) 그러ᄒᆞ면 혈마 어이ᄒᆞᆯ고. — 사실이 그렇다면 설마 어찌했는가?
(실위(實爲): 진실로 / 혈마: 설마)

헌 •먼덕 수기 스고 측 업슨 집신에 설피설피 물러오니 — 헌 모자를 숙여 쓰고 축 없는 짚신을 신고 맥없이 물러나오니
(측: 축 / 설피설피: 맥없이)

풍채(風采) 저근 형용(形容)애 ᄀᆡ즈칠 ᄲᅮᆫ이로다. 〈중략〉 — 풍채 보잘것없는 내 모습에 개가 짖을 뿐이로다.
(저근: 작은)

소주제 ❶ □를 빌리려다 수모를 당하고 옴

강호(江湖) ᄒᆞᆫ ᄭᅮᆷ을 ᄭᅮ언 지도 오ᄅᆡ러니 — 자연과 더불어 살겠다는 꿈을 꾼 지도 오래되었더니,

•구복(口腹)이 위루(爲累)ᄒᆞ야 어지버 이져ᄯᅧ다. — 먹고 사는 것이 누가 되어 아아 잊었도다.

•첨피기욱(瞻彼淇澳)ᄒᆞᆫᄃᆡ 녹죽(綠竹)도 하도 할샤 — 저 물가를 보니 푸른 대나무가 많기도 하구나.
(하도 할샤: 많기도 많구나)

유비군자(有斐君子)들아 낙ᄃᆡ ᄒᆞ나 빌려ᄉᆞ라. — 교양 있는 선비들아, 낚싯대 하나 빌리자꾸나.
(낙ᄃᆡ: 낚시)

노화(蘆花) 깁픈 곳애 명월청풍(明月淸風) 벗이 되야 — 갈대꽃 깊은 곳에서 밝은 달과 맑은 바람의 벗이 되어
(노화(蘆花): 갈대꽃)

님ᄌᆡ 업ᄉᆞᆫ 풍월강산(風月江山)애 절로절로 늘그리라. — 임자가 없는 자연 속에서 근심 없이 늙으리라.

무심(無心)ᄒᆞᆫ 백구(白鷗)야 오라 ᄒᆞ며 말라 ᄒᆞ랴. — 욕심 없는 갈매기야, (나더러) 오라고 하며 말라고 하랴?

다토리 업슬ᄉᆞᆫ 다문 인가 너기로다. — 다툴 이가 없는 것이 다만 이뿐인가 생각하노라.

소주제 ❷ □□을 벗삼아 늙기를 소망함

•무상(無狀)ᄒᆞᆫ 이 몸애 무산 •지취(志趣) 이스리마ᄂᆞᆫ — 보잘것없는 이 몸이 무슨 뜻과 취향이 있으랴마는,

두세 이렁 밧논을 다 무겨 더져 두고 — 두어 이랑 밭과 논을 다 묵혀 던져 두고,

이시면 죽(粥)이오 업시면 굴믈망정 — 있으면 죽이오, 없으면 굶을망정

남의 집 남의 거슨 전혀 부러 말렷노라. — 남의 집 남의 것은 전혀 부러워하지 않겠노라.

ᄂᆡ 빈천(貧賤) 슬히 너겨 손을 헤다 물너가며 — 내 가난과 천함을 싫게 여겨 손을 내젓는다고 (내게서) 물러가겠으며,
(빈천(貧賤): 가난 / 슬히: 싫다)

남의 부귀(富貴) 불리 너겨 손을 치다 나아오랴. — 남의 부귀를 부럽게 여겨 손짓을 한다고 (내게) 오겠는가?
(불리: 부럽게)

인간(人間) 어ᄂᆡ 일이 명(命) 밧긔 삼겨시리. — 인간의 어느 일이 운명과 상관없이 생겼으랴?

•빈이무원(貧而無怨)을 어렵다 ᄒᆞ건마ᄂᆞᆫ — 가난하지만 원망하지 않는 것을 어렵다 하지마는,

ᄂᆡ 생애(生涯) 이러호ᄃᆡ 설온 ᄯᅳᆺ은 업노왜라. — 내 삶이 이렇다 해서 서러운 뜻은 없노라.

•단사표음(簞食瓢飮)을 이도 족(足)히 너기로라. — 가난한 생활이지만, 이것도 만족스럽게 여기고 있노라.

평생(平生) ᄒᆞᆫ ᄯᅳᆺ이 •온포(溫飽)애ᄂᆞᆫ 업노왜라. — 평생의 한 뜻이 따뜻하게 입고 배불리 먹는 데에는 없노라.

태평천하(太平天下)애 충효(忠孝)를 일을 삼아 — 태평천하에 충과 효를 일삼아,

화형제(和兄弟) 신붕우(信朋友) •외다 ᄒᆞ리 뉘 이시리. — 형제간에 화목하고 친구와 신의 있게 사귀는 것을 그르다 할 사람이 누가 있겠는가?

작품 개관

- 갈래 양반 가사, 은일(隱逸) 가사
- 성격 고백적, 사실적
- 운율 3(4)·4조, 4음보 연속체
- 주제 누항에 사는 선비의 곤궁한 현실과 안빈낙도(安貧樂道)의 삶 추구
- 특징
  ① 임진왜란 직후의 궁핍한 삶을 대화체와 일상 언어를 통해 사실적으로 표현함
  ② 농촌의 일상생활과 관련된 어휘와 어려운 한자어가 많이 등장함
  ③ 운명론적 사고관을 표현함

1등급 노트

1. '누항(陋巷)'의 의미

《논어》에 나오는 말로, 가난한 삶 속에서도 학문을 닦으며 도(道)를 추구하는 즐거움을 즐기는 공간을 의미함. 이 작품에서는 세속의 생활을 영위해야 하는 곳이면서 가난하지만 원망하지 않는 '빈이무원(貧而無怨)'의 경지를 실천하는 곳이며, 자연을 벗삼는 '안빈낙도(安貧樂道)'를 알게 해 주는 공간임 → 당대의 산림에 묻혀 사는 선비들의 고절한 삶과 현실의 부조리를 드러냄

2. 화자의 갈등 양상

빈궁한 삶(현실적 제약)
↕ 갈등
안빈낙도 추구(이상적인 삶의 목표)

3. 화자의 인식 변화

세속	농우가 없어 빌리려다가 수모를 당함	궁핍, 패배의 삶

↓

강호	임자 없는 풍월강산에서 충효·화형제·신붕우를 추구함	유교적 삶

4. 문학사적 의의 및 한계

- 의의 : 자연에 은일하면서도 현실 생활의 어려움을 직시하고, 그것을 사실적으로 묘사하여 사대부 가사의 한계를 극복함 → 조선 전기 가사와 조선 후기 가사의 과도기적 모습을 보임
- 한계 : 현실 속에서 설득력을 잃은 가치관(빈이무원, 안빈낙도)을 여전히 지향함

함께 엮어 읽기

◆ 정철, 〈속미인곡〉

〈속미인곡〉은 가사 문학 중 문학성이 가장 뛰어난 작품으로, 임을 그리워하는 마음을 두 여인의 대화 형식으로 노래한 연군 가사이다. 조선 전기 가사인 〈속미인곡〉은 서정적 경향을 보이며 미화적 표현을 두드러지게 사용한 데 반해, 〈누항사〉는 일상생활의 언어를 사용하여 곤궁한 현실의 어려움을 사실적으로 묘사하고 있다.

정답과 해설 19쪽

그 밧긔 남은 일이야 삼긴 딕로 살렷노라. 　　그 밖에 나머지 일이야 타고난 대로 살겠노라.

소주제 ③ □□□□과 안분지족의 삶 추구

– 박인로

어휘 다지기

- 삼해주(三亥酒) : 정월의 셋째 해일(亥日)에 만든 술
- 먼덕 : 짚으로 만든 모자
- 구복(口腹)이 위루(爲累)ᄒᆞ야 : 먹고 입는 것이 누가 되어서
- 첨피기욱(瞻彼淇澳) : 저 기(淇)나라 땅의 물가를 바라봄
- 무상(無常)ᄒᆞᆫ : 보잘것없는
- 지취(旨趣) : 의지와 취향을 아울러 이르는 말
- 빈이무원(貧而無怨) : 가난하지만 원망하지 않음
- 단사표음(簞食瓢飮) : 대나무로 만든 밥그릇에 담은 밥과 표주박에 든 물이라는 뜻으로, 청빈하고 소박한 생활을 이르는 말
- 온포(溫飽) : 따뜻하게 입고 배불리 먹음
- 외다 : 잘못되다

소주제 체크

1. 소 2. 자연 3. 빈이무원

1 이 작품에 대한 설명으로 적절하지 않은 것은?

① 화자의 운명론적 세계관이 표현되어 있다.
② 임진왜란 이후 당면한 작가의 현실을 잘 보여 준다.
③ 일상생활의 언어와 어려운 한자어가 함께 사용되고 있다.
④ 대화체를 사용하여 일상의 모습을 사실적으로 표현하고 있다.
⑤ 자연 속에서 음풍농월(吟風弄月)하는 사대부의 모습이 드러나 있다.

2 다음 시어 중, 그 성격이 이질적인 것은?

① 빈이무원(貧而無怨) ② 단사표음(簞食瓢飮)
③ 온포(溫飽) ④ 충효(忠孝)
⑤ 신붕우(信朋友)

3 고난도 이 작품에 대한 〈보기〉와 같은 평가를 비판한 내용으로 가장 적절한 것은?

보기
이 작품은 이전의 양반 가사가 현실의 삶을 소홀히 했다는 한계를 극복한 작품으로 평가된다.

① 현실의 모습을 담고는 있지만, 사실성이 매우 떨어진다는 점에서 한계를 갖고 있어.
② 현실의 삶을 너무 미화하여 표현했다는 점에서 이전 가사의 한계를 넘지 못했다고 할 수 있어.
③ 너무 서사적인 내용에 치중하여 운문 문학이 갖는 아름다움을 잘 표현하지 못했다는 한계를 가지고 있어.
④ 현실 속에서 설득력을 잃은 가치관을 지속적으로 추구했다는 점에서 이전 가사의 한계를 넘지 못했다고 할 수 있어.
⑤ 너무 현실만을 강조하다 보니, 화자가 추구하는 이상이 무엇인지 불명확하게 제시되었다는 점에서 한계를 갖고 있어.

출제 예감

4 이 작품의 상황을 〈보기〉와 같이 나타낼 때, 빈칸에 들어갈 내용으로 가장 적절한 것은?

보기
이 작품에서 화자의 삶은 세속의 궁핍하고 고단한 삶에서 자연과 벗삼은 (　　　) 삶에의 추구로 변화하고 있다. 이는 농우를 빌리지 못하고 수모만 당하는 모습과 자연 속에서 충효(忠孝), 화형제(和兄弟), 신붕우(信朋友)를 지향하는 모습에서 확인할 수 있다.

① 세속적 ② 유교적 ③ 개인적
④ 보편적 ⑤ 공익적

5 수능형 이 작품과 〈보기〉를 비교한 내용으로 가장 적절한 것은?

보기
보리밥 픗ᄂᆞ물을 알마초 먹근 후(後)에,
바횟긋 믉ᄀᆞ의 슬ᄏᆞ지 노니노라.
그나믄 녀나믄 일이야 부를 줄이 이시랴. 　　– 윤선도, 〈만흥〉

① 두 작품 모두 당대의 사회 현실을 구체적으로 묘사하고 있다.
② 두 작품 모두 자신의 속세에서의 경험을 제시하면서 이상을 추구하고 있다.
③ 이 작품에서 '자연'은 공존의 대상이지만, 〈보기〉에서는 극복의 대상이다.
④ 이 작품은 '빈이무원(貧而無怨)'을, 〈보기〉는 '강호 한정(江湖閑情)'을 노래한다.
⑤ 이 작품의 화자는 삶에 대한 적극적 태도를 보이지만, 〈보기〉에서는 소극적인 태도를 보인다.

6 서술형 이 작품에 나타난 화자의 주된 갈등 양상을 서술하시오.

12 농가월령가(農家月令歌)

〈정월령(正月令)〉

정월(正月)은 •맹춘(孟春)이라 입춘(立春) 우수(雨水) 절후(節侯)로다. 1월은 초봄이라 입춘, 우수의 절기로다.
절기

소주제 ❶ □□의 절기 소개

산중 간학(山中澗壑)의 빙설(氷雪)은 남아시니, 산 속 골짜기에는 얼음과 눈이 남아 있으나,
산 속의 시내와 골짜기
평교(平郊) 광야(廣野)의 운물(雲物)이 변(變)ᄒᆞ도다. 넓은 들과 벌판에는 경치가 변하기 시작하도다.
평평한 들판

소주제 ❷ 정월에 대한 □□

어와 우리 성상(聖上) 애민 중농(愛民重農)ᄒᆞ오시니, 어와, 우리 임금님께서 백성을 사랑하고 농사를 중히 여기시어,
임금 / 백성을 사랑하고 농사를 중히 여김
간측(懇惻)ᄒᆞ신 권농 윤음(勸農綸音) 방곡(坊曲)의 반포(頒布)ᄒᆞ니, 농사를 권장하시는 말씀을 방방곡곡에 알리시니,
진심으로 측은히 여김 / 농사를 권하는 임금의 교서
슬푸다 농부(農夫)들아 아므리 무지(無知)ᄒᆞᆫ들, 슬프다 농부들이여, 아무리 무지하다고 한들

네 몸 이해(利害) 고사(姑舍)ᄒᆞ고 성의(聖意)를 어길소냐? 네 자신의 이해관계를 제쳐 놓는다 해도 임금님의 뜻을 어기겠느냐?

산전 수답(山田水畓) 상반(相半)ᄒᆞ게 힘ᄃᆡ로 ᄒᆞ오리라. 밭과 논을 반반씩 균형 있게 힘써 경작하오리라.
서로 반씩 나누어
일 년 풍흉(一年豐凶)은 측량(測量)치 못ᄒᆞ야도, 일 년의 풍년과 흉년을 예측하지 못한다 해도,
1년의 풍년과 흉년
인력(人力)이 극진(極盡)ᄒᆞ면 천재(天災)를 면(免)ᄒᆞᄂᆞ니, 사람의 힘을 다 쏟으면 자연의 재앙을 면하나니,

져 각각(各各) 권면(勸勉)ᄒᆞ야 게얼니 구지 마라. 제 각각 서로 권면하여 게을리 굴지 마라.
부지런히 권하여 / 교훈적 · 계몽적 어조

소주제 ❸ □□□의 권장

일년지계 재춘(一年之計在春)ᄒᆞ니 범사(凡事)를 미리 ᄒᆞ라. 일 년의 계획은 봄에 하는 것이니 모든 일을 미리하라.

봄에 만일 실시(失時)ᄒᆞ면 종년(終年) 일이 낭패되네. 만약 봄에 때를 놓치면 해를 마칠 때까지 일이 낭패되네.

농지(農地)를 다ᄉᆞ리고 농우(農牛)를 살펴 먹여 농지를 다스리고 농우를 잘 보살펴서,

ᄌᆡ거름 ᄌᆡ와 노코 일변(一邊)으로 시러 ᄂᆡ여, 재거름을 재워 놓고 한 편으로 실어 내어,
거름이 잘 썩도록 손질하여 / 한편으로
맥전(麥田)의 오좀듀기 세전(歲前)보다 힘써 ᄒᆞ소. 보리밭에 오줌 주기를 새해가 되기 전보다 힘써 하소.
보리밭 / 새해가 되기 전
늙으니 근력(筋力) 업고 힘든 일은 못 ᄒᆞ야도 늙으니 기운이 없어 힘든 일은 못 하여도,

낫이면 이영 녁고 밤의는 ᄉᆡᆨ기 ᄭᅩ아 낮이면 이엉을 엮고 밤이면 새끼 꼬아,

ᄯᆡ 맛쳐 집 니우니 큰 근심 더럿도다. 때맞추어 지붕을 이니 큰 근심을 덜었도다.

실과(實果) 나모 •벗곳 ᄯᅡ고 가지 ᄉᆞ이 돌 ᄭᅵ오기, 과일 나무 보굿을 벗겨 내고 가지 사이에 돌 끼우기,

정조(正朝)날 미명시(未明時)의 시험(試驗)죠로 ᄒᆞ야 보소. 정월 초하룻날 날이 밝기 전에 시험 삼아 하여 보소.
정월 초하룻날 / 날이 채 밝기 전 / 시험 삼아
며나리 닛디 말고 송국주(松菊酒) 밋ᄒᆞ여라. 며느리는 잊지 말고 송국주를 걸러라.
걸러라
삼춘(三春) 백화시(百花時)의 화전 일취(花煎一醉) ᄒᆞ야 보ᄌᆞ. 온갖 꽃이 만발한 봄에 화전을 안주 삼아 한번 취해 보자.
봄에 온갖 꽃이 필 때 / 꽃놀이하면서 술을 마심

소주제 ❹ 정월의 □□□

상원(上元)날 달을 보아 수한(水旱)을 안다 ᄒᆞ니, 정월 대보름날 달을 보아 그 해의 홍수와 가뭄을 안다 하니,
정월 대보름날 / 장마와 가뭄
노농(老農)의 징험(徵驗)이라 대강은 짐작(斟酌)ᄂᆞ니, 농사짓는 노인의 경험이라 대강은 짐작하네.
경험에 비추어 앎
정초(正初) 세배(歲拜)ᄒᆞ믄 돈후(敦厚)ᄒᆞᆫ 풍속(風俗)이라. 정월 초하룻날 세배하는 것은 인정이 두터운 풍속이라.
인정이 두터운
ᄉᆡ 의복(衣服) ᄯᅥᆯ쳐 닙고 친척 인인(親戚隣人) 셔로 ᄎᆞᄌᆞ, 새 옷을 떨쳐 입고 친척과 이웃을 서로 찾아
친척과 이웃
노소 남녀(老少男女) 아동(兒童)ᄭᆞ지 삼삼오오(三三五五) 단일 적의 남녀노소에 아이들까지 몇 사람씩 떼를 지어 다닐 적에,
무리져 다니는 모양
와각버셕 울긋불긋 물색(物色)이 번화(繁華)ᄒᆞ다. 설빔 새 옷이 와삭버석거리고 울긋불긋하여 빛깔이 화려하다.
의성어
산나ᄒᆡ 연(鳶) ᄯᅴ오고 계집아ᄒᆡ 널 ᄯᅱ고 남자아이들은 연을 띄우고 여자아이들은 널을 뛰고,
사내 아이
윳노라 나기ᄒᆞ기 소년(少年)들의 노리로다. 윷을 놀아 내기하기 소년들의 놀이로다.

사당(祠堂)의 세알(歲謁)ᄒᆞ니 병탕(餠湯)의 주과(酒果)로다. 설날 사당에 인사를 드리니 떡국과 술과 과일이 제물이로다.
조상의 신주를 모신 집 / 세배 / 떡국
엄파와 미나리를 •무오엄의 겻드리면 움파와 미나리를 무싹에다 곁들이면,
움파. 움 속에서 기른, 빛이 누런 파

작품 개관

- 갈래 월령체(달거리) 가사
- 성격 교훈적, 계몽적
- 형식 3(4) · 4조의 4음보 연속체, 월령체
- 주제 달과 절기(절후)에 따른 농가(農家)의 일과 세시 풍속 소개
- 특징
  ① 농촌 생활의 부지런한 활동을 실감 있게 제시함
  ② 농촌 생활과 관련된 구체적 어휘가 풍부하게 나타남
  ③ 농업 기술의 보급을 우리말 노래로 처음 시도함
  ④ 세시 풍속을 적은 월령체 가운데 가장 규모가 크고 짜임새가 있음

1등급 노트

1. 구성상의 특징
   전체 13장으로 된 월령체로, 1월령에서 12월령이 모두 '절기 소개 → 화자의 관념과 정서 → 농사일 → 세시 풍속'이라는 동일한 구조로 되어 있음
2. 창작 의도
   전체적으로 절기를 소개할 때는 감탄형 종결 어미 '-로다'를, 농사일을 권할 때에는 명령형 종결 어미 '-하라, -하고'를 주로 사용함 → 지배 계층인 양반이 피지배 계층인 농민들에게 교훈을 주고, 계몽하려는 의도로 지어짐
   ※ 농가의 생활이나 풍속이 실제 땀을 흘리며 생활하는 농민이 아닌, 양반에 의해 서술되었다는 한계를 보여 줌
3. '자연'의 의미
   양반이나 사대부의 입장에서 관조적, 관념적으로 바라본 완상(玩賞)의 대상으로서의 자연이 아니라, 노동과 생활의 현장, 즉 생산물이 만들어지는 생활 공간으로서의 자연임

함께 엮어 읽기

◆ 고려 가요, 〈동동〉
형식 면에서 〈농가월령가〉와 〈동동〉 모두 월령체로 되어 있다는 점에서 유사하다. 그러나 내용 면에서 〈농가월령가〉는 각 절기마다 농가에서 해야 할 일과 세시 풍속을 소개하고 있는 반면, 〈동동〉은 달의 변화에 따른 임에 대한 간절한 그리움과 임에 대한 칭송, 축원 등을 여성 화자의 어조로 노래한 서정 시가라는 점에서 차이를 보인다.

정답과 해설 20쪽

보기의 신신(新新)ᄒᆞ야 *오신채(五辛菜) 불워ᄒᆞ랴?	보기에 새롭고 싱싱하니 오신채를 부러워하겠는가?
보름날 약식(藥食) 다례(茶禮) 신라(新羅)적 풍속(風俗)이라. (다례: 차례. 명절날 지내는 간단한 낮 제사)	보름날 약밥을 지어 먹고 차례를 지내는 것은 신라 때의 풍속이라.
묵은 산채(山菜) 살마 ᄂᆡ여 육미(肉味)를 밧골소냐?	지난해에 캐어 말린 산나물을 삶아서 무쳐 내니 고기 맛과 바꾸겠는가?
귀밝히는 약(藥)술이며 부름 삭는 생률(生栗)이라. (부름: 부스럼)	귀 밝으라고 마시는 약술이며, 부스럼 삭으라고 먹는 생밤이라.
먼저 불너 더위팔기 달마지 홰불 혀기,	먼저 불러서 더위팔기와 달맞이 횃불 켜기는,
흘너오ᄂᆞᆫ 풍속(風俗)이오 아희들 노리로다.	옛날부터 전해 오는 풍속이요 아이들 놀이로다.

소주제 5 정월의 □□ □□

– 정학유

어휘 다지기

- 맹춘(孟春) : 이른 봄
- 벗갓 : '보굿'의 사투리. 나무의 겉껍질에 비늘같이 생긴 것으로, 이른 봄에 이것을 벗겨 줌으로써 병충해를 막을 수 있음
- 무오엄 : 무의 싹
- 오신채(五辛菜) : 부추, 겨자, 파, 마늘, 무릇의 다섯 가지 채소

소주제 체크

1. 정월 2. 감상 3. 농사일 4. 농사일 5. 세시 풍속

1 이 작품에 대한 설명으로 적절하지 않은 것은?

① 농업 사회에서 농가의 월중 행사표 역할을 할 수 있다.
② 농촌 생활의 한가함과 여유로움을 흥겹게 노래하고 있다.
③ 농사일을 권면하고 철마다 다른 세시 풍속을 소개하고 있다.
④ 농촌 생활과 관련된 구체적인 어휘가 풍부하게 나타나 있다.
⑤ 일 년 열두 달을 차례대로 맞추어 나가며 읊는 월령체 가사로 볼 수 있다.

2 이 작품에서 언급하고 있는 정월의 농사일이 아닌 것은?

① 파종하기 ② 거름 만들기
③ 농지 다스리기 ④ 농우 살펴 먹이기
⑤ 보리밭에 오줌 주기

출제 예감

3 이 작품과 〈보기〉의 공통점으로 가장 적절한 것은?

> 보기
>
> 오월(五月) 오일(五日)애 아으 수릿날 아ᄎᆞᆷ 약(藥)은, / 즈믄 ᄒᆡᆯ 장존(長存)ᄒᆞ샬 약(藥)이라 받ᄌᆞᆸ노이다. / 아으 동동(動動)다리. //
> 유월(六月)ㅅ 보로매 아으 별해 ᄇᆞ룐 빗 다호라. / 도라 보실 니믈 젹곰 좃니노이다. / 아으 동동(動動)다리. – 작자 미상, 〈동동(動動)〉

① 배경이 되는 시기나 절기가 구체적으로 제시되고 있다.
② 백성들의 실생활과 관련된 노동의 모습이 구체적으로 제시되고 있다.
③ 절기마다 알아 두어야 할 농사일과 세시 풍속 등이 알기 쉽게 나타나 있다.
④ 계절의 변화에 따라 달라지는 임에 대한 그리움을 애틋하게 표현하고 있다.
⑤ 평범한 농민들의 생활에서 묻어나는 현장감과 소박함이 잘 나타나 있다.

출제 예감

4 수능형 '자연'의 의미가 이 작품과 가장 유사한 것은?

① 대쵸 볼 블근 골에 밤은 어이 ᄠᅳᆺ드르며,
벼 뷘 그르헤 게ᄂᆞᆫ 어이 ᄂᆞ리ᄂᆞᆫ고.
술 닉쟈 체 쟝ᄉᆞ 도라가니 아니 먹고 어이리. – 황희
② 추강(秋江)에 밤이 드니 물결이 ᄎᆞᄂᆞ뫼라.
낚시 드리치니 고기 아니 무노ᄆᆡ라.
무심(無心)한 달빗만 싣고 빈 ᄇᆡ 저어 오노라. – 월산 대군
③ 초암(草庵)이 적료(寂寥)ᄒᆞᆫᄃᆡ 벗 업시 ᄒᆞᄌᆞ 안ᄌᆞ
평조(平調) 한 닙희 백운(白雲)이 절로 존다.
언의 뉘 이 죠흔 뜻을 알리 잇다 ᄒᆞ리오. – 김수장
④ ᄠᆞᆷ은 듣ᄂᆞᆫ 대로 듣고 볏슨 쬘 대로 쬔다.
청풍의 옷깃 열고 긴 파람 흘리 불 제,
어ᄃᆡ셔 길 가ᄂᆞᆫ 소님ᄂᆡ 아ᄂᆞᆫ ᄃᆞ시 머무ᄂᆞᆫ고. – 위백규
⑤ 강산(江山) 죠흔 경(景)을 힘센이 닷톨 양이면,
ᄂᆡ 힘과 ᄂᆡ 분(分)으로 어이ᄒᆞ여 엇들쏜이.
진실로 금(禁)ᄒᆞ리 업쓸씌 나도 두고 논이노라. – 김천택

5 고난도 이 작품을 읽고 난 후 보일 수 있는 반응으로 적절하지 않은 것은?

① 계절에 따라 농가에서 해야 할 일에 대해 알 수 있어.
② 당시의 세시 풍속이 사라져 가는 오늘날의 현실이 안타깝네.
③ 세시 풍속과 지켜야 할 예의 범절을 가르친다는 점에서 교훈적인 성격이 드러나는군.
④ 상층의 위치에서 명령하는 듯한 어투는 이 작품의 작가가 양반임을 알 수 있게 해 줘.
⑤ 농민의 입장에서 바라본 농촌 현실을 사실적으로 드러내어 실천적인 농사 활동을 촉구하고 있네.

6 서술형 이 작품을 창작한 목적과 의도에 대해 서술하시오.

13 일동장유가(日東壯遊歌)

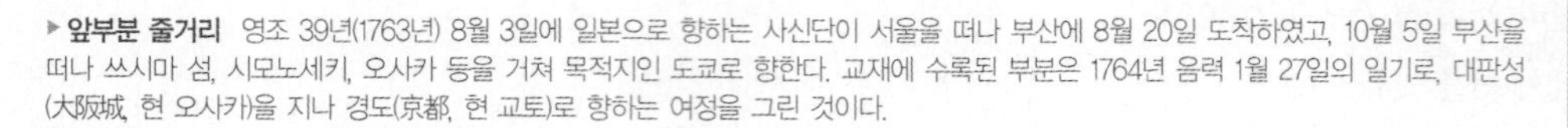

▸ **앞부분 줄거리** 영조 39년(1763년) 8월 3일에 일본으로 향하는 사신단이 서울을 떠나 부산에 8월 20일 도착하였고, 10월 5일 부산을 떠나 쓰시마 섬, 시모노세키, 오사카 등을 거쳐 목적지인 도쿄로 향한다. 교재에 수록된 부분은 1764년 음력 1월 27일의 일기로, 대판성(大阪城, 현 오사카)을 지나 경도(京都, 현 교토)로 향하는 여정을 그린 것이다.

원문	현대어 풀이
이십칠 일 사상네가 *관소(館所)에 잠간 내려	이십칠 일 통신사 일행이 외국 사신을 대접하는 곳에 잠깐 내려
ⓐ숙공 받고 잠간 쉬어,	익은 음식을 제공받고 잠깐 쉬어,
저무도록 *행선(行船)하여 정포(淀浦)로 올라오니,	저물도록 배[船]로 가서 정포(淀浦, 요도우라)로 올라오니,
*여염도 즐비하며	백성들의 살림집도 즐비하며
물가에 성을 쌓고 경개(景槪)가 기이하다.	물가에 성을 쌓고 경치가 기묘하고 이상하다.

소주제 ❶ □□로의 이동과 물가의 경치

원문	현대어 풀이
물속에 *수기(水機) 놓아 강물을 자아다가	물속에 물을 관리하는 기계를 놓아 강물을 끌어올려
홈으로 ⓑ인수(引水)하여 성안으로 들어가니,	홈으로 물을 끌어 대어 성안으로 들어가니,
제작(製作)이 기묘하여 ⓒ법 받음직 하고나야.	제작이 기묘하고 본받을 만하구나.

소주제 ❷ 편리한 □□에 대한 관심

원문	현대어 풀이
그 수기(水機) 자세 보니 물레를 만들어서	그 물을 운반하는 기계를 자세히 보니 물레를 만들어서
좌우에 박은 살이 각각 스물여덟이오,	좌우에 박은 살이 스물여덟이고,
살마다 끝에다가 널 하나씩 가로 매어	살마다 끝에다가 널빤지를 하나씩 가로로 매어
물속에 세웠으니,	물속에 세웠으니,
강물이 널을 밀면 물레가 절로 도니,	강물이 널빤지를 밀면 물레가 절로 돌아가니,
살 끝에 작은 통을 노으로 매었으니,	살 끝에 작은 통을 노끈으로 매었으니,
그 통이 물을 떠서 돌아갈 제 올라가면,	그 통이 물을 떠서 돌아갈 때에 올라가면,
통 아래 말뚝 박아 공중에 ⓓ낡을 매어,	통 아래 말뚝을 박아 공중에 나무를 매어,
말뚝이 걸리면 그 물이 쏟아져서	말뚝이 걸리면 그 물이 쏟아져서
홈 속으로 드는구나.	홈 속으로 들어가는구나.

소주제 ❸ 수기의 구조와 □□ □□

원문	현대어 풀이
물레가 빙빙 도니 빈 통이 내려와서	물레가 빙빙 돌아가니 빈 통이 내려와서
또 떠서 순환(循環)하여 주야로 ⓔ불식(不息)하니,	또 물을 떠서 잇따라 돌아서 밤낮으로 쉬지 않으니,
인력(人力)을 아니 들였어도	사람의 힘을 아니 들였어도
*성가퀴 높은 위에 물이 절로 넘어가서,	성 위에 쌓은 담 높은 위로 물이 저절로 넘어가서
온 성안 거민(居民)들이 이 물을 받아먹어	온 성안에 살고 있는 백성들이 이 물을 받아먹어
부족들 아니 하니,	부족하지 아니 하니,
진실로 기특하고 묘함도 묘할씨고.	진실로 기특하고 묘하기도 묘하구나.

소주제 ❹ 수기의 가치와 □□□에 대한 감탄

원문	현대어 풀이
지명은 하내주(河內州)요 사십 리 와 있구나.	지명(地名)은 하내주이고 사십 리 와 있구나!

소주제 ❺ □□□에 도착함

– 김인겸

어휘 다지기

- 관소(館所) : 각 고을에 설치하여 외국 사신이나 다른 곳에서 온 벼슬아치를 대접하고 묵게 하던 숙소
- 행선(行船) : 배가 감. 또는 그 배
- 여염(閭閻) : 백성들의 살림집이 많이 모여 있는 곳
- 수기(水機) : 물을 관리하는 기계
- 성가퀴 : 성 위에 낮게 쌓은 담

작품 개관

- 갈래 기행 가사, 사행(使行) 가사
- 성격 직설적, 사실적
- 형식 3(4) · 4조, 4음보의 연속체
- 주제 일본의 풍속과 문화에 대한 견문과 감상
- 특징
  ① 순우리말로 기록한 장편 기행 가사임
  ② 일본 여행에서의 견문과 감상을 시간의 흐름(여정)에 따른 추보식 구성 방식으로 전개함
  ③ 작가의 이용후생(利用厚生)적 태도를 엿볼 수 있음(본문 외 부분에서 일본의 도시 경제 발달에 관심을 보임)
  ④ 대상을 세밀하게 관찰하여 묘사함
- 의의 〈연행가〉와 쌍벽을 이루는 조선 후기 장편 기행 가사의 백미

1등급 노트

1. 기행문적 성격
   - 일기체 형식을 사용하여 시간의 흐름에 따라 여행 날짜와 여정, 견문 등을 구체적으로 기록함
   - '법 받음직 하고나야.', '진실로 기특하고 묘함도 묘할씨고.' 등 주관적인 느낌이나 판단도 함께 진술함

2. 전체 구성

제1권 (212구)	일본에서 친선 사절을 청하여 서울을 출발해 부산에 이름
제2권 (5845구)	부산에서 승선하여 대마도, 일기도 등을 거쳐 적간관에 도착함
제3권 (368구)	적간관과 오사카, 교토 등을 거쳐 에도(지금의 동경)에 들어가 사행(使行) 임무를 마침
제4권 (1818구)	귀로에 올라 부산에 귀환, 임금에게 일본을 다녀온 결과를 보고함

함께 엮어 읽기

◆ 정철, 〈관동별곡〉

〈관동별곡〉은 정철이 강원도 관찰사로 부임하여 금강산과 관동팔경을 유람한 후 그 견문과 감상을 적은 가사이다. 〈관동별곡〉과 〈일동장유가〉는 모두 여행의 체험을 문학으로 형상화한 기행 가사라는 점에서 공통점을 갖는다.

더 알아보기

◆ 조선 전 · 후기 가사의 비교

조선 전기	조선 후기
• 관념적이며 서정적 성격 • 정형화된 구조	• 서사적이며 구체적, 사실적 성격 • 장형화, 산문화되는 경향

→ 조선 후기 양란 이후 성장한 서민 의식과 산문 정신 반영

소주제 체크

1. 정포 2. 수기 3. 작동 원리 4. 효용성 5. 하내주

정답과 해설 20쪽

출제 예감

1 **이 작품 전체에 대한 설명으로 적절하지 않은 것은?**

① 일본 여행의 과정을 우리말로 기록하고 있다.
② 조선 전기 가사들과 달리 사실적인 내용을 담고 있다.
③ 일본 여행에서의 견문과 감상을 적은 장편 기행 가사이다.
④ 주관적 감정은 배제한 채 객관적으로 견문을 서술하고 있다.
⑤ 〈연행가〉와 함께 조선 후기 장편 기행 가사의 쌍벽을 이룬다.

2 **〈보기〉를 참고할 때, 이 작품의 구성 방식에 대한 설명으로 가장 적절한 것은?**

보기

〈일동장유가〉의 전체 구성

제1권	일본에서 친선 사절을 청해 서울에서 부산으로 떠남
제2권	부산에서 승선하여 일본의 여러 지역을 거쳐 적간관에 도착함
제3권	에도(동경)에 들어가 사행(使行) 임무를 마침
제4권	서울로 돌아와서 임금에게 일본을 다녀온 결과를 보고함

① 하나의 이야기 속에 다른 이야기를 포함하고 있다.
② 시간의 흐름과 여정에 따라 사건이 전개되고 있다.
③ '문제 → 해결'의 구조가 반복되어 나타나고 있다.
④ 현재와 과거를 넘나들면서 이야기를 진행하고 있다.
⑤ 하나의 주제 아래 여러 사건이 독립적으로 이어지고 있다.

3 **다음 중 '수기(水機)'에 대한 설명으로 적절하지 않은 것은?**

① 물레에는 좌우에 각각 28개의 살이 박혀 있다.
② 물레가 저절로 돌아가는 힘은 강물에서 얻는다.
③ 물레의 살에 묶인 통은 물을 나르는 기능을 한다.
④ 물레의 빈 통을 내릴 때에만 인력을 필요로 한다.
⑤ 물레는 성안의 백성들이 편리하게 물을 공급받게 한다.

출제 예감

4 **〈보기〉를 참고하여 이 작품을 이해한 것으로 적절하지 않은 것은?**

보기

〈일동장유가〉는 작가가 57세 때 계미 통신사 조엄의 삼방서기로 임명되어 11개월 동안 수륙 수천 리를 오가며 날짜, 날씨, 여정, 견문, 감상 등을 자세히 기록하고 있는 모두 8,000여 구에 달하는 장편 기행 가사이다.

① 날짜 : '이십칠 일'과 같이 정확하게 명시하고 있다.
② 날씨 : 음력 1월이므로 날씨가 추웠을 것이라고 짐작되지만 구체적으로 드러나 있지 않다.
③ 여정 : '정포'에서의 여정 외에는 구체적으로 드러나 있지 않다.
④ 견문 : '강가에 성을 쌓은 것', '수기를 이용하여 성안으로 물을 운반하는 것' 등을 보았다.
⑤ 감상 : '경개가 기이하다', '법 받음직 하다'와 같이 주관적인 느낌이나 판단을 드러내고 있다.

5 **이 작품의 글쓴이와 대상에 대한 태도가 유사한 것은?**

① 큰 독에 담근 장은 소금물에 메주 넣고, / 날마다 가끔가끔 막대기로 휘저으니, / 죽 같은 된장물을 장이라고 떠나 먹네.
② 고운 손의 금가락지는 한 짝만 넓적하고 / 손목에 낀 옥고리는 굵게 사려서 둥글구나, / 손톱을 길게 길러 한 치만큼 길렀으며,
③ 한족의 여자는 발이 작아 두 치쯤 되는 것을 / 비단으로 꼭 동이고 신 뒤축에 굽을 달아 / 뒤뚱뒤뚱 가는 모양이 넘어질까 위태롭다.
④ 베틀이라 하는 것은 가뿐하고 재치가 있다. / 쇠꼬리가 없더라도 잉아 사용 어렵지 않고, / 북을 집어 던지며는 바디질은 저절로 한다.
⑤ 곰방대와 옥 물뿌리 담배 넣는 주머니에, / 부시까지 들고 뒷짐을 지는 것이 버릇이라. / 사람마다 그 모양이 천만 사람이 한 모습이라.

6 **ⓐ~ⓔ의 뜻풀이로 적절하지 않은 것은?**

① ⓐ : 익은 음식을 제공받고
② ⓑ : 물을 끌어들여
③ ⓒ : 본받을 만하다
④ ⓓ : 나무를 매어
⑤ ⓔ : 의심을 떨어 없애니

7 **수능형** **이 작품을 읽은 학생이 심화 학습할 주제로 알맞지 않은 것은?**

① 강가에는 얼마나 많은 수기가 설치되어 있는가?
② 수기는 구체적으로 어떠한 구조를 가지고 있는가?
③ 사신단의 이동은 배를 통한 것 이외에 어떤 방법이 있었나?
④ 백성들의 살림집은 구조 면에서 우리나라와 어떤 차이가 있는가?
⑤ 성의 높이는 얼마이며 그 위로 물을 공급하는 수기의 높이는 얼마나 되는가?

8 **서술형** **이 작품과 〈보기〉의 갈래상의 공통점을 간단하게 서술하시오.**

보기

관동(關東) 팔빅 니(八百里)에 방면(方面)을 맛디시니 어와 셩은(聖恩)이야 가디록 망극(罔極)ᄒᆞ다. 〈중략〉 평구역(平丘驛) ᄆᆞᆯ을 ᄀᆞ라 흑슈(黑水)로 도라드니 셤강(蟾江)은 어듸메오 티악(雉岳)이 여긔로다.

– 정철, 〈관동별곡〉

14 정선 아리랑

가 눈이 올라나 비가 올라나 억수장마 질라나
(억수장마: 여러 날 동안 비가 세차게 내리는 장마)
만수산 검은 구름이 막 모여든다
[A] 아리랑 아리랑 아라리요
아리랑 고개 고개로 나를 넘겨 주게

소주제 1 몰락한 □□ 왕조에 대한 한탄

나 *명사십리가 아니라면은 해당화는 왜 피며
*모춘삼월이 아니라면은 **두견새**는 왜 우나
아리랑 아리랑 아라리요
아리랑 고개 고개로 나를 넘겨 주게

소주제 2 늦봄의 □□□

다 정선의 *구명은 무릉도원이 아니냐
무릉도원은 어데 가고서 산만 충충하네
(충충하네: 빛깔이 산뜻하지 못하고 흐리고 침침하네)
아리랑 아리랑 아라리요
아리랑 고개 고개로 나를 넘겨 주게

소주제 3 고달프고 힘들어진 □

[B]

라 아우라지 뱃사공아 배 좀 건너 주게
*싸릿골 *올동박이 다 떨어진다
아리랑 아리랑 아라리요
아리랑 고개 고개로 나를 넘겨 주게

소주제 4 임을 만나지 못하는 □□□□

마 떨어진 ㉠동박은 낙엽에나 쌓이지
잠시 잠깐 임 그리워서 나는 못 살겠네
아리랑 아리랑 아라리요
아리랑 고개 고개로 나를 넘겨 주게

소주제 5 임에 대한 □□□

– 작자 미상

어휘 다지기

- 명사십리 : 함경남도 원산시의 동남쪽 약 4km 지점에 있는 모래사장. 모래가 곱고 부드러운 해수욕장과 해당화로 유명함
- 모춘삼월 : 봄이 저물어 가는 음력 삼월
- 구명 : 예전에 부르던 이름. '정선'은 고려 충렬왕 때 도원(桃原)으로 불린 적이 있음
- 싸릿골 : 아우라지 건너편의 유천리에 있는 마을
- 올동박 : '동박'은 '동백'의 강원 방언. 보통 동백보다 일찍 피는 동백. 여기서 동백은 생강나무

작품 개관

- 갈래 민요(강원도 정선)
- 성격 서정적, 해학적, 서민적
- 주제 정선 지방 사람들의 삶과 애환
- 특징
  ① 정선 지방의 지명과 방언 등 토속적, 향토적 어휘를 많이 사용함
  ② 자연물을 활용하여 여러 화자의 다양한 정서를 효과적으로 표현함
  ③ 4음보 율격과 후렴구를 통해 운율감을 형성함

1등급 노트

1. 민요의 표현상의 특징

열린 구조	각 연의 내용이 하나의 주제로 연결되는 것이 아니라 다양한 상황과 정서가 나열된 형태로 계속 이어서 부를 수 있음
구전	민요는 부르는 사람이나 장소마다 그 내용이 달라지기도 함

2. 주요 구절 풀이

- 눈이 올라나 ~ 막 모여든다 : 고려 왕조에 대한 충절과 조선 건국의 부당함을 드러내는 내용. 〈정선 아리랑〉 가운데 가장 많이 불리는 대목으로, 이 민요의 시원(始原)을 알려 줌
- 아리랑 아리랑 ~ 넘겨 주게 : 소리를 돌아가며 부르다가 갑자기 가사가 막힐 경우 판을 깨지 않기 위해서 부르던 가사
- 아우라지 뱃사공아 ~ 다 떨어진다 : 아우라지(강)를 사이에 둔 두 마을의 처녀와 총각이 싸릿골에 동백을 따러 가기로 약속을 하였는데, 간밤에 내린 폭우로 인해 강물이 불어 배가 뜨지 못하자 안타까운 마음을 뱃사공에게 노래했다는 설화

3. 다양한 화자의 삶의 모습과 태도

고려 왕조에 대한 충절, 남녀 간의 애절한 사랑, 사랑하는 임에 대한 그리움, 시집가고 싶어 하는 처녀의 마음, 고달프고 어려운 삶 속에서도 부부 간에 의지하며 살아가고자 하는 낙천적인 마음 등 정선 지방 사람들의 다양한 삶의 모습과 정서가 담겨 있음

더 알아보기

◆ 〈정선 아리랑〉의 유래

고려가 망한 뒤, 불사이군(不事二君)의 충절을 다짐하던 신하 72명이 경기도 개풍군 광덕산 두문동에 모여 살며 조선 건국의 부당함을 항변하다가 그중 7명이 지금의 정선군 남면의 서운산으로 은신처를 옮기게 되었다. 그들은 이곳에서 지난 시절에 대한 회상과 고향에 대한 그리운 마음을 한시로 지어 불렀다. 이를 지방의 선비들이 듣고 사람들에게 풀이하여 알려 주면서 구전되던 토착요의 음을 붙여 불렀는데, 여기에서 〈정선 아리랑〉이 비롯되었다.

소주제 체크
1. 고려 2. 애상감 3. 삶 4. 안타까움 5. 그리움

정답과 해설 20쪽

1 이 작품과 같은 갈래의 특징으로 적절하지 않은 것은?

① 오랜 시간에 걸쳐 입에서 입으로 전해졌다.
② 민중들의 생활이나 솔직한 감정을 담고 있다.
③ 노래로 불리기에 적합한 운율을 지니고 있다.
④ 3장 6구의 형식을 지닌 우리 고유의 정형시이다.
⑤ 방언을 통해 지역적 특색이 드러나는 경우가 많다.

2 〈보기〉에서 [A]의 기능에 대한 설명으로 적절한 것만을 바르게 묶은 것은?

보기
ㄱ. 연마다 반복됨으로써 리듬감을 형성한다.
ㄴ. 화자의 애틋한 사연에 대한 호기심을 불러일으킨다.
ㄷ. 내용적 긴밀성이 약한 가사에 형식적인 통일성을 부여한다.
ㄹ. 전반적인 작품의 내용과 어울려 흥겹고 경쾌한 분위기를 형성한다.

① ㄱ, ㄴ ② ㄱ, ㄷ ③ ㄴ, ㄷ
④ ㄴ, ㄹ ⑤ ㄷ, ㄹ

3 고난도 [가]~[마]에 대한 설명으로 적절하지 않은 것은?

① [가] : 자연 현상과 관련된 시어를 나열하여 암울한 분위기를 부각하고 있다.
② [나] : 대구를 통해 자연이 자아내는 애상적 분위기를 표현하고 있다.
③ [다] : 지명을 활용하여 고달프고 힘들어진 삶의 여건을 드러내고 있다.
④ [라] : 영탄적 표현을 활용하여 화자의 절실한 마음을 표현하고 있다.
⑤ [마] : 자연물과 화자의 처지의 대조를 통해 화자의 안타까운 마음을 강조하고 있다.

출제 예감
4 〈보기〉를 바탕으로 [가]를 이해한 내용으로 가장 적절한 것은?

보기
만수산은 송악산의 다른 이름으로, 송악산은 고려의 도읍지였던 개성 북쪽에 있는 산이다.

① 초월적 존재의 등장을 소망하는 마음을 표현하였다.
② 몰락한 고려 왕조에 대한 비탄과 충절을 표현하였다.
③ 힘 있는 자에게 수탈당하는 백성들의 힘겨운 삶을 표현하였다.
④ 숨겨진 역사적 진실을 밝혀내고 말겠다는 의지를 표현하였다.
⑤ 자연의 힘 앞에 무력할 수밖에 없는 인간의 한계를 표현하였다.

출제 예감
5 〈보기〉의 빈칸에 들어갈 말로 적절하지 않은 것은?

보기
선생님 : 이 노래와 관련되는 이야기가 있어요. 옛날 아우라지 나루 근처에 나루 건너 싸릿골의 총각을 사랑한 처녀가 살았답니다. 처녀는 싸릿골 동백을 딴다는 핑계로 강을 건너다녔지요. 그런데 갑자기 큰비가 온 거예요. 물이 불어 아우라지를 건너 싸릿골로 갈 수 없게 되자 이를 원망하여 이 노래를 불렀답니다.
학 생 : 그렇다면 (   ).

① [라]의 '뱃사공'은 임을 만나지 못하는 상황에서 화자가 원망하는 존재이겠군요.
② [라]의 '배 좀 건너 주게'는 임을 만나고 싶은 간절함이 담긴 호소이겠군요.
③ [라]의 '아우라지', '싸릿골'은 정선 고을에 실제로 존재하는 공간이겠군요.
④ [라]와 [마]의 '동박'은 이야기 속의 처녀와 총각을 이어줬던 매개체이겠군요.
⑤ [마]의 '동박'은 떨어져도 '낙엽'과 함께 있으므로 처녀가 부러워하는 대상이겠군요.

6 수능형 [B]와 〈보기〉를 비교한 내용으로 적절하지 않은 것은?

보기
열라는 콩팥은 왜 아니 열고 아주까리 동백은 왜 여는가
아리랑 고개다 주막집을 짓고 정든 님 오기만 기다린다
아리아리 쓰리쓰리 아라리요
아리아리 고개로 넘어간다
– 〈강원도 아리랑〉 중에서

① [B]와 〈보기〉 모두 임에 대한 간절한 그리움을 드러내고 있다.
② [B]와 〈보기〉 모두 후렴구가 사용되어 작품 전체의 운율감을 조성하고 있다.
③ [B]에서는 대상을 의인화하여 정서를 표현하였고, 〈보기〉에서는 비유를 통해 정서를 표현하였다.
④ [B]의 '아우라지', '싸릿골'은 구체성을 지닌 지명이고, 〈보기〉의 '아리랑 고개'는 보편성을 지닌 지명이다.
⑤ [B]의 '동박'은 화자의 처지와 대비되는 자연물이고, 〈보기〉의 '동백'은 화자의 기대와 어긋나는 자연물이다.

7 서술형 [나]에서 '두견새'를 통해 애상적 분위기가 나타난다고 할 때, 그 이유는 무엇인지 서술하시오.

15 시집살이 노래

㉠형님 온다 형님 온다 분(粉)고개로 형님 온다.

형님 마중 누가 갈까 형님 동생 내가 가지.

형님 형님 사촌 형님 시집살이 어떱뎁까?

소주제 ❶ □□의 친정 방문과 시집살이에 대한 □□의 질문

이에 이애 그 말 마라 ㉡시집살이 개집 살이.

앞밭에는 ㉢•당추(唐椒) 심고 뒷밭에는 고추 심어,

고추 당추 맵다 해도 시집살이 더 맵더라.

둥글둥글 수박 식기(食器) 밥 담기도 어렵더라.
(수박 식기: 수박처럼 둥글게 생긴 밥그릇)

도리도리 도리 •소반(小盤) 수저 놓기 더 어렵더라.
(도리 소반: 둥글고 작은 밥상)

오 리(五里) 물을 길어다가 십 리(十里) 방아 찧어다가,

아홉 솥에 불을 때고 열두 방에 자리 걷고,

[A]
외나무다리 어렵대야 시아버니같이 어려우랴?

나뭇잎이 푸르대야 시어머니보다 더 푸르랴?

시아버니 호랑새요 시어머니 꾸중새요,

•동세 하나 ㉣할림새요 시누 하나 뾰족새요,

•시아지비 뾰중새요 남편 하나 미련새요,

자식 하난 우는 새요 나 하나만 썩는 샐세.

귀 먹어서 삼 년이요 눈 어두워 삼 년이요,

말 못 해서 삼 년이요 석삼 년을 살고 나니,

배꽃 같던 요 내 얼굴 호박꽃이 다 되었네.

•삼단 같던 요 내 머리 •비사리춤이 다 되었네.

백옥 같던 요 내 손길 오리발이 다 되었네.

•열새 무명 •반물 치마 눈물 씻기 다 젖었네.

두 폭 붙이 행주치마 콧물 받기 다 젖었네.

소주제 ❷ 형님의 □□□□ 고충

울었던가 말았던가 베갯머리 •소(沼)이 졌네.

㉤그것도 소이라고 거위 한 쌍 오리 한 쌍

쌍쌍이 때 들어오네.

소주제 ❸ 형님의 □□□ 체념

– 작자 미상

어휘 다지기

- 당추(唐椒) : 고추
- 소반(小盤) : 자그마한 밥상
- 동세 : 동서
- 시아지비 : 시아주버님
- 삼단 : 삼을 묶은 단
- 비사리춤 : '비사리'는 벗겨 놓은 싸리의 껍질, '춤'은 가늘고 기름한 물건을 한 손으로 쥐어 세는 단위
- 열새 : 고운 베
- 반물 : 짙은 남빛
- 소(沼) : 연못

작품 개관

- 갈래 민요, 부요(婦謠)
- 성격 해학적, 서민적
- 운율 4·4조, 4음보
- 주제 시집살이의 한(恨)과 체념
- 특징
  ① 물음과 대답으로 이루어진 대화 형식을 취함
  ② 언어유희와 비유를 통해 해학성을 표현함
  ③ 유사 어구를 반복하여 운율을 형성함

1등급 노트

1. 형식상의 특징
   대화 형식 : 시집살이에 대한 동생의 호기심 어린 질문과 시집살이의 어려움을 표현한 형님의 답변이라는 대화로 이루어짐

2. 표현상의 특징
   시댁 식구들과 자식들을 '새'에 비유함 → 해학성 유발

호랑새	무서운 존재
꾸중새	꾸중을 잘 하는 존재
할림새	고자질을 잘 하는 존재
뾰족새	화를 잘 내는 존재
뾰중새	퉁명스러운 존재
미련새	어리석고 둔한 존재
거위 한 쌍, 오리 한 쌍	자식

3. 화자의 슬픔 극복 방식
   '울었던가 말았던가 ~ 쌍쌍이 때 들어오네.' : 고통스러운 시집살이를 자식들을 보며 견뎌 나가고 있음을 해학적으로 표현함 → 시집살이에 대한 체념과 순응의 태도

함께 엮어 읽기

◆ 허난설헌, 〈규원가〉

◆ 작자 미상, 〈싀어마님 며느라기 낫바~〉

〈규원가〉는 남편의 사랑을 잃고 규방에 갇혀 외로이 살아가는 여인의 신세 한탄과 남편에 대한 원망을 노래한 규방 가사이다. 〈싀어마님 며느라기 낫바~〉는 시집살이의 고충을 한탄하는 사설시조이다. 〈시집살이 노래〉와 〈규원가〉, 〈싀어마님 며느라기 낫바~〉는 모두 남성 중심의 봉건적 가족 관계 속에서 여성이 겪게 되는 한스러운 삶을 토로했다는 점에서 공통된다.

더 알아보기

◆ 부요(婦謠)

부요는 부녀층에서 불려진 노래를 지칭하는 말로, 봉건 사회 속에서 부인네들이 겪어야 했던 삶의 애환을 잘 보여 주고 있다. 부요는 남요(男謠)보다 좀 더 섬세한 감정으로 일상을 깊이 있게 표현하였으며, 양적으로도 남요보다 더 풍부하다.

소주제 체크

1. 형님, 동생 2. 시집살이 3. 해학적

정답과 해설 20쪽

1 **이 작품에 대한 설명으로 적절하지 않은 것은?**

① 계절의 흐름에 따라 화자의 이야기가 전개되고 있다.
② 시집살이의 심리적 · 물리적 어려움을 모두 표현하고 있다.
③ 언어유희와 비유적 표현을 통해 해학미를 느끼게 해 준다.
④ 형님과 동생이 말을 주고받는 대화 형식으로 이루어져 있다.
⑤ 평범한 일상어를 사용하면서도 언어의 묘미를 잘 살리고 있다.

출제 예감

2 **이 작품과 형식 면에서 가장 유사한 것은?**

① 이바 니웃드라, 산수(山水) 구경 가쟈스라. 답청(踏靑)으란 오ᄂᆞᆯ ᄒᆞ고, 욕기(浴沂)란 내일(來日) ᄒᆞ새. 아ᄎᆞᆷ에 채산(採山)ᄒᆞ고, 나조ᄒᆡ 조수(釣水)ᄒᆞ새.
② 뎨 가ᄂᆞᆫ 뎌 각시 본 듯도 ᄒᆞᆫ뎌이고. 텬샹(天上) ᄇᆡᆨ옥경(白玉京)을 엇디ᄒᆞ야 니별(離別)ᄒᆞ고 ᄒᆡ 다 뎌 저믄 날의 눌을 보라 가시ᄂᆞᆫ고. 어와 네여이고 이 내 ᄉᆞ셜 드러 보오. 내 얼굴 이 거동이 님 괴얌즉 ᄒᆞᆫ가마ᄂᆞᆫ 엇딘디 날 보시고 네로다 녀기실ᄉᆡ
③ 옥천산(玉泉山) 용천산(龍泉山) ᄂᆞ린 믈히 정자(亭子) 압 너븐 들희 올올(兀兀)히 펴진 드시 넙거든 기노라 프료거든 희디마니 쌍룡(雙龍)이 뒤트ᄂᆞᆫ ᄃᆞᆺ 긴 깁을 ᄎᆡ 폇ᄂᆞᆫ ᄃᆞᆺ
④ 동풍(東風)이 건듯 부러 젹셜(積雪)을 헤텨 내니 창(窓) 밧긔 심근 ᄆᆡ화(梅花) 두세 가지 픠여셰라. ᄀᆞ득 ᄂᆡᆼ담(冷淡)ᄒᆞᆫᄃᆡ 암향(暗香)은 므ᄉᆞ 일고. 황혼(黃昏)의 ᄃᆞᆯ이 조차 벼마ᄐᆡ 빗최니 늣기ᄂᆞᆫ ᄃᆞᆺ 반기ᄂᆞᆫ ᄃᆞᆺ 님이신가 아니신가.
⑤ 인심(人心)이 ᄂᆞᆺ ᄀᆞᄐᆞ야 보도록 새롭거ᄂᆞᆯ 세사(世事)ᄂᆞᆫ 구롬이라 머흐도 머흘시고. 엇그제 비즌 술이 어도록 니건ᄂᆞ니 잡거니 밀거니 슬ᄏᆞ장 거후로니 ᄆᆞ음의 미친 시름 져그나 ᄒᆞ리ᄂᆞ다.

3 **㉠~㉤에 대한 설명이 잘못된 것은?**

① ㉠ : a–a–b–a의 구조를 보이고 있다.
② ㉡ : 발음의 유사성을 이용한 언어유희가 나타난다.
③ ㉢ : 동어의 반복을 피하고 운율을 살린 표현이다.
④ ㉣ : '통명스러운 존재' 라는 의미를 지닌다.
⑤ ㉤ : 시집살이에 대한 화자의 체념을 보여 준다.

4 **이 작품과 같은 현실 극복의 태도를 보이고 있는 것은?**

① 수양산(首陽山) 바라보며 이제(夷齊)를 한(恨)ᄒᆞ노라. / 주려 주글진들 채미(採薇)도 ᄒᆞᄂᆞᆫ것가. / 비록애 푸새엣 거신들 긔 뉘 ᄯᅡ헤 낫ᄃᆞ니. – 성삼문
② 십 년(十年) ᄀᆞ온 칼이 갑리(匣裏)에 우노ᄆᆡ라. / 관산(關山)을 ᄇᆞ라보며 ᄣᆡᄣᆡ로 ᄆᆞᆫ져 보니 / 장부(丈夫)의 위국 공훈(爲國功勳)을 어ᄂᆡ ᄣᆡ에 드리올고. – 이순신
③ 청산(靑山)은 내 뜻이오 녹수(綠水)ᄂᆞᆫ 님의 정(情)이, / 녹수(綠水) 흘러간들 청산(靑山)이야 변(變)ᄒᆞᆯ손가. / 녹수(綠水)도 청산(靑山)을 못 니져 우러 예어 가ᄂᆞᆫ고. – 황진이
④ ᄇᆞ롬도 쉬여 넘ᄂᆞᆫ 고ᄀᆡ, 구름이라도 쉬여 넘ᄂᆞᆫ 고ᄀᆡ / 산진(山眞)이 수진(水眞)이 해동청(海東靑) 보ᄅᆞ미도 다 쉬여 넘ᄂᆞᆫ 고봉(高峯) 장성령(長城嶺) 고개. / 그 너머 님이 왓다 ᄒᆞ면 나ᄂᆞᆫ 아니 ᄒᆞᆫ 번도 쉬여 넘어 가리라. – 작자 미상
⑤ 한숨아 셰한숨아 네 어ᄂᆡ 틈으로 드러온다. / 고모장ᄌᆞ 셰술장ᄌᆞ 가로다지 여다지 암돌져귀 수돌져귀 비목걸새 뚝닥 박고 용(龍) 거북 ᄌᆞ물쇠로 수기수기 ᄎᆞ엿ᄂᆞᆫᄃᆡ 병풍(屛風)이라 덜걱 져븐 족자(簇子) ㅣ라 ᄃᆡᆨᄃᆡ글 만다. 네 어ᄂᆡ 틈으로 드러온다. / 어인지 너 온 날이면 ᄌᆞᆷ 못 드러 ᄒᆞ노라. – 작자 미상

5 **이 작품과 〈보기〉에 대한 감상으로 가장 적절한 것은?**

> **보기**
> 우리 님 가신 후는 무슨 약수(弱水) 가렷관ᄃᆡ 오거나 가거나 소식(消息)조차 ᄭᅳᆫ첫는고. 난간(欄干)의 비겨 셔서 님 가신 ᄃᆡ 바라보니 초로(草露)ᄂᆞᆫ 맷쳐 잇고 모운(暮雲)이 디나갈 제 죽림(竹林) 푸른 고ᄃᆡ 새소리 더욱 설다. 세상의 서룬 사람 수업다 ᄒᆞ려니와 박명(薄命)ᄒᆞᆫ 홍안(紅顔)이야 날 가ᄐᆞ니 ᄯᅩ 이실가. – 허난설헌, 〈규원가〉

① 진영 : 두 작품 모두 한자어가 많이 사용된 것으로 보아, 작가가 동일 계층이라고 볼 수 있겠어.
② 성준 : 두 작품 모두 부정적 상황의 원인이 자신에게 있음을 자각하고 체념하는 모습을 보이고 있어.
③ 은후 : 이 작품이 여성으로서의 한을 노래했다면, 〈보기〉는 남성으로서의 한을 노래하고 있군.
④ 정아 : 이 작품과 달리 〈보기〉는 사회적인 문제를 부각시키는 내용을 직접 제시하고 있군.
⑤ 명수 : 〈보기〉와 달리 이 작품은 소박한 일상어를 사용하여 서민의 감정을 솔직하게 표현하고 있군.

6 **[A]에 나타난 표현 방법과 관련 없는 것은?**

① 배우고 때로 익히면 또한 기쁘지 아니한가?
② 내 마음은 촛불이오. 그대 저 문을 닫아 주오.
③ 임은 갔지마는 나는 임을 보내지 아니하였습니다.
④ 범은 죽어서 가죽을 남기고, 사람은 죽어서 이름을 남긴다.
⑤ 오월은 금방 찬물로 세수를 한 스물한 살의 청신한 얼굴이다.

7 **서술형** **이 작품과 〈보기〉의 화자와 청자를 중심으로 공통점과 차이점에 대해 서술하시오.**

> **보기**
> ᄉᆡ어마님 며ᄂᆞ라기 낫바 벽 바닥을 구로지 마오. / 빗에 바든 며ᄂᆞ린가 갑세 쳐 온 며ᄂᆞ린가. 밤나모 셕은 등걸에 휘초리 나니ᄀᆞ치 앙살픠신 ᄉᆡ아바님, 볏 뵌 쇠똥ᄀᆞ치 되죵고신 ᄉᆡ어마님, 삼 년 겨론 망태에 ᄉᆡ 승곳부리ᄀᆞ치 ᄲᅩ족ᄒᆞ신 ᄉᆡ누의님, 당(唐)피 가튼 밧틔 돌피 나니ᄀᆞ치 ᄉᆡ노란 외곳 ᄀᆞ튼 피ᄯᅩᆼ 누ᄂᆞᆫ 아ᄃᆞᆯ ᄒᆞ나 두고, / 건 밧틔 메곳 ᄀᆞ튼 며ᄂᆞ리를 어듸를 낫바 ᄒᆞ시ᄂᆞᆫ고. – 작자 미상

16 홍길동전(洪吉童傳)

▶ **앞부분 줄거리** 길동은 비범한 재주를 타고 났으나, 서자(庶子)라는 신분적 제약 때문에 그 비범성을 발휘할 기회가 막히고, 호부호형을 못하는 한을 품게 된다. 그러던 차에 홍 판서의 첩인 초란은 길동이 장래에 화근이 될까 두려워 자객을 시켜 길동을 없애려 한다.

그날 밤 촛불을 밝히고 주역(周易)을 골똘히 읽고 있는데, 갑자기 ㉠까마귀가 세 번 울고 지나가기에 길동이 이상하게 여기고 혼잣말로 중얼거렸다.
(주역(周易): 유학 오경(五經)의 하나)

"이 짐승은 본디 밤을 꺼리거늘, 지금 울고 가니 매우 불길하도다."

길동이 잠깐 팔괘를 벌여 점을 쳐 보고는 크게 놀라 책상을 물리치고 둔갑법을 써서 그 동정을 살피고 있었다. 사경(四更)에 ㉡한 사람이 비수를 들고 천천히 방문을 열고 들어왔다. 길동이 급히 몸을 감추고 주문을 외우니, 갑자기 한 줄기 음산한 바람이 일어나면서, 집은 간 데 없고 첩첩 산중의 풍경이 장엄하였다. 특재가 크게 놀라서 길동의 조화가 신기하다는 것을 깨닫고 비수를 감추며 피하고자 했으나, 문득 길이 끊어지고 층층절벽이 가로막아 오도 가도 못하는 신세가 되었다. 사방으로 방황하다가 문득 피리 소리가 들려 정신을 차려서 살펴보니, 한 소년이 나귀를 타고 오며 피리를 불다가 특재를 보고 크게 꾸짖었다.
(팔괘: 중국 상고 시대에 복희씨가 지었다는 여덟 가지의 괘 / 사경(四更): 새벽 1시~3시)

"너는 무엇 때문에 나를 죽이려 하느냐? 죄 없는 사람을 해치면 어찌 천벌을 받지 않겠는가?"

㉢소년이 주문을 외우자, 갑자기 한바탕 검은 구름이 일어나면서 큰비가 퍼붓듯이 쏟아지고 모래와 돌멩이가 날리거늘, 특재가 정신을 가다듬고 살펴보니 길동이었다. 비록 그 재주를 신기하게 여기나, '어찌 나를 대적하리오.' 하고 달려들며 크게 소리쳤다.

"너는 죽어도 나를 원망하지 말라. 초란이 무녀와 관상녀와 더불어 ㉣상공과 의논하고 너를 죽이려 하는 것이니, 어찌 나를 원망하리오."

특재가 칼을 들고 달려들자 길동이 분노를 참지 못하여 요술로 특재의 칼을 빼앗아 들고 크게 꾸짖어 말했다.

"네가 재물을 탐해서 사람 죽이기를 좋아하니, 너같이 무도한 놈은 죽여서 후환을 없애리라."
(무도한: 말이나 행동이 인간으로서 지켜야 할 도리에 어긋난)

길동이 한 번 칼을 들어 치자 특재의 머리가 방 가운데 떨어졌다. 길동이 분노를 이기지 못하여 그 밤에 바로 관상녀를 잡아와 특재가 죽은 방에 들이치고 꾸짖었다.

"너는 나와 무슨 원수를 졌기에 초란과 함께 나를 죽이려 하느냐?"

길동이 칼로 베니 어찌 가련하지 아니하리오.

소주제 ❶ 길동이 □□와 관상녀를 죽임

이때 길동이 두 사람을 죽이고 밤하늘을 살펴보니, 은하수는 서쪽으로 기울어지고 달빛은 희미하여 슬픈 마음을 더하였다. 분노를 참지 못하여 초란마저 죽이려고 하다가, 상공이 사랑하는 여자라는 것을 깨닫고 칼을 내던졌다. 멀리 달아나서 살길을 찾아야겠다는 마음을 먹고, 바로 상공의 침소로 가서 하직을 고하려 하였다. 마침 공도 창밖에 인기척이 있는 것을 이상하게 여기고 창을 열어 보니 곧 길동이었다. 공이 길동을 가까이 불러 물었다.
(하직: 먼 길을 떠날 때 웃어른께 작별을 고하는 것)

"밤이 깊었거늘 네 어찌 자지 아니하고 이리 방황하느냐?"

길동이 땅에 엎드려 대답하였다.

"소인이 일찍이 부모님께서 낳아 길러 주신 은혜를 만분의 일이나마 갚을까 하였더니, 집안에 의롭지 못한 사람이 있어 상공께 참소하고 ㉤소인을 죽이려고 하였습니다. 겨우 목숨은 건졌으나 상공을 모실 길이 없으니 오늘 상공께 하직을 고합니다."
(참소하고: 남을 헐뜯어서 죄가 있는 것처럼 꾸며 윗사람에게 고하여 바침)

소주제 ❷ 길동이 □□에게 하직을 고함

▶ **뒷부분 줄거리** 길동은 집을 떠나 떠돌던 중, 도적의 무리를 만나 활빈당을 조직하여 탐관오리를 응징하고 백성을 구제한다. 국왕은 길동을 잡으려 하나 길동의 도술을 당해 낼 수 없어서 길동의 소원을 들어주기로 하고, 길동은 서울에 올라와 병조 판서가 된다. 그 뒤 길동은 고국을 떠나 율도국을 발견, 요괴를 퇴치하고 율도국 왕이 된다.

– 허균

작품 개관

- 갈래 국문 소설, 영웅 소설, 사회 소설
- 성격 전기적(傳奇的), 비판적, 사회 개혁적
- 시점 전지적 작가 시점
- 구성 일대기적 구성
- 배경 [시간적] 조선 시대 [공간적] 조선, 율도국
- 주제 ① 부조리한 적서 차별과 신분 제도의 개혁 ② 해외 진출과 이상국 건설 ③ 빈민 구제 사상
- 특징 정치의 부패와 불합리한 사회 제도를 비판한, 최초의 국문 소설임

1등급 노트

1. 문학사적 의의
- 최초의 한글 소설(한글을 표기 수단으로 사용 → 독자층의 확대)
- 당시 사회 제도에 대한 백성들의 저항을 주제화함(구세제민(救世濟民)의 사고 반영)
- '영웅의 일생'이라는 서사 구조를 계승하여 후대 소설의 교량 역할을 함
- 대부분의 고전 소설이 배경을 중국에서 취한 데 반해, 우리 나라를 무대로 삼음
- 불합리한 사회 제도에 대한 저항 정신이 반영된 현실 참여적 문학임

2. 구성상의 특징
영웅 일대기적 구조를 보임

영웅 소설	〈홍길동전〉
고귀한 혈통	홍 판서의 자제
비정상적인 출생	시비 춘섬에게서 서자로 태어남
비범한 능력	총명하고 도술에 능함
어려서 위기를 맞음	초란이 자객을 통해 길동을 죽이려고 함
구출자를 만나 위기를 벗어남	자신의 도술로 위기를 벗어남
자라서 다시 위기에 봉착함	나라에서 길동을 잡으려고 함
위기 극복 후 승리자가 됨	병조 판서를 제수받은 뒤 율도국의 왕이 됨

3. 당대의 사회 현실
- 신분의 격차가 있었음 : 홍길동의 아버지 홍 판서는 양반이며, 어머니 춘섬은 종임
- 적서 차별이 엄격했음 : 적자(嫡子)가 아닌 서자(庶子)들은 자식의 대우를 받지 못했으며 벼슬길에도 나갈 수 없었음
- 탐관오리들의 악탈이 심했음 : 길동이 탐관오리를 응징하는 것으로 보아, 당시 많은 부패 관리들로 인해 사회가 혼란했음을 알 수 있음

더 알아보기

◆ **전기성(傳奇性)**
이상하고 기이하여 세상에 전할 만한 것을 이르는 말로, 고전 소설의 특징 중 하나이다. 〈홍길동전〉에서는 길동이 둔갑법이나 주문, 요술을 사용하는 장면 등에서 전기적 요소를 찾아볼 수 있으며, 이는 길동의 비범함을 효과적으로 드러낸다.

소주제 체크
1. 특재 2. 상공

정답과 해설 20쪽

1 이 작품에 드러난 고전 소설의 특징이 아닌 것은?

① 일대기적 구성 방식이 사용되었다.
② 전기적, 우연적인 사건이 나타난다.
③ 전형적인 재자가인(才子佳人)형 인물이 등장한다.
④ 서술자가 사건에 대한 자신의 생각을 덧붙이고 있다.
⑤ 비현실적인 배경과 사건으로 사회 현실을 담아 내지 못했다.

출제 예감
2 이 작품에 대한 설명으로 적절하지 않은 것은?

① 주인공의 영웅적인 일대기를 다루고 있다.
② 한글을 표기 수단으로 사용한 최초의 소설로 독자층 확대에 기여했다.
③ 적서 차별 철폐, 탐관오리 고발 등 작가의 사회 개혁 의지가 담겨 있다.
④ 불합리한 사회 제도에 대한 저항 정신을 반영하여 현실 참여적 성격을 드러낸다.
⑤ 중국 소설 〈수호지〉의 영향을 받아 중국을 배경으로 하고 있으나 문학적 독자성을 지니고 있다.

출제 예감
3 다음은 영웅 소설의 일반적인 서사 구조에 따라 이 작품 전체의 내용을 정리한 것이다. 바르게 연결되지 않은 것은?

영웅 소설의 서사 구조	〈홍길동전〉의 내용
① 고귀한 혈통	홍 판서의 아들
② 비정상적인 잉태 혹은 출산	서자로 태어남
③ 어려서 위기를 겪고 죽을 고비에 이름	초란의 음모로 생명의 위협을 받게 됨
④ 구출자를 만나 위기에서 벗어남	도적의 도움으로 목숨을 구함
⑤ 위기 극복 후 승리자가 됨	율도국의 왕이 됨

4 ㉠~㉤에 대한 설명으로 적절하지 않은 것은?

① ㉠ : 불행한 사건이 벌어질 것임을 암시하고 있다.
② ㉡ : '초란'의 사주를 받아 길동이 출가를 결심하게 되는 계기를 제공하는 인물이다.
③ ㉢ : 전기적 요소를 통해 길동의 비범한 능력을 드러내고 있다.
④ ㉣ : 그동안 부자간의 갈등이 심화되고 있었음을 알려 준다.
⑤ ㉤ : 아버지 앞에서 자신을 낮추는 말인 '소자' 대신 사용되어 길동의 신분을 드러낸다.

5 〈보기〉는 이 작품을 읽고 나눈 학생들의 대화이다. 감상의 관점을 바르게 연결한 것은?

보기

미애 : 나는 작가인 허균에 대해 조사해 봤어. 허균은 사실 서자가 아니고 그의 스승이었던 이달이 첩의 소생이어서 재주가 뛰어남에도 출세를 할 수가 없었어. 이렇게 보면 〈홍길동전〉은 이달의 영향을 받은 허균의 사상을 엿보게 해 주는 작품이라고 생각해.
용은 : 〈홍길동전〉은 홍길동이 서자로 태어나 천대를 받고 자라다가 활빈당이라는 의적의 두목이 되고, 도술로 여러 번의 위기를 극복한 후, 율도국이라는 이상향을 건설하게 되는 영웅 소설의 구조가 잘 드러나 있어.
주연 : 〈홍길동전〉은 당시 사회의 문제점을 잘 보여 주고 있다고 생각해. 적서 차별이라는 사회 제도의 부당성과 가렴주구(苛斂誅求)를 일삼는 탐관오리에 대한 비판이 담겨 있거든.

	미애	용은	주연
①	절대론적 관점	효용론적 관점	표현론적 관점
②	효용론적 관점	표현론적 관점	절대론적 관점
③	반영론적 관점	절대론적 관점	효용론적 관점
④	표현론적 관점	효용론적 관점	반영론적 관점
⑤	표현론적 관점	절대론적 관점	반영론적 관점

6 수능형 〈보기〉의 '주몽'과 이 작품의 '홍길동'을 비교한 내용으로 가장 적절한 것은?

보기

주몽은 하늘의 신(神)인 해모수를 아버지로, 물의 신인 하백의 딸을 어머니로 하여 알에서 태어난다. 주몽의 어머니를 돌보던 부여의 금와왕은 알을 없애려 하나 실패하고 주몽의 어머니에게 알을 돌려준다. 얼마 후, 알에서 한 아이가 태어났는데 재주가 뛰어나고 특히 활을 잘 쏘아 '주몽'이라 불리게 되었다. 금와왕의 일곱 아들이 그의 재주를 시기하여 죽이려 하자, 이를 안 주몽의 어머니는 계략을 써 주몽을 도망가게 한다. 엄수에 이르러 추격이 급박해지자 주몽은 하늘을 향해 자신이 하늘과 강의 신의 자손임을 말하며 도움을 청한다. 이에 자라와 고기가 다리를 놓아 주몽 일행이 무사히 달아나도록 돕는다. 주몽은 남쪽 졸본에 이르러 고구려를 세운다.

– 작자 미상, 〈주몽 신화〉

① '주몽'과 '홍길동' 모두 금와왕과 홍 판서라는 양육자를 통해 길러진다.
② '주몽'과 '홍길동' 모두 어머니의 도움을 바탕으로 위기를 극복하게 된다.
③ 어린 시절부터 비범한 재능을 드러낸 '주몽'에 비해, '홍길동'은 자라면서 능력을 드러낸 대기만성형 인물이다.
④ 다른 사람들의 시기에 의해 위기를 맞는 '주몽'에 비해, '홍길동'은 스스로의 판단에 따라 집을 나와 위기를 맞는다.
⑤ 신적인 존재의 도움을 받는 '주몽'에 비해, '홍길동'은 스스로의 능력과 노력을 통해 어려움을 극복하는 인물이다.

7 서술형 사회 소설로서의 〈홍길동전〉의 성격을 고려할 때, 이 작품을 통해 작가가 지적하고자 한 당시 사회의 문제 두 가지를 서술하시오.

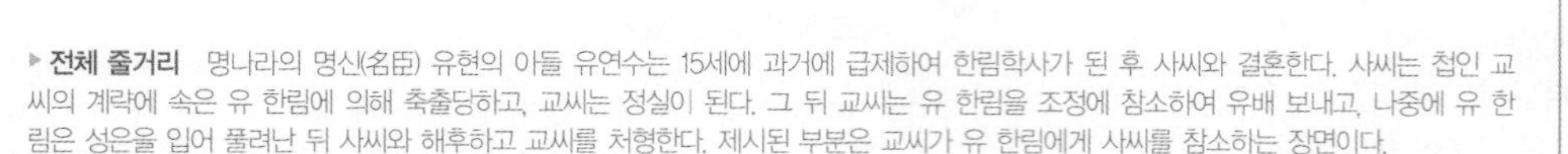

17 사씨남정기(謝氏南征記)

▸ **전체 줄거리** 명나라의 명신(名臣) 유현의 아들 유연수는 15세에 과거에 급제하여 한림학사가 된 후 사씨와 결혼한다. 사씨는 첩인 교씨의 계략에 속은 유 한림에 의해 축출당하고, 교씨는 정실이 된다. 그 뒤 교씨는 유 한림을 조정에 참소하여 유배 보내고, 나중에 유 한림은 성은을 입어 풀려난 뒤 사씨와 해후하고 교씨를 처형한다. 제시된 부분은 교씨가 유 한림에게 사씨를 참소하는 장면이다.

㉠한림이 교씨에게 명하여 노래를 부르게 하였다. 교씨는 감기가 들어 목이 아프다는 구실로 사양하였다. 한림이 다시 말했다. / "그렇다면 거문고를 대신 타게."

교씨는 그 명도 역시 따르려 하지 않았다. 한림이 재삼 재촉하였다. 그러자 교씨는 문득 앉은 자리가 젖을 정도로 눈물을 펑펑 흘렸다. 한림은 괴이한 생각이 들었다.

"자네가 내 집에 들어온 이래 지금까지 불평하는 기색을 본 적이 없었네. 오늘은 무슨 일이 있었기에 그렇게 서러워하는가?" / 교씨는 대답도 하지 않고 더욱 구슬피 울었다. 한림이 굳이 그 까닭을 물었다. 마침내 교씨가 입을 열었다.

"하문(下問)(윗사람이 아랫사람에게 물음)하시는데 대답하지 않는다면 상공에게 죄를 얻고, 대답을 한다면 부인에게 죄를 얻을 것입니다. 대답하기도 어렵고 대답을 하지 않기도 또한 어렵습니다."

"비록 매우 난처한 말을 한다 하더라도 내가 자네를 꾸짖지는 않을 것이야. 숨기지 말고 어서 말씀하게." / 교씨는 그제야 눈물을 거두고 대답하였다.

"첩의 촌스러운 노래와 거친 곡조는 본디 군자께서 들으실 만한 것이 아닙니다. 단지 명을 받들고 마지못하여 못난 재주를 드러냈던 것일 따름입니다. 또한 정성을 다 기울여 상공께 한번 웃음을 짓도록 하려는 것에 지나지 않았습니다. 무슨 다른 뜻이 있었겠습니까? / 그런데 오늘 아침 부인께서 첩을 불러놓고 책망(잘못을 꾸짖거나 나무라며 못마땅하게 여김)하셨습니다. '상공께서 너를 취하신 까닭은 단지 후사를 위한 것일 따름이었다. 집안에 미색이 부족한 때문이 아니었어. 그런데 너는 밤낮으로 얼굴이나 다독거렸지. 또한 듣자 하니 음란한 음악으로 장부의 심지를 고혹하게 하여 선소사(先少師)의 가풍을 무너뜨리고 있다 하더구나. 이는 죽어 마땅한 죄이다. 내가 우선 경고부터 해 두겠다. 네가 만일 이후로도 행실을 고치지 않는다면, 내 비록 힘은 없으나 아직도 여 태후(呂太后)가 척 부인(戚夫人)의 손발을 자르던 칼과 벙어리로 만들던 약을 가지고 있느니라. 앞으로 각별히 삼가라!' 고 하셨습니다. / 첩은 본래 한미(가난하고 지체가 변변하지 못함)한 집안에서 자란 계집으로서 상공의 은혜를 받아 부귀영화가 극에 이르렀습니다. 지금 죽는다 하더라도 여한이 없습니다. 단지 두려운 바는 상공의 청덕(淸德)(청렴하고 고결한 덕행)이 소첩의 문제로 인하여 사람들에게 비난을 받게 되지나 않을까 하는 점입니다. 그러므로 감히 명령을 따를 수 없었던 것입니다." 소주제 ❶ 한림에게 사씨를 □□하는 교씨

한림은 그 말을 듣고 깜짝 놀랐다. ㉡의아한 생각이 들어 속으로 가만히 헤아려 보았다.

'저 사람은 평소 투기하지 않는다고 스스로 자부하고 있었지. 교씨를 매우 은혜롭게 대하고 있었어. 일찍이 교씨의 단점을 말하는 소리도 들어 본 적이 없었어. 아마도 교씨의 말이 실정보다 지나친 것은 아닐까?' / 한림은 한동안 조용히 생각하다가 교씨를 위로하였다.

"내가 자네를 취한 것은 본디 부인의 권고를 따른 일이었네. 또 부인이 일찍이 자네에게 해로운 소리를 한 적도 없었지. 이 일은 아마 비복들 가운데서 누군가가 참언(거짓으로 꾸며서 남을 헐뜯어 윗사람에게 고하여 바침. 또는 그런 말)을 하였기에 부인이 잠시 노하여 하신 말씀에 지나지 않을 것이네. 그러나 성품이 본시 유순하니 자네를 해치려 하지는 않을 것이야. 염려하지 말게. 하물며 내가 있질 않나? 자네를 어떻게 해칠 수 있겠는가?"

㉢교씨는 끝내 마음을 풀지 않은 채 다만 한림에게 사례할 따름이었다.

아아! 옛말에 이르기를, '호랑이를 그리는 데는 뼈를 그리기 어렵고, 사람을 사귀는 데는 마음을 알기 어렵다' 고 하였다. 교씨는 얼굴이 유순하고 말씨가 공손하였다. 따라서 사 부인은 단지 좋은 사람으로 여겼을 따름이었다. 경계한 말씀은 오직 음란한 노래가 장부를 오도(그릇된 길로 이끎)할까 염려한

작품 개관

- **갈래** 국문 소설, 가정 소설
- **성격** 풍간적(諷諫的 : 넌지시 둘러서 말하여 잘못을 고치도록 깨우침), 가정적
- **시점** 전지적 작가 시점
- **배경** [시간적] 중국 명나라 초기 [공간적] 중국
- **주제** 처첩 간의 갈등과 사씨의 고행(권선징악)
- **특징** 처첩 간의 갈등이라는 내용으로 가정 소설(가정 안에서의 생활을 다룬 소설)이라는 새로운 영역을 개척한 작품임

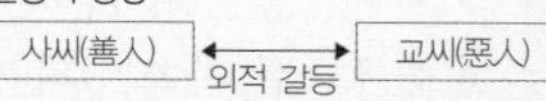

1. 문학사적 의의
   - 조선 시대 장편 소설이 창작될 수 있는 밑거름이 된 작품
   - 일부다처제로 인한 처첩 간의 갈등을 소설화한 최초의 작품
   - 가정 문제를 다루는 가정 소설의 최초 작품으로 후대 가정 소설의 모범이 됨
2. 갈등의 양상
   사씨(善人) ↔ 외적 갈등 ↔ 교씨(惡人)
   → 대립적인 인물들의 설정을 통해 고매한 부덕(婦德)을 지닌 사씨의 인품을 부각시킴
3. 인물의 성격
   - 사씨 : 현모양처로서 성품이 곱고 착한 여인의 전형적 인물
   - 교씨 : 교활하고 사악한 성품을 지닌 전형적 인물
   - 유 한림 : 판단력이 부족하고 봉건적 사고 방식을 지닌 전형적 인물이나, 악행에 대해서는 단호하게 처벌하는 인물

함께 엮어 읽기

◆ 작자 미상, 〈창선감의록〉

〈창선감의록〉은 중국 명나라를 배경으로 하여 일부다처와 대가족 제도 아래서 일어나는 가정의 풍파[제2부인 소생(所生)을 제1부인이 시기하여 죽이려 함]를 다룬 가정 소설로, 권선징악(勸善懲惡)을 주제로 한다. 작품의 구성과 묘사가 치밀하여 〈사씨남정기〉에 버금가는 소설로 꼽히기도 한다.

더 알아보기

◆ 창작 배경

이 작품은 작가 김만중이 당시 왕의 처사에 대해 풍간(諷諫)을 목적으로 쓴 소설이다. 작가는 당시 인현왕후를 폐출하고, 장 희빈을 중전으로 책봉한 숙종의 잘못을 일깨워 주기 위해 이 작품을 쓴 것이다. 소설 속 인물은 다음과 같이 각각 현실의 인물을 상징한다.

〈사씨남정기〉	현실
유 한림(유연수)	숙종
사씨 부인(사정옥)	인현왕후
교씨 부인(교채란)	장 희빈

정답과 해설 21쪽

것이었다. 또한 교씨를 바른 길로 인도하려는 것이었다. 본디 사랑하는 마음에서 한 말이었다. 추호도 시기하는 생각은 없었던 것이다. 그런데 교씨는 문득 분한 마음을 품고 교묘한 말로 참소하여(남을 헐뜯어서 죄가 있는 것처럼 꾸며 윗사람에게 고하여 바침) 마침내 큰 재앙의 뿌리를 양성하였다. ㉣부부와 처첩의 사이는 진정 어려운 관계라 아니할 수 있겠는가?

㉤한림은 교씨의 간계를 깨닫지 못했다. 하지만 사 부인의 본의도 역시 의심하지는 않았다. 그러므로 교씨는 다시 참소를 행할 수 없었다.

소주제 ② 교씨의 □□를 깨닫지 못하는 한림

어느 날 납매가 교씨에게 고했다. / "방금 추향에게 들으니 부인께서 회임(懷妊, 임신)을 하셨다 합니다." / 교씨는 깜짝 놀랐다. / "십 년이나 지난 후에 비로소 잉태한다는 것은 세상에 드문 일이다. 혹시 월사(月事, 월경)가 불순한 것은 아니겠느냐?" / 교씨는 속으로 생각하였다.

'저 사람이 만일 아들을 낳기라도 한다면 나는 자연 무색할 뿐일 것인데…….'

소주제 ③ 사씨의 임신 소식을 듣고 □□□을 느끼는 교씨

– 김만중

소주제 체크

1. 참소 2. 간계 3. 위기감

1 이 작품에 대한 설명으로 가장 적절한 것은?

① 판소리의 영향으로 운문체가 뒤섞여 있다.
② 한문 소설로서 권선징악적인 주제를 담고 있다.
③ 서술자가 사건을 객관적인 입장에서 서술하고 있다.
④ 상황에 따라 성격이 변하는 입체적 인물이 등장하고 있다.
⑤ 유교 사상을 바탕으로 사대부가의 여인이 갖추어야 할 덕목을 제시하고 있다.

출제 예감
2 ㉠~㉤ 중, 〈보기〉의 밑줄 친 부분과 서술자의 서술 태도가 가장 유사한 것은?

보기

인력거에서 내려선 윤 직원 영감은, 저절로 떠억 벌어지는 두루마기 앞섶을 여미려고 하다가 도로 걸어 젖히고서, 간드러지게 허리띠에 가 매달린 새파란 염낭끈을 풉니다. / "인력거 싻이 멫 푼이당가?"
이 이야기를 쓰고 있는 당자 역시 전라도 태생이기는 하지만, 그 전라도 말이라는 게 좀 경망스럽습니다. / "그저 처분해 줍사요."
– 채만식, 〈태평천하〉

① ㉠ ② ㉡ ③ ㉢ ④ ㉣ ⑤ ㉤

출제 예감
3 이 작품의 등장인물에 대한 평가로 적절하지 않은 것은?

① 교씨는 자신의 욕망을 위해서 남을 속이는 교활한 인물이야.
② 사씨는 부덕(婦德)의 소유자로, 어진 인품을 지니고 있는 인물이야.
③ 사씨는 현모양처라는 전형적인 한국의 여인상을 구현하는 인물이야.
④ 교씨는 선해 보이는 겉모습과 속에 품고 있는 생각이 다른 위선적인 인물이야.
⑤ 교씨의 말만 믿고 사씨의 행실을 곧바로 의심만 하는 유연수는 판단력이 흐린 인물이야.

4 '사씨'가 '교씨'의 노래를 경계하여 충고한 이유로 가장 적절한 것은?

① 교씨의 뛰어난 재주를 시기하였기 때문이다.
② 남편을 잘못된 길로 이끌까 봐 염려하였기 때문이다.
③ 교씨가 정실인 자신의 자리를 넘볼 것이 두려웠기 때문이다.
④ 교씨를 헐뜯는 비복들의 말 때문에 교씨를 오해했기 때문이다.
⑤ 평소에 남편이 교씨와 친한 것을 못마땅하게 여겼기 때문이다.

5 수능형 〈보기〉를 참고하여 이 작품의 전체 내용을 감상한 학생들의 대화 중, 적절하지 않은 것은?

보기

김만중은 숙종이 계비인 인현왕후를 폐위시키고 장 희빈을 왕비로 맞아들이는 데 반대하다가 마침내 남해의 섬으로 유배를 가게 되었고, 그곳에서 임금의 마음을 돌리려고 이 작품을 썼다고 한다.

① 수명 : '유연수'는 '숙종'으로, '사씨'는 '인현왕후'로, '교씨'는 '장 희빈'으로 볼 수 있겠군.
② 혜영 : 그렇다면 소설을 통해 숙종의 잘못을 깨우치고자 했다는 점으로 보아 풍간 소설이라 할 수 있겠어.
③ 민성 : 배경을 우리나라가 아닌 중국으로 설정한 것은 그러한 비판 의식을 노골적으로 드러낼 수가 없었기 때문일 거야.
④ 일남 : 김만중은 소설이라는 장르가 독자에게 주는 감동적인 효과를 의식하고 있었던 것 같아.
⑤ 새움 : 유배를 당한 자신의 억울함을 소설을 통해 널리 알리고자 했던 김만중의 의도가 작품의 곳곳에서 드러나는군.

출제 예감
6 서술형 〈보기〉를 바탕으로 이 작품 전체에 나타난 인물 간 갈등의 근본 원인에 대해 서술하시오.

보기

조선 시대의 양반들은 본처 이외에 첩을 두기도 하였는데, 첩은 예속적 지위에 있었으며, 첩의 자식은 서자라고 하여 차별받았다. 또한 첩은 사망하더라도 남편과 나란히 묻힐 수 없었다.

18 유충렬전(劉忠烈傳)

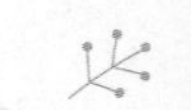

가 〈전략〉 한담이 대희해 천둥 같은 소리를 지르고 순식간에 달려들어 구척장검을 휘두르니 •천자가 탄 말이 백사장에 거꾸러지거늘, 천자를 잡아내어 마하(馬下)에 엎어뜨리고 서리 같은 칼로 •통천관(通天冠)을 깨어 던지며 호통하기를,

대희: 크게 기뻐함

"이봐, 명제야! 내 말을 들어 보아라. 하늘이 나 같은 영웅을 내실 때는 남경의 천자가 되게 하심이라. 네 어찌 계속 천자이기를 바랄쏘냐. 내가 네 한 놈을 잡으려고 십 년을 공부해 변화무궁한데, 네 어찌 순종하지 않고 조그마한 충렬을 얻어 내 군사를 침노하느냐. 네 죄를 논죄컨대 이제 바삐 죽일 것이로되, 나에게 옥새를 바치고 항서를 써서 올리면 죽이지 아니하리라. 그러나 만약 그렇지 아니하면 네놈은 물론 네놈의 노모와 처자를 한칼에 죽이리라."

하니, 천자 어쩔 수 없이 하는 말이,

"항서를 쓰자 한들 지필(紙筆)이 없다."

지필: 종이와 붓을 아울러 이르는 말

하시니, 한담이 분노해 창검을 번득이며 왈,

"•곤룡포를 찢어 떼고 손가락을 깨물어서 항서를 쓰지 못할까."

하는지라. 천자 곤룡포를 찢어 떼고 손가락을 깨물었으나 차마 항서를 쓰지는 못하고 있었으니, 어찌 황천(皇天)인들 무심하리오.

소주제 ① 천자에게 항서를 강요하는 □□□

나 이때 원수 금산성에서 적군 십만 명을 한칼에 무찌른 후, 곧바로 호산대에 진을 치고 있는 적의 청병을 씨 없이 함몰하려고 달려갔다. 그런데 뜻밖에 월색이 희미해지더니 난데없는 빗방울이 원수 면상에 떨어졌다. 원수 괴이해 말을 잠깐 멈추고 천기를 살펴보니, 도성에 살기 가득하고 천자의 •자미성이 떨어져 변수 가에 비쳐 있었다. 원수 대경해 발을 구르며 왈,

천기: 하늘에 나타난 조짐
대경: 크게 놀람

"이게 웬 변이냐."

하고 산호편을 높이 들어 채찍질을 하면서 천사마에게 정색을 하고 이르기를,

산호편: 산호로 꾸민 채찍

"천사마야, 네 용맹 두었다가 이런 때에 아니 쓰고 어디 쓰리오. 지금 천자께서 도적에게 잡혀 •명재경각이라. 순식간에 득달해 천자를 구원하라."

하니, 천사마는 본래 천상에서 내려온 비룡이라. 채찍질을 아니 하고 제 가는 대로 두어도 비룡의 조화를 부려 순식간에 몇 천 리를 갈 줄 모르는데, 하물며 제 임자가 정색을 하고 말하고 또 산호채로 채찍질하니 어찌 아니 급히 갈까. 눈 한 번 꿈쩍하는 사이에 황성 밖을 얼른 지나 변수 가에 다다랐다.

소주제 ② 위기에 처한 천자를 구하려는 □□□

다 이때 천자는 백사장에 엎어져 있고 한담이 칼을 들고 천자를 치려 했다. 원수가 이때를 당해 평생의 기력을 다해 호통을 지르니, 천사마도 평생의 용맹을 다 부리고 변화 좋은 장성검도 삼십삼천(三十三天)에 어린 조화를 다 부리었다. 원수 닿는 곳에 강산도 무너지고 하해도 뒤엎어지는 듯하니, 귀신인들 아니 울며 혼백인들 아니 울리오. 원수의 혼신이 불빛 되어 벽력 같은 소리를 지르며 왈,

하해: 큰 강과 바다

"이놈 정한담아, 우리 천자 해치지 말고 나의 칼을 받아라!"

하는 소리에 나는 짐승도 떨어지고 강신 하백도 넋을 잃어버릴 지경이거든 정한담의 혼백과 간담인들 성할쏘냐. 원수의 호통 소리에 한담의 두 눈이 캄캄하고 두 귀가 멍멍해 탔던 말을 돌려 타고 도망가려다가 형산마가 거꾸러지면서 한담도 백사장에 떨어졌다. 한담이 창검을 갈라 들고 원수를 겨누는 순간 구만장천(九萬長天) 구름 속에 번개 칼이 번쩍하면서 한담의 장창대검이 부서졌다. 원수 달려들어 한담의 목을 산 채로 잡아들고 말에 내려 천자 앞에 복지했다.

구만장천: 아득히 높고 먼 하늘
복지: 땅에 엎드림

소주제 ③ 간신 정한담을 □□한 유충렬

작품 개관

- 갈래 국문 소설, 영웅 소설, 군담 소설
- 성격 전기적(傳奇的), 비현실적, 우연적
- 시점 전지적 작가 시점
- 배경 [시간적] 중국 명나라 시대
  [공간적] 중국 명나라 조정과 중국 대륙
- 주제 유충렬의 고난과 영웅적인 행위
- 특징 영웅 소설의 전형적 요소를 두루 갖추고 있음
- 의의 영웅 서사의 구조를 가장 충실하게 드러내는 영웅 소설의 전형이자 대표작

1등급 노트

1. 영웅 서사의 구조
   ① 고귀한 혈통 : 고위 관리 유심의 아들
   ② 비정상적 출생 : 부모가 산천에 기도하여 늦게 얻음
   ③ 탁월한 능력 : 천상인(天上人)의 하강(下降)으로 비범한 능력을 보임
   ④ 가족과 헤어짐 : 간신 정한담의 박해로 죽을 고비에 놓임
   ⑤ 조력자의 도움 : 강희주를 만나 그의 사위가 되고, 도승을 만나 도술을 배움
   ⑥ 성장 후 위기 : 정한담의 반란으로 인해 국가적 위기를 맞음
   ⑦ 고난 극복과 위업 달성 : 반란을 평정하고 부귀영화를 누림

2. 주제 의식
   국가에의 충성과 부모에게의 효도라는 유교적 교리(敎理)를 강력하게 표출하면서 이면적으로는 당쟁(黨爭)으로 권력에서 밀려나 실세(失勢)했거나 몰락(沒落)한 계층의 실세 회복 의식과 병자호란 이후 호국(胡國) 청나라에 대한 강한 적개심을 나타냄

3. 갈등의 양상

선(善)	충신 유충렬
↕ 대립과 갈등	
악(惡)	간신 정한담

함께 엮어 읽기

◆ 작자 미상, 〈조웅전〉

〈조웅전〉은 군신간의 충의를 주제로 한 허구적 영웅 소설이자 군담 소설, 국문 소설이다. 전반부는 주인공의 고행담과 결연담(結緣談)이며, 후반부는 영웅적 무용담(武勇談)으로, 구성이 상당히 복잡하나 전체적인 통일성은 유지되고 있다. 〈조웅전〉은 〈유충렬전〉과 함께 조선 후기 영웅 소설과 군담 소설을 대표하는 작품이나 〈조웅전〉의 사건이 좀 더 현실적이며, 한시(漢詩)의 삽입이 많은 것이 특징이다.

정답과 해설 21쪽

라 이때 천자는 백사장에 엎드린 채 반생반사(半生半死) 기절해 누웠거늘, 원수 천자를 붙들어 앉히고 정신을 진정시킨 후에 복지 주 왈,

"소장이 도적을 함몰하고 한담을 사로잡아 말에 달고 왔나이다."

하니, 천자 황망 중에 원수란 말을 듣고 벌떡 일어나서 보니 원수 복지했는지라. 달려들어 목을 안고 왈, / "네가 일정 충렬이냐? 정한담은 어디 가고 네가 어찌 여기에 왔느냐? 내가 거의 죽게 되었더니, 네가 와서 살렸구나!"

하시었다. 원수 전후수말(자초지종)을 아뢴 후에 한담의 머리를 풀어 손에 감아 들고 천자와 함께 도성으로 돌아왔다. 〈후략〉

소주제 ④ □□를 구하고 도성으로 돌아옴

– 작자 미상

더 알아보기

◆ **군담 소설**

주인공의 군사적 활약상을 주요 내용으로 하는 소설을 통틀어 이르는 말. 우리나라 고대 소설의 한 유형으로, 〈임진록〉과 같이 실재했던 전쟁을 소재로 한 역사 군담 소설과 〈유충렬전〉, 〈조웅전〉과 같이 허구적 전쟁을 소재로 한 창작 군담 소설이 있다. 주인공이 영웅적인 활약을 한다는 점에서 영웅 소설과 의미가 같으나 전쟁을 통해 영웅적 활약을 전개한다는 점에서 차이를 보인다.

어휘 다지기

- 천자(天子) : 하늘을 대신하여 천하를 다스리는 사람. 군주 국가의 최고 통치자를 이르는 말
- 통천관(通天冠) : 황제가 정무를 보거나 조칙을 내릴 때 쓰던 관
- 곤룡포(袞龍袍) : 임금이 입던 정복
- 자미성(紫微星) : 북두칠성의 동북쪽에 있는 열다섯 개의 별 가운데 하나로, 중국 천자(天子)의 운명과 관련된다고 한다.
- 명재경각(命在頃刻) : 거의 죽게 되어 곧 숨이 끊어질 지경에 이름

소주제 체크

1. 정한담 2. 유충렬 3. 상표 4. 천자

1

이 작품에 대한 설명으로 적절하지 않은 것은?

① 인물의 신이한 능력이 드러나 있다.
② 사건 전개에 전기적인 요소가 있다.
③ 전쟁을 통해 영웅의 활약상을 그리고 있다.
④ 인물의 내면적인 갈등에 초점을 맞추고 있다.
⑤ 유교적 이념을 실현하려는 윤리관이 엿보인다.

2 (출제 예감)

이 작품의 서술상의 특징을 〈보기〉에서 바르게 고른 것은?

보기

ㄱ. 사건의 급박한 전개로 흥미를 유발하고 있다.
ㄴ. 시점에 변화를 주어 사건을 생생하게 전달하고 있다.
ㄷ. 등장인물이 자신의 체험을 회상하는 형식으로 서술하고 있다.
ㄹ. 사실적인 장면 묘사로 눈으로 직접 보는 것 같은 느낌을 주고 있다.
ㅁ. 서술자가 직접 개입하여 의견을 말함으로써 독자의 공감을 유도하고 있다.

① ㄱ, ㄷ ② ㄱ, ㅁ ③ ㄴ, ㄹ ④ ㄴ, ㅁ ⑤ ㄷ, ㄹ

3

〈보기〉와 같은 영웅 서사 구조를 고려할 때, [가]~[라]에 해당하는 것은?

보기

Ⓐ 주인공은 고귀한 혈통이지만 비정상적인 출생 과정을 겪는다.
Ⓑ 어려서부터 탁월한 능력을 보인다.
Ⓒ 성장 과정에서 적대자의 박해로 죽을 고비를 맞는다.
Ⓓ 조력자나 양육자의 도움을 받아 위기에서 벗어난다.
Ⓔ 다시 찾아온 위기를 영웅적 활약으로 극복하고, 위업을 달성한다.

① Ⓐ ② Ⓑ ③ Ⓒ ④ Ⓓ ⑤ Ⓔ

4 (출제 예감)

〈보기〉를 참고하여 이 작품을 감상한 것으로 가장 적절한 것은?

보기

이 작품은 중국을 배경으로 하고 있지만, 조선 후기의 사회적 현실을 담아내고 있다. 가달의 정벌을 둘러싼 유심과 정한담의 대립은 병자호란 때 벌어진 주화파(主和派)와 주전파(主戰派)의 세력 다툼을 반영한 것이다.

① 실세(失勢)한 계층이 과거 선조들의 명예를 회복하려는 꿈을 담아내고 있군.
② 당쟁(黨爭)을 일삼는 무리들을 중재하기 위해 이 작품을 지었다고 할 수 있겠어.
③ 피폐(疲弊)한 민중들의 편에 서서 그들에게 힘을 불어넣기 위한 의도로 지어졌군.
④ 기울어져 가는 나라의 운명(運命)을 일으켜 세우기 위해 이 작품을 지었다고 볼 수 있군.
⑤ 당대에 전란(戰亂)의 폐해가 얼마나 심각한 것인지를 사실적으로 알리려는 의도가 엿보이네.

5

[가]에서 '천자'가 처한 상황에 어울리는 한자 성어로 적절하지 않은 것은?

① 누란지위(累卵之危) ② 백척간두(百尺竿頭)
③ 사면초가(四面楚歌) ④ 와신상담(臥薪嘗膽)
⑤ 진퇴유곡(進退維谷)

6

서술형 이 작품의 구조와 관련하여 이 작품이 문학사적으로 차지하는 위치에 대해 서술하시오.

비책

19 홍계월전(洪桂月傳)

▸ **앞부분 줄거리** 천자의 중매로 보국과 평국(계월)은 결혼하지만 남자인 보국은 여자인 평국이 자신보다 높은 벼슬에 있다는 점 때문에 갈등한다. 이때 오왕과 초왕이 반란을 일으켜 쳐들어오자 평국은 원수로, 보국은 부하인 중군으로 출정한다. 서울에 있는 천자가 위험해지자 평국은 서울로 와서 천자를 구하고 그사이 보국은 오, 초 두 왕의 항복을 받았다는 장계를 보내온다.

천자가 원수를 보시고 왈, / "이제는 오, 초 두 왕을 사로잡았다 하니 이런 기별을 듣고 어찌 앉아서 맞으리오." / 하시고 천자가 여러 신하를 거느리고 거동하사, 평국은 선봉이 되고 천자는 스스로 중군이 되어 좌우에 옹위하여 보국의 진으로 갈 새, 선봉장 평국이 갑옷과 투구를 갖추고 백마를 타고 깃발을 잡아 앞에 나가니라.

선봉: 무리의 앞자리. 또는 그 자리에 선 사람
중군: 대장 밑에서 군대를 통솔하는 장수

소주제 ❶ □□을 맞으러 나가는 천자와 평국

이적에 보국이 오, 초 두 왕을 앞에 세우고 서울로 향하여 올 새, 바라보니 ㉠한 장수가 모래벌판에 들어오거늘, 살펴보니 깃발과 칼 빛은 원수의 칼과 깃발이로되 말은 준총마가 아니거늘, 보국이 의심하여 한편으로 진을 치며 생각하되 ㉡'적장 맹길이 복병(伏兵)을 하고 원수의 모양을 본받아 나를 유인함이라' 하고 크게 의심하거늘, 천자가 그 거동을 보시고 평국을 불러 왈,

복병: 적을 기습하기 위하여 적이 지날 만한 길목에 군사를 숨김. 또는 그 군사

"보국이 원수를 보고 적장인가 하여 의심하는 듯하니 원수는 적장인 체하고 중군을 속여 오늘 재주를 시험하여 짐을 구경시키라."

하시니, 원수 아뢰길, / "폐하 하교 신의 뜻과 같사오니 그리하사이다." / 하고 갑옷 위에 검은 군복을 입고 모래벌판에 나가서 깃발을 높이 들고 보국의 진으로 향하니 보국이 적장인 줄 알고 달려들거늘 평국이 ㉢곽 도사에게 배운 술법을 베푸니, 눈 깜짝할 사이에 태풍이 일어나며 검은 구름 안개 자욱하여 지척(咫尺)을 분별치 못할러라. 보국이 어떻게 할 줄 모르고 겁을 내고 있더니 평국이 고함하고 달려들어 보국의 창을 빼앗아 손에 들고 목을 잡아 공중에 들고 천자가 계신 곳으로 갈 새, 이때 보국이 평국의 손에 달려오며 소리를 크게 하여 원수를 불러 왈,

"평국은 어데 가서 보국이 죽는 줄을 모르는고."

하며 우는 소리에 진중이 요란하니, 원수가 이 말을 듣고 웃으며 왈,

㉣"네 어찌 평국에게 달려오며 평국은 무슨 일로 부르느뇨." / 하며 박장대소하니, 보국이 그 말을 듣고 정신을 차려 보니 과연 평국이거늘, 슬픔은 간데없고 도리어 부끄러워 눈물을 거두더라.

천자가 크게 웃으시고 보국의 손을 잡으시고 위로 왈, / "중군은 원수에게 욕봄을 조금도 마음에 두지 말라. 원수 자의로 함이 아니라 짐이 경 등의 재주를 보리라 하고 시킨 바라. 지금은 전장으로 하여금 욕을 보았으나 평정 후 돌아가면 예로써 중군을 섬길 것이니 부부의 의를 상하지 말라." / 하시고 재주를 칭찬하시고 보국을 위로하시니 보국이 그제야 웃고 여쭈워 왈,

"하교 지당하여이다."

소주제 ❷ 천자의 명으로 □□을 부려 보국을 놀린 평국

하고 행군하여 서울로 향할 새, 오, 초 두 왕에게 행군 북을 지우고 무사로 하여금 울리며 평원광야에 덮여 별사곡을 지나 서울에 다다라 종남산 밑에 들어가, 천자 황화정에 자리 잡으시고 무사를 대령하여 오, 초 두 왕을 결박하여 층계 아래에 꿇리고 꾸짖어 왈, / "너희 등이 반역하여 서울을 침범하다가 하늘이 무심치 아니하사 너희를 잡았으니 너희를 다 죽여 일국에 빛내리라." / 하시고 무사를 명하여 문밖에 내어 목을 베어 뭇사람에게 보이더라.

천자 인하여 황후와 태자를 위하여 제문을 지어 제사 지내시고 음식으로 군사를 위로한 후에 여러 장수를 차례로 공을 쓰시고 새로 국호를 고쳐 즉위하시고 조서를 내려 만관을 뵈어 조정위를 정하시고 보국으로 좌승상을 봉하시고 평국으로 대사마 대도독 위왕 임명장을 주시고 못내 기뻐하시더라.

소주제 ❸ 오, 초 양 왕을 처형하고 평국과 보국에게 □□를 내리는 천자

평국이 아뢰길, / "신첩이 분에 넘쳐 폐하의 넓으신 덕택으로 제후에 봉해지고 관직과 작위를

작품 개관

- **갈래** 영웅 소설, 군담 소설, 국문 소설
- **성격** 전기적, 영웅적, 일대기적
- **시점** 전지적 작가 시점
- **배경** [시간적] 명나라 때
  [공간적] 중국 형주, 황성 등
- **주제** 여성인 홍계월의 영웅적 활약상
- **특징**
  ① 영웅의 일대기 구조를 지님
  ② 남성보다 우월한 여성이 영웅으로 등장함

1등급 노트

1. 등장인물 간의 관계(전체)

보국	갈등 ⟷	평국(계월)
아내인 계월에 비해 능력이 부족함		여성 영웅으로서 능력이 뛰어남

2. 여성 영웅 소설로서의 의의

- 여성인 계월이 남편 보국을 부하로 거느리며, 남성보다 뛰어난 능력을 보임
- 계월이 천자에게 물러남을 간청하고 가정으로 돌아가나, 공적인 지위를 유지함

↓

- 가부장적 질서에 대한 비판을 나타냄
- 당시 변화된 여성의 위치에 대한 인식을 보여 줌
- 사회적 한계를 극복하고자 하는 여성들의 소망을 드러냄

3. 영웅의 일대기 구조

① 고귀한 혈통 : 명문거족인 이부시랑 홍무의 딸로 태어남
② 비정상적 출생 : 홍무의 부인이 신비한 꿈을 꾸고 낳음
③ 비범한 능력 : 어렸을 때부터 비범한 능력을 보임
④ 유년기의 위기 : 난리 중에 부모와 헤어짐
⑤ 조력자의 도움 : 여공의 도움으로 양육됨
⑥ 성장 후 위기 : 남장 사실이 발각됨, 보국과 갈등을 겪음, 외적이 침입함
⑦ 시련의 극복 : 계월의 능력으로 갈등을 해소하고 고귀한 지위에 오름, 보국과 부귀영화를 누림

함께 엮어 읽기

◆ 작자 미상, 〈정수정전〉

〈정수정전〉은 여성 주인공 정수정이 남장을 하고 무예를 연마하여 과거에 급제한 다음, 전쟁에서 큰 공을 세워 정혼자와 결혼한다는 내용의 여성 영웅 소설이다. 여성이 남장을 하고 투쟁의 주체가 되어 전쟁에서 큰 공을 세우며 남편과 대등한 위치에 선다는 점에서 〈홍계월전〉과 유사한 점이 있다.

정답과 해설 21쪽

입었사옵고 천하를 평정하였음에는 폐하의 하해(큰 강과 바다를 아울러 이르는 말) 같은 덕이옵거늘 어찌 신첩의 공이라 하오리까. 하물며 친부모와 시어머니를 잃었사오니 신첩이 팔자 기박하와 이러하오니 이제는 여자의 도리를 차려 부모 영위(상가에서 혼백을 모시는 자리)를 지키고자 하옵나이다." / 하고 ㉤병부(군대를 동원하는 표지로 쓰던 나무패) 열둘과 원수의 인신(관인(官印)의 총칭)이며 깃발을 바치고 체읍하거늘(눈물을 흘리며 슬피 욺), 천자도 비감하여 이르기를, / "이는 다 짐의 박덕(薄德)(덕이 적음)한 탓이니 경을 보기 부끄럽도다. 그러나 위공 부부며 공렬 부인이 어느 곳에 피란하였는지 소식이 있을 것이니 경은 안심하라." / 하시고 또 가로되, / "경이 규중(閨中)(부녀자가 거처하는 곳)에 처하기를 청하고, 병부 인신을 다 바치니 다시는 물리지 못할지로다. 그러나 군신지의(君臣之義)를 잊지 말고 일삭(한 달)에 한 번씩 조회(모든 벼슬아치가 함께 정전에 모여 임금에게 문안드리고 정사를 아뢰던 일)하여 짐의 심사를 덜라." / 하시고 인신과 병부를 도로 내어 주시니 돈수 복지하여 여러 번 사양하다가 마지못하여 인신을 가지고 보국과 한가지로 나오니 뉘 아니 칭찬하리오.

소주제 4 천자에게 □□을 내려 놓기를 청한 평국

– 작자 미상

소주제 체크

1. 보국 2. 도술 3. 직위 4. 벼슬

1 이 작품에 대한 설명으로 가장 적절한 것은?

① 시간의 역전적 구성에 따라 이야기를 진행하고 있다.
② 사건 전개 과정에서 비현실적인 요소가 나타나고 있다.
③ 과거 회상을 통해 인물의 내적 갈등의 원인을 밝히고 있다.
④ 인물의 외양을 다각적으로 묘사하여 성격을 드러내고 있다.
⑤ 두 사건을 병렬적으로 제시하여 작품에 입체성을 부여하고 있다.

출제 예감

2 이 작품을 읽은 학생들의 반응으로 가장 적절한 것은?

① 천자는 보국이 보내온 장계의 내용을 믿지 않고 있어.
② 천자는 가부장적 의식에서 완전히 벗어난 모습을 보이고 있어.
③ 평국은 자신의 능력을 과시하기 위해 천자에게 보국과의 대결을 제안했어.
④ 평국은 가정으로의 복귀를 거부하는 등 사회적인 여성으로서의 모습을 보이고 있어.
⑤ 우스꽝스럽게 묘사된 보국의 모습을 제시함으로써 여성인 평국의 영웅성을 부각하고 있어.

3 ㉠~㉤에 대한 설명으로 적절하지 않은 것은?

① ㉠ : 승전한 보국을 맞으러 나온 평국이다.
② ㉡ : 보국은 평국이 적장과의 싸움에서 패했다고 생각한다.
③ ㉢ : 평국에게 비범한 무예 능력을 전수해 준 인물이다.
④ ㉣ : 평국이 보국에게 자신의 정체를 밝히며 크게 웃고 있다.
⑤ ㉤ : 군사적 지위를 모두 내려 놓고 자리에서 물러나겠다는 의지를 나타낸 행동이다.

출제 예감

4 수능형 〈보기〉를 참고하여 이 작품을 분석한 내용으로 적절하지 않은 것은?

보기

〈홍계월전〉은 비록 중국을 배경으로 하고 있지만 조선 시대에 살던 사람들의 가치관이 잘 형상화되어 있다. 이 작품은 가부장제, 남존여비, 충군 사상 같은 유교적 이념을 기본 바탕으로 한 당대의 보편적인 삶을 드러내는 한편, 남자인 보국과 여자인 평국이라는 인물을 내세워 남녀 차별과 같은 제약을 거부하고 새로운 가치관을 제시하기도 한다.

① 보국이 끝까지 평국의 능력을 무시하는 태도에서, 가부장적 사고가 뿌리 깊게 박혀 있다는 것을 엿볼 수 있어.
② 천자에게 반기를 들었던 반란군이 진압되는 데에서, 충군 사상과 같은 유교적 이념이 담겨 있음을 엿볼 수 있어.
③ 평국이 여자의 도리를 지키겠다고 말한 것에서, 당대 여성의 보편적인 삶을 여전히 수용하고 있음을 엿볼 수 있어.
④ 여자인 평국이 남자인 보국보다 계급이 더 높은 것에서, 남존여비와 같은 관념에서 벗어난 생각을 엿볼 수 있어.
⑤ 평국이 보국과 대결하여 이기는 모습에서, 여자의 능력이 남자의 능력보다 우월할 수 있다는 생각을 엿볼 수 있어.

5 〈보기〉의 영웅의 일대기 구조 중, 이 작품에 제시된 부분과 가장 관련이 깊은 것은?

보기

ⓐ 기이한 출생과 비범한 능력 → ⓑ 유년기의 위기 → ⓒ 조력자의 도움 → ⓓ 성장 후의 위기 → ⓔ 고난 극복과 행복한 결말

① ⓐ ② ⓑ ③ ⓒ ④ ⓓ ⑤ ⓔ

6 서술형 이 작품이 여성 영웅 소설로서 지니는 의의를 간략하게 서술하시오.

비책

20 박씨전(朴氏傳)

▸ **앞부분 줄거리** 조선 인조 때 박 처사는 둘째 딸의 배필로 삼기 위해 병조 판서 이득춘의 아들 이시백에게 청혼한다. 남편은 박 씨가 얼굴이 박색임을 알고 대면조차 하지 않았는데, 박 씨는 시아버지에게 청하여 후원에 피화당을 짓고 시비(몸종) 계화와 지내며 기이한 도술로 남편을 장원 급제시킨다. 박 씨는 3년 뒤 액운을 벗고 아름다운 자태를 드러내어 남편과 화목하게 잘 살게 된다. 그 뒤 중국의 용골대 형제가 3만의 병사를 이끌고 조선을 침략하게 되었을 때, 박 씨는 남자보다 뛰어난 기상으로 오랑캐에 맞선다.

가 용율대가 장안에 ⓐ웅거(雄據)하여 물색을 추심(推尋)[찾아내어 가지거나 받아 냄]하니 장안이 물 끓듯 하며, 살기를 도망하여 죽는 사람이 무수한지라. 피화당(避禍堂)에 피란하는 사람들이 이 말을 듣고 도망코자 하거늘, 박 씨가 / "이제 장안 사면을 도적이 다 지키었고, 피란코자 한들 어디로 가겠소. 이곳에 있으면 피화(避禍)[화를 피함]할 도리가 있으리니 염려들 마시오." / 하더라.

이때 율대가 100여 기(騎)[말을 탄 사람을 세는 단위]를 거느려 우상의 집을 범하여 인물을 수탐[조사하거나 엿봄]하더니, 내외가 적적하여 빈집 같거늘, 차차 수탐하여 후원에 들어가 살펴보니, 온갖 기이한 수목이 좌우에 늘어서 무성하였는지라. 율대가 괴이히 여겨 자세히 살펴보니, 나무마다 용과 범이 수미(首尾)를 응하며, 가지마다 뱀과 짐승이 되어 천지풍운(天地風雲)을 이루며, 살기(殺氣) 가득하여 은은한 고각(鼓角)[북과 나발] 소리 들리는데, 그 가운데 무수한 사람들이 피란하였더라. 율대가 의기양양하여 피화당을 겁칙하려 달려드니, 불의에 하늘이 어두워지며 흑운(黑雲)이 자욱하고 뇌성벽력(雷聲霹靂)이 진동하며, 좌우 전후에 늘어섰던 나무들이 일시에 변하여 무수한 갑옷 입은 군사가 되어 점점 에워싸고, 가지와 잎이 변하여 ⓑ기치창검(旗幟槍劍)이 되어 상설(霜雪)[눈서리] 같으며, 함성(喊聲) 소리가 천지진동하는지라. 율대가 대경[크게 놀람]하여 급히 내달아 도망치려 한즉, 벌써 칼 같은 바위가 높기는 천여 장이나 되어 앞을 가려 겹겹이 둘러싸이니, 전혀 갈 길이 없는지라.

소주제 ❶ 박 씨 부인의 도술로 □□□에 갇힌 용율대

나 율대 혼백(魂魄)을 잃어 어찌할 줄 모르더니, 방 안에서 한 여인이 칼을 들고 나오면서 꾸짖기를, / "너는 어떠한 도적인데, 이러한 중지(重地)에 들어와 죽기를 재촉하느냐?"

율대가 합장 배례(合掌拜禮)[두 손바닥을 마주 대고 절함]하며, / "귀댁 부인이 뉘신지 알지 못하거니와, 덕분에 살려 주옵소서." / 대답하기를,

"나는 박 부인의 시비거니와, 우리 아씨 명월 부인(明月夫人)이 조화(造化)를 베풀어 너를 기다린 지 오랜지라. 너는 극악(極惡)한 도적이라. 빨리 목을 늘이어 내 칼을 받아라."

율대가 그 말을 듣고 ⓒ대로하여, 칼을 들어 계화를 치려 하되, 경각에 칼 든 팔이 힘이 없어 놀릴 길이 없는지라. 〈중략〉

소주제 ❷ 피화당에서 목숨을 잃는 □□□

다 박 씨가 또 계화를 시켜 외치기를, / "너희 일양[한결같이] 그러하려거든 내 재주를 구경하라."

하더니, 이윽고 공중으로 두 줄기 무지개 일어나며, 모진 비 천지 뒤덮게 오며, 음풍(陰風)[흐린 날씨에 음산하고 쌀쌀하게 부는 바람]이 일어나며, 백설(白雪)이 날리며, 얼음이 얼어 호군중 말 발이 땅에 붙어 ⓓ촌보(寸步)를 옮기지 못하는지라. 그제야 호장[오랑캐의 장수]들이 황겁하여 아무리 생각하여도 모두 함몰할지라. 마지못하여 호장들이 투구를 벗고 창을 버려, 피화당 앞에 나아가 꿇어 애걸하기를,

"오늘날 이미 화친[나라와 나라 사이에 다툼 없이 가까이 지냄]을 받았으니, 왕대비는 아니 모셔 갈 것이니, 박 부인 덕택에 살려 주옵소서."

하고 ⓔ만단애걸(萬端哀乞)하거늘, 박 씨 주렴(珠簾)[구슬 따위를 꿰어 만든 발] 안에서 꾸짖기를,

"너희들을 씨 없이 죽일 것이로되, 천시(天時)[하늘의 도움이 있는 시기]를 생각하고 십분 용서하거니와, 너희 놈이 본디 간사하여 범람(氾濫)한 죄를 지었으나, 이번은 아는 일이 있어 살려 보내나니 조심하여 들어가며, 우리 세자 대군을 부디 태평히 모셔 가라. 만일 그렇지 아니하면 내 오랑캐를 씨도 없이 멸하리라." 〈후략〉

소주제 ❸ □□로 호장들을 굴복시킨 박 씨 부인

– 작자 미상

작품 개관

- 갈래 역사 소설, 영웅 소설, 군담 소설
- 성격 전기적(傳奇的), 영웅적, 역사적
- 시점 전지적 작가 시점
- 배경 [시간적] 병자호란 때 [공간적] 조선
- 주제
  ① 박 씨 부인의 영웅적 기상과 신기한 재주
  ② 병자호란의 수치를 극복하고자 하는 의지
- 특징
  ① 다른 고전 소설과 달리, 여성 주인공이 영웅적 면모를 발휘함
  ② 병자호란이라는 역사적 수치를 극복하고자 하는 민중들의 강한 의지가 반영됨
  ③ '이시백'과 같은 실존 인물과 '박 씨 부인'이라는 가공의 인물을 통해 이야기를 전개함

1등급 노트

1. 전체 구성

전반부	박 씨 부인이 결혼을 통하여 '시집'이라는 가족 사회에 들어섬 → 개인적 의미

↓ 변신 모티프(사건의 전환점)

후반부	병자호란을 배경으로 한 박 씨 부인의 활약상이 펼쳐짐 → 사회적 의미

2. 다른 영웅 소설과의 차이점
대부분의 고전 소설, 특히 영웅 소설의 경우에는 남자를 주인공으로 하여 비범한 능력을 보이는 것에 반해, 이 작품에서는 여성이 주인공으로서 영웅적 모습을 보이고 있음

더 알아보기

◆ 병자호란
조선 인조 14년(1636년)에 청나라가 침입한 난리를 말한다. 인조에게 청 태종이 사신을 보내 군신(君臣) 관계를 강요하였는데, 인조가 이를 거절하자 청 태종이 쳐들어왔다. 인조는 처음에 강화도로 피하려다 길이 막혀 남한산성으로 피했다. 청 태종이 성을 포위하고 항복을 권하는 글을 보냈으나 인조는 듣지 않았다. 강화도의 함락으로 상황이 악화되자 결국 삼전도에서 항복했다. 결국 소현 세자, 봉림 대군이 인질로 잡혀갔으며, 척화파인 삼학사(홍익한, 윤집, 오달제) 등이 청나라로 잡혀가 죽었다. 이로써 조선은 오랜 대명(對明) 사대(事大)의 예를 끊고 청을 받들게 되었다.

소주제 체크
1. 피화당 2. 용골대 3. 도술

정답과 해설 21쪽

1 이 작품에 대한 설명으로 적절하지 않은 것은?

① 병자호란이라는 실제 사실에 허구성을 더한 역사 소설이다.
② 남성보다 여성을 우위에 두어 무력한 남성 사회를 비판하고 있다.
③ 박 씨 부인이 청나라의 장군과 싸우는 장면을 사실적으로 제시하여 박진감을 높이고 있다.
④ 능력보다는 외모만으로 인간의 가치를 평가하는 세태를 비판하고자 하는 의도를 찾을 수 있다.
⑤ 전란 이후 혼란하고 암담한 현실을 타개해 나갈 수 있는 영웅 출현에 대한 기대감이 반영되어 있다.

2 이 작품의 내용을 바탕으로 한 편의 영화를 제작하고자 한다. 영화 속의 장면으로 적절하지 않은 것은?

① 박 씨 부인이 주렴 안에서 호장(胡將)을 크게 꾸짖는 모습
② 호장(胡將)이 박 씨 부인 앞에 무릎을 꿇고 애원하는 모습
③ 계화가 칼을 들고 박 씨 부인의 말을 용율대에게 전하는 모습
④ 박 씨 부인이 호병(胡兵)을 무찌르기 위해 도술을 부리는 모습
⑤ 호장(胡將)이 화친의 조건으로 왕비와 대군을 돌려보내고 공물을 거두는 모습

출제 예감

3 〈보기〉는 고전 소설에 나타나는 '영웅의 일생'의 구조를 도식화한 것이다. [가]~[다]의 내용과 관련이 깊은 것은?

보기

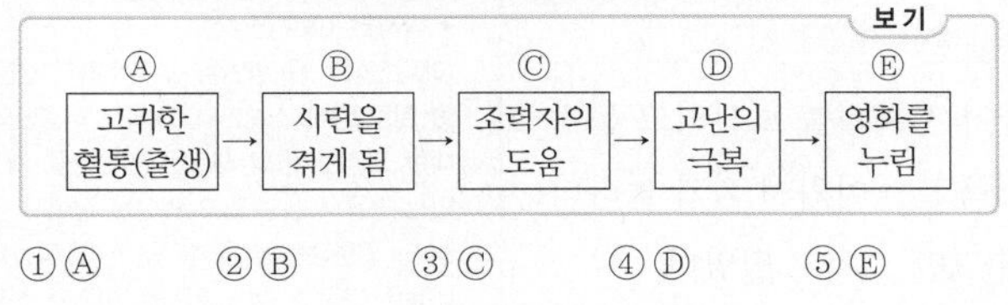

① Ⓐ ② Ⓑ ③ Ⓒ ④ Ⓓ ⑤ Ⓔ

4 이 작품에는 역사적 사실에 허구적 요소가 반영되어 있다. 이러한 설정이 의도하는 바는?

① 설분신원(雪憤伸寃) ② 구밀복검(口蜜腹劍)
③ 화중지병(畵中之餠) ④ 당랑거철(螳螂拒轍)
⑤ 명실상부(名實相符)

출제 예감

5 이 작품 전체에서 〈보기〉의 장면이 하는 기능과 관련이 먼 것은?

보기

문득 닭의 소리 요란하매, 처사 비로소 소저의 침소에 들어가니, 소저 급히 마루에서 내려와 부친을 맞아 절을 올리고 문안하니, 처사가 흔연히 소저의 손을 잡고 마루로 올라 남향하여 소저를 앉히고 웃어 가로되,

"금년으로 너의 액운이 다 하였도다."

하고, 진언(眞言)을 외며 소매를 들어 소저의 얼굴을 가리키니, 그 흉하던 얼굴의 허물이 일시에 벗어지고 옥같이 고운 얼굴이 드러나거늘,

① 가정 내의 갈등이 해소되는 계기가 된다.
② 작품의 구성상 사건 전개의 전환점 구실을 한다.
③ 본래의 탁월한 능력에 미모가 더해져 박씨 부인의 비범성이 더욱 강화된다.
④ 박 씨 부인의 영웅적 활약이 아름다운 용모를 활용하며 이루어질 것임을 짐작하게 한다.
⑤ 이를 통해 박 씨 부인이 남편과 시집 식구들의 사회에 수용되므로, 일종의 입사식(入社式)으로 볼 수 있다.

6 수능형 이 작품의 심화 학습을 위한 준비의 내용으로 적절하지 않은 것은?

① 고전 소설의 문체상의 특징이 현대 소설과 어떤 차이가 있는지 정리한다.
② 현실에서의 패배에 대한 민중의 정신적 극복 욕구가 어떻게 반영되고 있는지 살펴본다.
③ 역사적으로 실존했던 인물이 소설 속에 등장함으로써 얻게 되는 효과에 대해 정리한다.
④ 무능한 위정자들에 의한 봉건적인 지배 체제에 당시의 여성들이 어떻게 순응했는지 분석한다.
⑤ 소설 속의 시대적 배경이 당대의 현실을 어떻게 반영하고 있는지, 또 어떤 차이가 있는지 조사한다.

7 ⓐ~ⓔ의 뜻풀이로 적절하지 않은 것은?

① ⓐ : 나가서 활동하지 않고 틀어박혀 있음
② ⓑ : 깃발, 창, 칼 따위를 통틀어 이르던 말
③ ⓒ : 크게 화를 내며
④ ⓓ : 몇 발짝 안 되는 걸음
⑤ ⓔ : 여러 가지로 사정을 말하여 애걸함

8 서술형 대체로 남성 주인공이 중심이었던 고전 소설에서 이 작품의 여성 주인공의 설정이 시사하는 바에 대해 서술하시오.

비책

21 광문자전(廣文者傳)

[A] '광문(廣文)' 이란 자는 한 비렁뱅이다. 그는 일찍이 종루(鐘樓)(지금의 서울 종로) 네거리 저자에 돌아다니며 밥을 빌었다. 그리하여 길거리에 다니는 뭇 비렁뱅이 아이들은 모두 광문이를 패두(牌頭)(패의 우두머리)로 추대하여, 그들의 보금자리인 구멍집(구멍을 파서 지은 집, 거지의 움막)을 지키게 했다.

소주제 ❶ □□ □□이 된 광문

날씨가 춥고 진눈깨비가 섞여 내리던 어느 날이었다. 모든 아이들은 서로 이끌고 밥을 빌러 나가고, 다만 한 아이만이 병에 걸려 구멍집을 떠나지 못했다. 이윽고 그 아이의 추위는 점차 더하여 신음하는 소리가 유달리 구슬펐다. / 광문이는 홀로 매우 불쌍히 여기다가 끝내 견디지 못해서 구멍집을 나와서 밥을 빌다가 돌아왔다. 그 병든 아이에게 먹이려 했으나, 그 아이는 벌써 숨결이 지고 말았다.

이윽고 뭇 아이들이 구멍집으로 몰려 들어왔다. 그들은 '광문이가 그 동무를 죽인 것이라' 의심하여 서로 꾀하여 광문이를 두들겨 구멍집에서 몰아냈다. 광문이 하는 수 없이 도망하여 밤중에 엉금엉금 기어서 동네 집으로 들어가서 그 집 개를 놀래 깨웠다. 개 소리에 잠을 깬 그 주인 영감이 밖으로 나와서 광문이를 잡아 묶었다. 광문이는, / "나는 원수들을 피해 온 놈이유. 조금도 도둑질할 뜻은 없어유. 주인 영감이 기어코 내 말을 믿지 않는다면, 밝은 아침 나절에 종루 저자에서 밝혀 드리겠어유." / 하고 외친다. 그의 말씨는 정말 꾸밈없는 순진 그대로이다. 주인 영감은 벌써 마음속으로 광문이가 도적이 아님을 알아채고는, 그 이튿날 새벽에 풀어 주었다.

소주제 ❷ 광문과 □□ □□의 만남

광문이는 곧 감사를 드리고, 거적때기(가마니)를 얻어 갖고는 가버렸다. 그 행동을 본 주인 영감은 끝내 괴이히 여겨서 몰래 그의 뒤를 밟았다. 마침 뭇 비렁뱅이가 한 시체를 이끌고 수표교(水標橋)(옛날 서울의 청계천에 있던 다리의 이름)에 이르러서 그 시체를 다리 아래 던지고 가버린다. 광문이가 다리 속에 숨었다가 그 시체를 거적때기 속에 싸서 남몰래 지고 가서 서문(西門) 밖 무덤 사이에 묻고 나서 울면서 무슨 말을 중얼거린다. / 그것을 본 주인 영감은 광문이를 잡고 그 영문을 물었다. 광문이는 그제야 그의 앞서 한 일과 어제에 한 일들을 숨김없이 다 밝혔다. 주인 영감은 마음속으로 광문이의 일을 의롭게 여겨서, 그와 함께 집으로 돌아와서 옷을 갈아 입히고 모든 것을 우대하였다. 그리고 주인 영감은 광문이를 어떤 약방 부자에게 추천하여 고용살이(삯을 받고 남의 일을 하는 것. 직원)를 시켰다.

소주제 ❸ 광문이 주인 영감의 도움으로 □□ □□이 됨

어느 날 부자가 문밖에 나섰다가 자꾸만 돌아와서 다시금 방에 들어 자물쇠를 보살피고 문밖을 나서면서도 그의 얼굴엔 몹시 기쁘지 않은 기색을 띠었다. 그는 이윽고 돌아와서 깜짝 놀라더니, 광문이를 물끄러미 보며 무엇을 말할 듯하다가 얼굴빛이 변한 채 그만 그치고 말았다.

광문이는 실로 그러는 이유조차 모르는 채 날마다 잠자코 일만 했을 뿐 감히 하직하고 떠나 버리지도 못했다. 그런 지 며칠이 지났다. 부자의 처조카가 돈을 갖고 와서 부자에게 드리며,

"앞서 제가 아저씨께 돈을 꾸러 왔더니 마침 아저씨께서 계시지 않으시기에 제 스스로 방에 들어가서 갖고 갔습니다. 아마 아저씨께선 모르셨겠죠." / 한다. 그제야 부자는 광문이에게 크게 부끄럽게 여겨 광문이더러, / "나는 소인(小人)이야. 이 일로 부질없이 점잖은 사람의 뜻을 수고롭게 하였네그려. 내 이제 무슨 낯으로 자네를 대하겠나." / 하고 사과하였다. 그리고 부자는 그의 모든 친구들에게는 물론이요, 다른 부자와 큰 장사치들에게까지, / "광문이야말로 정의(正義)를 지닌 인간이지." 하고 널리 칭도(칭찬하여 말함)하였다. 〈후략〉

소주제 ❹ 약방 주인이 광문의 □□□ 성품을 널리 칭찬함

– 박지원

작품 개관

- **갈래** 한문 소설, 풍자 소설
- **성격** 풍자적, 비판적, 사실적
- **시점** 전지적 작가 시점
- **배경** [시간적] 조선 후기 [공간적] 종루 저자
- **주제**
  ① 권모술수가 판을 치던 당시 양반 사회에 대한 풍자
  ② 신의 있는 생활 자세와 허욕을 부리지 않는 삶의 태도 칭송
- **특징**
  ① 일반적인 고전 소설의 주인공인 재자가인형 인물이 등장하지 않음
  ② 당시 사회의 모습을 사실적으로 묘사함
  ③ 신분 관계에 대한 작가의 선각자적 인식이 돋보임

1등급 노트

1. 주제 의식
비천한 거지인 광문의 순진성과 거짓 없는 인격을 그림으로써 양반이나 서민이나 인간은 모두 똑같다는 것을 강조하고 권모술수가 판을 치던 당시의 양반 사회를 은근히 풍자함

2. 인물의 특성
고전 소설의 주인공이 대개 귀한 신분의 재자가인(才子佳人)형의 인물로 유형화되어 있는 데 반해, '광문'은 미천한 신분의 거지로 성실하고 신의가 있으며 인정이 많음 (새로운 인간형 창조) → 신분이나 지위보다는 신의와 인간애가 더 중시되어야 하며, 남녀 귀천에 관계없이 인간은 모두 평등하다는 작가의 근대적 사상을 반영함

3. 인물의 성격
미천한 거지이지만, 착하고 신의가 있으며, 남의 어려움을 내 일처럼 생각하는 따뜻한 마음씨를 가지고 있음. 재물에 대한 욕심이 없고, 분수를 지키며 살아감

함께 엮어 읽기

◆ 박지원, 〈예덕선생전〉

〈예덕선생전〉은 양반들의 허욕과 위선을 비판한 한문 풍자 소설이다. 소외된 하층민의 삶에 대한 조명을 통해 새로운 인간상을 제시하며, 인간 평등 사상을 담고 있다는 점에서 〈광문자전〉과 공통점을 찾을 수 있다. 〈예덕선생전〉의 내용은 다음과 같다. 학자로 이름난 선귤자(蟬橘子)와 인분(人糞)을 나르는 엄 행수(嚴行首) 사이에는 친교가 있었다. 이를 마땅치 않게 여긴 제자가 하루는 그 까닭을 스승에게 물었다. 선귤자는 웃으면서 대답하기를 "벗을 이(利)로써 사귀면 오래가지 못한다. 마음과 덕으로써 사귀는 것이 도의지교(道義之交)인데, 엄 행수는 천한 일을 싫어하지 않고 가난하면서도 원망하지 않는 훌륭한 태도가 가히 군자지도(君子之道)인즉, 그를 예덕 선생이라 높인다."고 하였다.

소주제 체크

1. 거지 두목 2. 주인 영감 3. 약방 점원 4. 의로운

정답과 해설 22쪽

1 이 작품에 대한 설명으로 적절하지 않은 것은?

① 당시 사회를 사실적으로 묘사하고 있다.
② 조선 후기 한글로 쓰여진 단편 소설이다.
③ 양반 사회를 풍자하려는 의도가 담겨 있다.
④ 갈등의 전개보다는 주인공과 관련된 일화가 나열되어 있다.
⑤ 일반적인 고전 소설의 주인공과는 다른 새로운 인물형이 등장한다.

출제 예감

2 이 작품의 주인공을 '거지'라는 천한 신분으로 설정한 작가의 의도로 가장 적절한 것은?

① 물질에 대한 욕심은 모두 헛된 것임을 강조하기 위해
② 인간의 존엄성을 지키기 위해 기본적으로 필요한 조건을 알려 주기 위해
③ 능력이 아닌 혈연으로 신분을 구분했던 당시 신분 제도의 타파를 주장하기 위해
④ 가문이나 부와 같은 외적 조건보다는 신의 있는 성품이 더 중요함을 드러내기 위해
⑤ 열악한 상황에서도 개인의 노력을 통해 사회적 성공을 이룰 수 있음을 보여 주기 위해

3 이 작품의 '광문'에 대한 설명으로 가장 적절한 것은?

① 뛰어난 능력을 지닌 재자가인(才子佳人)형 인물이다.
② 출생 신분의 제약으로 그 뜻을 펼치지 못하는 인물이다.
③ 사람으로서의 도리를 알고 정이 있으며 욕심이 없는 인물이다.
④ 당시 양반들이 가지고 있던 병폐를 적극적으로 개혁하려는 인물이다.
⑤ 거지에서 장안의 명사가 되는 과정에서 성격이 변하는 입체적 인물이다.

4 [A] 부분이 이 작품에서 하는 역할로 가장 적절한 것은?

① 광문이 비렁뱅이가 된 내력을 알려 준다.
② 당시의 부패한 사회 현실을 상징적으로 드러낸다.
③ 광문이 누명을 쓰게 되는 상황 설정을 위한 예비 장치이다.
④ 광문이 많은 사람들에게 칭송받게 될 것임을 예고하는 복선이다.
⑤ 광문이 거지의 우두머리가 되어 큰 권력을 가질 것임을 암시한다.

5 이 작품의 뒷부분에 〈보기〉와 같은 내용이 들어간다고 할 때, 광문이 추구하는 삶의 모습으로 가장 적절한 것은?

> 보기
>
> 남들이 혹시 그에게 살림살이를 차려 주려 하면 그는,
> "나는 부모도 아니 계시고, 형제 처자마저 없는 인간이니 무엇으로 살림살이를 한단 말이야. 뿐만 아니라, 아침 나절이면 노래 부르며 저자로 들어갔다가 해가 저물면 저 부귀가(富貴家)의 문턱 밑에 피로한 몸을 쉬이지 않으우. 그리구, 서울의 집 호수가 팔만에 날마다 그 처소를 옮기는 만큼 내 나이를 아무리 많이 산다 하더라도 골고루 다니진 못할 게 아니우."
> 하고 사양했다.

① 남을 위해 희생하는 삶
② 도(道)를 실천하고자 하는 삶
③ 스스로의 힘으로 일어서는 삶
④ 세속을 떠나 자연에 귀의하는 삶
⑤ 욕심에 얽매이지 않는 자유로운 삶

6 고난도 〈보기〉는 이 작품을 쓰게 된 동기에 대한 작가의 말이다. 이를 고려할 때, 이 작품을 통해 비판하고자 한 당시의 사회 상황으로 가장 적절한 것은?

> 보기
>
> 광문은 궁한 걸인으로서 그 명성이 실상보다 훨씬 더 컸다. 즉, 실제 모습(실상)은 더럽고 추하여 보잘것없었지만, 그의 성품과 행적으로 나타난 모습(명성)은 참으로 대단한 것이었다. 그리고 그는 원래 세상에서 명성 얻기를 좋아하지도 않았다. 그러나 형벌을 면하지 못하였다. 하물며 도둑질로 명성을 훔치고, 돈으로 산 가짜 명성을 가지고 다툴 일인가.

① 전란으로 인해 걸인이 많이 생겨나고 있었다.
② 무능력한 양반들이 경제적으로 몰락하고 있었다.
③ 양반 신분을 사고파는 행위가 이루어지고 있었다.
④ 사회 개혁에 대한 백성들의 요구가 구체화되고 있었다.
⑤ 양반들의 탁상공론으로 백성들이 곤궁한 처지에 놓이게 되었다.

출제 예감

7 서술형 〈보기〉와 비교해 볼 때, 이 작품의 '광문'이 일반적인 고전 소설의 주인공과 어떤 차이를 보이는지 서술하시오.

> 보기
>
> 〈유충렬전〉의 줄거리
> 명나라 영종 황제 때 정언주부의 벼슬을 하고 있던 유심은 나이가 늦도록 자녀가 없다가 남악 형산에 치성을 드리고 아들 충렬을 얻는다. 이때 정한담이 유심을 모함하여 그를 귀양 보내고, 충렬은 천우신조(天佑神助)로 살아나서 무예를 배우며 때를 기다린다. 그 후, 정한담은 천자가 되기를 도모하고 있다가 이적(夷狄)이 침입해 오자 이들과 합세하여 난을 일으키나, 충렬이 영웅적 활약을 하며 정한담을 물리치고 나라를 구한다.

비책

22 구운몽

▸ **앞부분 줄거리** 육관대사의 제자 성진은 심부름으로 동정 용왕에게 갔다가 술대접을 받고, 돌아오는 길에 위부인의 시녀 팔선녀와 만나 서로 희롱한다. 이후 성진은 속세의 부귀영화를 원하다가, 육관대사에 의해 팔선녀와 함께 인간 세상으로 추방된다. 양소유로 환생한 성진은 팔선녀를 부인과 첩으로 맞아들이고 부귀영화를 누리지만, 인생무상을 느끼게 된다.

가 "소유는 본디 하남 땅 베옷 입은 선비라. ⓐ성천자(聖天子) 은혜를 입어 벼슬이 장상(將相)(장군과 승상)에 이르고, 제 낭자 서로 좇아 은정(恩情)이 백 년이 하루 같으니, 만일 전생 숙연(宿緣)으로 모두 인연(因緣)이 진(盡)(다하면)하면 각각 돌아감은 천지에 떳떳한 일이라. 우리 백 년 후 높은 대 무너지고, 굽은 못이 이미 메워지고, 가무(歌舞)하던 땅이 이미 변하여 거친 뫼와 쇠(衰)한 풀이 되었는데, 초부(樵夫)(보통 사람들 - 갑남을녀(甲男乙女), 초동급부(樵童汲婦), 장삼이사(張三李四))와 목동(牧童)이 오르내리며 탄식하여 가로되, '이것이 양승상의 제낭자로 더불어 놀던 곳이라. 승상의 부귀 풍류와 제 낭자의 옥용 화태(玉容花態)(옥같이 고운 얼굴과 꽃처럼 어여쁜 자태) 이제 어디 갔나뇨.' 하리니 어이 인생이 덧없지 아니리오?"

소주제 ❶ □□□□을 느끼는 양소유

나 "내 생각하니 천하에 유도(儒道)와 선도(仙道)와 불도(佛道)가 유(類)에 높으니 이 이른 삼교라. 유도는 생전(生前) 사업과 신후 유명(身後留名)할 뿐이요, 신선(神仙)은 예부터 구하여 얻은 자가 드무니 진시황, 한무제, 현종제를 볼 것이라. 내 치사(致仕)(나이가 많아 벼슬을 사양하고 물러남)한 후로부터 밤에 잠 곧 들면 매양 포단(蒲團) 위에서 참선하여 뵈니 이 필연 불가로 더불어 인연이 있는지라. 내 장차 장자방(張子房)의 적송자(赤松子) 좇음을 효칙(效則)(본받아 법으로 삼음)하여 집을 버리고 스승을 구하여 남해를 건너 관음(觀音)(관세음보살)을 찾고, 오대(五臺)(중국 명산 중에 하나)에 올라 문수(文殊)(문수보살)께 예를 하여 불생불멸(不生不滅)할 도를 얻어 진세(塵世)(속세, 홍진(紅塵)) 고락(苦樂)을 뛰어나려 하되, 제 낭자로 더불어 반생을 좇았다가 일조(一朝)에 이별하려 하니 슬픈 마음이 자연 곡조(曲調)에 나타남이로소이다." <중략>

소주제 ❷ □□에 귀의하기로 결심한 양소유

다 홀연 석경(돌길)에 막대 던지는 소리 나거늘, 괴이히 여겨 생각하되 '어떤 사람이 올라오는고?' 하더니, ⓑ한 호승(胡僧)이 눈썹이 길고 눈이 맑고 얼굴이 괴이하더라.

엄연히 좌상(座上)에 이르러 승상을 보고 예하여 왈, / "산야 사람이 대승상께 뵈나이다."

승상이 이인(異人)인 줄 알고 황망(慌忙)히 답례 왈, / "사부는 어디로부터 오신고?"

호승이 소왈(笑曰), / "평생 고인(故人)을 몰라보시니 귀인이 잊음 헐타는 말이 옳도소이다."

승상이 자세히 보니 과연 낯이 익은 듯하거늘 홀연 깨쳐 능파 낭자를 돌아보며 왈,

"소유가 전일(예전에) 토번을 정벌할 제 꿈에 동정 용궁에 가 잔치하고 돌아오는 길에 남악에 가 놀았는데, 한 화상이 법좌에 앉아서 경을 강론하더니 노부가 그 화상이냐?"

호승이 박장대소하고 가로되, / ⓒ"옳다, 옳다. 비록 옳으나 몽중에 잠깐 만나본 일은 생각하고 십 년을 동처하던 일을 알지 못하니 뉘 양 장원을 총명타 하더뇨?" <중략>

소주제 ❸ □□□□를 알아보지 못하는 양소유

라 손 가운데 석장(錫杖)(중이 들고 다니는 지팡이)을 들어 석난간을 두어 번 두드리니, 홀연 네 녁 산골에서 구름이 일어나 대상(높은 대(臺)의 위)에 끼이어 지척(咫尺)(가까운 거리)을 분변(分辨)치 못하니, 승상이 정신이 아득하여 마치 취몽 중(醉夢中)에 있는 듯하더니 오래게야 소리 질러 가로되,

ⓓ"사부가 어이 정도(正道)로 소유를 인도(引導)치 아니하고 환술(幻術)로 서로 희롱하나뇨?"

말을 맞지 못하여서 구름이 걷히니 호승이 간 곳이 없고, 좌우를 돌아보니 팔 낭자가 또한 간 곳이 없는지라 정히 경황(驚惶)하여 하더니, 그런 높은 대와 많은 집이 일시에 없어지고 제 몸이 한 작은 암자 중의 한 포단 위에 앉았으되, 향로에 불이 이미 사라지고, 지는 달이 창에 이미 비치었더라.

소주제 ❹ 양소유가 □에서 깨어나, 성진의 삶으로 돌아옴

작품 개관

- 갈래 고전 소설(국문 소설, 양반 소설, 몽자류 소설)
- 성격 전기적(傳奇的), 이상적, 불교적
- 시점 전지적 작가 시점
- 배경 [시간적] 당나라 때
  [공간적] 중국 남악 형산 연화봉(현실), 중국의 여러 지방(꿈)
- 주제 인생무상의 깨달음을 통한 불교에의 귀의
- 특징
  ① 이중적 환몽 구조, 몽중몽(夢中夢) 구조를 취함
  ② 유교, 불교, 도교 사상이 모두 드러나지만, 불교의 공(空) 사상이 중심임

1등급 노트

1. 제목의 상징성

구(九)	인물	성진과 팔선녀 (양소유와 2처 6첩)
운(雲)	주제	인생은 뜬구름과 같이 덧없는 것임(인생무상)
몽(夢)	구성	환몽 구조 (현실 – 꿈 – 현실)

성진을 비롯한 아홉(九) 명의 인물이 일생 동안 누린 부귀영화는 뜬구름(雲)과 같다는 주제를 환몽(夢) 구조를 통해 드러냄

2. '호승'의 역할

호승은 육관대사로, 선계(仙界)의 '성진'과 인간계의 '양소유'를 자연스럽게 연결함. 여기서의 '호승'은 양소유가 인생무상을 느끼고 불가에 귀의하려고 할 때, 양소유를 현실인 선계로 돌아오게 하는 역할을 하는 보조적 인물

3. <구운몽>의 사상적 배경

유교	양소유가 큰 공을 세워 부귀와 공명을 누리며, 2처 6첩을 두고 생활하는 것은 조선 시대 양반 사회의 유교적 이상을 반영한 것
도교	작품의 발단에 용왕이 등장하는 부분과 위부인과 팔선녀가 등장하는 것은 도교의 영향을 받음
불교	주인공의 이름이 '참된 진리'라는 뜻의 '성진(性眞)'인 것, 성진이 꿈에서 깨어나 깨달음을 얻고 팔선녀와 함께 불도에 정진하는 것, 육관대사가 등장하여 성진에게 깨달음을 주는 것은 모두 불교의 영향을 받은 것

4. '꿈'의 상징적 의미

성진은 꿈을 통해 인간 세상의 부귀영화가 덧없음을 깨닫는데, 이를 통해 인생무상(人生無常)이라는 작품 전체의 주제를 드러냄. 다른 몽자류 소설에서는 꿈속의 내용이 비현실적인 세계를 다루는 데 반해, <구운몽>은 꿈속의 내용이 오히려 현실의 세계를 다룸

정답과 해설 22쪽

마 스스로 제 몸을 보니 일백여덟 낱 염주(念珠)가 손목에 걸렸고, 머리를 만지니 갓 깎은 머리털이 가칠가칠하였으니 완연히 소화상의 몸이요, 다시 대승상의 위의(威儀) 아니니, 정신이 황홀하여 오랜 후에 비로소 제 몸이 연화 도량(道場)[불도를 닦는 곳] 성진(性眞) 행자[절에서 불도를 닦는 사람]인 줄 알고 생각하니, ⓔ처음에 스승에게 수책(受責)하여 풍도(酆都)[도가에서, '지옥'을 이르는 말]로 가고, 인세(人世)에 환도하여 양가의 아들 되어 장원급제 한림학사하고, ㉠출장입상(出將入相)[문무를 갖춘 장수와 재상을 모두 지냄]하여 공명신퇴(功名身退)[공을 세워 이름을 떨치고 벼슬에서 물러남]하고, 양공주와 육낭자로 더불어 즐기던 것이 다 하룻밤 꿈이라. 마음에 이 필연(必然) 사부가 나의 염려(念慮)를 그릇함을 알고, 나로 하여금 이 꿈을 꾸어 인간 부귀(富貴)와 남녀 정욕(情欲)이 다 허사(虛事)인 줄 알게 함이로다.

소주제 5 하룻밤 꿈이었음을 □□이 깨달음

- 김만중

소주제 체크

1. 인생무상 2. 불도 3. 육관대사 4. 몸 5. 성진

1 이 글에 대한 설명으로 가장 적절한 것은?

① 시간의 흐름을 역전시켜 과거의 사건을 부각하고 있다.
② 주로 인물의 대화와 행동을 통해 사건을 전개하고 있다.
③ 일인칭 시점을 통해 서술자의 심리를 직접 서술하고 있다.
④ 세밀한 배경 묘사를 통해 인물 간의 갈등을 암시하고 있다.
⑤ 공간적 배경에 따라 서술자를 달리하여 사건을 드러내고 있다.

출제 예감

2 이 글의 '성진'에 대한 이해로 적절하지 않은 것은?

① 꿈에서 '소유'로 환생하여 인간 세상의 부귀영화를 경험하였다.
② 꿈속에서는 오랜 시간을 함께 보낸 스승을 제대로 알아보지 못하였다.
③ 꿈속에서 '소유'로서 노년이 되자 깨달음을 얻기 위해 집을 떠나려 하였다.
④ 꿈에서 깬 뒤 자신에게 깨우침을 주기 위해 스승이 꿈을 꾸게 했음을 깨닫게 되었다.
⑤ 꿈에서 깬 뒤 잘못을 용서받기 위해 인간 세상에 태어나는 벌을 스스로 택했음을 기억해 내었다.

3 [가]~[마] 중 〈보기〉의 설명에 해당하는 부분은?

보기
• 고전 소설의 전기성(傳奇性)이 드러나는 부분
• '성진'이 꿈에서 깨어나는 부분

① [가] ② [나] ③ [다] ④ [라] ⑤ [마]

4 ㉠의 상황에 어울리는 한자 성어는?

① 일장춘몽(一場春夢) ② 전전반측(輾轉反側)
③ 주마가편(走馬加鞭) ④ 허장성세(虛張聲勢)
⑤ 후안무치(厚顔無恥)

출제 예감

5 수능형 〈보기〉의 Ⅰ~Ⅲ에 대한 설명으로 적절하지 않은 것은?

보기
이 작품의 구조는 아래와 같이 도식화할 수 있다.

현실	→	꿈	→	현실
Ⅰ		Ⅱ		Ⅲ

① Ⅰ과 Ⅲ은 주인공의 현실 세계이지만 초월적인 공간이다.
② Ⅱ에서 주인공은 세속적 욕망을 이루고 Ⅲ에서 원래의 모습으로 돌아오게 된다.
③ 주인공은 Ⅰ에서 인연이 있었던 인물을 Ⅱ에서 다시 만나지만 알아차리지 못한다.
④ Ⅱ는 주인공이 인생의 여러 과정을 거쳐 노년에 이르는 곳으로 현실적인 공간이다.
⑤ Ⅱ에서 주인공은 다시 꿈을 꾸게 되면서 자신이 본래 Ⅰ과 Ⅲ에 속한 존재였음을 스스로 깨닫게 된다.

6 고난도 ⓐ~ⓔ에 대한 설명으로 적절하지 않은 것은?

① ⓐ : 자신의 인생과 현재의 상황을 요약하여 말하고 있다.
② ⓑ : 외양 묘사를 통해 범상치 않은 인물임을 드러내고 있다.
③ ⓒ : 과거의 관계를 알리며 상대의 잘못된 기억을 지적하고 있다.
④ ⓓ : 사건의 전모를 파악한 후 상대를 제압하고 있다.
⑤ ⓔ : 과거에 일어났던 사건들의 진상이 밝혀지고 있다.

7 서술형 다음 빈칸에 알맞은 내용을 서술하시오.

제목의 의미		
구(九)	등장인물	9명의 등장인물인 성진(양소유)과 팔선녀(8명의 부인)를 나타낸다.
운(雲)	주제 의식	(1) ______________
몽(夢)	구성	(2) ______________

비책

23 흥부전(興夫傳)

〈전략〉 한 놈 나앉으며, / "이번 •매품은 먼저 온 순서대로 들어간다니 그리하옵세."

"저분 언제 왔소?" / "나 온 지는 저 지난 장날 아침밥 먹기 전 동틀 때 왔소."

한 놈 나앉으며,

㉠"나는 온 지가 십여 일이라도 생나무 •곤장 한 대 맞아 본 내 아들놈 없소."

흥부 이른 말이, / "그리 말고 서로 가난 자랑하여 아무라도 제일 가난한 사람이 팔아 갑세."

그 말이 옳다 하고, / "저분 가난 어떠하오?"

"내 가난 들어 보오. 집이라고 들어가면 사방 어디로도 들어갈 작은 곳이 없어 닫는 벼룩 쪼그려 앉을 데 없고 •삼순구식(三旬九食) 먹어 본 내 아들 없소."

한 놈 나앉으며, / "족히 먹고살 수는 있겠소. 저분 가난 어떠하오?"

[A]

"내 가난 들어 보오. 내 가난 남과 달라 이 대째 내려오는 광주산(廣州産) 사발 하나 선반에 얹은 지가 팔 년이로되, 여러 날 내려오지 못하고 아침저녁으로 눈물만 뚝뚝 짓고, ㉡부엌의 노랑 쥐가 밥알을 주우려고 다니다가 다리에 가래톳 서서 종기 터뜨리고 드러누운 지가 석 달 되었소. 좌우 들으신바 내 신세 어떠하오?"

김딱직이 썩 나앉으며,

"거기는 참으로 •장자(長者)라 할 수 있소. 내 가난 들어 보오. 조그마한 한 칸 초막 발 뻗을 길 전혀 없어, 우리 아내와 나와 둘이 안고 누워 있으면 내 상투는 울 밖으로 우뚝 나가고, ㉢우리 아내 궁둥이는 담 밖으로 알궁둥이 보이니, 동네에서 숨바꼭질하는 아이들이 우리 아내 궁둥이 치는 소리 사월 팔일 •관등(觀燈) 다는 소리 같고, 집에 연기 나지 않은 지가 삼 년째 되었소. 좌우 들으신바 내 신세 어떠하오? 아무 •목득의 아들놈도 못 팔아 갈 것이니."

㉣이놈 아주 거기서 •게정을 먹더니라.

소주제 1 □□ □□으로 매품의 순서를 정하려 함

흥부 숨숨 생각하니, 자기에게는 어느 시절에 차례가 돌아올 줄 몰라,

"㉤동무님 내 매품이나 잘 팔아 가지고 가오. 나는 돌아가오."

하직하고 돌아오며, 탄식하고 집에 들어가니, 흥부 아내 거동 보소. 왈칵 뛰어 달려들어 흥부 소매 검쳐 잡고 듣기 싫을 정도로 크고 섧게 울며,

"하늘이 사람들을 세상에 나게 할 때 반드시 자기 할 일을 주었으니, 생기는 대로 먹고 살지 남 대신으로 맞을까. 애고애고, 설움이야." / 이렇듯 섧게 우니 흥부 이른 말이,

㉮《"애기 어멈 울지 마소. 애기 어멈 울지 마소. 영문(營門)에 들어가니 세상의 가난한 놈은 거기 모두 모여 내 가난은 거기다 비교하니 장자라 일컬을 수 있어, 매도 못 맞고 돌아왔네."》

소주제 2 □□을 팔지 못하고 돌아온 흥부

▸ **뒷부분 줄거리** 어느 날 흥부는 다리 다친 제비를 구해 준다. 이듬해 제비는 흥부에게 박씨 하나를 물어다 주고, 흥부는 그 박씨가 자라서 얻은 박에서 금은보화를 얻어 큰 부자가 된다. 이에 심술이 난 놀부는 일부러 제비 다리를 부러뜨린 후 다리를 치료해 날려 보내어 같은 식으로 박을 얻는다. 그러나 그 속에서는 괴인이니 귀신이니 하는 것이 나와서 놀부를 망하게 한다. 흥부가 이 소식을 듣고 놀부를 데려와 봉양하자, 놀부는 개과천선하여 형제가 사이좋게 지내게 된다.

– 작자 미상

어휘 다지기

- 매품 : 관가에 가서 삯을 받고 남의 매를 대신 맞아 주는 데 들이던 품
- 곤장 : 죄인의 볼기를 치던 형구. 또는 그 형벌
- 삼순구식(三旬九食) : 삼십 일 동안 아홉 끼니밖에 먹지 못한다는 뜻으로, 몹시 가난함을 이르는 말
- 장자(長者) : 큰 부자를 점잖게 이르는 말
- 관등(觀燈) : 초파일이나 절의 주요 행사 때에 등대를 세우고 온갖 등을 달아 불을 밝히는 일
- 목득 : 목두기. 이름이 무엇인지 모르는 귀신의 이름
- 게정 : 불평을 품고 떠드는 말과 행동

작품 개관

- **갈래** 판소리계 소설, 설화 소설
- **성격** 풍자적, 해학적, 교훈적
- **시점** 전지적 작가 시점
- **배경** [시간적] 조선 후기
  [공간적] 경상과 전라의 접경
- **주제**
  [표면적] 형제간의 우애와 권선징악(勸善懲惡)
  [이면적] 빈농과 부농의 갈등
- **특징**
  ① 변화되어 가는 조선 후기의 사회상을 반영함
  ② 과장된 표현, 익살, 해학적 묘사 등을 통해 골계미가 나타남

1등급 노트

1. 형성 과정
방이 설화, 박 타는 처녀 설화(근원 설화) → 흥보가(판소리) → 흥부전(고전 소설) → 연의 각(신소설)

2. 주제 의식
표면적으로 형제간의 우애, 착한 사람은 복을 받고 악인은 벌을 받는다는 권선징악(勸善懲惡)을 말하고 있으나, 이면적으로는 조선 후기 당시의 신분 변동에 따라 나타난 몰락 양반(빈농)과 신흥 부농 간의 갈등을 다루고 있음

3. 작품에 나타난 해학과 풍자

해학	가난을 자랑하는 상황과 과장된 가난 묘사로, 비극적 처지를 서민 특유의 건강한 웃음으로 승화함
풍자	매품을 팔 정도로 가난한 사람들이 많던 당시의 부정적 시대 상황을 드러내고자 함

더 알아보기

◆ 〈흥부전〉의 근원 설화
- 방이 설화 : 신라 시대의 설화로, 가난한 김방이와 부자인 그의 아우가 살았는데, 방이가 자신의 이삭을 물고 산속으로 달아나던 새를 쫓다가 금방망이를 얻어 부자가 되자, 심술궂은 아우 또한 금방망이를 얻으려다 금방망이 도둑으로 몰려 사흘이나 굶주리며 연못을 파는 벌을 받고 코끼리처럼 코를 뽑힌 다음에야 돌아왔다는 내용을 담고 있다.
- 박 타는 처녀 설화 : 짐승의 보은을 주제로 한 몽골 설화로, 한 처녀가 다리 다친 제비를 치료해 주었더니 제비가 박씨를 물어다 주어 부자가 되었고, 이웃의 다른 처녀가 이를 모방하여 제비 다리를 부러뜨린 다음 치료해 주었더니 제비가 박씨를 물고 왔지만, 그 박에서 뱀이 나와 처녀를 물어 죽였다는 내용을 담고 있다.

소주제 체크

1. 가난 자랑 2. 매품

정답과 해설 22쪽

1 이 작품에 대한 설명으로 적절하지 않은 것은?

① 표면적 주제와 다른 이면적 주제를 내포하고 있다.
② 선인과 악인의 대립 구도를 밑바탕으로 하고 있다.
③ 실학 정신을 바탕으로 신분 제도를 풍자하고 있다.
④ 조선 후기의 시대상과 서민 의식이 반영되어 있다.
⑤ 노래로 불리다가 문자로 정착되면서 소설화되었다.

출제 예감
2 고난도 이 작품의 서술상의 특징과 효과를 〈보기〉에서 골라 바르게 짝지은 것은?

보기
ㄱ. 과장된 표현으로 상황을 극대화하여 강조하고 있다.
ㄴ. 격식 있는 한자어를 사용하여 기품을 드러내고 있다.
ㄷ. 서술자가 독자에게 직접 말하면서 거리를 좁히기도 한다.
ㄹ. 인물의 외양을 묘사하여 독자의 상상력을 자극하고 있다.

① ㄱ, ㄷ ② ㄱ, ㄹ
③ ㄴ, ㄷ ④ ㄴ, ㄹ
⑤ ㄷ, ㄹ

3 등장인물에 대한 설명으로 가장 적절한 것은?

① 김딱직은 자신보다 부자인 사람들을 부러워하고 있다.
② 흥부 아내는 주체적인 현실 극복 의지를 지니고 있다.
③ 흥부 아내는 경제적으로 무능한 남편을 무시하고 있다.
④ 흥부는 대화가 진행됨에 따라 심리적인 태도가 달라졌다.
⑤ 흥부는 자신의 살림살이에 대해 자부심을 지니게 되었다.

출제 예감
4 이 작품을 심화 학습하기 위한 학생들의 활동으로 적절하지 않은 것은?

① 경제적으로 몰락한 양반들의 생활에 대해 조사해 본다.
② 판소리 〈흥보가〉를 들으면서 달라진 점을 확인해 본다.
③ 요즘은 사용하지 않는 생소한 어휘에 대해 조사해 본다.
④ 여러 이본(異本)을 찾아 사건의 전개 과정을 비교해 본다.
⑤ 작품의 공간적 배경을 직접 답사하여 현장을 체험해 본다.

출제 예감
5 ㉠~㉤에 대한 설명으로 적절하지 않은 것은?

① ㉠ : 매품을 먼저 팔기 위한 경쟁심이 내포되어 있다.
② ㉡ : 언어유희를 통해 극한적인 가난을 묘사하고 있다.
③ ㉢ : 부정적인 집안 상황을 희화화하여 제시하고 있다.
④ ㉣ : 서술자가 개입하여 자신의 생각을 드러내고 있다.
⑤ ㉤ : 경쟁에서 이길 수 없으리라 생각하여 체념하고 있다.

6 수능형 〈보기〉의 ⓐ~ⓔ 중, [A]에서 가장 두드러지게 나타나는 한국 문학의 특질은?

보기
한국 문학은 일반적으로 몇 가지의 전통적인 특질을 지니고 있는데, 우선 삶의 시련과 고난을 묵묵히 견뎌내며 형성되는 ⓐ한(恨)의 정서를 들 수 있다. 그리고 부조리한 현실이나 삶의 힘겨움을 웃음으로 극복하려는 ⓑ해학과 풍자의 정신이 있는데, 이는 우리 고유의 낙천적인 인생관을 반영한다. 또한, ⓒ선비 정신과 지조도 우리 문학의 특질이다. 유교적 가치관을 바탕으로 하여 대의명분에 충실하고자 하는 태도를 쉽게 찾아볼 수 있다. 자연과 하나가 되는 삶의 모습을 긍정적으로 인식하는 ⓓ자연 친화적인 태도 역시 우리 문학의 특질이다. 마지막으로, 서사 문학의 경우 권선징악과 개과천선을 주제로 하여 ⓔ행복한 결말을 맺는 경우가 많다.

① ⓐ ② ⓑ ③ ⓒ ④ ⓓ ⑤ ⓔ

7 사건의 흐름으로 봤을 때, ㉮에 이어질 '흥부 아내'의 말로 가장 적절한 것은?

① "어찌하야 그냥 왔나? 밥 달란 소리 안 들리나? 매품 팔아 여차여차 하렸더니 모든 일이 허사로다."
② "여보시오, 복 받았소. 매 안 맞고 많은 돈을 벌었으니 하늘이 점지해 준 복일세. 가지가지 잘 써보세."
③ "몹쓸 놈의 사람들이 굶은 사람을 마구 쳤네. 애고애고, 이런 짓이 사람이 할 일인가. 애고애고, 설움이야."
④ "얼씨구나 좋구나, 지화자 좋을씨고. 우리 낭군 병영 갔다 매 아니 맞고 돌아오니 이런 경사 또 있을까?"
⑤ "가난이야, 가난이야, 천만고에 있는 가난. 아무리 헤아려도 내 위에는 다시없네. 어떤 일도 하지 못해 초상나기 딱 좋구나."

8 서술형 이 작품에 현재 시제의 문장이 사용된 이유에 대해 판소리계 소설의 발생 과정을 고려하여 서술하시오.

비책

24 춘향전(春香傳)

▸ **전체 줄거리** 퇴기 월매의 딸 춘향은 서울에서 내려온 남원 부사의 아들 이몽룡과 사랑을 속삭이게 된다. 그러던 차에 이몽룡은 아버지를 따라 한양으로 가게 되어 춘향과 애틋하게 이별한다. 새로 내려온 변 사또는 춘향에게 수청을 강요한다. 춘향은 이를 거역한 죄로 옥에 갇히게 된다. 서울에 올라간 이 도령은 과거에 급제하여 삼남 암행어사로 내려온다. 거지로 가장한 어사는 탐관오리들을 벌하고 춘향을 구출하여 서울로 데리고 간다. 제시된 부분은 변 사또의 생일잔치에 참석한 이몽룡이 암행어사 출도를 알리는 장면이다.

어사또 들어가 단좌(端坐)[단정하게 앉음]하여 좌우를 살펴보니, 당상(堂上)[대청 위]의 모든 수령 다담을 앞에 놓고 진양조 양양(洋洋)[우렁차고 씩씩하게 널리 퍼질 때]할 제 어사또 상을 보니 어찌 아니 통분하랴. 모 떨어진 개상판에 닥채 저붐, 콩나물, 깍두기, 막걸리 한 사발 놓았구나. ㉮상을 발길로 탁 차 던지며 운봉의 갈비를 직신, / "갈비 한 대 먹고 지고." / "다라도 잡수시오." / 하고 운봉이 하는 말이 / "이러한 잔치에 풍류로만 놀아서는 맛이 적사오니 차운(次韻) 한 수씩 하여 보면 어떠하오?" / "그 말이 옳다." / 하니 운봉이 운(韻)을 낼 제, 높을 고(高)자, 기름 고(膏)자 두 자를 내어놓고 차례로 운을 달 제, 어사또 하는 말이 / "걸인도 어려서 추구권(抽句卷)[좋은 구절을 뽑아 적은 책권]이나 읽었더니, 좋은 잔치 당하여서 주효[술과 안주]를 포식하고 그저 가기 무렴(無廉)[염치가 없음]하니 차운 한 수 하사이다."

소주제 ❶ □□□을 당한 어사또와 운봉의 시작 제안

운봉이 반겨 듣고 필연(筆硯)[붓과 벼루]을 내어 주니 좌중(座中)[모여 앉은 여러 사람]이 다 못하여 글 두 귀〔句〕를 지었으되, 민정(民情)을 생각하고 본관의 정체(政體)를 생각하여 지었것다.

"금준미주(金樽美酒)는 천인혈(千人血)이요, 옥반가효(玉盤佳肴)는 만성고(萬姓膏)라. 촉루낙시(燭淚落時) 민루낙(民淚落)이요, 가성고처(歌聲高處) 원성고(怨聲高)라."

이 글 뜻은, "금동이의 아름다운 술은 일만 백성의 피요, 옥소반의 아름다운 안주는 일만 백성의 기름이라. 촛불 눈물 떨어질 때 백성 눈물 떨어지고, 노랫소리 높은 곳에 원망 소리 높았더라."

소주제 ❷ 한시를 지어 □□□□를 꾸짖는 어사또

이렇듯이 지었으되, 본관은 몰라보고 운봉이 이 글을 보며 내념(內念)[마음속의 생각]에 / '아뿔싸, 일이 났다.'

이때, 어사또 하직하고 간 연후에 공형(公兄) 불러 분부하되, / "야야, 일이 났다." / 공방(工房)[공예, 건축 등의 일을 맡아보던 아전] 불러 포진(鋪陳)[방석, 돗자리 등] 단속, 병방(兵房)[군사, 교통 등의 일을 맡아보던 아전] 불러 역마(驛馬) 단속, 관청색 불러 다담 단속, 옥 형리(刑吏)[옥을 담당하던 구실아치] 불러 죄인 단속, 집사(執事) 불러 형구(刑具)[형벌을 가하는 도구] 단속, 형방(刑房)[형전(刑典)에 관한 일을 맡아보던 아전] 불러 문부(文簿) 단속, 사령 불러 합번(合番)[벼슬아치들이 숙직하던 일]단속, 한참 이리 요란할 제 물색없는 저 본관이

"여보, 운봉은 어디를 다니시오?" / "소피(所避)하고 들어오오." 본관이 분부하되,

"춘향을 급히 올리라." / 고 주광(酒狂)이 난다. 〈중략〉

소주제 ❸ 상황을 눈치챈 □□과 물색을 모르는 □□

이때에 어사또 군호(軍號)[서로 눈짓이나 말 따위로 몰래 연락하는 신호]할 제, 서리(胥吏) 보고 눈을 주니 서리, 중방(中房)[고을 원의 시중을 들던 사람] 거동 보소. 역졸(驛卒) 불러 단속할 제 이리 가며 수군, 저리 가며 수군수군, 서리 역졸 거동 보소. 외올망건(網巾)[외올로 뜬 망건(상투 튼 머리를 두르는 물건)], 공단(貢緞)[두껍고 윤기 있는 비단] 쌔기 새 평립(平笠)[패랭이 – 홍길동 모자] 눌러 쓰고 석 자 감발[버선이나 양말 대신 발에 감는 좁고 긴 무명천] 새 짚신에 한삼(汗衫), 고의(袴衣)[남자의 여름 홑바지] 산뜻 입고 육모 방치 녹피(鹿皮) 끈을 손목에 걸어 쥐고 예서 번뜻 제서 번뜻, 남원읍이 우군 우군, 청파 역졸(靑坡驛卒) 거동 보소. 달 같은 마패(馬牌)를 햇빛같이 번듯 들어

"암행어사 출도(出道)야!"

외는 소리, 강산이 무너지고 천지가 뒤눕는 듯. 초목금수(草木禽獸)인들 아니 떨랴. 〈중략〉

소주제 ❹ □□□□ 출도를 외치는 어사또의 부하들

모든 수령 도망할 제 거동 보소. 인궤(印櫃)[관아에서 도장을 넣어 두던 상자] 잃고 과줄 들고, 병부(兵符)[조선 시대에, 군대를 동원하는 표지로 쓰던 둥글납작한 나무패] 잃고 송편 들고, 탕건(宕巾) 잃고 용수[술이나 장을 거르는 둥글고 긴 통] 쓰고, 갓 잃고 소반(小盤) 쓰고, 칼집 쥐고 오줌 누기. 부서지니 거문고요, 깨지느니 북, 장구라. 본관이 똥을 싸고 멍석 구멍 새앙쥐 눈 뜨듯 하고 내아(內衙)로 들어가서 / "어 추워라, 문 들어온다, 바람 닫아라. 물 마른다, 목 들여라." / 관청색은 상을 잃고 문짝 이고 내달으니, 서리, 역졸 달려들어 후닥딱 / "애고, 나 죽네!"

소주제 ❺ 어사 출도로 당황한 □□들과 본관

작품 개관

- 갈래 판소리계 소설, 염정 소설
- 성격 해학적, 풍자적
- 시점 전지적 작가 시점
- 배경 [시간적] 조선 후기
  [공간적] 남원
- 주제
  ① 신분을 초월한 남녀 간의 사랑
  ② 불의한 지배 계층에 대한 서민의 항거
- 특징
  ① 봉건 사회를 배경으로 신분의 차이를 뛰어넘는 남녀 간의 사랑을 다룸
  ② 배경 설화와 판소리를 바탕으로 한 판소리계 소설임
  ③ 현실적인 소재와 사실적인 표현이 돋보임

1등급 노트

1. 형성 과정
   열녀 설화, 관탈 민녀 설화, 신원 설화, 암행어사 설화(근원 설화) → 춘향가(판소리) → 춘향전(고전 소설) → 옥중화(신소설)
2. 주제 의식
   - 표면적 : 이몽룡을 사랑한 춘향이 수청을 강요하는 변 사또에 맞서 절개를 지킴 → 여성의 굳은 정절
   - 이면적 : 기생 신분인 춘향이 사대부가의 일원이 되겠다는 신분 상승의 성취 동기를 충족시킴 → 신분적 제약을 벗어난 인간 해방
3. 배경 사상
   - 인간 평등 사상 : 휴머니즘을 바탕으로 한 계급 타파 의식을 보여 줌
   - 사회 개혁 사상 : 탐관오리의 횡포에 대한 징계가 나타남
   - 자유연애 사상 : 이몽룡과 춘향이 신분을 초월하여 스스로의 자유 의지에 의해 만남
   - 열녀불경이부(烈女不敬二夫) 사상 : 이몽룡에 대한 춘향의 지조와 정절을 강조함

더 알아보기

◆ 〈춘향전〉의 근원 설화
- 열녀 설화 : 여자가 고난 속에서도 정절을 지킨다는 내용의 설화
- 관탈 민녀(官奪民女) 설화 : 임금이나 관리가 평민의 여자를 빼앗는다는 내용의 설화
- 신원(伸冤) 설화 : 억울하게 죽은 혼의 원한을 푸는 내용을 담고 있는 설화
- 암행어사 설화 : 암행어사가 권력자의 횡포를 징계하고 약자의 한을 풀어 주는 내용을 담고 있는 설화

정답과 해설 22쪽

이때 수의사또 분부하되, / “이 골은 대감이 좌정(座定)하시던 골이라, 훤화(喧譁)를 금하고 객사로 사처(徙處)하라.” / 좌정 후에 / “본관은 봉고파직(封庫罷職)하라.” / 분부하니, / “본관은 봉고파직이오!” / 사대문에 방 붙이고 옥 형리 불러 분부하되, / “네 골 옥수(獄囚)를 다 올리라.” 호령하니 죄인을 올리거늘, 다 각각 문죄(問罪) 후에 무죄자 방송(放送)할새, / “저 계집은 무엇인다?” / 형리 여짜오되, / “기생 월매 딸이온데, 관정(官庭)에 포악한 죄로 옥중에 있삽내다.” “무슨 죄다?” / 형리 아뢰되, / “본관 사또 수청(守廳)으로 불렀더니 수절이 정절이라 수청 아니 들려 하고, 관전(官前)에 포악한 춘향이로소이다.” 소주제 6 □□을 문책하고 춘향과 재회한 어사또

- 좌정: 자리 잡고 앉음
- 훤화: 시끄럽게 지껄이며 떠듦
- 사처: 거처를 옮김
- 옥수: 수인, 죄수
- 문죄: 죄를 판별함
- 방송: 죄인을 풀어 줌
- 수절: 절의를 지킴
- 정절: 여자의 곧은 절개
- 관전: 아전이나 하인이 벼슬아치를 높여 이르는 말

– 작자 미상

소주제 체크

1. 푸대접 2. 탐관오리 3. 운봉, 본관 4. 암행어사 5. 수령 6. 본관

1 이 작품의 서술상 특징으로 적절하지 않은 것은?

① 판소리 특유의 해학과 풍자가 나타난다.
② 행동의 열거를 통한 장면의 극대화를 느낄 수 있다.
③ 현재형 시제를 사용하여 사건의 현장감을 주고 있다.
④ 한문이 많고 문어체 위주의 문장으로 서술되고 있다.
⑤ 의성어와 의태어를 다양하게 활용하여 생동감을 주고 있다.

출제 예감

2 이 작품에 삽입된 한시에 대한 설명으로 적절하지 않은 것은?

① 인간 존중과 애민 사상을 엿볼 수 있다.
② 사건의 전개에 있어 위기감을 고조시킨다.
③ 이 작품이 전승되어 오면서 상류층의 문화도 반영되었음을 추측해 볼 수 있다.
④ 성대한 잔치와 백성들의 고통을 대비시켜 탐관오리의 가렴주구(苛斂誅求)를 풍자하고 있다.
⑤ 표현한 내용과 그 속에 숨어 있는 내용을 반대로 나타내어 독자의 흥미를 이끌어 내고 있다.

출제 예감

3 <보기>에서 ㉮의 표현 기법과 가장 유사한 것은?

보기

생 원 : 이놈, ①너도 양반을 모시지 않고 어디로 그리 다니느냐?
말뚝이 : 예에, ②양반을 찾으려고 찬밥 국 말어 일조식(日早食)하고, ③마구간에 들어가 노새 원님을 끌어다가 등에 솔질을 솰솰 하여 말뚝이님 내가 타고 ④서양(西洋) 영미(英美), 법덕(法德), 동양 삼국 무른 메주 밟듯 하고, 동은 여울이요, 서는 구월이라, ⑤동여울 서구월 남드리 북향산 방방곡곡(坊坊曲曲) 면면촌촌(面面村村)이, 바위 틈틈이, 모래 쨈쨈이, 참나무 결결이 다 찾아다녀도 샌님 비뚝한 놈도 없습디다.

4 다음은 <춘향전>의 전승 과정을 나타낸 것이다. 빈칸에 알맞은 말을 쓰시오.

근원 설화	판소리	고전 소설	신소설
열녀 설화, 신원 설화, 암행어사 설화 등	춘향가	춘향전	( )

5 이 작품 전체의 내용을 참고할 때, 배경이 되는 사상으로 적절하지 않은 것은?

① 탐관오리들의 죄과가 밝혀지고 징계되는 모습에서, 사회 개혁 사상을 찾을 수 있다.
② 춘향과 이몽룡이 스스로 애정의 대상을 선택했다는 점에서, 자유연애 사상을 찾을 수 있다.
③ 신분이 다른 춘향과 이몽룡이 사랑을 이루는 이야기라는 점에서, 인간 평등 사상을 찾을 수 있다.
④ 춘향이 이몽룡에 대한 지조와 정절을 지켜 내는 과정을 통해서, ‘열녀불경이부’ 사상을 찾을 수 있다.
⑤ 변 사또 생일잔치의 사치스러운 낭비 상황과 백성들의 고통을 대조하는 것에서 실생활을 중시하는 실학 사상을 찾을 수 있다.

6 수능형 이 작품의 ‘어사또’가 모든 수령에게 들려 줄 수 있는 노래로 가장 적절한 것은?

① 욕심난다 하고 몹쓸 일을 하지 마라. / 나는 잊어도 남이 내 모습 보느니라. / 한 번을 악명을 얻으면 어느 물로 씻으리. – 김상용
② 가마귀 싸우는 골에 백로(白鷺)야 가지 마라. / 성낸 가마귀 흰 빛을 새오나니, / 청강(淸江)에 좋이 시슨 몸을 더러일까 하노라. – 정몽주 어머니
③ 추강(秋江)에 밤이 드니 물결이 차노매라. / 낚시 드리치니 고기 아니 무노매라. / 무심(無心)한 달빛만 싣고 빈 배 저어 오노라. – 월산 대군
④ 이런들 엇더ᄒᆞ며 져런들 엇더하료. / 만수산(萬壽山) 드렁츩이 얼거진들 엇더ᄒᆞ리. / 우리도 이ᄀᆞᆺ치 얼거져 백 년(百年)ᄭᆞ지 누리리라. – 이방원
⑤ 산(山)은 녯 산(山)이로되 물은 녯 물 안이로다. / 주야(晝夜)에 흘은이 녯 물이 이실쏜야. / 인걸(人傑)도 물과 ᄀᆞᆺᄋᆞ야, 가고 안이 오노ᄆᆡ라. – 황진이

7 서술형 이 작품에서 ‘춘향’이 갇힌 ‘옥’의 의미에 대해 서술하시오.

비책 25 장끼전

▸ **앞부분 줄거리** 장끼와 까투리가 아홉 아들, 열두 딸을 거느리고 굶주린 몸이 되어 먹이를 찾아 큰 들을 지나게 되었다. 들에서 땅에 떨어져 있는 붉은 콩 한 개를 발견한 장끼는 먹지 말라고 간절히 만류하는 까투리의 말을 계속 무시한다.

까투리 하는 말이,

"기러기 북국에 울며 날 제 갈대를 물어 나름은 장부의 조심이요, 봉(鳳)이 천 길을 떠오르되 좁쌀은 찍어 먹지 아니함은 군자의 염치(廉恥)로다. 그대 비록 미물(微物)이나 군자(君子)의 본(本)을 받아 염치를 알 것이니 백이숙제(伯夷叔齊) 충렬 염치(忠烈廉恥) •주속(周粟)을 아니 먹고, 장자방(張子房)의 지혜 염치(知慧廉恥) •사병벽곡(辭病辟穀) 하였으니, 자네도 이런 것을 본(本)을 받아 조심을 하려 하면 부디 그 콩 먹지 마소."

염치(廉恥): 체면을 차릴 줄 알며 부끄러움을 아는 마음

소주제 ① 콩을 먹지 말도록 □□하는 까투리

장끼란 놈 이른 말이,

"네 말이 무식하다. 예절을 모르거든 염치를 내 알쏘냐. 안자(顔子)님 도학(道學) 염치로도 삼십밖에 더 못 살고, 백이숙제(伯夷叔齊)의 충절 염치로도 수양산(首陽山)에 굶어 죽고, 장양(張良)의 사병벽곡(辭病辟穀)으로도 적송자(赤松子)를 따라갔으니, 염치도 부질없고 먹는 것이 으뜸이라. 호타하(滹沱河) 보리밥을 문숙(文叔)이 달게 먹고 중흥천자(中興天子) 되어 있고, •표모(漂母)의 식은 밥은 한신(韓信)이 달게 먹고 한국대장(漢國大將) 되었으니, 나도 이 콩 먹고 크게 될 줄 뉘 알쏘냐."

중흥천자(中興天子): 쇠퇴하다가 다시 일어난 군주

소주제 ② 자신의 행위를 □□□하는 장끼

까투리 하는 말이,

"그 콩 먹고 잘 된단 말은 내 먼저 말하오리다. •잔디 찰방수망(察訪首望)으로 •황천부사(黃泉府使) •제수(除授)하여 청산(靑山)을 영이별(永離別)하오리니, 내 원망은 부디 마소. 고서(古書)를 볼 양이면 고집불통 과(過)하다가 패가망신 몇몇인고. 천고(千古) 진시황(秦始皇)의 몹쓸 고집 부소(扶蘇)의 말 듣지 않고 민심소동(民心騷動) 사십 년에 이세(二世) 때 실국(失國)하고, 초패왕(楚霸王)의 어린 고집 범증(范增)의 말 듣지 아니하다 팔천 제자 다 죽이고, •무면도강동(無面渡江東)하여 •자문이사(自刎而死)하여 있고, 굴삼려(屈三閭)의 옳은 말도 고집 불청하다가 진무관(秦武關)에 굳이 갇혀 가련공산(可憐空山) •삼혼(三魂) 되어 강상(江上)의 우는 새 •어복충혼(魚腹忠魂) 부끄럽다. 그대 고집 •오신명(誤身命) 하오리다."

영이별(永離別): 영원히 이별 / 민심소동(民心騷動): 민심이 동요함 / 어린: 어리석은

소주제 ③ □을 먹겠다고 고집하는 장끼를 만류하는 까투리

장끼란 놈 하는 말이,

"콩 먹고 다 죽을까? ㉠고서(古書)를 볼작시면 콩 태(太) 자(字) 든 이마다 오래 살고 귀(貴)히 되니라. 태고(太古)적 천황씨(天皇氏)는 일만팔천 세를 살아 있고, 태호(太昊) 복희씨(伏羲氏)는 풍성(風姓)이 상승하여 십오 대를 전해 있고, 한 태조(漢太祖), 당 태종(唐太宗)은 풍진 세계(風塵世界) 창업지주(創業之主) 되었으니, 오곡(五穀) 백곡(百穀) 잡곡(雜穀) 중의 콩 태 자가 제일이라. 궁팔십(窮八十) 강태공(姜太公)은 달팔십(達八十) 살아 있고, 시중천자(詩中天子) 이태백(李太白)은 •기경상천(騎鯨上天)하여 있고, 북방의 태을성(太乙星)은 별 중의 으뜸이라. 나도 이 콩 달게 먹고 태공같이 오래 살고, 태백같이 상천(上天)하여 •태을선관(太乙仙官) 되오리라."

풍성(風姓): 들리는 명성 / 풍진 세계(風塵世界): 편안하지 못한 세상 / 창업지주(創業之主): 나라를 처음으로 세워 왕조를 연 임금 / 태을성(太乙星): 북쪽 하늘에 있으면서 병란 · 재화 · 생사 등을 맡아 다스린다고 하는 신령한 별

소주제 ④ 까투리의 □□를 뿌리치는 장끼

▸ **뒷부분 줄거리** 장끼는 먹이를 먹으려다 덫에 걸리게 된다. 덫의 임자가 나타나 장끼를 빼어 들고 가 버린 뒤 까투리는 문상을 온 홀아비 장끼와 재혼하여 백년해로하다가 자식들을 결혼시킨 후, 물에 들어가 조개가 된다.

– 작자 미상

작품 개관

- **갈래** 판소리계 소설, 국문 소설, 우화 소설
- **성격** 우화적, 풍자적, 교훈적, 현실 비판적
- **시점** 전지적 작가 시점
- **주제** 남존여비(男尊女卑)와 개가 금지(改嫁禁止)에 대한 비판과 풍자
- **특징**
  ① 인격화된 동물이 이야기를 이끌어 감
  ② 중국의 고사가 많이 인용됨
  ③ 당대의 서민 의식이 반영됨

1등급 노트

1. 작품의 근대적 성격
   - 장끼의 죽음과 까투리의 개가를 통하여 남존여비(男尊女卑), 개가 금지(改嫁禁止)와 같은 기존 제도의 허구를 폭로함
   - 여성의 억눌린 권익을 신장하고, 인간의 본능적 욕구를 인정하는 현실주의적 사고를 반영함
2. 주제 의식
   장끼가 여자의 말이라고 까투리의 만류를 뿌리치고 콩을 먹으려다가 죽고, 까투리는 개가(改嫁)함 → 남존여비(男尊女卑)와 개가 금지(改嫁禁止)라는 당시의 유교 도덕에 대한 비판, 양반 사회의 위선에 대한 풍자
3. 인물의 특성
   - 장끼 : 아내의 말을 무시하고 눈앞의 이익에만 급급해하다가 화를 당하는 어리석은 인물로, 유교적 윤리를 강요하며 가부장적 권위를 지키려고 함
   - 까투리 : 남편의 뜻에 무조건 순종하기보다는 자기 소신을 밝힐 줄 아는 신중하고 지혜로운 인물로, 가부장적 사회 제도를 따르지 않고 자신의 행복을 당당하게 추구함

더 알아보기

◆ 〈장끼전〉의 사회적 배경

조선 시대에 양반 사회에서만 문벌의 명예를 보존하고자 여성의 개가(改嫁)를 금했던 것은 아니다. 평민 사회에서도 여성의 개가를 부정적으로 여겼던 것으로 보인다. 이는 당시에 '열녀불경이부(烈女不更二夫)'라는 유교적인 윤리 사상이 지배적이었기 때문인 것으로 짐작된다. 또한, 개가한 자손에 대해서는 관로(官路)를 제한하였기 때문에 자연스럽게 개가를 부정적으로 생각하게 되었던 것으로도 볼 수 있다.

정답과 해설 23쪽

어휘 다지기

- 주속(周粟) : 주나라 곡식
- 사병벽곡(辭病辟穀) : 건강을 이유로 벼슬을 사양하고 곡식을 끊음
- 표모(漂母) : 빨래하는 나이든 여자
- 잔디 찰방수망(察訪首望) : 잔디로 덮인 무덤을 맡아보는 사람
- 황천부사(黃泉府使) : 황천에 가는 사신
- 제수(除授) : 추천을 받지 않고 임금이 바로 벼슬을 줌
- 무면도강동(無面渡江東) : 일에 실패하여 고향에 돌아갈 면목이 없음을 이르는 말
- 자문이사(自刎而死) : 스스로 자신의 목을 베어 죽음
- 삼혼(三魂) : 사람의 넋
- 어복충혼(魚腹忠魂) : 강에 빠져 물고기의 먹이가 된 굴원의 충혼
- 오신명(誤身命) : 몸과 목숨을 그르침
- 기경상천(騎鯨上天) : 강물의 고래를 타고 하늘에 올라감
- 태을선관(太乙仙官) : 하늘에 있는 관리

소주제 체크

1. 만류 2. 합리화 3. 콩 4. 만류

1 이 작품에 대한 설명으로 적절하지 않은 것은?

① 조선 후기의 서민 의식이 잘 반영되어 있다.
② 인격화된 동물에 의해 사건이 전개되고 있다.
③ 남존여비와 여성의 개가 금지를 비판하고 있다.
④ 외적 세계에 대한 강한 우의적 기능을 가지고 있다.
⑤ 특정 작가가 만든 판소리 사설을 바탕으로 하고 있다.

2 이 작품의 서술상 특징에 대한 설명으로 가장 적절한 것은?

① 대화를 중심으로 인물의 성격이나 사건을 제시한다.
② 간결하고 압축적인 문장을 사용한 운문체를 구사한다.
③ 작품 안의 서술자가 객관적 시각에서 대상을 관찰한다.
④ 시간의 흐름에 따른 인물의 내면 심리에 초점을 맞춘다.
⑤ 문어체와 한문투의 말을 구사하여 입체적으로 서술한다.

출제 예감

3 수능형 〈보기〉를 참고할 때, 이 작품에서 말하고자 하는 바로 적절하지 않은 것은?

보기

장끼는 까투리의 만류에도 불구하고 콩을 먹으려다가 덫에 걸린다. 또한 장끼는 죽으면서도 까투리에게 수절을 당부하지만, 까투리는 이 부탁을 받아들이지 않고 마음에 드는 홀아비 장끼를 만나서 당당하게 개가한다. 이렇게 까투리가 자신의 행복을 위해 수절을 포기하는 행위는 남성 중심의 전근대적 사회 제도에서 벗어나 여성의 자아를 실현하려는 진보적 의식의 소산이라 할 수 있다.

① 독선적인 가장의 권위에 대한 풍자
② 개가(改嫁)를 금하는 당대 인습에 대한 도전
③ 부정적 현실을 극복할 수 있는 영웅적 능력의 필요성
④ 여성의 말이라고 무시해 버리는 남존여비의 태도 비판
⑤ 타인의 충고도 겸손히 받아들일 줄 아는 아량의 필요성

출제 예감

4 이 작품에 나타난 '장끼'의 태도와 관계 깊은 한자 성어로 가장 적절한 것은?

① 마이동풍(馬耳東風)
② 당랑거철(螳螂拒轍)
③ 곡학아세(曲學阿世)
④ 조삼모사(朝三暮四)
⑤ 배은망덕(背恩忘德)

5 이 작품에서 중국의 고사가 인용된 부분을 찾아 다음과 같이 정리하였을 때, A와 B에 들어갈 고사를 바르게 연결한 것은?

인용 고사	강조 내용	효과 및 한계
A	취할 것과 취하지 않을 것을 분명하게 구별하여 행동함	장끼에게 콩을 먹지 말도록 권유하는 까투리의 마음을 전하는 적절한 인용이었으나, 장끼가 까투리의 말과 반대되는 예를 듦으로써 목적 달성에 실패함
B	남의 충고를 듣지 않다가 망함	

	A	B
①	장자방, 굴삼려	백이숙제, 진시황, 초패왕
②	진시황, 굴삼려	백이숙제, 장자방, 초패왕
③	백이숙제, 장자방	진시황, 초패왕, 굴삼려
④	진시황, 초패왕, 굴삼려	백이숙제, 장자방
⑤	백이숙제, 장자방, 진시황	초패왕, 굴삼려

6 이 작품을 연극으로 꾸미고자 할 때, 감독이 '까투리' 역을 맡은 배우에게 요구할 사항으로 적절한 것은?

① 불안하고 초조해하는 목소리로 연기해 주세요.
② 자신 있어 하며 우렁찬 목소리로 연기해 주세요.
③ 조심스러워하며 떨리는 목소리로 연기해 주세요.
④ 답답해하며 하소연하는 목소리로 연기해 주세요.
⑤ 수치스러워하며 화가 난 목소리로 연기해 주세요.

7 고난도 ㉠에 나타난 논리적 오류와 가장 유사한 것은?

① 넌 내 편이 아니니까 무조건 적이야.
② 그녀는 눈, 코, 입술이 예뻐. 틀림없이 미인일 거야.
③ 그가 구속되면 그의 아이들이 굶주리게 되므로 선처를 부탁드립니다.
④ 하나를 알면 열을 안다고, 네가 지금 행동하는 것을 보니 형편없는 애구나.
⑤ 그와 같이 공부해서는 안 돼. 저번 약속에 30분이나 늦은 비인격적인 사람이니까.

8 서술형 이 작품에서 '장끼'가 죽게 된 원인을 등장인물의 성격에 비추어 서술하시오.

비책

26 심청가(沈淸歌)

[아니리] 그날 밤을 새노라니 아해는 기진(氣盡)하고 어둔 눈은 더욱 침침하고 눈물로 날을 새었겄다.

[자진모리] 우물가 두레박 소리 얼른 듣고 나설 제 한 품에 아해를 안고 한 품에 지팡이 흩어 짚고 더듬더듬 우물가 찾어가서,

[A]여보시오 부인님네 초칠 안에 어미 잃고 기허(氣虛)하여 죽게 되니 이 애 젖 좀 먹여 주오.

[B]《우물가에 오신 부인 철석(鐵石)인들 아니 주며 도척인들(중국 춘추 시대의 큰 도적으로, 매우 악한 사람을 비유함) 아니 주랴. 젖을 많이 먹여 주며, 한 부인이 하는 말이, 여보시오 봉사님. 예. 이 집에도 아해가 있고 저 집에도 아해가 있으니 자조자조 다니시면 내 자식 못 먹인들 차마 그 애를 굶기리까. 심 봉사 좋아라고, 허허 감사하고 수복강녕 하옵소서. 이 집 저 집 다닐 적에 삼베 질삼 허노라고 히히하하 웃음소리 얼른 듣고 들어가, 여보시오 부인님네 인사는 아니오나 이 애 젖 좀 먹여 주오. 오뉴월 뙤약볕에 김매고 쉬는 부인 더듬더듬 찾아가서, 여보시오 부인님네 이 애 젖 좀 먹여 주오. 젖 있는 부인들은 젖을 많이 먹여 주고 젖 없난 부인들은 돈돈씩 채워 주고 돈 없난 부인들은 쌀 되씩 떠 주며, 암쌀(어린 아이에게 젖 대신 먹일 수 있는 암죽을 쑤는 데 필요한 쌀)이나 하여 주오. 심 봉사 좋아라고, 허허 감사허오 만수무강하옵소서. 젖을 많이 먹여 안고 집으로 돌아올 제 어덕('언덕'의 방언) 밑에 쭈구려 앉어 아히를 어른다. 허허 이 자식이 배가 빵빵허구나.》〈중략〉

소주제 1 동네 부인들에게 젖동냥을 하며 □□을 키우는 심 봉사

[중모리] "예, 소맹(小盲)이 아뢰리다. 예, 소맹 아뢰리다. 소맹이 사옵기는, 황주 도화동이 고토(故土)(고향 땅)옵고, 성명은 심학규요. 을축년 정월달에, 산후경(아이를 낳고 나서 조리를 제대로 못하여 생기는 여러 가지 병)으로 상처하고, 어미 잃은 딸자식을 강보에다 싸서 안고 이 집 저 집을 다니면서 동냥젖 얻어 먹여 겨우 겨우 길러 내어 십오 세가 되었는데, 효성이 출천(하늘이 냄)하여 애비 눈을 띄인다고 남경 장사 선인들께 삼백 석에 몸이 팔려 인당수(印塘水) 제수(祭需)로 죽은 지가 우금(지금에 이르기까지) 삼 년이요. 눈도 뜨지를 못하옵고 자식만 죽었으니 자식 팔아먹은 놈을 살려 두어 쓸데 있소. 당장에 목숨을 끊어 주오."

소주제 2 심 봉사가 심청에게 그간의 □□을 이야기함

[자진모리] 심 황후 이 말 듣고 기가 막혀 산호 주렴 걷어 버리고, 보선발로 우루우루 부친의 목을 안고,

"아이고 아버지."

심 봉사 깜짝 놀라,

"아니, 뉘가 날더러 아버지여. 나는 아들도 없고, 딸도 없소. 무남독녀 내 딸 청이 물에 빠져 죽은 지가 우금(于今) 수삼 년이 되었는데 누가 날더러 아버지여."

"아이고 아버지, 여태 눈을 못 뜨셨소. 인당수 깊은 물에 빠져 죽은 청이가 살아서 여기 왔소. 아버지는 눈을 뜨셔 저를 급히 보옵소서."

심 봉사가 이 말을 듣더니, 어쩔 줄을 모르는구나.

"에이 아니 청이라니 청이라니 이것이 웬일이냐. 내가 지금 죽어 수궁에 들어왔느냐. 내가 지금 꿈을 꾸느냐. 죽고 없는 내 딸 청이 이곳이 어데라고 살아오다니 웬 말이냐. 내 딸이면 어디 보자. 아이고, 내가 눈이 있어야 내 딸을 보지. 아이고 답답하여라. 어디 어디 어디 내 딸 좀 보자."

두 눈을 끔적 끔적 끔적하더니 부처님의 도술로 두 눈을 번쩍 떴구나.

소주제 3 심 봉사와 청이가 극적으로 상봉하고 심 봉사가 □을 뜸

[아니리] 심 봉사 눈 뜬 훈김(권세 있는 사람의 세력이나 그 영향을 비유적으로 이르는 말)에 모도 따라서 눈을 뜨는데,

[㉠] 만좌(滿坐) 맹인이 눈을 뜬다. 전라도 순창 담양(淳昌潭陽) 새갈모(베를 짜기 위해 칡덩굴을 가늘게 찢어 실처럼 만들어 놓은 것) 떼는 소리라. 짝 짝 짝

작품 개관

- 갈래 판소리 사설
- 성격 교훈적, 해학적, 비현실적
- 배경 [시간적] 송나라 말년
  [공간적] 황주 도화동, 중국 황성
- 주제
  ① 부모에 대한 지극한 효성
  ② 인과응보(因果應報)
- 특징
  ① 여러 사람들의 참여에 의해 첨삭된 적층 문학의 성격을 지님
  ② 일상어와 한문 투의 표현이 혼재되어 사용됨
  ③ 열거와 의태어, 언어유희 등을 사용하여 해학적으로 표현함

1등급 노트

1. 형성 과정

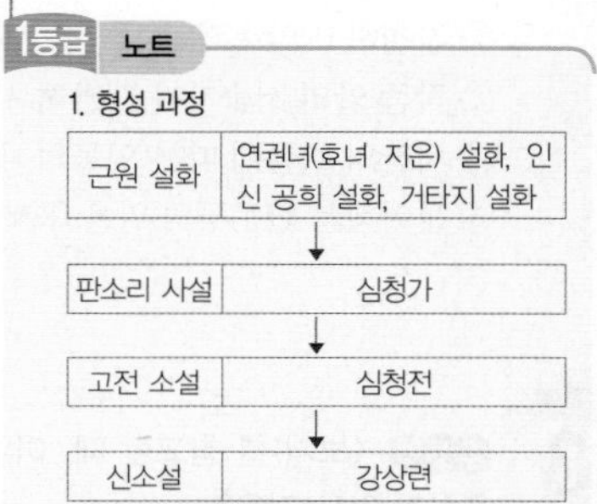

근원 설화	연권녀(효녀 지은) 설화, 인신 공희 설화, 거타지 설화
판소리 사설	심청가
고전 소설	심청전
신소설	강상련

2. 판소리 장단의 변화
- 자진모리 : 비교적 빠른 판소리 장단으로, 주로 급한 일이 벌어지거나 분주한 대목에 쓰이며 역동적인 느낌을 줌 – 심 봉사가 동네 부인들에게 젖동냥을 하며 심청을 키우는 장면 등
- 중모리 : 조금 느린 장단으로, 사연을 담담히 서술하거나 서정적인 대목에서 주로 사용됨 – 심 봉사가 심청에게 그간의 사연을 이야기하는 장면 등

3. 인물의 특성
- 심청 : 아버지를 위해 자신의 몸을 제물로 바치는 희생적 인물
- 심 봉사 : 심청의 아버지, 홀로 심청을 지극정성으로 키우고, 후에 황후가 된 심청을 만나 눈을 뜨게 됨

정답과 해설 23쪽

하더니 모도 눈을 떠 버리는구나. 석 달 동안 큰 잔치에, 먼저 나와 참예하고 나려간 맹인들도 저희 집에서 눈을 뜨고, 미처 당도 못한 맹인 중로(中路)에서 눈을 뜨고 가다가 뜨고 오다가 뜨고 서서 뜨고 앉아 뜨고 실없이 뜨고 어이없이 뜨고 화내다 뜨고 울다 뜨고 웃다 뜨고 떠 보느라고 뜨고 시원히 뜨고 일하다 뜨고 눈을 비벼 보다 뜨고 지어비금주수(至於飛禽走獸)라도 눈먼 짐생까지도 모도 다 눈을 떠서 광명 천지(光明天地)가 되었구나.

지어비금주수(至於飛禽走獸): 날짐승과 길짐승에 이르기까지

소주제 ④ □□ □□에 참여한 모든 맹인이 눈을 뜸

– 작자 미상

소주제 체크
1. 심청 2. 사연 3. 눈 4. 맹인 잔치

1 이 작품에 대한 설명으로 적절하지 않은 것은?

① 사설의 내용에 따라 장단이 변화한다.
② 일상적인 구어체의 사용이 두드러진다.
③ 운문적 요소와 산문적 요소가 혼재되어 나타난다.
④ 지배 계층의 권위에 맞서는 서민층의 모습이 드러난다.
⑤ 서술자가 극중 상황을 직접 제시하여 장면에 대해 설명하기도 한다.

출제 예감
2 이 작품의 변천 과정을 정리한 것이다. ㉮와 ㉯에 들어갈 알맞은 작품명을 쓰시오.

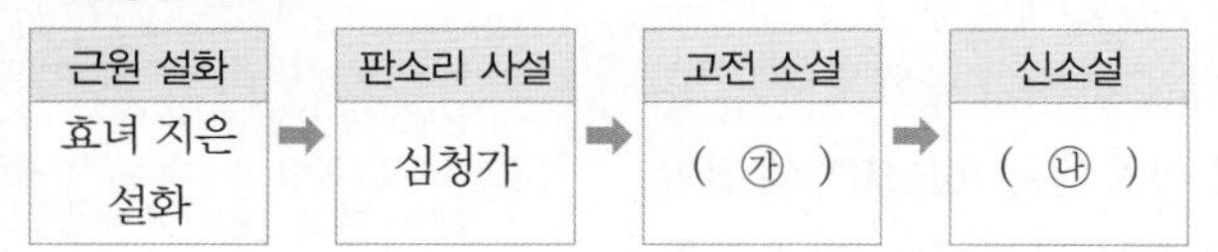

3 수능형 이 작품에서 〈보기〉의 밑줄 친 부분과 유사한 역할을 하는 공간은?

> 보기
> 이때, 곰 한 마리와 범 한 마리가 같은 굴에서 살았는데, 늘 환웅에게 사람 되기를 빌었다. 때마침 환웅이 신령한 쑥과 마늘을 주면서 말했다.
> "너희들이 이것을 먹고 백 일 동안 햇빛을 보지 않는다면, 곧 사람이 될 것이다."
> 곰과 범은 이것을 받아서 먹었다. 곰은 그것을 먹고 삼칠일(21일) 만에 여자의 몸이 되었으나, 범은 능히 참지 못하고 나가 버렸으므로 사람이 되지 못했다.
> – 작자 미상, 〈단군 신화〉

① 우물가 ② 도화동 ③ 남경
④ 인당수 ⑤ 순창 담양

4 [A]에 나타난 '심 봉사'의 말하기 방식으로 가장 적절한 것은?

① 환심을 얻기 위해 상대방의 비위를 맞추고 있다.
② 자신의 생각만을 주장하며 상대방을 설득하고 있다.
③ 자신의 본심을 드러내기 위해 상황을 합리화하고 있다.
④ 논리적인 이유를 분석하여 상황의 필연성을 드러내고 있다.
⑤ 부정적 상황을 드러내어 상대방의 동정심을 유도하고 있다.

출제 예감
5 고난도 [B]에서 '심 봉사'를 대하는 '부인들'의 태도와 가장 유사한 것은?

① 어와 저 조카야 밥 없이 어찌할꼬.
어와 저 아재야 옷 없이 어찌할꼬.
험한 일 다 일러스라 돌보고자 하노라.
② 남으로 태어난 중에 벗처럼 유신(有信)하랴.
내의 그릇된 일을 다 닐오려 하노매라.
이 몸이 벗님곳 아니면 사람 되미 쉬울가.
③ 형아 아우야 네 살을 만져 보아
누구에게서 태어났관대 모습조차 같은 것인가.
한 젖 먹고 자랐으니 딴 마음을 먹지 마라.
④ 비록 못 입어도 남의 옷을 빼앗지 마라.
비록 못 먹어도 남의 밥을 빌어먹지 마라.
한 번이라도 때 묻은 후면 고텨 씻기 어려우리.
⑤ 어버이 사라진 제 셤길 일란 다하여라.
지나간 후면 애닯다 엇디하리.
평생애 고텨 못할 일이 이뿐인가 하노라.

6 ㉠에 어울리는 판소리 장단으로 가장 적절한 것은?

① 가장 느린 장단으로, 극적 전개가 슬프거나 비장한 대목에서 쓰이는 진양조장단
② 조금 느린 장단으로, 사연을 담담히 서술하거나 서정적인 대목에서 쓰이는 중모리장단
③ 중모리장단보다 조금 빠른 장단으로, 춤을 추거나 활보하는 대목에서 쓰이는 중중모리장단
④ 가장 빠른 장단으로, 어떤 일이 매우 빠르게 벌어지는 대목에 쓰여 긴박감과 생동감을 주는 휘모리장단
⑤ 비교적 빠른 장단으로, 어떤 일이 차례로 벌어지거나 여러 가지 사건을 늘어놓는 대목에서 쓰이는 자진모리장단

7 서술형 〈보기〉를 통해 알 수 있는 '심 봉사'의 성격과 심리를 간략하게 서술하시오.

> 보기
> • 소경의 처지로 딸아이의 젖동냥을 다닌다.
> • 자신의 눈을 뜨기 위해 자식을 팔았다고 생각한다.

27 흥보가(興甫歌)

[아니리] 흥보가 들어오며, "여보 마누라, 없이 사는 살림에 날마다 눈물만 짜니 무슨 재수가 있겠소. 나 오늘 읍내 좀 갔다 올라요.", "읍내는 무엇하러 가실라요.", "환자(還子) 맡은 호방(조선 시대에, 지방 관아에 속하여 호구, 전곡 등에 관한 일을 맡아보던 구실아치)한테 환자(곡식을 창고에 저장하였다가 백성들에게 봄에 꾸어 주고 가을에 이자를 붙여 거두던 일) 섬이나 얻어서 굶는 자식들 살려야 하지 않겠소.", "내라도 안 줄 테니 가지 마오.", "구사일생이지 누가 믿고 가나. 내 갓 좀 내오오.", "갓은 어디다 두었소.", "굴뚝 속에 두었지.", "어째서 굴뚝 속에다 두었소.", "그런 것이 아니라 신묘년 조대비(趙大妃) 국상(國喪) 시에 백립(白笠) 갓양(갓 모자의 밑둘레 밖으로, 둥글넓적하게 된 부분)이 단단하다 해서 끄름에 끄슬려 쓰려고 굴뚝 속에다 두었지. 내 도복(道服) 좀 내오오.", "도복은 어디다 두었소.", "장 안에 들었지.", "아니 여보, ㉠우리 집에 무슨 장이 있단 말이오.", "허허 이 사람아 닭구장은 장이 아닌가." 흥보가 치장을 채리고 질청(秩廳)(군아(郡衙)에서 구실아치가 일을 보던 곳)을 들어가는듸,

[A] [자진모리] 흥보가 들어간다, 흥보가 들어간다. 흥보 치레를 볼작시면 철대 부러진 헌 파립(破笠)(해어지거나 찢어져서 못 쓰게 된 갓) •버레줄 총총 매여 조사 갓끈(낚싯줄로 만든 갓끈) 달아 쓰고 편자 떨어진 헌 망건(網巾) 밥풀 관자(貫子)(망건에 달아 당줄을 꿰는 작은 단추 모양의 고리) 노당줄을 뒤통 나게 졸라매고 떨어진 헌 도포(道袍) 실띠로 총총 이어 고픈 배 눌러 띠고 한 손에다가 곱돌 조대를 들고 또 한 손에다가는 떨어진 부채 들고 죽어도 양반이라고 여덟팔자걸음으로 어식비식 건너간다.

소주제 ❶ □□를 얻으러 가는 흥보

[아니리] 흥보가 들어가며 별안간 걱정이 하나 생겼지. "내가 아모리 궁핍할망정 그래도 반남 박씨(潘南朴氏) 양반인듸 호방을 보고 허게를 하나 존경(尊敬)을 할까. 아서라 말은 하되 끝은 짓지 말고 웃음으로 얼리는 수밖에 없다." 질청으로 들어가니 호방이 문을 열고 나오다가, "박 생원 들어오시오?", "호방 본 지 오래군.", "어찌 오셨소.", "양도(糧道)가 부족(不足)해서 환자 한 섬만 주시면 가을에 착실히 갚을 테니 호방 생각이 어떨는지. 하하하.", "박 생원, 품 하나 팔아 보오.", "돈 생길 품이라면 팔고말고.", "다른 게 아니라 우리 고을 •좌수(座首)가 병영 영문(兵營營門)에 잡혔는듸 좌수 대신 가서 곤장 열 대만 맞으면 한 대에 석 냥씩 서른 냥은 꼽아 논 돈이오. 말 타고 가라고 해서 마삯까지 닷 냥 제시했으니 그 품 하나 팔아 보오.", "돈 생길 품이니 가고말고. 매품 팔러 가는 놈이 말 타고 갈 것 없고 내 발로 다녀올 테니 그 돈 닷 냥을 나를 내어 주지." 〈중략〉

소주제 ❷ 곡식을 빌리러 갔다가 □□을 팔기로 한 흥보

[진양조] "가지 마오 가지 마오 불쌍한 영감 가지를 마오. 천불생무연지인이요 지부장무명지초라. 하늘이 무너져도 솟아날 궁기가 있는 법이니 설마한들 죽사리까. 제발 덕분에 가지 마오. 병영 영문 곤장 한 대를 맞고 보면 종신 골병이 된답디다. 여보 영감 불쌍한 우리 영감 가지를 마오."

[아니리] 흥보 자식들이 저의 어머니 울음소리를 듣고 물소리 들은 거우 모양으로 고개를 들고, "아버지, 병영 가십니까.", "오냐 병영 간다.", "아버지, 병영 갔다 오실 때 나 •풍안(風眼) 하나 사다 주시오.", "풍안은 무엇할래.", "뒷동산에 가서 나무할 때 쓰고 하면 먼지 한 점 안 들고 좋지요." 흥보 큰아들놈이 나앉으며, "아이구 아버지.", "이 자식아, 너는 왜 또 부르느냐.", "아버지, 병영 갔다 오실 때 나 각씨(閣氏) 하나 사다 주시오.", "각씨는 무엇할래.", "아버지 어머니 재산(財産) 없어 날 못 여워 주니 데리고 막걸리 장사할라요."

소주제 ❸ 매품팔이를 □□하는 흥보 아내와 철없는 요구를 하는 흥보 자식들

[아니리] 방울이 떨렁, 사령이 "예에이." 야단(惹端)났지. 흥보가 •삼문(三門) 간에 들어서서 가만히 굽어보니 죄인(罪人)이 볼기를 맞거늘, 그 사람들도 돈 벌러 온 줄 알고, ㉮"저 사람들은 먼저 와서 돈 수백 냥(數百兩) 번다. 나도 볼기 까고 엎드려 볼까?" 엎드려 노니, 사령 한 쌍이 나오다가, "병영이 설치(設置)된 후로 볼기 전(廛) 보는 놈이 생겼구나." 사령 중에 뜻밖에 흥보를 아는 사람이 있던가. "아니 박 생원 아니시오.", "알아맞혔구만그려.", "당신 곯았소.", "곯다니, 계

작품 개관

- 갈래 판소리 사설
- 성격 풍자적, 해학적, 교훈적
- 배경 [시간적] 조선 후기
  [공간적] 경상과 전라의 접경
- 주제
  [표면적] 형제간의 우애와 권선징악
  [이면적] 빈농과 부농의 갈등
- 특징
  ① 운문과 산문이 혼재되어 나타남
  ② 인물의 성격과 사건의 진행을 풍자와 해학을 통해 표현함
  ③ 일상적인 언어와 현재형의 문장을 사용함

1등급 노트

1. 형성 과정

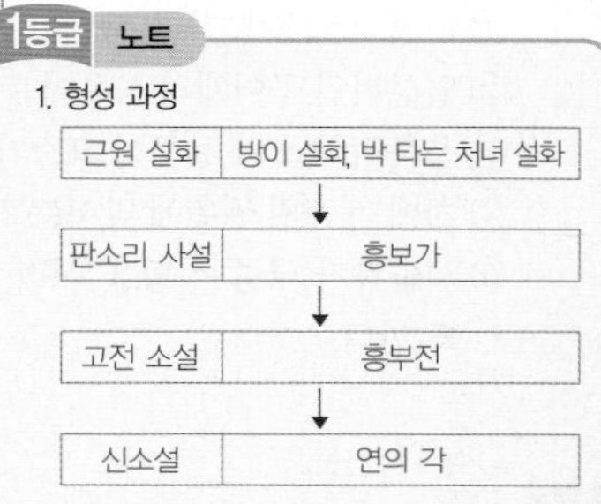

2. 주제 의식
- 표면적 : 형제간의 우애와 권선징악, 개과천선(유교적 도덕률)
- 이면적
  - 놀보에 치우칠 경우 : 평민 의식의 성장과 양반 사회의 쇠퇴
  - 흥보에 치우칠 경우 : 배금주의(拜金主義)의 배격과 성실한 인간상 옹호

3. 매품팔이의 의미
돈으로 죄를 대신할 수 있었던 당대의 부패상을 드러내는 요소이며, 자본주의적 관념이 팽배해진 조선 후기 농촌 현실에서 그렇게도 돈을 벌어야 했던 빈민의 모습을 상징적으로 보여 줌

더 알아보기

◆ 판소리 사설의 특징
판소리 사설이란, 일반적으로 판소리에서 음악적 요소를 제외한 사설의 의미로 이해될 수 있다. 판소리가 연행에 의해 완성되는 현장 예술이기에 판소리 사설은 구성·주제·문체 등 여러 측면에서 기록 서사물과는 다른 독특한 특징을 드러낸다.
- 개방성 : 한 개인의 창작물이 아니라 광대들의 구비 전승을 통해 첨삭되는 것이므로, 서사의 기본 골격은 대체로 유지되지만, 서사 진행과 직접 관련되지 않는 삽화나 삽입 가요, 재담 등의 출입이 개방적인 편임
- 부분의 독자성 : 사설을 구성하고 있는 각 대목들이 상당한 독립성을 지니며 각 대목의 흥미와 감동을 극대화하기 위해 독자적으로 확장됨
- 주제의 양면성 : 사건의 시말(始末)을 통해 표면에 봉건적 가치관을 적극 옹호하면서도, 이면에는 그것을 부정하는 새 가치관을 제시함. 이는 판소리를 향유하는 과정에서 서민층과 양반층, 보수적 취향과 진보적 취향 관중들의 상반된 요구를 함께 수렴해야 했기 때문임

정답과 해설 23쪽

란(鷄卵)이 곯지 사람이 곯아. 그래 어쨌단 말인가.", "박 생원 대신이라고 와서 곤장 열 대 맞고 돈 서른 냥 받아 가지고 벌써 떠나갔소." 흥보가 기가 막혀, "그놈이 어떻게 생겼든가.", "키가 구 척(九尺)이요 방울눈에 기운(氣運)이 좋습디다." 흥보가 이 말을 듣더니, "허허 전날 밤에 우리 마누라가 밤새도록 울더니마는 옆집 꾀수란 놈이 발등거리를 하였구나."

소주제 4 흥보가 매품팔이에 □□함

– 작자 미상

• 문체의 독특성 : 판소리 사설은 음악과 결합되어 구연되기 때문에 문장의 율문성을 보임. 문어체와 구어체가 복합된 이중적 문체가 나타나기도 하는데, 이를 통해 관중들에게 상이한 언어적 쾌감을 제공하는 한편, 이들의 반복적 교체를 통해 단조로움에서 오는 지리함을 극복할 수 있게 함

어휘 다지기

- 버레줄 : 물건이 버틸 수 있도록 이리저리 얽어매는 줄
- 좌수(座首) : 조선 시대에, 지방의 자치 기구인 향청의 우두머리
- 풍안(風眼) : 바람과 티끌을 막으려고 쓰는 안경
- 삼문(三門) : 대궐이나 관청 앞에 세운 세 문. 정문, 동협문, 서협문이 한 문을 이름

소주제 체크

1. 환자 2. 매품 3. 만류 4. 실패

1 이 작품에 대한 설명으로 가장 적절한 것은?

① 고종 때 신재효가 직접 창작한 작품이다.
② 개화기 때 이인직의 신소설 〈옥중화〉로 개작되었다.
③ 구전되던 설화를 바탕으로 이루어진 적층 문학이다.
④ 후대에 영웅 소설적 요소가 첨가되어 소설로도 인기를 끌었다.
⑤ 양반에 대한 신랄한 비판과 풍자가 두드러져 서민층에서만 향유되었다.

2 이 작품의 등장인물에 대한 설명으로 적절하지 않은 것은?

① 흥보는 매품팔이를 결국 실패하고 돌아온다.
② 흥보의 아내는 남편의 안위를 진심으로 걱정하고 있다.
③ 흥보의 큰아들은 매품팔이를 가려는 흥보를 끝까지 만류하였다.
④ 흥보는 가족들을 부양하려는 가장으로서의 책임감을 느끼고 있다.
⑤ 흥보는 가난한 처지이지만 양반의 체통을 지키기 위해 애쓰고 있다.

3 이 작품의 근원 설화와 관계 깊은 것은?

① 구토지설　② 연권녀 설화　③ 구부총 설화
④ 지리산녀 설화　⑤ 박 타는 처녀 설화

4 〈보기〉와 ㉮에 공통적으로 나타나는 미의식을 쓰시오.

보기

비 내여 아즐가 비 내여 노흔다 샤공아
　위 두어렁셩 두어렁셩 다링디리
네 가시 아즐가 네 가시 럼난디 몰라셔
　위 두어렁셩 두어렁셩 다링디리
녈 비예 아즐가 녈 비예 연즌다 샤공아
　위 두어렁셩 두어렁셩 다링디리
대동강(大同江) 아즐가 대동강(大同江) 건너편 고즐여
　위 두어렁셩 두어렁셩 다링디리
비 타 들면 아즐가 비 타 들면 것고리이다 나는

– 작자 미상, 〈서경별곡〉

출제 예감

5 발상 및 표현 방식이 ㉠과 다른 것은?

① 운봉의 갈비를 직신, "갈비 한 대 먹고 지고."
② "어 추워라, 문 들어온다, 바람 닫아라. 물 마르다, 목 들여라."
③ "올라간 이 도령인지 삼 도령인지, 그놈의 자식은 일거후 무소식 하니."
④ "개잘량이라는 '양' 자에, 개다리소반이라는 '반' 자 쓰는 양반이 나오신단 말이오."
⑤ "잘되었네, 잘되었네, 열녀 춘향 신세가 잘되었네! 책방에 계실 때는 보고 보고 또 보아도 귀골(貴骨)로만 생겼더니 믿고 믿고 믿었더니 믿었던 일이 모두 허사로구나."

출제 예감

6 수능형 [A]에 대한 설명으로 가장 적절한 것은?

① 극적인 사건을 장황하게 나열하여 긴장감을 유발한다.
② 인물의 심리와 대조적인 상황 묘사를 통해 비장미를 연출한다.
③ 유쾌하고 흥미로운 장면을 통해 인물의 내면 심리를 드러낸다.
④ 체통을 중시하는 인물의 외양 묘사를 통해 양반의 권위와 지조를 부각한다.
⑤ 초라한 옷차림을 장황하게 묘사하여 비참한 상황 속에서도 웃음을 자아낸다.

7 이 작품에 대한 감상으로 적절하지 않은 것은?

① 유라 : 한자어의 사용을 배제하고 있어.
② 민주 : 익살스러운 표현을 통해 웃음을 유발하고 있어.
③ 경수 : 주요 사건을 통해 당시의 시대상을 짐작할 수 있어.
④ 윤석 : 인물의 성격은 보여 주기 방식으로 형상화되고 있어.
⑤ 화영 : 일상 언어와 현재형 문장을 사용하여 사실감을 높이고 있어.

8 서술형 '흥보'가 '매품팔이'를 하는 모습에서 알 수 있는 당대의 사회상에 대해 서술하시오.

28 통곡할 만한 자리

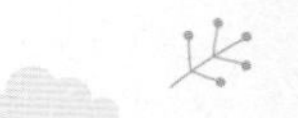

㉠나는 오늘에서야 비로소 사람이란 본디 어디고 붙어 의지하는 데가 없이 다만 하늘을 이고 땅을 밟은 채 다니는 존재임을 알았다.

말을 멈추고 사방을 돌아보다가 나도 모르게 손을 이마에 대고 말했다.

"좋은 울음터로다. 한바탕 울어 볼 만하구나!" 소주제 ❶ [기] 요동 벌판을 보고 좋은 □□□라고 생각함

정 진사가, / "이 천지간에 이런 넓은 안계(眼界)(눈으로 바라볼 수 있는 범위, 시야)를 만나 홀연 울고 싶다니 그 무슨 말씀이오?"

하기에 나는, / "참 그렇겠네. 그러나 아니거든! 〈중략〉 사람들은 다만 안다는 것이 희로애락애오욕(喜怒哀樂愛惡欲) 칠정(七情) 중에서 '슬픈 감정〔哀〕'만이 울음을 자아내는 줄 알았지, 칠정이 모두 울음을 자아내는 줄은 모를 겝니다. 기쁨〔喜〕이 극에 달하면 울게 되고, 노여움〔怒〕이 사무치면 울게 되고, 즐거움〔樂〕이 극에 달하면 울게 되고, 사랑〔愛〕이 사무치면 울게 되고, 미움〔惡〕이 극에 달하여도 울게 되고, 욕심〔欲〕이 사무치면 울게 되니, ㉡답답하고 울적한 감정을 확 풀어 버리는 것으로 소리쳐 우는 것보다 더 빠른 방법은 없소이다. 울음이란 천지간에 있어서 뇌성벽력(雷聲霹靂)(천둥소리와 벼락)에 비할 수 있는 게요. 복받쳐 나오는 감정이 이치에 맞아 터지는 것이 웃음과 뭐 다르리요? / 사람들의 보통 감정은 이러한 지극한 감정을 겪어 보지도 못한 채 교묘하게 칠정을 늘어놓고 '슬픈 감정〔哀〕'에다 울음을 짜 맞춘 것이오. 이러므로 사람이 죽어 초상을 치를 때 이내 억지로라도 '아이고', '어이'라고 부르짖는 것이지요. 그러나 정말 칠정에서 우러나오는 지극하고 참다운 소리는 참고 억눌리어 천지 사이에 쌓이고 맺혀서 감히 터져 나올 수 없소이다. ㉢저 한(漢)나라의 가의(賈誼)(직간을 하다가 귀양을 가게 된 문인)는 자기의 울음터를 얻지 못하고 참다못하여 필경은(끝장에 가서는) 선실(宣室)을 향하여 한번 큰 소리로 울부짖었으니, 어찌 사람들을 놀라게 하지 않을 수 있었으리요."

소주제 ❷ [승] 정 진사에게 □□이 극에 달하면 □□이 된다고 답함

"㉣그래, 지금 울 만한 자리가 저토록 넓으니 나도 당신을 따라 한바탕 통곡을 할 터인데 칠정 가운데 어느 '정'을 골라 울어야 하겠소?"

[A] "갓난아이에게 물어보게나. 아이가 처음 배 밖으로 나오며 느끼는 '정'이란 무엇이오? 처음에는 광명을 볼 것이요, 다음에는 부모 친척들이 눈앞에 가득히 차 있음을 보리니 기쁘고 즐겁지 않을 수 없을 것이오. 이 같은 기쁨과 즐거움은 늙을 때까지 두 번 다시 없을 일인데 슬프고 성이 날 까닭이 있으랴? 그 '정'인즉 응당 즐겁고 웃을 정이련만 도리어 분하고 서러운 생각에 복받쳐서 하염없이 울부짖는다. 혹 누가 말하기를 인생은 잘나나 못나나 죽기는 일반이요, 그 중간에 허물 · 환란 · 근심 · 걱정을 백방으로 겪을 터이니 갓난아이는 세상에 태어난 것을 후회하여 먼저 울어서 제 조문(弔問)(남의 죽음에 대하여 슬퍼하는 뜻을 드러내어 상주(喪主)를 위문함. 또는 그 위문)을 제가 하는 것이라고 한다면 이것은 결코 갓난아이의 본정(본심)이 아닐 겝니다. 아이가 어미 태 속에 자리 잡고 있을 때는 어둡고 갑갑하고 얽매이고 비좁게 지내다가 하루아침에 탁 트인 넓은 곳으로 빠져나오자 팔을 펴고 다리를 뻗어 정신이 시원하게 될 터이니, 어찌 한번 감정이 다하도록 참된 소리를 질러 보지 않을 수 있으랴! 그러므로 갓난아이의 울음소리에는 거짓이 없다는 것을 마땅히 본받아야 하리이다.

소주제 ❸ [전] 칠정 중 갓난아이와 같이 □□과 즐거움으로 울어야 함

작품 개관

- 갈래 한문 수필, 기행문
- 성격 체험적, 논리적, 비유적, 교훈적, 사색적, 독창적
- 주제 광활한 요동 벌판을 보고 느끼는 감회
- 특징
  ① 문답의 방식으로 내용을 전개함
  ② 발상의 전환과 분석, 적절한 비유를 통해 공감을 불러일으킴
  ③ 풍경 묘사보다는 자신의 의견을 전개하는 데 초점을 맞춤

1등급 노트

1. 정 진사와 글쓴이의 사고 비교

구분	정 진사	글쓴이
요동 벌판	광활한 장관에 대해 경탄함	한바탕 울어 볼 만한 곳이라 생각함
울음	슬플 때 나옴	감정이 극에 달할 때 나옴
관점	일반적 · 보편적	개성적 · 창의적

2. 이 글의 구조

구분		내용
기		글쓴이가 요동 벌판을 보고 좋은 울음터라고 함
승	문	정 진사가 글쓴이에게 울고 싶은 까닭을 물음
	답	글쓴이는 칠정이 극에 달하면 울게 된다고 답함
전	문	정 진사가 칠정 가운데 어느 정을 골라 울어야 하는지 물음
	답	갓난아이처럼 기쁨과 즐거움으로 울어야 한다고 답함
결		요동 벌판의 광활한 풍경을 바라보며 통곡할 만한 자리임을 확인함

더 알아보기

◆ 《열하일기(熱河日記)》

연암 박지원의 중국 기행문집으로 1780년(정조 4년) 박지원이 팔촌 형인 박명원을 따라 청나라 고종의 칠순 기념 연회에 가는 도중, 열하의 문인들, 북경의 명사들과 사귀면서 그곳 문물과 제도를 견문한 바를 각 분야별로 나누어 기록한 것이다. 중국의 역사 · 지리 · 풍속 · 토목 · 건축 · 정치 · 경제 · 문화 · 예술 등 광범위한 분야에 대한 내용이 상세하게 기록되어 있어, 조선 기행문의 백미(白眉)로 꼽힌다.

정답과 해설 23쪽

비로봉(毘盧峰) 꼭대기에서 동해 바다를 굽어보는 곳에 한바탕 통곡할 '자리'를 잡을 것이요, 황해도 장연(長淵)의 금사(金沙) 바닷가에 가면 한바탕 통곡할 '자리'를 얻으리니, 오늘 ㉤요동 벌판에 이르러 이로부터 산해관(山海關) 일천이백 리까지의 어간은 [B]《사방에 도무지 한 점 산을 볼 수 없고 하늘가와 땅끝이 풀로 붙인 듯, 실로 꿰맨 듯, 고금에 오고 간 비바람만이 이 속에서 창망할 뿐이니,》 이 역시 한번 통곡할 만한 '자리'가 아니겠소."

산해관: 만리장성의 동쪽 끝 관문
어간: 시간이나 공간의 일정한 사이
창망할: 넓고 멀어 아득함

소주제 4 [결] □□ 벌판이 통곡할 만한 자리임을 확인함

– 박지원

소주제 체크
1. 통곡터 2. 칠정, 통곡 3. 기쁨 4. 요동

1 이 작품에 대한 설명으로 적절하지 <u>않은</u> 것은?

① 글쓴이의 체험이 담겨 있는 기행 수필이다.
② 제문 형식으로 내용과 형식을 긴밀히 연결하고 있다.
③ 일반적인 통념에 반하는 글쓴이의 창의적 발상이 돋보인다.
④ 참신한 비유와 구체적인 예시를 통해 설득력을 높이고 있다.
⑤ 문답의 구성 방식을 통해 글쓴이의 생각을 효과적으로 드러내고 있다.

출제 예감
2 수능형 〈보기〉를 참고하여 [A]를 이해한 내용으로 적절하지 <u>않은</u> 것은?

보기
박지원은 실사구시(實事求是)를 중시하던 실학자로 공리공론(空理空論)만을 일삼던 조선 사회에 답답함을 느끼고 있었다. 1780년 박지원이 청나라 건륭제의 칠순연을 축하하는 사절단을 따라 북경으로 간 것은 이용후생(利用厚生)에 도움이 되는 청나라의 실제적인 생활과 기술을 눈여겨보고 앞선 기술을 배우고자 했기 때문이었다.

① '갓난아이'는 실사구시(實事求是)를 중시하던 글쓴이 자신을 의미한다.
② '배 밖'은 글쓴이가 목격한 요동 벌판을 빗댄 표현임과 동시에 문명이 발달한 중국을 의미한다.
③ '어미 태 속'은 폐쇄적인 조선 사회를 의미한다.
④ '탁 트인 넓은 곳'은 청나라의 넓은 땅과 새로운 문물을 의미한다.
⑤ '참된 소리'는 공리공론(空理空論)만을 일삼던 조선 사회의 모순을 의미한다.

3 [B]를 나타낼 만한 한자 성어로 가장 적절한 것은?

① 과유불급(過猶不及) ② 불치하문(不恥下問)
③ 일망무제(一望無際) ④ 아비규환(阿鼻叫喚)
⑤ 목불인견(目不忍見)

출제 예감
4 ㉠~㉤에 대한 설명으로 적절하지 <u>않은</u> 것은?

① ㉠ : 광활한 자연 앞에서 인간 존재의 왜소함을 깨달은 글쓴이의 인식이 드러난다.
② ㉡ : 울음이 감정을 정화하는 수단으로도 기능함을 설명하고 있다.
③ ㉢ : 참다운 울음을 울지 못했던 사람으로, 글쓴이가 비판적으로 바라보는 대상이다.
④ ㉣ : 정 진사가 울음에 대한 글쓴이의 관점을 어느 정도 이해하고 공감했음을 알 수 있다.
⑤ ㉤ : 글쓴이가 통곡할 만한 자리라고 표현한 곳으로, 아득하고 광활한 공간으로 묘사되고 있다.

5 고난도 이 작품과 〈보기〉를 비교하여 감상한 내용으로 가장 적절한 것은?

보기
집집이 호인(胡人)들은 길의 나와 구경ᄒᆞ니,
의복기 괴려ᄒᆞ여 처음 보기 놀납도다.
머리ᄂᆞᆫ 압흘 ᄶᅡᆨ가 뒤만 ᄯᅡᇂ ᄂᆞ리쳐셔
당ᄉᆞ실노 당긔ᄒᆞ고 말익이을 눌너 쓰며,
일 년 삼백육십 일에 양치 한 번 아니ᄒᆞ여
이ᄲᆞᆯ은 황금이오 손톱은 다섯 치라.
– 홍순학, 〈연행가〉

① 이 작품은 〈보기〉와 달리 엄격한 성리학적 세계관에 입각하여 서술되고 있다.
② 이 작품은 〈보기〉와 달리 글쓴이의 생각보다는 객관적 사실을 나열하고 있다.
③ 〈보기〉는 이 작품과 달리 대화의 형식을 사용하여 내용을 전개해 나가고 있다.
④ 〈보기〉는 이 작품과 달리 호인들의 문화에 대한 경멸적 시선을 드러내고 있다.
⑤ 〈보기〉는 이 작품과 달리 자연의 모습을 통해 기존과 다른 인식을 나타내고 있다.

6 서술형 이 작품의 글쓴이가 울음과 웃음이 다르지 않다고 한 이유에 대해 서술하시오.

비책

29 한중록(閑中錄)

그날 나를 덕성합(德成閤)[창경궁에 있던 전각]으로 오라 하오시니, 그때 오정(午正)[낮 12시] 즈음이나 되는데, ㉠홀연(忽然) 까치가 수(數)를 모르게 경춘전(景春殿)[창경궁 안의 내전]을 에워싸고 우니, 그는 어인 증조[징조, 조짐]런고? 고이하여[이상하게 생각하여], 그때 세손(世孫)[임금의 맏손자]이 환경전[창경궁 안의 내전]에 겨오신지라, 내 마음이 황황(遑遑)한[마음이 급하여 어쩔 줄 모르는] 중, 세손 몸이 어찌 될 줄 몰라 그리 나려가, 세손다려 아모 일이 있어도 놀라지 말고 마음 단단히 먹으라 천만 당부하고 아모리 할 줄을 모르더니, 거동이 지체하야 미시(未時)[오후 1~3시] 후나 휘령전(徽寧殿)[영조의 원비(元妃)였던 정성 왕후의 위패를 모신 전각]으로 오오시는 말이 있더니,

소주제 ❶ 홍씨의 □□□ 예감과 세손에게의 당부

그리할 제, 소조(小朝)[왕세자인 사도 세자]에서 나를 덕성합으로 오라 재촉하오시기 가 뵈오니, 그 장하신 기운과 부호(富豪)하신[호탕하고 풍부하신] 언사도 아니 겨오시고, 고개를 숙여 침사 상량(沈思商量)[깊이 생각함]하야 벽에 의지하야 앉아 겨오신데, 안색을 나오사[고치시어] 혈기 감하오시고[혈기 없이] 나를 보오시니, 응당 화증을 내오셔 오작지 아니 하실 듯, 내 명(命)이 그 날 마치일 줄 스스로 염려하야 세손을 경계 부탁하고 왔더니, 사기(辭氣)[말씀과 기운] 생각과 다르오셔 날다려 하시대,

"아마도 고이하니, 자네는 좋이[별 탈 없이 잘] 살겠네. 그 뜻들이 무서외."

하시기 내 눈물을 드리워 말없이 허황하야[당황하여] 손을 비비이고 앉았더니, 〈중략〉 다 그리 할 제 날이 늦고 재촉하야 나가시니, 대조(大朝)께서 휘령전에 좌하시고, 칼을 안으시고 두다리오시며 그 처분을 하시게 되니, 차마 차마 망극하니, 이 경상(景狀)을 내 차마 기록하리오? 섧고 섧도다.

소주제 ❷ 자신의 죽음에 대한 □□ □□의 예감

[A] 나가시며, 즉시 대조께서는 엄노(嚴怒)하신 성음(聲音)이 들리오니, 휘령전이 덕성합과 머지 아니하니, 담 밑에 사람을 보내어 보니, 발써 용포를 벗고 엎대어 겨오시더라 하니, 대처분(大處分)이 오신 줄 알고, 천지 망극하야 흉장(胸腸)이 붕렬(崩裂)하는지라.[가슴이 무너지고 찢어지는지라]

게 있어 부질없어, 세손 겨신 데로 와 서로 붙들고 아모리 할 줄을 모르더니, 신시(申時)[오후 3~5시] 전후 즈음에 내관(內官)이 들어와 밧소주방〔外所廚房 : 외소주방〕[대궐의 음식을 만드는 곳]에 쌀 담는 궤를 내라 한다 하니, 어찐 말인고? 황황하야 내지 못하고, 세손궁(世孫宮)이 망극한 거조(擧措)[행동거지, 조치]가 있는 줄 알고 문정전(文政殿)[임금이 정사를 보던 곳]에 들어가,

"아비를 살려 주옵소서."

하니, 대조께서 나가라 엄히 하오시니,

소주제 ❸ 궤를 내오라는 □□의 명령

나와 왕자 재실(王子齋室)[왕자가 공부하던 집]에 앉아 겨시니, 내 그때 정경이야 고금천지 간에 없으니, 세손을 내어 보내고 일월이 회색(晦塞)[답답하게 꽉 막힘]하니, 내 일시나 세상에 머물 마음이 있으리요? 칼을 들어 명을 결단하랴 하더니, 방인(傍人)[곁에 있던 사람]의 앗음을 인하야 뜻같지 못하고, 다시 죽고저 하되 촌철(寸鐵)[작은 칼]이 없으니 못하고, 숭문당(崇文堂)[창경궁 명정전(明政殿) 북쪽에 있는 집]으로 말매암아 휘령전에 나가는 건복문(建福門)이라 하는 문 밑에를 가니, 아모것도 뵈지 아니코, 다만 대조께서 칼 두다리오시는 소리와, 소조에서,

"아바님 아바님, 잘못하얏사오니, 이제는 하라 하옵시는 대로 하고, 글도 읽고 말씀도 다 들을 것이니, 이리 마오소서." / 하시는 소래가 들리니, 간장이 촌촌(寸寸)이 끊어지고 앞이 막히니, 가슴을 두다려 아모리 한들 어찌하리요? 당신 용력(勇力)과 장기(壯氣)로 게를 들라 하신들 아모쪼록 아니 드오시지, 어이 필경에 들어 겨시던고? 처음은 뛰어나가랴 하시옵다가, 이기지 못하야 그 지경에 밋사오시니, 하늘이 어찌 이대도록 하신고? 〈후략〉

소주제 ❹ □□ 속에 갇힌 사도 세자

- 혜경궁 홍씨

작품 개관

- 갈래 한글 수필, 궁중 수필
- 성격 회고적, 사실적, 자전적
- 주제 사도 세자의 참변을 중심으로 한 자신의 일생 회고
- 특징
  ① 자전적 회고의 성격을 보임
  ② 우아하고 전아한 궁중 용어를 사용함

1등급 노트

1. 문학사적 의의
   - '임오화변(사도 세자가 뒤주에 갇혀 죽은 사건)'을 구체적으로 기록하여 문학적 가치와 함께 사료적 가치를 지님
   - 궁중의 고아한 어휘와 풍속, 섬세한 여성적 문체가 잘 드러나는 한글 궁중 문학의 백미
   - 궁중 문학의 효시로, 〈계축일기〉, 〈인현왕후전〉과 함께 3대 궁정 수필로 손꼽힘
2. 글쓴이의 정서
   남편의 죽음이라는 비극적 상황으로 인해 스스로 목숨을 끊으려고 칼을 들 정도로 비참하고 슬픈 심정임

함께 엮어 읽기

◆ 〈계축일기〉
조선 광해군 때에, 궁녀가 쓴 것으로 추정되는 한글 수필이다. 공빈 김씨의 소생인 광해군과 인목대비의 소생인 영창 대군을 둘러싼 당쟁을 사실적으로 서술하고 있다.

◆ 〈인현왕후전〉
숙종의 계비인 인현왕후 폐출과 희빈 장씨를 둘러싼 역사적 사실을 기록한 작가와 연대 미상의 수필이다.

더 알아보기

◆ 〈한중록〉의 역사적 배경
영조 당시 세력을 잡고 있던 노론은 사도 세자를 중심으로 새 세력을 구축하여 소론을 물리치고자 했으나, 사도 세자가 이를 들어주지 않았다. 그 사이 영조는 그가 사랑하던 화평 옹주의 죽음으로 세자에게 무관심해지고, 그로 인해 세자는 방탕한 생활을 일삼다가 부자간의 사이가 점점 벌어지게 된다. 이에 노론은 영조 38년(1762년) 5월, 음모를 꾸며 영조에게 세자가 역모를 꾀했다고 고발하고, 영조는 세자를 뒤주에 가둬 죽게 한다.

소주제 체크

1. 불길한 2. 사도 세자 3. 영조 4. 뒤주

정답과 해설 24쪽

1 이 작품에 대한 설명으로 적절하지 않은 것은?

① 한글로 된 궁중 문학의 백미로 손꼽힌다.
② 사건을 바라보는 서술자 간의 입장 차이가 나타난다.
③ 여성적 문체인 내간체의 사용으로 우아한 맛이 느껴진다.
④ 〈계축일기〉, 〈인현왕후전〉과 함께 대표적인 궁중 수필이다.
⑤ 고상하고 품위 있는 용어 사용으로 민간 문학과 뚜렷이 구별된다.

2 이 작품을 소설로 보지 않고 수필로 보는 주된 이유는?

① 객관적 묘사로 되어 있기 때문에
② 비유적 표현이 사용되고 있기 때문에
③ 절실하고 간곡한 표현이 나타나기 때문에
④ 글쓴이의 체험을 진솔하게 그리고 있기 때문에
⑤ 작자의 심리와 논평이 드러나 있지 않기 때문에

출제 예감

3 이 작품의 문체적 특징과 거리가 먼 것은?

① 존칭 어미의 사용
② 품위 있고 우아한 표현
③ 전아한 궁중 용어의 사용
④ 여성 특유의 섬세한 문체
⑤ 사건을 객관적으로 서술한 표현

출제 예감

4 이 작품에 드러난 글쓴이의 태도로 적절한 것은?

① 참변을 일일이 분석하며 의미를 부여하고 있다.
② 품위를 잃지 않으려는 고상한 태도가 드러나 있다.
③ 적절한 사례를 들어 남편의 잘못을 지적하고 있다.
④ 지난 일을 거울삼아 미래의 일을 대비하려 하고 있다.
⑤ 차마 말로 표현하지 못할 내용을 객관적으로 표현하고 있다.

5 〈보기〉는 이 작품의 글쓴이가 남편의 일에 대해 시아버지께 글을 올리는 상황을 가정하여 본 것이다. 이 작품의 내용을 비추어 볼 때, 적절하지 않은 것은?

보기

아버님께
ㄱ. 애비의 죄를 엄히 다스리려는 아버님의 뜻은 잘 알고 있습니다. ㄴ. 평소 애비도 지난날의 잘못을 뉘우치고 새사람이 되려고 하고 있었습니다. ㄷ. 어린 손주 또한 저렇게 간청하고 있으니 부디 굽어 살피시옵소서. ㄹ. 만약 일을 잘못 처리하신다면 자식을 죽인 아비라는 말씀을 들으실까 염려됩니다. ㅁ. 부디 목숨만은 부지하도록 잘 살펴 주시옵소서.

① ㄱ　② ㄴ　③ ㄷ　④ ㄹ　⑤ ㅁ

6 이 작품에 대한 비평의 관점이 다른 것은?

① 이 글은 조선 후기에 한글 사용이 확대되었다는 사실을 보여 주지.
② '임오화변'이라는 궁중의 역사적 사건을 기록한 중요한 자료가 된다고 봐.
③ '겨오시다', '거동' 등의 고아한 용어를 통해 궁중에서의 생활을 보여 주고 있어.
④ 내가 만약 글쓴이와 유사한 경우에 처했다면 어떻게 했을지에 대해 생각해 보았어.
⑤ 괴로운 일을 회상하여 기록하면서도 품위를 잃지 않는 태도를 보인 것은 왕족인 글쓴이의 성품이 녹아 있기 때문이야.

7 [A]에 드러난 '나'의 심정에 가장 가까운 것은?

① 좌불안석(坐不安席)　② 각주구검(刻舟求劍)
③ 분기탱천(憤氣撑天)　④ 괄목상대(刮目相對)
⑤ 염념불망(念念不忘)

8 고난도 사건 전개로 보아 ㉠의 역할로 가장 적절한 것은?

① 시간적 배경을 알려 준다.
② 비극적 정조를 고조시킨다.
③ 불길한 일이 일어날 것임을 암시한다.
④ 새로운 갈등이 발생할 것임을 의미한다.
⑤ 글쓴이의 현재 심리 상태를 대변해 준다.

9 수능형 〈보기〉는 이 작품과 관련된 역사적 사실을 기록한 것이다. 이를 토대로 감상한 내용으로 적절하지 않은 것은?

보기

영조 38년, 노론(老論)은 권력 다툼의 와중에서 영조에게 사도 세자가 반란을 일으켰다고 거짓으로 고한다. 이에 극도로 분노한 영조는 세자를 뒤주에 가두어 죽게 한다. 혜경궁 홍씨는 이러한 남편의 비극적 종말을 기록으로 남겼다. 훗날 영조에 이어 왕위에 등극한 정조가 바로 사도 세자의 아들이다.

① '대조'는 영조를, '세손'은 정조를 가리키는 호칭이로군.
② '그 뜻들'이란 사도 세자를 모함하여 죽이려는 노론의 흉계를 이르는 말이군.
③ '그 처분'은 곧 사도 세자를 뒤주에 가두어 죽게 한 사건을 가리키는 말이군.
④ 글쓴이는 억울한 일을 겪었으면서도 자신의 감정을 최대한 절제하며 세련되게 기술하고 있군.
⑤ 글쓴이는 정권 다툼의 소용돌이에 자신이 연루되지 않았다는 사실을 밝히기 위해 이 글을 쓴 것이군.

10 서술형 조선 시대의 생활상과 시대 상황을 전해 주는 이 작품이 지닌 가치를 두 가지 이상 쓰시오.

30 서포만필(西浦漫筆)

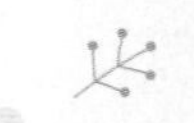

송강(松江)의 〈관동별곡(關東別曲)〉, 〈전후 사미인가(前後思美人歌)〉는 ㉮우리나라의 *이소(離騷)이나, 그것은 ⓐ문자(文字)로써는 쓸 수가 없기 때문에 오직 악인(樂人)(노래하는 사람)들이 구전(口傳)하여 서로 이어받아 전해지고 혹은 한글로 써서 전해질 뿐이다. 어떤 사람이 ⓑ칠언시로써 〈관동별곡〉을 번역하였지만, 아름답게 될 수가 없었다. 혹은 *택당(澤堂)이 소시(少時)에 지은 작품이라고 하지만 옳지 않다.

소주제 ❶ [기] 송강 가사에 대한 □□

*구마라습(鳩摩羅什)이 말하기를, "천축인(天竺人)의 풍속은 가장 문채(文彩)(문장의 멋)를 숭상하여 그들의 찬불사(讚佛詞)는 극히 아름답다. ㉠이제 이를 중국어로 번역하면 단지 그 뜻만 알 수 있지 그 말씨는 알 수 없다." 하였다. 이치가 정녕 그럴 것이다.

소주제 ❷ [승] □□ 문학의 한계

사람의 마음이 입으로 표현된 것이 말이요, 말의 가락이 있는 것이 ⓒ시가문부(詩歌文賦)이다. 사방(四方)의 말이 비록 같지는 않더라도 진실로 말할 수 있는 사람이 각각 그 말에 따라 가락을 맞춘다면, 다 같이 천지를 감동시키고 귀신을 통할 수가 있는 것은 유독 중국만이 그런 것은 아니다. 지금 우리나라의 ⓓ시문(詩文)은 자기 말을 버려두고 다른 나라 말을 배워서 표현한 것이니, 설사 아주 비슷하다 하더라도 이는 단지 앵무새가 사람의 말을 하는 것이다. 여염집 골목길에서 나무꾼이나 물 긷는 아낙네들이 '에야디야' 하며 서로 주고받는 노래가 비록 저속하다 하여도 그 진가(眞價)를 따진다면, 정녕 학사대부들의 이른바 ⓔ시부(詩賦)라고 하는 것과 같은 입장에서 논할 수는 없다.

소주제 ❸ [전] □□□로 문학을 해야 하는 이유

하물며 이 삼별곡(三別曲)은 천기(天機)(선천적으로 타고난 기지, 성질)의 *자발(自發)함이 있고, *이속(夷俗)의 *비리(鄙俚)함도 없으니, 자고로 좌해(左海)의 진문장(眞文章)은 이 세 편뿐이다. 그러나 세 편을 가지고 논한다면, 〈후미인곡〉이 가장 높고 〈관동별곡〉과 〈전미인곡〉은 그래도 한자어를 빌려서 수식을 했다.

소주제 ❹ [결] 송강 가사를 높이 평가하는 □□

– 김만중

어휘 다지기

- 이소(離騷) : 중국 초나라 시인 굴원이 참소를 당하여 조정에서 쫓겨난 후 그 심정을 읊은 시로, 초사(楚辭) 가운데 으뜸으로 꼽힘
- 택당(澤堂) : 조선 인조 때의 학자 이식. 한문 사대가의 한 사람
- 구마라습(鳩摩羅什) : 인도의 고승. 중국에 포로로 잡혀 와 많은 불전을 한역(漢譯)함
- 자발(自發) : 남이 시키거나 요청하지 아니하였는데도 자기 스스로 나아가 행함
- 이속(夷俗) : 오랑캐의 풍속
- 비리(鄙俚) : 풍속이나 언어 따위가 속되고 촌스러움

작품 개관

- 갈래 고전 수필(한문 수필), 비평문(평론)
- 성격 비판적, 단정적, 주관적, 비평적
- 주제 송강 가사에 대한 평가와 국문학의 가치 역설
- 특징
  ① 글쓴이의 국어 존중 사상과 문학적 자주 의식이 잘 반영됨
  ② 특정한 문학 작품을 대상으로 하여 글쓴이 자신의 의견을 개진함

1등급 노트

1. 주요 내용 전개

번역 문학, 한문 문학
• 뜻만 알 수 있음 • 표현의 아름다움이나 리듬감이 사라짐
↕
국문 문학(송강 가사)
• 인간의 자연적 성정을 전달함 • 표현이나 미적 요소가 잘 드러남

2. 조선조 평론 문학과 서포의 문학관의 의의
   - 조선조의 평론 문학은 대체로 '시화류(詩話類)'의 문집에 섞여 있었고, 수필과 비평의 구분이 확실하지 않음
   - 김만중의 〈서포만필〉은 서포의 문학관을 한눈에 볼 수 있는 것으로, 국어로 표현된 문학이 참 문학이라는 국문 문학론을 펴서 국어 존중 의식을 드러냄
   - 그의 국문 문학론은 국문학사상 국어 문학의 중요성을 강조한 뛰어난 평론임
3. 송강의 가사를 높이 평가한 이유
   우리의 생각이나 감정을 잘 나타낼 수 있는 것은 중국의 말이 아닌 우리말임을 역설함. 즉, 학사 대부의 시부보다 초동급부(樵童汲婦)의 노래 소리가 훨씬 더 진실한 것이라고 봄. 그는 송강의 가사를 높이 평가하였는데, 그중에서도 〈후미인곡〉이 특히 아름다운 이유는 다른 작품에 비해 순우리말을 구사하여 노래하였기 때문이라고 봄

함께 엮어 읽기

◆ 김만중의 평론집, 〈서포만필(西浦漫筆)〉

우리나라 시에 대한 비평·해석·고증과 작가의 일화가 주요 내용을 이루고 있으며, 소설·산문과 관련된 평론도 함께 수록되어 있다. 특히 불가에 대한 작가의 긍정적 시각이 자주 나타나는 점이 특이하다. 문학관의 측면에서는 한·중 문체의 비교, 통속 소설관, 번역 문학관, 조선조 시가관, 그리고 '조선 사람은 조선어로 글을 써야 한다.' 라는 이른바 '국문 문학론' 등 김만중의 진보적이고 선각자적인 이론을 망라하고 있다.

소주제 체크

1. 평가 2. 번역 3. 우리말 4. 이유

정답과 해설 24쪽

1 수능형 이 글에 대한 설명으로 적절하지 않은 것은?

① 조선 후기 김만중이 쓴 평론이다.
② 문학은 도(道)를 전달하는 것이 목적이라고 보고 있다.
③ 문학을 인간의 성정을 표현한 언어 예술로 여기고 있다.
④ 다른 나라의 작품에 견주어 송강의 작품을 평가하고 있다.
⑤ 우리나라의 진정한 문학 작품은 송강의 작품뿐이라고 판단하고 있다.

출제 예감
2 이 글을 통해 확인할 수 있는 김만중의 문학관과 거리가 먼 것은?

① 우리나라의 사대주의적 문학관을 비판한다.
② 한문으로는 국어의 묘미가 살아나지 않는다.
③ 모든 민족은 자기의 말로 노래를 지어 부를 수 있다.
④ 다른 나라의 말을 배워서 표현하면 좋은 작품을 쓸 수 있다.
⑤ 진솔한 감정이 담겨 있는 서민들의 노래는 훌륭한 문학 작품이 될 수 있다.

3 이 글을 기준으로 할 때, 가장 높은 평가를 받을 수 있는 작품은?

① 十五越溪女(십오월계녀) / 羞人無語別(수인무어별) / 歸來掩重門(귀래엄중문) / 泣向梨花月(읍향이화월) - 임제
② 눈 마ᄌᆞ 휘여진 ᄃᆡ를 뉘라셔 굽다턴고. / 구블 절(節)이면 눈 속에 프를소냐. / 아마도 세한 고절(歲寒孤節)은 너뿐인가 ᄒᆞ노라. - 원천석
③ 잠아 잠아 짙은 잠아 이 내 눈에 쌓인 잠아 / 염치 불구 이 내 잠아 검치 두덕 이 내 잠아 / 어제 간밤 오던 잠이 오늘 아침 다시 오네 - 작자 미상
④ 이화(梨花)에 월백(月白)ᄒᆞ고 은한(銀漢)이 삼경(三更)인 제 / 일지춘심(一枝春心)을 자규(子規)ㅣ야 아랴마는, / 다정(多情)도 병(病)인 양ᄒᆞ여 잠 못 드러 ᄒᆞ노라. - 이조년
⑤ 청산(靑山)은 내 ᄠᅳᆺ이오 녹수(綠水)는 님의 정(情)이, / 녹수(綠水) 흘러간들 청산(靑山)이야 변(變)홀손가. / 녹수(綠水)도 청산(靑山)을 못 니져 우러 예어 가는고. - 황진이

4 문맥을 고려할 때 ⓐ~ⓔ 중, 그 성격이 이질적인 것은?

① ⓐ ② ⓑ ③ ⓒ ④ ⓓ ⑤ ⓔ

출제 예감
5 ㉠의 의미로 가장 적절한 것은?

① 우리 문학을 세계에 알리기 위해서 한문 문학이 필요하다.
② 우리 문학이 한문 문학의 위상을 따라잡는 것은 불가능하다.
③ 우리 문학을 살리기 위해서는 한문 문학을 아예 없애야 한다.
④ 참된 문학을 하기 위해서는 겉으로 드러나는 뜻을 음미하는 것부터 시작해야 한다.
⑤ 시가를 다른 나라의 말로 번역하면 본래 지닌 아름다움은 사라지고 단지 그 뜻만 전달된다.

6 이 글의 주제와 글의 구성을 정리한 것으로 적절하지 않은 것은?

보기
- 주제: 송강 가사에 대한 평가와 국문 문학의 가치 역설 .... ㄱ
- 글의 구성
  - 기 : 송강 가사에 대한 평가 .... ㄴ
  - 승 : 번역 문학의 한계 .... ㄷ
  - 전 : 우리말로 문학을 해야 하는 이유 .... ㄹ
  - 결 : 송강 가사 작품의 장단점 .... ㅁ

① ㄱ ② ㄴ ③ ㄷ ④ ㄹ ⑤ ㅁ

7 ㉮의 성격에 대한 설명으로 적절한 것은?

① 사실적 정보 ② 학문적 근거
③ 설득적 견해 ④ 가치적 판단
⑤ 비판적 관점

출제 예감
8 작가의 〈후미인곡〉에 대한 평가와 가장 어울리는 한자 성어는?

① 곡학아세(曲學阿世) ② 과유불급(過猶不及)
③ 군계일학(群鷄一鶴) ④ 백중지세(伯仲之勢)
⑤ 장삼이사(張三李四)

9 서술형 작가가 이 글에서 〈후미인곡〉을 가장 높이 평가한 이유를 3가지 근거를 들어 서술하시오.

비책

31 조침문(弔針文)

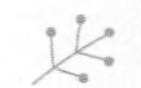

가 •유세차(維歲次) 모년(某年) 모월(某月) 모일(某日)에, 미망인 모씨(某氏)는 두어 자 글로써 침자(針子)[바늘]에게 고하노니, 인간 부녀(婦女)의 손 가운데 종요로운 것이 바늘이로대, 세상 사람이 귀히 아니 여기는 것은 도처에 흔한 바이로다. 이 바늘은 한낱 작은 물건이나, 이렇듯이 슬퍼함은 나의 정회[생각하는 마음]가 남과 다름이라. 오호(嗚呼) 통재(痛哉)[아아, 슬프도다]라, 아깝고 불쌍하다. 너를 얻어 손 가운데 지닌 지 우금(于今) 이십칠 년이라. 어이 인정이 그렇지 아니하리요. 슬프다. 눈물을 잠시 거두고 심신을 겨우 진정하여, 너의 •행장(行狀)과 나의 회포를 총총히[간략하게] 적어 영결(永訣)[영원히 헤어짐]하노라.

소주제 1 [서사] 글을 쓰는 □□

나 연전(年前)에 우리 시삼촌께옵서 동지상사(冬至上使)[중국으로 가던 사신의 우두머리] 낙점(落點)[임금이 후보자 중 마땅한 사람을 뽑는 일]을 무르와[받아], 북경(北京)을 다녀오신 후에, 바늘 여러 쌈을 주시거늘 친정과 원근 일가(一家)[가깝고 먼 친척]에게 보내고, 비복(婢僕)[남녀 노비]들도 쌈쌈이 낱낱이 나눠 주고, 그 중에 너를 택하여 손에 익히고 익히어 지금까지 •해포되었더니, 슬프다. 연분(緣分)이 비상하여, 너희를 무수히 잃고 부러뜨렸으되, 오직 너 하나를 연구(年久)히[오래도록] 보전하니, 비록 무심한 물건이나 어찌 사랑스럽고 미혹지[마음이 끌리지] 아니하리요. 아깝고 불쌍하며, 또한 섭섭하도다.

소주제 2 [본사] 바늘을 얻게 된 □□

다 나의 신세 박명(薄命)[복이 없고 팔자가 사나움]하여 슬하에 한 자녀 없고, 인명(人命)[목숨]이 흉완(凶頑)[흉악하고 모질]하여 일찍 죽지 못하고, 가산[한 집안의 재산]이 빈궁[가난함]하여 침선(針線)[바느질]에 마음을 붙여, 널로 하여 시름을 잊고 생애(生涯)[살아 온 한평생 동안. 여기서는 '생계'의 뜻으로 쓰임]를 도움이 적지 아니하더니, 오늘날 너를 영결하니, 오호 통재라, 이는 귀신(鬼神)이 시기하고 하늘이 미워하심이로다.

소주제 3 글쓴이의 □□와 바늘의 효용

라 아깝다 바늘이여, 어여쁘다 바늘이여, 너는 미묘한 품질과 특별한 재치를 가졌으니, 물중(物中)의 명물(名物)이요, 철중(鐵中)의 •쟁쟁(錚錚)이라. 민첩하고 날래기는 백대(百代)의 협객(俠客)이요, 굳세고 곧기는 만고(萬古)의 충절(忠節)이라. 추호(秋毫) 같은 부리는 말하는 듯하고, 두렷한 귀는 소리를 듣는 듯한지라. 능라(綾羅)[두꺼운 비단과 얇은 비단]와 비단에 난봉(鸞鳳)[난새와 봉황]과 공작을 수놓을 제, 그 민첩하고 신기함은 귀신이 돕는 듯하니, 어찌 인력(人力)이 미칠 바리요. 〈중략〉

소주제 4 바늘의 품질과 □□

마 이생에 백년동거(百年同居)하렸더니, 오호(嗚呼) 애재(哀哉)라, 바늘이여. 금년 시월 초십일 술시(戌時)[오후 7~9시, 초경]에, 희미한 등잔 아래서 관대(冠帶)[벼슬아치의 관복] 깃을 달다가, 무심중간(無心中間)[어떤 의도나 의식이 없이 자기도 모르는 사이에]에 자끈동 부러지니 깜짝 놀라와라. 아야 아야 바늘이여, 두 동강이 났구나. 정신이 아득하고 혼백이 산란하여 마음을 빻아 내는 듯, 두골(頭骨)[머릿골]을 깨쳐 내는 듯 이윽도록[꽤 늦게까지] 기색혼절(氣塞昏絶)[기가 막히고 혼이 나감]하였다가 겨우 정신을 차려, 만져 보고 이어 본들 속절없고 하릴없다[어찌할 도리가 없다]. •편작(扁鵲)의 신술(神術)[신령스런 솜씨]로도 장생불사(長生不死)[오래 살고 죽지 않음] 못하였네. 동네 장인(匠人)에게 때이련들[때우려 한들] 어찌 능히 때일쏜가. 한 팔을 베어 낸 듯, 한 다리를 베어 낸 듯, 아깝다 바늘이여, 옷섶을 만져 보니, 꽂혔던 자리 없네.

소주제 5 부러진 바늘과 글쓴이의 □□□□

바 오호 통재라, 내 삼가지 못한 탓이로다. 무죄한 너를 마치니, 백인(伯仁)이 유아이사(由我而死)라, 누를 한(恨)하며 누를 원(怨)하리요. 능란한 성품과 공교(工巧)[솜씨 따위가 재치 있고 교묘한]한 재질을 나의 힘으로 어찌 다시 바라리요. 절묘한 의형(儀形)[모습과 형태]은 눈 속에 삼삼하고, 특별한 품재(稟才)[타고난 재주]는 심회가 삭막하다. 네 비록 물건이나 무심치 아니하면 후세에 다시 만나 평생(平生) 동거지정(同居之情)을

작품 개관

- 갈래 한글 수필, 여류 수필
- 성격 추모적, 고백적
- 주제 부러뜨린 바늘에 대한 애도, 사별(死別)의 슬픔
- 특징
  - ① 제문(祭文) 형식을 취함
  - ② 바늘을 의인화하여 대화하듯이 표현함
  - ③ 문장의 가락이 유려하고 여성 특유의 섬세한 감정과 치밀함이 돋보임
  - ④ 산문이면서도 3·4조의 가사체를 사용하여 운문적 특징을 지님
- 의의 〈의유당관북유람일기〉, 〈규중칠우쟁론기〉와 함께 3대 여류 수필에 속함

1등급 노트

1. 표현상의 특징
   - 바늘을 잃은 슬픔과 추모의 정을 나타내기 위해 제문(祭文) 형식을 사용함
   - 대상을 의인화하여 대상에 대한 친근감을 느낄 수 있게 함
2. 글쓴이의 처지
   '슬하에 한 자녀 없고, 인명이 흉완하여 일찍 죽지 못하고' : 남편과 사별하고 자식도 없이 외롭게 생활하고 있음
3. 글쓴이의 정서
   일찍 죽은 남편에 대한 애절한 그리움과 추모의 정이 부러뜨린 바늘에 대한 슬픔의 정서로 나타남

함께 엮어 읽기

◆ 작자 미상, 〈규중칠우쟁론기〉

〈규중칠우쟁론기〉는 규방 부인들의 바느질 도구 일곱 가지를 의인화하여 인간의 심리와 세태를 풍자한 고전 수필이다. 규중 칠우, 즉 규방 부인의 일곱 가지 대상을 구체적인 인물로 형상화하고 있는데, '자'는 척 부인, '가위'는 교두 각시, '바늘'은 세요 각시, '실'은 청홍 각시, '골무'는 감토 할미, '인두'는 인화 부인, '다리미'는 울 랑자라고 명명하여, 이들의 대화를 통해 자기 역할에 맞는 성실한 삶을 살아야 한다는 교훈을 주고 있다. 〈조침문〉과 함께 의인화 기법으로 서술된 우리나라 여류 수필 문학의 백미(白眉)로 꼽히고 있다.

더 알아보기

◆ 제문(祭文)

죽은 사람을 추모하는 내용을 담은 글로, '서사-본사-결사'의 세 부분으로 이루어진다. '서사' 부분은 '유세차 모년 모월 모일에 모(글쓴이)는 모(추모 대상)에게 고하노니'라는 상투적인 문장으로 시작한다. '본사'는 죽은 사람의 생전 모습을 회상하면서 여러 가지 감정을 서술하며, '결사'는 대상을 잃은 슬픔을 표현하면서 명복을 빌며 끝을 맺는다.

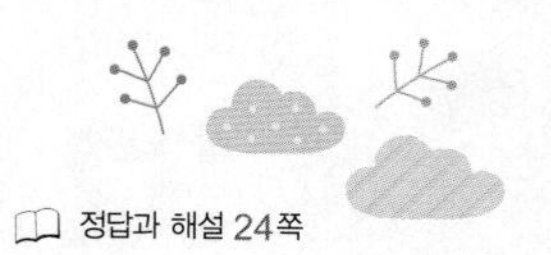

정답과 해설 24쪽

다시 이어 백년고락(百年苦樂)과 일시생사(一時生死)를 한가지로 하기를 바라노라. 오호 애재라, 바늘이여.

소주제 6 [결사] 후세의 만남에 대한 □□

– 유씨 부인

어휘 다지기

- 유세차(維歲次) : 제문의 첫머리에 관용적으로 쓰이는 말. '이 해의 간지(干支)를 말하면'이라는 의미임
- 행장(行狀) : 죽은 사람이 평생 살아온 일을 적은 글
- 해포 : 한 해가 넘는 동안
- 쟁쟁(錚錚) : 으뜸
- 편작(扁鵲) : 중국 전국 시대의 의사

소주제 체크

1. 목적 2. 내력 3. 처지 4. 재주 5. 안타까움 6. 기약

1 이 작품에 대한 설명으로 적절하지 않은 것은?

① 대상을 잃은 슬픔을 과장되게 표현하였다.
② 바늘의 부러짐이 창작의 동기가 되고 있다.
③ 일상생활 속에서 작품의 소재를 선택하였다.
④ 여성 특유의 섬세한 감각과 정서가 두드러진다.
⑤ 바늘을 얻은 때부터 잃기까지의 과정을 객관적으로 표현하였다.

2 이 작품의 내용을 〈보기〉와 같이 정리하였을 때, 적절하지 않은 것은?

보기

[서사] 바늘이 부러진 날을 알리며 영결을 선언함 ························①
[본사] 바늘과의 추억을 회상함
- 바늘을 만나게 된 계기 ························②
- 바늘과의 각별한 관계와 바늘의 재주 ························③
- 바늘이 부러진 경위 ························④

[결사] 바늘과의 인연이 그만되기를 바람 ························⑤

출제 예감

3 고난도 이 작품과 〈보기〉의 공통점으로 적절하지 않은 것은?

보기

세요 각시 가는 허리 구붓기며 날랜 부리 두루혀 이르되, "양우(兩友)의 말이 불가하다. 진주(眞珠) 열 그릇이나 껜 후에 구슬이라 할 것이니, 재단(裁斷)에 능소능대(能小能大)하다 하나 나 곧 아니면 작의(作衣)를 어찌 하리오. 세누비 미누비 저른 솔 긴 옷을 이루미 나의 날내고 빠름이 아니면 잘게 뜨며 굵게 박아 마음대로 하리오. 척 부인의 자혀 내고 교두 각시 버혀 내다 하나 내 아니면 공이 없으려든 두 벗이 무삼 공이라 자랑하나뇨."

– 작자 미상, 〈규중칠우쟁론기〉

① 일상생활 속에서 소재를 취하였다.
② 조선 시대의 대표적인 내간 수필이다.
③ 여성 특유의 섬세함과 감성이 돋보인다.
④ 중심 소재에 인격을 부여하여 표현하였다.
⑤ 삶을 살아가는 데 필요한 교훈을 전달한다.

4 [가]에 사용된 단어를 중심으로 설명한 내용 중, 적절하지 않은 것은?

① 유세차(維歲次) : 제문의 형식으로 씌어졌음을 알 수 있다.
② 모년(某年) 모월(某月) 모일(某日) : 실제적으로 사용될 글이 아님을 알 수 있다.
③ 모씨(某氏) : 불특정 인물에게 전하는 것임을 알 수 있다.
④ 침자(針子) : 이 글에서 애도를 표하고자 하는 대상이다.
⑤ 영결(永訣) : 바늘을 떠나보내기 위한 글임을 알 수 있다.

5 이 작품에 사용된 주된 표현 기법과 유사한 것은?

① 솜사탕같이 보송한 구름이 떠간다.
② 바야흐로 진달래 강산에 봄이 왔네.
③ 빗방울이 정답게 창문을 두드리네.
④ 호수는 햇빛을 받아 한 포기 화려한 꽃밭이 된다.
⑤ 사랑과 평화의 사상까지 낳지 못하는 쫓기는 새가 되었다.

6 이 작품에 나타난 글쓴이의 정서와 가장 유사한 것은?

① 청초(靑草) 우거진 골에 자는다 누엇는다.
홍안(紅顔)을 어듸 두고 백골(白骨)만 무쳣는이.
잔(盞) 자바 권(勸)ᄒᆞ리 업스니 그를 슬허ᄒᆞ노라. – 임제

② ᄆᆞ음이 어린 후(後)ㅣ니 ᄒᆞᄂᆞᆫ 일이 다 어리다.
만중 운산(萬重雲山)에 어ᄂᆡ 님 오리마ᄂᆞᆫ
지ᄂᆞᆫ 닙 부ᄂᆞᆫ ᄇᆞ람에 행여 긘가 ᄒᆞ노라. – 서경덕

③ 국화야, 너난 어이 삼월 동풍(三月東風) 다 지내고
낙목한천(落木寒天)에 네 홀로 피었나니
아마도 오상고절(傲霜孤節)은 너뿐인가 하노라. – 이정보

④ 꿈에 뵈는 님이 신의(信義) 업다 하것마난
탐탐(貪貪)이 그리올 제 꿈 아니면 어이 보리.
저 님아 꿈이라 말고 자로자로 뵈시쇼. – 명옥

⑤ 청석령(靑石嶺) 디나거냐 초하구(草河溝)ㅣ 어드매오.
호풍(胡風)도 차도 찰샤 구즌 비는 므스일고.
뉘라셔 내 행색(行色) 그려 내야 님 겨신 듸 드릴고. – 봉림 대군

7 서술형 글쓴이가 여성이라는 점에 주목하여 이 작품의 표현상의 특징에 대해 서술하시오.

비책

32 봉산 탈춤

제7과장 미얄춤

미얄 : (한 손에 부채 들고 한 손에 방울을 들었으며, 굿거리 장단에 춤을 추면서 등장하여 악공 앞에 와서 울고 있다.) 아이고, 아이고, 아이고!

악공 : 웬 할맘입나?

미얄 : 웬 할맘이라니, 떵꿍하기에 굿만 여기고 한 거리 놀고 가려고 들어온 할맘일세.

악공 : 그러면 한 거리 놀고 갑세.

미얄 : 놀든지 말든지 허름한 영감을 잃고 영감을 찾아다니는 할맘이니 영감을 찾고야 놀갔습네.

소주제 ❶ 무당인 미얄이 □□을 찾아다니고 있음

악공 : 할맘 본 고향은 어데와?

미얄 : 본 고향은 전라도 제주 망막골일세.

악공 : 그러면 영감은 어찌 잃었습나?

미얄 : 우리 고향에 난리가 나서 목숨을 구하려고 서로 도망을 하였더니, 그 후로 아즉까지 종적을 알 수 없습네.

악공 : 그러면 영감의 모색을 댑세.

미얄 : 우리 영감의 모색은 마모색일세.

악공 : 그러면 말새끼란 말인가?

미얄 : 아니, 소모색일세.

악공 : 그러면 소새끼란 말인가?

미얄 : 아니, 마모색도 아니고 소모색도 아니올세. 영감의 모색을 알아서 무엇해. 아모리 바로 댄들 여기서 무슨 소용 있습나.

악공 : 모색을 자세히 대면 찾을 수 있을는지 모르지.

미얄 : (소리조로) 우리 영감의 모색을 대. •난간이마 주게턱 •웅케눈에 개발코, •상통은 (갓바른) 과녁(판) 같고, 수염은 다 •모즈러진 •귀얄 같고 상투는 다 갈아 먹은 •망좆 같고 키는 석 자 네 치 되는 영감이올세. 〈중략〉

주게턱: 주걱턱 / 개발코: 개의 발처럼 너부죽하고 뭉툭하게 생긴 코 / 자: 약 30.3cm / 치: 한 자의 1/10

소주제 ❷ 미얄이 영감의 □□□를 설명함

미얄 : (시나위청으로) 절절 절시구 저절절절 절시구, 얼시구 절시구 지화자 절절 절시구, 우리 영감 어데 갔나, •기산 영수 •별건곤에 •소부 · 허유를 따라갔나, 채석강 명월야에 •이적선 따라 갔나, 적벽강 추야월에 •소동파 따라 갔나, ㉠우리 영감을 찾으려고 일원산(一元山)서 하로 자고, 이강경(二江景)서 이틀 자고, 삼부여(三扶餘)서 사흘 자고, 사법성(四法聖)서 나흘 자고, 삼국(三國) 적 유현덕(劉玄德)이 제갈공명(諸葛孔明) 찾으랴고 •삼고초려(三顧草廬)하던 정성, 만고 성군(萬古聖君) 주문왕(周文王)이 •태공망(太公望)을 찾으려고 위수양(渭水陽) 가던 정성, 초한(楚漢) 적 항적(項籍)이가 •범아부(范亞夫)를 찾으려고 나(기)고산(祁高山) 가던 정성, 이 정성 저 정성 다 부려서 강산 천리(江山千里) 다 다녀도 우리 영감을 못 찾갔네. 우리 영감을 만나 보면 귀도 대고 코도 대고 눈도 대고 입도 대고 업어도 보고 안아도 보련마는, 우리 영감 어데를 가고 날 찾을 줄을 왜 모르는가? 아이고, 아이고! (굿거리 춤을 추며 퇴장.)

소주제 ❸ 미얄이 □□□□으로 영감을 부르다가 퇴장함

작품 개관

- 갈래 전통 가면극(탈춤)의 대본
- 성격 풍자적, 해학적, 골계적
- 주제 여성에게 가해지는 남성의 가부장적 횡포 비판
- 특징
  ① 봉건 사회에 대한 비판과 풍자가 두드러져 근대적 시민 의식의 성장을 잘 보여 줌
  ② 각 과장이 옴니버스식으로 구성되어 독립적인 성격을 지님
  ③ 무대와 객석, 배우와 관객이 엄격히 구분되지 않음
  ④ 언어유희와 고사의 인용 및 패러디가 많음
- 의의 한국의 독자적인 연극 미학을 보여 줌

1등급 노트

1. 서양극과의 차이점

구분	서양극	탈춤
장소	극중 장소와 공연 장소의 불일치	극중 장소와 공연 장소의 일치
관객의 역할	수동적인 감상자 – 폐쇄적 무대	능동적인 참여자 – 개방적 무대
사건의 구성	필연적이고 유기적인 구성	독립적인 옴니버스식 구성
극의 진행	대사 중심	대사, 춤, 노래

2. 악공의 역할

악기를 연주하고, 등장인물의 대화 상대역을 하면서 연극의 진행에 참여함 → 서양극과의 커다란 차이점

3. 전체 주제 의식

파계승을 풍자하여 불교의 관념적 초월주의를 비판하고, 양반의 허위와 권위 의식을 노골적으로 풍자하며, 여성의 억울한 죽음을 통해 가부장적 사회의 모순을 고발함(제7과장) → 봉건적 질서를 거부하고 근대적 사회로 나아가던 조선 후기의 근대적 서민 의식 반영

더 알아보기

◆ 전체 구성

- 제1과장(사상좌춤) : 사방신(四方神)에게 배례하는 의식무 → 놀이를 시작하는 의식무
- 제2과장(팔목중춤) : 팔목중의 파계와 법고놀이 장면 → 중의 희화화
- 제3과장(사당춤) : 사당과 거사들이 흥겹게 노는 내용
- 제4과장(노장춤) : 노장이 유혹에 넘어가 파계하였다가 취발이에게 욕을 봄 → 승려의 허위성 풍자
- 제5과장(사자춤) : 사자가 파계승을 혼내고 화해의 춤을 춤 → 놀이판의 정비
- 제6과장(양반춤) : 양반집 하인 말뚝이가 양반을 희롱함 → 양반의 허세를 희화화하고 공격함
- 제7과장(미얄춤) : 영감과 미얄, 첩의 삼각 관계와 미얄의 죽음 → 서민의 생활상과 남성의 횡포 비판

정답과 해설 24쪽

▸ **뒷부분 줄거리** 미얄이 퇴장한 후 나타난 영감에게 악공은 할멈을 부르라 하고 할멈은 영감이 부르는 소리를 듣고 영감과 재회한다. 영감은 땜장이로 팔도를 다니며 연명했다며 자신의 사연을 이야기하고, 미얄은 아들과 함께 있었는데 그 아들은 나무를 하러 갔다가 호랑이에게 물려 죽었다고 말한다. 이 말을 들은 영감은 화를 내며 미얄에게 헤어지자고 한다. 이때 용산 삼개 덜머리집의 등장으로 싸움은 더욱 심해지고, 결국 미얄은 영감에게 맞아 죽는다. 영감은 온갖 약을 다 써 미얄을 살리려 하지만 미얄은 살아나지 않는다. 결국 남강 노인이 등장하여 미얄을 극락세계로 보내기 위해 무당을 불러 굿을 한다.

– 작자 미상

어휘 다지기

- 난간이마 : 정수리가 넓고 툭 불거져 나온 이마
- 웅케눈 : 우먹눈. 가늘고 길게 찢어진 눈. '우케'는 찧기 위해 말린 벼
- 상통 : '얼굴'의 비속어
- 모즈러진 : 닳아서 털이 다 빠진
- 귀얄 : 풀이나 옻을 칠할 때 쓰는 솔의 하나
- 망좆 : 맷돌의 아래짝 가운데에 뾰족하게 튀어나오게 박은 쇠
- 기산 영수 : 중국 전설상의 산과 시내. 소부와 허유가 은거한 곳
- 별건곤 : 별천지
- 소부 · 허유 : 중국 고대 전설상의 인물
- 이적선 : 이백을 뜻함. '적선'은 인간 세계로 귀양 온 신선이라는 의미임
- 소동파 : 당송 시대 8대 문장가 중의 한 사람
- 삼고초려(三顧草廬) : 《삼국지》에서 유비가 제갈공명의 초가집을 세 번이나 찾아가 마침내 그를 군사(軍師)로 삼은 일
- 태공망(太公望) : 강태공. 위수 가에서 주문왕을 만나 그의 스승이 되었고, 그의 아들인 무왕을 도와 천하를 통일하였음
- 범아부(范亞夫) : 범증. 항우를 도와 초나라를 일으켰으나, 항우의 의심을 받게 되자 물러남

소주제 체크

1. 영감 2. 생김새 3. 시나위청

1

이 작품에 대한 설명으로 적절하지 않은 것은?

① 춤과 대사의 예술성이 뛰어난 가면극이다.
② 파계승, 양반, 남성을 비판하는 내용을 담고 있다.
③ 풍자와 해학성이 강하고 근대 서민 의식이 나타난다.
④ 전체 7개의 과장이 각각 독립적인 내용과 구조를 가지고 있다.
⑤ 노래가 주가 되고 춤과 대사가 부연되는 방식으로 사건이 진행된다.

2

출제 예감

〈보기〉에서 설명하는 전통극의 특징이 드러나 있는 구절은?

보기

전통극은 공연 장소와 극중 장소를 구별짓는 경계선인 무대 장치라는 것이 없다. 그냥 마당에서 연극을 공연한다. 따라서 전통극에서 마당은 공연 장소이면서 극중 장소이다.

① 한 손에 부채 들고 한 손에 방울을 들었으며
② 떵꿍하기에 굿만 여기고 한 거리 놀고 가려고 들어온 할맘일세.
③ 그 후로 아즉까지 종적을 알 수 없습네.
④ 절절 절시구 저절절절 절시구, 얼시구 절시구 지화자
⑤ 우리 영감 어데를 가고 날 찾을 줄을 왜 모르는가?

3

출제 예감

탈춤 동아리 학생들이 이 작품을 공연하려고 악공의 역할에 대해 분석한 내용으로 적절하지 않은 것은?

① 관객의 대표로 극중에 개입한다.
② 연희에 필요한 효과음을 연주한다.
③ 등장인물을 소개하고 사건을 진행시킨다.
④ 혼자 등장하는 인물의 상대역을 해야 한다.
⑤ 등장인물의 심리 상태를 관객들에게 설명한다.

4

수능형 **다음은 '미얄'이 '영감'을 찾는 전단지이다. 이 작품의 내용으로 보아 적절하지 않은 것은?**

보기

누가 이 사람을 모르시나요?

이름 : ○○○(60세)
직업 : 맷돌 수선공
특징 : ① 앞으로 삐죽 나온 이마, ② 주걱턱에 찢어진 눈, ③ 개발 같은 코에, ④ 과녁판 같은 얼굴로 아주 못생겼음. ⑤ 키는 매우 크며 제주 말씨를 씀.
기타 : 전라도 제주 망막골에 살았음.

5

다음 중 발상 및 표현 방식 면에서 ㉠과 거리가 먼 것은?

① 개잘량이라는 '양' 자에 개다리소반이라는 '반' 자를 쓰는 양반이 나오신단 말이오. – 〈봉산 탈춤〉
② "열녀가 이부를 섬기다니." / "이부(二夫)가 아니라 오얏 리 자 쓰는 이부(李夫)를 말씀이오." – 〈춘향전〉
③ "여보, 아주벰이고 도마뱀이고 세상이 다 귀찮혀요. 언제 전곡을 갖다 맽겼던가. 아나 밥, 아나 돈, 아나 쌀." – 〈흥부전〉
④ "얘야, 밤낮 주야로 오매불망, 올망졸망하고 기다리던 네 서방인지 남방인지 이몽룡 씨 영락없이 비렁거지 신세되어 와 버렸다." – 〈춘향전〉
⑤ 저 사령 거동 보소. / "어느 양반이관대, 우리 안전(案前)님 걸인 혼금(閽禁)하니 그런 말은 내도 마오."/ 등 밀쳐 내니 어찌 아니 명관(名官)인가. – 〈춘향전〉

6

서술형 **이 작품은 한자어와 비속어가 같이 사용되고 있다. 이러한 현상이 나타나는 이유를 탈춤의 관객과 관련지어 서술하시오.**

33 양주 별산대놀이

〈제7과장 샌님 춤 – 제1경 의막 사령 놀이〉

말뚝이 : 내가 다름 아니라 우리 댁 샌님, 서방님, 도련님을 모시고 과거를 보러 가는데 산대굿 구경을 하다가 해 가는 줄 모르고 있다가 의막을 못 정했다우.

쇠뚝이 : 염려 마라, 정해 주마. (삼현을 청하여 까끼걸음으로 장내를 돌다가 의막을 정하여 놓고서 말뚝이의 얼굴을 탁 친다. 삼현 중지.) 얘! 의막을 정해 놓고 왔다. 혹시 그놈들이 담배질을 하더라도 아래윗간은 분명해야 하지 않겠느냐! / 말뚝이 : 영락없지!

쇠뚝이 : 그래서 말뚝을 뺑뺑 돌려서 박고 띠를 두르고 문은 하늘로 냈다.

말뚝이 : 그것 고래당 같은 기와집이로구나. / 쇠뚝이 : 영락없지.

말뚝이 : 그 집을 들어가자면 물구나무를 서야겠구나. / 쇠뚝이 : 영락없지.

말뚝이 : 얘! 너하고 나하고 사귄 것이 불찰이지. 우리 댁 샌님을 들어 모시자.

(불찰: 조심해서 잘 살피지 아니한 탓으로 생긴 잘못)

쇠뚝이 : 내야 무슨 상관있느냐. 대관절 너는 그 댁에 무어냐?

말뚝이 : 나는 그 댁에 청직(廳直)일세. / 쇠뚝이 : 청직이면 팽양이 갓을 써?

(청직: 청지기. 양반집에서 잡일을 맡아보거나 시중을 들던 사람) (팽양이: 조선 시대에 역졸, 보부상 같은 신분이 낮은 사람이 쓰던 패랭이)

말뚝이 : 청직이가 아니라 겸노(兼奴)일세.

(겸노: 종은 아니나 가난하여 종이 해야 할 일까지 다 겸하여 하던 일. 또는 그런 사람)

쇠뚝이 : 옳겠다. 그러면 그 양반들이 어데 있느냐?

말뚝이 : 저기들 있으니 들어 모시자. (타령조. 까끼걸음으로 샌님 일행을 돼지 몰아넣듯 채찍질을 하면서 "두두." 한다. ㉠삼현 중지.)

소주제 ❶ 쇠뚝이가 말뚝이를 대신하여 □□을 정함

샌님 : 말뚝아! / 말뚝이 : 네 — 이! / 샌님 : 이 의막을 누가 정했느냐?

말뚝이 : 아는 친구 쇠뚝이가 정해 주었소. (쇠뚝이 앞에 가서) 얘! 우리 댁 샌님이 이 의막을 누가 정했느냐 하기에 네가 정해 주었다고 했다. 그러하니 우리 댁 샌님을 한번 뵈어라.

쇠뚝이 : 내가 그러한 양반을 왜 뵈느냐?

말뚝이 : 너 그렇지 않다. 이다음 우리 댁 샌님이 벼슬하면, 너 괜찮다! 혹시 청편지(請片紙) 한 장 쓰더라도 괜찮다. 〈중략〉

(청편지: 어떤 일을 하는 데에 권세 있는 사람에게 부탁하여 그 힘을 빌리는 청질로 하는 편지. 또는 남의 청질을 맡아서 대신 내는 편지)

㉡
쇠뚝이 : 내가 샌님 일행을 뵈니 그게 무슨 양반의 자식들이냐, 한량의 자식들이지.

말뚝이 : 그렇지 않다. 분명한 양반이시다.

쇠뚝이 : 내가 뵈니 샌님이란 작자는 도포는 입었으나 전대(戰帶)띠를 매고 두부 보자기를 쓰고 화선(花扇)을 들었으니 그게 무슨 양반의 자식이냐? 바닥의 아들놈이지.

(화선: 꽃이 그려진 부채)

말뚝이 : 얘! 그렇지 않다. 그 댁이 빈난(貧難)해서 세물전(貰物廛)에서 의복을 세를 내 얻어 입고 와서 구색이 맞지 않아 그러하다! 〈중략〉

(세물전: 일정한 삯을 받고 혼인이나 장사 때에 쓰는 물건을 빌려 주던 가게)

소주제 ❷ 샌님을 보고 온 쇠뚝이가 양반을 □□함

샌님 : 여봐라! 이놈.

쇠뚝이 : 누가 나를 보고 이놈이라고 해? 나도 이름이 분명한데.

샌님 : 그래, 네 이름이 있으면 무어란 말이냐? / 쇠뚝이 : 샌님이 부르시기에 적당하오.

샌님 : 적당하면 뭐란 말이냐? / 쇠뚝이 : 아당 아 자(字), 번개 번 자요. 〈중략〉

샌님 : 아! 아! 아! 아!

쇠뚝이 : 샌님도 지랄하네. 누가 자리개미를 물었소? 어서 불러 봐요.

(자리개미: 조선 시대에, 포도청에서 죄인의 목을 졸라 죽이던 일)

샌님 : (할 수 없이 불러 본다.) 아 — 번! / 말뚝이 : 오! 잘 있었더냐?

소주제 ❸ 쇠뚝이가 샌님에게 자신을 □□이라고 부르게 하며 희롱함

샌님 : 으흐흑. (쓴웃음) 남의 종 쇠뚝이는 허(許)하고 사(赦)하고 내 종 말뚝이를 잡아들여라!

(사하고: 지은 죄나 허물을 용서하고)

쇠뚝이 : (신이 나서 말뚝이를 잡으러 간다. 말뚝이의 팽양이 갓을 빼앗는다.) 얘! 팽양이 갓을 벗어라. 너

작품 개관

- 갈래 전통 가면극(탈춤) 대본
- 성격 풍자적, 해학적, 골계적
- 주제 양반에 대한 조롱과 풍자
- 특징
  ① 익살스럽고 과장된 표현, 비속어와 욕설이 많이 사용됨
  ② 일상 회화조의 대사가 주로 나타남
  ③ 특별한 무대 장치가 없음

1등급 노트

1. 등장인물의 성격과 역할
   - 말뚝이 : 샌님의 하인. 양반 앞에서는 굴복하는 척하면서도 양반을 희화화하고, 그의 무능함을 조롱 · 풍자함
   - 쇠뚝이 : 말뚝이의 친구. 양반의 거처를 돼지우리로 정하는 등 양반을 적극적으로 조롱 · 풍자함
   - 샌님 : 양반 삼 형제의 맏이. 양반의 권위를 내세우려 하지만 말뚝이와 쇠뚝이에 의해 웃음거리가 되는 무능한 인물임
2. 민속극의 특징
   - '삼현을 청하여 까끼걸음으로 장내를 돌다가 의막을 정하여 놓고서' : 특별한 무대 장치 없이 인물의 말이나 행동을 통해 극 중 공간이 설정되기 때문에 장면 전환이 자유로우며, 극 중 인물이 관객과 직접 소통할 수 있음
   - 말뚝이와 쇠뚝이의 '까끼걸음'의 춤 : 춤을 통해 이야기를 전개해 나갈 수 있음
3. 사회적인 의미
   - 서민 의식의 성장 : 서민을 대표하는 인물인 말뚝이와 쇠뚝이가 양반을 희화화하고, 그의 무능함을 조롱 · 풍자하는 것은 당시 서민 의식이 성장하였음을 보여 줌
   - 지배 계층에 대한 풍자 · 비판 : 무능력하고 부도덕한 모습의 당시 지배 계층을 희화화하여 이들에 대한 민중들의 비판 의식을 드러냄

더 알아보기

◆ 〈양주 별산대놀이〉의 전체 구성
- 길놀이 : 놀이 시작 전의 풍악 행렬
- 서막 고사 : 놀이 시작 전 지내는 고사
- 제1과장 상좌춤
- 제2과장 옴중과 상좌
- 제3과장 옴중과 목중
- 제4과장 연잎과 눈끔적이
- 제5과장 팔목중 놀이(제1경 염불 놀이, 제2경 침 놀이, 제3경 애사당 북놀이)
- 제6과장 노장(제1경 파계승 놀이, 제2경 신장수 놀이, 제3경 취발이 놀이)
- 제7과장 샌님(제1경 의막 사령 놀이, 제2경 포도부장 놀이)
- 제8과장 신할아비와 미얄할미(종장 지노귀굿)

정답과 해설 25쪽

를 잡아들이랍신다. 어서 들어가자. 〈중략〉

소주제 ④ 분노한 샌님이 □□□를 징벌하려 함

쇠뚝이는 곤장을 들고 볼기를 치려고 하는데, 말뚝이는 두 손가락으로 돈 열 냥을 줄 터이니 가만히 때리라고 신호를 한다. 샌님이 이것을 보고서

샌님 : 이놈들아! 너희들이 무슨 공론(公論)을 하느냐?

쇠뚝이 : 말뚝이가 샌님 앞에서 매를 맞으면 죽을까 봐 헐장(歇杖)해 달라고 하오.

(헐장: 장형(杖刑)을 행할 때, 아프지 아니하도록 헐하게 매를 치던 일)

샌님 : 아니다. / 쇠뚝이 : 이것 큰일 났네! (샌님의 얼굴을 탁 치면서) 저놈이 가장집매(家藏什賣)해서라도 열 냥을 더해서 스무 냥 주마 하오.

(가장집매: 집에 있는 물건을 팔아서라도)

샌님 : 스무 냥? / 쇠뚝이 : 그건 구수하오.

㉢ 샌님 : (돈 스무 냥 준다는 말을 듣고) 애, 이놈들아! 저기 끝에 계신 종갓집 도령님이 봉치 받아 놓은 지가 슥 삼 년 열아홉 해다. 댁이 간구(艱苟)하여 납채(納采)를 못 들였다. 그러하니 그 돈 열아홉 냥 구 돈 오 푼을 댁으로 봉사(奉仕)하고 그 나머지 오 푼은 술 한 동이를 사다가 물 한 동이를 타서 휘! 휘! 저어 가지고 너도 먹고 죽고 너도 먹고 죽어라.

(봉치: 혼인 전에 신랑 집에서 신부 집으로 채단과 예장을 보내는 일. 또는 그 채단과 예장)
(간구: 가난하고 구차함)
(납채: 신랑 집에서 신부 집에 혼인을 구함. 또는 그 의례)

소주제 ⑤ 샌님이 말뚝이로부터 □□을 받음

– 작자 미상

소주제 체크
1. 의막 2. 조롱 3. 이면 4. 말뚝이 5. 뇌물

출제 예감
1 이 작품에 대한 설명으로 적절하지 않은 것은?

① 음악, 춤, 재담이 어우러진 종합 예술이다.
② 인물 간의 대화를 통해 대상을 풍자하고 있다.
③ 익살스럽고 과장된 표현을 사용하여 웃음을 유발하고 있다.
④ 무대와 객석을 구분하여 극 중 현실에 대한 몰입도를 높이고 있다.
⑤ 비속어와 일상어 등의 사용으로 현장감과 생동감이 나타나고 있다.

2 수능형 이 작품에 대한 반응으로 적절하지 않은 것은?

① 쇠뚝이는 돈으로 샌님을 유혹하지 못하고 실패하였군.
② 샌님은 자신의 권력으로써 하층민의 형벌 문제를 좌우하고 있군.
③ 샌님은 세물전에서 옷을 빌려 입어야 할 정도로 경제적으로 몰락하였군.
④ 샌님은 의막에 들어가면서도 말뚝이와 쇠뚝이가 자신을 조롱하는 것을 모르고 있군.
⑤ 샌님은 자신을 주도적으로 조롱한 쇠뚝이 대신 자신의 하인인 말뚝이에게 분풀이하고 있군.

3 ㉠의 기능으로 가장 적절한 것은?

① 장면이나 상황의 전환을 알린다.
② 새로운 인물이 등장할 것임을 예고한다.
③ 인물 간의 갈등이 해소되었음을 드러낸다.
④ 악공을 극 중 상황에 자연스럽게 개입시킨다.
⑤ 각 과장이 서로 연결되어 있음을 직접 나타낸다.

4 ㉡에 대한 설명으로 가장 적절한 것은?

① 말뚝이는 자신의 구차한 모습을 들어 쇠뚝이를 설득하고 있다.
② 말뚝이는 샌님의 권위에 거짓 없이 굴복하는 모습을 보이고 있다.
③ 말뚝이는 어려운 한자어를 사용하여 자신의 유식함을 뽐내고 있다.
④ 쇠뚝이는 샌님을 거침없이 조롱하며 비판적인 태도를 보이고 있다.
⑤ 쇠뚝이는 샌님을 비하함으로써 자신의 높아진 신분을 드러내고 있다.

5 이 작품을 보충·심화 학습하기 위한 학생들의 활동으로 적절하지 않은 것은?

① 조선 후기의 변화된 사회상에 대해 알아본다.
② 민속극의 특징에 대해 서양극과 비교하여 알아본다.
③ 등장인물의 성격과 역할을 각 가면의 모양과 관련지어 알아본다.
④ 말뚝이의 성격과 태도를 〈봉산 탈춤〉의 말뚝이와 비교하여 알아본다.
⑤ 서민 의식의 성장으로 불합리한 신분제를 타파하게 된 작품에 대해 더 알아본다.

6 서술형 ㉢에서 알 수 있는 당시의 사회상에 대해 간략하게 서술하시오.

개화기 ~ 광복 이전

개화기 ~ 광복 이전의 시기는 개화기를 거쳐 일제 강점이 끝난 광복 이전까지를 말한다.

운문의 경우, 개화기에는 개화 가사와 창가가 성행하고, 전통시에서 자유시로 넘어가는 과도기적 형태인 신체시도 많이 창작되었다. 일제 강점기에는 신체시보다 형식적으로 자유로워진 자유시가 주를 이루었다. 1920년대에는 허무 의식을 반영한 퇴폐적 낭만주의 시와 이념적 목적성을 강조한 경향시, 민족주의 시가 나타났다. 1930년대에는 시의 음악성을 중시하는 순수 서정시와 회화성을 중시하는 모더니즘 시, 생명력을 탐구하는 생명시가 등장했다. 1940년대에는 일제의 혹독한 탄압에 맞선 저항시가 창작되었다.

산문의 경우, 개화기에는 신소설과 역사 · 전기(傳記) 소설이 창작되었는데, 신소설은 고전 소설과 현대 소설을 연결하는 교량 역할을 했다. 1920년대에는 낭만주의 소설과 사실주의 소설, 계급주의 소설이 많이 창작되었다. 1930년대에는 일제의 탄압에 의해 이념 지향적 소설보다는 순수 소설, 농촌 소설, 역사 소설 등이 주를 이루다가 1940년대에 이르러 암흑기에 접어들게 된다. 수필의 경우에는 수필 이론이 정립되면서 본격적인 수필 문학의 시대를 알렸으며, 희곡의 경우에는 근대 희곡이 확립되고, 일제의 수탈을 고발하는 사실주의 희곡이 발표되었다.

01 해(海)에게서 소년에게

1

처……ㄹ썩, 처……ㄹ썩, 척, 쏴……아.

때린다, 부순다, 무너 버린다.

태산(泰山) 같은 높은 뫼, 집채 같은 바윗돌이나, / 요것이 무어야, 요게 무어야.

나의 큰 힘 아느냐, 모르느냐, 호통까지 하면서, / 때린다, 부순다, 무너 버린다.

처……ㄹ썩, 처……ㄹ썩, 척, 튜르릉, 콱.　　소주제 1 □□의 위용과 저력

2

처……ㄹ썩, 처……ㄹ썩, 척, 쏴……아. / 내게는, 아무것, 두려움 없어,

육상(陸上)에서, 아무런, 힘과 권(權)을 부리던 자(者)라도,

내 앞에 와서는 꼼짝 못하고,

아무리 큰 물건도 내게는 행세하지 못하네. / 내게는 내게는 나의 앞에는.

처……ㄹ썩, 처……ㄹ썩, 척, 튜르릉, 콱.　　소주제 2 □□의 모든 것을 제압하는 바다의 위력

3

처……ㄹ썩, 처……ㄹ썩, 척, 쏴……아. / 나에게 절하지 아니한 자(者)가,

지금(只今)까지 있거든, 통기하고 나서 보아라. / 진시황(秦始皇), 나팔륜, 너희들이냐.

(통기: 기별하여 알림 / 나팔륜: 나폴레옹(Napoleon)의 음차식(音借式) 표기)

누구 누구 누구냐, 너희 역시(亦是) 내게는 굽히도다. / 나하고 겨룰 이 있건 오너라.

처……ㄹ썩, 처……ㄹ썩, 척, 튜르릉, 콱.　　소주제 3 누구도 겨룰 수 없는 바다의 □□

4

처……ㄹ썩, 처……ㄹ썩, 척, 쏴……아.

조그만 산(山) 모를 의지(依支)하거나,

㉠《좁쌀 같은 작은 섬, 손뼉 만한 땅을 가지고, / 고 속에 있어서 영악한 체를,

부리면서, 나 혼자 거룩하다 하는 자(者), / 이리 좀 오너라, 나를 보아라.》

처……ㄹ썩, 처……ㄹ썩, 척, 튜르릉, 콱.　　소주제 4 영리하거나 거룩한 척하는 자들에 대한 □□

5

처……ㄹ썩, 처……ㄹ썩, 척, 쏴……아. / 나의 짝 될 이는 하나 있도다.

크고 길고, 넓게 뒤덮은 바 저 푸른 하늘. / 저것은 우리와 틀림이 없어,

작은 시비(是非), 작은 쌈, 온갖 모든 더러운 것 없도다.

조따위 세상(世上)에 조 사람처럼,

처……ㄹ썩, 처……ㄹ썩, 척, 튜르릉, 콱.　　소주제 5 바다의 짝이 될 만한 □□ □□

6

처……ㄹ썩, 처……ㄹ썩, 척, 쏴……아. / 저 세상(世上) 저 사람 모두 미우나,

그 중(中)에서 똑 하나 사랑하는 일이 있으니,

담(膽) 크고 순정(純精)한 소년배(少年輩)들이,

재롱(才弄)처럼 귀(貴)엽게 나의 품에 와서 안김이로다.

오너라, 소년배 입 맞춰 주마.

처……ㄹ썩, 처……ㄹ썩, 척, 튜르릉, 콱.　　소주제 6 □□에 대한 애정과 기대

– 최남선

작품 개관

- 갈래 신체시, 서정시
- 성격 계몽적, 낙관적
- 주제 개화에 대한 소년의 시대적 각성과 의지
- 특징
  ① 개화에 대한 시대적 각성을 반영함
  ② 웅장하고 힘찬 남성적 어조를 사용함

1등급 노트

1. 형식상의 특징
   - 일상어에 가까운 구어체로의 변모
   - 기존 시가의 율격을 깨고 3·4·5조의 자유로운 율격으로 가는 과도기적 모습
   - 각 연의 앞뒤에서 의성어인 파도 소리가 반복됨 : 각 연을 하나의 단위로 묶어 주면서 바다의 이미지를 환기시키는 역할을 함
2. 문학사적 의의
   - 신체시의 효시로, 근대시 형성에 모태가 됨
   - 한계 : 개인적 서정보다 집단적 정서를 주로 노래함. 정형성을 완전히 탈피하지 못함
3. '바다'와 '소년'의 상징적 의미

바다	세계로 나아가는 통로이자 세계를 지배할 수 있는 힘을 상징함
소년	새로운 세계를 이끌어 갈 순진한 자를 상징함

함께 엮어 읽기

◆ 이중원, 〈동심가〉

〈동심가〉와 이 시는 모두 개화기의 시가 양식이다. 〈동심가〉는 전통적 가사 형태인 4·4조, 4음보 율격을 지닌 노래로, 전근대적인 성격을 띤다. 이 시는 신체시로, 개화 가사가 형태 면에서 전근대적인 데 반해 형태 면에서 기존의 정형률을 어느 정도 벗어난 모습을 보여 준다. 두 작품 모두 문명개화를 촉구하며 개화사상을 효율적으로 전파하고자 하는 계몽적 성격을 지닌다.

더 알아보기

◆ 신체시(新體詩)

창가와 자유시 사이에서 징검다리 역할을 한 새로운 형태의 시가로서, 정형화된 형식과 내용·한문투의 어조가 많은 이전의 시조나 가사와 달리, 당시 속어를 사용하고 서양 근대시와 일본 신체시의 영향을 받은 한국 근대시의 초기 형태의 갈래를 말한다.

형식과 운율이 이전 창가에 비해 자유로워졌으며, 개화사상·계몽사상을 담은 작품이 대부분이다. 하지만 부분적으로 정형시의 잔재와 계몽성이 남아 있다는 점에서 본격적 근대시로 인정되지 않는다.

소주제 체크

1. 바다 2. 육상 3. 위엄 4. 조소 5. 푸른 하늘 6. 소년

정답과 해설 25쪽

1 이 시에 대한 설명으로 가장 적절한 것은?

① 최초의 자유시로 평가되는 작품이다.
② 시적 화자는 개화기를 살아가는 소년이다.
③ 담화체를 사용하여 직설적으로 표현하였다.
④ 사회적 이념보다 개인적 정서를 노래하였다.
⑤ 여성적 어조의 어말 어미를 사용하여 부드러움을 느낄 수 있다.

출제 예감

2 이 시의 '바다'에 대한 설명으로 적절하지 않은 것은?

① 표면적인 시적 화자로 설정되어 있다.
② 개화에 부정적인 사람들을 비판하고 있다.
③ '소년', '푸른 하늘'과 의미상 대응 관계에 있다.
④ 미래의 모습을 구체적이고 사실적으로 묘사하고 있다.
⑤ 웅혼한 기상과 새로운 시대에 대한 염원을 담고 있다.

3 고난도 이 시와 〈보기〉에 나타난 '근대 이전의 시가 문학'과의 가장 큰 차이점은?

보기

근대 이행기 이전까지의 시가 문학은 자연을 단지 완상(玩賞)의 대상으로 여기거나, 그 속에서의 삶을 군주의 은혜와 관련시키는 것이 관례였다. 즉, 주체가 중심이 되어 세계를 이해하는 것이 아니라 이미 주어진 틀에 의해 피동적으로 받아들이려 했다. 그리하여 시대 현실에 순응하는 인간상이 그려지고 형식도 고정되었던 것이다.

① 문명개화 예찬
② 계몽적 성격의 노출
③ 후렴구의 반복적 사용
④ 자주독립 의식의 고취
⑤ 세계에 대한 자아의 각성과 염원

출제 예감

4 이 시의 형식상 특징으로 적절하지 않은 것은?

① 의성어의 반복을 통해 음악성을 높였다.
② 매 연마다 동일한 율격이 반복되고 있다.
③ 정형시에서 자유시로 이행하는 단계의 형태를 보여 준다.
④ 한 연만 독립적으로 놓고 보면 운율상 자유시로 볼 수 있다.
⑤ 외형적 율격에서 완전히 벗어나 새로운 형식을 실험적으로 사용하고 있다.

5 ㉠에서 이 시의 화자가 비판하는 대상을 나타내는 한자 성어는?

① 수수방관(袖手傍觀)
② 좌정관천(坐井觀天)
③ 교각살우(矯角殺牛)
④ 호가호위(狐假虎威)
⑤ 부화뇌동(附和雷同)

출제 예감

6 이 시에서 '파도 소리'를 반복적으로 사용함으로써 얻게 되는 효과가 아닌 것은?

① 작품에 생동감을 부여한다.
② 작품의 회화성을 증폭시킨다.
③ 바다의 이미지를 감각적으로 환기한다.
④ 연의 구획을 통한 형태상의 안정감을 부여한다.
⑤ 음성 상징어의 반복으로 독특한 운율을 형성한다.

7 수능형 이 시를 읽고 감상한 내용으로 적절하지 않은 것은?

① 혜영 : 웅장하고 힘찬 어조로 시상을 전개하고 있어.
② 은경 : 서양 문물의 적극적 수용을 강조하는 개화 지향적인 시야.
③ 병규 : 서구의 신문물이 밀려드는 형상을 거센 파도로 상징화하고 있어.
④ 민희 : '바다'와 '육상'의 공통점을 바탕으로 화자의 의지를 강조하고 있어.
⑤ 인수 : '소년'은 낡은 세력인 '높은 뫼', '바윗돌'에 저항할 새로운 세대를 의미해.

8 서술형 〈보기〉에 제시된 당시의 시대 상황과 관련하여 '바다'와 '소년배'의 의미를 서술하시오.

보기

개화기는 구시대의 문화와 생활 양식에서 벗어나 새 시대의 근대 문화를 도입하여 자유 민주주의, 자본주의, 산업화로 발달되어 가는 시기를 말한다. 이 시기에는 새로운 시대적 조류에 민감하게 반응하고 신지식의 획득 등으로 지적인 성장을 해 왔던 신지식층의 활동이 활발하였다.

02 빼앗긴 들에도 봄은 오는가

지금은 남의 땅 —— 빼앗긴 들에도 봄은 오는가?

소주제 ❶ 빼앗긴 □□의 현실에 대한 인식

나는 온몸에 햇살을 받고,
㉠푸른 하늘 푸른 들이 맞붙은 곳으로,
가르마 같은 논길을 따라 ⓐ꿈속을 가듯 걸어만 간다.

소주제 ❷ 아름다운 □ 경치에 이끌림

입술을 다문 하늘아, 들아,
내 맘에는 나 혼자 온 것 같지를 않구나.
네가 끌었느냐, 누가 부르더냐, 답답워라. 말을 해 다오.

소주제 ❸ 침묵하는 조국 강토에 대한 □□□

바람은 내 귀에 속삭이며,
한 자국도 섰지 마라, 옷자락을 흔들고.
종다리는 울타리 너머 아씨같이 구름 뒤에서 반갑다 웃네.

고맙게 잘 자란 보리밭아, / 간밤 자정이 넘어 내리던 고운 비로
너는 삼단 같은 머리를 감았구나. ⓑ내 머리조차 가쁜하다.

혼자라도 가쁘게나 가자. / 마른 논을 안고 도는 착한 도랑이
젖먹이 달래는 노래를 하고, 제 혼자 어깨춤만 추고 가네.

소주제 ❹ 봄을 맞은 국토의 □□□ 모습

나비, 제비야, *깝치지 마라. / 맨드라미, 들마꽃에도 인사를 해야지.
('들매꽃'의 방언)
아주까리기름을 바른 이가 *지심 매던 ⓒ그 들이라 다 보고 싶다.

내 손에 호미를 쥐어 다오. / 살진 젖가슴과 같은 부드러운 이 흙을
발목이 시도록 밟아도 보고, 좋은 땀조차 흘리고 싶다.

소주제 ❺ 국토에 대한 □□

ⓓ강가에 나온 아이와 같이, / *짬도 모르고 끝도 없이 닫는 내 혼아,
ⓔ무엇을 찾느냐, 어디로 가느냐, 웃어웁다, 답을 하려무나.
('우습다'의 방언)

나는 온몸에 풋내를 띠고,
㉡푸른 웃음, 푸른 설움이 어우러진 사이로,
다리를 절며 하루를 걷는다. 아마도 봄 신령이 *지폈나 보다.

소주제 ❻ 감정의 □□

그러나 지금은 —— 들을 빼앗겨 봄조차 빼앗기겠네.

소주제 ❼ 빼앗긴 조국의 현실에 대한 □□□

– 이상화

어휘 다지기

- 깝치지 : '재촉하지'의 방언
- 지심 : '김'의 방언
- 짬 : 현재의 상황, 형편
- 지폈나 : (신령이 사람에게) 씌웠나

작품 개관

- 갈래 자유시, 서정시
- 성격 낭만적, 상징적
- 주제 국토를 빼앗긴 민족의 비통한 현실
- 특징
  ① 향토적 소재를 사용하여 국토애를 표현함
  ② 상징적 표현과 다양한 비유를 통해 주제를 부각함
  ③ 각 연의 행 길이가 점층적으로 길어지면서 내용이 심화됨

1등급 노트

1. 시어의 함축적 의미
   - 빼앗긴 들 : 일제에 의해 국권을 상실한 조국의 현실
   - 봄 : 조국의 광복
   - 입술을 다문 하늘아, 들아 : 일제의 억압적 폭력 앞에 힘을 잃어버린 조국의 현실
   - 푸른 웃음, 푸른 설움 : 봄의 자연이 주는 기쁨과 현실 속에서 겪는 시대적 고통에 따른 슬픔을 복합적으로 드러냄
   - 다리를 절며 하루를 걷는다. : 화자의 정서적 불균형이 외면으로 표출됨

2. 시상의 흐름 – 전후 관계에 따른 대칭 구조

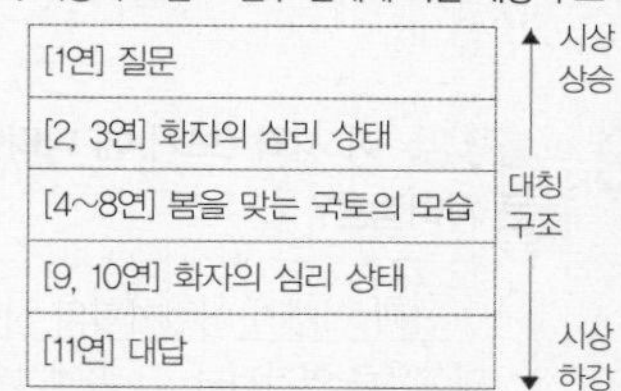

[1연] 질문	시상 상승
[2, 3연] 화자의 심리 상태	
[4~8연] 봄을 맞는 국토의 모습	대칭 구조
[9, 10연] 화자의 심리 상태	
[11연] 대답	시상 하강

3. 화자의 현실 인식
   지금은 남의 땅 : 지금은 남의 땅이지만 과거에는 우리 땅, 미래에도 역시 우리 땅이라는 화자의 인식이 드러남. 즉, 국토의 상실이 일시적인 것이라는 인식이 담겨 있음

함께 엮어 읽기

◆ 박용철, 〈떠나가는 배〉
〈떠나가는 배〉의 2연과 이 시의 7연은 일제 강점하의 우리 국토와 민족(동포)에 대한 화자의 애정을 표현했다는 점에서 유사하다.

소주제 체크

1. 조국 2. 봄 3. 답답함 4. 활기찬 5. 애정 6. 혼란 7. 재인식

정답과 해설 25쪽

1 이 시에 대한 설명으로 적절하지 않은 것은?

① 향토적 소재와 시어를 사용해 국토애를 표현하고 있다.
② 의문형의 제목을 통해 주제를 효과적으로 드러내고 있다.
③ 시상의 흐름이 전후 관계에 따라 대칭 구조를 이루고 있다.
④ 어조의 변화를 통해 시적 화자의 내면 심리를 나타내고 있다.
⑤ 이야기체의 서사적 구성을 통해 망국의 슬픔을 드러내고 있다.

출제 예감

2 이 시의 창작 시기를 고려할 때, ㉠의 상징적 의미로 가장 적절한 것은?

① 지평선　② 분단된 조국
③ 동양의 이상향　④ 남북 화합의 공간
⑤ 광복을 이룬 조국

3 이 시에 나타난 화자의 감정 변화를 그래프로 나타낸다고 할 때, 가장 적절한 것은?

①
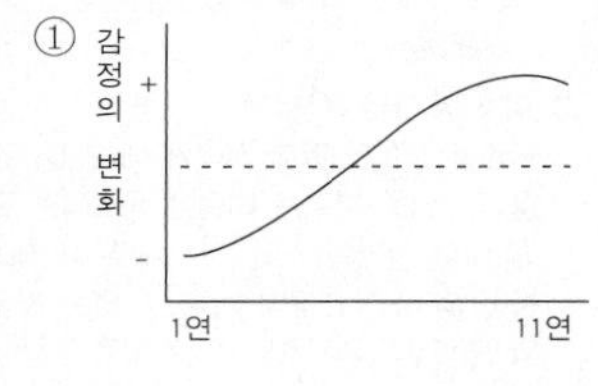

②
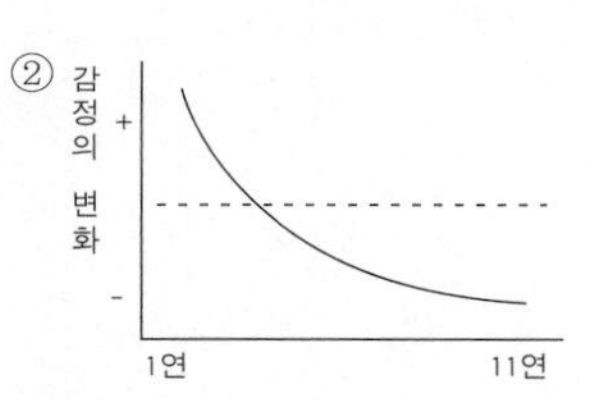

③
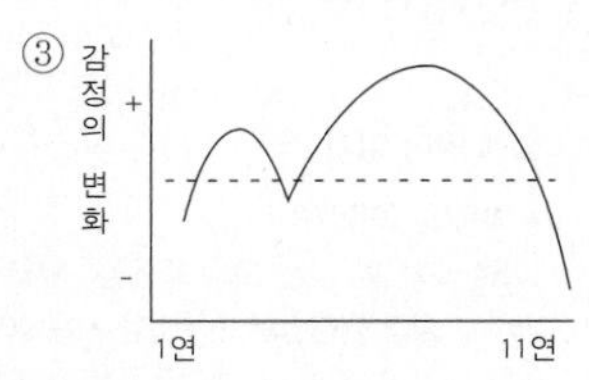

④
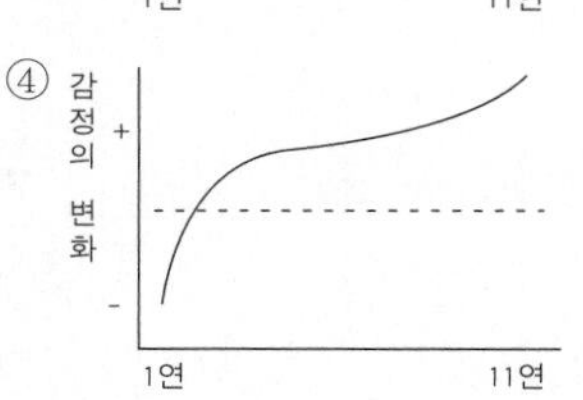

⑤
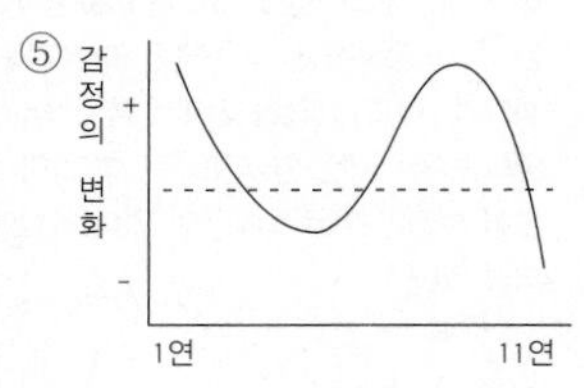

출제 예감

4 이 시에서 화자의 정서적 불균형으로 인한 내면의 갈등을 형상화한 시구는?

① 지금은 남의 땅
② 가르마 같은 논길
③ 답답워라. 말을 해 다오.
④ 나비, 제비야, 깝치지 마라.
⑤ 다리를 절며 하루를 걷는다.

출제 예감

5 시행의 함축적 의미가 나머지 넷과 다른 하나는?

① 푸른 하늘 푸른 들이 맞붙은 곳으로
② 입술을 다문 하늘아, 들아
③ 고맙게 잘 자란 보리밭아
④ 마른 논을 안고 도는 착한 도랑이
⑤ 살진 젖가슴과 같은 부드러운 이 흙을

6 수능형 ㉡에 대한 설명으로 적절하지 않은 것은?

① 청각을 시각화한 공감각적 표현이 나타나고 있다.
② 서로 모순된 감정을 병치하는 역설법이 사용되고 있다.
③ 반복적 표현을 통해 화자의 평화로운 감정을 드러내고 있다.
④ '푸른 웃음'은 자연과의 일체감으로 인한 기쁨을 의미하고 있다.
⑤ '푸른 설움'은 식민지 현실에 대한 인식에서 오는 슬픔을 의미하고 있다.

7 ⓐ~ⓔ에 대한 설명으로 적절하지 않은 것은?

① ⓐ : 화자의 몽환적 도취 상태
② ⓑ : 자연에 동화된 화자
③ ⓒ : 국토에 대한 애정
④ ⓓ : 순진무구한 어린아이와 같은 화자의 모습
⑤ ⓔ : 자연을 즐기는 화자의 모습

8 서술형 이 시의 제목이 담고 있는 함축적 의미를 〈조건〉에 맞게 서술하시오.

조건
- '빼앗긴 들'과 '봄'의 의미를 밝힐 것
- 의문형으로 끝맺음으로써 얻는 효과를 포함할 것

03 초혼(招魂)

산산이 부서진 이름이여!
허공중에 *헤어진 이름이여!
불러도 주인 없는 이름이여!
부르다가 내가 죽을 이름이여!

소주제 ❶ 임의 □□를 절감한 화자의 슬픔

*심중에 남아 있는 말 한마디는
끝끝내 마저 하지 못하였구나.
사랑하던 그 사람이여!
사랑하던 그 사람이여!

소주제 ❷ 사랑을 □□하지 못한 안타까움

붉은 해는 *서산마루에 걸리었다.
사슴의 무리도 슬피 운다.
떨어져 나가 앉은 산 위에서
나는 그대의 이름을 부르노라.

소주제 ❸ 영원한 이별로 인한 슬픔과 □□□

설움에 *겹도록 부르노라.
설움에 겹도록 부르노라.
부르는 소리는 비껴가지만
하늘과 땅 사이가 너무 넓구나.

소주제 ❹ 이승과 저승의 □□에서 오는 절망감

선 채로 이 자리에 돌이 되어도
부르다가 내가 죽을 이름이여!
사랑하던 그 사람이여!
사랑하던 그 사람이여!

소주제 ❺ 슬픔의 극한과 임을 향한 처절한 □□□

– 김소월

어휘 다지기

- 헤어진 : '흩어진'의 평안북도 방언
- 심중(心中) : 마음속
- 서산마루 : 서쪽에 있는 산의 꼭대기
- 겹도록 : 감정이 동하여 억제할 수 없을 만큼

작품 개관

- 갈래 자유시, 서정시
- 성격 전통적, 민요적, 격정적, 애상적, 감상적
- 주제 임의 죽음으로 인한 슬픔과 임에 대한 그리움
- 특징
  ① 슬픔을 직설적으로 표현함
  ② 반복, 영탄을 통한 격정적 어조를 구사함
  ③ 7·5조, 3음보의 전통적 율격을 사용함(민요조)

1등급 노트

1. 시적 화자의 정서 형상화 방식
   - 반복과 영탄을 사용하여 슬픔을 직접적으로 표출함
   - 대부분의 소월 시에서는 임을 보낸 후의 상실감과 슬픔을 체념적인 어조로 표현하는 데 반해, 이 시에서는 격정적 어조로 표현함
2. '돌'의 의미
   - 임과의 이별 상황에서 임에 대한 그리움과 만남에 대한 소망의 극한이 응축된 표현임
   - 절개 굳은 아내가 타지에 나간 남편을 기다리다 돌이 되어 버렸다는 망부석 설화와 관련이 있음
   - 관련 작품 : 고대 가요 〈정읍사〉, 박제상 전설 등
3. 이 시의 다른 해석
   국권을 상실한 일제 시대가 배경임을 감안할 때, 임을 부르는 애절한 목소리는 일제에 대한 항거의 소리, '선 채로 이 자리에 돌이 되어도'는 끝내 버릴 수 없는 조국애와 광복에의 의지로도 볼 수 있음

함께 엮어 읽기

◆ 박목월, 〈이별가〉

〈이별가〉와 이 시는 모두 죽음을 소재로 하고 있다는 점과 점층법과 반복법을 사용하여 죽은 이에 대한 안타까움과 그리움을 표현하고 있다는 점이 공통적이다. 그러나 〈이별가〉의 시적 화자가 '너'의 대답을 전제로 혼자 이야기하고 있다면, 이 시는 일방적으로 '그대'의 이름을 불러 보지만 아무런 대답이 없다는 점에서 차이가 있다.

더 알아보기

◆ 고복 의식(皐復儀式)

사람이 죽는다는 것은 혼(魂)이 몸을 떠나는 것이라는 믿음에 근거하여, 떠난 혼을 불러들여 죽은 사람을 다시 살려 내고자 하는 간절한 소망의 의식을 말한다. 여기서 죽은 이를 부르는 행위가 '초혼(招魂)'이다. 실제로 죽은 이를 다시 살려 낼 수 없기에 이 의식은 죽은 사람을 보내야 하는 데서 오는 슬픔과 허탈감의 표현이라고 볼 수 있다.

소주제 체크

1. 부재 2. 고백 3. 허무감 4. 거리 5. 그리움

정답과 해설 25쪽

1 이 시에 대한 설명으로 적절하지 않은 것은?

① 자아 성찰의 자세가 드러나 있다.
② 전통적 민요조를 바탕으로 표현하고 있다.
③ 비통하고 처절한 절규의 어조가 나타나 있다.
④ 시적 화자의 감정을 직설적으로 표출하고 있다.
⑤ 상대방을 부름으로써 대상의 부재를 실감하게 한다.

출제 예감
2 이 시에 사용된 표현상의 특징으로 가장 적절한 것은?

① 대상의 객관적 묘사
② 향토적 시어의 사용
③ 미각적 심상의 사용
④ 비슷한 통사 구조의 반복
⑤ 아름답고 부드러운 우리말의 사용

3 고난도 이 시를 〈보기〉의 각 요소와 관련지어 감상했을 때, ⓐ의 관점에 따른 감상으로 가장 적절한 것은?

보기

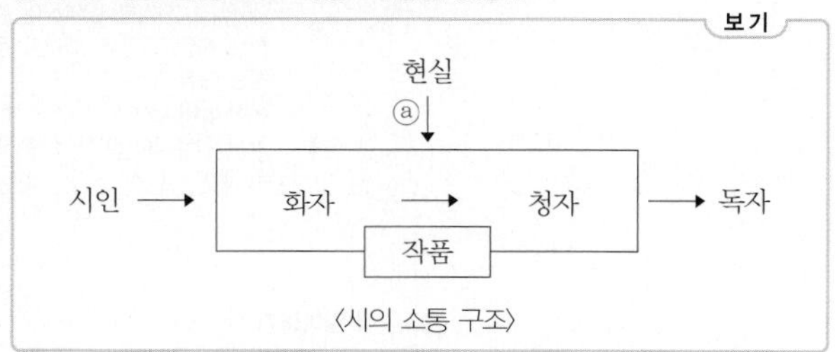

〈시의 소통 구조〉

① 이 시는 대부분의 소월 시와는 달리 시적 화자가 결연하고 격정적인 어조로 말하고 있다.
② 김소월은 민족적 정서인 한(恨)을 전통적 가락과 결합시켜 당대의 국민 감정으로 승화시킨 시인이다.
③ 사랑하는 임을 상실한 시적 화자의 슬픔은 누구나 겪을 수 있는 일이라는 점에서 공감대를 형성할 수 있다.
④ 일제 강점기라는 시대상을 고려한다면, 임을 부르는 애절한 목소리는 일제에 대한 항거의 소리로 볼 수 있다.
⑤ 이 시의 청자가 시적 화자의 사랑한다는 말을 듣지 못한 것으로 보아 갑작스러운 죽음을 맞이한 것으로 볼 수 있다.

출제 예감
4 이 시와 〈보기〉에 대한 설명으로 적절하지 않은 것은?

보기

박제상은 일본에 볼모로 있는 왕자를 구출하고 자신은 체포되어 돌아올 수 없게 된다. 그의 아내는 치술령에 올라가 높은 바위 위에서 멀리 왜국을 바라보며 남편이 돌아오기를 기다리다 그대로 돌이 되어 치술령 신모(神母)가 되었고, 그 바위를 뒷날 사람들이 망부석이라 불렀다. – 박제상 전설

① 이 시에서 〈보기〉의 설화와 가장 유사한 부분은 5연이다.
② 이 시의 화자와 〈보기〉의 '아내'는 모두 임의 죽음으로 인해 절망하고 있다.
③ 이 시의 '돌'과 〈보기〉의 '망부석'은 모두 임을 잃은 슬픔과 한의 응결체이다.
④ 이 시의 화자와 〈보기〉의 '아내'는 '임의 부재'라는 동일한 상황에 처해 있다.
⑤ 이 시는 임의 죽음을 인식한 후 임과의 불가능한 만남을 염원하고 있다는 점에서 〈보기〉와는 다르다.

출제 예감
5 모순적인 표현을 통해 임의 부재에서 오는 아픔을 드러내고 있는 시행은?

① 불러도 주인 없는 이름이여!
② 끝끝내 마저 하지 못하였구나.
③ 사슴의 무리도 슬피 운다.
④ 하늘과 땅 사이가 너무 넓구나.
⑤ 선 채로 이 자리에 돌이 되어도

6 수능형 3연에 대한 설명으로 적절하지 않은 것은?

① 시적 화자의 처절한 슬픔과 고독감이 나타나 있다.
② 삶과 죽음의 경계를 '낮'과 '밤'으로 표현하고 있다.
③ 객관적 상관물을 통해 시적 화자의 감정을 나타내고 있다.
④ 감각의 전이를 통해 시적 화자의 슬픔을 형상화하고 있다.
⑤ 임의 죽음으로 인한 시적 화자의 허탈한 모습이 나타나 있다.

7 서술형 국권을 빼앗긴 현실과 관련하여 '선 채로 이 자리에 돌이 되어도'가 의미하는 바를 서술하시오.

04 접동새 · 산유화

가 접동새

[A] 접동 / 접동
*아우래비 접동

소주제 1 접동새의 □□□□

*진두강 가람 가에 살던 누나는
진두강 앞마을에 / 와서 웁니다.

소주제 2 마을을 떠나지 못하는 죽은 □□의 울음소리

옛날, 우리나라 / 먼 뒤쪽의
진두강 가람 가에 살던 누나는 / 의붓어미 시샘에 죽었습니다.

소주제 3 의붓어미의 □□에 죽은 누나

누나라고 불러 보랴 / 오오 *불설워
시새움에 몸이 죽은 우리 누나는 / 죽어서 접동새가 되었습니다.

소주제 4 죽어서 □□□가 된 누나

아홉이나 남아 되던 오랩동생을 / 죽어서도 못 잊어 차마 못 잊어
*야삼경 남 다 자는 밤이 깊으면 / 이 산 저 산 옮아가며 슬피 웁니다.

소주제 5 죽어서도 □□들을 못 잊어 슬피 우는 누나(접동새)

– 김소월

나 산유화

산에는 꽃 피네
꽃이 피네
갈 봄 여름 없이
꽃이 피네

소주제 1 존재의 □□

산에 / 산에
피는 꽃은
저만치 혼자서 피어 있네

소주제 2 존재의 □□

산에서 우는 작은 새여
꽃이 좋아
산에서
사노라네

소주제 3 존재 사이의 □□

산에는 꽃 지네
꽃이 지네
갈 봄 여름 없이
꽃이 지네

소주제 4 존재의 □□

– 김소월

작품 개관

[가]
- 갈래 자유시, 서정시
- 성격 토속적, 애상적, 민요적
- 주제 비극적 현실을 초월하려는 애절한 혈육의 정
- 특징
  ① 서북 지방의 설화를 제재로 하여 시상을 전개함
  ② 의성어를 통해 혈육에 대한 정을 표출함

[나]
- 갈래 자유시, 서정시
- 성격 민요적, 전통적, 관조적
- 주제 생명과 소멸을 거듭하는 대자연의 섭리와 존재의 고독감
- 특징
  ① 종결 어미 '-네'를 통해 각운의 효과를 얻고, 감정의 절제를 보여 줌
  ② 7·5조, 3음보와 그 변조로 운율감을 형성함

1등급 노트

[가]

1. '접동새'의 의미
   - 죽은 누나의 화신
   - 죽은 누나가 품고 있는 '한(恨)'의 상징
2. 화자의 정서
   - '오랩동생' 중 하나인 화자는 접동새의 울음소리를 죽은 누나가 접동새로 환생하여 우는 소리로 생각하며 누나를 그리워함
   - '누나'를 '우리 누나'로 표현하여 독자가 화자와 동일한 감정을 느낄 수 있도록 함

[나]

1. 형태상의 특징
   1연과 4연이 수미 상관의 구조를 이루며 '피네', '지네'를 반복함으로써 시적 안정감과 함께 자연 순환이 가진 영원성(생성과 소멸의 순환 원리)을 나타냄
2. 시어의 상징적 의미

꽃	산에 저만치 홀로 피어 있는 존재, 피고 지기를 반복하며 순환하는 자연의 존재, 화자가 동경하는 대상
새	꽃이 좋아 산에서 사는 존재, 시적 화자의 분신이자 감정 이입의 대상

더 알아보기

◆ 접동새 설화
10남매를 둔 아버지가 아내를 잃은 후 재혼을 했는데, 계모가 매우 포악하였다. 맏이인 소녀가 혼기가 차서 어느 도령과 혼약을 맺었는데, 그 집이 부자라 소녀에게 많은 예물을 보냈다. 이를 시기한 계모는 소녀를 장롱 속에 가두고 불을 질러 죽였다. 소녀가 죽은 뒤 한 마리 접동새가 날아올랐는데 이는 소녀의 혼이 새가 된 것이었다. 관가에서 이를 알고 의붓어미를 잡아다 불에 태워 죽였는데, 재 속에서 까마귀가 나왔다. 접동새가 된 소녀는 아홉 남동생들을 몹시 걱정했지만 까마귀가 무서워 깊은 밤에만 동생들이 자는 창가에 와서 슬피 울었다.

정답과 해설 26쪽

어휘 다지기

- 아우래비 : 아홉 오라비
- 진두강 : 서북 지방에 있는 강
- 불설워 : '몹시 서러워'라는 의미의 평안도 방언
- 야삼경 : 삼경(밤 11시부터 새벽 1시까지) 무렵의 밤

소주제 체크

[가] 1. 울음소리 2. 누나 3. 시샘 4. 접동새 5. 동생 [나] 1. 생성 2. 고독 3. 교감 4. 소멸

1 [가]와 [나]에 대한 설명으로 적절하지 않은 것은?

① [가]는 설화를 차용하여 시상을 전개하고 있다.
② [나]는 관조적 어조를 통해 시적 분위기를 형성하고 있다.
③ [가]와 [나]는 모두 3음보의 민요적 율격을 형성하고 있다.
④ [가]와 [나]는 모두 수미 상관을 통해 구조적 안정감을 확보하고 있다.
⑤ [가]는 주로 청각적 심상을 통해, [나]는 주로 시각적 심상을 통해 대상을 형상화하고 있다.

2 수능형 [가]의 화자가 처한 상황 및 정서와 유사하지 않은 것은?

① 같은 나뭇가지에 나고서도 / 가는 곳을 모르겠구나. / 아아, 극락 세계에서 만날 나는 / 도를 닦으며 기다리겠노라.
– 월명사, 〈제망매가〉
② 동기로 세 몸 되어 한 몸같이 지내다가 / 두 아운 어디 가서 돌아올 줄 모르는고. / 날마다 석양 문외에 한숨 겨워 하노라.
– 박인로
③ 밤에 홀로 유리를 닦는 것은 / 외로운 황홀한 심사이어니 / 고운 폐혈관(肺血管)이 찢어진 채로 / 아아, 늬는 산(山)ㅅ새처럼 날아갔구나!
– 정지용, 〈유리창 1〉
④ 지난해 사랑하는 딸을 여의고 / 올해는 사랑하는 아들 잃었네. / 슬프고 슬프구나 광릉 땅이여 / 두 무덤 나란히 마주하고 있구나.
– 허난설헌, 〈곡자〉
⑤ 내 산 채 짐승의 밥이 되어 찢기우고 할퀴우라 내맡긴 신세임을 // 나는 독을 차고 선선히 가리라. / 막음 날 내 외로운 혼(魂) 건지기 위하여.
– 김영랑, 〈독을 차고〉

3 출제 예감 [A]와 운율 형성 방법이 다른 것은?

① 살어리 살어리랏다 청산에 살어리랏다.
② 형님 온다 형님 온다 분(粉)고개로 형님 온다.
③ 아리랑 아리랑 아라리요 아리랑 고개로 넘어간다.
④ 해야 솟아라, 해야 솟아라, 말갛게 씻은 얼굴 고운 해야 솟아라.
⑤ 나는 왕이로소이다 나는 왕이로소이다. 어머님의 가장 어여쁜 아들, 나는 왕이로소이다.

4 출제 예감 [가]에 사용된 시어 및 시구와 관련된 설명으로 적절하지 않은 것은?

① '접동'이라는 의성어의 반복을 통해 슬픔의 정서를 강조하고 있다.
② '아우래비'는 '아홉 오라비'의 준말로, 말소리의 느낌을 살리기 위한 표현이다.
③ '불설워'는 평안도 지역의 사투리로, 주관적 감정을 직접적으로 드러내는 표현이다.
④ '접동새'는 죽은 누나의 화신으로, 한(恨)의 상징물이라 할 수 있다.
⑤ '죽어서도 못 잊어'는 누나를 잊지 못하는 동생의 마음을 직접 표출한 것이다.

5 [나]에서 다음 빈칸에 들어갈 말을 찾아 2어절로 쓰시오.

> [나]의 (　　　　)은/는 시적 화자의 감정이 이입된 대상으로 고독한 존재를 의미한다.

6 출제 예감 [나]에 대한 학생들의 반응으로 적절하지 않은 것은?

① 민국 : 종결 어미 '-네'를 반복함으로써 각운의 효과를 살리고 있어.
② 영하 : 반복과 대칭의 구조를 통해 자연 순환의 섭리를 나타내고 있어.
③ 석주 : '갈'은 '가을'을 줄인 말로, 의도적으로 사용한 시적 허용의 표현으로 볼 수 있어.
④ 동현 : '꽃'은 산에 홀로 피어 있는 존재로, 피고 지기를 반복하는 자연의 존재를 의미해.
⑤ 채희 : '저만치'는 화자와 대상 사이의 거리감을 드러내며, 부정적인 사회 현실에 대한 화자의 안타까움을 강조하고 있어.

7 서술형 [나]의 화자가 '꽃'을 통해 나타내고자 한 인간의 삶의 모습에 대해 간략하게 서술하시오.

05 님의 침묵 · 알 수 없어요

가 님의 침묵

님은 갔습니다. ⓐ아아, 사랑하는 나의 님은 갔습니다.

푸른 산빛을 깨치고 단풍나무 숲을 향하여 난 작은 길을 걸어서, 차마 떨치고 갔습니다.

황금(黃金)의 꽃같이 굳고 빛나던 옛 맹서(盟誓)는 차디찬 티끌이 되어서 한숨의 미풍(微風)에 날아갔습니다. / 날카로운 첫 키스의 추억(追憶)은 나의 운명(運命)의 *지침(指針)을 돌려놓고, 뒷걸음쳐서 사라졌습니다.

소주제 1 1~4행 : 임과의 □□

나는 향기로운 님의 말소리에 귀먹고, 꽃다운 님의 얼굴에 눈멀었습니다.

사랑도 사람의 일이라, 만날 때에 미리 떠날 것을 염려하고 경계하지 아니한 것은 아니지만, 이별은 뜻밖의 일이 되고, 놀란 가슴은 새로운 슬픔에 터집니다.

소주제 2 5, 6행 : 이별 후의 □□

그러나 이별을 쓸데없는 눈물의 원천(源泉)을 만들고 마는 것은 스스로 사랑을 깨치는 것인 줄 아는 까닭에, 걷잡을 수 없는 슬픔의 힘을 옮겨서 새 희망(希望)의 *정수박이에 들어부었습니다. / 우리는 만날 때에 떠날 것을 염려하는 것과 같이, 떠날 때에 다시 만날 것을 믿습니다.

소주제 3 7, 8행 : 슬픔을 극복한 새로운 □□

ⓑ아아, 님은 갔지마는 나는 님을 보내지 아니하였습니다.

제 곡조를 못 이기는 사랑의 노래는 ㉠님의 침묵(沈默)을 휩싸고 돕니다.

소주제 4 9, 10행 : 임에 대한 영원한 □□의 다짐

– 한용운

나 알 수 없어요

바람도 없는 공중에 수직(垂直)의 *파문을 내며 고요히 떨어지는 오동잎은 누구의 발자취입니까?

지리한 장마 끝에 서풍에 몰려가는 무서운 검은 구름의 터진 틈으로, 언뜻언뜻 보이는 푸른 하늘은 누구의 얼굴입니까?

꽃도 없는 깊은 나무에 푸른 이끼를 거쳐서, 옛 탑(塔) 위의 고요한 하늘을 스치는 알 수 없는 향기는 누구의 입김입니까?

근원은 알지도 못할 곳에서 나서 *돌부리를 울리고, 가늘게 흐르는 작은 시내는 굽이굽이 누구의 노래입니까?

연꽃 같은 발꿈치로 *가이없는 바다를 밟고, 옥 같은 손으로 끝없는 하늘을 만지면서, 떨어지는 해를 곱게 단장하는 저녁놀은 누구의 시(詩)입니까?

소주제 1 1~5행 : □□을 통해 드러나는 □□□ 존재

㉡타고 남은 재가 다시 기름이 됩니다. 그칠 줄 모르고 타는 나의 가슴은 누구의 밤을 지키는 약한 등불입니까?

소주제 2 6행 : 절대적 존재를 향한 □□ 정신과 □□ 의지

– 한용운

어휘 다지기

- 지침(指針) : 생활이나 행동 따위의 지도적 방법이나 방향을 인도하여 주는 준칙
- 정수박이 : '정수리'의 강원도 방언
- 파문(波紋) : 물결 모양의 무늬
- 돌부리 : 땅 위로 내민 돌멩이의 뾰족한 부분
- 가이없는 : 가없는. 끝이 없는

작품 개관

[가]
- 갈래 자유시, 서정시
- 성격 낭만적, 의지적, 상징적, 역설적
- 주제 임을 향한 영원한 사랑
- 특징
  ① 역설적인 표현이 두드러짐
  ② 여성적인 어조와 경어체를 사용함
  ③ 불교적인 비유와 고도의 상징이 돋보임

[나]
- 갈래 자유시, 서정시
- 성격 구도적, 역설적, 상징적
- 주제 절대적 존재에 대한 동경과 끝없는 구도 정신
- 특징
  ① 역설적 표현과 의문형 문장 구조를 사용함
  ② 자연 현상을 의인화하여 절대적 존재를 형상화함

1등급 노트

[가]

1. '님'의 상징적 의미
   종교적인 절대자, 불교의 진리, 일제에 빼앗긴 조국, 사랑하는 여인 등
2. 표현상의 특징(역설적 표현)
   - '나는 향기로운 님의 말소리에 귀먹고, 꽃다운 님의 얼굴에 눈멀었습니다.' → 임에 대한 절대적 사랑을 나타내는 모순되고 과장된 표현임
   - '님은 갔지마는 나는 님을 보내지 아니하였습니다.' → 이별의 슬픔을 극복하고 희망적 태도로 나아가기 위한 의지이자 임과의 재회에 대한 강한 믿음을 드러내는 표현임
3. 이별을 대하는 시적 화자의 자세
   - 1행~6행 : '임'과의 이별로 인한 슬픔과 고통을 드러냄
   - 7행~10행 : 이별의 슬픔이 재회의 희망으로 전환됨(삶에 있어서의 만남과 헤어짐의 실상에 대한 깨달음에서 비롯됨)

[나]

'누구'의 의미

보조 관념	원관념	속성
오동잎	발자취	보이지 않지만 실재하는 초월적 존재
푸른 하늘	얼굴	진리의 표상인 존재
향기	입김	알 수 없는 근원적 존재
작은 시내	노래	세상을 즐겁게 하는 존재
저녁놀	시(詩)	세상을 아름답게 하는 존재

↓

'누구' = 자연 현상 = 절대적 존재의 일부

소주제 체크

[가] 1. 이별 2. 슬픔 3. 희망 4. 사랑
[나] 1. 자연, 절대자 2. 구도, 희생

정답과 해설 26쪽

1 [가]에 대한 설명으로 적절하지 않은 것은?

① 불교적 세계관을 바탕으로 하고 있다.
② 경어체와 연가풍의 여성적 어조를 사용하였다.
③ 임과의 이별의 상황을 가정하여 시상을 전개하고 있다.
④ 역설적 표현으로 이별에 대한 화자의 인식을 드러내고 있다.
⑤ 시적 상황과 화자의 정서를 부각하기 위해 대조적 이미지의 시어들을 사용하고 있다.

2 ⓐ와 ⓑ에 드러난 화자의 심리 상태로 가장 적절한 것은?

	ⓐ	ⓑ		ⓐ	ⓑ
①	슬픔	깨달음	②	탄식	무상감
③	비애	외로움	④	회한	허무함
⑤	충격	공허함			

3 수능형 구술 면접 시험에서 [가]와 관련하여 <보기>와 같은 질문을 받았다고 할 때, 가장 높은 점수를 받을 수 있는 대답은?

보기
이 시는 사랑하는 사람과의 이별 상황을 노래하고 있습니다. 이러한 상황에서 시적 화자는 어떠한 태도를 보이고 있습니까?

① 사랑하는 사람과의 이별에 절망하고 있습니다.
② 이별에 처한 자신의 운명에 순응하고 있습니다.
③ 사랑하는 사람의 배신에 대해 원망하고 있습니다.
④ 사랑하는 사람과 재회할 것을 확신하고 있습니다.
⑤ 사랑하는 사람과의 이별을 계기로 인간 존재에 대해 회의하고 있습니다.

출제 예감
4 ㉠의 함축적 의미로 가장 알맞은 것은?

① 이별의 상황에서 절망한 임은 침묵으로 일관한다.
② 임은 언제나 말없이 시적 화자의 주위에서 맴돈다.
③ 슬픔을 극복하고자 하는 시적 화자에게 임은 침묵한다.
④ 현실적으로 임은 부재하지만 본질적으로는 항상 존재한다.
⑤ 운명의 한계를 인식한 임은 침묵으로 현실의 슬픔을 극복한다.

5 [나]에서 임이 부재하는 현실을 가장 잘 형상화하고 있는 시어를 찾으면?

① 장마 ② 검은 구름 ③ 저녁놀
④ 밤 ⑤ 약한 등불

6 [나]에 대한 설명으로 적절하지 않은 것은?

① 경어체를 사용하여 화자의 간절한 마음을 드러내고 있다.
② 유사한 통사 구조를 반복하여 시상을 전개해 나가고 있다.
③ 절대적 존재의 속성을 감각적 이미지를 활용하여 드러내고 있다.
④ 묻고 답하는 형식을 통해 진리에 대한 궁금증을 해소해 나가고 있다.
⑤ 의문형 종결 어미를 사용하여 절대적 존재에 대한 동경을 드러내고 있다.

출제 예감
7 [나]에 나타난 '누구'를 자연 현상으로 형상화한 표현을 다음과 같이 정리한다고 할 때, 적절하지 않은 것은?

	원관념	보조 관념	'누구'의 모습(속성)
①	발자취	떨어지는 오동잎	보이지 않으나 느껴지는 존재
②	얼굴	푸른 하늘	번뇌의 순간에 다가오는 깨달음
③	입김	알 수 없는 향기	인간의 생각으로는 알 수 없는 경지
④	노래	작은 시내	세상의 번뇌와 고통을 노래하는 존재
⑤	시(詩)	저녁놀	인간의 삶에 아름다움을 부여하는 충만한 존재

8 ㉡에 대한 이해로 적절하지 않은 것은?

① 타고 남은 재는 기름이 될 수 없으므로 역설적 표현을 사용한 것이다.
② '소멸의 이미지'를 '생성의 이미지'로 연결시키고자 한 표현으로 볼 수 있다.
③ 불교의 윤회 사상을 바탕으로, 화자의 의지와 영원성을 보여 주려는 표현이다.
④ 일제 강점기의 암울한 상황이 오랫동안 지속되고 있음을 강조하기 위한 표현이다.
⑤ '재'라는 부정적 대상이 '기름'이라는 긍정적 대상에 이르기 위한 전제임을 밝히고 있다.

9 서술형 [가]에서 시적 화자의 감정이 슬픔에서 희망으로 바뀐 이유에 대해 서술하시오.

06 향수(鄕愁)

넓은 벌 동쪽 끝으로
㉠옛이야기 *지줄대는 실개천이 휘돌아 나가고,
얼룩백이 황소가 / *해설피 금빛 게으른 울음을 우는 곳,

—— Ⓐ그곳이 차마 꿈엔들 잊힐 리야.

소주제 ❶ 평화롭고 한가로운 □□의 정경

*질화로에 재가 식어지면
㉡비인 밭에 밤바람 소리 말을 달리고,
엷은 졸음에 겨운 늙으신 아버지가
짚베개를 돋아 고이시는 곳,

——그곳이 차마 꿈엔들 잊힐 리야.

소주제 ❷ 겨울 밤 정경과 아버지에 대한 □□

흙에서 자란 내 마음 / 파아란 하늘빛이 그리워
Ⓑ함부로 쏜 화살을 찾으려
풀섶 이슬에 *함추름 휘적시던 곳,

—— 그곳이 차마 꿈엔들 잊힐 리야.

소주제 ❸ 꿈과 호기심으로 가득 찬 □□ 시절의 회상

㉢전설 바다에 춤추는 밤물결 같은
검은 귀밑머리 날리는 어린 누이와
㉣아무렇지도 않고 예쁠 것도 없는 / 사철 발 벗은 아내가
따가운 햇살을 등에 지고 이삭 줍던 곳,

—— 그곳이 차마 꿈엔들 잊힐 리야.

소주제 ❹ 어린 □□와 □□에 대한 회상

㉤하늘에는 성근 별 / 알 수도 없는 모래성으로 발을 옮기고,
서리 까마귀 우지짖고 지나가는 초라한 지붕,
흐릿한 불빛에 돌아앉아 도란도란거리는 곳,

—— 그곳이 차마 꿈엔들 잊힐 리야.

소주제 ❺ 단란한 □□ □□의 정겨운 모습

– 정지용

어휘 다지기

- 지줄대는 : 거침없으면서도 다정하고 나긋나긋한 소리를 내는
- 해설피 : 소리가 느리고 슬픈 느낌이 들게
- 질화로 : 질흙으로 구워 만든 화로
- 함추름 : '함초롬'의 방언. 가지런하고 차분한 모양

작품 개관

- 갈래 자유시, 서정시
- 성격 회고적, 향토적, 묘사적, 감각적
- 주제 고향에 대한 그리움
- 특징
  ① 시구를 반복하여 주제를 강조함
  ② 참신하고 감각적인 이미지를 사용함
  ③ 향토적인 소재와 참신한 시어를 구사함

1등급 노트

1. 감각적 이미지

• 공감각적 이미지

구절	기능
옛이야기 지줄대는 실개천, 금빛 게으른 울음, 밤바람 소리 말을 달리고	• 감각적 이미지가 지닌 서정성을 극대화시킴 • 고향에 대한 정서를 환기시킴

• 토속적 이미지

구절	기능
실개천, 얼룩백이 황소, 질화로, 짚베개	고향에 대한 향수를 불러일으킴

2. '고향'의 다양한 이미지

'실개천, 얼룩백이 황소, 질화로, 아버지, 파아란 하늘, 어린 누이, 아내, 서리 까마귀, 초라한 지붕' 등을 통해 고향의 평화롭고 아늑한 모습을 드러냄

3. 후렴구의 기능

- 고향에 대한 그리움이 절실함을 드러냄
- 동일한 내용의 반복을 통해 운율감을 줌
- 시 전체의 이미지에 통일성을 줌

4. 이 시의 구조

- 고향의 정경을 노래한 5연이 병렬적으로 이루어지는 구조
- 각 연의 삶의 모습은 '낙(樂) – 고(苦) – 낙(樂) – 고(苦) – 낙(樂)'으로 순환적으로 배치됨

함께 엮어 읽기

◆ 정지용, 〈고향〉 / 윤동주, 〈또 다른 고향〉
두 작품 모두 이 시와 마찬가지로 '고향'을 제재로 하고 있지만, 정지용의 〈고향〉은 화자의 심적 상황에서 차이를 보이며, 윤동주의 〈또 다른 고향〉은 관념적이며 상징적인 의미로 고향을 해석했다는 점에서 차이가 있다.

소주제 체크

1. 고향 2. 회상 3. 유년(어린) 4. 누이, 아내 5. 고향 마을

정답과 해설 26쪽

1 이 시에 대한 설명으로 적절하지 않은 것은?

① 평화롭고 한가한 전원생활에 대한 동경을 노래하고 있다.
② 고유어를 적절하게 사용하여 향토적 분위기를 형성하고 있다.
③ 외적 정경과 화자의 내면이 반복적으로 교차되며 제시되고 있다.
④ 시적 공간은 산업화 이전의 전형적인 우리나라의 농촌 마을이다.
⑤ 특정한 개인의 체험을 넘어선 한국인의 보편적 정서로 수용할 수 있다.

2 〈보기〉와 같은 효과를 주는 데 기여하는 시어가 아닌 것은?

보기

고향인 충북 옥천을 떠나 낯선 타국(他國) 땅에서 그것도 식민지 망국인의 설움을 간직하고 생활하던 젊은 시인은 꿈에도 잊혀지지 않는 고향의 따스한 정경들을 떠올리며 그리움에 목이 말랐을 것이다. 그가 노래하는 고향의 정경은 특정한 어느 한 지역에서만 보고 느낄 수 있는 것이 아니라, 우리 민족의 고향에 대한 보편적이고 원초적인 정서와 부합된다. 그러므로 그의 향수는 그만의 향수에서 그치는 것이 아니라 한국인이라면 누구나 느낄 수 있는 향수로 공감대가 형성되는 것이다.

① 실개천 ② 질화로 ③ 늙으신 아버지
④ 짚베개 ⑤ 전설 바다

출제 예감

3 Ⓐ의 기능에 대한 설명으로 적절하지 않은 것은?

① 고향의 다양한 이미지를 통일시켜 준다.
② 고향에 대한 그리움의 정서를 환기시킨다.
③ 시상을 압축하고 화자의 감정을 절제한다.
④ 반복을 통하여 운율을 형성하고 리듬감을 준다.
⑤ 각 연의 시상을 매듭지어 연과 연의 관계를 구별해 준다.

4 수능형 ㉠~㉤에 대한 설명으로 적절하지 않은 것은?

① ㉠ : 의인법을 사용하고 있다.
② ㉡ : 청각을 시각화한 공감각적 표현이 나타나 있다.
③ ㉢ : 어린 누이의 검은 머릿결을 직유법으로 묘사하고 있다.
④ ㉣ : 아내의 모습을 통해 풍요로운 고향 마을의 모습을 보여 주고 있다.
⑤ ㉤ : 동화적이면서 신비로운 분위기를 조성하고 있다.

5 고난도 〈보기〉의 밑줄 친 시어 중 Ⓑ의 함축적인 의미와 가장 유사한 것은?

보기

〈전략〉 *갓주지 이야기와
무서운 전설 가운데서 가난 속에서
나의 동무는 늘 마음 졸이며 자랐다.
당나귀 몰고 간 애비 돌아오지 않는 밤
노랑 고양이 울어 울어
종시 잠 이루지 못하는 밤이면
어미 분주히 일하는 방앗간 한 구석에서
나의 동무는 / 도토리의 꿈을 키웠다. 〈후략〉 – 이용악, 〈낡은 집〉

• 갓주지 이야기 : 부모가 바라지 않는 자식을 갓주지가 잡아간다는 전설

① 갓주지 이야기 ② 무서운 전설
③ 당나귀 몰고 간 애비 ④ 방앗간 한 구석
⑤ 도토리의 꿈

6 〈보기〉의 화자가 이 시의 화자에게 할 수 있는 말로 가장 적절한 것은?

보기

고향에 고향에 돌아와도 / 그리던 고향은 아니러뇨.

산꿩이 알을 품고 / 뻐꾸기 제 철에 울건만,

마음은 제 고향 지니지 않고 / 머언 항구(港口)로 떠도는 구름.

오늘도 뫼 끝에 홀로 오르니 / 흰 점 꽃이 인정스레 웃고,

어린 시절에 불던 풀피리 소리 아니 나고 / 메마른 입술에 쓰디쓰다.

고향에 고향에 돌아와도 / 그리던 하늘만이 높푸르구나.

– 정지용, 〈고향〉

① 고향은 예전과 같이 아름다울 거예요. 빨리 고향으로 가세요.
② 그리움을 간직하고 살기보다 고향에서 사는 것이 낫지 않겠어요?
③ 지난날 고향의 추억이 따스하게 느껴지네요. 고향은 항상 정겨운 곳이지요.
④ 당신이 그리워하던 고향은 이제 많이 달라졌어요. 고향에 돌아가면 오히려 실망할지도 몰라요.
⑤ 고향으로 돌아가 추억의 장소를 돌아보세요. 타지에서 겪었던 고생과 서러움을 모두 잊게 될 거예요.

출제 예감

7 서술형 이 시에서 향토적 정감이 짙은 시어와 공감각적 이미지의 시구를 사용함으로써 얻을 수 있는 효과를 서술하시오.

07 고향 앞에서

흙이 풀리는 내음새
강바람은
산짐승의 우는 소릴 불러
다 녹지 않은 얼음장 *울멍울멍 떠내려간다.

소주제 1 강이 풀리는 이른 □의 정경

진종일(온종일)
나룻가에 서성거리다
행인의 손을 쥐면 따뜻하리라.

소주제 2 나룻가에서 느끼는 □□에 대한 그리움

고향 가까운 주막에 들러
㉠누구와 함께 지난날의 꿈을 이야기하랴.
양귀비 끓여다 놓고
주인집 늙은이는 공연히 눈물지운다.

소주제 3 주막에서 주인 늙은이와 □□에 젖음

간간이 *잿나비 우는 산기슭에는
아직도 무덤 속에 조상이 잠자고
설레는 바람이 가랑잎을 휩쓸어 간다.

소주제 4 □□□ 고향의 모습과 허탈한 심정

*예제로 떠도는 장꾼들이여!
*상고(商賈)하며 오가는 길에
혹여나 보셨나이까.

소주제 5 □□들에게 고향의 모습을 물음

전나무 우거진 마을
집집마다 누룩을 디디는 소리, 누룩이 뜨는 내음새…….

소주제 6 □□□ 고향의 정경

– 오장환

작품 개관

- 갈래 자유시, 서정시
- 성격 감각적, 서정적
- 주제 잃어버린 고향 앞에서 느끼는 향수
- 특징
  ① 현재형 시제를 사용함
  ② 배경을 통해 쓸쓸한 분위기를 효과적으로 제시함
  ③ 다양한 감각적 심상을 사용하여 고향에 대한 그리움을 강조함

1등급 노트

1. 이 시의 구성

1연	이른 봄의 정경이 쓸쓸한 분위기와 감각적 인상으로 제시됨
2, 3연	화자의 외로운 마음과 회한이 드러남
4연	고향의 쓸쓸한 모습과 고향에 가고 싶은 마음이 드러남
5, 6연	고향에 대한 향수의 감정이 고조되어 표현됨

2. 시대적 배경과의 연관성
- 이 시는 일제 시대 말에 〈향토 망경시〉라는 제목으로 발표된 시로, 잃어버린 고향을 회복하고 싶어 하는 화자의 안타까운 감정이 잘 드러남
- 식민지 치하에서 잃어버린 조국을 되찾지 못하는 한 고향 역시 과거 속의 기억으로만 존재하는 것이므로, 화자의 귀향이 불완전한 모습으로 나타남

3. 시어의 상징적 의미
- 내음새, 강바람, 설레는 바람 : 고향의 이미지를 전달하는 매개
- 나룻가 : 고향과의 연결 가능성을 가진 통로(임시적 공간)
- 주막 : 고향 소식을 접할 수 있는 공간(임시적 공간)
- 행인, 주인집 늙은이 : 동병상련을 느끼는 대상
- 장꾼 : 특정 장소에 안주하지 못하고 현실의 문제를 위해 살아가는 인물

함께 엮어 읽기

◆ 정지용, 〈향수〉

〈향수〉와 이 시는 모두 고향에 대한 간절한 그리움을 감각적 이미지를 통해 형상화하고 있다. 그러나 〈향수〉가 시대를 초월하여 인간의 내면에 존재하는 원형적 고향의 모습을 보여 주고 있다면 이 시는 일제 시대를 배경으로 가혹한 현실 속에서 너무 많이 변해 버린 황량한 고향의 이미지를 보여 주고 있다는 점에서 차이가 있다.

어휘 다지기

- 울멍울멍 : 울음이 터질 듯한 모양
- 잿나비 : '원숭이(잔나비)'의 방언
- 예제 : 여기저기
- 상고(商賈) : 떠돌며 좌판을 벌여 놓고 하는 장사

소주제 체크

1. 봄 2. 고향 3. 회한 4. 쓸쓸한 5. 장꾼 6. 그리운

정답과 해설 26쪽

출제 예감

1 이 시에 대한 감상으로 적절하지 않은 것은?

① 유리 : 이 시는 고향을 바로 앞에 두고도 가지 못하는 화자의 처지를 제목을 통해 드러내고 있어.
② 문일 : 화자는 고향에 대한 그리움을 주체하지 못해 나룻가에서 서성이는 거야.
③ 채린 : 주막을 찾은 화자는 주막집 늙은이와 고향 이야기를 하면서 동병상련의 정을 나누고 있어.
④ 석훈 : 화자는 자신처럼 고향을 잊지 못하고 방랑하는 장꾼들에게 고향의 모습을 물음으로써 동질감을 강조하고 있어.
⑤ 민주 : 화자의 고향은 전나무가 우거지고 집집마다 누룩이 뜨는 곳으로 향토적이고 서정적인 장소일 거야.

출제 예감

2 이 시에 사용된 시어에 대한 설명으로 적절하지 않은 것은?

① '강바람'과 '설레는 바람'은 고향에 대한 시적 화자의 심리를 담아내는 매개체이다.
② '산짐승'과 '잔나비' 우는 소리를 통해 고향을 상실한 화자의 심리를 드러내고 있다.
③ '행인의 손'은 고향에 대한 그리움을 달래 주는 소재이며, '주막'은 고향에 가기 위해 거쳐가는 통로이다.
④ '공연히', '아직도', '혹여나' 등의 부사어를 사용하여 화자의 심리를 효과적으로 드러내고 있다.
⑤ '누룩이 뜨는 내음새'는 화자의 내면에서 고향에 대한 그리움이 확산되고 깊어지고 있음을 드러낸다.

3 이 시의 화자와 가장 유사한 정서를 나타내는 인물을 〈보기〉에서 고르면?

보기

사회자 : 인간에게 '고향'이 어떤 의미를 지니는지에 대해 이야기를 나누고자 합니다.
명민 : 현실의 삶에 지친 이들이 따뜻한 안식을 누릴 수 있는 공간이 아닐까요?
효정 : 고향이 반드시 긍정적 의미만 갖는 것은 아니라고 생각합니다. 가난과 궁핍의 추억도 깃들어 있을 수 있기 때문입니다.
형곤 : 그래도 때론 고향에 간다는 것만으로도 설렐 때가 있어요. 고향은 엄마 품과 같아서 다녀오면 힘을 내어 각박한 세상을 살아갈 수 있죠.
경희 : 하지만 너무 많이 변해 버려 추억만 남아 있는 고향의 모습을 본다면 너무 슬플 것 같아요.
영지 : 어떤 의미를 가지든 돌아갈 고향이 있다는 사실만으로도 위로가 되는 것 같습니다.

① 명민 ② 효정 ③ 형곤
④ 경희 ⑤ 영지

4 이 시와 〈보기〉의 공통점으로 가장 적절한 것은?

보기

아무도 그에게 수심(水深)을 일러 준 일이 없기에
흰나비는 도무지 바다가 무섭지 않다.

청(靑) 무우밭인가 해서 내려갔다가는
어린 날개가 물결에 절어서
공주(公主)처럼 지쳐서 돌아온다.

삼월(三月)달 바다가 꽃이 피지 않아서 서글픈
나비 허리에 새파란 초생달이 시리다.
– 김기림, 〈바다와 나비〉

① 배경을 통해 대상에 대한 그리움을 효과적으로 나타내고 있다.
② 시적 화자를 시의 표면에 내세워 시인의 생각을 드러내고 있다.
③ 경험되지 않은 이상이 경험된 세계를 통해 좌절됨을 보여 주고 있다.
④ 감각적 심상을 활용하여 시상을 마무리함으로써 시적 여운을 남기고 있다.
⑤ 현재 시제와 과거 시제를 함께 사용하여 과거와 현재의 상황을 대조적으로 드러내고 있다.

5 고난도 ㉠에 드러난 화자의 심리와 가장 가까운 것은?

① 고향은 찾아 무얼 하리 / 일가 흩어지고 집 흐느진데 / 저녁 까마귀 가을 풀에 울고 / 마을 앞 시내도 옛자리 바뀌었을라.
– 박용철, 〈고향〉
② 서리 까마귀 우지짖고 지나가는 초라한 지붕, / 흐릿한 불빛에 돌아앉아 도란도란거리는 곳, // — 그곳이 차마 꿈엔들 잊힐 리야.
– 정지용, 〈향수〉
③ 가을 바람에 이렇게 힘들여 읊고 있건만 / 세상 어디에도 날 알아주는 이 없네. / 창밖엔 깊은 밤비 내리는데 / 등불 아래 천만 리 떠나간 마음.
– 최치원, 〈추야우중〉
④ 늙으신 어머님을 강릉에 두고 / 이 몸 혼자 서울로 떠나는 마음 / 돌아보니 고향은 아득도 한데 / 흰 구름 날고 산은 저무네.
– 신사임당, 〈대관령을 넘으면서〉
⑤ 삼수갑산(三水甲山) 내 왜 왔노 삼수갑산이 어디뇨 / 오고 나니 기험(奇險)타 아하 물도 많고 산(山) 첩첩이라 아하하 // 내 고향을 도로 가자 내 고향을 내 못 가네 / 삼수갑산 멀드라 아하 촉도지난(蜀道之難)이 예로구나 아하하
– 김소월, 〈삼수갑산〉

6 서술형 이 시가 일제 시대 말기에 발표되었다는 점을 고려하여, 화자의 귀향이 불완전할 수밖에 없는 이유를 서술하시오.

08 모란이 피기까지는 · 독을 차고

가 모란이 피기까지는

모란이 피기까지는,
나는 아직 나의 봄을 기다리고 있을 테요. 소주제 1 1, 2행 : □□이 피기를 기다림
모란이 **뚝뚝** 떨어져 버린 날,
나는 **비로소** 봄을 *여읜 설움에 잠길 테요.
오월 어느 날, 그 하루 무덥던 날,
떨어져 누운 꽃잎마저 시들어 버리고는
천지에 모란은 *자취도 없어지고,
뻗쳐오르던 내 보람 서운케 무너졌느니,
모란이 지고 말면 그뿐, 내 한 해는 **다** 가고 말아,
삼백예순 날 ***하냥** 섭섭해 우옵내다. 소주제 2 3~10행 : 모란이 지고 난 후의 □□
모란이 피기까지는,
나는 **아직** 기다리고 있을 테요, ㉠찬란한 슬픔의 봄을.

소주제 3 11, 12행 : 모란이 피기를 □□□

– 김영랑

나 독(毒)을 차고

내 가슴에 독(毒)을 찬 지 오래로다
아직 아무도 *해(害)한 일 없는 새로 뽑은 독
벗은 그 무서운 독 그만 흩어 버리라 한다.
나는 그 독이 선뜻 벗도 해할지 모른다 위협하고

소주제 1 □을 차고 살아가는 '나'의 태도

독 안 차고 살아도 머지않아 너 나 마주 가 버리면
억만 세대(億萬世代)가 그 뒤로 잠자코 흘러가고
나중에 땅덩이 모지라져 모래알이 될 것임을
'허무(虛無)한듸!' 독은 차서 무엇하느냐고?

소주제 2 허무주의적 세계관을 가진 □의 충고

아! 내 세상에 태어났음을 원망 않고 보낸
어느 하루가 있었던가, '허무한듸!' 허나
앞뒤로 덤비는 이리 승냥이 바야흐로 내 마음을 노리매
내 산 채 짐승의 밥이 되어 찢기우고 할퀴우라 내맡긴 신세임을

소주제 3 독을 차고 살 수밖에 없는 '나'의 처참한 □□

나는 독을 차고 선선히 가리라.
막음 날 내 외로운 혼(魂) 건지기 위하여.

소주제 4 독을 차고 살아가려는 '나'의 결연한 □□

– 김영랑

어휘 다지기

- 여읜 : 이별한, 떠나보낸
- 자취 : 어떤 것이 남긴 표시나 자리
- 하냥 : 늘, 한결같이
- 해(害)한 : 이롭지 아니하게 하거나 손상을 입힌

작품 개관

[가]
- 갈래 자유시, 서정시
- 성격 유미적, 상징적, 낭만적
- 주제 소망이 이루어지기를 기다림
- 특징
  ① 수미 상관의 구조로 이루어짐
  ② 역설적 표현(모순 형용)을 사용함

[나]
- 갈래 자유시, 서정시
- 성격 의지적, 저항적
- 주제 일제 강점기의 현실에 대한 대결 의지
- 특징
  ① 두 가지 삶의 자세를 대조적으로 보여 줌
  ② 직설적인 표현을 사용하여 화자의 의지를 강조함

1등급 노트

[가]

1. 시어의 의미

시어	의미
모란	시적 화자의 소망의 대상
봄	모란이 피는 계절
삼백예순 날	기다림의 나날을 강조하기 위한 의도적 표현
보람	모란을 보는 기쁨, 소망을 이룬 보람

2. 이 시의 구조
   - '봄을 기다림 → 봄의 상실 → 봄을 기다림'의 순환 구조로 이루어짐
   - 꽃이 지는 것은 영원한 사라짐이 아니라 때가 되면 재생하며, 이것이 곧 삶의 과정이라는 깨달음을 바탕으로 함
3. '찬란한 슬픔의 봄'의 의미
   - 수식받는 말과 수식하는 말 사이에 모순이 나타남 → 모순 형용 기법
   - '봄'은 모란이 지기도 하고 피기도 하는 시간 → 절망과 희망이 교차하는 상황을 표현함

[나]

1. 대조적인 삶의 자세

시적 화자(의지적) – 일제 강점기의 현실에 대한 대결 의식을 지니고 살아감
↕
벗(순응적) – 현실에 순응하면서 적당히 살려는 태도를 취함, 허무주의적 세계관

2. 표현상의 특징
   - 부분적인 대화체를 사용함
   - 결연한 남성적 어조를 사용하여 주제 의식을 강렬하게 전달함
3. 시어의 상징적 의미
   - 독(毒) : 순수한 내면에 간직한 치열한 삶의 대결 의지, 일제 강점기의 고통스러운 현실 속에서 치열하게 살아가려는 대항 의식이자 순결의 의지
   - 이리 승냥이 : 잔혹한 일제
   - 외로운 혼(魂) : 순수한 시의 세계, 일제에 저항하는 민족 정신

소주제 체크

[가] 1. 모란 2. 슬픔 3. 기다림 [나] 1. 독 2. 벗 3. 현실 4. 의지

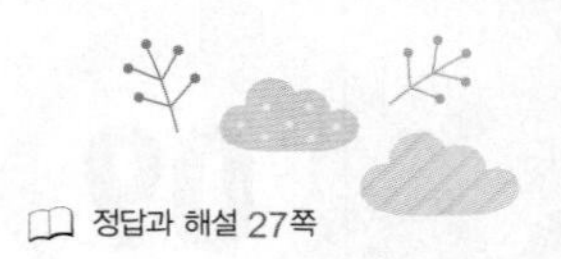

정답과 해설 27쪽

1 [가]에 대한 설명으로 적절하지 않은 것은?

① 우리말의 어순을 바꿔 의미를 강화하고 있다.
② 섬세하고 고운 시어를 고르고 다듬어서 사용하고 있다.
③ 슬픔을 아름다움으로 승화시키는 유미주의적 태도가 잘 드러나 있다.
④ 섬세하고 여성적인 어조를 통해 비애의 정서를 효과적으로 드러내고 있다.
⑤ 소망을 이루기 위한 기다림의 자세를 통해 조국 광복에 대한 확신을 노래하고 있다.

출제 예감

2 [나]에 대한 설명으로 적절하지 않은 것은?

① 대화의 형식을 통해 극적 구성을 취하고 있다.
② 화자가 '독'을 차는 이유는 시대적 상황 때문이다.
③ 시적 화자의 현실에 대한 대응 방식이 드러나 있다.
④ 두 가지 삶의 자세의 대조를 통해 시상을 전개하고 있다.
⑤ 과거의 삶에 대한 미련을 통해 진정한 삶의 가치를 찾고자 한다.

3 고난도 〈보기〉를 참조하여 [가]를 이해한 내용으로 적절하지 않은 것은?

보기

〈모란이 피기까지는〉에는 모란이 피면 기뻐하고, 모란이 지면 절망에 빠지면서도 또다시 모란이 피기를 기다리는 화자의 심정이 드러나 있다. 특히 부사어를 통해 이런 화자의 심정이 강조되어 나타난다.

① 3행의 '뚝뚝'은 모란이 떨어지는 모습을 바라보는 화자의 안타까움을 강조한다.
② 4행의 '비로소'는 모란이 완전히 져버린 것에 대한 화자의 상실감을 강조한다.
③ 9행의 '다'는 모란이 피지 못할 것이라는 화자의 불안감을 강조한다.
④ 10행의 '하냥'은 모란을 보지 못하는 것에 대한 화자의 슬픔을 강조한다.
⑤ 12행의 '아직'은 모란이 다시 피기를 기다리는 화자의 간절함을 강조한다.

4 [나]의 '벗'에 대한 설명으로 가장 적절한 것은?

① '나'에게 위안을 주는 존재이다.
② '나'를 끊임없이 견제하는 존재이다.
③ '나'의 무지(無知)를 자각하게 하는 존재이다.
④ '나'에게 현실과의 타협을 권유하는 존재이다.
⑤ '나'에게 현실에 굴종할 것을 강요하는 존재이다.

5 수능형 [가]와 〈보기〉의 공통점으로 가장 적절한 것은?

보기

산에는 꽃 피네 / 꽃이 피네.
갈 봄 여름 없이 / 꽃이 피네.

산에 / 산에 / 피는 꽃은 / 저만치 혼자서 피어 있네.

산에서 우는 작은 새여, / 꽃이 좋아 / 산에서 / 사노라네.

산에는 꽃 지네 / 꽃이 지네.
갈 봄 여름 없이 / 꽃이 지네.

– 김소월, 〈산유화〉

① 전통적인 3음보의 율격을 형성하고 있다.
② 인간의 근원적인 고독감을 자연물을 통해 드러내고 있다.
③ 역설적인 표현을 통해 기쁨과 슬픔을 동시에 표현하고 있다.
④ [가]의 '모란'과 〈보기〉의 '꽃'은 모두 시적 화자의 삶의 보람을 의미한다.
⑤ 수미 상관의 구성 방식을 통해 순환과 반복의 구조를 표현하고 있다.

6 [가]에서 모란이 질 때의 화자의 비애감을 시각적으로 형상화한 2음절의 의태어를 찾아 쓰시오.

7 서술형 [가]에서 '모란'이 의미하는 바에 대해 서술하시오.

09 남신의주 유동 박시봉방

어느 사이에 나는 아내도 없고, 또,
아내와 같이 살던 집도 없어지고,
그리고 *살뜰한 부모며 동생들과도 멀리 떨어져서,
그 어느 ㉠바람 세인 쓸쓸한 거리 끝에 헤매이었다.
바로 날도 저물어서,
바람은 더욱 세게 불고, ㉡추위는 점점 더해 오는데,
나는 어느 목수(木手)네 집 헌 삿을 깐,
(삿: 갈대를 엮어서 만든 자리)
한 방에 들어서 쥔을 붙이었다.

소주제 1 1~8행 : 고향을 떠나 □□하는 쓸쓸한 삶

이리하여 나는 이 습내 나는 춥고, *누긋한 방에서,
낮이나 밤이나 나는 나 혼자도 너무 많은 것같이 생각하며,
*딜옹배기에 ㉢*북덕불이라도 담겨 오면,
이것을 안고 손을 쬐며 재 우에 뜻 없이 글자를 쓰기도 하며,
또 문밖에 나가지두 않구 자리에 누워서,
머리에 손깍지베개를 하고 굴기도 하면서,
나는 내 슬픔이며 어리석음이며를 소처럼 연하여 쌔김질하는 것이었다.
내 가슴이 꽉 메어 올 적이며,
내 눈에 뜨거운 것이 핑 괴일 적이며,
또 내 스스로 화끈 낯이 붉도록 부끄러울 적이며,
나는 내 슬픔과 어리석음에 눌리어 죽을 수밖에 없는 것을 느끼는 것이었다.

소주제 2 9~19행 : □□을 생각하는 절망적 현실

그러나 잠시 뒤에 나는 고개를 들어,
허연 문창을 바라보든가 또 눈을 떠서 높은 천장을 쳐다보는 것인데,
이때 나는 내 뜻이며 힘으로, 나를 이끌어 가는 것이 힘든 일인 것을 생각하고,
이것들보다 더 크고, 높은 것이 있어서, 나를 마음대로 굴려 가는 것을 생각하는 것인데,
이렇게 하여 여러 날이 지나는 동안에,
내 어지러운 마음에는 슬픔이며, 한탄이며, 가라앉을 것은 차츰 앙금이 되어 가라앉고,
외로운 생각만이 드는 때쯤 해서는,
더러 나줏손에 쌀랑쌀랑 ㉣싸락눈이 와서 문창을 치기도 하는 때도 있는데,
(나줏손: 저녁 무렵, 저물 무렵)
나는 이런 저녁에는 화로를 더욱 다가 끼며, 무릎을 꿇어 보며,
어느 먼 산 뒷옆에 바우섶에 따로 외로이 서서,
어두워 오는데 하이야니 ㉤눈을 맞을, 그 마른 잎새에는,
쌀랑쌀랑 소리도 나며 눈을 맞을,
그 드물다는 굳고 정한 갈매나무라는 나무를 생각하는 것이었다.
(정한: 맑고 깨끗한)

소주제 3 20~32행 : □□□□와 같은 새로운 삶의 다짐

– 백석

어휘 다지기

- 살뜰한 : 사랑하고 위하는 마음이 자상하고 지극한
- 누긋한 : 메마르지 않고 좀 눅눅한
- 딜옹배기 : 아가리가 넓은 질그릇
- 북덕불 : 짚이나 풀 따위가 뒤섞여 엉클어진 뭉텅이에 피운 불

작품 개관

- 갈래 자유시, 서정시
- 성격 독백적, 반성적, 의지적
- 주제 무기력한 삶에 대한 반성과 새로운 삶의 의지
- 특징
  ① 편지의 형식을 통해 화자의 근황을 드러냄
  ② 토속적 소재와 평안도 지방 사투리로 시적 분위기를 형성함
  ③ 산문적 서술 형태이나 쉼표의 적절한 사용으로 운율을 형성함

1등급 노트

1. 시상 전개 과정

절망(1~19행)	시상 전환	희망(20~32행)
고향을 떠난 화자의 쓸쓸하고 절망적인 삶	→	새로운 삶에 대한 다짐

가족과 고향을 떠나와 외톨이가 되어 타향을 떠돌던 화자는 고난과 시련 속에서 절망하며 죽음을 떠올린다. 그러나 20~32행에서 화자는 운명에 대한 인식을 바탕으로 슬픔과 한탄의 감정을 정화하고, 눈을 맞으며 의연하게 서 있는 '굳고 정한' 갈매나무를 생각하며 시련을 이겨 낼 의지와 희망을 갖게 된다.

2. 표현상의 특징

- 편지의 형식을 빌려 화자 자신의 근황과 참담한 심경을 고백하듯 전함
- 산문적 서술 형태이지만 쉼표를 사용하여 호흡을 조절하고, '-이며', '~ 것이었다' 등을 반복하여 운율을 형성함

3. 제목 '남신의주 유동 박시봉방'의 의미

'남신의주 유동이라는 마을에 사는 박시봉 씨네'라는 의미로, 편지 봉투에 쓰는 발신인의 주소에 해당함. '방'은 예전에 편지에서 집주인의 이름 아래 붙여 그 집에 거처함을 이르는 말임

4. '갈매나무'의 상징적 의미

어두워 가는 겨울 하늘 아래에서 하얗게 눈을 맞고 서 있는 '굳고 정한' 나무로, 시련에도 꺾이지 않는 의연함을 상징함. 이는 곧 화자와 동일시된 대상으로, 굳세고 정결한 태도로 살아가겠다는 화자의 현실 극복 의지를 형상화한 소재임

소주제 체크

1. 유랑 2. 고향 3. 갈매나무

정답과 해설 27쪽

1 이 시에 대한 설명으로 적절하지 않은 것은?

① 쉼표를 자주 사용하여 자연스럽게 운율을 형성하고 있다.
② 토속적인 시어와 소재를 통해 향토적 분위기를 형성하고 있다.
③ 화자의 내면 의식의 변화를 시간의 흐름에 따라 제시하고 있다.
④ 화자가 처한 상황을 다양한 감각적 이미지를 통해 드러내고 있다.
⑤ 설의적 표현을 통해 화자의 고독과 외로움의 심리를 드러내고 있다.

2 이 시의 화자에 대한 설명으로 가장 적절한 것은?

① 특정한 청자를 제시하여 자신의 심정을 표현하고 있다.
② 지나온 삶을 반추하며 느끼는 심리를 솔직하게 드러내고 있다.
③ 앞으로 다가올 자신의 미래에 대해 비관적으로 인식하고 있다.
④ 자신의 상황을 겸허하게 받아들이며 가족과 다시 만날 것을 확신하고 있다.
⑤ 자연물과 조화를 이루며 소박하게 살고자 하는 자신의 의지를 완곡하게 표현하고 있다.

3 ㉠~㉤ 중, 시적 기능이 다른 하나는?

① ㉠ ② ㉡ ③ ㉢
④ ㉣ ⑤ ㉤

출제 예감

4 〈보기〉의 밑줄 친 시어 중, 이 시의 '갈매나무'와 문맥적 의미가 유사한 것은?

보기

어리고 성긘 ⓐ매화(梅花) 너를 밋지 아녓더니,
눈 기약(期約) 능(能)히 직혀 두세 송이 퓌엿고나.
ⓑ촉(燭) 줍고 갓가이 ᄉᆞ랑헐 제 암향(暗香)좃ᄎᆞ 부동(浮動)터라.
〈제2수〉

동각(東閣)에 숨은 ᄭᅩᆺ치 ⓒ척촉(躑躅)인가 ⓓ두견화(杜鵑花)인가.
건곤(乾坤)이 ⓔ눈이여늘 제 엇지 감히 퓌리.
알괘라 백설양춘(白雪陽春)은 매화(梅花)밧게 뉘 이시리. 〈제8수〉
– 안민영, 〈매화사〉

① ⓐ ② ⓑ ③ ⓒ ④ ⓓ ⑤ ⓔ

5 이 시의 시구와 관련하여 화자의 정서를 이해한 내용으로 적절하지 않은 것은?

① '부모며 동생들과도 멀리 떨어져서' 객지에서 방황하고 있는 화자의 모습이 드러나 있어.
② '굳고 정한 갈매나무라는 나무를 생각'하며 정결한 삶을 살려는 화자의 자세가 드러나 있어.
③ 자신의 의지와 능력대로 '나를 이끌어 가는 것이 힘든' 화자의 운명론적 인식이 드러나 있어.
④ 혼자 방 안에 누워 지난 삶을 반성하며 '죽을 수밖에 없는 것'을 느끼는 화자의 모습이 드러나 있어.
⑤ 일시적으로 심적인 안정을 찾는 듯하지만 '외로운 생각'이라는 또 다른 심적 고통을 겪는 화자의 모습이 드러나 있어.

6 수능형 이 시의 내용을 담은 영상을 제작한다고 할 때, 적절하지 않은 것은?

① S# 1 : 바람이 부는 길거리를 헤매는 주인공의 쓸쓸한 모습을 보여 준다.
② S# 2 : 집의 전체 모습과 명패를 클로즈업한 후, 셋방을 얻기 위해 주인과 이야기하는 주인공의 모습을 보여 준다.
③ S# 3 : 누추한 방에서 화로에 몸을 녹인 후 바닥에 누워 뒤척이는 주인공의 모습을 보여 준다.
④ S# 4 : 문창을 바라보다가 천장을 바라본 후 여러 날 생각에 잠기면서 평온한 표정을 짓는 주인공의 얼굴을 보여 준다.
⑤ S# 5 : 누웠던 몸을 일으켜 방문을 열고 나와 갈매나무가 있는 뒷산으로 올라가는 주인공의 뒷모습을 보여 준다.

7 〈보기〉의 밑줄 친 부분과 의미가 가장 유사한 것은?

보기

내 빈천(貧賤) 싫게 여겨 손을 내젓는다고 물러가며,
남의 부귀(富貴) 부럽게 여겨 손짓을 한다고 나아오랴.
인간(人間) 어느 일이 명(命) 밖에 생겼으리.
빈이무원(貧而無怨)을 어렵다 하건마는
내 생애(生涯) 이러하되 서러운 뜻은 없노라. – 박인로, 〈누항사〉

① 재 우에 뜻 없이 글자를 쓰기도 하며
② 소처럼 연하여 쌔김질하는 것이었다.
③ 죽을 수밖에 없는 것을 느끼는 것이었다.
④ 이것들보다 더 크고, 높은 것이 있어서
⑤ 먼 산 뒷옆에 바우섶에 따로 외로이 서서

출제 예감

8 서술형 〈보기〉를 참고하여 이 시의 제목이 주는 효과를 서술하시오.

보기

이 시의 제목 '남신의주 유동 박시봉방'은 편지 봉투에 쓰는 발신인의 주소를 적는 형식이다. 여기서 '방'은 편지에서 집주인의 이름 아래 붙여 그 집에 세를 얻어 거주하고 있음을 의미하는 말이다.

10 흰 바람벽이 있어

오늘 저녁 이 **좁다란 방**의 흰 *바람벽에

ⓐ어쩐지 **쓸쓸한 것**만이 오고 간다

이 흰 바람벽에

희미한 **십오 촉(十五燭) 전등**이 지치운 불빛을 내어던지고

*때글은 다 **낡은 무명 샤쯔**가 어두운 그림자를 쉬이고

그리고 또 ⓑ달디단 따끈한 감주나 한 잔 먹고 싶다고 생각하는 내 가지가지 **외로운 생각**이 헤매인다

소주제 ❶ 1~6행 : 흰 바람벽을 보며 든 □□□ 생각들

ⓖ그런데 이것은 또 어인 일인가

이 흰 바람벽에

[A] 내 가난한 늙은 어머니가 있다

내 가난한 늙은 어머니가

이렇게 시퍼러둥둥하니 추운 날인데 차디찬 물에 손은 담그고 무이며 배추를 씻고 있다

또 내 사랑하는 사람이 있다

내 사랑하는 어여쁜 사람이

[B] 어늬 먼 *앞대 조용한 *개포 가의 나즈막한 집에서

그의 지아비와 마조 앉어 대구국을 끓여 놓고 저녁을 먹는다

ⓒ벌써 어린것도 생겨서 옆에 끼고 저녁을 먹는다

소주제 ❷ 7~16행 : 어머니와 사랑하는 □□을 떠올림

ⓛ그런데 또 이즈막하야 어늬 사이엔가

이 흰 바람벽엔 / 내 쓸쓸한 얼골을 쳐다보며

이러한 글자들이 지나간다

— ⓓ나는 이 세상에서 가난하고 외롭고 높고 쓸쓸하니 살어가도록 태어났다

그리고 이 세상을 살어가는데

내 가슴은 너무도 많이 뜨거운 것으로 *호젓한 것으로 사랑으로 슬픔으로 가득 찬다

소주제 ❸ 17~23행 : 운명론적인 □□

그리고 이번에는 나를 위로하는 듯이 나를 *울력하는 듯이

ⓔ눈질을 하며 주먹질을 하며 이런 글자들이 지나간다

— 하늘이 이 세상을 내일 적에 그가 가장 귀해하고 사랑하는 것들은 모두

가난하고 외롭고 높고 쓸쓸하니 그리고 언제나 넘치는 사랑과 슬픔 속에 살도록 만드신 것이다

초생달과 바구지꽃과 짝새와 당나귀가 그러하듯이

그리고 또 **'프랑시쓰 쨈'** 과 도연명과 '라이넬 마리아 릴케' 가 그러하듯이

소주제 ❹ 24~29행 : 자기 □□와 위안

– 백석

어휘 다지기

- 바람벽 : 방이나 칸살의 옆을 둘러막은 둘레의 벽
- 때글은 : 때에 절어 검어진
- 앞대 : 어떤 지방에서 그 남쪽의 지방을 이르는 말
- 개포 : 강이나 내에 바닷물이 드나드는 곳
- 호젓한 : ① 후미져서 무서움을 느낄 만큼 고요한 ② 매우 홀가분하여 쓸쓸하고 외로운
- 울력하는 : 여러 사람이 힘을 합하여 일하는. 여기에서는 '억누르는' 의 뜻으로 쓰임

작품 개관

- 갈래 자유시, 서정시
- 성격 애상적, 회상적, 의지적
- 주제 주어진 운명에 순응하며 현실을 극복하려는 고결한 삶의 의지
- 특징
  ① '흰 바람벽' 을 스크린처럼 활용하여 화자의 자화상을 보여 줌
  ② 화자의 심리가 운명론적 순응에서 자기 위안으로 변화됨
  ③ 향토적 정감을 불러일으키는 소재들을 통해 화자의 심리를 강조함

1등급 노트

1. 시상 전개 양상

화자
↓ 바라봄
흰 바람벽(스크린 기능)
• 방에서 흰 바람벽을 보며 외로움을 느낌 • 흰 바람벽을 보며 그리운 어머니와 사랑하는 여인을 떠올림 • 흰 바람벽의 글자들을 보며 자신의 운명을 인식하고 자기 위안을 얻음

2. '흰 바람벽' 의 의미와 기능
'흰 바람벽' 은 화자의 가난한 현실을 상징하는 소재로 영상을 담아내는 영화의 스크린과 같은 기능을 함. 화자가 떠올린 과거의 추억과 자기 다짐이 '흰 바람벽' 이라는 스크린에 투사되며, 화자는 사색과 성찰의 시간을 갖게 됨

3. 화자의 정서와 태도
화자는 자신이 외롭고 쓸쓸하게 살아가도록 태어난 이유가 하늘이 자신을 가장 귀히 여기고 사랑하기 때문이라고 생각함. 이 같은 생각은 화자의 자기 위안이자, 앞으로도 계속 외롭게 살아가야 한다는 인식을 바탕으로 함

4. 표현상의 특징
- 흰 바람벽을 통해 영상을 떠올리는 형태로 시상을 전개
- 토속적 시어를 사용하여 향토적 분위기를 조성
- '-ㄴ다', '-듯이' 등의 반복을 통해 리듬감을 형성

더 알아보기

◆ 백석의 시에 나타난 토속성

백석의 다른 시들과 마찬가지로 이 시 역시 다양한 사물들과 자연적 소재들을 평안도 지방의 독특한 방언으로 표현함으로써 토속적 정감을 드러내고 있다. 이것은 시인이 일제 강점기 현실에서 우리 고유의 것을 지키고자 하는 노력의 일환, 또는 일제에 대한 저항의 수단으로 이해할 수 있다.

소주제 체크

1. 외로운 2. 여인 3. 순응 4. 위안

정답과 해설 27쪽

1 수능형 이 시의 표현상의 특징으로 적절하지 않은 것은?

① 주객전도식 표현으로 쓸쓸함을 강조한다.
② 시각적 이미지를 통해 화자의 내면을 드러낸다.
③ 특정 어미나 조사의 반복으로 리듬감을 형성한다.
④ 이국적인 인물을 나열하여 체념적 정서를 드러낸다.
⑤ 토속적 시어를 활용하여 향토적 분위기를 조성한다.

출제 예감

2 흰 바람벽에 대한 설명으로 적절하지 않은 것은?

① 화자의 가난한 현실을 상징한다.
② 화자가 떠올린 추억이 투사되는 곳이다.
③ 화자가 사색과 성찰을 하는 계기가 된다.
④ 화자가 위치한 공간과 의미적으로 대립된다.
⑤ 영상을 담아내는 영화의 스크린과 같은 기능을 한다.

3 ⓐ~ⓔ 중 화자의 운명론적 태도가 가장 잘 드러나는 것은?

① ⓐ ② ⓑ ③ ⓒ ④ ⓓ ⑤ ⓔ

4 시상 전개에서 ㉠과 ㉡의 공통적인 역할로 가장 적절한 것은?

① 공간의 확장 ② 시간의 역전
③ 장면의 전환 ④ 소재의 나열
⑤ 인과 관계의 형성

5 이 시의 17~29행에 나타난 주제 의식으로 가장 적절한 것은?

① 소외된 삶의 불행
② 인간의 고독과 좌절
③ 현대 문명에 대한 비판
④ 삶에 대한 인식과 자기 위안
⑤ 자연의 원초적 생명력에 대한 동경

출제 예감

6 [A]와 [B]에 대한 설명으로 가장 적절한 것은?

① [A]와 [B] 모두 화자가 공간을 이동하며 시상을 전개하고 있다.
② [A]와 [B] 모두 음식을 소재로 하여 그리움의 감정을 불러일으키고 있다.
③ [A]와 [B] 모두 계절감을 드러내는 시어를 통해 시적 분위기를 조성하고 있다.
④ [A]에서는 화자의 현실에 대한 긍정적 태도가, [B]에서는 현실에 대한 부정적 태도가 드러나 있다.
⑤ [A]에서는 현재형 시제로 사실성을 강조하고, [B]에서는 미래형 시제로 화자의 다짐을 강조하고 있다.

7 고난도 〈보기〉를 바탕으로 이 시의 '흰 바람벽'을 감상한 내용으로 적절하지 않은 것은?

보기

이 작품의 '흰 바람벽'은 다양한 이미지로 나타나고 있다. 허술한 벽으로서의 초라한 이미지를 보이기도 하고, 쓸쓸함을 자아내는가 하면, 고결함을 상징하는 하얗고 깨끗한 이미지를 지니기도 한다. 또한 탈출구가 없는 한계 상황이나, 상념의 투사가 가능한 스크린이 연상되기도 한다.

① '쓸쓸한 것', '외로운 생각' 등에서 '흰 바람벽'을 마주하고 있는 화자의 고독이 노출되고 있군.
② '흰 바람벽'은 '좁다란 방'과 의미적 대립을 이루면서 화자가 봉착한 삶의 한계를 상징하고 있군.
③ '흰 바람벽'이 자아내는 누추한 느낌은 '십오 촉 전등'이나 '낡은 무명 샤쯔'와 같은 사물을 통해 심화되고 있군.
④ '흰 바람벽'의 백색이 지닌 깨끗한 이미지를 통해 '가난하'지만 고결한 삶을 지향하는 화자의 가치관을 짐작할 수 있군.
⑤ '흰 바람벽'은 화자의 상념이 투사되는 공간으로, 화자는 '초생달', '프랑시쓰 쨈' 등에 동질감을 느끼며 자신의 운명을 긍정적으로 수용하는 자세를 드러내고 있군.

8 가난하고 고달픈 삶을 드러내기 위해 촉각적 이미지를 시각적 이미지로 형상화한 시구를 찾아 쓰시오.

9 서술형 〈보기〉의 시어가 공통적으로 의미하는 바를 화자의 상황과 연관 지어 서술하시오.

보기

좁다란 방, 희미한 십오 촉 전등, 낡은 무명 샤쯔

11 거울

거울속에는소리가없소
저렇게까지조용한세상은참없을것이오

소주제 1 □□ 속의 세계

거울속에도내게귀가있소
내말을못알아듣는딱한귀가두개나있소

소주제 2 현실 세계와의 □□

거울속의나는왼손잡이오
내악수(握手)를받을줄모르는—악수를모르는왼손잡이오

소주제 3 두 자아의 □□ 실패와 단절 심화

거울때문에나는거울속의나를만져보지를못하는구료마는
거울이아니었던들내가어찌거울속의나를만나보기만이라도했겠소

소주제 4 거울의 □□□(단절과 매개)

㉮나는지금(至今)거울을안가졌소마는거울속에는늘거울속의내가있소
잘은모르지만ⓐ *외로된사업(事業)에*골몰할게요

소주제 5 자의식의 □□ 심화

거울속의나는참나와는반대(反對)요마는
또꽤닮았소
㉠나는거울속의㉡나를근심하고진찰(診察)할수없으니퍽섭섭하오

소주제 6 분열된 □□의 모습

– 이상

어휘 다지기

- 외로된 : 한쪽으로 치우친, 어떤 일에 골몰하는
- 골몰 : 다른 생각을 할 여유도 없이 한 가지 일에만 파묻힘

작품 개관

- 갈래 자유시, 초현실주의 시
- 성격 주지적, 실험적, 자의식적
- 주제 자아 분열 양상과 현대인의 불안 심리
- 특징
  ① 자동기술법을 사용하여 초현실주의적 경향을 띰
  ② 띄어쓰기를 무시함으로써 화자의 분열된 자의식을 효과적으로 표현함

1등급 노트

1. '거울'의 의미
   - 매개와 단절의 이중적 의미를 지님(모순성)
   - 사물의 모습을 비춰 주는 물리적 실체로서의 거울이 아닌, 심리적 반영물로서의 거울임
   - 분열된 자아('거울 속의 자아'와 '거울 밖의 자아')를 인식하게 해 주는 매개체의 역할을 함
   - '거울'에 비친 대상은 현실과 좌우가 바뀐 대칭의 모습임 – '거울 속의 나'와 '거울 밖의 나'가 대칭 구조를 이룸
2. 표현상의 특징
   - 역설적 표현을 사용함
   - 자동기술법을 사용함(초현실주의)
   - 기존의 시 형태를 부정함(실험적 기법) – 띄어쓰기를 무시함

함께 엮어 읽기

◆ 다른 시에 나타난 '거울'의 의미

> 파란 녹이 낀 구리 거울 속에
> 내 얼굴이 남아 있는 것은
> 어느 왕조의 유물이기에 / 이다지도 욕될까.
> – 윤동주, 〈참회록〉

〈참회록〉의 '구리 거울'은 자아 성찰(참회)의 매개체로, 일제 강점기의 현실에서 무기력하게 살아온 시적 화자의 삶에 대한 성찰과 현실 극복 의지를 형상화하고 있다.

더 알아보기

◆ 자동기술법

초현실주의 시의 창작 기법으로, 어떤 의식이나 의도 없이 무의식의 세계에서 떠오르는 이미지의 흐름을 그대로 기술하는 방법을 말한다. 서로 관련이 없는 이미지들이 무의식적으로 나열되기 때문에 논리적 질서나 인과 관계를 살필 수 없으며, 의식의 세계로부터 인간을 해방시키고 참된 자아 의식에 도달하게 하는 데 그 목적이 있다.

소주제 체크

1. 거울 2. 단절 3. 화해 4. 이중성 5. 분열 6. 자아

정답과 해설 27쪽

출제 예감

1 이 시에 대한 설명으로 적절하지 않은 것은?

① 무의식의 세계를 표현하고자 하였다.
② 초현실주의적인 경향을 보이고 있다.
③ 초월적인 존재에 대한 관심을 드러내고 있다.
④ 기존의 시 형식을 거부한 실험적 성격을 띠고 있다.
⑤ 자의식의 분열과 현대인의 불안 심리를 보여 주고 있다.

2 이 시에서 주제를 효과적으로 드러내기 위해 사용한 방법으로 적절하지 않은 것은?

① 독백체로 진술함
② 띄어쓰기를 무시함
③ 감각적인 심상을 제시함
④ 의식의 흐름 기법을 사용함
⑤ 비논리적이고 복잡한 서술 방식을 사용함

3 이 시에서 '거울속'이 의미하는 바로 가장 적절한 것은?

① 고단한 현실로부터의 도피처
② 과거 회고와 자아 성찰의 공간
③ 정신적인 위안을 주는 휴식의 공간
④ 외부 세계와 단절된 이질적인 세계
⑤ 시적 화자가 꿈꾸던 이상적인 공간

출제 예감

4 ㉠과 ㉡이 가리키는 바로 가장 적절한 것은?

	㉠	㉡
①	현실적 자아	내면적 자아
②	일상적 자아	현실적 자아
③	무의식적 자아	내면적 자아
④	내면적 자아	일상적 자아
⑤	현실적 자아	일상적 자아

5 이 시의 '거울'과 〈보기〉의 '유리'의 공통적인 기능으로 가장 적절한 것은?

보기

유리(琉璃)에 차고 슬픈 것이 어른거린다.
열없이 붙어 서서 입김을 흐리우니
길들은 양 언 날개를 파다거린다.
지우고 보고 지우고 보아도
새까만 밤이 밀려 나가고 밀려와 부딪히고,
물 먹은 별이, 반짝, 보석(寶石)처럼 백힌다.
밤에 홀로 유리를 닦는 것은
외로운 황홀한 심사이어니
고운 폐혈관(肺血管)이 찢어진 채로
아아, 늬는 산(山)ㅅ새처럼 날아갔구나!

– 정지용, 〈유리창〉

① 만남과 단절의 매개체
② 자아를 성찰하게 하는 매개체
③ 자아의 분열을 확인하는 매개체
④ 대상의 한계를 인식하게 하는 매개체
⑤ 분열된 자아를 합일하게 하는 매개체

6 수능형 발상과 표현이 ㉮와 가장 유사한 것은?

① 수만 호 빛이래야 할 내 고향이언만 / 노랑나비도 오잖는 무덤 위에 이끼만 푸르러라. – 이육사, 〈자야곡〉
② 먼 훗날 당신이 찾으시면 / 그때에 내 말이 "잊었노라." // 당신이 속으로 나무라면 / "무척 그리다가 잊었노라." – 김소월, 〈먼 후일〉
③ 인생은 외롭지도 않고 / 그저 잡지의 표지처럼 통속하거늘 / 한탄할 그 무엇이 무서워서 우리는 떠나는 것일까. – 박인환, 〈목마와 숙녀〉
④ 별 하나에 추억과 / 별 하나에 사랑과 / 별 하나에 쓸쓸함과 / 별 하나에 동경과 / 별 하나에 시와 / 별 하나에 어머니, 어머니, – 윤동주, 〈별 헤는 밤〉
⑤ 우리는 만날 때에 떠날 것을 염려하는 것과 같이, 떠날 때에 다시 만날 것을 믿습니다. / 아아, 님은 갔지마는 나는 님을 보내지 아니하였습니다. – 한용운, 〈님의 침묵〉

7 서술형 ⓐ를 통해 시적 화자가 궁극적으로 말하려는 바를 간단히 서술하시오.

12 낡은 집

날로 밤으로 / 왕거미 줄 치기에 분주한 집
(날로: 낮으로)
마을서 흉집이라고 꺼리는 낡은 집 / 이 집에 살았다는 백성들은
대대손손에 물려줄 / *은동곳도 *산호 관자도 갖지 못했니라.

재를 넘어 *무곡을 다니던 당나귀
(재: 고개)
항구로 가는 *콩실이에 늙은 *둥글소
모두 없어진 지 오랜 / 외양간엔 아직 초라한 내음새 그윽하다만
털보네 간 곳은 아무도 모른다.

소주제 ① 폐허가 된 □□ □의 모습(현재)

찻길이 놓이기 전 / 노루 멧돼지 쪽제비 이런 것들이
앞뒤 산을 마음 놓고 뛰어다니던 시절
털보의 셋째 아들은 / 나의 *싸리말 동무는
이 집 안방 *짓두광주리 옆에서 / 첫울음을 울었다고 한다.

"털보네는 또 아들을 봤다우.
송아지래두 불었으면 팔아나 먹지."
마을 아낙네들은 무심코 / 차가운 이야기를 가을 냇물에 실어 보냈다는 / 그날 밤
*저릎등이 시름시름 타들어 가고
소주에 취한 털보의 눈도 일층 붉더란다.

*갓주지 이야기와 / 무서운 전설 가운데서 가난 속에서
나의 동무는 늘 마음 졸이며 자랐다.
당나귀 몰고 간 애비 돌아오지 않는 밤 / 노랑 고양이 울어 울어
종시 잠 이루지 못하는 밤이면 / 어미 분주히 일하는 방앗간 한 구석에서
나의 동무는 / 도토리의 꿈을 키웠다.

그가 아홉 살 되던 해 / 사냥개 꿩을 쫓아다니는 겨울
이 집에 살던 일곱 식솔이 / 어데론지 사라지고 이튿날 아침
북쪽을 향한 발자욱만 눈 위에 떨고 있었다.

더러는 오랑캐령 쪽으로 갔으리라고 / 더러는 *아라사로 갔으리라고
이웃 늙은이들은 / 모두 무서운 곳을 짚었다.

소주제 ② 고향을 떠날 수밖에 없었던 □□□ 가족의 이야기(과거)

지금은 아무도 살지 않는 집 / 마을서 흉집이라고 꺼리는 낡은 집
제철마다 먹음직한 열매 / 탐스럽게 열던 살구
살구나무도 *글거리만 남았길래
꽃 피는 철이 와도 가도 뒤 울안에 / 꿀벌 하나 날아들지 않는다.

소주제 ③ 황폐해진 □□ □의 모습(현재)

– 이용악

작품 개관

- 갈래 자유시, 서정시
- 성격 설화적, 향토적, 상징적, 사실적
- 주제 일제 강점하의 유랑민의 비극적인 삶
- 특징
  ① 액자식 구성, 역순행적 구성을 취함
  ② 가족의 일대기 형식을 통해 일제 시대 우리 민족의 비참한 삶을 형상화함
  ③ 어린아이의 관찰자적 시점을 통해 비극성을 극대화함

1등급 노트

1. 구성상의 특징
   - '현재(1, 2연) → 과거(3~7연) → 현재(8연)'로 시상이 전개되는 역순행적 구성
   - 외부 액자(1, 2, 8연) 속에 내부 액자(3~7연)가 들어 있는 액자식 구성 → 외부 액자의 화자는 대상에 대한 자신의 정서를 보다 직접적으로 드러내며, 내부 액자 속의 화자는 털보네 가족 이야기를 관찰자적 입장에서 객관적으로 제시함
   - 화자의 직접 체험에 의해 진술한 부분(2, 5, 6, 7, 8연)과 어른들로부터 전해 들은 이야기를 직접 화법(1연)과 간접 화법(3, 4연)을 통해 진술한 부분으로 나뉨
2. 형식상의 특징
   이야기 형식 : 털보네 가족이 유랑민이 되어 고향을 떠난 일대기를 있는 그대로 담담하게 들려줌
3. 시어의 상징적 의미
   - 낡은 집 : 일제 강점기 우리 민족이 겪어야 했던 비참한 삶
   - 항구, 찻길 : 일제의 식민지 수탈
   - 둥글소 : 일제의 수탈로 등이 굽을 정도로 비참하게 된 우리 민족

함께 엮어 읽기

◆ 백석, 〈북방에서〉

〈북방에서〉는 일제 식민지의 현실에서 유랑민으로 살아가는 시적 화자가 우리 민족의 지난 역사를 회상하며 자책하고 있는 작품이다. 〈낡은 집〉과 〈북방에서〉는 일제 강점기의 암담한 현실에서 조국을 떠나 유랑민으로 살아가는 슬픔을 서사적으로 표현했다는 점에서 공통점을 지닌다. 하지만, 〈낡은 집〉이 주로 인용의 방식이나 관찰자적 입장을 통해 민족의 슬픔을 간접적으로 전달하는 데 반해, 〈북방에서〉는 1인칭 시점으로 그 슬픔을 직접적으로 드러내고 있다는 점에서 차이를 보인다. 또한, 〈북방에서〉는 북방이 원래 우리 민족의 땅이었음을 말하면서 한반도에서의 삶이 비겁한 삶이었다는 화자의 반성도 보여 주고 있다.

정답과 해설 28쪽

어휘 다지기

- 은동곳 : 은으로 만든 동곳. '동곳'은 상투를 튼 뒤에 풀어지지 않도록 꽂는 남자의 장신구. 금, 은, 옥, 산호, 밀화, 나무 등으로 만드는데, 관자와 함께 재료에 따라 부귀(富貴)의 정도를 드러냄
- 산호 관자 : 망건에 달아 망건 줄을 꿰는 작은 고리. 금, 은, 옥, 산호, 뿔, 뼈 등으로 만듦
- 무곡 : 장사하려고 많은 곡식을 사들임
- 콩실이 : 콩을 싣고 다님
- 둥글소 : '황소'의 방언으로 큰 수소를 말함
- 싸리말 동무 : 죽마고우, '싸리말'은 싸리로 조그맣게 엮어 짜서 말처럼 만든 것으로, 함경도에서는 아이들이 이것을 말 삼아 타고 놀기도 함
- 짓두광주리 : 함경도 방언으로 바늘, 실, 골무, 헝겊 같은 바느질 도구를 담는 그릇, 반짇고리
- 저릎등 : '겨릅등'의 함경도 방언. 뜨물에 버무린 좁쌀 겨를 겨릅대에 입혀서 만들었던 등
- 갓주지 : 갓을 쓴 절의 주지승(住持僧). 옛날에는 아이들을 달래거나 울음을 그치게 할 때 이 갓주지 이야기를 했다고 함. 어떤 이는 이 말을 '갖주지'의 오기(誤記)로 보고 '갖가지' 즉, '가지가지'의 방언으로 해석하기도 함
- 아라사 : 러시아의 음차 = 아국(俄國)
- 글거리 : '그루터기'의 함경 남도 방언. 풀이나 나무 또는 곡식을 베고 남은 밑동

소주제 체크

1. 낡은 집 2. 털보네 3. 낡은 집

1 이 시에 대한 설명으로 적절하지 않은 것은?

① 토속어를 사용하여 사실성을 높이고 있다.
② 개인의 가족사적인 일대기 형식을 취하고 있다.
③ 일제 강점기의 민중의 비극적 삶을 사실적으로 제시하고 있다.
④ 직접 진술과 간접 진술을 적절히 활용하여 주제를 나타내고 있다.
⑤ 상징적인 배경을 사용하여 일제에 대한 저항 정신을 직접 드러내고 있다.

2 고난도 이 시는 이야기를 전달한다는 측면에서 설화적 요소를 갖는다. 화자는 시의 각 연에서 서로 다른 방식으로 내용을 전달하는데, 그 전달 방식이 가장 이질적인 연은?

① 1연 ② 2연 ③ 5연 ④ 6연 ⑤ 8연

3 이 시가 창작된 시대 배경을 고려할 때, 다음 구절에 대한 설명이 적절하지 않은 것은?

① '이 집에 살았다는 백성들' → '식구들'이라고 하지 않고 '백성들'이라고 함으로써 털보네의 이야기가 개인적이지 않고, 우리 민족과 관련이 깊음을 나타내고 있다.
② '은동곳도 산호 관자도 갖지 못했니라.' → '낡은 집'의 주인인 털보네가 경제력과 권력을 갖지 못했던 피지배 계층의 민중이었음을 보여 주고 있다.
③ '항구로 가는 콩실이에 늙은 둥글소' → 이 시가 발표된 상황이 일제 시대임을 감안할 때, 일제의 수탈을 간접적으로 드러낸 표현임을 알 수 있다.
④ '당나귀 몰고 간 애비 돌아오지 않는 밤' → 털보가 생계를 이어 가기 위해 부단히 노력하다가 일제에 의해 죽임을 당했음을 보여 주고 있다.
⑤ '북쪽을 향한 발자욱' → 털보네 가족이 궁핍한 농촌의 현실을 견디지 못하고 국경을 넘어 유랑하게 되었음을 나타내고 있다.

4 수능형 이 시 속의 사건을 중심으로 신문 기사를 작성한다고 할 때, 가장 적절한 것은?

① 계속되는 흉년, 최소의 농작조차 힘들어
② 인간의 목숨, 짐승만도 못하게 취급되고 있어
③ 각박한 농촌 현실, 국외로 이주하는 백성 늘어나
④ 폐가의 증가, 온갖 사회 문제의 온상이 되고 있어
⑤ 고향을 버리는 청년들, 농촌 공동화(空洞化) 심각해져

출제 예감

5 이 시에 사용된 시어의 의미를 잘못 말한 것은?

① 항구, 찻길 : 일제 강점기의 수탈의 공간
② 둥글소 : 일제의 수탈을 당하던 농민들
③ 저릎등 : 속이 타들어 가는 민중의 애타는 심정
④ 털보네 : 일제의 수탈로 신음하던 우리 민족
⑤ 글거리 : 이촌향도(離村向都)로 인한 민중의 궁핍한 현실

6 이 시의 6연에 나타난 털보네의 상황을 가리키는 한자 성어로 가장 적절한 것은?

① 부창부수(夫唱婦隨) ② 사고무친(四顧無親)
③ 삼순구식(三旬九食) ④ 고립무원(孤立無援)
⑤ 남부여대(男負女戴)

7 서술형 이 시의 주제와 관련하여 제목인 '낡은 집'의 의미에 대해 서술하시오.

13 산도화 · 청노루

가 산도화(山桃花)

산은
구강산(九江山)
보랏빛 석산(石山)

소주제 1 [기] □□□의 신비로운 모습

산도화
두어 송이
송이 버는데

소주제 2 [승] 피어나는 □□□

봄눈 녹아 흐르는
옥 같은
물에

소주제 3 [전] 옥같이 흐르는 □

사슴은
암사슴
발을 씻는다

소주제 4 [결] 시냇물에 발을 씻는 □□

– 박목월

나 청노루

머언 산 청운사(靑雲寺)
낡은 기와집,

소주제 1 멀리 있는 □□□

산은 자하산(紫霞山)
봄눈 녹으면,

소주제 2 □□ 녹는 자하산

느릅나무
속잎 피어 가는 열두 굽이를

소주제 3 새잎이 돋는 □□□□

청노루
맑은 눈에

도는
구름.

소주제 4 청노루의 눈에 비친 □□

– 박목월

작품 개관

[가]
- 갈래 자유시, 서정시
- 성격 관조적, 회화적, 탈속적
- 주제 이상적 세계의 평화롭고 아름다운 정경
- 특징
  ① 간결하게 정제된 형식미와 3음보, 7 · 5조의 율격이 드러남
  ② 시선의 이동과 원근(遠近)의 변화에 따라 시상을 전개함

[나]
- 갈래 자유시, 서정시
- 성격 관조적, 서경적, 묘사적
- 주제 봄의 정취와 이상적 세계의 추구
- 특징
  ① 정적 이미지와 동적 이미지가 조화를 이룸
  ② 시선의 이동과 원근(遠近)의 변화에 따라 대상들을 묘사함
  ③ '비음(ㄴ, ㅁ, ㅇ)'을 활용하여 아늑하고 은은한 분위기를 조성함

1등급 노트

[가]

1. 시에 나타난 여백의 미
주관적인 정서의 노출은 배제하고, 절제된 표현으로 고요하고 정밀한 시의 분위기가 독자의 상상에 의해 발현되도록 유도함

2. 화자의 태도와 효과
• 화자는 관조적인 태도로 대상과 객관적 거리를 유지하며 주관적 감정의 노출을 배제하고 있음
• 시인의 주관적인 감정을 노출하지 않음으로써 평화롭고 아름다운 이상향의 모습을 객관적으로 제시하는 데 더욱 효과적으로 작용함

[나]

1. 운율의 변화에 따른 느낌

1~2연	각 행이 2음보로 이루어짐
3연	1행이 1음보, 2행이 3음보로 변화하면서 호흡에 긴장을 부여 → 청노루가 산을 뛰어가는 듯한 느낌
4~5연	각 행을 1음보로 구성하여 다시 호흡이 느려짐 → 청노루가 멈춰 서서 하늘을 보는 듯한 느낌

2. 시선의 이동
'청운사 – 자하산 – 느릅나무 – 청노루 – 청노루의 눈에 비친 구름'의 순서로 시선이 원경에서 근경으로 이동

더 알아보기

◆ 박목월에 대한 정지용의 평가
정지용은 평소에 '북에는 소월이 있고, 남에는 목월이 있다.'고 말하며 시인 박목월의 시 세계를 높이 평가하였다. 이는 박목월의 시에 담긴 민요적 가락과 향토색, 그리고 군더더기 없는 깔끔한 시적 표현으로 인한 것이다.

소주제 체크
[가] 1. 구강산 2. 산도화 3. 물 4. 사슴
[나] 1. 청운사 2. 봄눈 3. 느릅나무 4. 구름

정답과 해설 28쪽

1 수능형 [가]와 [나]의 공통적인 표현상의 특징으로 적절한 것은?

① 수미상관의 구조로 형태적인 안정감을 취한다.
② 색채어의 대비를 통해 환상적 분위기를 조성한다.
③ 토속적인 언어로 현실 세계를 사실적으로 그려낸다.
④ 원경에서 근경으로 시선을 이동하며 시상을 전개한다.
⑤ 시간의 흐름에 따라 시적 대상의 변화 과정을 묘사한다.

출제 예감
2 [가]에 대한 설명으로 적절하지 않은 것은?

① 3음보의 민요적 율격을 바탕으로 하고 있다.
② 달관의 경지를 현학적 태도로 노래하고 있다.
③ 차분하고 관조적인 어조로 시상을 전개하고 있다.
④ 시각적 이미지를 통해 시적 공간을 묘사하고 있다.
⑤ 간결하고 압축적인 표현으로 정제미를 드러내고 있다.

3 고난도 [가]와 유사한 자연관이 드러나는 작품으로 가장 적절한 것은?

① 묏버들 갈히 것거 보내노라 님의손듸, / 자시는 창(窓) 밧긔 심거 두고 보쇼셔. / 밤비예 새닙곳 나거든 날인가도 너기쇼셔. – 홍랑
② 동창(東窓)이 밝앗느냐 노고지리 우지진다. / 소 칠 아이는 상기 아니 일었느냐. / 재 너머 사래 긴 밭을 언제 갈려 하나니. – 남구만
③ 두류산(頭流山) 양단수(兩端水)를 녜 듯고 이제 보니, / 도화(桃花) 뜬 묽은 물에 산영(山影)조차 잠겻셰라. / 아희야, 무릉(武陵)이 어듸오, 나는 옌가 ᄒᆞ노라. – 조식
④ 이 몸이 주거 가셔 무어시 될고 하니, / 봉래산(蓬萊山) 제일봉(第一峯)에 낙락장송(落落長松) 되야 이셔, / 백설(白雪)이 만건곤(滿乾坤)ᄒᆞᆯ 제 독야청청(獨也靑靑)ᄒᆞ리라. – 성삼문
⑤ 청산(靑山)은 내 뜻이오 녹수(綠水)는 님의 정(情)이, / 녹수(綠水) 흘러간들 청산(靑山)이야 변(變)ᄒᆞᆯ손가. / 녹수(綠水)도 청산(靑山)을 못 니져 우러 예어 가는고. – 황진이

4 [가]를 내재적 관점에서 감상하는 태도로 가장 적절한 것은?

① 채민 : 자연 친화적 삶을 지향하는 내용의 다른 작품을 찾아 비교해 보려고 해.
② 수호 : 시인의 삶을 조사해 보고 독립운동이 시에 미친 영향에 대해 알아보려고 해.
③ 지은 : 시에 쓰인 '사슴'의 상징적 의미를 찾아보고 시의 주제와 관련지어 보려고 해.
④ 성빈 : 시가 창작된 일제 말기의 시대를 고려하여 시에 나타난 암울한 분위기를 느껴 보려고 해.
⑤ 예솔 : 이 작품의 주제를 바탕으로 독자들이 자연에 대해 어떤 태도를 가져야 하는지를 알아보려고 해.

5 [가]의 '구강산'에 대한 설명으로 적절하지 않은 것은?

① 신비로운 분위기를 조성한다.
② 현실과 떨어져 있는 공간이다.
③ 화자가 실제로 머물고 있는 장소이다.
④ 고요하고 평화로운 분위기를 자아낸다.
⑤ 실제 지명이 존재하지 않는 가상의 세계이다.

6 [나]에 대한 설명으로 적절하지 않은 것은?

① 계절적 배경을 통해 정취를 드러내고 있다.
② 동적 이미지와 정적 이미지가 조화를 이루고 있다.
③ 조사의 생략과 명사의 종결로 여운을 느끼게 하고 있다.
④ 탈속적 이미지를 통해 자연의 아름다움을 표현하고 있다.
⑤ 비음을 활용하여 화자의 고독감과 적막감을 강조하고 있다.

7 [나]에 묘사된 장면으로 적절하지 않은 것은?

① 산에 봄눈이 녹고 있다.
② 청운사의 기와집이 낡아 있다.
③ 청운사로 가는 길이 곧게 나 있다.
④ 청노루의 눈에 구름이 비치고 있다.
⑤ 청운사는 보라색 빛을 띠는 산에 있다.

8 [나]에서 각 연의 운율 변화와 효과에 대한 <보기>의 설명으로 적절하지 않은 것은?

보기

1, 2연	각 행이 2음보로 이루어져 있다. ……… ㉠
3연	1행이 1음보, 2행이 3음보로 변화한다. ……… ㉡
	* 효과 : 시행이 늘어나면서 호흡에 긴장감을 부여하여 청노루가 산을 뛰어가는 듯한 느낌을 준다. ……… ㉢
4, 5연	각 행이 2음보로 이루어져 있다. ……… ㉣
	* 효과 : 다시 호흡이 느려지고 청노루가 멈춰 서서 하늘을 보는 듯한 느낌을 준다. ……… ㉤

① ㉠ ② ㉡ ③ ㉢ ④ ㉣ ⑤ ㉤

9 서술형 [나]에서 순수하고 고결한 생명을 상징하는 소재를 찾아 쓰시오.

14 승무(僧舞)

얇은 사(紗) 하이얀 고깔은
발이 얇고 성글게 짠 비단의 한 가지
고이 접어서 •나빌레라.

파르라니 깎은 머리
•박사(薄紗) 고깔에 감추오고,

두 볼에 흐르는 빛이
정작으로 고와서 서러워라.

소주제 ❶ 1~3연 : □□를 추기 전 여승의 차림새와 인상

빈 대(臺)에 •황촉(黃燭) 불이 말없이 녹는 밤에
사방이 보이게 높이 쌓아 만든 곳
오동잎 잎새마다 달이 지는데,

소주제 ❷ 4연 : 승무의 □□ 제시

소매는 길어서 하늘은 넓고,
돌아설 듯 날아가며 사뿐이 접어 올린 •외씨버선이여.

소주제 ❸ 5연 : 승무의 빠른 □ □□

까만 눈동자 살포시 들어
먼 하늘 한 개 별빛에 모두오고,

•복사꽃 고운 뺨에 아롱질 듯 두 방울이야
•세사(世事)에 시달려도 번뇌(煩惱)는 별빛이라.

소주제 ❹ 6, 7연 : □□의 종교적 승화

휘어져 감기우고 다시 접어 뻗는 손이
깊은 마음속 거룩한 •합장(合掌)인 양하고,

소주제 ❺ 8연 : 다시 이어지는 □ □□

이 밤사 귀뚜리도 지새는 •삼경(三更)인데,
얇은 사(紗) 하이얀 고깔은 고이 접어서 나빌레라.

소주제 ❻ 9연 : 계속되는 춤의 □□

– 조지훈

어휘 다지기

- 나빌레라 : 나비로구나
- 박사(薄紗) : 얇은 비단
- 황촉(黃燭) : 꿀벌의 밀랍으로 만든 초
- 외씨버선 : 외씨처럼 갸름하고 코가 예쁜 버선
- 복사꽃 : 복숭아꽃
- 세사(世事) : 속세의 여러 일
- 합장(合掌) : 공경이나 기원을 나타내는 불교 의식
- 삼경(三更) : 밤 11시에서 오전 1시 사이

작품 개관

- 갈래 자유시, 서정시
- 성격 전통적, 불교적, 고전적
- 주제 세속적 번뇌의 종교적 승화
- 특징
  ① 수미 상관의 구성 방식을 취함
  ② 춤을 추는 순서에 따라 시상을 전개함
  ③ 예스러운 어휘의 사용으로 우리말의 아름다움을 드러냄

1등급 노트

1. 표현상의 특징

'얇은 사', '박사 고깔', '황촉 불', '외씨버선' 등의 고풍스러운 어휘와 '하이얀', '나빌레라', '파르라니', '감추오고', '모두오고' 등 예스러운 어휘를 사용함
→ 작품의 전통적인 멋과 함께 우리말의 음악성과 회화성을 효과적으로 살림

2. 춤의 완급에 따른 분위기의 변화

연	내용
1~4연	승무를 추기 전의 여승과 무대의 모습 – 정적 분위기
5연	휘도는 춤사위 – 동적 분위기
6~7연	번뇌의 종교적 승화(여승의 내면) – 동적 순간의 정적 분위기
8연	춤의 느린 가락 – 동적 분위기
9연	승무의 정적미 – 정적 분위기

3. 시적 화자의 정서

젊은 나이에 속세를 버리고 홀로 번민을 이기기 위해 춤을 추는 여인의 모습을 통해 세속적 번뇌가 종교적으로 승화되는 과정을 보여 주면서 내면의 번민들이 종교적인 구도나 예술적인 아름다움을 통해 승화되기를 바람

4. 시어의 의미

- 두 방울 : 속세에 대한 미련과 정화(淨化)
- 번뇌 : 여승이 승무를 통해 극복하고자 하는 대상. 일체의 세속적인 번뇌
- 별빛 : 여승이 승무를 통해 도달하고자 하는 지향점. 세속적 번뇌의 종교적 승화

함께 엮어 읽기

◆ 신석초, 〈바라춤〉

〈바라춤〉은 세속적 번뇌를 종교적으로 승화시킨 시로, 소재 면에서 〈승무〉와 유사성을 보이나, 춤 동작에 대한 묘사가 거의 없고, 시적 화자 자신의 현실적 번뇌로 인한 고통을 주로 형상화했다는 점에서는 차이를 보인다.

소주제 체크

1. 승무 2. 무대 3. 춤 동작 4. 번뇌 5. 춤 동작 6. 여운

정답과 해설 28쪽

1 이 시에 대한 설명으로 적절하지 않은 것은?

① 수미 상관의 구성 방식을 취하고 있다.
② 시간적 순서에 따른 춤의 동작이 나타나 있다.
③ 예스러우면서도 부드러운 시어를 사용하고 있다.
④ 춤 추는 과정을 통해 삶의 고뇌를 초극하는 모습을 보여 주고 있다.
⑤ 대체로 전통적인 3음보 가락을 사용하여 한(恨)의 정서를 노래하고 있다.

출제 예감
2 이 시에서 〈보기〉의 내용과 가장 관계 깊은 부분은?

보기
시인은 '승무'를 단순한 무용보다는 세속의 번뇌를 극복하려는 종교적 의미로 받아들이고 있다. 결국 작품 속의 여승은 춤을 통해 세속적 번뇌를 초월한 자기 정화, 종교적 승화에 도달하게 된다.

① 1연 ② 2연 ③ 3연 ④ 5연 ⑤ 7연

3 이 시는 첫 연과 마지막 행이 같은 구절로 되어 있다. 이와 같은 구성을 통해 얻을 수 있는 효과로 가장 적절한 것은?

① 화자의 서러운 정서를 강조한다.
② 여승의 심리가 일관됨을 보여 준다.
③ 끝나지 않은 춤의 여운을 느끼게 한다.
④ 시의 대상을 거리를 두고 바라보게 한다.
⑤ 여승의 번뇌와 갈등을 구체적으로 드러낸다.

출제 예감
4 이 시에서 세속의 번뇌를 초탈하고자 하는 염원이 함축되어 있는 시어는?

① 고깔 ② 달 ③ 별빛 ④ 두 방울 ⑤ 귀또리

5 이 시에 대한 감상으로 적절하지 않은 것은?

① 춤의 완급과 변화에 따라 시의 리듬에도 변화를 준 것이 인상적이었어.
② 승무를 마친 여인의 고뇌와 슬픔에 찬 모습이 주제를 상징적으로 드러내고 있어.
③ 일상어를 바탕으로 창조한 시어들이 우리말의 아름다움을 한껏 느끼게 해 주었어.
④ 승무를 추는 여인에게서 느껴지는 서러움의 정서 때문에 서글픈 느낌을 받을 수 있었어.
⑤ 시적 화자는 춤추는 여인의 내면과 그 고뇌까지 따뜻한 시선으로 바라보고 있는 것 같아.

6 이 시의 각 연에 대한 감상으로 적절하지 않은 것은?

① 1연의 '하이얀'은 번뇌를 극복하고 난 뒤 여승의 허무한 마음을 색채 이미지를 활용하여 드러내고 있다.
② 3연의 '흐르는 빛'은 하강적 이미지와 연결되어 화자는 대상에 대해 고우면서도 서러운 감정을 느끼고 있다.
③ 4연은 춤추는 무대에 대한 배경 묘사로 시의 앞쪽에 배치되어야 하나 의도적으로 중간에 배치된 것으로 볼 수 있다.
④ 5연에서는 전통적인 곡선미가 빠른 춤 동작과 절묘하게 조화되어 그려지고 있다.
⑤ 7연은 주제가 드러나는 연으로, 종교적 깨달음을 통해 세속적 번뇌를 승화시키고 있다.

7 수능형 이 시와 〈보기〉를 비교한 내용으로 적절하지 않은 것은?

보기
〈전략〉 청산 깊은 절에 울어 끊긴
종소리는 아마 이슷하여이다.
경경히 밝은 달은
빈 절을 덧없이 비초이고
뒤안 으슥한 꽃가지에
잠 못 이루는 두견조차
저리 슬피 우는다.

아아, 어이하리, 내 홀로
다만 내 홀로 지닐 즐거운
무상한 열반을 / 나는 꿈꾸었노라.
그러나 나도 모르는 어지러운 티끌이
내 맘의 맑은 거울을 흐리노라. 〈후략〉 – 신석초, 〈바라춤〉

① 두 시 모두 시간적 배경은 밤이다.
② 두 시 모두 불교적 색채가 강한 춤을 제재로 하고 있다.
③ 〈보기〉는 이 시보다 갈등의 양상이 좀 더 강렬하게 나타난다.
④ 〈보기〉는 이 시보다 춤 동작에 대한 묘사가 더욱 자세하게 나타난다.
⑤ 두 시 모두 세속적 번뇌와 종교적 구도(求道) 사이의 갈등이 나타난다.

8 서술형 이 시에서 〈보기〉와 같은 시적 허용에 의해 만들어진 시어들을 사용함으로써 얻을 수 있는 효과는 무엇인지 서술하시오.

보기
• 하얀 → 하이얀 • 나비로구나 → 나빌레라
• 파랗게 → 파르라니 • 감추고 → 감추오고

15 절정 · 교목 · 그날이 오면

가 절정

ⓐ매운 계절(季節)의 채찍에 갈겨
마침내 ⓑ북방(北方)으로 휩쓸려 오다.

소주제 1 현실적 한계 상황 – □□□

하늘도 그만 지쳐 끝난 ⓒ*고원(高原)
서릿발 칼날진 그 위에 서다.

소주제 2 현실적 한계 상황 – □□□

어데다 무릎을 꿇어야 하나
한 발 재겨 디딜 곳조차 없다.

소주제 3 □□ 상황에 대한 인식

ⓓ이러매 눈 감아 생각해 볼밖에
ⓔ겨울은 강철로 된 무지갠가 보다.

소주제 4 극한 상황에 대한 □□ 의지

– 이육사

나 *교목(喬木)

푸른 하늘에 닿을 듯이
세월에 불타고 우뚝 남아 서서
차라리 봄도 꽃 피진 말아라.

소주제 1 굽힐 수 없는 신념과 □□

낡은 거미집 휘두르고 / 끝없는 꿈길에 혼자 설레이는
마음은 아예 뉘우침 아니라.

소주제 2 □□ 없는 삶의 결의

검은 그림자 쓸쓸하면 / 마침내 호수 속 깊이 거꾸러져
차마 바람도 흔들진 못해라.

소주제 3 □□마저 불사하는 단호한 의지

– 이육사

다 그날이 오면

그날이 오면, 그날이 오면은
삼각산(三角山)이 일어나 더덩실 춤이라도 추고,
한강 물이 뒤집혀 용솟음칠 그날이
이 목숨이 끊기기 전에 와 주기만 할 양이면,
나는 밤하늘에 날으는 까마귀와 같이
종로(鍾路)의 *인경(人磬)을 머리로 들이받아 울리오리다.
두개골(頭蓋骨)은 깨어져 산산조각이 나도
기뻐서 죽사오매 오히려 무슨 한(恨)이 남으오리까.

소주제 1 조국 광복의 □□과 자기희생 의지(가정적 미래)

그날이 와서 오오 그날이 와서
육조(六曹) 앞 넓은 길을 울며 뛰며 뒹굴어도
그래도 넘치는 기쁨에 가슴이 미어질 듯하거든

작품 개관

[가]
- **갈래** 자유시, 서정시
- **성격** 상징적, 의지적, 남성적, 지사적
- **주제** 극한 상황의 초극 의지
- **특징**
  ① 역설적 표현을 통해 주제를 형상화함
  ② 강렬한 상징어와 남성적 어조로 화자의 내면 의지를 강조함

[나]
- **갈래** 자유시, 서정시
- **성격** 상징적, 의지적
- **주제** 혹독한 시대 상황에 굴복하지 않는 강한 의지
- **특징**
  ① 계절과 자연 현상을 이용하여 화자의 소망을 상징적으로 표현함
  ② 대조적 이미지의 시어를 사용하여 주제 의식을 선명히 제시함

[다]
- **갈래** 자유시, 서정시
- **성격** 격정적, 의지적, 저항적
- **주제** 조국 광복의 '그날'에 대한 염원
- **특징**
  ① 경어체의 종결 어미를 사용함
  ② 반복과 과장을 통해 주제 의식을 강조함

1등급 노트

[가]

1. 구성상의 특징
- '북방 – 고원 – 서릿발 칼날진 그 위'의 점층 구조를 통해 화자가 처한 현실적 극한 상황을 보여 줌
- 간결한 표현으로 생략과 압축의 효과를 극대화함 – 화자의 감정을 절제하는 효과를 냄

2. 역설적 표현과 초극 의지
'겨울은 강철로 된 무지갠가 보다.'

겨울	가혹한 현실의 시간
강철	싸늘하고 차가운 이미지
무지개	화려하고 아름다운 이미지

→ '강철'과 '무지개'의 모순된 이미지의 결합을 통해 극한 상황에 대한 화자의 역설적 인식(비극적 상황에 대한 초극 의지)을 드러냄

[나]

1. '교목'의 상징적 의미
일제 강점하의 암담한 현실 속에서 굽힘이 없이 꿋꿋하게 살고자 하는 화자의 삶의 자세를 형상화함

2. 표현상의 특징
- 부정적 종결 어미('말아라', '아니라', '못해라' 등)를 사용하여 화자의 의지를 드러냄
- 남성적 강인함을 느끼게 하는 시어('깊이 거꾸러져', '휘두르고' 등)와 극단적 의미의 부사어('차라리', '아예', '차마' 등)를 사용하여 화자의 단호한 자세를 드러냄

[다]

표현상의 특징
- 경어체의 사용 : '울리오리다', '남으오리까', '감겠소이다' 등의 경어체 종결 어법을 사용하여 조국 광복의 염원과 소중함을 호소력 있게 표현함

정답과 해설 28쪽

드는 칼로 이 몸의 가죽이라도 벗겨서
커다란 북(鼓)을 만들어 들쳐 메고는
여러분의 행렬(行列)에 앞장을 서오리다.
우렁찬 그 소리를 한 번이라도 듣기만 하면,
그 자리에 거꾸러져도 눈을 감겠소이다.

소주제 ② 조국 □□이 찾아온 그날의 감격과 자기희생 의지(가정적 현재)

– 심훈

• 가정적 상황 설정 : 1연에서는 가정적 미래 상황을, 2연에서는 가정적 현재 상황을 설정함. 불가능을 가능한 것처럼 표현한 것으로, 조국 광복에 대한 화자의 강한 신념의 표출로 볼 수 있음

어휘 다지기

- 고원(高原) : 높은 산지에 펼쳐진 넓은 들판
- 교목(喬木) : 줄기가 곧고 굵으며 높이가 8미터를 넘는 나무
- 인경(人磬) : 옛날 밤에 통행 금지를 알리기 위해 설치해서 치던 큰 종

소주제 체크

[가] 1. 수평적 2. 수직적 3. 극한 4. 초극
[나] 1. 의지 2. 후회 3. 죽음
[다] 1. 염원 2. 광복

1 [가]에 대한 설명으로 가장 적절한 것은?

① 현실을 체념함으로써 구원에 이르는 과정을 형상화하고 있다.
② 색채의 대비를 통해 시적 화자의 의지가 견고함을 강조하고 있다.
③ 관념적인 시어를 사용하여 시적 화자의 사색적 태도를 표현하고 있다.
④ 의식의 흐름 기법을 통해 시적 화자의 굽힐 줄 모르는 선비 정신을 효과적으로 드러내고 있다.
⑤ 간결하고 압축된 시형과 극한적인 시어를 사용하여 시적 화자의 내적 의지를 드러내고 있다.

출제 예감
2 ⓐ~ⓔ에 대한 설명으로 적절하지 <u>않은</u> 것은?

① ⓐ – 일제 강점하의 가혹한 현실적 상황을 상징한다.
② ⓑ – 수평적 극한으로서의 공간을 상징한다.
③ ⓒ – 화자가 지향하는 높은 정신적 경지를 상징한다.
④ ⓓ – 화자의 인식이 전환됨을 나타낸다.
⑤ ⓔ – 역설을 통해 화자의 현실 극복 의지를 드러낸다.

3 [가]에서 시적 화자가 처한 극한 상황을 드러내기 위해 사용한 표현 방법으로 적절하지 <u>않은</u> 것은?

① 점층법을 사용하고 있다.
② 공감각적 심상을 사용하고 있다.
③ 공간적, 계절적 이미지를 활용하고 있다.
④ 강렬하고 감각적인 시어를 사용하고 있다.
⑤ 이중으로 해석될 수 있는 시어를 사용하고 있다.

4 [나]에 나타난 시적 화자의 태도로 가장 적절한 것은?

① 자아 성찰을 통해 새로운 깨달음을 얻고자 한다.
② 부정적인 현실에 저항하는 의지를 드러내고 있다.
③ 현실의 상황에서 벗어나 새로운 삶을 살고자 한다.
④ 자아의 모습을 찾기 위해 내적 결의를 다지고 있다.
⑤ 이상과 현실 사이에서 오는 갈등으로 고뇌하고 있다.

5 [나]의 표현상 특징에 대한 설명으로 적절하지 <u>않은</u> 것은?

① 부사어를 사용하여 단호한 자세를 드러내고 있다.
② 과거와 현재의 대비를 통해 주제를 강조하고 있다.
③ 역동적인 시어를 사용하여 시적 긴장감을 조성하고 있다.
④ 부정적인 종결 어미를 통해 저항의 의지를 드러내고 있다.
⑤ 명령형의 어미를 통해 화자의 내면을 향한 다짐을 나타내고 있다.

출제 예감
6 [다]에 대한 설명으로 적절하지 <u>않은</u> 것은?

① 과장과 반복을 통해 주제 의식을 강조하고 있다.
② 관념적이고 현학적인 표현을 통해 화자의 결의를 부각시키고 있다.
③ 화자의 조국 광복에 대한 신념을 가정적 상황으로 표출하고 있다.
④ 극한적인 시어의 사용을 통해 화자의 소망을 강하게 드러내고 있다.
⑤ 경어체의 종결 어미를 통해 소망의 소중함과 신성함을 드러내고 있다.

7 [다]에서 화자의 고독한 모습과 자기희생의 이미지를 상징하는 3음절의 시어를 쓰시오.

출제 예감
8 서술형 [나]의 화자가 '교목'을 통해 형상화하고자 하는 삶의 태도를 서술하시오.

16 서시 · 또 다른 고향

가 서시(序詩)

죽는 날까지 하늘을 우러러
한 점 부끄럼이 없기를,
잎새에 이는 바람에도
나는 괴로워했다.

소주제 1 1연 1~4행 : □□□□ 없는 삶에 대한 소망(과거)

별을 노래하는 마음으로
㉠모든 죽어 가는 것을 사랑해야지.
그리고 나한테 주어진 길을
걸어가야겠다.

소주제 2 1연 5~8행 : □□의 삶에 대한 결의(미래)

오늘 밤에도 별이 바람에 스치운다.

소주제 3 2연 : 암담한 □□과 시적 화자의 의지(현재)

- 윤동주

나 또 다른 고향

고향에 돌아온 날 밤에
내 백골(白骨)이 따라와 한 방에 누웠다.

어둔 방은 우주(宇宙)로 통하고
하늘에선가 소리처럼 바람이 불어 온다.

소주제 1 1, 2연 : '나'의 □□과 암담한 현실 인식

어둠 속에서 곱게 풍화 작용하는
백골을 들여다보며
눈물짓는 것이 내가 우는 것이냐
백골이 우는 것이냐
아름다운 혼이 우는 것이냐.

소주제 2 3연 : 자아의 □□과 비애감

지조 높은 개는
밤을 새워 어둠을 짖는다.

어둠을 짖는 개는
나를 쫓는 것일 게다.

소주제 3 4, 5연 : □□□ □□를 일깨우는 소리

가자 가자
쫓기우는 사람처럼 가자.
백골 몰래
아름다운 ㉡또 다른 고향에 가자.

소주제 4 6연 : □□ □□에 대한 동경

- 윤동주

작품 개관

[가]
- 갈래 자유시, 서정시
- 성격 반성적(성찰적), 고백적, 의지적, 상징적
- 주제 부끄러움 없는 삶에 대한 간절한 소망과 의지
- 특징
  ① 자연적 소재에 상징성을 부여함
  ② 이미지의 대립을 통해 시적 상황을 제시함

[나]
- 갈래 자유시, 서정시
- 성격 성찰적, 의지적
- 주제 이상 세계에 대한 동경과 자아 분열의 극복 의지
- 특징 상징적 시어를 통해 자아의 분열과 대립에 의한 갈등 구조를 드러냄

1등급 노트

[가]

1. 시상 전개 방식

1연 1~4행 (과거)	결백한 삶을 살고자 노력했던 화자의 삶의 고백
1연 5~8행 (미래)	미래의 삶에 대한 시적 화자의 결의
2연 (현재)	현재 시적 화자가 처한 상황을 보여 줌

2. 시어의 상징적 의미

하늘	윤리적 판단의 절대 기준
별	희망, 순수, 이상적 삶, 양심
길	화자의 운명, 삶의 과정, 사명
밤	일제 강점하의 어두운 현실

3. '바람'의 의미

3행	화자의 내면적 갈등
9행	외부의 현실적 시련

[나]

1. 시상 전개 과정

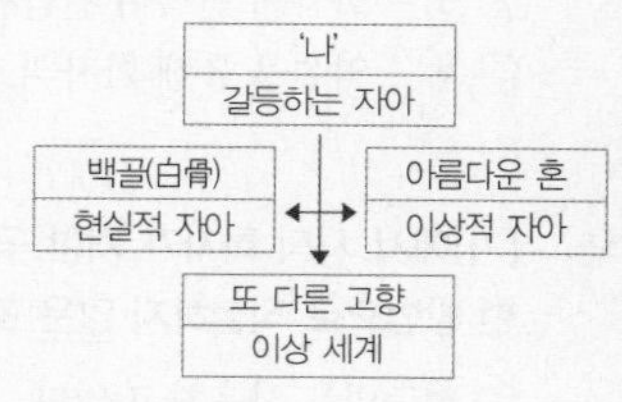

2. 시어의 상징적 의미

• 부정적 의미의 시어

고향	현실 도피적 세계
어둠	암담한 현실

• 긍정적 의미의 시어

바람	열린 세계로 인도하는 존재
지조 높은 개, 어둠을 짖는 개	나약한 현실적 자아를 일깨우고 어둠을 내모는 존재

소주제 체크

[가] 1. 부끄러움 2. 미래 3. 현실
[나] 1. 귀향 2. 갈등 3. 현실적 자아 4. 이상 세계

정답과 해설 29쪽

1 [가]와 [나]에 공통적으로 나타난 시적 화자의 태도로 가장 적절한 것은?

① 자신의 운명을 겸허하게 받아들이고 있다.
② 이상적 세계를 상상하며 현실을 도피하고 있다.
③ 자연 현상을 통해 내면적인 깨달음을 얻고 있다.
④ 현실에 안주하려는 소극적인 자세를 보이고 있다.
⑤ 부정적 현실을 극복하려는 의지를 드러내고 있다.

출제 예감

2 [가]에 대한 설명으로 적절하지 않은 것은?

① 고백적이며 의지적인 어조가 나타난다.
② '과거 – 미래 – 현재'로 시상이 전개된다.
③ 자연적인 소재에 상징적 의미를 부여한다.
④ 시간의 흐름에 따라 시적 화자의 갈등이 심화된다.
⑤ '별'은 시적 화자가 지향하는 순결한 삶의 표상이다.

출제 예감

3 [가]의 '바람'에 대한 설명으로 적절하지 않은 것은?

① '별'과 대립적인 심상으로 사용되고 있다.
② 시적 화자에게 고난과 시련을 주는 존재이다.
③ 3행의 '바람'은 시적 화자에게 부끄러움을 느끼게 하는 요인이다.
④ 9행의 '바람'은 외부에서 오는 현실적 시련을 의미한다.
⑤ 9행은 결국 '바람'으로 인해 좌절할 수밖에 없는 시적 화자의 상황을 나타낸 것이다.

4 [가]의 시구 중, 〈보기〉의 '사소한 것'에 해당하는 것은?

보기

끊임없이 자신을 돌이켜보면서 결백한 삶을 추구하는 화자에게 있어서 부끄러움이란 그의 양심에 비례한다고도 말할 수 있을 것이다. 이 때문에 그는 무심히 지나칠 수 있는 사소한 것에서조차 괴로움을 느끼는 것이다.

① 하늘을 우러러
② 잎새에 이는 바람
③ 별을 노래하는 마음
④ 모든 죽어 가는 것
⑤ 별이 바람에 스치운다.

5 [가]에서 시적 화자가 현실에서 느끼는 갈등이 대립되는 이미지로 형상화된 시행을 찾아 쓰시오.

6 수능형 [가]를 반영론적 관점에서 감상할 때, ㉠이 암시하는 상황을 드러내는 시어로 가장 적절한 것은?

① 하늘 ② 부끄럼 ③ 잎새
④ 길 ⑤ 밤

7 [나]에 대한 설명으로 가장 적절한 것은?

① 상징적 소재와 역설적 표현을 통해 주제를 형상화하고 있다.
② 절망적인 현실에 대한 불안과 공포를 사실적으로 표현하였다.
③ 담담한 어조로 부정적 현실과 허무한 삶의 모습을 드러내고 있다.
④ 자아의 분열과 대립에 의한 갈등 구조를 통해 시상을 전개하고 있다.
⑤ '어둠'을 자아의 반성과 성찰이 이루어지는 긍정적 공간으로 표현하였다.

8 다음 밑줄 친 시어 중, ㉡과 함축적인 의미가 가장 유사한 것은?

① 살어리 살어리랏다 청산(靑山)애 살어리랏다. / 멀위랑 ᄃᆞ래랑 먹고, 청산(靑山)애 살어리랏다. – 작자 미상, 〈청산별곡〉
② 다시 천고(千古)의 뒤에 / 백마(白馬) 타고 오는 초인(超人)이 있어 / 이 광야(曠野)에서 목놓아 부르게 하리라. – 이육사, 〈광야(曠野)〉
③ 가슴엔 듯 눈엔 듯 또 핏줄엔 듯 / 마음이 도른도른 숨어 있는 곳 // 내 마음의 어딘 듯 한편에 끝없는 / 강물이 흐르네. – 김영랑, 〈끝없는 강물이 흐르네〉
④ 창(窓)밖에 밤비가 속살거려 / 육첩방(六疊房)은 남의 나라, // 시인(詩人)이란 슬픈 천명(天命)인 줄 알면서도 / 한 줄 시(詩)를 적어 볼까, – 윤동주, 〈쉽게 씌어진 시〉
⑤ 수양산(首陽山) ᄇᆞ라보며 이제(夷齊)를 한(恨)ᄒᆞ노라. / 주려 주글진들 채미(採薇)도 ᄒᆞᄂᆞᆫ것가. / 비록애 푸새엣 거신들 긔 뉘 ᄯᅡ헤 낫ᄃᆞ니. – 성삼문

9 서술형 [나]에 드러난 화자의 갈등 양상을 대립적 시어를 활용하여 서술하시오.

17 자화상 · 참회록

가 자화상(自畵像)

산모퉁이를 돌아 논가 외딴 ㉠우물을 홀로 찾아가선 ⓐ가만히 들여다봅니다.

우물 속에는 달이 밝고 구름이 흐르고 하늘이 펼치고 파아란 바람이 불고 가을이 있습니다.

소주제 ① 우물 속의 평화로운 정경과 □□ 성찰

그리고 한 사나이가 있습니다.
어쩐지 그 사나이가 미워져 돌아갑니다.

소주제 ② 자아에 대한 □□

돌아가다 생각하니 그 사나이가 가엾어집니다.
도로 가 들여다보니 사나이는 그대로 있습니다.

소주제 ③ 자아에 대한 □□

다시 그 사나이가 미워져 돌아갑니다.
돌아가다 생각하니 그 사나이가 그리워집니다.

소주제 ④ 자아에 대한 □□

우물 속에는 달이 밝고 구름이 흐르고 하늘이 펼치고 파아란 바람이 불고 가을이 있고 ⓑ추억처럼 사나이가 있습니다.

소주제 ⑤ 추억 속 자아의 모습에 대한 □□□

– 윤동주

나 참회록(懺悔錄)

파란 녹이 낀 구리 거울 속에
내 얼굴이 남아 있는 것은
어느 왕조(王朝)의 유물(遺物)이기에 / 이다지도 욕될까.

소주제 ① 과거 망국의 □□에 대한 참회

나는 나의 참회(懺悔)의 글을 한 줄에 줄이자.
— 만 이십사 년 일 개월을
　무슨 기쁨을 바라 살아왔던가.

소주제 ② 현재 □□의 삶에 대한 참회

내일이나 모레나 그 어느 즐거운 날에
나는 또 한 줄의 참회록(懺悔錄)을 써야 한다.
(참회록: 지나간 잘못을 고백하는 기록)
— 그때 그 젊은 나이에
　왜 그런 부끄런 고백(告白)을 했던가.

소주제 ③ 현재의 참회에 대한 □□의 참회

㉡ 밤이면 밤마다 나의 거울을
　손바닥으로 발바닥으로 닦아 보자.

소주제 ④ 암울한 시대 현실과 자기 □□

그러면 어느 운석(隕石) 밑으로 홀로 걸어가는
슬픈 사람의 뒷모양이 / 거울 속에 나타나온다.

소주제 ⑤ 미래의 삶에 대한 □□□ 전망

– 윤동주

작품 개관

[가]
- 갈래 자유시, 서정시
- 성격 성찰적, 고백적
- 주제 자아 성찰과 자신에 대한 애증
- 특징
  ① 평이한 구어체 문장을 산문 형식으로 표현함
  ② '미움 → 연민 → 미움 → 그리움'의 단계로 화자의 태도가 변함

[나]
- 갈래 자유시, 서정시
- 성격 상징적, 고백적, 성찰적
- 주제 역사 속에서의 자아 성찰을 통한 참회와 진실된 자화상의 발견
- 특징
  ① 시간의 흐름에 따른 시상의 전개
  ② '거울'의 상징성을 통한 치열한 자기 성찰의 모습을 보여 줌

1등급 노트

[가]

1. '우물'의 상징적 의미
식민지 현실을 살아가는 화자의 자아 성찰의 매개체

2. 표현상의 특징
식민지 현실을 살아가는 시적 화자의 자아 성찰과 자신에 대한 애증을 '-ㅂ니다'의 평이한 구어체 문장으로 구사하되, 완결된 문장 형식의 산문으로 표현함

3. 시적 화자의 태도 변화
시적 화자는 식민지 현실에 안주하는 것에 대한 부끄러움 때문에 자신을 미워함(미움) → 식민지 현실에 안주할 수밖에 없는 자신에 대해 연민을 느낌(연민) → 다시 암담한 현실을 살고 있는 초라한 자신의 모습을 미워함(미움) → 자신의 순수했던 옛 모습을 그리워함(그리움)

4. 2연에 나타난 '자연'의 모습
'사나이'의 초라한 모습과 상반되는 '순수하고 아름다운 풍경'을 의미함

[나]

시어의 상징적 의미

구리 거울	시적 화자의 삶을 비추는 자아 성찰의 매개체
왕조의 유물	시적 화자가 성찰하는 대상이 '역사적 자아'임을 알 수 있게 함
즐거운 날	우리 민족이 광복을 맞이하는 날
밤	일제 강점하의 절망적 현실, 시적 화자의 자아 성찰의 시간

소주제 체크

[가] 1. 자아 2. 미움 3. 연민 4. 애증 5. 그리움 [나] 1. 역사 2. 자아 3. 미래 4. 성찰 5. 비관적

정답과 해설 29쪽

1 [가]에 대한 설명으로 가장 적절한 것은?

① 안정된 구조 속에 화자의 일관된 태도를 담고 있다.
② 평이한 구어체 문장의 산문 형식으로 표현하고 있다.
③ 자연물의 속성을 통해 화자의 의지를 형상화하고 있다.
④ 추상적인 내용을 구체적인 언어를 통해 드러내고 있다.
⑤ 담담한 어조를 통해 허무한 삶의 모습을 성찰하고 있다.

출제 예감

2 〈보기〉에서 ㉠의 상징적 의미와 가장 유사한 것은?

보기

한 송이의 ㉮국화꽃을 피우기 위해
봄부터 ㉯소쩍새는 / 그렇게 울었나 보다. //
한 송이의 국화꽃을 피우기 위해
㉰천둥은 먹구름 속에서 / 또 그렇게 울었나 보다. //
그립고 아쉬움에 가슴 조이던
머언 먼 젊음의 뒤안길에서
인제는 돌아와 ㉱거울 앞에 선
내 누님같이 생긴 꽃이여. //
노오란 네 꽃잎이 피려고 / 간밤엔 ㉲무서리가 저리 내리고
내게는 잠도 오지 않았나 보다.
– 서정주, 〈국화 옆에서〉

① ㉮ ② ㉯ ③ ㉰ ④ ㉱ ⑤ ㉲

3 고난도 ⓐ와 ⓑ를 연관 지어 해석한 것으로 가장 적절한 것은?

① 화자가 다면적 성찰을 통해(ⓐ) 자신의 진정한 모습을 깨달았다.(ⓑ)
② 화자가 자신의 모습을 되돌아봄으로써(ⓐ) 갈등과 고뇌의 삶을 참회하였다.(ⓑ)
③ 화자가 자신의 순수했던 과거 모습을 돌아보며(ⓐ) 초라한 현재의 모습을 깨달았다.(ⓑ)
④ 화자가 자신의 모습을 객관적으로 성찰하여(ⓐ) 순수했던 과거의 자아를 발견하였다.(ⓑ)
⑤ 화자가 주관적 성찰을 통해(ⓐ) 현실의 자아와 과거의 자아 간의 화해를 이끌어 내었다.(ⓑ)

4 [나]에 대한 설명으로 적절하지 않은 것은?

① 시적 화자의 자기 성찰의 모습이 나타나 있다.
② 상징적인 시어를 사용하여 주제를 형상화하고 있다.
③ 자기희생을 바탕으로 하는 속죄양 의식이 나타나 있다.
④ 시적 화자는 현실을 겸허히 받아들이고 비관적 미래를 전망하고 있다.
⑤ 암담한 시대 현실과 그 속에 존재하는 자신에 대한 시적 화자의 고민이 드러나 있다.

출제 예감

5 [나]의 '구리 거울'과 〈보기〉의 '거울'의 차이로 가장 적절한 것은?

보기

거울속에는소리가없소
저렇게까지조용한세상은참없을것이오 //
거울속에도내게귀가있소
내말을못알아듣는딱한귀가두개나있소 //
거울속의나는왼손잡이오
내악수(握手)를받을줄모르는 — 악수를모르는왼손잡이오 //
거울때문에나는거울속의나를만져보지를못하는구료마는
거울이아니었던들내가어찌거울속의나를만나보기만이라도했겠소
– 이상, 〈거울〉

	[나]의 '구리 거울'	〈보기〉의 '거울'
①	반성의 거울	단절의 거울
②	단절의 거울	반성의 거울
③	분열의 거울	통합의 거울
④	통합의 거울	분열의 거울
⑤	단절의 거울	분열의 거울

6 [나]에서 '밤'이 의미하는 바로 가장 적절한 것은?

① 시적 화자가 절망에 빠져 있는 시간
② 시적 화자가 생을 마감해야 하는 시간
③ 시적 화자가 자신의 삶을 반성하는 시간
④ 시적 화자가 사랑하는 이를 그리워하는 시간
⑤ 시적 화자의 상상력이 만들어 낸 가상의 시간

7 ㉡의 의미를 시대적 배경과 관련하여 적절하게 해석한 것은?

① 과거의 친일 행각에 대한 철저한 자기반성의 행위
② 일제 강점하의 현실에 저항하지 않고 타협하려는 행위
③ 통일을 이루기 위해 끊임없이 노력하고 헌신하려는 행위
④ 독재 정권에 저항하여 진정한 민주주의를 실현하고자 하는 행위
⑤ 암울한 상황을 극복한 후 맞게 될 미래를 준비하는 자아 성찰의 행위

출제 예감

8 서술형 [나]의 시인이 시의 제목을 '참회록'이라고 한 이유를 시대적 상황과 관련하여 서술하시오.

18 쉽게 씌어진 시

창(窓)밖에 밤비가 *속살거려
*육첩방(六疊房)은 남의 나라,

㉠시인이란 슬픈 *천명(天命)인 줄 알면서도
한 줄 시(詩)를 적어 볼까,

소주제 ❶ 1, 2연 : 현실에 대한 □□

땀내와 사랑 내 포근히 품긴
보내 주신 학비 봉투를 받아

대학 노트를 끼고
㉡늙은 교수의 강의 들으러 간다.

생각해 보면 어린 때 동무들
하나, 둘, 죄다 잃어버리고

나는 무얼 바라
나는 다만, 홀로 *침전(沈澱)하는 것일까?

소주제 ❷ 3~6연 : 현재의 삶에 대한 □□

인생(人生)은 살기 어렵다는데
시(詩)가 이렇게 쉽게 씌어지는 것은
부끄러운 일이다.

소주제 ❸ 7연 : 현재의 삶에 대한 □□□□

육첩방(六疊房)은 남의 나라
창(窓)밖에 밤비가 속살거리는데,

소주제 ❹ 8연 : □□에 대한 재인식

등불을 밝혀 어둠을 조금 내몰고,
시대(時代)처럼 올 아침을 기다리는 최후(最後)의 나,

나는 나에게 작은 손을 내밀어
눈물과 *위안으로 잡는 최초(最初)의 악수(握手).

소주제 ❺ 9, 10연 : 현실 극복의 □□와 새로운 □□

– 윤동주

작품 개관

- 갈래 자유시, 서정시
- 성격 반성적, 고백적, 저항적, 미래 지향적
- 주제 암담한 시대 현실 속에서의 자아 성찰과 미래 지향 의지
- 특징
  ① 서술적 표현을 통해 화자의 내면 심리를 솔직하게 표현함
  ② 현실에 대한 부끄러움에서 끝나지 않고 미래 지향적 의지까지 이끌어 냄

1등급 노트

1. 시적 화자의 심리 변화

자신에 대한 부끄러움
↓
반성적 자기 성찰
↓
현실적 자아와 내면적 자아의 화해(악수)

2. 시적 화자의 갈등 극복 방식

이 시의 화자는 '육첩방'이라는 시대적 억압 속에서 순응하며 살아가는 자신의 모습에 '부끄러움'을 느끼면서 내적 갈등을 겪게 됨 → 화자가 느끼는 갈등은 현실 자체에 있는 것이 아니라 그러한 현실 속에 안주하고 있는 자신의 심리라 할 수 있음 → 현실에 절망하던 화자는 새로운 등불(화자의 내면에 존재하는 희망이며 어둠에 대한 저항을 상징함)을 밝히고 있는 '나'와 손을 맞잡는 것으로 이러한 갈등을 극복하게 됨

3. 시어의 상징적 의미

등불	현실 극복의 의지
어둠	일제 강점기의 현실
아침	조국의 광복

함께 엮어 읽기

◆ 김수영, 〈눈〉

〈눈〉과 이 시는 냉혹한 현실과 그 안에서 소극적으로 살아가는 화자의 삶에 대한 통렬한 반성에서부터 시상이 출발한다는 점이 유사하다. 이러한 반성은 현실적 잘못에서 연유하기보다는 작가의 투철한 윤리 의식에서 발현한다. 이러한 반성에서 출발한 두 시는 결국 이를 극복하기 위한 저항 의지를 보여 주는 것으로 마무리된다.

어휘 다지기

- 속살거려 : 작은 목소리로 자질구레하게 속닥거려
- 육첩방(六疊房) : 다다미 여섯 장을 깐 일본식 방
- 천명(天命) : ① 타고난 수명 ② 타고난 운명 ③ 하늘의 명령
- 침전(沈澱) : 액체 속에 있는 물질이 밑바닥에 가라앉음. 또는 그 물질
- 위안 : 위로하여 마음을 편하게 함

소주제 체크

1. 인식 2. 회의 3. 부끄러움 4. 현실 5. 의지, 각오

정답과 해설 29쪽

출제 예감

1 수능형 이 시에 대한 설명으로 적절하지 않은 것은?

① 개인적 체험을 역사적 체험으로 확대시키고 있다.
② 화자의 심리 변화를 중심으로 시상을 전개하고 있다.
③ 대립되는 시어를 사용하여 화자의 의지를 효과적으로 드러내고 있다.
④ 일제 강점기 어두운 현실 속에서의 화자의 고뇌와 자아 성찰이 드러나 있다.
⑤ 화자는 부모님의 도움을 받으면서도 열심히 공부하지 못하는 나태함을 반성하고 있다.

2 이 시에 드러난 화자의 심리 변화를 그래프로 나타냈을 때 가장 적절한 것은?

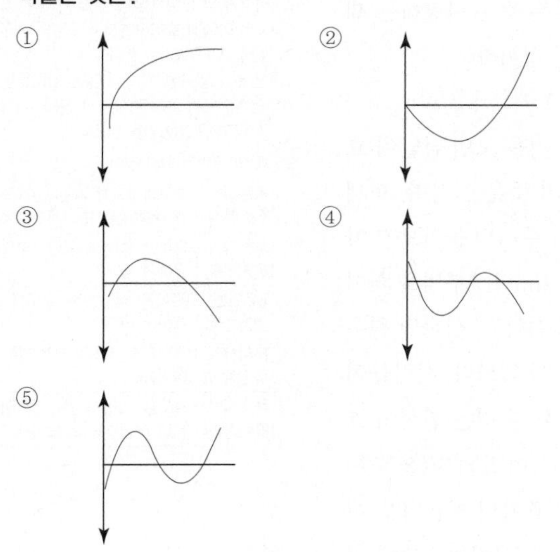

3 이 시에 대한 〈보기〉의 설명 중, 밑줄 친 부분에 해당하는 것은?

보기

이 시는 창밖을 보던 화자의 시선이 방 안으로 향하면서 시작된다. 시적 화자는 방 안팎의 풍경을 자신이 처한 현실로 인식하게 되는데, 그러한 화자의 인식이 자신의 내면에 대한 성찰을 시작하게 한다. 한동안 자신의 내면을 응시하던 화자는 다시 외부 세계로 시선을 돌리게 되는데, 이 지점에서 화자의 태도는 변화를 보인다.

① 2연 ② 3연 ③ 5연 ④ 7연 ⑤ 8연

4 이 시는 윤동주의 시 전반에 흐르는 '자신의 부끄러운 과거에 대한 진솔하고도 뼈 아픈 고백'을 보여 주는데, 이러한 고백의 의미를 함축하고 있는 시어는?

① 시(詩) ② 학비 봉투 ③ 강의
④ 침전(沈澱) ⑤ 악수(握手)

출제 예감

5 ㉠이 의미하는 바로 가장 적절한 것은?

① 시인은 정치에 관여할 수 없다.
② 시인은 천성적으로 고독을 즐기며 살아갈 수밖에 없다.
③ 시인은 천성적으로 감수성이 풍부하며 언어를 잘 다룰 줄 안다.
④ 시인은 현실을 거부하고 새로운 이상을 추구하며 살 수밖에 없다.
⑤ 시인은 현실을 아파하지만 그것을 변화시킬 수 있는 실제적인 힘은 없다.

6 ㉡의 문맥적 의미로 가장 적절한 것은?

① 현실을 달관하여 깨닫게 된 이상적 가치
② 현실의 문제에 무감한 낡고 무의미한 가르침
③ 현실 저항을 포기한 채 살아가는 지식인의 처세술
④ 현실의 갈등을 효과적으로 해결할 수 있는 노련한 지혜
⑤ 열정을 상실한 채 반복적으로 진행되는 수업의 무가치함

7 서술형 이 시와 〈보기〉의 차이점을 '악수'의 의미와 연관 지어 서술하시오.

보기

거울속에는소리가없소
저렇게까지조용한세상은참없을것이오 //
거울속에도내게귀가있소
내말을못알아듣는딱한귀가두개나있소 //
거울속의나는왼손잡이오
내악수(握手)를받을줄모르는 — 악수를모르는왼손잡이오

– 이상, 〈거울〉

비책

19 금수회의록(禽獸會議錄)

▸ **전체 줄거리** '나'는 악에 빠진 인간의 모습을 한탄하다가 잠이 들었는데, 꿈속에서 우연히 동물들의 회의를 방청하게 된다. 이 회의에서는 까마귀, 여우, 개구리, 벌, 게, 파리, 호랑이, 원앙 등의 동물이 나와서 인간의 간사함과 포악함, 비윤리적인 태도 등을 비난한다. 끝으로 사회자는 인간이야말로 가장 어리석고 더러운 존재라고 결론을 내리면서 회의를 폐한다. 이를 지켜본 '나'는 인간의 반성과 회개를 촉구한다. 본문에 수록된 부분은 까마귀가 인간들의 불효를 비판하는 제1석의 내용이다.

제1석(第一席), •반포지효(反哺之孝) — 까마귀

"나는 까마귀올시다. 지금 인류에 대하여 •소회를 진술할 터인데 반포의 효라 하는 문제를 가지고 잠깐 말씀하겠소. 〈중략〉 사람들의 옳지 못한 일을 모두 다 들어 말씀하려면 너무 지리하겠기에 다만 사람들의 불효한 것을 가지고 말씀할 터인데, 옛날 동양 성인들이 말씀하기를 효도는 덕의 근본이라, 효도는 일백 행실의 근원이라, 효도는 천하를 다스린다 하였고, 예수교 계명에도 부모를 효도로 섬기라 하였으니, 효도라 하는 것은 자식 된 자가 고연(固然)한(본디부터 그러한) 직분으로 당연히 행할 일이올시다. 우리 까마귀의 족속은 먹을 것을 물고 돌아와서 어버이를 기르며 효성을 극진히 하여 망극한 은혜를 갚아서 하느님이 정하신 본분을 지키어 자자손손이 천만 대를 내려가도록 가법(家法)을 변치 아니하는 고로, 옛적에 백낙천(白樂天)이라 하는 분이 우리를 가리켜 새 중의 증자(曾子)라 하였고, 《본초강목(本草綱目)》에는 자조(慈鳥)라 일컬었으니, 증자라 하는 양반은 부모에게 효도 잘하기로 유명한 사람이요, 자조라 하는 뜻은 사랑하는 새라 함이니, 부모는 자식을 사랑하고, 자식은 부모에게 효도함이 하나님의 법이라.

소주제 ① □□□□에 대해 연설하는 까마귀

우리는 그 법을 지키고 어기지 아니하거늘, 지금 세상 사람들은 말하는 것을 보면 낱낱이 효자 같으되, 실상 하는 행실을 보면 주색잡기(酒色雜技)에 침혹하여(몹시 좋아 정신을 잃을 정도로 빠짐) 부모의 뜻을 어기며, 형제간에 재물로 다투어 부모의 마음을 상케 하며, 제 한 몸만 생각하고 부모가 주리되 돌아보지 아니하고, 여편네는 학식이라고 조금 있으면 주제넘은 마음이 생겨서 온화, 유순한 •부덕을 잊어버리고 시집가서는 시부모 보기를 아무것도 모르는 어리석은 물건같이 대접하고, 심하면 원수같이 미워하기도 하니, 인류 사회에 효도 없어짐이 지금 세상보다 더 심함이 없도다. 사람들이 일백 행실의 근본 되는 효도를 알지 못하니 다른 것은 더 말할 것 무엇 있소. 우리는 천성이 효도를 주장하는 고로 출천지효성(出天之孝誠) 있는 사람이면 우리가 감동하여 노래자(老萊子)를 도와서 종일토록 그 부모를 즐겁게 하여 주며, 증자의 갓 위에 모여서 효자의 아름다운 이름을 천추에 전케 하였고, 또 우리가 효도만 극진할 뿐 아니라 자고 이래로 《사기(史記)》에 빛난 일이 한두 가지가 아니오니 대강 말씀하오리다. 소주제 ② 인간의 □□를 비판하는 까마귀

우리가 떼를 지어 논밭으로 내려갈 때 곡식을 해하는 버러지를 없애려고 가건마는 사람들은 미련한 생각에 그 곡식을 파먹는 줄로 아는도다! 서양 책력 일천팔백칠십사 년의 미국 조류학자 피르라 하는 사람이 우리 까마귀 족속 이천이백오십팔 마리를 잡아다가 배를 가르고 오장을 꺼내어 해부하여 보고 말하기를, 까마귀는 곡식을 해하지 아니하고 곡식에 해되는 버러지를 잡아먹는다 하였으니, 우리가 곡식밭에 가는 것은 곡식에 이가 되고 해가 되지 아니하는 것은 분명하고, 또 우리가 밤중에 우는 것은 공연히 우는 것이 아니요, 나라에서 법령이 아름답지 못하여 백성이 도탄에 •침륜(沈淪)하여 천하에 큰 병화(전쟁이나 난리로 말미암은 재앙)가 일어날 징조가 있으면, 우리가 아니 울 때에 울어서 사람들이 깨닫고 허물을 고쳐서 세상이 태평 무사하기를 희망하고 권고함이요……."

소주제 ③ 까마귀에 대한 인간의 □□

– 안국선

작품 개관

- **갈래** 신소설, 계몽 소설, 우화 소설, 액자 소설
- **성격** 풍자적, 우화적
- **시점** [외부] 1인칭 주인공 시점
  [내부] 1인칭 관찰자 시점
- **배경** [시간적] 개화기
  [공간적] 금수(禽獸) 회의장
- **주제** 인간의 허위와 부도덕, 타락에 대한 비판과 풍자
- **특징**
  ① 당시 유행했던 연설 회의 형식과 우화적 기법을 사용함
  ② 동물들의 입을 빌려 타락한 인간상을 고발하고 정치 현실을 비판함

1등급 노트

1. 구성상의 특징
   '입몽(入夢) → 각몽(覺夢)'의 환몽 구조 : '나'라는 1인칭 관찰자가 꿈속에서 보고 들은 내용을 이야기하는 액자 소설의 형식
2. '까마귀'의 상징적 의미
   - 어버이에게 효도하면서 하느님이 정한 본분을 지켜 나가는 존재
   - 인륜의 법도를 지키지 않는 사람들을 비판함으로써 효의 중요성과 실행이 하늘로부터 받은 소명임을 강조함
3. '효'와 관련된 한자 성어

동온하정(冬溫夏凊)	부모에 효도함. 겨울에는 따뜻하게, 여름에는 시원하게 해 드림
호천망극(昊天罔極)	끝없는 하늘과 같이 부모의 은혜가 큼
망운지정(望雲之情)	자식이 객지에서 부모를 생각하는 마음
혼정신성(昏定晨省)	조석으로 부모의 안부를 물어 살핌
풍수지탄(風樹之嘆)	효도를 다하지 못한 채 어버이를 여읜 자식의 슬픔

더 알아보기

◆ **이 글의 전체 구성**

서언 – 개회 취지 – 제1석~제8석 – 폐회

구성	동물	풍자 대상	관련 한자 성어
제1석	까마귀	인간들의 불효	반포지효(反哺之孝)
제2석	여우	외세에 의존하려는 정치 의식	호가호위(狐假虎威)
제3석	개구리	분수를 모르고 잘난 척하는 인간들	정와어해(井蛙語海)
제4석	벌	서로 미워하고 속이는 인간들	구밀복검(口蜜腹劍)
제5석	게	지조와 절개가 없는 인간들	무장공자(無腸公子)
제6석	파리	욕심 많은 인간들	영영지극(營營之極)
제7석	호랑이	포악한 정치와 폭력	가정맹어호(苛政猛於虎)
제8석	원앙	인간들의 음란함	쌍거쌍래(雙去雙來)

정답과 해설 30쪽

어휘 다지기

- 반포지효(反哺之孝) : 까마귀 새끼가 자라서 늙은 어미에게 먹이를 물어다 주는 효(孝)라는 뜻으로, 자식이 자란 후에 어버이의 은혜를 갚는 효성을 이름
- 소회(所懷) : 마음에 품은 회포
- 부덕(婦德) : 부녀자의 아름다운 덕행
- 침륜(沈淪) : 가라앉거나 빠짐

소주제 체크

1. 반포지효 2. 통곡 3. 오해

1 이 글 전체에 대한 설명으로 적절하지 <u>않은</u> 것은?

① 인간이 아닌 특정한 동물에 인격을 부여하고 있다.
② 전통적인 윤리관을 바탕으로 현실적 삶의 문제를 비판하고 있다.
③ 여덟 종류의 동물들이 회의를 통하여 인간 세계의 모순과 비리를 비판하는 내용을 담고 있다.
④ 작가는 서술자의 입을 빌려 당시의 부정적인 사회 현실을 신랄하게 직접적으로 비판하고 있다.
⑤ 서술자인 '나'가 꿈에서 인간을 성토하는 동물들의 회의장에 들어가 그들의 연설을 방청하는 액자식 구성으로 되어 있다.

2 **수능형** 이 글에서 까마귀가 자신의 장점으로 부각시키고 있는 내용과 관련 있는 것은?

① 쌍륙장기(雙六將棋) ᄒᆞ지 마라. 송사(訟事) 글월 ᄒᆞ지 마라.
집비야 무슴 ᄒᆞ며 남의 원수될 줄 엇지
나라히 법(法)을 세오사 죄 잇는 줄 모로는다. – 정철, 〈훈민가〉

② 반중(盤中) 조홍(早紅)감이 고아도 보이ᄂᆞ다.
유자(柚子) ㅣ 안이라도 품엄 즉도 ᄒᆞ다마는
품어 가 반기리 업슬ᄉᆡ 글노 설워 ᄒᆞᄂᆞ이다. – 박인로

③ 짚방석 내지 마라, 낙엽(落葉)엔들 못 안즈랴.
솔불 혀지 마라, 어제 진 ᄃᆞᆯ 도다온다.
아희야, 박주산채(薄酒山菜)ㄹ망정 업다 말고 내여라. – 한호

④ 어버이 그릴 줄을 처엄부터 알아마는
님군 향한 뜻도 하날이 삼겨시니
진실로 님군을 잊으면 긔 불효(不孝)인가 여기노라.
– 윤선도, 〈견회요〉

⑤ 이런ᄃᆞᆯ 엇더ᄒᆞ며 뎌런ᄃᆞᆯ 엇더ᄒᆞ료.
초야우생(草野愚生)이 이러타 엇더ᄒᆞ료.
ᄒᆞ물며 천석고황(泉石膏肓)을 고텨 므슴ᄒᆞ료. – 이황, 〈도산십이곡〉

3 이 글에서 까마귀가 주장하는 문제와 관련이 <u>없는</u> 한자 성어는?

① 동온하정(冬溫夏凊) ② 풍수지탄(風樹之嘆)
③ 맥수지탄(麥秀之嘆) ④ 혼정신성(昏定晨省)
⑤ 출필고반필면(出必告反必面)

4 이 글에서 우화의 기법을 사용함으로써 얻을 수 있는 효과로 가장 적절한 것은?

① 현장성을 강화하여 사건을 생생하게 전달할 수 있다.
② 등장인물의 성격을 다양한 측면에서 보여 줄 수 있다.
③ 어려운 내용의 이야기를 독자들에게 쉽게 전할 수 있다.
④ 인물의 특징을 간접적으로 서술하여 주제를 효과적으로 전달할 수 있다.
⑤ 부조리한 현실을 효과적으로 풍자하면서 우회적으로 주제를 드러낼 수 있다.

5 까마귀의 연설에 나타난 논지 전개 방식에 대한 설명으로 적절하지 <u>않은</u> 것은?

① 당대 인간 세상의 부정적인 예를 찾아 나열하고 있다.
② 권위자들의 견해를 들어 자신의 주장을 뒷받침하고 있다.
③ 청자의 반론을 예상하여 미리 차단하며 논지를 전개하고 있다.
④ 동양의 사상뿐 아니라 서양의 교리를 인용하여 논리를 전개하고 있다.
⑤ 자신과 인간의 경우를 대조하여 부정적인 인간의 모습을 부각시키고 있다.

6 〈보기〉는 이 글의 폐회 부분에 나타난 '나'의 반응이다. 이와 관련된 한자 성어로 가장 적절한 것은?

> **보기**
>
> 여러 짐승이 연설할 때 나는 사람을 위하여 변명 연설을 하리라 하고 몇 번 생각하여 본즉 무슨 말로 변명할 수가 없고, 반대를 하려 하나 *현하지변(懸河之辨)을 가지고도 쓸 데가 없도다. 사람이 떨어져서 짐승의 아래가 되고, 짐승이 도리어 사람보다 상등(上等)이 되었으니 어찌하면 좋을꼬?
>
> • 현하지변(懸河之辨) : 물이 거침없이 흐르듯 잘하는 말

① 언중유골(言中有骨) ② 언즉시야(言則是也)
③ 언어도단(言語道斷) ④ 유구불언(有口不言)
⑤ 유구무언(有口無言)

7 **서술형** 까마귀의 연설을 통해 전달하고자 하는 이 글의 주제를 간략히 서술하시오.

비책

20 무정(無情)

▶ **전체 줄거리** 경성 학교 영어 교사 이형식이 영어를 가르치던 김선형에게 사랑을 느낄 무렵, 고아인 어린 형식을 거두어 준 박 진사의 딸 박영채가 찾아온다. 형식은 기생이 된 영채를 아내로 맞이하지 못하는 죄책감과 선형에 대한 사랑 사이에서 갈등한다. 영채는 경성 학교 배 학감에게 순결을 잃게 되자 형식에게 유서를 남긴 후 자살을 결심하고 자취를 감춘다. 동경 유학생인 병욱의 권고로 자살을 단념하고 동경 유학길에 오른 영채와, 선형과 약혼하고 미국 유학길에 오른 형식은 같은 기차 안에서 만나게 된다. 도중에 그들은 삼랑진 수재민을 위해 자선 음악회를 열고 다 같이 우리 민족을 구할 힘을 가진 사람이 될 것을 다짐하며 유학길에 오른다. 본문에 수록된 부분은 삼랑진 수해 현장에서 자선 음악회를 열고 난 후의 장면이다.

"과학(科學)! 과학!" / 하고, 형식은 여관에 돌아와 앉아서 혼자 부르짖었다. 세 처녀는 형식을 본다. / "조선 사람에게 무엇보다 먼저 과학(科學)을 주어야겠어요. 지식을 주어야겠어요." 하고, 주먹을 불끈 쥐며 자리에서 일어나 방 안으로 거닌다.

"여러분은 오늘 그 광경을 보고 어떻게 생각하십니까?"

이 말에 세 사람은 어떻게 대답할 줄을 몰랐다. 한참 있다가 병욱이가, / "불쌍하게 생각했지요." / 하고 웃으며, / "그렇지 않아요?" / 한다. 오늘 같이 활동하는 동안에 훨씬 친하여졌다.

"그렇지요, 불쌍하지요! 그러면 그 원인이 어디 있을까요?"

"물론 문명이 없는 데 있겠지요. — 생활하여 갈 힘이 없는 데 있겠지요."

"그러면 어떻게 해야 저들을…… 저들이 아니라 우리들이외다……. 구제할까요?"

하고 형식은 병욱을 본다. 영채와 선형은 형식과 병욱의 얼굴을 번갈아 본다. 병욱은 자신 있는 듯이, / "힘을 주어야지요. 문명을 주어야지요." / "그리하려면?"

"가르쳐야지요. 인도해야지요." / "어떻게요?" / "교육으로, 실행으로."

영채와 선형은 이 문답의 뜻을 자세히는 모른다. 물론 자기네가 아는 줄 믿지마는 형식이와 병욱이가 아는 이만큼 절실(切實)하게, 단단하게 알지는 못한다. 그러나 방금 눈에 보는 사실이 그네에게 산 교육을 주었다. 그것은 학교에서도 배우지 못할 것이요, 대 웅변에서도 배우지 못할 것이었다.

소주제 ❶ 형식의 민족 □□ 의지 표출

124

일동의 정신은 긴장(緊張)하였다. 더구나 영채는 아직도 이러한 큰 문제를 논란하는 것을 듣지 못하였다. '어떻게 하면 저들을 구제하나?' 함은 참 큰 문제였다. 이러한 큰 문제를 논란하는 형식과 병욱은 매우 큰사람같이 보였다. 영채는 두자미(杜子美)(중국 당대의 시인 두보)며, 소동파(蘇東坡)(중국 송대의 문장가인 소식)의 세상을 근심하는 시구를 생각하고, 또 오 년 전 월화와 함께 대성 학교장의 연설을 듣던 것을 생각하였다. 그 때에는 아직 나이 어려서 분명히 알아듣지는 못하였거니와, "여러분의 조상은 결코 여러분과 같이 못생기지는 아니하였습니다." 할 때에 과연 지금 날마다 만나는 사람은 못생긴 사람들이다 하던 생각이 난다. 영채는 그 말과 형식의 말에 공통한 점이 있는 듯이 생각하였다. 그리고 한 번 더 형식을 보았다. / 형식은, "옳습니다. 교육으로, 실행으로 저들을 가르쳐야지요, 인도해야지요. 그러나 그것은 누가 하나요?" / 하고 형식은 입을 꼭 다문다. 세 처녀는 몸에 소름이 끼친다. 형식은 한 번 더 힘있게,

소주제 ❷ □□가 민족 구제에 대해 논의하는 형식을 우러러봄

"그것을 누가 하나요?" / 하고 세 처녀를 골고루 본다. 세 처녀는 아직도 경험하여 보지 못한 듯 말할 수 없는 정신의 감동을 깨달았다. 그리고 일시에 소름이 쭉 끼쳤다. 형식은 한 번 더,

"그것을 누가 하나요?" / 하였다. / "우리가 하지요!" / 하는 대답이 기약하지 아니하고 세 처녀의 입에서 떨어진다. 네 사람의 눈앞에는 불길이 번쩍하는 듯하였다. 마치 큰 지진이 있어서 온 땅이 떨리는 듯하였다.

소주제 ❸ 세 처녀는 민족 계몽이 자신들의 □□임을 깨달음

- 이광수

작품 개관

- 갈래 장편 소설, 현대 소설, 계몽 소설
- 성격 계몽적, 민족주의적, 사실적
- 시점 전지적 작가 시점
- 배경 [시간적] 1910년대(근대 초기)
  [공간적] 서울, 평양, 삼랑진 등
- 주제 민족적 현실의 자각과 새로운 사회에 대한 열망, 자유연애 사상의 고취
- 특징
  ① 현대 장편 소설의 효시임
  ② 구어체 문장과 객관적, 구체적, 묘사적인 표현을 사용함
  ③ 전지적 작가 시점을 이용하여 등장인물의 내면 심리와 의식은 물론, 행동이나 대화의 외연적 의미까지 설명함

1등급 노트

1. 근대 소설적 성격

내용면	• 일상적이고 현실적인 당대인의 삶에서 소재를 취함(형식이 영어 교사라는 것, 철도를 통한 여행이나 유학 등) • 서구적 가치관(자유연애 사상)을 지향함 • 과학에 대한 긍정적 시각을 지님
형식면	• 근대화한 현실과 인물의 심리를 세밀하게 묘사함 • 구어체 문장을 써서 언문일치에 접근함 • 서술자의 일방적 서술보다 산문적 서술을 중시함

2. 갈등 양상 및 갈등 해소
형식과 선형, 영채, 이 세 사람의 삼각관계에 의한 갈등은 삼랑진 수해 현장에서 '교육을 통한 민족 계몽'이라는 공동의 목적을 가지게 됨으로써 해소됨 → 봉건적 윤리관과 개화 문명 사이에서 혼란을 겪던 당대 조선인의 갈등을 '민족 계몽'이라는 이상으로 승화시킴

더 알아보기

◆ 〈무정〉에 드러난 계몽성
이 글은 인물들 사이의 관계에서 계몽적인 성격이 잘 드러난다. 가장 잦은 관계 유형은 '가르치는 사람 - 가르침을 받는 사람'의 관계이다. '형식 - 선형' 외에도 '병욱 - 영채', '기생 월화 - 영채' 등의 관계가 모두 사제 관계이다. 교사는 학생을 계몽하고, 학생은 다시 교사의 지위로서 그의 학생들을 찾아 나선다. 이것이 〈무정〉의 계몽주의이다.

소주제 체크
1. 계몽 2. 영채 3. 사명

정답과 해설 30쪽

출제 예감

1 이 글에 대한 설명으로 적절하지 않은 것은?

① 다양한 개성적 인물을 창조하였다.
② 일상적이고 현실적인 소재를 취하였다.
③ 우리나라 최초의 근대적 장편 소설이다.
④ 인물의 내면 심리를 세밀하게 묘사하였다.
⑤ 인물 간의 갈등을 통해 전통적인 윤리관을 강조하였다.

2 이 글에서 주제를 표출하는 주된 방식을 바르게 설명한 것은?

① 적절한 비유를 들어 간접적으로 드러내고 있다.
② 여운을 남겨 독자 스스로가 깨닫도록 하고 있다.
③ 인물들의 대화를 통해 직접적으로 표출하고 있다.
④ 시대적 배경을 구체적으로 서술하여 제시하고 있다.
⑤ 상징적인 의미를 지닌 소재를 사용하여 제시하고 있다.

출제 예감

3 이 글을 근대적 소설로 볼 수 있는 근거로 적절하지 않은 것은?

① 분석적 구성 방식의 전개
② 일상적이고 현실적인 소재
③ 개화 사상을 다룬 주제 의식
④ 구어체 문장을 통한 언문일치
⑤ 선과 악의 대립과 권선징악의 결말

4 수능형 이 글을 〈보기〉의 [A]와 관련하여 감상한 것은?

보기

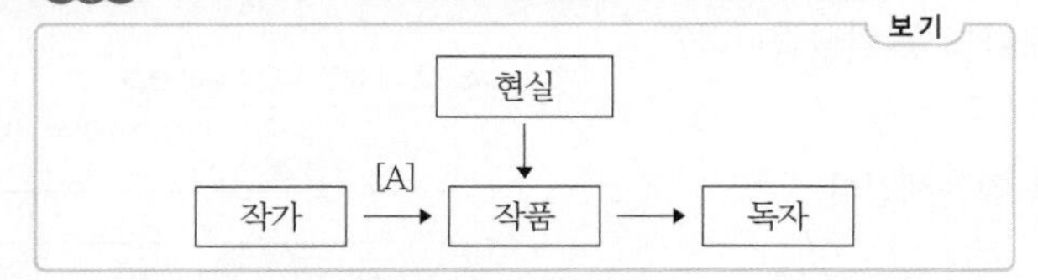

① 당시 민중들의 무기력하고 비참한 생활상이 잘 반영되어 있다.
② 자유연애의 모습은 당시 젊은이들의 결혼관이나 애정관에 큰 파장을 일으켰다.
③ 개인주의적인 '나' 보다는 민족주의적인 '우리' 가 중요하다는 것을 깨닫게 되었다.
④ 지식인이 민중을 이끌고 지도해야 한다는 작가의 시혜(施惠) 의식이 '형식' 을 통해 드러나 있다.
⑤ 등장인물인 '영채' 와 '선형' 은 전통적인 가치관과 서구적인 가치관이 혼재하던 당시의 상황을 잘 보여 준다.

5 고난도 이 글에 대한 비판적 시각이 드러난 〈보기〉를 토대로 판단한 내용으로 가장 적절한 것은?

보기

이형식은 우리 민족이 가난 속에서 불쌍한 삶을 살게 된 것은 미개하기 때문이라고 여긴다. 그래서 교육으로 '그들' 을 깨우쳐야 한다고 생각한다. 그가 생각한 교육은 '문명' 이었고, 그 문명은 '서구 문명' 이다. 그러나 이런 이형식의 생각은 커다란 문제점을 지니고 있다. 우리 민족이 피폐한 삶을 살 수밖에 없었던 원인은 교육의 부족이 아니라 외세의 침략에서 찾아야 한다.

① 조조 : 교육을 통한 민족의 계몽과 근대화는 당시 민족 문제의 근본적인 해결책은 아니었구나.
② 여포 : 진정으로 우리 민족을 생각한다면 일본이 아닌 미국의 선진 문물을 받아들였어야 했어.
③ 동탁 : 이형식과 같은 당시의 지식인들은 민족을 계몽하는 것이 자신들의 사명임을 명심해야 했어.
④ 조운 : 사실 우리 민족이 미개했기 때문에 외세의 침략을 받은 것 아니야? 형식의 생각이 옳았던 거로군.
⑤ 봉추 : 민족의 문제를 해결하려면 내부의 상황에 대해 고민해야지, 외세의 침략 탓만 하는 것은 옳지 않아.

출제 예감

6 이 글 전체에서 〈보기〉와 같이 인물들 간의 관계가 변화하게 된 요인으로 적절한 것은?

보기

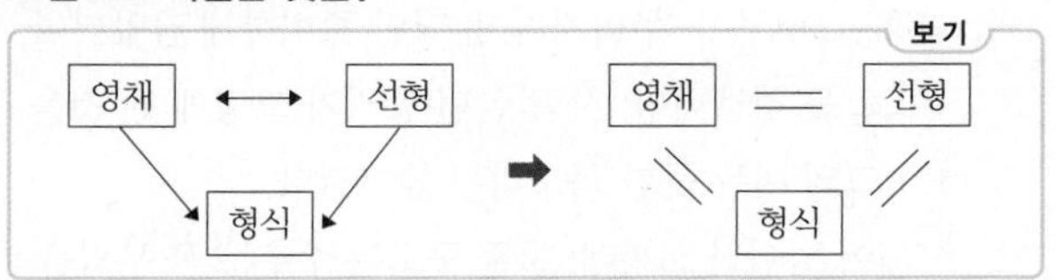

① 여권 의식에 대한 각성
② 해외 유학에 대한 결심
③ 서로에 대한 존경심 심화
④ 현대 과학의 위대함 체험
⑤ 민족적 사명에 대한 자각

7 이 글에서 '형식' 이 세 처녀에게 말하는 방식에 대해 바르게 설명한 것은?

① 애정을 담아 부드럽게 설명하고 있다.
② 현재 상황을 조리 있게 설명하고 있다.
③ 질문을 통해 상대방의 깨달음을 유도하고 있다.
④ 강렬한 어조와 유창한 달변으로 설득하고 있다.
⑤ 상대방의 논리에 드러난 허점을 공략하고 있다.

8 서술형 이 글에서 '산 교육' 이 의미하는 바에 대해 서술하시오.

비책

21 고향(故鄕)

▶ **앞부분 줄거리** '나'는 대구에서 서울로 가는 기차 안에서 조선, 중국, 일본 3국의 옷을 섞어 입은 듯한 기이한 옷차림의 '그'를 보며 거부감과 호기심을 동시에 느낀다. '그'는 '나'에게 일자리를 알아보러 무작정 서울로 가고 있는 중이라며 말을 건다.

그의 고향은 대구에서 멀지 않은 K군 H란 외딴 동리였다. 한 백 호 남짓한 그곳 주민은 전부가 역둔토(驛屯土)(역에 딸린 소작지와, 지방에 주둔하는 군대의 경비를 조달하기 위한 소작지)를 파먹고 살았는데, 역둔토로 말하면 사삿집(개인 소유의 집) 땅을 부치는 것보다 떨어지는 것이 후하였다. 그러므로 넉넉지는 못할망정 평화로운 농촌으로 남부럽지 않게 지낼 수 있었다. 그러나 세상이 뒤바뀌자 그 땅은 전부가 동양 척식 회사(일제가 조선의 토지와 자원을 수탈하기 위해 설치한 식민지 착취 기관)의 소유에 들어가고 말았다. ㉮《직접으로 회사에 소작료를 바치게나 되었으면 그래도 나으련만 소위 중간 소작인이란 것이 생겨나서 저는 손에 흙 한 번 만져 보지도 않고 동척엔 소작인 노릇을 하며 실작인에게는 지주 행세를 하게 되었다.》 동척엔 소작료를 물고 나서 또 중간 소작인에게 긁히고 보니 실작인의 손에는 소출(논밭에서 나는 곡식. 또는 그 곡식의 양)의 삼할도 떨어지지 않았다. 그 후로 '죽겠다', '못 살겠다' 하는 소리는 중이 염불하듯 그들의 입길에서 오르내리게 되었다. 남부여대하고 타처로 유리하는(이리저리 떠돌아다니는) 사람만 늘고 동리는 점점 쇠진해 갔다.

소주제 ① 일제에 땅을 빼앗기고 □□을 떠났던 '그'

지금으로부터 구 년 전, 그가 열일곱 살 되던 해 봄에 (그의 나이는 실상 스물여섯이었다. 가난과 고생이 얼마나 사람을 늙히는가.) 그의 집안은 살기 좋다는 바람에 서간도로 이사를 갔었다. 쫓겨 가는 운명이거든 어디를 간들 신신하랴(새롭고 생기가 돌겠는가). 〈중략〉 열아홉 살밖에 안 된 그가 홀어머니를 모시고 악으로 악으로 모진 목숨을 이어 가는 중 사 년이 못 되어 영양 부족한 몸이 심한 노동에 지친 탓으로 그의 어머니 또한 죽고 말았다. 〈중략〉

소주제 ② □□□에서의 '그'의 비참한 생활

"그러면 아주 폐농이 되었단 말씀이오."

"흥, 그렇구마. 무너지다 만 담만 즐비하게 남았더마. 우리 살던 집도 터야 안 남았는기오만 찾아도 못 찾겠더마. 사람 살던 동리가 그렇게 된 것을 구경했는기오?"

하고 그의 짜는 듯한 목소리는 높아졌다.

"썩어 넘어진 서까래(마룻대에서 보 또는 도리에 걸쳐 지른 나무), 뚤뚤 구르는 주추는(기둥 밑에 괴는 돌) 꼭 무덤을 파서 해골을 헐어 젖혀 놓은 것 같더마. 세상에 이런 일도 있는기오? 백여 호 살던 동리가 십 년이 못 되어 통 없어지는 수도 있는기오, 후!"

하고 그는 한숨을 쉬며 그때의 광경을 눈앞에 그리는 듯이 멀거니 먼 산을 보다가 내가 따라 준 술을 꿀꺽 들이키고, / "참! 가슴이 터지더마, 가슴이 터져." / 하자마자 굵직한 눈물 두어 방울이 뚝뚝 떨어진다. / 나는 그 눈물 가운데 음산하고 비참한 조선의 얼굴을 똑똑히 본 듯싶었다.

소주제 ③ 황폐해진 '그'의 □□ 마을

이윽고 나는 이런 말을 물었다. / "그래, 이번 길에 고향 사람은 하나도 못 만났습니까?"

"하나 만났구마, 단지 하나." / "친척 되시는 분이던가요?"

"아니구마, 한 이웃에 살던 사람이구마." / 하고 그의 얼굴은 더욱 침울해진다.

"여간 반갑지 않으셨겠지요."

"반갑다마다, 죽은 사람을 만난 것 같더마. 더구나 그 사람은 나와 까닭도 좀 있던 사람인데……."

"까닭이라니?" / "나와 혼인 말이 있던 여자구마." 〈중략〉

그 여자는 자기보다 나이 두 살 위였는데 한 이웃에 사는 탓으로 같이 놀기도 하고 싸우기도 하며 자라났었다. 그가 열네 살 적부터 그들 부모 사이에 혼인 말이 있었고 그도 어린 마음에 매우 탐탁하게 생각하였었다. 그런데 그 처녀가 열일곱 살 된 겨울에 별안간 간 곳을 모르게 되었다. 알고 보니, 그 아비 되는 자가 이십 원을 받고 대구 유곽에 팔아먹은 것이었다. 〈중략〉

소주제 ④ '그'와 □□ □이 있었던 여자의 비참한 삶

작품 개관

- **갈래** 단편 소설, 액자 소설
- **성격** 현실 폭로적, 회상적
- **시점** [외부] 1인칭 관찰자 시점
  [내부] 전지적 작가 시점
- **배경** [시간적] 일제 강점기
  [공간적] 기차 안
- **주제** 일제 강점기 한민족의 비참한 현실 고발, 일제 강점기 민중들의 비참한 삶
- **특징**
  ① 대화를 통해 글의 내용을 효과적으로 전개함
  ② 인물의 외양 묘사와 사투리를 통해 인물의 처지를 드러냄

1등급 노트

1. 등장인물의 성격과 심리
- '그' : 농토를 잃고 유랑하는 삶을 살게 되는 인물로, 일제 강점기 우리 민족의 현실을 집약적으로 보여 줌
- '나' : 기차에서 '그'의 이야기를 들으며 조선의 현실을 재인식하고 '그'와 심리적 일체감을 느낌

2. 표현상의 특징
- '나'와 '그'가 서울행 기차에서 나누는 외부 이야기 속에 '그'가 털어놓는 내부 이야기를 담은 액자식 구성을 취함
- 고생스러웠던 '그'의 과거를 압축적으로 묘사하여 일제 강점기를 살아가는 우리 민족의 비참한 삶의 현실을 형상화함
- '그'가 사용하는 사투리는 '그'의 고단한 인생 역정을 표현하는 데 효과적이며, '그'의 신분이나 현장감을 살리기 위한 수단으로도 작용함

3. 삽입 민요의 역할
- 민중들의 비참한 삶을 드러내려는 작품의 주제 의식을 집약적으로 제시함
- 일제 강점기에 우리 민족이 겪은 수난과 고통을 풍자적으로 보여 주며 작품의 현실감을 높임

4. '그'에 대한 '나'의 심리 변화

구분	내용
거부감	'그'의 기이한 차림새와 행동을 봄
동정심	고향을 떠나 떠도는 '그'의 삶에 대해 알게 됨
동질감	함께 술을 마시고 민요를 부름

정답과 해설 30쪽

"이야기를 다 하면 무얼 하는기오."

하고 쓸쓸하게 입을 다문다. ㉯내 또한 너무도 참혹한 사람살이를 듣기에 쓴 물이 났다.

"자, 우리 술이나 마저 먹읍시다." / 하고 우리는 주거니 받거니 한 되 병을 다 말리고 말았다. 그는 취흥에 겨워서 우리가 어릴 때 멋모르고 부르던 노래를 읊조렸다.

[A]
벗섬이나 나는 전토는 / 신작로가 되고요 —
말마디나 하는 친구는 / 감옥소로 가고요 —
담뱃대나 떠는 노인은 / 공동묘지 가고요 —
인물이나 좋은 계집은 / 유곽으로 가고요 —

소주제 5 '나'와 함께 술을 마시며 □□를 부르는 '그'

– 현진건

소주제 체크
1. 고향 2. 서간도 3. 고향 4. 혼인 말
5. 노래

1 이 글에 대한 설명으로 적절하지 않은 것은?

① 액자식 구성으로 사건의 내용에 신뢰감을 주고 있다.
② 사투리를 적절하게 사용하여 현장감을 살리고 있다.
③ 인물 간의 대화를 통해 비참한 상황을 나타내고 있다.
④ 요약적 서술로 인물의 과거를 압축적으로 전달하고 있다.
⑤ 인물 간의 갈등을 통해 중심 사건을 속도감 있게 전개하고 있다.

2 이 글을 영상으로 표현한다고 할 때, 적절한 내용끼리 묶인 것은?

ㄱ. 고향에서 아는 사람을 하나도 못 만나 절망하는 '그'의 모습
ㄴ. '그'가 '나'와 함께 술을 마시고 취흥에 노래를 읊조리는 모습
ㄷ. 자신과 혼인 말이 있던 여자가 별안간 사라져 '그'가 여자를 찾으러 떠나는 모습
ㄹ. 농사를 지으며 살아가던 '그'와 고향 사람들이 중간 소작인에게 착취당하며 힘겨워하는 모습

① ㄱ, ㄴ ② ㄱ, ㄷ ③ ㄴ, ㄷ
④ ㄴ, ㄹ ⑤ ㄷ, ㄹ

출제 예감
3 [A]에 대한 이해로 적절하지 않은 것은?

① 작품에 현실감을 부여해 주고 있다.
② 주제 의식을 압축적으로 보여 주고 있다.
③ 우리 민족이 겪은 고통을 집약적으로 제시하고 있다.
④ 주인공의 내적 갈등이 해소되었음을 구체적으로 나타내고 있다.
⑤ 소설 작품 속에 운문을 삽입함으로써 단조로움을 피하고 있다.

4 ㉮의 상황에 어울리는 한자 성어로 가장 적절한 것은?

① 호가호위(狐假虎威) ② 지록위마(指鹿爲馬)
③ 연목구어(緣木求魚) ④ 수어지교(水魚之交)
⑤ 감탄고토(甘呑苦吐)

5 〈보기〉의 빈칸에 들어갈 알맞은 말을 이 글에서 찾아 2어절로 쓰시오.

보기
( )은/는 '나'가 고향을 잃고 눈물을 흘리는 '그'의 모습에서 본 것으로, 주권을 상실한 조선의 모습과 비참하고 침울한 조선인의 모습을 의미한다.

6 수능형 이 글의 '그'(A)와 〈보기〉의 화자(B)에 대한 설명으로 가장 적절한 것은?

보기
고향에 고향에 돌아와도 / 그리던 고향은 아니러뇨.
산꿩이 알을 품고 / 뻐꾸기 제철에 울건만,
마음은 제 고향 지니지 않고 / 머언 항구로 떠도는 구름.
오늘도 뫼 끝에 홀로 오르니 / 흰 점 꽃이 인정스레 웃고,
어린 시절에 불던 풀피리 소리 아니 나고 / 메마른 입술에 쓰디쓰다.
고향에 고향에 돌아와도 / 그리던 하늘만이 높푸르구나.
– 정지용, 〈고향〉

① A와 B는 잃어버린 고향을 되찾기 위한 의지를 드러내고 있다.
② A와 달리 B는 부정적 현실에 대해 단호한 어조로 비판하고 있다.
③ B와 달리 A는 추억을 회상하며 현재 상황을 담담하게 받아들이고 있다.
④ A는 현실 상황에 적극적으로 대처하는 반면, B는 소극적인 태도로 일관하고 있다.
⑤ A는 고향의 모습이 이전보다 황폐해진 것에 대해, B는 기억 속의 고향과 현재의 모습이 다른 것에 대해 안타까워하고 있다.

출제 예감
7 서술형 〈보기〉는 이 글의 앞부분 내용 중 일부이다. 〈보기〉와 비교하여 ㉯에 드러난 '나'의 심경 변화에 대해 서술하시오.

보기
그것은 마치 짐승을 놀리는 요술쟁이가 구경꾼을 바라볼 때처럼 훌륭한 재주를 갈채해 달라는 웃음이었다. / 나는 쌀쌀하게 그의 시선을 피해 버렸다. 그 주적대는 골이 어쭙잖고 밉살스러웠다.

비책

22 만세 전(萬歲前)

▶ **전체 줄거리** 일본에 유학 중인 '나'는 아내가 위독하다는 전보를 받고 귀향한다. 하지만 도중에 술집 여급인 정자(靜子)도 만나고, 코베(神戶)에 들러 을라(乙羅)도 만나는 등 늑장을 부린다. 귀국하는 배 안에서 일본 형사에게 시달리고, 우리 농민들을 유인해 노동자로 팔아먹는 현실을 보고는 민족적 울분을 느낀다. 집에 와 보니, 현대 의학으로 고칠 수 있는 병을 방치해 아내는 죽어 가고 있었다. 아내의 장례를 치른 뒤 다시 일본으로 돌아가려 하나 뜻대로 되지 않는다. 그 사이 일본에서 새 길을 찾아 대학에 진학하겠다는 정자의 편지가 오고, '나'는 그녀의 새 출발을 축하하는 의미에서 돈을 부쳐 준다. 그런 후에 '나'는 구더기가 들끓는 공동묘지 같은 조선을 떠나 경쾌한 기분이 되어 다시 동경으로 향한다. 본문에 수록된 부분은 부산으로 오는 배 안의 목욕탕에서 일어난 사건이다.

칠 년이나 가까이 일본에 있는 동안에, 경찰관 이외에는 나에게 그다지 민족 관념을 굳게 의식케 하지 않았을 뿐 아니라, 원래 정치 문제에 흥미가 없는 나는 그런 문제로 머리를 썩여 본 일이 거의 없었다 하여도 가할 만큼 정신이 마비되었었다. 그러나 요새로 와서 나의 신경은 점점 흥분하여 가지 않을 수가 없다. 이것을 보면 적개심이라든지 반항심이라는 것은 보통 경우에 자동적, •이지적이라는 것보다는 피동적, 감정적으로 유발되는 것인 듯하다. 다시 말하면 ㉠일본 사람은 지나치는 말 한마디나 그 태도로 말미암아 조선 사람의 억제할 수 없는 반감을 끓어오르게 하는 모양이다. 그러나 그것은 결국에 조선 사람으로 하여금 민족적 타락에서 스스로를 구하여야 하겠다는 자각을 주는 가장 긴요한 원동력이 될 뿐이다.

지금도 목욕탕 속에서 듣는 말마다 귀에 거슬리지 않는 것이 없지마는, 그것은 될 수 있으면 많은 조선 사람이 듣고, 오랜 ⓐ몽유병에서 깨어날 기회를 주었으면 하는 생각을 자아낼 뿐이다.

소주제 1 일본인의 언행으로 □□□□이 싹트는 '나'

그들은 여전히 이야기를 계속하고 있다. / "그래 촌에 들어가면 위험하진 않은가요?"

조선에 처음 간다는 시골자가 또다시 입을 벌렸다.

"뭘요, 어딜 가든지 조금도 염려 없쇠다. •생번이라 하여도 요보는 온순한 데다가 가는 곳마다 순사요 헌병인데 손 하나 꼼짝할 수 있나요. 그걸 보면 데라우치(寺內) 상이 참 손아귀 힘도 세지만 인물은 인물이야!" / 매우 감격한 모양이다. / "그래 촌에 들어가서 할 게 뭐예요?"

(요보: 일제 강점기에 일본인들이 한국인들을 멸시하여 이르는 말)

"할 것이야 많지요. 어딜 가기로 굶어 죽을 염려는 없지만, 요새 돈 몰 것이 똑 하나 있지요. 자본 없이 힘 안 들고…… 하하하." / 표독한 위인이 충동이는 수작이다. 〈중략〉

소주제 2 순진한 □□□를 꾀는 '표독한 위인'

"그래 그런 훌륭한 직업이 무엇인데, 어디 있단 말요?" / 이번에는 그 시골자의 동행인 듯한 사람이 가만히 듣고 있다가 욕탕에서 시뻘겋게 단 몸뚱어리를 무거운 듯이 끌어내며 물었다. 그자도 물속에서 불쑥 일어서서 수건을 등 뒤로 넘겨서 가로잡고 문지르며 한번 목욕탕 속을 휘 돌아다보고, 다른 사람들이 자기네의 이야기에는 무심히 이 구석 저 구석에서 멱을 감는 것을 살펴본 뒤에, 안심한 듯이 비로소 목소리를 낮추며 입을 벌린다.

"㉡실상은 누워 떡먹기지. 나두 이번에 가서 해 오면 세 번째나 되오마는, •내지의 각 회사와 연락해 가지고 요보들을 붙들어 오는 것인데, 즉 조선 쿠리(苦力) 말씀요. 농촌 노동자를 빼내 오는 것이죠. 그런데 그것은 대개 경상남북도나, 그렇지 않으면 함경, 강원, 그 다음에는 평안도에서 모집을 해오는 것인데, 그중에도 경상남도가 제일 쉽습넨다, 하하하."

(쿠리: 중노동에 종사하는 하층 노동자)

그자는 여기 와서 말을 끊고 교활한 웃음을 웃어 버렸다. / 나는 여기까지 듣고 깜짝 놀랐다. 그 불쌍한 조선 노동자들이 속아서 지상의 지옥 같은 일본 각지의 공장과 광산으로 몸이 팔리어 가는 것이, 모두 이런 도적놈 같은 •협잡 부랑배의 •술중(術中)에 빠져서 속아 넘어가는구나 하는 생각을 하며, 나는 다시 한번 그자의 상판때기를 쳐다보지 않을 수 없었다.

소주제 3 민중의 현실을 인식하고 일본인에 대한 □□□을 가지는 '나'

– 염상섭

작품 개관

- 갈래 중편 소설, 사실주의 소설
- 성격 사실적, 비판적, 현실 반영적
- 시점 1인칭 주인공 시점
- 배경 [시간적] 1919년 3·1 운동 직전
  [공간적] 동경과 서울
- 주제 지식인의 눈으로 본 식민지 조선의 암담한 현실(식민지 현실에 대한 고발과 비판)
- 특징
  ① 호흡이 긴 문체(만연체)로 서술됨
  ② 자조적이고 혐오적인 어조로 식민지 현실을 객관적으로 묘사함

1등급 노트

1. **이 글에 반영된 당대의 사회 현실**
   조선 노동자 탈취 현상 : 일본인들에 의해 비밀리에 자행된 일종의 국제 인신매매

일본인	싼값으로 조선 노동자들을 불법 조달하는 부정적인 존재 – 주인공 이인화의 의분을 불러일으킴
조선 노동자	일제의 흉계에 빠져 고향을 떠나게 되는 농민 출신 조선인 – 일제 강점기의 현실 반영

2. **주인공의 인식과 그 변화 과정**
   개인주의적 성향을 가진 '나'는 동경 유학생으로, 일본에 있을 때는 일본에 대한 적개심을 느끼지 않음. 조선으로 귀국하는 배 안에서 조선의 참담한 현실을 알게 되면서 일제 강점하의 민족적 현실을 깨닫고 적개심과 부끄러움을 느끼게 됨
3. **이 글의 구조 – 원점 회귀형 여로 구조**
   - 주인공이 일본 동경에서 서울로 왔다가 다시 동경으로 돌아가는 여행 과정을 중심으로 한 여로 형식과 원점 회귀형 구조로 되어 있음
   - 주인공 '나'는 여행 과정에서 식민지 현실의 비참함을 확인하면서 현실 인식이 성장하지만, 행동적인 저항 의지를 드러내는 데까지는 나아가지 못함
4. **제목에 담긴 의미**
   '만세 전'은 '3·1 만세 운동이 일어나기 전'을 의미함. 이 글은 3·1 운동 직전인 1918년의 동경과 서울을 중심으로 한 지식인의 눈에 비친 당대 현실을 사실적으로 그려 냄

더 알아보기

◆ **이 글의 원제목이 '묘지'였던 이유**
주인공 이인화는 3·1 운동 직전의 우리 현실을 극악한 일제의 수탈, 무지한 민중, 구태의연한 가족 제도 등이 뒤섞인 '묘지'로 파악했다. '묘지'란 3·1 운동 직전의 식민지 조선 현실에 대한 은유로, 작가는 이와 같은 표현을 통해 비참한 민족의 현실을 고발하려 한 것이다.

📖 정답과 해설 30쪽

어휘 다지기

- 이지적(理智的) : 이성과 지혜로 행동하거나 판단하는. 또는 그런 것
- 생번(生蕃) : 대만의 고사족 가운데 대륙 문화에 동화되지 아니하고 야생적인 생활을 하는 번족을 일본인이 부르던 이름. 또는 교화되지 아니한 야만인
- 내지(內地) : 외국이나 식민지에서 본국을 이르는 말. 여기서는 일본을 뜻함
- 협잡(挾雜) : 옳지 아니한 방법으로 남을 속임
- 술중(術中) : 남의 꾀 속

소주제 체크

1. 민족의식 2. 시골자 3. 적개심

1 이 글 전체에 대한 설명으로 적절하지 않은 것은?

① 당시 사회의 모습을 사실적으로 묘사하고 있다.
② 작중 인물이 자신의 이야기를 직접 서술하고 있다.
③ 냉소적인 어조를 사용하여 당대의 참담한 현실을 드러내고 있다.
④ 전형적인 여로형 구조를 통해 인물의 깨달음의 과정을 나타내고 있다.
⑤ 의식의 흐름 기법을 사용하여 소극적인 지식인의 모습을 드러내고 있다.

2 이 글을 읽고 감상문을 쓴다고 했을 때, 부제(副題)로 가장 적절한 것은?

① 식민지 지식인의 자조적 현실 인식
② 국권 상실의 울분과 회복을 위한 몸부림
③ 나약하고 이기적인 인간 존재에 대한 철학적 사유
④ 일제에 의해 사라져 가는 우리 전통에 대한 아쉬움
⑤ 봉건적 사회 제도하에서 신음하는 당시 우리나라 하층민의 애환

출제 예감

3 이 글의 '나'에 대한 설명으로 가장 적절한 것은?

① 중립적인 입장에서 사태를 관망하고 있다.
② 점차 민족적인 연대 의식을 느껴 가고 있다.
③ 자기중심적인 사고에서 벗어나지 못하고 있다.
④ 우리 민족에 대한 자긍심을 강하게 느끼고 있다.
⑤ 변함없이 지녀 온 애국심으로 인해 괴로워하고 있다.

4 ㉠을 통해 짐작할 수 있는 일본인의 조선인에 대한 태도로 가장 적절한 것은?

① 존경 ② 애증 ③ 멸시
④ 연민 ⑤ 두려움

5 ㉡과 유사한 의미를 가진 한자 성어는?

① 와신상담(臥薪嘗膽) ② 원화소복(遠禍召福)
③ 연목구어(緣木求魚) ④ 낭중취물(囊中取物)
⑤ 분골쇄신(粉骨碎身)

출제 예감

6 고난도 이 글 전체의 구조를 다음과 같이 분석할 때, (A)에 들어갈 내용으로 가장 적절한 것은?

여로 중심의 선적 구조	원점 회귀의 순환 구조
주인공의 여행 과정을 중심으로 사건이 전개됨	여행의 출발지로 되돌아 가는 것으로 끝남
↓	↓
(A)	실천적인 저항 의지를 드러내는 데까지는 나아가지 못함

① 현실에 순응하게 됨
② 현실에서 도피하게 됨
③ 일제에 직접 저항하게 됨
④ 비참한 현실에 무기력함을 느낌
⑤ 민족적 현실을 구체적으로 인식하게 됨

7 이 글을 〈보기〉의 기법에 충실한 작품이라고 평가할 수 있는 근거로 가장 적절한 것은?

보기

사실주의는 낭만주의의 비현실적 성격에 반발하여 19세기에 일어난 사조로, 사물을 있는 그대로 정확하게 관찰하고 객관적으로 묘사하려는 경향을 지니고 있다. 즉, 상상력이나 미의식으로 대상을 미화하지 않고 추악한 것도 있는 그대로 묘사하는 것이다.

① 사건을 속도감 있게 전개하고 있다.
② 당시의 사회상을 총체적으로 그리고 있다.
③ 서술자의 심리적 갈등을 비논리적인 형태로 제시하고 있다.
④ 특별하고 재미있는 작은 이야기들을 모아 하나의 작품으로 구성하고 있다.
⑤ 작품의 사실성을 더해 주기 위해 액자식 구성을 사용하여 사건을 전개하고 있다.

출제 예감

8 서술형 이 글에서 ⓐ가 의미하는 바를 쓰시오.

비책

23 만무방

▶ **앞부분 줄거리** 전과자요 만무방인 응칠은 동생 응오의 동네에서 송이 파적을 하며 남의 닭을 잡아먹는다. 숲에서 나온 응칠은 성팔이를 만나 응오네 벼가 도둑맞았다는 말을 듣게 된다. 사실 그도 5년 전에는 성실한 소작농이었으나 빚을 갚을 길이 없어 야반도주하여 구걸로 연명하다가 처자와 헤어지게 된 것이다. 그 후 절도와 도박 등으로 살아가다가 감옥에까지 드나들었다. 순박하고 성실한 농군인 응오는 피땀 흘려 농사를 지어도 남는 것 없이 빚만 늘어가자 지주의 착취에 맞서 벼를 베지 않고 있다가 벼를 도둑맞은 것이다. 응칠은 전과자인 자신이 의심받을 것 같아 도둑을 잡고 동네를 뜨기로 마음먹는다.

(가)

한 식경쯤 지났을까, 도적은 다시 나타난다. 논둑에 머리만 내놓고 사면을 두리번거리더니 그제야 기어 나온다. 얼굴에는 눈만 내놓고 수건인지 뭔지 헝겊이 가리었다. 봇짐을 등에 짊어메고는 허리를 구붓이(조금 굽은 듯하게) 뺑손을 놓는다. 그러자 응칠이가 날쌔게 달려들며, / "이 자식, 남의 벼를 훔쳐 가니!" / 하고 대포처럼 고함을 지르니 논둑으로 고대로 데굴데굴 굴러서 떨어진다. 얼결에 호되이 놀란 모양이다.

응칠이는 덤벼들어 우선 허리께를 내려조겼다. 어이쿠쿠, 쿠 하고 처참한 비명이다. 이 소리에 귀가 번쩍 띄어 그 고개를 들고 팔부터 벗겨 보았다. 그러나 너무나 어이가 없었음인지 시선을 치걷으며 그 자리에 *우두망찰한다.

그것은 무서운 침묵이었다. *살뚱맞은 바람만 공중에서 북새(부산을 떨고 법석임)를 논다.

한참을 신음하다 도적은 일어나더니, / "성님까지 이렇게 못살게 굴기유?"

제법 눈을 부라리며 몸을 홱 돌린다. 그리고 느끼며 울음이 복받친다. 봇짐도 내버린 채,

"[㉠] 내 것 내가 먹는데 누가 뭐래?" / 하고, 데퉁스러이 내뱉고는 비틀비틀 논 저쪽으로 없어진다.

소주제 ① 벼를 훔친 도둑이 □□으로 밝혀짐

형은 너무 꿈속 같아서 멍하니 섰을 뿐이다. 〈중략〉 내 걸 내가 먹는다. 그야 이를 말이랴. 허나 내 걸 내가 훔쳐야 할 그 운명도 알궂거니와 형을 배반하고 이 짓을 벌인 아우도 아우이렷다. 에이 고얀 놈, 할 제 볼을 적시는 것은 눈물이다. 그는 주먹으로 눈물을 쓱, 부비고 머리에 번쩍 떠오르는 것이 있으니 두레두레한 황소의 눈깔. 시오 리를 남쪽 산으로 들어가면 어느 집 바깥 뜰에 밤마다 늘 매여 있는 투실투실한 그 황소. 아무렇게 따지든 칠십 원은 갈 데 없으리라. 그는 부리나케 아우의 뒤를 밟았다.

소주제 ② 동생의 행동에 □□을 흘리는 응칠

공동묘지까지 거반 왔을 때에야 가까스로 만났다. 아우의 등을 탁 치며,

"얘, 존 수 있다. 네 원대로 돈을 해 줄게 나하구 잠깐 다녀오자."

씩씩한 어조로 기쁘도록 달랬다. 그러나 아우는 입 하나 열려 하지 않고 그대로 *실쭉하였다. 뿐만 아니라, 어깨 위에 올려놓은 형의 손을 부질없단 듯이 몸으로 털어 버린다. 그리고 삐익 달아난다. 이걸 보니 하 엄청이 나고 기가 콱 막히었다. / "이눔아!" / 하고, 악에 받치어,

"명색이 성이라며?"

대뜸 몽둥이는 들어가 그 볼기짝을 후려갈겼다. 아우는 모로 몸을 꺾더니 *시나브로 찌그러진다. 뒤미처 앞정강이를 때렸다. 등을 팼다. 일어나지 못할 만치 매는 내리었다. 체면을 불구하고 땅에 엎드리어 엉엉 울도록 매는 내리었다. / 홧김에 하긴 했으되 그 꼴을 보니 또한 마음이 편할 수 없다. 침을 퉤, 뱉어 던지곤 팔자 드신 놈이 그저 그렇지 별수 있냐. 쓰러진 아우를 일으키어 등에 업고 일어섰다. 언제나 철이 날는지 딱한 일이었다. 속 썩는 한숨을 후우, 하고 내뿜는다. 그리고 어청어청 고개를 묵묵히 내려온다.

소주제 ③ 홧김에 아우를 때리고 □□ 탓을 하는 응칠

– 김유정

어휘 다지기

- 우두망찰 : 정신이 얼떨떨하여 어찌할 바를 모름
- 살뚱맞은 : 말이나 하는 짓이 독살스럽고 당돌한
- 실쭉하였다 : 싫은 태도로 눈이나 입을 한쪽으로 실긋 움직였다.
- 시나브로 : 모르는 사이에 조금씩 조금씩

작품 개관

- **갈래** 단편 소설, 농촌 소설
- **성격** 해학적, 토속적, 반어적
- **시점** 전지적 작가 시점
- **배경** [시간적] 1930년대 가을
  [공간적] 강원도 산골 마을
- **주제** 식민지 농촌 사회에서 농민들이 겪는 가혹한 현실
- **특징**
  ① 토속적인 어휘와 해학적인 장면의 묘사로 향토색이 짙게 풍김
  ② 모범적인 농사꾼을 도둑으로 몰아 갈 수밖에 없는 반어적 상황을 통해 당대 사회의 구조적 모순을 비판함

1등급 노트

1. **'만무방'의 의미**
   - '막되어 먹은 인간'이라는 뜻으로 농촌을 떠나 도박과 절도를 일삼는 응칠을 빗댄 표현이지만 빚 때문에 농촌을 떠나 살 수밖에 없는 응칠이나, 모범적인 농민임에도 자신의 벼를 훔칠 수밖에 없는 응오 모두 '만무방'으로 볼 수 있음
   - 1930년대 일제 강점기의 우리 농민의 현실을 나타낸다고 볼 수 있으며, '모순된 사회가 만들어 낸 인간'이라는 의미를 가진 반어적인 표현임
2. **'응칠'의 감정 변화 과정**
   응칠은 벼를 훔친 도적이 동생인 응오임을 알고 처음엔 놀라지만, 곧 자기 스스로 지은 논을 털 수밖에 없는 응오의 처지에 연민을 느끼게 됨
3. **반어적 상황**

표면적	자신이 농사지은 벼를 자기가 훔침 → 해학적
이면적	착취당하는 농민 → 식민지 시대의 농촌 사회의 참상 고발

더 알아보기

◆ **김유정의 문학 세계와 〈만무방〉**

김유정의 문학은 어둡고 삭막한 농촌 현실과 그 속에서 살아갈 수밖에 없는 농민들의 생활 양식을 냉철하고 이지적인 현실이나 비극적인 진지성보다는 연민의 아픔을 수반한 웃음을 통해 희화적, 해학적으로 드러낸다. 그러나 〈만무방〉에서는 그 특유의 해학성을 가능한 한 배제하고 착취 체제에 내재하는 모순을 겨냥하고 있다. 형인 응칠과 아우인 응오는 성격적인 차이를 갖고 있음에도 불구하고 자본주의적 취득, 분배 양식에 내재하는 모순에 대립하고 있다는 점에서 일치한다. 그러면서도 이 작품은 계급 투쟁적 해결의 경직성을 드러내지 않고, 결말의 '내 걸 훔쳐야 할 운명'의 상황적 아이러니를 통해 현실의 피폐함을 선명하게 드러낸다.

소주제 체크

(거꾸로 인쇄됨) 1. 동생 2. 눈물 3. 팔자

정답과 해설 30쪽

1 이 글에 대한 설명으로 적절하지 않은 것은?

① 정감 있는 토속어와 해학적인 묘사가 드러나 있다.
② 1930년대 일제 강점하의 농촌을 배경으로 하고 있다.
③ 향토적 소재를 취하여 낭만적인 분위기를 자아내고 있다.
④ 서술자가 전지적 입장에서 인물의 내면 심리를 서술하고 있다.
⑤ 농민의 피폐하고 수탈당하는 삶을 통해 당시 현실을 비판하고 있다.

2 출제 예감 이 글 전체에서 '응오'가 자신이 농사지은 벼를 훔친 이유로 알맞은 것은?

① 농사를 더 이상 지을 수 없기 때문에
② 형의 간섭이 귀찮게 여겨졌기 때문에
③ 형제간의 재산 분배에 따른 갈등 때문에
④ 식민지 시대 농촌 사회의 구조적인 모순 때문에
⑤ 형의 존재가 부끄러워 그를 떠나보내려는 목적 때문에

3 출제 예감 이 글의 제목인 '만무방'에 대한 설명으로 적절하지 않은 것은?

① 사전적 의미는 '막되어 먹은 사람'이다.
② 작품 속에서 지시하는 표면적인 대상은 아우인 '응오'이다.
③ 함축적 의미로 본다면 노름꾼 '응칠'과 도적인 '응오'를 모두 포함한다.
④ 당시 사회에 대한 작가의 냉소적인 태도와 반어적인 비판을 함축하고 있다.
⑤ 사회 윤리에 위배되는 사람을 의미한다기보다는 모순된 사회가 만들어 낸 비참한 삶을 사는 사람을 뜻한다.

4 수능형 ㉮를 〈보기〉와 같이 바꾸었을 때의 효과로 적절한 것은?

보기

한 식경 정도 지나자, 도적이 다시 나타났다. 그는 논둑에 머리를 드러내고 사면을 두리번거리다가 기어 나왔다. 얼굴을 헝겊 같은 것으로 가린 도적은 봇짐을 등에 짊어지고는, 허리를 굽힌 채로 도망치기 시작하였다. 그러자 응칠이 그에게 날쌔게 달려들며,
"이 자식, 남의 벼를 훔쳐 가니?" 하고 고함을 지르자, 도적은 놀라서 논둑에서 굴러 떨어졌다.
응칠이가 그에게 덤벼들어 허리를 내려치자, 도적은 비명을 질렀다. 어디선가 귀에 익은 비명이었다. 응칠은 도적의 복면을 벗겼다. 순간 동생의 얼굴을 발견하고는 그 자리에 우뚝 서고 말았다.
한동안 무서운 침묵이 흐르고, 공중에는 바람만이 불었다.

① 새로운 사건이 추가되어 박진감 있게 상황이 진행된다.
② 인물의 내면 심리를 좀 더 세밀하게 묘사할 수 있게 된다.
③ 너무 설명적이어서 어조가 밋밋해지고 지루한 느낌이 든다.
④ 등장인물이 자신이 경험한 일을 직접 서술하여 친근감을 준다.
⑤ 사건을 더 상세히 묘사하여 독자에게 보다 강한 인상을 심어 준다.

5 출제 예감 이 글에서 도적에 대한 '응칠'의 감정 변화로 가장 적절한 것은?

① 기쁨 → 슬픔
② 당황함 → 연민
③ 두려움 → 기쁨
④ 놀라움 → 증오
⑤ 연민 → 두려움

6 이 글을 희곡으로 각색했을 때, ㉠에 들어갈 지시문으로 가장 적절한 것은?

① 따지듯이
② 멋쩍어하며
③ 미안해하며
④ 능청스럽게
⑤ 변명하듯이

7 고난도 이 글의 앞부분인 〈보기〉의 내용을 토대로 볼 때, '응오'의 처지를 나타내기에 가장 적절한 말은?

보기

한 해 동안 애를 졸이며 홀자식 모양으로 알뜰히 가꾸던 그 벼를 거둬들임은 기쁨에 틀림없었다. 꼭두새벽부터 엣, 엣 하며 괴로움을 모른다. 그러나 캄캄하도록 털고 나서 지주에게 도지를 제하고, 장리쌀을 제하고, 색초를 제하고 보니 남는 것은 등줄기를 흐르는 식은땀이 있을 따름. 그것은 슬프다 하니보다 끝없이 부끄러웠다. 같이 털어 주던 동무들이 뻔히 보고 섰는데 빈 지게로 덜렁거리며 집으로 돌아오는 건 진정 열쩍기 짝이 없는 노릇이었다.

① 선무당이 장구 탓한다
② 죽 쑤어 개 좋은 일 한다
③ 모로 가도 서울만 가면 된다
④ 못된 송아지 엉덩이에 뿔 난다
⑤ 나무에 오르라 하고 흔드는 격이다

8 이 글 전체를 감상하는 태도로 적절하지 않은 것은?

① 제목의 상징성을 인물의 성격과 관련시켜 본다.
② 응오의 행위를 윤리적인 측면에서 분석하고 비판해 본다.
③ 주인공의 떠돌이 신세를 일제 강점기의 맥락에서 이해한다.
④ 주인공의 행동을 당시 농촌의 경제적 파탄과 관련하여 이해한다.
⑤ 김유정의 다른 작품과의 표현상 · 내용상 공통점과 차이점을 살펴본다.

9 서술형 이 글에서 '응오'에게 매를 든 '응칠'의 심리를 서술하시오.

비책

24 동백꽃

▶ **전체 줄거리** '나'가 점심을 먹고 나무하러 가려는데 점순이네 수탉이 '나'의 수탉을 쪼았다. 나흘 전에 점순이가 주는 감자를 '나'가 거절한 적이 있었는데, 그때 점순이가 독 오른 눈으로 쳐다보다가 눈물까지 흘렸다. 다음 날 점순이는 '나'의 집 씨암탉을 붙들어 놓고 때렸으며, 그 후부터는 사람들만 없으면 수탉을 몰고 와 '나'의 수탉과 닭싸움을 붙였다. 하루는 '나'도 수탉에게 고추장을 먹여서 점순이네 닭과 싸움을 붙였지만 실패하였다. '나'는 나무를 하러 다녀오는데 점순이가 또 닭싸움을 붙인 것을 보고 화가 나서 점순이네 닭을 단매에 후려친다. 닭을 죽인 후 '나'는 겁을 먹지만 점순은 용서를 해 주겠다고 하며 '나'를 잡고 동백꽃 위로 쓰러진다. '나'는 동백꽃의 알싸한 냄새에 아찔해진다. 점순이 어머니가 부르는 소리에 점순은 산 아래로 내려가고, '나'는 산 위로 달아난다.

언제 구웠는지 아직도 더운 김이 확 끼치는 굵은 감자 세 개가 손에 뿌듯이 쥐였다.

"느 집엔 이거 없지?" / 하고 생색 있는 큰소리를 하고는, 제가 준 것을 남이 알면 큰일 날 테니 여기서 얼른 먹어 버리란다. 그리고 또 하는 소리가 / "너, 봄 감자가 맛있단다."

"난 감자 안 먹는다. 너나 먹어라."

나는 고개도 돌리려 하지 않고 일하던 손으로 그 감자를 도로 어깨 너머로 쑥 밀어 버렸다.

그랬더니 그래도 가는 기색이 없고, 뿐만 아니라 쌔근쌔근하고 심상치 않게 숨소리가 점점 거칠어진다. 이건 또 뭐야 싶어서 그때서야 비로소 돌아다보니 나는 참으로 놀랐다. 우리가 이 동리에 들어온 것은 근 삼 년째 되어 오지만, 여태껏 가무잡잡한 점순이의 얼굴이 이렇게까지 홍당무처럼 새빨개진 법이 없었다. 게다가 눈에 독을 올리고 한참 나를 요렇게 쏘아보더니 나중에는 눈물까지 어리는 것이 아니냐. 〈중략〉

소주제 ① 자신이 준 감자를 '나'가 거절하여 마음이 상한 □□

점순이의 침해는 이것뿐이 아니다. / 사람들이 없으면 틈틈이 제 집 수탉을 몰고 와서 우리 수탉과 쌈을 붙여 놓는다. 제 집 수탉은 썩 험상궂게 생기고 쌈이라면 회를 치는 고로 으레 이길 것을 알기 때문이다. 그래서 툭하면 우리 수탉이 면두며 눈깔이 피로 흐드르하게 되도록 해 놓는다. 어떤 때에는 우리 수탉이 나오지를 않으니까 요놈의 계집애가 모이를 쥐고 와서 꾀어내다가 쌈을 붙인다.

소주제 ② 감자 사건 이후 '나'를 집요하게 □□□□ 점순

이렇게 되면 나도 다른 배차를 차리지 않을 수 없었다. 하루는 우리 수탉을 붙들어 가지고 넌지시 장독께로 갔다. 쌈닭에게 고추장을 먹이면, 병든 황소가 살모사를 먹고 용을 쓰는 것처럼 기운이 뻗친다 한다. 장독에서 고추장 한 접시를 떠서 닭 주둥아리께로 들이밀고 먹여 보았다. 닭도 고추장에 맛을 들였는지 거스르지 않고 거진 반 접시 턱이나 곧잘 먹는다. 그리고 먹고 금세는 용을 못 쓸 터이므로 얼마쯤 기운이 돌도록 홰 속에다 가두어 두었다.

배차: 차례를 벌여 정함. 여기서는 '수단, 방법'의 의미

밭에 두엄을 두어 짐 져 내고 나서 쉴 참에 그 닭을 안고 밖으로 나왔다. 마침 밖에는 아무도 없고 점순이만 저희 울안에서 헌옷을 뜯는지 혹은 솜을 터는지 웅크리고 앉아서 일을 할 뿐이다. 나는 점순네 수탉이 노는 밭으로 가서 닭을 내려놓고 가만히 맥을 보았다. 두 닭은 여전히 얼리어 쌈을 하는데 처음에는 아무 보람이 없었다. 멋지게 쪼는 바람에 우리 닭은 또 피를 흘리고 그러면서도 날갯죽지만 푸드득, 푸드득하고 올라 뛰고 뛰고 할 뿐으로 한번 쪼아 보지도 못한다.

그러나 한번엔 어쩐 일인지 용을 쓰고 펄쩍 뛰더니 발톱으로 눈을 하비고 내려오며 면두를 쪼았다. 큰 닭도 여기에는 놀랐는지 뒤로 멈씰하며 물러난다. 이 기회를 타서 작은 우리 수탉이 또 날쌔게 덤벼들어 다시 면두를 쪼니 그제서는 감때사나운 그 대강이에서도 피가 흐르지 않을 수 없었다. 옳다 알았다, 고추장만 먹이면 되는구나 하고 나는 속으로 아주 쟁그러워 죽겠다. 그때에는 뜻밖에 내가 닭쌈을 붙여 놓는 데 놀라서 울 밖으로 내다보고 섰던 점순이도 입맛이 쓰지 눈살을 찌푸렸다. / 나는 두 손으로 볼기짝을 두드리며 연방,

하비고: 날카로운 물건 따위로 조금 긁어 파고
감때사나운: 억세고 사나운
대강이: 머리를 속되게 이르는 말

"잘한다! 잘한다!" / 하고, 신이 머리끝까지 뻗치었다.

소주제 ③ '나'의 닭에게 □□□을 먹여 닭싸움을 붙이는 '나'

- 김유정

작품 개관

- 갈래 단편 소설, 농촌 소설, 순수 소설
- 성격 해학적, 토속적, 서정적, 서민적
- 시점 1인칭 주인공 시점
- 배경 [시간적] 1930년대 어느 봄
  [공간적] 강원도 산골 마을
- 주제 시골 마을 사춘기 남녀의 순박한 사랑
- 특징
  ① 압축과 생략을 통해 사건을 빠르게 전개함
  ② 비속어와 사투리의 적절한 사용으로 토속적인 정취를 풍김
  ③ 과장과 익살이 넘치는 어휘 구사로 현실을 해학적으로 표현함

1등급 노트

1. 이 글의 화자와 해학성
   - 이 글의 화자인 '나'는 어리숙한 인물로, 독자는 모두 알고 있는 점순이의 마음을 자신만 알아차리지 못함으로써 웃음을 유발함
   - 화자인 '나'의 순박함과 우둔함이 점순이의 영악함과 대조되어 해학성이 강조됨
2. 소재의 기능 및 역할
   - 감자 : 점순이의 '나'에 대한 정성과 애정을 최초로 표현하는 매개물
   - 닭싸움 : '나'의 관심을 끌기 위한 점순이의 애정 표현의 수단이자 '나'와 점순이의 갈등을 대리 표출하는 매개물. 결말에서는 '나'와 점순이의 화해의 계기를 마련해 줌
   - 노란 동백꽃 : '나'와 점순이 사이에 생겨난 사랑의 감정을 감각적으로 표현해 주는 소재. 사랑과 화해의 분위기를 조성함
3. 역순행적 구성의 이해
   - 사건의 순서

㉮ 점순이가 준 감자를 '나'가 거절함(과거)
㉯ '나'가 수탉에게 고추장을 먹였음에도 점순이네 수탉이 이김(과거)
㉰ '나'가 나무를 하려고 나서자마자 점순이가 또 닭싸움을 붙임
㉱ 나무를 하고 돌아오는 길목에서 점순이가 닭싸움을 붙인 것을 보고 화가 난 '나'가 점순이네 수탉을 죽임
㉲ 점순이와 '나'의 화해

   - 서술의 순서
     ㉰ – ㉮ – ㉯ – ㉱ – ㉲
   - '현재 – 과거 – 현재'의 역순행적 구성의 시간 전환은 닭싸움을 매개로 자연스럽게 연결됨
4. 등장인물의 성격
   - 나 : 어리숙하고 순박한 농촌 청년. 점순이에게 호감은 좀 있었으나 점순이의 집요한 닭싸움 공격에 치를 떨게 됨. 점순이네 닭을 죽이고 점순이가 이를 눈감아 주고 나서야 점순이가 자신을 괴롭힌 이유를 어렴풋이 깨달음
   - 점순 : 성숙하고 영악한 농촌 처녀. 감정 표현에 적극적이며, '나'가 자신의 호의를 거절하자 '나'를 괴롭히기 위해 집요하게 닭싸움을 시켜 결국 항복을 받아 냄

소주제 체크
1. 점순 2. 괴롭히는 3. 고추장

정답과 해설 31쪽

1 **이 글의 서술 방식에 대한 설명으로 가장 적절한 것은?**

① 서술자가 자신이 체험한 이야기를 직접 전달하고 있다.
② 전지적 작가가 주인공의 심리를 직접적으로 서술하고 있다.
③ 작품 밖의 관찰자에 의해 사건이 요약적으로 제시되고 있다.
④ 작품 밖의 서술자가 작품 속에 직접 개입하여 논평을 하고 있다.
⑤ 작품 속 부수적 인물이 주인공의 이야기를 추측하여 제시하고 있다.

2 **이 글 전체의 내용과 일치하지 않는 것은?**

① 점순이는 '나'에게 이성적인 관심을 가지고 있다.
② 점순이는 '나'에게 무안을 당한 후부터 '나'의 집 닭을 괴롭힌다.
③ 점순이는 '나'가 닭을 죽인 것을 부모님께 말하지 않기로 한다.
④ '나'는 소작농의 아들인 신분 때문에 점순의 마음을 모른 척하고 있다.
⑤ '나'는 고추장을 먹이면 '나'의 집 닭이 싸움에서 이길 것이라고 생각한다.

출제 예감

3 **〈보기〉는 이 글의 뒷부분 내용이라고 할 때, '노란 동백꽃'에 대한 설명으로 적절하지 않은 것은?**

> 보기
>
> 뭣에 떠다밀렸는지 나의 어깨를 짚은 채 그대로 퍽 쓰러진다. 그 바람에 나의 몸뚱이도 겹쳐서 쓰러지며 한창 피어 퍼드러진 노란 동백꽃 속으로 폭 파묻혀 버렸다.
> 알싸한 그리고 향긋한 그 냄새에 나는 땅이 꺼지는 듯이 온 정신이 고만 아찔하였다.

① 따뜻하고 낭만적인 분위기를 형성한다.
② 향토적 소재로 글 전체에 서정성을 부여한다.
③ '나'와 점순이 사이에 화해의 분위기를 조성한다.
④ 시골 청춘 남녀의 순박함과 우직함을 상징적으로 보여 준다.
⑤ '나'와 점순이 사이의 은근한 애정을 시각과 후각적인 감각으로 형상화한다.

4 **이 글에 대한 〈보기〉의 설명 중 적절하지 않은 것은?**

> 보기
>
> 이 글에서 ① 점순이는 마름의 딸, '나'는 소작인의 아들로, ② '나'와 점순이는 이루지 못할 사랑의 아픔을 해학적으로 극복하려는 관계로 맺어져 있다. ③ 이성에 막 눈을 뜬 점순이의 순박한 애정 표현을 어수룩한 '나'가 이해하지 못하여 ④ 둘은 극심한 갈등을 겪게 된다. 하지만 ⑤ 점순이네 닭이 죽는 일을 계기로 '나'와 점순이는 화해를 하게 된다.

출제 예감

5 **이 글에서 '닭싸움'의 역할을 바르게 설명한 것은?**

① 이 글의 주제를 부각시키는 소재이다.
② 점순이의 과시욕을 표출하는 수단이다.
③ 점순이에 대한 '나'의 무관심을 나타낸다.
④ '나'와 점순이의 갈등을 최초로 유발하는 매개체이다.
⑤ '나'의 관심을 끌기 위한 점순이의 애정 표현 수단이다.

출제 예감

6 **이 글에서 해학성을 유발하는 가장 중요한 요인은?**

① 전도된 성 역할
② 예상을 뒤집는 결말
③ 점순이의 영악함과 교활함
④ 인물의 말과 행동의 부조화
⑤ '나'의 우둔함과 어리숙함

7 **수능형** **〈보기〉는 고려 가요 〈청산별곡〉을 비평한 내용이다. 이와 동일한 관점에서 이 글 전체를 감상한 것은?**

> 보기
>
> 시적 화자는 고달픈 현실에서 벗어나 이상향인 '청산'으로 향한다. 이때 '믈'이란 예전에 살던 현실 세계와 현재 살고 있는 청산을 가르는 기점으로 시적 화자는 믈 위에 있는 청산에서 믈 아래의 현실 세계를 바라보게 된다. 그렇다면 '믈 아래 가던 새', 즉 '현실 세계에서 갈던 밭'을 빼앗겨 유랑하던 백성이 결국 청산에 들어가 머루나 다래 등을 먹고 살아야 했다는 것으로 파악할 수도 있다. 이 노래가 작자 미상인 것으로 보아 이러한 이름 없는 수많은 백성이 〈청산별곡〉의 작자층이 될 것이며, 자신들의 삶과 사상, 즉 비애와 한(恨), 체념적 정서 등을 노래에 표현했다고 볼 수 있다.

① 은설 : 어리숙한 주인공의 모습을 통해 꾸밈없는 삶의 건강성을 일깨우고 있어.
② 보연 : 압축과 생략을 통해 사건을 빠르게 전개하여 속도감을 느끼게 하고 있어.
③ 재훈 : 마름 등으로 대표되는 농촌 사회 지배층의 모습과 소작인들의 애환을 보여 주고 있어.
④ 동수 : 서술자인 주인공이 자신의 이야기를 토속적인 어법으로 말하는 것이 웃음을 유발하고 있어.
⑤ 주희 : 농촌 현실을 사실적으로 묘사한 것으로 보아 작가가 농촌 생활을 했던 경험이 있는 것 같아.

8 **서술형** **이 글 전체의 중심 사건을 정리한 〈보기〉를 참고하여 갈등 양상을 구체적으로 서술하시오.**

> 보기
>
> 감자 사건 → 닭싸움 → 닭의 죽음

25 날개

〈전략〉 아내는 너 밤새워 가면서 도둑질하러 다니느냐, 계집질하러 다니느냐고 발악이다. 이것은 참 너무 억울하다. 나는 어안이 벙벙하여 도무지 입이 떨어지지를 않았다.

너는 그야말로 나를 살해하려던 것이 아니냐고 소리를 한번 꽥 질러 보고도 싶었으나, 그런 긴가민가한(그런지 그렇지 않은지 분명하지 않은 모양) 소리를 섣불리 입 밖에 내었다가는 무슨 화를 볼는지 알 수 있나. 차라리 억울하지만 잠자코 있는 것이 우선 상책인 듯싶이 생각이 들길래, 나는 이것은 또 무슨 생각으로 그랬는지 모르지만 툭툭 털고 일어나서 내 바지 포켓 속에 남은 돈 몇 원 몇십 전을 가만히 꺼내서는 몰래 미닫이를 열고 살며시 문지방 밑에다 놓고 나서는, 그냥 줄달음박질을 쳐서 나와 버렸다.

소주제 ❶ 화를 내는 □□를 두고 집 밖으로 나온 '나'

여러 번 자동차에 치일 뻔하면서 나는 그래도 경성역으로 찾아갔다. 빈자리와 마주 앉아서 이 쓰디쓴 입맛을 거두기 위하여 무엇으로나 입가심을 하고 싶었다.

커피—. 좋다. 그러나 경성역 홀에 한 걸음 들여놓았을 때 나는 내 주머니에는 돈이 한 푼도 없는 것을, 그것을 깜박 잊었던 것을 깨달았다. 또 아뜩하였다. 나는 어디선가 그저 맥없이 머뭇머뭇하면서 어쩔 줄을 모를 뿐이었다. 얼빠진 사람처럼 그저 이리 갔다 저리 갔다 하면서…….

소주제 ❷ □□□으로 가나 돈이 없어 거리를 배회하는 '나'

나는 어디로 어디로 들입다(계속 세차게) 쏘다녔는지 하나도 모른다. 다만 몇 시간 후에 내가 *미쓰꼬시 옥상에 있는 것을 깨달았을 때는 거의 대낮이었다. / 나는 거기 아무 데나 주저앉아서 내 자라 온 스물여섯 해를 회고하여 보았다. 몽롱한 기억 속에서는 이렇다는 아무 제목도 불거져 나오지 않았다. / 나는 또 내 자신에게 물어 보았다. 너는 인생에 무슨 욕심이 있느냐고. 그러나 있다고도 없다고도, 그런 대답은 하기가 싫었다. 나는 거의 나 자신의 존재를 인식하기조차도 어려웠다.

소주제 ❸ 백화점 □□에서 지나온 생애와 자신에 대해 생각하는 '나'

허리를 굽혀서 나는 그저 금붕어를 들여다보고 있었다. 금붕어는 참 잘들도 생겼다. 작은 놈은 작은 놈대로 큰 놈은 큰 놈대로 다 싱싱하니 보기 좋았다. 내리비치는 오월 햇살에 금붕어들은 그릇 바탕에 그림자를 내려뜨렸다. 지느러미는 하늘하늘 손수건을 흔드는 흉내를 낸다. 나는 이 지느러미 수효를 헤어 보기도 하면서 굽힌 허리를 좀처럼 펴지 않았다. 등허리가 따뜻하다.

소주제 ❹ □□□를 자세히 들여다보는 '나'

나는 또 회탁(灰濁)의 거리를 내려다보았다. 거기서는 피곤한 생활이 똑 금붕어 지느러미처럼 흐늑흐늑 허비적거렸다. 눈에 보이지 않는 끈적끈적한 줄에 엉켜서 헤어나지들을 못한다. 나는 피로와 공복(뱃속이 비어 있는 상태) 때문에 무너져 들어가는 몸뚱이를 끌고, 그 회탁의 거리 속으로 섞여 들어가지 않는 수도 없다 생각하였다.

소주제 ❺ 흐느적거리는 금붕어 지느러미처럼 보이는 □□

나서서 나는 또 문득 생각하여 보았다. 이 발길이 지금 어디로 향하여 가는 것인가를…….

그때 내 눈앞에는 아내의 모가지가 벼락처럼 내려 떨어졌다. 아스피린과 *아달린.

우리들은 서로 오해하고 있느니라. 설마 아내가 아스피린 대신에 아달린 정량(일정하게 정해진 분량)을 나에게 먹여 왔을까? 나는 그것을 믿을 수가 없다. 아내가 대체 그럴 까닭이 없을 것이니 그러면 나는 날밤을 새면서 도둑질을, 계집질을 하였나? 정말이지 아니다.

우리 부부는 숙명적으로 발이 맞지 않는 절름발이인 것이다. 내나 아내나 제 거동에 로직(상황을 설명하는 논리)을 붙일 필요는 없다. 변해할(말로 풀어 자세히 밝힘) 필요도 없다. 사실은 사실대로 오해는 오해대로 그저 끝없이 발을 절뚝거리면서 세상을 걸어가면 되는 것이다. 그렇지 않을까?

그러나 나는 이 발길이 아내에게로 돌아가야 옳은가 이것만은 분간하기가 좀 어려웠다. 가야

작품 개관

- 갈래 단편 소설, 심리 소설
- 성격 고백적, 상징적
- 배경 [시간적] 1930년대
  [공간적] 경성
- 시점 1인칭 주인공 시점
- 주제 자아가 분열된 삶 속에서 진정한 정체성을 회복하기 위한 내면적 욕구
- 특징
  ① 상징적인 소재를 사용함
  ② 의식의 흐름 기법이 나타남
  ③ 자아를 회복하고자 하는 서술자의 의도가 드러남

1등급 노트

1. 소재의 상징적 의미
   - 날개 : 진정한 자아, 자유로운 삶과 이상
   - 거리 : '나'가 자아를 회복하고자 하는 공간
   - 정오 사이렌 : '나'의 의식을 각성시키는 매개체
2. '나'의 의식의 변화 과정

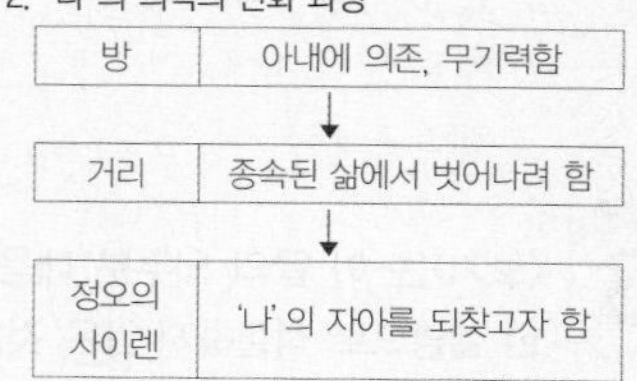

방	아내에 의존, 무기력함
거리	종속된 삶에서 벗어나려 함
정오의 사이렌	'나'의 자아를 되찾고자 함

3. 인물의 관계

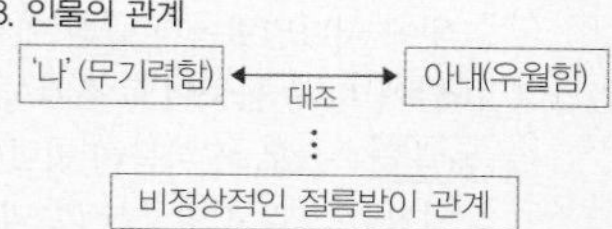

4. 인물의 특성
   - '나' : 경제적으로 무능력하며 사회 활동이 전무한 지식인. 아내에게 의존적인 삶을 살고 있음. 후반부에 본연의 자아를 되찾고자 노력함
   - 아내 : 매춘부. 남편인 '나'의 정상적 생활을 가로막고 '나'를 억압함

더 알아보기

◆ 의식의 흐름 기법

의식의 흐름이란, 개인의 의식에 떠올라 그의 이성적 사고의 흐름에 병행하여 의식의 일부를 이루는 시각적·청각적·물리적·연상적·잠재의식적인 수많은 인상의 흐름을 표현하기 위한 기법이다. 인간의 잠재의식의 흐름을 충실히 표현하려는 문학 작품에서 주로 드러난다. 사람의 진정한 모습은 외면이 아니라 정신과 정서의 과정에서 발견된다는 신념에서 비롯되며, 서구 문학에서는 자연주의나 사실주의에 반대하는 심리주의의 기법으로 널리 활용되었다.

정답과 해설 31쪽

하나? 그럼 어디로 가나?

소주제 6 □□□□ 같은 아내와 '나'의 관계

이때 뚜우— 하고 정오 사이렌이 울었다. 사람들은 모두 네 활개를 펴고 닭처럼 푸드덕거리는 것 같고 온갖 유리와 강철과 대리석과 지폐와 잉크가 부글부글 끓고 수선을 떨고 하는 것 같은 찰나, 그야말로 현란을 극한 정오다.

정신을 차리기 어려울 정도로 어수선함

나는 불현듯이 겨드랑이가 가렵다. 아하, 그것은 내 인공의 날개가 돋았던 자국이다. 오늘은 없는 이 날개, 머릿속에서는 희망과 야심이 말소된 페이지가 딕셔너리 넘어가듯 번뜩였다.

나는 걷던 걸음을 멈추고 그리고 어디 한 번 이렇게 외쳐 보고 싶었다.

날개야 다시 돋아라. / 날자. 날자. 날자. 한 번만 더 날자꾸나. / 한 번만 더 날아 보자꾸나.

소주제 7 □□가 다시 돋기를 희망하는 '나'

– 이상

어휘 다지기

- 미쓰꼬시 : 일제 강점기에 서울에 있었던 백화점 이름
- 아달린 : 수면제의 일종

소주제 체크

1. 아내 2. 경성역 3. 옥상 4. 금붕어
5. 거리 6. 절름발이 7. 날개

1 이 글에 대한 설명으로 적절하지 않은 것은?

① 현실에서 이탈된 자의식을 탐구하고 있다.
② 자아 분열을 그려 낸 심리 소설에 해당한다.
③ 사건이 '나'의 의식의 흐름에 따라 전개된다.
④ 외부 세계의 사실적 묘사가 주된 내용을 이룬다.
⑤ 일제 강점기 지식인의 무기력한 삶을 제재로 삼고 있다.

2 수능형 이 글의 서술상 특징으로 적절하지 않은 것은?

① 객관적인 진술로 사건에 사실성을 부여한다.
② 서술자인 '나'의 내면 심리를 자세하게 나타낸다.
③ 분열된 자의식을 의식의 흐름 기법으로 표현한다.
④ 비유적 표현으로 인물의 생각을 효과적으로 제시한다.
⑤ 독백적인 어조로 현실과 단절된 의식 상태를 보여 준다.

출제 예감

3 〈보기〉는 이 글에 나타난 소재의 의미를 정리해 본 것이다. ㉮~㉰에 해당하는 소재를 순서대로 바르게 연결한 것은?

보기

㉮ : '나'가 자아를 회복하고자 하는 공간
㉯ : 비정상적인 부부의 삶
㉰ : '나'의 의식을 각성시키는 매개체

	㉮	㉯	㉰
①	정오 사이렌	절름발이	거리
②	거리	날개	정오 사이렌
③	정오 사이렌	거리	절름발이
④	거리	절름발이	정오 사이렌
⑤	날개	정오 사이렌	거리

4 이 글에서 알 수 있는 '나'에 대한 설명으로 적절하지 않은 것은?

① 경제적으로 무능한 인물이다.
② 현실적 감각이 없는 인물이다.
③ 아내의 생활을 보호하는 인물이다.
④ 깊은 좌절과 절망에 빠진 인물이다.
⑤ 자의식을 찾으려고 노력하는 인물이다.

5 고난도 〈보기〉의 화자가 이 글의 '나'에게 할 말로 가장 적절한 것은?

보기

동방은 하늘도 다 끝나고
비 한 방울 나리잖는 그때에도
오히려 꽃은 빨갛게 피지 않는가.
내 목숨을 꾸며 쉬임 없는 날이여.

북쪽 툰드라에도 찬 새벽은
눈 속 깊이 꽃맹아리가 옴작거려
제비 떼 까맣게 날아오길 기다리나니.
마침내 저버리지 못할 약속이여. 〈하략〉

– 이육사, 〈꽃〉

① 자네는 너무 욕심이 많네. 소박한 마음을 지녀 보게.
② 자네는 항상 부정적이야. 세상을 좀 긍정적으로 볼 수는 없겠나.
③ 자네는 아직 젊어. 시대의 변화에 맞게 유연하게 대처해야 하지 않겠나.
④ 자네의 혼란스러움은 이해하네. 그 괴로움의 원인을 자신에게서만 찾으려고 하지 말게나.
⑤ 자네는 자신의 내부에만 매달리는 것 같네. 우리가 처한 현실과 관련해서 보다 실천적인 방안을 고민해 보는 것이 어떻겠나.

출제 예감

6 서술형 이 글의 제목이기도 한 '날개'의 상징적 의미에 대해 서술하시오.

26 치숙(痴叔)

비책

우리 아저씨 말이지요, 아따, 저 거시기, 한참 당년(일이 있은 바로 그 해)에 ⓐ무엇이냐 그놈의 것, 사회주의라더냐, 막걸리라더냐, 그걸 하다 징역 살고 나와서 ㉠폐병으로 시방 앓고 누웠는 우리 오촌 고모부(姑母夫) 그 양반…….

뭐, 말도 마시오. 대체 사람이 어쩌면 글쎄……, 내 원!

신세 간 데 없지요.

자, 십 년 적공(積功)(어떤 일에 공을 들임), 대학교까지 공부한 것 풀어먹지도 못했지요, 좋은 청춘 어영부영 다 보냈지요, 신분(身分)에는 전과자(前科者)라는 붉은 도장 찍혔지요, 몸에는 몹쓸 병까지 들었지요. 이 신세를 해 가지굴랑은 굴속 같은 오두막집 단칸 셋방 구석에서 사시장철 밤이나 낮이나 눈 따악 감고 드러누웠군요.

재산이 어디 집 터전인들 있을 턱이 있나요. 서 발 막대 내저어야 짚검불 하나 걸리는 것 없는 철빈(鐵貧)(더할 수 없이 가난함. 또는 그런 가난)인데.

소주제 ❶ □□□□ 운동을 하다 징역살이를 한 아저씨

우리 아주머니가, 그래도 그 아주머니가 어질고 얌전해서 그 알뜰한 남편 양반 받드느라 삯바느질이야, 남의 집 품빨래야, 화장품 장사야, 그 칙살스런(하는 짓이나 말 따위가 잘고 더러운 데가 있는) 벌이를 해다가 겨우겨우 목구멍에 풀칠을 하지요.

어디루 대나 그 양반은 죽는 게 두루 좋은 일인데 죽지도 아니해요.

우리 아주머니가 불쌍해요. 아, 진작 한 나이라도 젊어서 팔자를 고치는 게 아니라, 무슨 놈의 수난(고생) 후분(늙은 후의 운수나 처지)을 바라고 있다가 고생을 하는지.

근 이십 년 소박(아내를 박대함)을 당했지요. 이십 년을 젊은 청춘 한숨으로 보내고서 다아 늦게야 송장 여대치게(능가하게) 생긴 그 양반을 ㉡그래도 남편이라고 모셔다가는 병 수종(시중) 들랴, 먹고살랴, 애가 진하고 다니는 걸 보면 참말 가엾어요. 〈중략〉

소주제 ❷ 아저씨를 돌보는 □□□□

㉢사실 우리 아저씨 양반은 대학교까지 졸업하고도 인제는 기껏 해 먹을 거란 막벌이 노동밖에 없는데, 보통학교 사 년 겨우 다니고서도 시방 앞길이 환히 트인 내게다 대면 고즈카이(잔심부름하는 남자 고용인을 이르는 일어)만도 못하지요. / 아, 그런데 글쎄 막벌이 노동을 하고 어쩌고 하기는커녕 조금 바스스 살아날 만하니까 이 주책 꾸러기 양반이 무슨 맘보를 먹는고 하니, 내 참 기가 막혀!

아니, 그놈의 것하고는 무슨 대천지원수가 졌단 말인지, 어쨌다고 그걸 끝끝내 하지 못해서 그 발광인고? / 그러나마 그게 밥이 생기는 노릇이란 말인지? 명예를 얻는 노릇이란 말인지. 필경은 붙잡혀 가서 징역 사는 놀음? / ㉣아마 그놈의 것이 아편하고 꼭 같은가 봐요. 그렇길래 한번 맛을 들이면 끊지를 못하지요? / 그렇지만 실상 알고 보면 그게 그다지 재미가 난다거나 맛이 있다거나 그런 것도 아니더군 그래요. 불한당패던데요. 하릴없이(조금도 틀림이 없이) 불한당팹디다. 〈중략〉

소주제 ❸ □□□에 대한 '나'의 비판

"네가 말하려는 세상 물정하구 내가 말하려는 세상 물정하구 내용이 다르기도 하지만, 세상 물정이란 건 그야말로 그리 만만한 게 아니다." / "네."

"사람이라 낀 제아무리 날고뛰어도 이 세상에 형적(사물의 형상과 자취) 없이, 그러나 세차게 주욱 흘러가는 힘 —. 그게 말하자면 세상 물정이겠는데 — 결국 그것의 지배하에서 그것을 따라가지, 별수가 없는 거다." / "네?"

"쉽게 말하면 계획이나 기회를 아무리 억지로 만들어 놓아도 결과가 뜻대로는 안 된단 말이다."

"젠장, 아저씨두……. 요전 《킹구》(일제 강점기 때 발행된 일본의 대중 잡지)라는 잡지에두 보니까, 나폴레옹이라는 서양 영웅이 그랬답디다. 기회는 제가 만든다구. 그리고 불가능이란 말은 바보의 사전에서나 찾을 글자라구요. 아,

작품 개관

- 갈래 단편 소설, 풍자 소설
- 성격 풍자적, 비판적
- 시점 1인칭 관찰자 시점
- 배경 [시간적] 1930년대 일제 강점기 [공간적] 서울
- 주제 일제에 순응하려는 '나'와 사회주의 사상을 가진 아저씨의 갈등
- 특징
  ① 신빙성 없는 서술자를 통해 현실을 이중적으로 풍자함
  ② 대화적 문체를 통해 '나'와 '아저씨'의 가치관을 비교함

1등급 노트

1. 등장인물의 성격과 심리

인물	성격과 심리
'나'	• 일제 강점기를 긍정적으로 인식함 • 역사의식과 사회의식이 매우 부족함 • 물질적 가치를 추구함
↕	
아저씨	• 일제 강점기의 사회적 모순을 부정적으로 여기며 사회주의 운동을 함 • '나'의 조롱과 비난을 받는 무능력한 인물임 • 식민지 지식인의 전형임

2. 제목 '치숙'의 의미
- '어리석은 아저씨'를 뜻하는 말로, 가정을 제대로 돌보지 않고 사회주의에만 빠져 있는 아저씨에 대한 서술자 '나'의 시각이 반영되어 있음
- 독자들이 작품을 통해 일제 강점기를 긍정적으로 여기는 '나'에 대해서도 비판적인 시각을 갖게 되므로 일종의 반어적 표현이기도 함

3. 신빙성 없는 서술자 – '나'

'신빙성 없는 서술자'란 미성숙, 무교양, 무지 등의 이유로 자신이 서술하는 일들에 관해 잘못된 인식이나 판단을 하는 서술자를 말함. 독자는 이러한 서술자의 서술이나 논평을 신뢰할 수 없게 되며, 이 글의 '나' 역시 역사의식이 부족하고 자신의 무지와 무교양을 스스로 폭로하고 있으므로 신빙성 없는 서술자라고 볼 수 있음 → 독자들은 '나'가 서술하는 일들에 대해 비판적 거리를 두고 바라보게 됨

함께 엮어 읽기

◆ 채만식, 〈미스터 방〉

〈미스터 방〉은 기회주의적인 인물을 통해 당시의 세태를 비판하고 있는 소설이다. 방삼복은 신기료장수였으나 광복이 되어도 수입이 나아지지 않자 독립을 부정적으로 여기고 해방 직후 미군의 통역관이 된다. 방삼복은 역사의식이 부족하며 자신의 이익만을 우선시하는 개인주의적인 인물이라는 점에서 이 글의 '나'와 공통점을 찾을 수 있다.

정답과 해설 31쪽

자꾸자꾸 계획하구 기회를 만들구 해서 분투노력해 나가면 이 세상 일 안 되는 일이 어디 있나요? 한 번 실패하거든 갑절 용기를 내 가지구 다시 일어서지요. 칠전팔기 모르시오?"

"나폴레옹도 세상 물정에 순응할 때는 성공했어도 그것을 거스르다가 실패를 했더란다. 너는 칠전팔기해서 성공한 몇 사람만 보았지, 여덟 번 일어섰다가 아홉 번째 가서 영영 쓰러지고는 다시 일어나지 못한 숱한 사람이 있는 건 모르는구나?"

"그래두 인제 두구 보시우. 나는 천하 없어도 성공하구 말 테니……. 아저씨는 그래서 더구나 못써요. 일해 보기두 전에 안 될 줄로 낙심 먼저 하구……."

"하늘은 꼭 올라가 보구라야만 높은 줄 아니?"

원, 마지막 가서는 할 소리가 없으니깐 동에도 닿지 않는 비유를 가져다 돌려대는 걸 보아요. 그게 어디 당한 말인구? ㉤안 올라가 보면 뭐 하늘 높은 줄 모를 천하 멍텅구리도 있을까? 그만 해 두려다가 심심하길래 또 말을 시켰지요.

(동: 사물과 사물을 잇는 마디. 또는 사물의 조리(條理))

소주제 ❹ □□□의 차이로 서로를 비판하는 아저씨와 '나'

– 채만식

소주제 체크

1. 사회주의 2. 아주머니 3. 아저씨 4. 가치관

1 이 글의 서술상의 특징으로 가장 적절한 것은?

① 작품 안의 서술자가 말하기 방식만으로 인물에 대해 서술하고 있다.
② 작품 안의 서술자가 요약적 진술을 통해 인물에 대해 서술하고 있다.
③ 작품 안의 서술자가 주인공이 되어 자신의 행동과 심리를 서술하고 있다.
④ 작품 밖의 서술자가 인물 간 갈등에 대해 주관적 입장에서 서술하고 있다.
⑤ 작품 밖의 서술자와 작중 인물이 번갈아 가며 한 인물에 대해 서술하고 있다.

출제 예감

2 이 글의 '나'와 '아저씨'에 대한 설명으로 적절하지 않은 것은?

① '나'는 '아저씨'의 경제적 무능력을 조롱하고 있다.
② '나'는 민족의 안위보다는 개인의 영달을 중시하고 있다.
③ '아저씨'는 대학을 나온 뒤 사회주의 운동을 하던 지식인이다.
④ '나'는 나폴레옹의 말과 같이 다시 성공할 기회를 주지 않는 사회를 비판하고 있다.
⑤ '아저씨'는 개인의 힘이 사회를 움직이는 힘의 지배에서 벗어날 수 없다고 보고 있다.

3 수능형 이 글에서 '나'와 대화를 나누는 '아저씨'의 심리를 나타내기 위한 속담으로 가장 적절한 것은?

① 도둑이 제 발 저리다
② 앓던 이 빠진 것 같다
③ 쥐구멍에도 볕 들 날 있다
④ 담벼락하고 말하는 셈이다
⑤ 사공이 많으면 배가 산으로 간다

4 ㉠~㉤에 대한 설명으로 가장 적절한 것은?

① ㉠ : 건강이 좋지 않은 아저씨를 연민의 시선으로 보고 있다.
② ㉡ : 반어적 표현을 통해 아주머니의 태도를 비판하고 있다.
③ ㉢ : 물질적 가치를 중시하는 '나'의 가치관을 짐작할 수 있다.
④ ㉣ : 아저씨가 하는 일에 대한 긍정적 인식을 보여 주고 있다.
⑤ ㉤ : 아저씨를 설득하지 못한 것에 대한 '나'의 반성이 나타나 있다.

5 고난도 <보기>를 고려할 때, ⓐ와 유사한 발상 및 표현이 사용된 것은?

> **보기**
> '마르크시즘(사회주의)'을 소리가 비슷한 '막걸리'라고 표현함으로써 사회주의에 대한 '나'의 반감을 해학적으로 표현하고 있다.

① 아, 이 양반, 어찌 듣소. 쇠털 같은 담배를 꿀물에다 축여 놨다 그리하였소.
② 짤따란 곰방대로 잡숫지 말고 저 재령 나무리 거이 낚시 걸듯 죽 걸어 놓고 잡수시오.
③ 바위 틈틈이, 모래 짬짬이, 참나무 결결이 다 찾아다녀도 샌님 비뚝한 놈도 없습디다.
④ 네 이놈, 양반을 모시고 나왔으면 새처를 정하는 것이 아니고 어디로 이리 돌아다니느냐?
⑤ 올라간 이 도령인지 삼 도령인지 그놈의 자식은 일거후 무소식하니, 인사가 그렇고 사람 구실도 못하지.

출제 예감

6 서술형 <보기>를 참고하여 이 글의 서술자의 특징으로 인한 효과에 대해 서술하시오.

> **보기**
> '신빙성 없는 서술자'란 미성숙, 무교양, 무지로 인해 자기가 서술하는 일들을 제대로 인식, 해석, 평가하지 못하는 화자를 말한다. <치숙>에서는 신빙성 없는 서술자인 '나'가 아저씨를 비판하는 구조로 되어 있다.

비책

27 메밀꽃 필 무렵

▶ **전체 줄거리** 장돌뱅이인 허 생원은 조 선달과 함께 간 술집에서 동이라는 젊은 장돌뱅이가 계집과 수작하는 것을 보고 야단쳐서 쫓아낸다. 밤이 되어 허 생원은 조 선달과 동이와 함께 나귀를 몰고 대화로 향한다. 메밀꽃이 핀 달밤이면 허 생원은 으레 젊었을 때 봉평에서 겪었던 옛일을 이야기한다. 메밀꽃이 핀 달 밝은 여름밤, 물레방앗간에 들어간 그가 우연히 울고 있는 성 서방네 처녀를 만나서 정을 맺게 되었다는 이야기이다. 그는 말을 끝내고 동이와 이야기를 하다가 동이가 사생아인 것과 어머니의 고향이 봉평인 것을 알게 된다. 문득 동이가 자신과 마찬가지로 왼손잡이임을 보게 된 허 생원은 동이가 자신의 아들이며, 그의 어머니가 성 서방네 처녀일지 모른다고 생각하게 되고, 제천에서 홀로 사는 어머니를 만나러 가는 동이를 따라 제천으로 가겠다고 말한다. 본문에 수록된 부분은 결말 부분으로 허 생원이 자신이 겪었던 옛일을 이야기하고 있다.

가 "달밤에는 그런 이야기가 격에 맞거든."

조 선달 편을 바라는 보았으나 물론 미안해서가 아니라 달빛에 감동하여서였다. *이지러는 졌으나 보름을 갓 지난 달은 부드러운 빛을 ⓐ흐뭇이 흘리고 있다. 대화까지는 칠십 리의 밤길, 고개를 둘이나 넘고 개울을 하나 건너고 벌판과 산길을 걸어야 된다. ㉠《길은 지금 긴 산허리에 걸려 있다. 밤중을 지난 무렵인지, 죽은 듯이 고요한 속에서 짐승 같은 달의 숨소리가 손에 잡힐 듯이 들리며, 콩포기와 옥수수 잎새가 한층 달에 푸르게 젖었다. 산허리는 온통 메밀밭이어서 피기 시작한 꽃이 소금을 뿌린 듯이 흐뭇한 달빛에 숨이 막힐 지경이다.》 붉은 대궁이 향기같이 *애잔하고, 나귀들의 걸음도 시원하다. 길이 좁은 까닭에 세 사람은 나귀를 타고 외줄로 늘어섰다. 방울 소리가 시원스럽게 딸랑딸랑 메밀밭께로 흘러간다. 앞장 선 허 생원의 이야기 소리는 꽁무니에 선 동이에게는 확적(確的)히는(확실하게는, 분명히는) 안 들렸으나, 그는 그대로 개운한 제멋에 적적하지는 않았다. 〈중략〉

소주제 ❶ 봉평에서 대화로 가는 밤길에서 과거를 □□하는 허 생원

나 "모친의 친정은 원래부터 제천이었던가?"

"웬걸요. 시원스레 말은 안 해 주나 봉평이라는 것만은 들었죠."

"봉평? 그래 그 아비 성은 무엇이구?"

"알 수 있나요. 도무지 듣지를 못했으니까."

그 그렇겠지 하고 중얼거리며 흐려지는 눈을 까물까물하다가 허 생원은 경망하게도 발을 빗디뎠다. 앞으로 고꾸라지기가 바쁘게 몸째 풍덩 빠져 버렸다. 허위적거릴수록 몸을 걷잡을 수 없어 동이가 소리를 치며 가까이 왔을 때에는 벌써 퍽이나 흘렀었다. 옷째 쫄딱 젖으니 물에 젖은 개보다도 참혹한 꼴이었다. / 동이는 물속에서 어른을 ⓑ해깝게 업을 수 있었다. 〈중략〉

소주제 ❷ 물에 빠진 허 생원을 동이가 업고 □□을 건너게 됨

다 동이의 ⓒ탐탁한 등어리가 뼈에 사무쳐 따뜻하다. 물을 다 건넜을 때에는 도리어 서글픈 생각에 좀 더 업혔으면도 하였다.

"진종일 실수만 하니 웬일이요, 생원." / 조 선달은 바라보며 기어코 웃음이 터졌다.

"나귀야, 나귀 생각하다 *실족(失足)을 했어. 말 안 했던가. 저 꼴에 제법 새끼를 얻었단 말이지. 읍내 강릉집 피마에게 말일세. 귀를 쫑긋 세우고 달랑달랑 뛰는 것이 나귀 새끼같이 귀여운 것이 있을까. 그것 보러 나는 일부러 읍내를 도는 때가 있다네."

"사람을 물에 빠치울 젠 딴은 대단한 나귀 새끼군."

허 생원은 젖은 옷을 웬만큼 짜서 입었다. 이가 덜덜 갈리고 가슴이 떨리며 몹시도 추웠으나 마음은 알 수 없이 둥실둥실 가벼웠다.

"주막까지 부지런히들 가세나. 뜰에 불을 피우고 ⓓ훗훗이 쉬어. 나귀에겐 더운 물을 끓여 주고, 내일 대화 장 보고는 제천이다."

"생원도 제천으로?"

"오래간만에 가 보고 싶어. 동행하려나 동이?"

작품 개관

- **갈래** 단편 소설, 순수 소설
- **성격** 낭만적, 서정적, 묘사적
- **시점** 전지적 작가 시점
- **배경** [시간적] 1920년대
  [공간적] 강원도 봉평에서 대화로 가는 길
- **주제** 떠돌이 삶의 애환과 육친의 정(情)
- **특징**
  ① 대화의 진행과 암시에 의해 주제를 부각시킴
  ② 낭만적이고 서정적인 필치와 사실적 묘사가 두드러짐

1등급 노트

1. **배경의 의미와 역할**
   - 사건의 진행, 주제, 전체 분위기 형성에 중요한 역할을 함
   - 달빛과 메밀꽃의 풍경이 서정적이고 낭만적인 분위기를 조성함

달밤	인간 본연의 애정을 부각시킴
개울	허 생원이 동이에 대해 육친으로서의 정을 느낌

2. **'나귀'의 상징적 의미**
   - 허 생원과 정서적으로 융합하는 존재
   - 과거 내력이나 외모, 행동 양상 등이 허 생원과 유사함
   - 작가의 주제 의식(자연과 인간의 합일)과 일치함
3. **서술상의 특징**
   - 과거는 주로 요약적 서술 방법으로 제시되며, 현재는 주로 장면적 서술 방법으로 제시됨
   - 서정성이 짙은 문체적 특징이 나타남
4. **'왼손잡이'의 의미**
   - 작품 초반에 허 생원이 왼손잡이임이 나타남
   - 과학적으로 유전되진 않지만, 문학적 개연성을 통해 허 생원과 동이가 혈육 관계임을 암시함
5. **〈메밀꽃 필 무렵〉의 이중적 구성**
   허 생원의 과거 이야기와 허 생원과 조 선달, 동이가 봉평에서 대화로 가는 과정인 현재 이야기가 교차되면서 진행됨 → 이 두 이야기는 메밀꽃이 핀 달밤을 배경으로 결합됨

정답과 해설 31쪽

나귀가 걷기 시작하였을 때, 동이의 채찍은 왼손에 있었다. 오랫동안 ⓔ아둑시니같이 눈이 어둡던 허 생원도 요번만은 동이의 왼손잡이가 눈에 띄지 않을 수 없었다.

걸음도 해깝고 방울 소리가 밤 벌판에 한층 *청청하게 울렸다.

달이 어지간히 기울어졌다.

소주제 ③ 동이를 자신의 □□로 확신한 허 생원이 □□으로 갈 것을 결심함

– 이효석

어휘 다지기

- 이지러는 : ① 한 귀퉁이가 떨어진 ② 한쪽이 차지 않은
- 애잔하고 : ① 가냘프고 약하고 ② 애처롭고 애틋하고
- 실족(失足) : 발을 헛디딤
- 청청하게 : (소리가) 맑고 시원하게

소주제 체크

1. 회상 2. 개울 3. 혈육, 제천

출제 예감

1 이 글의 서술상 특징으로 적절하지 않은 것은?

① 배경 묘사를 통해 작품의 서정성을 높이고 있다.
② 과거는 요약적으로, 현재는 장면적으로 제시하고 있다.
③ 등장인물과 독자와의 거리가 가까워 극적 효과가 높다.
④ 토속적인 어휘를 구사하여 향토적 분위기를 연출하고 있다.
⑤ 비유적인 소재를 사용하여 낭만적 분위기를 형성하고 있다.

2 이 글 전체를 놓고 볼 때, [가]와 같은 서정적인 배경 묘사가 주는 효과로 적절하지 않은 것은?

① 허 생원에게 과거 회상의 계기가 되고 있다.
② 인간 본연의 애정을 부각시켜 주는 역할을 한다.
③ 허 생원과 동이를 결합시키는 계기를 마련해 준다.
④ 허 생원의 과거의 사랑을 아름답게 느끼게 해 준다.
⑤ 허 생원이 추구하는 이상적인 삶을 형상화하고 있다.

3 이 글의 결말에 대한 설명으로 거리가 먼 것은?

① 열린 결말로서 독자의 상상력을 자극한다.
② 허 생원과 동이가 혈육 관계임을 암시한다.
③ 시 · 공간적 배경의 절묘한 배치로 주제를 형상화한다.
④ 설화적 결말을 통해 고달픔을 초월한 탈속적 삶을 암시한다.
⑤ 동이가 아들일 것이라는 추측만으로도 행복한 허 생원의 심리를 보여 준다.

출제 예감

4 '나귀, 피마, 나귀 새끼'와 등장인물과의 대응이 적절하게 이루어진 것은?

	나귀	피마	나귀 새끼
①	허 생원	동이	성 서방네 처녀
②	허 생원	성 서방네 처녀	동이
③	조 선달	성 서방네 처녀	동이
④	성 서방네 처녀	동이	허 생원
⑤	성 서방네 처녀	조 선달	동이

5 수능형 ㉠에 쓰인 진술 방식과 가장 유사한 것은?

① 나는 요만 일에도 좀 피곤하였고 또 아내가 돌아오기 전에 내 방으로 가 있어야 할 것을 생각하고 그만 내 방으로 건너간다. 나는 이불을 뒤집어쓰고 낮잠을 잔다. – 이상, 〈날개〉
② 원래 광화문은 물건이다. 울 줄도 알고, 웃을 줄도 알며, 노할 줄도 알고, 기뻐할 줄도 아는 사람이 아니다. 밟히면 꾸물거리고 죽이면 소리치는 생물이 아니라, 돌과 나무로 만들어진 건물이다. – 설의식, 〈광화문〉
③ 그는 체구가 작은데다가 깡마른 편이어서, 야무지고 단단한 대추씨 같은 인상을 주었다. 무엇보다도, 그의 다문 입술과 더불어 날카롭게 빛나는 작은 눈에 예광이 형형하여 보는 이를 위압하는 것이었다. – 최명희, 〈혼불〉
④ 영식이는 그 말이 무슨 소린지 새기지는 못했다. 마는 금점에는 난다는 수재이니 그 말대로 하기만 하면 영락없이 금퇴야 나겠지 하고 그것만 꼭 믿었다. 군말 없이 지시해 받은 곳에다 삽을 푹 꽂고 파헤치기 시작하였다. – 김유정, 〈금 따는 콩밭〉
⑤ 첫 번에 30전, 둘째 번에 50전 – 아침 댓바람에 그리 흉치 않은 일이었다. 그야말로 재수가 옴 붙어서 근 열흘 동안 돈 구경도 못한 김 첨지는 10전짜리 백통화 서 푼, 또는 다섯 푼이 찰깍하고 손바닥에 떨어질 제 거의 눈물을 흘릴 만큼 기뻤었다. – 현진건, 〈운수 좋은 날〉

6 ⓐ~ⓔ의 문맥적 의미로 적절하지 않은 것은?

① ⓐ : 넉넉하고 푸근하게
② ⓑ : 가볍게
③ ⓒ : 든든한, 믿음직스러운
④ ⓓ : 훈훈하게
⑤ ⓔ : 정신이 아득한 사람

7 서술형 〈보기〉에 공통적으로 나타나는 표현 방식과 그 효과에 대해 서술하시오.

보기

- 짐승 같은 달의 숨소리
- 달에 푸르게 젖었다.
- 방울 소리가 시원스럽게 딸랑딸랑 메밀밭께로 흘러간다.

비책

28 복덕방(福德房)

▸ **앞부분 줄거리** 세 노인이 복덕방에서 무료하게 소일한다. 안 초시는 사업 실패로 몰락하여 서 참의의 복덕방에서 신세를 지고 있다. 무용가로 유명한 딸 경화가 있지만, 그는 늘 딸의 짐일 뿐이다. 그러나 안 초시는 재기하려는 꿈을 아직 버리지 않고 있다. 서 참의는 무관이었으나, 일제 강점 후 복덕방을 차렸다. 박희완 영감은 훈련원 시절 서 참의의 친구로, 대서업을 하기 위해 일본어 공부를 열심히 한다. 재기를 꿈꾸던 안 초시에게 박 영감이 부동산 투자에 관한 정보를 일러 준다. 안 초시는 딸이 마련해 준 돈을 몽땅 부동산에 투자하지만 박 영감과 함께 사기를 당하고, 그로 인해 딸에게 냉대를 받는다. 결국 안 초시는 자살을 선택한다.

참의는 우선 미닫이를 닫고 눈을 비비고 초시를 들여다보았다. 안 초시는 벌써 아니요, 안 초시의 시체일 뿐, 둘러보니 무슨 약병인 듯한 것 하나가 굴러져 있다.

참의는 한참 만에야 이 일이 슬픈 일인 것을 깨달았다. / "허!"

소주제 ❶ 안 초시의 □□과 이를 목격한 서 참의

파출소로 갈까 하다 그래도 자식한테 먼저 알려야겠다 하고 말만 듣던 그 안경화 무용 연구소를 찾아가서 안경화를 데리고 왔다. 딸이 한참 울고 난 뒤다.

"관청에 어서 알려야지?" / "아니야요. 아스세요." / 딸은 펄쩍 뛰었다.

"아스라니?" / "저……." / "저라니?" / "제 명예도 좀……." / 하고 그는 애원하였다.

"명예? 안 될 말이지, 명옐 생각하는 사람이 애빌 저 모양으로 세상 떠나게 해?" / "……."

안경화는 엎드려 다시 울었다. 그러다가 나가려는 서 참의의 다리를 끌어안고 놓지 않았다. 그리고, / "절 살려 주세요." / 소리를 몇 번이나 거듭하였다.

소주제 ❷ 안 초시의 자살을 □□에 알리지 말 것을 애원하는 안경화

"그럼, 비밀은 내가 지킬 테니 나 하자는 대로 할까?" / "네." / 서 참의는 다시 앉았다.

"부친 위해 보험 든 거 있지?" / "네, 간이 보험이야요."

"무슨 보험이든……. 얼마나 타게 되누?" / "사백팔십 원요."

"부친 위해 들었으니 부친 위해 다 써야지?" / "그럼요."

"에헴, 그럼……. 돌아간 이가 늘 속샤쓸 입구퍼 했어. 상등 털샤쓰를 사다 입히구, 그 위에 진견으로 수의(염습할 때 시체에 입히는 옷) 일습 구색 맞춰 짓게 허구……. 선산이 있나, 묻힐 데가?" / "웬걸요, 없어요."

"그럼 공동묘지라도 특등지루 널찍하게 사구……. 장례식을 장하게 해야 말이지 초라하게 해 버리면 내가 그저 안 있을 게야. 알아들어?"

"네에." / 하고 안경화는 그제야 핸드백을 열고 눈물 젖은 얼굴을 닦았다.

소주제 ❸ 안 초시의 자살을 □□로 하는 대신 요구 조건을 제시하는 서 참의

안 초시의 소위 영결식(永訣式: 장례 때 친지들이 모여 죽은 이와 헤어지는 의식)이 그 딸의 연구소 마당에서 열리었다.

서 참의와 박희완 영감은 술이 거나하게 취해 갔다. 박희완 영감이 무얼 잡혀서 가져왔다는 *부의(賻儀) 이 원을 서 참의가, / "장례비가 넉넉하니 자네 돈 그 계집애 줄 거 없네."

하고 우선 술집에 들러 거나하게 곱빼기들을 한 것이다. / 영결식장에는 제법 반반한 조객들이 모여들었다. 예복을 차리고 온 사람도 두엇 있었다. 모두 고인을 알아 온 것이 아니요, 무용가 안경화를 보아 온 사람들 같았다. 〈중략〉

소주제 ❹ 안 초시의 □□□과 조객들의 모습

얼굴이 시뻘건 서 참의도 한마디 없을 수 없다는 듯이 나섰다. 향을 한 움큼이나 집어 놓아 연기가 시커멓게 올려 솟더니 불이 일어났다. 후— 후— 불어 불을 끄고, 수염을 한 번 쓰다듬고 절을 했다. 그리고 다시, / "흠……."/ 하더니 *조사(弔辭)를 하였다.

"나 서 참의일세. 알겠나? 흥…… ㉠자네 참 호살세 호사야……. 잘 죽었느니, 자네 살았으문 이만 호살 해 보겠나? 인전 안경다리 고칠 걱정두 없구…… 아무튼지……."

작품 개관

- 갈래 단편 소설
- 성격 사실적, 현실 비판적
- 시점 전지적 작가 시점
- 배경 [시간적] 1930년대
  [공간적] 서울의 한 복덕방
- 주제
  ① 소외된 노인들의 외로운 삶과 비애
  ② 가족 연대감이 상실된 세태 비판
- 특징
  ① 세대 간의 갈등을 그림
  ② 상징적인 인물들을 등장시켜 주제를 형상화함

1등급 노트

1. '안 초시'가 자살한 이유

표면적	부동산 투자의 실패로 인한 절망감
이면적	근대화에 대한 적응의 실패와 딸로부터의 소외(가족 공동체의 붕괴)

2. '복덕방'의 상징적 의미

가족으로부터 소외되고 시대로부터 멀어진 노인들이 애처롭게 살아가는 공간. '복(福)과 덕(德)이 넘치는 방'이라는 의미로 비추어 볼 때, 반어적인 성격의 제목이라 할 수 있음

복덕방 안 – 소외된 노인들의 서로에 대한 연민과 위로가 있는 공간

복덕방 밖 – 물질주의와 출세를 지향하는 사람들의 공간

3. 중심 갈등 이해

세 노인(시대의 흐름에 소외된 세대)

안경화(물질주의와 출세 지향의 새로운 세대)

4. 등장인물의 성격

- 안 초시 : 사업에 실패하여 딸에게 의존하며 지내는 노인. 변화하는 시대에 적응하지 못하고 일확천금을 꿈꾸다 실패하여 자살하는 인물
- 서 참의 : 과거에 훈련원 참의를 지낸 인물. 지금은 복덕방을 차려서 먹고사는 노인으로, 현실에 비애를 느낌
- 박희완 영감 : 복덕방에서 일본어 공부를 하며 대서업을 준비하지만 부동산 사기에 휘말려 낭패를 보는 인물
- 안경화 : 안 초시의 딸. 유명한 무용가로 허영과 위선에 가득 찬 냉정하고 이기적인 인물

5. 이 글에 나타난 사회 현실

- 1930년대 서울 변두리의 복덕방을 배경으로 하여 안 초시라는 노인의 삶을 통해 근대화 과정 속에서 사라져 가는 세대의 좌절과 절망을 나타냄
- '초시'는 과거의 첫 시험에 합격한 사람이라는 뜻으로, 안 초시는 근대화 이전의 인물을 상징하며 안경화는 새로운 세대를 대표하는 인물을 상징함

정답과 해설 32쪽

하는데 박희완 영감이 들어서더니, / "이 사람 취했네그려." / 하며 서 참의를 밀어냈다.

박희완 영감도 가슴이 답답하였다. 분향을 하고 무슨 소리를 한마디 했으면 속이 후련히 트일 것 같아서 잠깐 멈칫하고 서 있어 보았으나, / "으흐윽……." / 하고 울음이 먼저 터져 그만 나오고 말았다. / 서 참의와 박희완 영감도 묘지까지 나갈 생각이었으나 ㉡거기 모인 사람들이 하나도 마음에 들지 않아 도로 술집으로 내려오고 말았다.

소주제 ⑤ 안 초시의 죽음을 □□□□하는 서 참의와 박희완 영감

\- 이태준

소주제 체크

1. 자살 2. 조문 3. 비밀 4. 영결식 5. 안타까워

어휘 다지기

- 부의(賻儀) : 초상난 집에 부조로 보내는 돈이나 물품. 또는 그런 일
- 조사(弔辭) : 죽은 사람을 추모하기 위해 하는 말

출제 예감

1 이 글에 대한 설명으로 적절하지 않은 것은?

① 가족 공동체가 무너져 가는 현실을 보여 주고 있다.
② 서술자가 자신의 이야기를 독백적으로 서술하고 있다.
③ 안 초시의 죽음은 사라져 가는 세대의 절망을 상징한다.
④ 근대화의 물결 속에서 소외된 세대의 모습을 그리고 있다.
⑤ '복덕방'은 세 노인의 애처로운 삶의 모습이 담긴 공간이다.

2 소설 전체에서 이 글의 구성 단계를 가장 잘 설명한 것은?

① 인물, 배경이 소개되고 사건의 실마리가 제시된다.
② 사건이 구체적으로 전개되면서 갈등이 표면화된다.
③ 인물 간의 갈등이 고조 · 심화되고 긴장감이 느껴진다.
④ 갈등이 최고조에 이르며 사건 해결의 분기점이 마련된다.
⑤ 사건이 마무리되고 갈등이 해소되는 단계이며, 주인공의 운명이 결정된다.

3 이 글에서 사건이 전환되는 직접적인 계기가 되는 사건을 3어절로 쓰시오.

4 고난도 ㉠에 드러난 '서 참의'의 말하기 방식에 대한 설명으로 가장 적절한 것은?

① 자살을 택한 친구의 선택이 잘못된 것임을 주장하고 있다.
② 성대한 장례식에 대한 부러움을 간접적으로 드러내고 있다.
③ 삶과 죽음의 허망함에 대한 안타까움을 노골적으로 드러내고 있다.
④ 자신을 두고 먼저 간 친구에 대한 원망을 직접적으로 드러내고 있다.
⑤ 죽어서야 좋은 대접을 받는 친구의 불행한 죽음을 반어적으로 표현하고 있다.

5 ㉡의 이유를 가장 적절하게 설명한 것은?

① 사람들이 안 초시의 영정을 함부로 대했기 때문에
② 사람들이 안경화에게만 인사하고 가 버렸기 때문에
③ 사람들의 가식과 허세가 마음에 들지 않았기 때문에
④ 사람들이 노인들에게 예의 없이 굴고 무시했기 때문에
⑤ 사람들의 단정하고 화려한 모습이 부담스러웠기 때문에

출제 예감

6 이 글 전체에서 '안 초시'가 자살한 근본적인 이유로 적절한 것은?

① 서 참의와 박희완 영감으로부터 소외되었기 때문에
② 잘못된 정보를 전달한 박 영감에 대한 배신감 때문에
③ 자신의 실수로 딸이 마련해 준 돈을 잃어버렸기 때문에
④ 가족 공동체의 윤리 상실과 사회로부터의 소외감 때문에
⑤ 부동산 투자 실패로 주변 사람들을 볼 낯이 없었기 때문에

7 이 글에 대한 감상을 심화 · 발전시킨 내용으로 적절하지 않은 것은?

① 물질적으로 풍족해지는 만큼 정신적으로도 풍요롭고 따뜻해져야 한다는 작가의 메시지를 느낄 수 있어.
② 급변하는 사회 현실에 적응하지 못하고 소외되어 가는 노인 문제에 대한 구체적 대안을 고민해 봐야겠어.
③ 사회가 발전해 갈수록 자신의 출세와 명예만을 중요시하는 인간성 상실의 문제를 심각하게 생각해 봐야겠어.
④ 인간의 생명이 얼마나 소중한 것인지를 모두가 깨달아서 앞으로는 자살로 인해 죽는 사람이 없도록 노력해야 할 것 같아.
⑤ 부모 자식 간의 도리보다 물질을 중시하는 현대인의 의식을 비판하고 우리 사회에 올바른 가치관이 확립될 수 있는 방안을 찾아봐야겠어.

출제 예감

8 서술형 이 글의 제목인 '복덕방'의 상징적 의미를 복덕방 '안'과 '밖'으로 구분하여 서술하시오.

29 태평천하(太平天下)

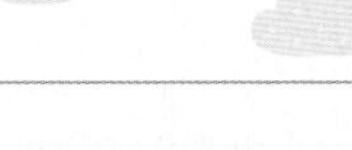

▶ **전체 줄거리** 서울의 대지주인 윤 직원 영감은 인력거를 타고서 그 삯을 깎겠다고 하고, 어린 기생을 데리고 다니면서도 아무것도 사주지 않으려고 하는 구두쇠이다. 구한말 화적들에게 아버지가 죽임을 당한 쓰라린 기억을 가지고 있는 그는 일본인들이 들어와 자신의 재산을 지켜 주는 것을 진심으로 고맙게 생각하고 있다. 그래서 경찰서 무도장을 짓는 데 아낌없이 기부를 하고, 재산을 지키기 위해 양반을 사고, 족보에 도금을 한 것으로도 모자라 손자 종수와 종학을 군수 · 경찰서장을 시키려고 한다. 그러나 아들 창식(윤 주사)은 노름으로 밤을 새며 가산을 탕진하고, 군수를 시키려던 손자 종수 또한 방탕한 생활을 한다. 오로지 일본에 유학 가 있는 둘째 손자 종학에게 기대를 걸고 있던 그는 믿었던 종학이 '사상 관계로 경시청에 피검'되었다는 전보를 받고 충격을 받는다. 본문에 수록된 부분은 작품의 제일 마지막 장이다.

윤 주사는 조끼 호주머니에서 간밤의 그 전보를 꺼내어 부친한테 올립니다. 윤 직원 영감은 채 듯 전보를 받아 쓰윽 들여다보더니, 커다랗게 읽습니다. 물론 원문은 일문이니까 몰라보고 윤 주사네 서사 민 서방이 번역한 그대로지요.

"종학, 사상 관계로, 경 — 시청에 *피검……이라니? 이게 무슨 소리다냐?"

"종학이가 사상 관계로 경시청(일본의 경찰 업무를 맡아 보던 관청)에 붙잡혔다는 뜻일 테지요!"

"사상 관계라니?" / "그놈이 사회주의에 참예를……." / "으엉?"

아까보다 더 크게 외치면서 벌떡 뒤로 나동그라질 뻔하다가 겨우 몸을 가눕니다.

윤 직원 영감은 먼점에는 몽치로 뒤통수를 얻어맞은 것같이 멍했지만, 이번에는 앉아 있는 땅이 *지함을 해서 수천 길 밑으로 꺼져 내려가는 듯, 정신이 아찔했습니다.

그러나 그것은 결단코 자기가 믿고 사랑하고 하는 종학이의 신상을 여겨서가 아닙니다.

윤 직원 영감은 시방 종학이가 사회주의를 한다는 그 한 가지 사실이 진실로, 옛날의 드세던 부랑당 패가 백 길 천 길로 *침노하는 그것보다도 더 분하고, 물론 무서웠던 것입니다.

진(秦)나라를 망할 자 호(胡, 오랑캐)라는 예언을 듣고서 변방을 막으려 만리장성을 쌓던 진시황, 그는 진나라를 망한 자 호(胡, 오랑캐)가 아니요 그의 자식 호해(胡亥)임을 눈으로 보지 못하고 죽었으니, 오히려 행복이라 하겠습니다.

소주제 1 종학의 □□ 소식을 듣고 충격을 받은 윤 직원

"사회주의라니? 으응? 으응?" 〈중략〉

"……그런 쳐 죽일 놈이, 깎어 죽여두 아깝잖을 놈이! 그놈이 경찰서장 하라닝개루 생판 사회주의 허다가 뎁다 경찰서에 잽혀? 오—사 육시를 헐 놈이, 그놈이 그게 어디 당헌 것이라구 지가 사회주의를 히여? 부자 놈의 자식이 무엇이 대껴서 부랑당 패에 들어?……."

아무도 숨도 크게 쉬지 못하고 고개를 떨어뜨리고 섰기 아니면 앉았을 뿐, 윤 직원 영감이 잠깐 말을 그치자 방 안은 물을 친 듯이 조용합니다. / "……오죽이나 좋은 세상이여? 오죽이나……."

윤 직원 영감은 팔을 부르걷은 주먹으로 방바닥을 땅 — 치면서 성난 황소가 영각(소가 길게 우는 소리)을 하듯 고함을 지릅니다. / "화적패가 있너냐아? 부랑당 같은 수령(守令)들이 있더냐……? 재산이 있대야 도적놈의 것이요, 목숨은 파리 목숨 같던 말세(末世)넌 다— 지내가고오…… 자—부아라, 거리거리 순사요 골골마다 공명헌 정사(政事)(정치에 관계되는 일. 또는 행정에 관한 사무), 오죽이나 좋은 세상이여…… 남은 수십만 명 *동병(動兵)을 히여서, 우리 조선 놈 보호히여 주니, 오죽이나 고마운 세상이여? 으응……? 제 것 지니고 앉어서 편안하게 살 태평 세상, 이걸 태평천하라구 허는 것이여, 태평천하……! 그런데 이런 태평천하에 태어난 부자 놈의 자식이 더군다나 왜 지가 떵떵거리구 편안허게 살 것이지, 어찌서 지가 세상 망쳐 놀 부랑당 패에 참섭(어떤 일에 끼어들어 간섭함)을 헌담 말이여, 으응?"

땅 — 바닥을 치면서 벌떡 일어섭니다. 그 몸짓이 어떻게도 요란스럽고 괄괄한지, 방금 발광이 되는가 싶습니다. 아닌 게 아니라, 모여 선 *가권들은 방바닥 치는 소리에도 놀랐지만, 이 어른이 혹시 *상성이 되지나 않는가 하는 의구의 빛이 눈에 나타남을 가리지 못합니다.

"……착착 깎어 죽일 놈……! 그놈을 내가, 핀지 히여서 백 년 지녁을 살리라고 헐걸! 백 년 지

작품 개관

- 갈래 중편 소설, 사회 소설, 풍자 소설
- 성격 비판적, 풍자적
- 시점 전지적 작가 시점
- 배경 [시간적] 1930년대 후반
  [공간적] 서울의 어느 대지주 집안
- 주제 개화기에서 일제 강점기에 이르는 윤 직원 일가의 타락한 삶과 몰락 과정
- 특징 1930년대 사회 현실의 퇴폐성 풍자

1등급 노트

1. 이 글의 주제 의식
부정적 인물로 구성된 한 가족의 몰락을 통해 식민지 사회의 문제점과 이를 극복하기 위해 필요한 태도가 무엇인지 보여 줌

2. 이 글의 표현상 특징
- 풍자적 수법 : 부정적 인물에 대한 풍자가 중심을 이룸
- 판소리 사설의 문체(경어체) : 독자와의 거리를 좁히고, 한편으로 등장인물에 대한 비판적인 거리를 취하게 함('~입니다, ~옵니다요' 등)
- 작가의 직접 개입 : 서술자가 독자와 등장인물의 중간에서 자신의 생각과 판단을 독자들에게 이야기함

3. 등장인물의 성격

윤 직원	식민 사회를 '태평천하'로 바라보는 왜곡된 가치관을 가진 이 소설의 중심인물
윤창식	윤 직원의 아들. 사회에 적응하지 못하고 향락에 빠진 무능한 인물
윤종수	윤 직원의 큰손자. 부친 윤창식과 다름없는 인물
윤종학	윤 직원의 둘째 손자. 윤 직원이 가장 믿는 인물이지만 그의 기대와 달리 사상 운동을 하는 의식 있는 청년으로 작품에 직접 등장하지는 않음

더 알아보기

◆ 염상섭, 〈삼대〉

〈삼대〉는 1930년대 초반 작품으로, 이 글과 마찬가지로 일제 강점기가 배경이며, 서울 조씨 집안의 할아버지와 아버지, 아들에 이르는 삼대가 몰락해 가는 과정을 그리고 있다.

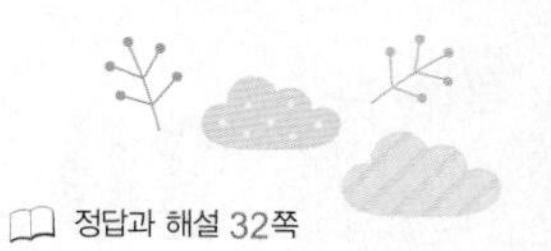

정답과 해설 32쪽

녀 살리라고 헐 테여……. 오 ― 냐 그놈을 삼천 석거리는 직분(分財)(재산을 나누어 줌)히여 줄라구 히였더니, 오 ― 냐, 그놈 삼천 석거리를 톡톡 팔어서 경찰서으다가, 사회주의 허는 놈 잡어 가두는 경찰서으다가 주어 버릴걸! 으응, 죽일 놈!"

마지막의 으응 죽일 놈 소리는 차라리 울음소리에 가깝습니다. / "……이 태평천하에! 이 태평천하에……."

소주제 ② □□에 대한 기대가 컸던 윤 직원 영감의 분노와 저주

– 채만식

어휘 다지기

- 피검(被檢) : 수사 기관에 잡혀감
- 지함(地陷) : 땅이 움푹 가라앉아 꺼짐
- 침노(侵擄) : 불법으로 쳐들어가거나 쳐들어옴
- 동병(動兵) : 군대를 움직여서 일으킴
- 가권(家眷) : 호주나 가구주가 거느리는 식구
- 상성(喪性) : 본성을 잃고 아주 다른 사람처럼 됨

소주제 체크

1. 피검 2. 종학

1 이 글에서 풍자하고 있는 내용으로 적절하지 않은 것은?

① 당시의 왜곡된 식민지 현실에 대한 풍자
② 반민족적이며 친일적인 행태에 대한 풍자
③ 이기적이며 욕심에 눈이 먼 인물에 대한 풍자
④ 맹목적으로 돈을 추구하는 반사회적 행태에 대한 풍자
⑤ 식민지 현실에서 가족 공동체가 붕괴된 현실에 대한 풍자

출제 예감

2 이 글 전체에서 '윤 직원'에 대한 설명으로 적절하지 않은 것은?

① 손자인 종학을 경찰서장으로 만들고 싶은 욕심을 지닌 인물
② 일제 강점하의 시대적 현실을 그릇되게 인식하고 있는 인물
③ 탐욕스럽고 인색하지만 가족들에게는 너그럽고 관대한 인물
④ 일신의 행복만을 추구하여 사회 현실의 모순을 직시하지 못하는 인물
⑤ 오로지 부의 축적과 가문의 영달에 모든 관심을 기울이는 이기적인 인물

3 이 글의 표현상 특징에 대한 설명으로 적절하지 않은 것은?

① 반어와 희화화를 통해 인물을 풍자하고 있다.
② 서술자가 인물과 사건 전개에 직접 개입하고 있다.
③ 판소리 사설의 문체를 차용하여 인물의 행위를 표현하고 있다.
④ 사투리를 사용하여 토속적이고 향토적인 정서를 고조시키고 있다.
⑤ 구어체 문장을 사용하여 서술자가 독자에게 직접 이야기하는 듯한 느낌을 주고 있다.

4 이 글을 통해 느낄 수 있는 미의식으로 가장 적절한 것은?

① 골계미 ② 비장미 ③ 우아미
④ 숭고미 ⑤ 절제미

5 이 글에서 파악할 수 있는 당시의 사회 현실로 가장 적절한 것은?

① 일제는 조선인의 치안과 신변 보호에 힘썼다.
② 일제는 사회주의 운동을 부분적으로 허용하였다.
③ 가정은 여전히 가장의 명령에 따라 일사불란하게 움직였다.
④ 사회주의 운동은 당시의 사회 체제에 도전하는 사상으로 받아들여졌다.
⑤ 일제는 배금주의적 사고방식을 가지고 있던 사람들에 대해 적대적이었다.

6 고난도 〈보기〉의 밑줄 친 부분에 해당하는 내용으로 적절하지 않은 것은?

보기

소설 작품을 읽음으로써 얻을 수 있는 즐거움에는 새로운 사실을 알게 되는 즐거움, 형상화된 세계에 자신을 비추어 봄으로써 자기 자신을 깨닫는 즐거움이 있다. 채만식의 〈태평천하〉의 경우, 등장인물을 중심으로 감상하여 이 두 가지 즐거움을 맛볼 수 있었다.

① 윤 직원의 헛된 욕망을 보면서 인간이 추구하는 욕망의 끝은 어디일까 다시금 생각해 보았다.
② 당시 종학과 같이 자신의 기득권을 포기하고 일제에 항거한 인물들이 있었음을 알게 되었다.
③ 지금의 내 성격으로 보아 당대에 내가 태어났다면 종학이와 같은 선택을 할 수 있었을까 생각해 보았다.
④ 윤 직원이라는 인물과는 달리, 나는 과연 나 자신보다는 이 사회와 민족을 먼저 생각하고 있는지 반문해 보았다.
⑤ 윤 직원의 소위 '태평천하론'을 접하면서 긍정적 사고방식의 중요성을 일깨워 주려고 한 작가의 숨겨진 의도를 이해하게 되었다.

출제 예감

7 서술형 다음의 〈조건〉을 참고하여 이 글의 문체상의 특징을 서술하시오.

조건

- '~입니다' 식의 경어체 문장의 사용 효과를 고려할 것
- 상황과 인물에 대한 서술자의 태도를 고려할 것

비책

30 산촌 여정(山村餘情)

1

㉠향기로운 엠제이비(MJB)의 미각을 잊어버린 지도 20여 일이나 됩니다. 이곳에는 신문도 잘 아니 오고 체전부(遞傳夫)(우편집배원)는 이따금 '하도롱' 빛 소식을 가져옵니다. 거기는 누에고치와 옥수수의 사연이 적혀 있습니다. 마을 사람들은 멀리 떨어져 사는 일가(一家) 때문에 수심(愁心)이 생겼나 봅니다. ⓐ나도 도회에 남기고 온 일이 걱정이 됩니다. / 건너편 팔봉산(八峰山)에는 노루와 멧도야지가 있답니다. 그리고 기우제(祈雨祭)(비가 오지 않을 때에 비 오기를 빌던 제사) 지내던 개골창(수채 물이 흐르는 작은 도랑)까지 내려와서 가재를 잡아먹는 '곰'을 본 사람도 있습니다. 동물원에서밖에 볼 수 없는 짐승, 산에 있는 짐승들을 사로잡아다가 동물원에 갖다 가둔 것이 아니라, ㉡동물원에 있는 짐승들을 이런 산에다 내어놓아 준 것만 같은 착각을 자꾸만 느낍니다. 밤이 되면 달도 없는 그믐칠야(음력 그믐께의 매우 어두운 밤)에 팔봉산도 사람이 침소로 들어가듯이 어둠 속으로 아주 없어져 버립니다.

그러나 공기는 수정처럼 맑아서 별빛만으로라도 넉넉히 좋아하는 〈누가복음〉도 읽을 수 있을 것 같습니다. 그리고 또 참 별이 도회에서보다 갑절이나 더 많이 나옵니다. 하도 조용한 것이 처음으로 별들의 운행(運行)하는 기척이 들리는 것도 같습니다.

소주제 ❶ 별이 밝게 빛나는 □□의 적막함

객줏집 방에는 **석유 등잔**을 켜 놓습니다. 그 도회지의 ㉢석간(夕刊)(매일 저녁때에 발행되는 신문)과 같은 그윽한 내음새가 소년 시대의 꿈을 부릅니다. 정 형! 그런 석유 등잔 밑에서 밤이 이슥하도록 '호까' — 연초갑지(煙草匣紙) — 붙이던 생각이 납니다. 베짱이가 한 마리 등잔에 올라앉아서 그 연둣빛 색채로 혼곤한(정신이 흐릿하고 고달픈) 내 꿈에 마치 영어 '티' 자를 쓰고 건너긋듯이 유다른(여느 것과는 아주 다른) 기억에다는 군데군데 언더라인을 하여 놓습니다. 슬퍼하는 것처럼 고개를 숙이고 도회의 여차장이 차표 찍는 소리 같은 그 성악(聲樂)을 가만히 듣습니다. 그러면 그것이 또 이발소 가위 소리와도 같아집니다. 나는 눈까지 감고 가만히 또 자세히 들어 봅니다.

그리고 비망록(잊지 않으려고 중요한 글자를 적어 둔 것. 또는 그런 책자)을 꺼내어 머룻빛 잉크로 산촌의 시정(詩情)(시적인 정취)을 기초(起草)(글의 초안을 잡음)합니다.

그저께 신문을 찢어 버린 / 때 묻은 흰나비
봉선화는 아름다운 애인(愛人)의 귀처럼 생기고 / 귀에 보이는 지난날의 기사(記事)

소주제 ❷ 산촌에서 느낀 □□을 기초함

얼마 있으면 목이 마릅니다. 자리물 — 심해(深海)처럼 가라앉은 냉수를 마십니다. 석영질 광석 내음새가 나면서 폐부(마음의 깊은 속)에 한란계(온도계) 같은 길을 느낍니다. 나는 백지 위에 그 싸늘한 곡선을 그리라면 그릴 수도 있을 것 같습니다. / ㉣청석(靑石) 얹은 지붕에 별빛이 내리쪼이면 한겨울에 장독 터지는 것 같은 소리가 납니다. 벌레 소리가 요란합니다. 가을이 이런 시간에 엽서 한 장에 적을 만큼씩 오는 까닭입니다. 이런 때 참 무슨 재주로 광음을 헤아리겠습니까? 맥박 소리가 이 방 안을 방째 시계로 만들어 버리고 장침(長針)과 단침(短針)의 나사못이 돌아가느라고 양쪽 눈이 번갈아 간질간질합니다. 코로 기계 기름 냄새가 드나듭니다. 석유 등잔 밑에서 졸음이 오는 기분입니다.

㉤파라마운트 회사 상표처럼 생긴 도회 소녀가 나오는 꿈을 조금 꿉니다. 그러다가 어느 사이에 도회에 남겨 두고 온 가난한 **식구들**을 꿈에 봅니다. 그들은 포로(捕虜)들의 사진처럼 나란히 늘어섭니다. 그리고 내게 걱정을 시킵니다. 그러면 그만 잠이 깨어 버립니다.

죽어 버릴까 그런 생각을 하여 봅니다. 벽 못에 걸린 다 해어진 **내 저고리**를 쳐다봅니다. 서도 천리(西道千里)를 나를 따라 여기 와 있습니다그려! 소주제 ❸ □□에 대한 걱정

작품 개관

- 갈래 경수필, 서간체 수필
- 성격 서정적, 감각적, 전원적, 묘사적
- 주제 도시적 감수성으로 바라본 산촌의 풍경
- 특징
  ① 서간체 수필의 형식을 취함
  ② 도시적이고 이국적인 느낌의 단어들의 사용이 두드러짐
  ③ 시골의 풍경을 비유적이고 감각적인 묘사를 통해 표현함

1등급 노트

1. '산촌 여정'의 독특한 문체

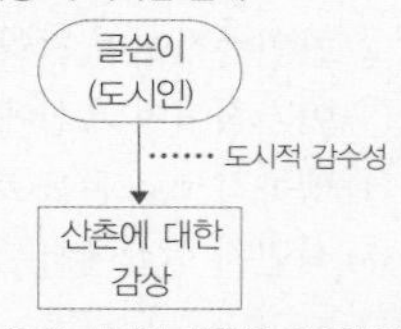

→ 정감 어린 시골의 풍경을 도회적이고 이국적인 단어들로 표현함으로써 산골 풍경에 대한 신선한 이미지를 창출하고 독특한 문체를 형성함

2. 구성상의 특징

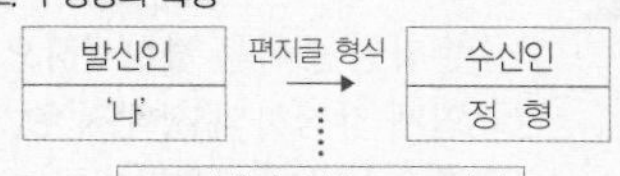

- 도시에서 산촌으로 내려와 느끼는 정취
- 도시에 남겨 두고 온 가족에 대한 걱정
- 도시에 대한 그리움

3. 편지글 형식을 통해 얻을 수 있는 효과
- 자신의 내면을 솔직하게 고백하는 듯한 느낌을 줄 수 있음
- 구체적인 상대를 고려하기 때문에 진지한 태도를 보여 줄 수 있음
- 대화하는 듯한 친근한 어조를 통해 독자에게 편안함을 줄 수 있음

더 알아보기

◆ 모더니즘 문학의 특징

우리나라의 모더니즘 문학은 이전의 감상적이고 주관적인 정서를 비판하며 1930년대에 등장하였다. 사물을 도시적 감각으로 새롭고 참신하게 표현하는 데 중점을 두어 감각적 묘사, 이국적이고 도시적인 이미지, 지적인 경향 등이 모더니즘 문학의 주된 특징으로 나타나게 되었다.

정답과 해설 32쪽

2

등잔 심지를 돋우고 불을 켠 다음 비망록에 철필(鐵筆)로 군청(群靑) 빛 '모'를 심어 갑니다. **불행한 인구(人口)**가 그 위에 하나하나 탄생합니다. 조밀한 인구가…….

내일은 진종일 화초만 보고 놀리라, Ⓐ탈지면에다 알코올을 묻혀서 온갖 근심을 문지르리라, 이런 생각을 먹습니다. 너무도 꿈자리가 뒤숭숭하여서 그러는 것입니다. 화초가 피어 만발하는 꿈, 그라비아 원색판 꿈, 그림책을 보듯이 즐겁게 꿈을 꾸고 싶습니다. 그러면 간단한 설명을 위하여 상쾌한 시(詩)를 지어서 7포인트 활자로 배치하는 것도 좋습니다.

(그라비아: 사진 제판에 사용되는 인쇄법)

ⓑ도회에 화려한 고향이 있습니다. 활엽수만으로 된 산이 고향의 시각을 가려 버린 이 산촌에 팔봉산 허리를 넘는 철골 전주(鐵骨電柱)가 소식(消息)의 제목만을 부호로 전하는 것 같습니다.

소주제 ④ 도회에 대한 □□□

- 이상

소주제 체크

1. 산촌 2. 시장 3. 가족 4. 그리움

1 이 글에 대한 설명으로 가장 적절한 것은?

① 시와 설화를 삽입하여 문학성을 높이고 있다.
② 액자식 구성으로 현재와 과거를 연결하고 있다.
③ 도시적 감수성으로 산골의 풍경을 표현하고 있다.
④ 농사를 짓는 글쓴이의 체험에 대해 이야기하고 있다.
⑤ 사라져 가는 전통문화에 대한 아쉬움을 드러내고 있다.

출제 예감

2 이 글에 사용된 편지글 형식이 주는 효과로 보기 어려운 것은?

① 친근한 어조로 편안한 느낌을 줄 수 있다.
② 신변잡기적인 이야기를 솔직하게 쓸 수 있다.
③ 글쓴이의 내면을 독자에게 고백하듯 표현할 수 있다.
④ 대상에 대한 글쓴이의 정서를 진솔하게 나타낼 수 있다.
⑤ 편지를 받는 상대에 대한 비판적 태도를 드러낼 수 있다.

3 이 글의 글쓴이에 대한 설명으로 적절하지 않은 것은?

① 자신의 온갖 근심을 떨쳐 버리고 싶어 한다.
② 가족들과 함께하지 못하고 떨어져 살고 있다.
③ 산촌에서 시적인 정취를 느끼며 글을 쓰기도 한다.
④ 도시에서 생활하다가 외진 시골에 와서 지내고 있다.
⑤ 산촌 생활에 만족하며 도시 생활을 회의적으로 인식한다.

4 이 글에 대한 반응으로 적절하지 않은 것은?

① '객줏집 방'은 글쓴이가 상념에 잠기는 공간이군.
② '석유 등잔'은 유년 시절을 떠올리게 하는 매개체이군.
③ '식구들'은 글쓴이에게 걱정을 일으키는 대상이라 하겠군.
④ '내 저고리'는 글쓴이의 초라한 처지를 나타내는 사물이군.
⑤ '불행한 인구(人口)'는 도시에 있는 가족들이 보낸 불행한 사연들을 말하는 것이겠군.

5 고난도 다음 중 Ⓐ의 발상과 가장 유사한 것은?

① 어져, 내 일이야 그릴 줄을 모르드냐.
② 백설(白雪)이 ᄌᆞ자진 골에 구루미 머흐레라.
③ 인걸(人傑)도 물과 ᄀᆞᆺᄋᆞ야 가고 안이 오노ᄆᆡ라.
④ 초암(草庵)이 적료(寂寥)ᄒᆞᆫᄃᆡ 벗 업시 ᄒᆞᆫᄌᆞ 안ᄌᆞ
⑤ 전원(田園)에 나믄 흥(興)을 전나귀에 모도 싯고

6 ㉠~㉤ 중 그 성격이 가장 이질적인 것은?

① ㉠ ② ㉡ ③ ㉢ ④ ㉣ ⑤ ㉤

출제 예감

7 수능형 이 글과 〈보기〉에 나타난 표현상의 공통점으로 가장 적절한 것은?

보기

> 낙엽은 폴란드 망명 정부의 지폐
> 포화(砲火)에 이지러진
> 도룬 시의 가을 하늘을 생각케 한다.
> 길은 한 줄기 구겨진 넥타이처럼 풀어져
> 일광(日光)의 폭포 속으로 사라지고
> 조그만 담배 연기를 내뿜으며
> 새로 두 시의 급행열차가 들을 달린다.
>
> - 김광균, 〈추일서정〉

① 경어체를 사용하여 친근감을 주고 있다.
② 선경 후정의 구성으로 글을 전개하고 있다.
③ 대화 형식으로 상황을 효과적으로 드러내고 있다.
④ 감정의 노출 없이 객관적 입장에서 표현하고 있다.
⑤ 대상을 이국적이며 도시적인 이미지로 보여 주고 있다.

8 서술형 이 글의 ⓐ와 ⓑ에서 알 수 있는 글쓴이의 심리에 대해 서술하시오.

비책

31 권태(倦怠)

어서 — 차라리 — 어둬 버리기나 했으면 좋겠는데 — *벽촌(僻村)의 여름날은 지리해서 죽겠을 만치 길다.

동(東)에 팔봉산. 곡선은 왜 저리도 굴곡이 없이 단조로운고?

서를 보아도 벌판, 남을 보아도 벌판, 북을 보아도 벌판, 아— 이 벌판은 어쩌자고 이렇게 한이 없이 늘어 놓였을꼬? 어쩌자고 저렇게까지 똑같이 초록색 하나로 되어 먹었노?

농가(農家)가 가운데 길 하나를 두고 좌우로 한 십여 호씩 있다. ⓐ휘청거린 소나무 기둥, ⓑ흙을 주물러 바른 벽, 강낭대로 둘러싼 울타리, ⓒ울타리를 덮은 호박 넝쿨, **모두가 그게 그것같이 똑같다.** / 어제 보던 ⓓ댑싸리나무(옥수숫대의 북한어), 오늘도 보는 김 서방, 내일도 보아야 할 흰둥이, 검둥이.

소주제 ① 여름날 벽촌의 □□□□ 풍경으로 인한 권태

해는 100도(百度) 가까운 볕을 지붕에도, 벌판에도, 뽕나무에도, ⓔ암탉 꼬랑지에도 내려쪼인다. 아침이나 저녁이나 뜨거워서 견딜 수가 없는 염서(炎暑)(몹시 심한 더위) 계속이다.

소주제 ② 뜨거운 □□

나는 아침을 먹었다. 할 일이 없다. 그러나 무작정 ㉠널따란 백지 같은 '오늘'이라는 것이 내 앞에 펼쳐져 있으면서, 무슨 기사(記事)라도 좋으니 강요한다. 나는 무엇이고 하지 않으면 안 된다. 무엇을 해야 할 것인가 연구해야 된다. 그럼 — 나는 최 서방네 집 사랑 툇마루로 장기나 두러 갈까. 그것 좋다.

최 서방은 들에 나갔다. 최 서방네 사랑에는 아무도 없나 보다. 최 서방의 조카가 낮잠을 잔다. 아하— 내가 아침을 먹은 것은 열 시나 지난 후니까, 최 서방의 조카로서는 낮잠 잘 시간에 틀림없다.

소주제 ③ 권태를 이기기 위해 최 서방네로 □□를 두러 감

나는 최 서방의 조카를 깨워 가지고 장기를 한 판 벌이기로 한다. 최 서방의 조카와 열 번 두면 열 번 내가 이긴다. 최 서방의 조카로서는, 그러니까 나와 장기 둔다는 것 그것부터가 권태다. ㉡밤낮 두어야 마찬가질 바에는 안 두는 것이 차라리 낫지—. 그러나 안 두면 또 무엇을 하나? 둘밖에 없다.

지는 것도 권태어늘 이기는 것이 어찌 권태 아닐 수 있으랴? 열 번 두어서 열 번 내리 이기는 장난이란 열 번 지는 이상으로 싱거운 장난이다. 나는 참 싱거워서 견딜 수 없다.

한 번쯤 져 주리라. 나는 한참 생각하는 체하다가 슬그머니 위험한 자리에 장기 조각을 갖다 놓는다. 최 서방의 조카는 하품을 쓱 한 번 하더니 이윽고 둔다는 것이 딴전이다. 으레 질 것이니까, 골치 아프게 ㉮수를 보고 어쩌고 하기도 싫다는 사상이리라. 아무렇게나 생각나는 대로 장기를 갖다 놓고는 그저 얼른얼른 끝을 내어 져 줄 만큼 져 주면 *상승장군(常勝將軍)은 이 압도적 권태를 이기지 못해 제 출물에 가 버리겠지 하는 사상이리라. 가고 나면 또 낮잠이나 잘 작정이리라.

소주제 ④ □□를 달래기 위해 장기를 둠

나는 부득이 또 이긴다. 이제 그만 두잔다. 물론, 그만 두는 수밖에 없다.

일부러 져 준다는 것조차가 어려운 일이다. 나는 왜 저 최 서방의 조카처럼 아주 영영 방심 상태가 되어 버릴 수가 없나? 이 질식할 것 같은 권태 속에서도 *사세(些細)한 승부에 구속을 받나? 아주 바보가 되는 수는 없나?

내게 남아 있는 이 치사스러운 인간 *이욕(人間利慾)이 다시없이 밉다. 나는 이 마지막 것을 면해야 한다. 권태를 인식하는 신경마저 버리고 완전히 허탈해 버려야 한다.

소주제 ⑤ 권태를 인식하는 □□마저 버리려 함

작품 개관

- 갈래 경수필
- 성격 사념적, 초현실주의적
- 주제 생활의 단조로움 속에서 느끼는 권태
- 특징
  ① 사물을 주관적으로 인식함
  ② 하루의 일과가 순차적으로 나타남
  ③ 내면세계에 대한 묘사가 두드러짐

1등급 노트

1. 이 글의 구성상의 특징
   - 한낮에서 밤이 되기까지의 과정을 기록한 것으로, 판에 박힌 듯 반복되는 여름날 농촌의 일상에서 느끼는 권태를 표현함
   - 풍경과 일상에 대한 사실적인 관찰이 주를 이루며 총 7장으로 구성됨

구성	내용
1장	변함없는 시골 풍경, 권태를 이기기 위해 장기를 두나, 그것 역시 권태로움
2장	단순한 노동만을 일삼는 농민들보다 권태를 자각할 수 있는 자신이 훨씬 낫다고 안도함
3장	짖을 일이 없는 개들을 보며 권태를 느끼고, 복날조차 모르는 개들을 불쌍히 여김
4장	'나'의 세수를 따라하는 아이들의 행동 또한 권태의 표현이라고 생각함
5장	식욕의 즐거움을 모르고 되새김질을 하는 소를 지상 최대의 권태자라고 느낌
6장	아이들의 권태감과 그것을 이기기 위해 '똥 누기 놀이'를 하는 모습을 지켜봄
7장	멍석 위에서 자는 사람들을 보고 같이 가서 자야겠다고 생각하는 자신을 '권태의 극권태'라고 여김

2. '권태'의 의미
   일상생활의 단조로움에서 오는 권태 → 삶의 목표와 적극적 가치 의식이 없는 데서 오는 권태 → 일제 강점기에서의 무기력한 지식인의 고민을 반영함

함께 엮어 읽기

◆ 이상, 〈산촌 여정〉

이 글과 〈산촌 여정〉은 같은 작가(이상)가 같은 장소(평안남도 성천)를 배경으로 쓴 수필이라는 점에서 공통적이지만, 두 글에 표출된 글쓴이의 내면은 상이하다. 이 글은 '생활의 단조로움에서 느끼는 권태'를 성천 풍경을 배경으로 드러내는 반면, 〈산촌 여정〉은 서울에 있는 친구에게 보내는 편지 형식을 취하여 '도시적 감수성으로 바라본 시골의 자연 현상'을 평온하게 드러내고 있다.

▶ **뒷부분 줄거리** '나'는 한없이 넓은 초록색 벌판과 단순한 노동을 일삼는 농민들, 짖지 않는 개들, 소의 되새김질, 돌과 풀을 가지고 노는 아이들을 보며 권태로움을 느낀다. 그리고 멍석 위에서 자는 사람들을 '먹고 잘 줄 아는 시체'라고 생각하면서도 같이 가서 자야겠다고 생각하는 자신을 '권태의 극권태'라고 여긴다.

– 이상

어휘 다지기

- 벽촌(僻村) : 외따로 떨어져 있는 궁벽한 마을
- 상승장군(常勝將軍) : 싸울 때마다 늘 이기는 장군
- 사세(些細)한 : 사소한
- 이욕(利慾) : 사사로운 이익을 탐하는 욕심

소주제 체크

1. 단조로운 2. 날씨 3. 장기 4. 권태
5. 신념

1 **이 글에 대한 설명으로 적절하지 않은 것은?**

① 글쓴이의 지루했던 실제 체험이 반영되어 있다.
② 일상적이고 사소한 것에서 성찰을 이끌어 내고 있다.
③ 자의식으로 뭉쳐진 개인의 내면세계를 엿볼 수 있다.
④ 대상에 대해 관찰한 내용을 주관적 · 개성적으로 나타내고 있다.
⑤ 현실 사회의 문제점인 게으름을 타파해야 함을 역설하고 있다.

2 **이 글에 언급된 '모두가 그게 그것같이 똑같다.'라는 말과 관련이 없는 것은?**

① 권태의 직접적인 이유 중 하나이다.
② 농촌에서의 삶이 단조롭다는 말이다.
③ 여름날 벽촌의 지루함을 잘 드러내 주는 부분이다.
④ 농촌 특유의 투박한 삶에 염증을 느끼고 있음을 보여 준다.
⑤ 글쓴이에게는 긍정적으로 받아들여지지만은 않는 환경임을 보여 준다.

3 **ⓐ~ⓔ 중, 글쓴이가 권태를 느끼게 하는 대상을 모두 고른 것은?**

① ⓐ, ⓑ, ⓔ
② ⓐ, ⓑ, ⓒ, ⓓ
③ ⓐ, ⓒ, ⓓ, ⓔ
④ ⓑ, ⓒ, ⓓ, ⓔ
⑤ ⓐ, ⓑ, ⓒ, ⓓ, ⓔ

4 **㉠에 담긴 의미를 가장 잘 설명한 것은?**

① 특별히 할 일이 없는
② 해야 할 일이 너무 많은
③ 구름 한 점 없이 화창한
④ 사색할 시간적 여유가 많은
⑤ 백지처럼 아무런 기억이 없는

5 **㉡에 나타난 심리와 관련된 속담으로 가장 적절한 것은?**

① 울며 겨자 먹기
② 가는 날이 장날
③ 소 잃고 외양간 고치기
④ 혹 떼러 갔다가 혹 붙여 온 격
⑤ 똥 묻은 개가 겨 묻은 개 나무란다.

6 **㉮와 같은 의미로 사용된 것은?**

① 내가 한 수 가르쳐 줄게.
② 그는 수를 만나 횡재했다.
③ 그런 수에는 이제 안 넘어간다.
④ 이번 경기에서는 홈런을 칠 수가 없었다.
⑤ 위험한 모험을 하다 보면 죽는 수도 있다.

7 **이 글의 '나'에 대해 이해한 내용 중 적절하지 않은 것은?**

① 단조로운 자연 경관에서 권태로움을 느끼고 있다.
② 진정한 삶을 살아가기 위해 열정을 불태우고 있다.
③ 마땅히 해야 할 일을 찾지 못하고 지루해하고 있다.
④ 현재 상태에서 벗어나고자 하는 강박감을 갖고 있다.
⑤ 권태 속에서도 이기는 것에 집착하는 자신의 모습을 버리고자 한다.

8 **서술형** **이 글에서 글쓴이가 권태를 극복하는 근본적인 방법으로 제시한 것은 무엇인지 본문의 구절을 활용하여 서술하시오.**

비책

32 동승(童僧)

▸ **앞부분 줄거리** 깊은 산의 절에서, 아직 수행을 쌓지 않은 열네 살의 사미승 도념은 자기를 버리고 달아난 어머니를 애타게 기다리고 있다. 그의 생모는 여승이었으나 사냥꾼을 만나 파계를 하고 절을 떠났다. 주지승은 생모의 행적을 이야기하며 도념에게 어머니를 기다리는 일을 포기하라고 하지만 어린 도념은 어머니를 그리워한다. 그러던 차에 서울에서 내려온 아름다운 미망인에게 마음이 끌리고, 아들을 잃은 슬픔을 견디지 못하던 미망인 또한 도념을 수양아들로 삼고자 한다.

가 **미망인** : 허지만 저 애 앞길두 생각해 주셔야 하지 않겠어요? 이대루 절에서 늙히실 작정이시라면 모를까…….

주지 : 늙히지요. 이 더러운 속세(불가에서 일반 사회를 이르는 말)에 털끝만치나마, 서방 정토(西方淨土)(서방 극락. 서쪽으로 십만 억의 국토를 지나면 있는 아미타불의 세계)의 모습을 갖춘 곳이 있다면, 그것은 이 절밖엔 없으니까요.

미망인 : 세상에서 죄를 짓구 들어왔다면 모를까, 아직껏 동네 구경두 못 한 것을 일생 여기서 보내게 하신다는 건……. 뭐라구 했으면 좋을까, 좀 가혹하시다구……?

주지 : 속세 구경 못 한 게 얼마나 다행합니까?

미망인 : 그렇지만 벌써 부모 생각을 하구 세상에 가서 살구 싶어 하지 않아요? 더군다나 나이 먹으면 여기 있는대두 세상 사람들의 번뇌(마음이나 몸을 괴롭히는 노여움이나 욕망 따위의 망념(妄念))는 자연히 갖게 될 거라구 생각해요.

주지 : 설혹 갖게 되더래두, 단지 그리워하구 보구 싶어 할 따름이지, 술을 먹구, 계집을 탐내구, 부처님이 말리시는 육계(六戒)(여섯 가지 계율)를 태연히 범할 염려는 없거든요. 〈중략〉

미망인 : 그럼 도념이 장래니 행복이니 다 빼놓구, 다만 저를 위해 꼭 양자루 주십시오.

주지 : 글쎄 자꾸 이러시면, 제가 여간 난처하지 않습니다.

미망인 : 남편을 잃은 지 삼 년이 못 되어, 외아들마저 이렇게 잃구 보니, 눈앞에 땅이 다 꺼질 듯하군요. 마음이 서운하던 참에, 그 애가 자꾸 나를 따르는 것을 보니까, 불현듯 정이 솟아오릅니다. 지금부터는 그 애한테라두 마음을 붙이구 살아야지, 외로워서 단 한 시간을 못 살 것 같군요.

주지 : 아씨의 마음만은, 누구보다도 제가 잘 압니다.

미망인 : 아신다면서 이렇게 애원하다시피 하는데두, 승낙 못 하시겠단 말씀이세요?

주지 : 아씨 노엽게 생각 말어 주십쇼. 〈중략〉

소주제 1 도념을 □□하려는 미망인과 이를 허락하지 않는 주지 스님

나 (주위는 차츰차츰 어두워진다. 이윽고 범종 소리 들려온다. 멀리 산울림. 초부, 나무를 안고 나와 지게에 얹고, 담배를 한 대 피운다. 흩날리는 초설(初雪)(첫눈)을 머리에 받은 채 슬픈 듯한 표정으로 종소리를 듣는다. 이윽고 종소리 그친다. 도념, 고깔을 쓰고 바랑(승려가 등에 지고 다니는 자루 모양의 큰 주머니)을 걸머지고, 깽매기('꽹과리'의 전라도 방언)를 들고 나온다.)

초부 : (지게를 지고 일어서며) 지금 그 종 네가 쳤니?

도념 : 그러믄요. 언젠 내가 안 치구 다른 이가 쳤나요?

초부 : 밤낮 나무해 가지구 비탈 내려가면서 듣는 소리지만 오늘은 왜 그런지 유난히 슬프구나. (일어서다가 도념의 옷차림을 발견하고) 아니, 너 닷다가(난데없이) 바랑은 왜 걸머지구 나오니?

도념 : 이번 가면 다시 안 올지 몰라요. / **초부** : 왜? 스님이 동냥(승려가 시주를 얻으려고 돌아다니는 일) 나가라구 하시든?

도념 : 아아니요. 몰래 나가려구 해요.

초부 : 이렇게 눈이 오는데 잘 데두 없을 텐데. 어딜 간다구 이러니? 응, 갈 곳이나 있니?

도념 : 조선 팔도 다 돌아다닐걸요 뭐.

초부 : 아예, 그런 생각 말구, 어서 가서 스님 말씀 잘 듣구 있거라.

도념 : 벌써 언제부터 나가려구 별렀는데요? 그렇지만 스님을 속이구 몰래 도망가기가 차마 발이 떨어지지 않아서 못 갔어요.

작품 개관

- 갈래 희곡, 비극, 낭만주의극
- 성격 낭만적, 서정적
- 배경 [시간적] 초겨울
  [공간적] 깊은 산의 어느 절
- 주제 인간적인 사랑과 종교적 삶 사이의 갈등
- 특징
  ① 심리 묘사에 치중하여 서술함
  ② 운명과 의지 사이의 갈등 양상을 드러냄

1등급 노트

1. 등장인물의 성격

- 도념 : 열네 살의 동승으로, 어머니에 대한 그리움과 절이라는 현실 사이에서 갈등하다가 결국 어머니를 찾아 길을 떠남
- 주지 스님 : 도념이 사생아로 태어났기 때문에 종교를 통해 구원받아야 한다고 생각하여 속세로 내보내지 않으려 함
- 초부 : 도념을 이해하고 모든 허물을 덮어 주는 아버지 같은 인물로, 정이 많고 선량함
- 미망인 : 남편과 아들을 잃고, 죽은 아이에 대한 상실감을 보상받기 위해 도념을 아들로 삼고자 함

2. 갈등 구조의 이해

주지 ↔ 도념
- 종교적(불교적) 수행을 통해 구원받기를 바람
- 어머니가 있는 세속의 세계를 갈망함

주지 ↔ 미망인
- 도념이 불도에 정진하여 죄를 씻어야 한다고 생각함
- 도념을 양자로 들이려 함

3. 구성 단계

단계	내용
발단	도념이 어머니를 그리워함
전개	미망인이 도념을 양자로 삼으려 함
절정	주지가 도념의 입양을 반대함
하강	도념이 어머니의 목도리를 만들기 위해 불상에 숨긴 토끼 가죽이 발각되어 입양이 취소됨
대단원	도념이 어머니를 찾아 절을 떠남

더 알아보기

◆ **세속과 종교 세계 사이의 갈등**

도념이 결국 어머니를 찾아 홀로 떠난다는 결말은 자칫하면 감상으로 빠지기 쉽다. 어머니를 잃은 어린아이의 애절한 사연이기 때문이다. 그러나 이 글에서는 말없이 도념을 도와주는 초부와 정심, 겉으로는 엄격하면서도 내심 도념을 사랑하는 주지 스님, 죽은 아이 대신에 도념을 양자로 삼으려 하는 미망인의 심정을 적절히 배치하여 참다운 사랑의 의미를 제시하고 있다.

정답과 해설 33쪽

초부 : 어머니 아버질 찾기나 했으면 좋겠지만 찾지두 못하면 다시 돌아올 수도 없구, 거지밖에 될 게 없을 텐데 잘 생각해서 해라.

도념 : 꼭 찾을 거예요. 내가 동냥 달라고 하니까 방문 열구 웬 부인이 쌀을 퍼 주며 나를 한참 바라보구 있드니 별안간 '도념아, 내 아들아, 이게 웬일이냐.' 하고 맨발바닥으로 뛰어 내려오든 꿈을 여러 번 꾸었어요.

초부 : 가려거든 빨리 가자. 펑펑 쏟아지기 전에. 이 길루 갈 테니?

도념 : 비탈길루 가겠어요. / **초부** : 그럼 잘—가라. 난 이 길루 가겠다.

소주제 ❷ 초부와 헤어져 □□□를 찾아 절을 떠나는 도념

- 함세덕

소주제 체크

1. 입양 2. 어머니

1 이 글과 같은 갈래의 특성으로 적절하지 않은 것은?

① 시간과 공간의 제약을 받지 않는다.
② 현재화된 인생을 보여 주는 문학이다.
③ 갈등을 집약적으로 표출하는 문학이다.
④ 등장인물의 대사를 통해 이야기가 전개된다.
⑤ 무대 상연을 전제로 하여 작가가 꾸며 낸 이야기이다.

2 수능형 〈보기〉의 ⓐ~ⓔ 중, 이 글에 대한 설명으로 적절하지 않은 것은?

> **보기**
>
> 〈동승〉은 ⓐ창작 당시의 시대적 상황이 잘 반영된 작품으로 절에 버려진 주인공이 ⓑ세속적 인연과 불가에서의 삶 사이에서 겪는 심리적 갈등을 ⓒ서정적이고 낭만적인 분위기로 그려 내고 있다. 이와 같은 주인공의 갈등은 ⓓ공간적으로는 산 위의 절과 산 아래 마을, ⓔ등장인물로는 절의 주지 스님과 미망인으로 대비되어 나타난다.

① ⓐ　② ⓑ　③ ⓒ
④ ⓓ　⑤ ⓔ

출제 예감
3 이 글의 등장인물에 대한 설명으로 적절하지 않은 것은?

① 초부 : 절을 떠나려는 도념의 마음을 헤아리고 따뜻한 인정을 보이고 있다.
② 도념 : 미망인의 양자가 되기 위해 주지의 뜻을 거스르고 길을 떠나고 있다.
③ 주지 : 절에 살고 있는 도념의 입양 문제로 인해 미망인과 갈등을 겪고 있다.
④ 주지 : 겉으로는 완고하지만 내심으로는 도념을 아끼는 마음을 가지고 있다.
⑤ 미망인 : 도념을 양자로 삼기 위해 연민과 동정에 호소하며 주지를 설득하고 있다.

4 이 글 전체에서 '주지 스님'이 '도념'을 마을로 내려가지 못하게 하는 궁극적인 이유는?

① 도념이 아직 수행이 부족해서
② 도념이 유복하게 사는 것이 싫어서
③ 번뇌에 물들거나 죄를 짓게 될까 봐
④ 불도를 닦는 것이 더 실속 있는 삶이므로
⑤ 도념이 어머니를 만나게 될까 봐 두려워서

출제 예감
5 이 글에 대한 감상으로 가장 적절한 것은?

① '바랑'은 절에 다시 돌아오겠다는 도념의 의지를 드러내는 소재야.
② 도념은 자신의 '꿈'을 근거로 미래에 대한 기대감을 드러내고 있어.
③ 이 글의 배경인 '절'은 종교적 계율보다는 인간적 따뜻함이 부각되는 공간이야.
④ 평소와 달리 '종소리'를 슬프게 느끼는 초부의 모습을 통해 초부의 비극적 결말을 암시하고 있어.
⑤ 주지는 '속세'에 대해 부정적으로 인식하지만 미망인과의 대화를 통해 그 인식이 변화하고 있어.

6 서술형 이 글에 나타난 '비탈길'의 의미에 대해 다음과 같이 도식화해 보았다. ㉠에 들어갈 내용을 생각해서 한 문장으로 서술하시오.

갈라짐	초부와 헤어져 홀로 길을 떠나야 하는 도념의 처지를 보여 준다.
내려감	사람들이 모여 사는 세상으로 나아가고자 하는 도념의 마음을 보여 준다.
시작됨	도념이 자신의 일을 스스로 결정하면서 정신적으로 성숙해 나갈 것임을 알려 준다.
가파름	(　　　　㉠　　　　)

광복 이후

광복 이후의 시기는 광복 이후부터 6 · 25 전쟁을 거쳐 오늘날까지를 말한다.

운문의 경우, 광복 이후 6 · 25 전쟁을 겪으면서 전쟁 체험을 형상화하는 시나 문명 비판적인 모더니즘 경향의 시들이 나타났다. 1960~1970년대에는 문학의 사회적 역할을 강조한 참여시와 문학의 순수성을 옹호한 순수시가 문단의 큰 흐름을 형성했으며, 이 시기에 현대 시조도 원숙한 경지에 이르렀다. 1980년대 이후에는 산업화가 진전됨에 따라 민중들의 소외 문제를 다룬 노동시가 두드러지게 나타났으며, 물질 만능 주의에 대해 비판적인 시들도 많이 창작되었다.

산문의 경우, 광복 이후 6 · 25 전쟁을 겪으면서 전후의 궁핍상과 인간성 파괴의 실태를 고발한 소설이 많이 창작되었다. 1960~1970년대에는 신진 작가들이 새로운 감수성이 돋보이는 소설들을 발표했으며, 민족 분단의 현실에 대한 심화된 인식을 담은 소설들도 등장했다. 1980년대 이후에는 산업화 과정에서 발생한 민중 소외에 대한 각성이 노동 소설로 형상화되고, 섬세한 서정성을 갖춘 여성 작가가 대거 진출하기도 했다. 수필의 경우에는 점차 현대적 교훈성과 서정성을 띠는 경향이 강해졌으며, 희곡의 경우에는 풍자극, 고발극이 많이 창작되었고, 실험적 양식도 등장하게 되었다.

01 해 · 청산도

가 해

㉠해야 솟아라, 해야 솟아라, 말갛게 씻은 얼굴 고운 해야 솟아라. 산 넘어 산 넘어서 어둠을 살라 먹고, 산 넘어서 밤새도록 어둠을 살라 먹고, 이글이글 앳된 얼굴 고운 해야 솟아라.

소주제 ❶ 1연 : □□의 세계에 대한 소망

㉡달밤이 싫여, 달밤이 싫여, 눈물 같은 골짜기에 달밤이 싫여, 아무도 없는 뜰에 달밤이 나는 싫여…….

소주제 ❷ 2연 : 절망적 세계에 대한 □□

해야, 고운 해야, 니가 오면, 니가사 오면, 나는 나는 ㉢청산이 좋아라. 훨훨훨 깃을 치는 청산이 좋아라. 청산이 있으면 홀로래도 좋아라.

소주제 ❸ 3연 : 새로운 세계에 대한 □□

사슴을 따라 사슴을 따라, ㉣양지로 양지로 사슴을 따라, 사슴을 만나면 사슴과 놀고,

칡범을 따라 칡범을 따라, 칡범을 만나면 칡범과 놀고…….

소주제 ❹ 4, 5연 : □□과 공존의 모습

해야, 고운 해야, 해야 솟아라. 꿈이 아니래도 너를 만나면, 꽃도 새도 짐승도 한자리 앉아, 워어이 워어이 모두 불러 한자리 앉아, ㉤앳되고 고운 날을 누려 보리라.

소주제 ❺ 6연 : □□□ 세계에 대한 소망

– 박두진

나 청산도(靑山道)

산아, 우뚝 솟은 푸른 산아. 철철철 흐르듯 짙푸른 산아! 숱한 나무들, 무성히 무성히 우거진 산마루에 금빛 기름진 햇살은 내려오고, 둥둥 산을 넘어, 흰 구름 건넌 자리 씻기는 하늘, 사슴도 안 오고, 바람도 안 불고, 너멋 골 골짜기서 울어 오는 뻐꾸기…….

소주제 ❶ 풍요롭지만 적막한 □□의 모습

산아, 푸른 산아. 네 가슴 향기로운 풀밭에 엎드리면, 나는 가슴이 울어라. 흐르는 골짜기 스며드는 물소리에 내사 줄줄줄 가슴이 울어라. 아득히 가 버린 것 잊어버린 하늘과 아른아른 오지 않는 보고 싶은 하늘에 어쩌면 만나도질 볼이 고운 사람이 난 혼자 그리워라. 가슴으로 그리워라.

소주제 ❷ 볼이 고운 사람에 대한 간절한 □□□

티끌 부는 세상에도, 벌레 같은 세상에도, 눈 맑은 가슴 맑은 보고지운 나의 사람. 달밤이나 새벽녘, 홀로 서서 눈물 어린 볼이 고운 나의 사람. 달 가고, 밤 가고, 눈물도 가고, 티어 올 밝은 하늘 빛난 아침 이르면, 향기로운 이슬밭 푸른 언덕을, 총총총 달려도 와 줄 볼이 고운 나의 사람.

소주제 ❸ 볼이 고운 사람에 대한 간절한 □□□

푸른 산 한나절 구름은 가고, 골 넘어 뻐꾸기는 우는데, 눈에 어려 흘러가는 물결 같은 사람 속, 아우성쳐 흘러가는 물결 같은 사람 속에 난 그리노라. 너만 그리노라. 혼자서 철도 없이 난 너만 그리노라.

소주제 ❹ 볼이 고운 사람에 대한 기다림의 □□

– 박두진

작품 개관

[가]
- 갈래 산문시, 서정시
- 성격 열정적, 상징적, 미래 지향적
- 주제 화합과 평화의 세계에 대한 소망
- 특징
  ① 대조적 의미의 시어를 사용하여 대립적 구도로 시상을 전개함
  ② 시어 및 시구의 반복, 4음보의 급박한 리듬, 강렬한 남성적 어조를 통해 운율을 형성함

[나]
- 갈래 산문시, 서정시
- 성격 서정적, 상징적
- 주제 평화롭고 건강한 이상향에 대한 열망
- 특징
  ① 격렬한 반복 어법을 사용함
  ② 음성 상징어(의성어, 의태어)를 사용하여 역동적으로 표현함

1등급 노트

[가]

1. 시상 전개 과정

1~3연	밝은 세상과 부정한 현실의 대립

↓

4~6연	화해와 공존의 세계에 대한 소망

2. 표현상의 특징
   - 긍정적이고 밝은 이미지의 '해, 청산' 등과 부정적이고 어두운 이미지의 '어둠, 달밤' 등의 시어를 대조적으로 사용하여 주제를 강조함
   - '해야 솟아라', '~ 좋아라' 등의 시구를 반복하여 운율을 형성하고 주제를 강조함
   - '-라'의 명령형 종결 어미를 사용하여 화자의 소망을 남성적 어조로 전달함
   - 연의 구분은 있으나 행의 구분이 없음

[나]

1. 화자의 태도
   광복 후의 혼란스러운 현실에 좌절하지 않고 이상향이 오기를 소망하는 미래 지향적 태도를 보임
2. 표현상의 특징
   - 동일 어구의 반복과 숨가쁜 호흡을 통해 화자의 염원을 강조함
   - 다양한 의성어와 의태어('철철철', '둥둥', '줄줄줄', '아른아른', '총총총')를 사용하여 생명력 넘치는 '청산'의 모습을 선명하게 나타냄
3. 시어의 상징적 의미
   청산 : 이상적 세계, '볼이 고운 사람'과의 만남을 통해 비로소 완성되는 잠재적인 유토피아적인 공간

소주제 체크

[가] 1. 광명 2. 거부 3. 동경 4. 화합 5. 이상적 [나] 1. 청산 2. 그리움 3. 기다림 4. 의지

정답과 해설 33쪽

1 [가]에 대한 설명으로 적절하지 않은 것은?

① 화자의 체험을 서사적으로 전개하고 있다.
② 행의 구분이 없는 산문적 구성으로 되어 있다.
③ 밝음과 어둠의 대립적 이미지가 나타나고 있다.
④ 자연물에 인격을 부여하여 시적 의미를 드러내고 있다.
⑤ 명령형 어미를 반복 사용하여 분위기를 고조시키고 있다.

출제 예감

2 [가]에서 운율을 형성하는 요인으로 적절하지 않은 것은?

① 쉼표의 잦은 사용
② 수미 상관의 기법 활용
③ 의성어와 의태어의 활용
④ 동일한 시어와 시구의 반복
⑤ a-a-b-a 구조와 4음보의 율격

3 [가]의 ㉠~㉤ 중 그 성격이 가장 이질적인 것은?

① ㉠ ② ㉡ ③ ㉢ ④ ㉣ ⑤ ㉤

4 수능형 〈보기〉를 참고하여 [가]를 감상한 내용으로 적절하지 않은 것은?

보기

이 시의 '해'는 작가가 지향하는 세계로 향하게 하는 긍정적 매개의 역할을 하고 있다. 세상은 부정적인 대상과 대비되는 해로 인해 온갖 사물들이 신생(新生)의 빛을 받아 더욱 활기가 넘치는 세계가 된다. 이러한 모습을 통해 작가는 궁극적으로 강자와 약자 구분 없이 모두 화합하고 평화롭게 살아가자는 의도를 드러내고 있는 것이다.

① 1연 : 부정적인 대상인 '어둠'과 대비하여 광명한 존재인 '해'의 의미를 강조하고 있군.
② 2연 : '눈물 같은 골짜기'와 '아무도 없는 뜰'과 같은 공간을 밝게 해 주는 것이 '해'의 역할이라 볼 수 있군.
③ 3연 : '니가 오면'과 같이 누군가가 와서 화자 자신을 '해'가 솟아 있는 '청산'으로 데려가 주기를 희망하고 있군.
④ 4, 5연 : 모두가 화합하는 평화로운 세계의 모습을 '사슴과 놀고'와 '칡범과 놀고'라는 행위를 통해서 보여 주고 있군.
⑤ 6연 : '꽃도 새도 짐승도' 함께 누리는 '앳되고 고운 날'은 작가가 궁극적으로 지향하는 세계라고 볼 수 있군.

5 [나]에 대한 설명으로 적절하지 않은 것은?

① 어말 어미를 반복함으로써 운율을 형성하고 있다.
② 전통적인 3음보 운율로 청산의 모습을 나타내고 있다.
③ 대조적인 시어를 통해 시적 화자의 지향을 드러내고 있다.
④ 대상을 기다리는 간절한 그리움이 담긴 어조를 사용하고 있다.
⑤ 다양한 음성 상징어를 구사함으로써 역동적인 시상 전개를 보이고 있다.

6 수능형 [나]를 〈보기〉의 각 요소와 관련지어 설명할 때, 가장 적절한 것은?

보기

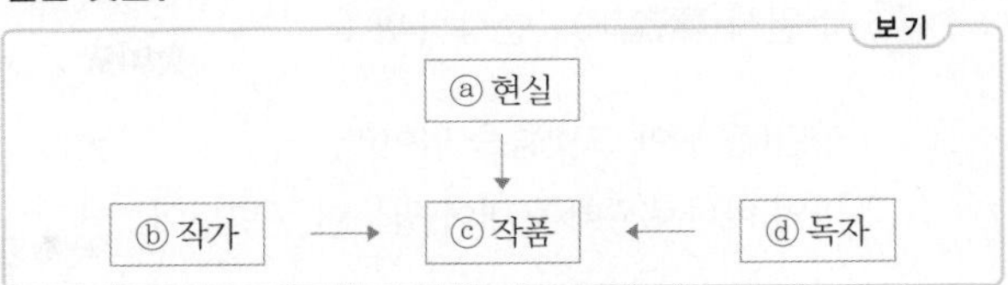

① ⓐ : 자연 속에서 여유로운 삶을 즐기던 당시 사람들의 풍류적 태도를 엿볼 수 있다.
② ⓑ : 작가가 현실을 바라보는 시선이 자연과 연결되어 환경 친화적인 느낌을 드러낸다.
③ ⓒ : 지속적으로 반복되는 시어는 화자의 강한 소망을 드러내는 역할을 한다.
④ ⓒ : 뚜렷한 행의 구별이 없이 서술되어 산문으로 볼 수 있다.
⑤ ⓓ : 독자는 시를 읽고 여름날의 더위를 식혀 주는 청산의 달밤과 같은 이미지를 떠올릴 수 있다.

출제 예감

7 고난도 [나]와 〈보기〉의 '청산'에 대한 설명으로 가장 적절한 것은?

보기

살어리 살어리랏다 청산(靑山)애 살어리랏다.
멀위랑 ᄃᆞ래랑 먹고, 청산(靑山)애 살어리랏다.
얄리얄리 얄랑셩 얄라리 얄라

우러라 우러라 새여 자고 니러 우러라 새여.
널라와 시름 한 나도 자고 니러 우니노라.
얄리얄리 얄라셩 얄라리 얄라

가던 새 가던 새 본다 믈 아래 가던 새 본다.
잉 무든 장글란 가지고, 믈 아래 가던 새 본다.
얄리얄리 얄라셩 얄라리 얄라

– 작자 미상, 〈청산별곡〉

① [나]에서 '청산'은 '푸른 산'이라는 사전적 의미 그대로 사용되었다.
② 〈보기〉에서 '청산'은 자연과 더불어 유희를 즐기는 삶의 공간이다.
③ 〈보기〉에서 '청산'은 현실의 시름과 고통을 더욱 증폭시키는 공간이다.
④ [나]와 〈보기〉의 '청산'은 모두 우리 주위에서 흔히 볼 수 있는 공간이다.
⑤ [나]와 〈보기〉의 '청산'은 모두 현실과 대비되는 이상향으로서의 공간이라고 할 수 있다.

8 서술형 [가]와 [나]에 나타난 음성 상징어의 활용이 주제를 형상화하는 데 있어 어떤 효과를 내는지 서술하시오.

02 추천사 - 춘향의 말 1 · 신선 재곤이

가 추천사(鞦韆詞) – 춘향의 말 1

향단(香丹)아 그넷줄을 밀어라.
머언 바다로 / 배를 내어 밀듯이, / 향단아.

소주제 1 □□ □□의 의지

이 다소곳이 흔들리는 수양버들나무와
베갯모에 놓이듯 한 풀꽃 더미로부터,
자잘한 나비 새끼 꾀꼬리들로부터,
아주 내어 밀듯이, 향단아.

소주제 2 현실 세계에 대한 □□과 초극의 의지

산호(珊瑚)도 섬도 없는 저 하늘로 / 나를 밀어 올려 다오.
채색(彩色)한 구름같이 나를 밀어 올려 다오.
이 울렁이는 가슴을 밀어 올려 다오!

소주제 3 초월적 세계에 대한 □□

서(西)으로 가는 달같이는 / 나는 아무래도 갈 수가 없다.

소주제 4 인간의 □□□ □□에 대한 인식

바람이 파도(波濤)를 밀어 올리듯이
그렇게 나를 밀어 올려 다오. / 향단아.

소주제 5 간절한 현실 초극의 □□

– 서정주

나 신선 재곤이

㉠땅 위에 살 자격이 있다는 뜻으로 '재곤(在坤)'이라는 이름을 가진 앉은뱅이 사내가 있었습니다. 성한 두 손으로 멍석도 *절고 광주리도 절었지마는, 그것만으론 제 입 하나도 먹이지를 못해, *질마재 마을 사람들은 할 수 없이 그에게 마을을 앉아 돌며 밥을 빌어먹고 살 권리 하나를 특별히 주었습니다.

소주제 1 1행 : 앉은뱅이 □□□에게 밥을 빌어먹을 권리를 준 마을 사람들

'재곤이가 만일에 제 목숨대로 다 살지를 못하게 된다면 우리 마을 인정은 바닥난 것이니, ㉡하늘의 벌을 면치 못할 것이다.' 마을 사람들의 생각은 두루 이러하여서, 그의 세 끼니의 밥과 추위를 견딜 옷과 불을 늘 *뒤대어 돌보아 주어 오고 있었습니다.

소주제 2 2행 : □□ □□□이 재곤이를 돌보아 줌

그런데, 그것이 갑술년이라던가 을해년의 새 무궁화 피기 시작하는 어느 아침 끼니부터는 재곤이의 모양은 땅에서도 하늘에서도 일절 보이지 않게 되고, 한 마리 거북이가 기어다니듯 하던 ㉢살았을 때의 그 무겁디무거운 모습만이 산 채로 마을 사람들의 마음속마다 남았습니다. 그래서 마을 사람들은 하늘이 줄 천벌을 걱정하고 있었습니다.

소주제 3 3행 : 재곤이가 □□에서 사라짐

그러나, 해가 거듭 바뀌어도 천벌은 이 마을에 내리지 않고, 농사도 딴 마을만큼은 제대로 되어, *신선도(神仙道)에도 약간 *알음이 있다는 좋은 흰 수염의 조 *선달 영감님은 말씀하셨습니다. "재곤이는 생긴 게 꼭 거북이같이 안 생겼던가. 거북이도 학이나 마찬가지로 목숨이 천 년은 된다고 하네. 그러니, 그 긴 목숨을 여기서 다 견디기는 너무나 답답하여서 ㉣날개 돋아나 하늘로 신선살이를 하러 간 거여……."

소주제 4 4행 : 재곤이가 사라진 것에 대한 □ □□의 추측

작품 개관

[가]
- 갈래 자유시, 서정시
- 성격 낭만적, 상징적, 초월적, 불교적
- 주제 초월적 세계에 대한 갈망
- 특징
  ① 고전 소설 〈춘향전〉을 모티프로 함
  ② 대화체의 형식을 통해 극적 효과를 거둠

[나]
- 갈래 산문시, 서정시
- 성격 토속적, 신화적
- 주제 전통 사회의 인정(人情)과 공동체 의식
- 특징
  ① 산문의 형식을 취함
  ② 이야기를 들려주는 듯한 어조를 보임
  ③ 전통적인 한국인의 가치관을 형상화함
  ④ 시간의 흐름에 따라 시상을 전개함

1등급 노트

[가]
1. 형식상의 특징
춘향(시적 화자)이 향단(시적 청자)에게 이야기하는 대화체의 형식을 통해 이상 세계로 가고자 하는 춘향의 의지를 보여 줌
2. 시어의 상징적 의미
그네 : 초월적 의지(현실에서 벗어나려는 의지)와 인간의 운명적 굴레(현실에서 벗어날 수 없는 한계)의 양면성

[나]
1. 시상의 전개 과정

재곤이를 돌봐 줌	• 우리 민족의 전통적 인정 • 천벌에 대한 두려움

↓

재곤이가 사라짐	• 재곤이 신선이 된 것이라는 조 선달의 추측 • 마을 사람들의 동조

2. 이 시의 주제 의식
앉은뱅이 재곤이가 신선 재곤이가 되는 사연을 통해, 더불어 살기를 바랐던 우리 민족의 전통적 삶의 모습과 가치관을 형상화함
3. 시 속에 담긴 가치관
- 어려운 이웃을 돌보며 더불어 살아야 한다는 전통적, 공동체적 가치관
- 재곤이를 제대로 돌보지 못하면 천벌을 받는다는 생각에 담긴 인과응보적 가치관
- 재곤이가 사라진 것은 신선살이를 하러 간 것이라고 여기는 긍정적 가치관

더 알아보기

◆ 서정주, 《질마재 신화》
'질마재'는 서정주의 출생지인 고창군 선운리의 또 다른 이름으로, 《질마재 신화》는 시인이 고향 사람들의 이야기를 소재로 창작한 작품을 모은 시집이다. 시들은 대체로 방언과 속어, 비어를 그대로 사용하면서 한국인의 질박한 삶을 담고 있으며, 한국인의 원형적 모습을 드러내는 신화적 내용들을 포함하고 있다.

정답과 해설 33쪽

그래 "재곤이는 우리들이 미안해서 모가지에 •연자 맷돌을 단단히 매어 달고 아마 어디 깊은 바다에 잠겨 나오지 않는 거라." 마을 사람들도 "하여간 죽은 모양을 우리한테 보인 일이 없으니 ㉤조 선달 영감님 말씀이 마음적으로야 •불가불 옳기사 옳다."고 하게는 되었습니다. 그래서 그들도 두루 그들의 마음속에 살아서만 있는 그 재곤이의 거북이 모양 양쪽 겨드랑이에 두 개씩의 날개들을 안 달아 줄 수는 없었습니다.

소주제 5 5행 : 조 선달의 추측에 □□하는 마을 사람들

– 서정주

어휘 다지기

- 절고 : '겯고'의 전남 · 함남 방언. 대, 갈대, 싸리 따위로 씨와 날이 서로 어긋매끼게 엮어 짜고
- 질마재 : 시인의 고향 마을. 전북 고창군 부안면에 있는 마을 선운리의 속칭
- 뒤대어 : 어떤 일을 할 수 있도록 계속하여 돌보아 주어
- 신선도(神仙道) : 신선이 되면 늙지도 않고 죽지도 않아 영생을 누릴 수 있다고 믿는 사상
- 알음 : 지식이나 지혜가 있음
- 선달 : 문무과에 급제하고 아직 벼슬하지 아니한 사람
- 연자 맷돌 : 매의 하나. 일반 맷돌보다 수십 배나 크고, 사람 대신 소나 말이 돌리게 되어 능률도 그만큼 높음
- 불가불 : 하지 아니할 수 없어. 또는 마음이 내키지 아니하나 마지못하여

소주제 체크

[가] 1. 현실 초극 2. 애착 3. 열망 4. 운명적 한계 5. 의지 [나] 1. 재곤이 2. 마을 사람들 3. 마을 4. 조 선달 5. 동의

1 [가]에 대한 설명으로 적절하지 않은 것은?

① 대립적인 의미의 시어들을 사용하였다.
② 고전 소설인 〈춘향전〉을 모티프로 하였다.
③ '갈망 – 좌절 – 갈망'의 구조로 되어 있다.
④ 삶과 죽음 사이의 아득한 경계를 그리고 있다.
⑤ 말을 건네는 형식으로 화자의 간절함을 나타내고 있다.

2 [가]의 시적 화자에 대한 설명으로 가장 적절한 것은?

① 임과의 영원한 사랑을 소망하고 있다.
② 자신이 처한 현실에 감사하며 안주하고 있다.
③ 현실의 고뇌에서 벗어나 초월적 세계에 도달하고 있다.
④ 임을 잃은 상황에서 슬픔을 최대한 절제하며 이를 극복하려 하고 있다.
⑤ 현실적 한계를 인식하면서도 이상 세계에 도달하기 위한 노력을 포기하지 않고 있다.

출제 예감

3 [가]의 '그네'와 관련된 설명으로 적절하지 않은 것은?

① 이상 세계에 도달하기 위한 매개체이다.
② 그네가 움직이는 모습이 각 연의 운율과 밀접하게 관련된다.
③ 시적 화자의 현실적 고통을 종교적으로 승화하는 매개체이다.
④ 현실의 괴로움과 인간의 운명적 한계를 벗어나려는 시적 화자의 열망을 상징한다.
⑤ 그네의 상승과 하강은 시적 화자의 초월적 이상 세계에 대한 의지와 함께 이상 세계에 도달할 수 없는 인간적 한계를 상징한다.

4 [나]에 대한 설명으로 적절하지 않은 것은?

① 토속적이고 향토적인 분위기를 조성하고 있다.
② 우리 민족의 전통적인 가치관을 형상화하고 있다.
③ 화자가 표면에 등장하여 자신이 직접 경험한 일을 전달하고 있다.
④ 시간의 흐름에 따라 시상을 전개하며 주제 의식을 나타내고 있다.
⑤ 산문시의 형태를 취하고 있으나 종결 어미의 반복 등을 통해 내재율을 형성하고 있다.

5 수능형 ㉠~㉤에 대한 이해로 적절하지 않은 것은?

① ㉠ : 누구나 공평하게 살 권리가 있다는 인간관이 나타나 있다.
② ㉡ : 천벌을 두려워하는 마을 사람들의 순박한 마음씨가 나타나 있다.
③ ㉢ : 재곤이가 사라진 뒤 그의 모습을 떠올리며 죄책감을 느끼고 있다.
④ ㉣ : 재곤이가 지금보다 더 좋은 곳으로 갔으리라는 기대가 나타나 있다.
⑤ ㉤ : 재곤이를 마을 밖으로 쫓아 버린 자신들의 행동을 합리화하고 있다.

출제 예감

6 서술형 〈보기〉의 질문에 대한 적절한 답을 간단하게 서술하시오.

보기

선생님 : 문학 작품을 통해 얻을 수 있는 긍정적인 영향을 문학의 효용이라고 합니다. 그리고 문학의 효용에는 개인적 차원의 효용과 사회적 차원의 효용이 있죠. 그럼 〈신선 재곤이〉를 읽고 얻을 수 있는 사회적 차원의 효용을 말해 볼까요?

03 어느 날 고궁을 나오면서

왜 나는 조그만 일에만 분개하는가.
저 왕궁(王宮) 대신에 ㉠왕궁(王宮)의 음탕 대신에
50원짜리 갈비가 기름 덩어리만 나왔다고 분개하고
옹졸하게 분개하고 **설렁탕집 돼지 같은 주인년**한테 욕을 하고 / 옹졸하게 욕을 하고

소주제 1 사소한 일에만 □□하는 자신에 대한 반성

한번 정정당당하게 / **붙잡혀 간 소설가**를 위하여
언론의 자유를 요구하고 월남(越南) 파병(派兵)에 반대하는
자유를 이행하지 못하고 / 20원을 받으러 세 번씩 네 번씩
찾아오는 *야경꾼들만 증오하고 있는가.

소주제 2 사소한 일에만 증오심을 불태우는 자신에 대한 □□

옹졸한 나의 전통은 *유구하고 이제 내 앞에 정서(情緖)로 / 가로놓여 있다.
㉡**이를테면** 이런 일이 있었다.
부산에 포로수용소의 제14 야전 병원에 있을 때
정보원이 너스들과 스펀지를 만들고 거즈를
개키고 있는 나를 보고 포로 경찰이 되지 않는다고
남자가 뭐 이런 일을 하고 있느냐고 놀린 일이 있었다. / 너스들 옆에서

소주제 3 오래전부터 체질화된 자신의 □□□ 모습

지금도 내가 반항하고 있는 것은 이 스펀지 만들기와
거즈 접고 있는 일과 조금도 다름없다.
개의 울음소리를 듣고 그 비명에 지고 / **머리에 피도 안 마른 애놈의 투정**에 진다.
떨어지는 은행나무 잎도 내가 밟고 가는 가시밭

소주제 4 □□□ 일에만 예민하게 반응하는 옹졸함에 대한 반성

㉢**아무래도** 나는 비켜서 있다. 절정(絶頂) 위에는 서 있지
않고 암만해도 조금쯤 옆으로 비켜서 있다.
그리고 조금쯤 옆에 서 있는 것이 조금쯤 / 비겁한 것이라고 알고 있다!

소주제 5 현실 문제에서 비켜서 있는 □□□의 고백

그러니까 이렇게 옹졸하게 반항한다.
이발쟁이에게 / ㉣땅 주인에게는 못 하고 이발쟁이에게
구청 직원에게는 못 하고 동회 직원에게도 못 하고
야경꾼에게 20원 때문에 10원 때문에 **1원** 때문에 / 우습지 않느냐 1원 때문에

소주제 6 힘없는 자들에게만 □□하는 옹졸함에 대한 반성

모래야 나는 얼마큼 작으냐.
㉤바람아 먼지야 풀아 난 얼마큼 작으냐. / **정말** 얼마큼 작으냐…….

소주제 7 왜소하고 보잘것없는 존재로서 느끼는 □□□

– 김수영

작품 개관

- 갈래 자유시, 서정시, 참여시
- 성격 반성적, 자조적, 현실 비판적
- 주제 부정한 권력과 사회적 부조리에 저항하지 못하는 소시민의 자기반성
- 특징
  ① 대조적인 상황 설정을 통해 화자의 소시민적 태도를 부각함
  ② 자조적인 표현을 통해 독자에게 교훈적·반성적 태도를 보여 줌

1등급 노트

1. 대조적인 상황의 설정

사소한 일(비본질적 문제)
• 50원짜리 갈비가 기름 덩어리만 나옴 • 야경꾼이 20원을 받으러 옴 • 스펀지 만들기와 거즈 접는 일

↕

의미 있는 일(본질적 문제)
• 왕궁의 음탕에 분개함 • 언론의 자유를 요구함 • 월남 파병에 반대함

2. 화자의 태도

화자는 자신의 모습을 '옹졸하다', '비겁하다', '우습다', '작다'라고 표현함. 이는 사회 현실을 부정적으로 인식하고 있으면서도 그에 맞서 저항하려 하지 않는 화자 자신에 대한 자기비판, 자기반성적 태도로 볼 수 있음

3. 주제 의식

현재의 삶		추구하는 삶
• 조그만 일에만 분노함 • 비겁하고 옹졸함	→	• 정정당당하게 분노하고 싶음 • 절정 위에 서고 싶음

더 알아보기

◆ '절정'의 의미

이 시는 1960년 4월 혁명 이후 1961년 군사 정변으로 들어선 독재 정권하의 부정적 현실을 시대적 배경으로 하고 있다. 화자는 자신이 '절정(絶頂)'에서 비켜서 있다고 하며 이를 비겁한 행동으로 간주하고 있다. 시대적 배경을 고려해 볼 때, 이는 '불의한 현실에 맞서거나 항거하지 못하는 것'을 의미한다. 화자 자신은 '조그마한 일'에만 분개하고 있지, '진정 분개해야 할 일'에는 침묵하고 있다. 즉 '절정'은 '비판과 저항의 공간'을 의미하는 것으로 볼 수 있다.

소주제 체크

1. 분개 2. 반성 3. 옹졸한 4. 사소한 5. 비겁함 6. 반항 7. 자괴감

어휘 다지기

- 야경꾼 : 밤사이에 화재나 범죄가 없도록 살피고 지키는 사람
- 유구(悠久) : 아득히 오래됨

정답과 해설 33쪽

1 이 시에 대한 설명으로 적절하지 않은 것은?

① 대조적 상황을 제시하여 주제를 강조하고 있다.
② 자조적 독백으로 화자의 심정을 드러내고 있다.
③ 설의적 표현을 통해 주제 의식을 부각하고 있다.
④ 역설적 표현을 통해 화자의 정서를 고조시키고 있다.
⑤ 시어 및 시구를 반복하여 화자의 내면을 보여 주고 있다.

출제 예감

2 이 시에 드러나는 화자의 태도로 가장 적절한 것은?

① 과거의 삶에 대해 그리워하고 있다.
② 자신의 부끄러운 모습을 자책하고 있다.
③ 현실과 일정한 거리를 두고 관찰하고 있다.
④ 순수한 삶에 대한 강한 열망을 드러내고 있다.
⑤ 더 나은 삶에 대한 동경으로 새롭게 도전하고 있다.

출제 예감

3 이 시의 시상 전개를 〈보기〉와 같이 도식화하여 이해한 내용으로 가장 적절한 것은?

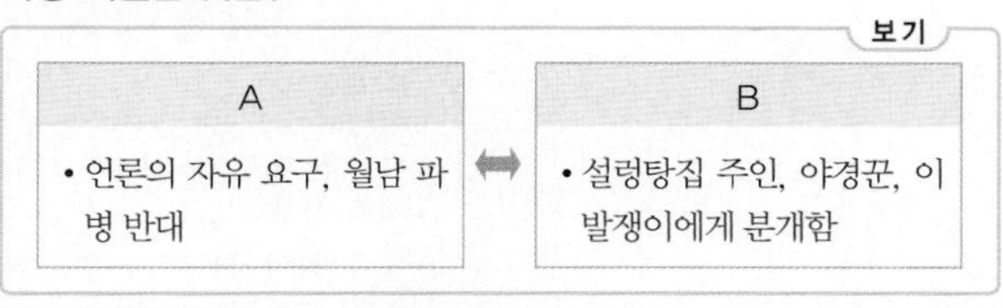

보기

A	⟺	B
• 언론의 자유 요구, 월남 파병 반대		• 설렁탕집 주인, 야경꾼, 이발쟁이에게 분개함

① A에서 B로 변모한 자신의 삶을 반성하고 있다.
② A에 '구청 직원에게 반항하지 못하는 것'을 추가할 수 있다.
③ B에는 '스펀지 만들기와 거즈 접기'를 추가할 수 있다.
④ 화자는 A와 B의 상반된 행동을 하는 자신을 자책하고 있다.
⑤ 화자는 B에 대한 반성을 통해 A의 행위를 반대하고 있다.

4 수능형 ㉠~㉤에 나타난 표현상의 특징으로 적절하지 않은 것은?

① ㉠ : 독재 권력의 부정과 부도덕성을 비유하고 있다.
② ㉡ : 과거의 경험을 제시하여 시적 분위기를 새롭게 전환시키고 있다.
③ ㉢ : 의도적인 행갈이로 시적 긴장감을 유지시키고 있다.
④ ㉣ : 대조적인 상황 설정을 통해 화자의 소시민적 태도를 부각하고 있다.
⑤ ㉤ : 불의에 맞서지 못하는 화자의 보잘것없는 모습을 자연물에 비교하여 자조하고 있다.

출제 예감

5 〈보기〉를 바탕으로 이 시를 이해한 내용으로 적절하지 않은 것은?

보기

이 시에서 김수영은 억압적 사회 현실과 관련한 주체로서의 각성과 반성을 잘 보여 주었다. 그것은 정작 분노해야 할 것에 대해서는 침묵하고, 사소한 문제로 힘없는 이웃들만 증오하는 옹졸한 소시민으로서의 자신을 자조하는 태도로 드러나 있다.

① '설렁탕집 돼지 같은 주인년'에는 부당한 권력층에 대한 화자의 분노가 담겨 있군.
② '붙잡혀 간 소설가'는 불의에 저항한 인물이므로 옹졸한 소시민이라고 할 수 없겠군.
③ '머리에 피도 안 마른 애놈의 투정'도 화자가 자조적 태도를 지니게 하는 원인이 되고 있군.
④ '1원'에는 작은 이익에 집착하는 옹졸한 소시민적 삶에 대한 화자의 반성적 인식이 담겨 있군.
⑤ 화자는 사소한 문제로 증오의 대상이 되고 있는 힘없는 이웃으로 '이발쟁이'나 '야경꾼'을 들고 있군.

6 이 시를 읽고 난 후 독자의 반응으로 가장 적절한 것은?

① 개인이 불의한 현실을 극복하기는 어려움을 보여 주는군.
② 독자의 도덕적 양심을 일깨워 반성하게 하려는 의도를 가지고 있군.
③ 안일하게 살아가는 소시민이 사회 부조리의 근원이 됨을 지적하고 있군.
④ 양심 없는 지식인들이 판치는 부정적 현실을 생생하게 전달하고자 하는군.
⑤ 과거 포로수용소에서 모욕을 당한 화자의 경험이 사회에 분노를 느끼는 원인으로 작용하는군.

7 고난도 이 시에 사용된 접속어와 부사어에 주목하여 감상한 내용으로 가장 적절한 것은?

① '이를테면'을 통해 구체적 상황을 가정하여 과거 자신의 잘못을 합리화하고 있다.
② '아무래도'를 통해 자신의 비겁한 삶에 변명의 여지가 없음을 드러내고 있다.
③ '그리고'를 통해 자신의 삶에 대한 자책과 앞으로의 다짐을 연결하고 있다.
④ '그러니까'를 통해 자신이 비겁함을 깨닫고 삶의 태도가 변화하였음을 강조하고 있다.
⑤ '정말'을 통해 이어지는 자신의 판단이 옳았음을 드러내고 있다.

8 서술형 화자가 '설렁탕집 돼지 같은 주인년'이라는 표현을 사용한 의도가 무엇인지 서술하시오.

04 눈 · 껍데기는 가라

가 눈

㉠눈은 살아 있다. / 떨어진 눈은 살아 있다.
마당 위에 떨어진 눈은 살아 있다. 　소주제 ❶ 순수한 생명으로서의 □

㉡기침을 하자.
젊은 시인이여, 기침을 하자.
눈 위에 대고 기침을 하자.
눈더러 보라고 마음 놓고, 마음 놓고 / 기침을 하자.
　소주제 ❷ 순수한 생명력 회복의 □□

㉢눈은 살아 있다.
죽음을 잊어버린 영혼과 육체를 위하여
눈은 새벽이 지나도록 살아 있다. 　소주제 ❸ □□을 초월한 생명력을 지닌 눈

기침을 하자. / 젊은 시인이여, 기침을 하자.
눈을 바라보며
밤새도록 고인 가슴의 가래라도
마음껏 뱉자. 　소주제 ❹ □□를 뱉는 행위(순수한 정신의 추구)

\- 김수영

나 껍데기는 가라

ⓐ껍데기는 가라.
사월(四月)도 알맹이만 남고 / 껍데기는 가라.
　소주제 ❶ 남아야 할 4 · 19 혁명의 □□□ 정신

껍데기는 가라.
동학년(東學年) *곰나루의, 그 아우성만 살고
껍데기는 가라. 　소주제 ❷ □□ □□의 순수한 민중 정신

그리하여, 다시 / 껍데기는 가라.
이곳에선, ⓑ두 가슴과 그곳까지 내논
아사달 아사녀가
중립(中立)의 *초례청 앞에 서서
부끄럼 빛내며 / 맞절할지니 　소주제 ❸ 우리 민족의 □□에 대한 소망

껍데기는 가라. / 한라에서 백두까지
향그러운 흙 가슴만 남고
그 모오든 쇠붙이는 가라. 　소주제 ❹ 순수에 대한 옹호 및 □□에 대한 거부

\- 신동엽

어휘 다지기
- 곰나루 : 충청남도 공주의 옛 이름. 동학 혁명의 진원지
- 초례청 : 초례(전통 혼례식)를 치르는 대청이나 장소

작품 개관

[가]
- 갈래 자유시, 서정시
- 성격 비판적, 참여적, 의지적
- 주제 순수하고 정의로운 삶에의 소망과 의지
- 특징 '눈'과 '기침(가래)'의 이미지가 대립 구조를 이룸

[나]
- 갈래 자유시, 서정시, 참여시
- 성격 현실 참여적, 저항적
- 주제 순수함이 보장되는 민주 사회에 대한 열망
- 특징 반복적 표현과 대조적인 시어의 사용을 통해 주제를 강조함

1등급 노트

[가]

1. 형식상의 특징
'눈은 살아 있다.'와 '기침을 하자.'의 변형 반복(점층적 전개) → 리듬감을 강조하며 시적 긴장감과 의미를 더해 줌
2. 시어의 상징적 의미

시어	의미
눈	순수함(참된 가치)
기침	마음속의 불순한 것들을 쏟아 내는 행위
가래	불순한 것(비겁한 일상성, 소시민성, 속물성)

[나]

1. '가라'의 명령적 어조
- 화자의 강한 의지를 드러냄
- 반복 사용을 통해 리듬감 형성 및 주제를 강조하는 효과를 냄
2. 창작 배경
1960년에 일어났던 반정부 항쟁 운동인 4 · 19 혁명의 정신을 문학적 표현으로 승화시키고자 함
3. 대조적 의미의 시어

가야 할 것(불의와 부정)
• 껍데기 • 모오든 쇠붙이

↕

남아야 할 것(순수와 순결)
• 4월의 알맹이
• 동학년 곰나루의 아우성
• 중립의 초례청 앞에서 맞절하는 아사달 아사녀
• 향그러운 흙 가슴

더 알아보기

◆ 김수영과 신동엽
김수영과 신동엽은 '참여시'를 썼다는 점에서 공통적이지만 다음과 같은 차이를 보인다.

김수영	신동엽
도시적인 감수성을 바탕으로 민주주의적 요소를 강하게 표현함	민족주의를 바탕으로 농촌 공동체적인 이상향의 세계를 그리워하며, 통일 조국에 대한 소망을 노래함

소주제 체크
[가] 1. 눈 2. 의지 3. 죽음 4. 가래
[나] 1. 순수한 2. 동학 혁명 3. 통일
4. 불의

정답과 해설 34쪽

1 [가]에 드러난 시적 화자의 태도로 가장 적절한 것은?

① 자아 성찰과 자기희생 의지를 드러내고 있다.
② 부정적 현실에서 벗어나기 위해 노력하고 있다.
③ 현실을 긍정하며 수용하는 태도를 드러내고 있다.
④ 자신이 처한 현실을 외면하는 모습을 보이고 있다.
⑤ 과거의 추억을 떠올리며 암담한 현실을 견뎌 내고 있다.

출제 예감

2 ㉠과 ㉡을 반복함으로써 얻을 수 있는 효과가 아닌 것은?

① 리듬감을 강조한다.
② 시적 긴장감을 더해 준다.
③ 해석의 다양성을 부여한다.
④ 시적 의미를 선명하게 한다.
⑤ 점층적으로 의미를 강조한다.

3 고난도 〈보기〉를 참고하여 ㉢의 의미를 해석한다고 할 때, 가장 적절한 것은?

보기

'눈[雪]'의 상징	'눈[眼]'의 의미
순수, 결백, 정화 시련, 냉혹함 ……	• 빛의 자극을 받아 물체를 볼 수 있는 감각 기관 ⇩ • 사물을 보고 판단하는 힘

① 탈속의 세계를 지향하는 정화된 시선을 뜻한다.
② 옳고 그름을 가려낼 줄 아는 순수한 생명력을 뜻한다.
③ 결백함과 불순함이 혼재된 화자의 내면세계를 뜻한다.
④ 냉혹한 현실로부터 도피하려는 화자의 나약함을 뜻한다.
⑤ 닥쳐올 시련을 인식하지 못하는 근시안적 태도를 뜻한다.

4 [가]의 시어 중 의미상 ⓐ에 해당하는 것은?

① 눈 ② 기침 ③ 젊은 시인
④ 영혼과 육체 ⑤ 가래

5 [나]에 대한 설명으로 가장 적절한 것은?

① 자연물에서 교훈적 의미를 찾아 전달하고 있다.
② 불가능한 상황을 설정하여 주제를 강화하고 있다.
③ 구체적인 사물을 통해 섬세한 심리 변화를 나타내고 있다.
④ 현실을 냉소적으로 인식하며 방관자적 태도를 드러내고 있다.
⑤ 사회 문제에 대해 관심을 기울이고 발언하는 참여적 성격을 드러내고 있다.

출제 예감

6 수능형 [나]의 시어에 대한 설명으로 적절하지 않은 것은?

① '알맹이'는 '껍데기'와 대립되는 시어로 4·19 혁명의 순수한 정신을 의미한다.
② '아사달 아사녀'는 허위와 가식이 없는 우리 민족의 원초적인 모습을 뜻한다.
③ '한라에서 백두까지'는 우리나라를 의미하는 것으로, 민족 분단의 현실을 극복하고자 하는 염원이 담겨 있다.
④ '동학년 곰나루'는 동학 농민 전쟁의 본거지였던 웅진을 가리키는 말로 '아우성'과 연결되면서 민중의 수난을 상징한다.
⑤ '쇠붙이'는 '향그러운 흙 가슴'과 대립되는 시어로 민족의 통일을 가로막는 무력이나 이데올로기 대립과 같은 부정적 요소를 말한다.

7 ⓑ가 의미하는 바로 가장 적절한 것은?

① 문명 이전의 인류의 모습
② 허위와 가식이 없는 순수함
③ 자신들의 치부를 드러낸 부끄러움
④ 불행한 역사 속에서 가난했던 민족의 비애
⑤ 인공적인 것을 버리고 자연으로 돌아가야 한다는 믿음

8 서술형 [나]에서 '껍데기는 가라'라는 시구를 반복함으로써 얻을 수 있는 효과를 형식과 내용의 측면으로 나누어 서술하시오.

05 누가 하늘을 보았다 하는가

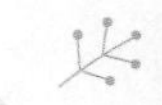

㉮
누가 하늘을 보았다 하는가
누가 구름 한 송이 없이 맑은
하늘을 보았다 하는가.

네가 본 건, 먹구름
그걸 하늘로 알고 / 일생을 살아갔다.

네가 본 건, 지붕 덮은 / 쇠 항아리,
그걸 하늘로 알고 / 일생을 살아갔다.

소주제 ❶ 어리석고 암울했던 □□의 삶

㉯
닦아라, 사람들아
네 마음속 구름
찢어라, 사람들아,
네 머리 덮은 쇠 항아리.

아침저녁
네 마음속 구름을 닦고
티 없이 맑은 영원의 하늘
볼 수 있는 사람은
외경(畏敬)을 / 알리라.

아침저녁
네 머리 위 쇠 항아릴 찢고
티 없이 맑은 구원의 하늘
마실 수 있는 사람은

소주제 ❷ 현실 □□의 결의 촉구

연민(憐憫)을 / 알리라.
차마 삼가서 / 발걸음도 조심
마음 모아리며

서럽게 / 아, 엄숙한 세상을
서럽게 / 눈물 흘려

소주제 ❸ □□의 삶

살아가리라
누가 하늘을 보았다 하는가
누가 구름 한 자락 없이 맑은
하늘을 보았다 하는가.

소주제 ❹ □□ 인식과 밝은 미래에 대한 기대

– 신동엽

작품 개관

- 갈래 자유시, 서정시, 참여시
- 성격 참여적, 남성적, 비판적
- 주제 구속과 억압의 역사에 대한 비판과, 자유와 평화의 세계에 대한 갈망
- 특징
  ① 직설적 표현을 통해 시상을 전개함
  ② 상징적 시어를 사용하여 의미를 드러냄
  ③ 대립적 시어를 사용하여 암담한 현실을 부각시킴

1등급 노트

1. 구성상의 특징
   - 자유롭고 평화로운 세상을 상징하는 '하늘'이라는 시어를 반복 사용하여 시상을 부각함
   - '행간 걸침'의 기법을 통해 화자의 미세한 감정을 효과적으로 표현함
2. 대립적 시어의 상징적 의미

하늘		(먹)구름, 쇠 항아리
1960년대 암담한 시대 상황에서의 진정한 자유	↔	민중으로 하여금 하늘을 볼 수 없도록 막는 장애물

3. 삶에 대한 외경과 민중에 대한 연민
   - 4 · 19 혁명과 5 · 16 군사 쿠데타로 인한 정치적 격변기 속에서 한 번도 진정한 자유를 누려 보지 못한 민중에 대한 연민을 담고 있음
   - 인간적인 삶을 영위하기 위해서는 끊임없이 먹구름을 찢어야만 맑은 하늘을 볼 수 있고, 삶의 외경(畏敬)과 연민(憐憫)을 알게 된다고 말함

함께 엮어 읽기

◆ 김수영, 〈풀〉

〈풀〉과 이 시 모두 4 · 19 정신을 계승한 시로, 〈풀〉은 '풀'을 관념화하여 '민중의 끈질긴 생명력'을 드러내었으며, 이 시는 '하늘'의 반복을 통해 '인간 본연의 삶을 추구'하고자 하였다. 〈풀〉에서는 민중을 변혁 운동의 능동적 주체로 바라보고 있지만, 이 시에서는 수동적 주체인 민중의 변화를 촉구하고 있다는 점에서 차이를 보인다.

소주제 체크

1. 과거 2. 극복 3. 인고 4. 현실

정답과 해설 34쪽

출제 예감

1 **이 시에 대한 설명으로 적절하지 않은 것은?**

① 시간의 흐름에 따라 시상을 전개해 나가고 있다.
② 대립적인 시어를 사용하여 주제를 부각시키고 있다.
③ 명령형 어조를 사용하여 상대의 행동을 촉구하고 있다.
④ 유사한 통사 구조의 반복을 통해 운율을 형성하고 있다.
⑤ 상징적 시어를 사용하여 말하고자 하는 바를 드러내고 있다.

출제 예감

2 **이 시의 '하늘'과 '먹구름', '쇠 항아리'의 의미가 바르게 연결된 것은?**

	하늘	먹구름	쇠 항아리
①	자유롭고 평화로운 세상	암담한 현실	현실 인식을 가로막는 장애물
②	암담한 현실	현실 인식을 가로막는 장애물	미래 지향적인 인식
③	과거 평화로웠던 세계	현실 지향적인 인식	암담한 현실
④	과거 지향적인 공간	암담한 현실	미래 지향적인 인식
⑤	자유롭고 평화로운 세상	과거 지향적인 인식	미래 지향적인 인식

3 **㉮에 대한 설명으로 적절하지 않은 것은?**

① 아무도 진정한 하늘을 보지 못했음을 말하고 있다.
② 누가 하늘을 본 것인지에 대한 의문을 나타내고 있다.
③ 마지막 연에도 반복되어 수미 상관의 구조를 보여 준다.
④ 점층법을 사용하여 표현하고자 하는 바를 구체적으로 드러내고 있다.
⑤ 마지막 연에서는 변형되어 나타남으로써 현실 극복 의지를 드러내고 있다.

4 **㉯에 대한 설명으로 적절하지 않은 것은?**

① 현실 극복을 위해 노력할 것을 강조하고 있다.
② 소극적 지식인에게만 행동할 것을 촉구하고 있다.
③ 과거의 어리석었던 삶을 깨우칠 것을 역설하고 있다.
④ 화자가 궁극적으로 말하고자 하는 바를 언급하고 있다.
⑤ 비슷한 형태를 가진 시구의 반복을 통해 운율을 형성하고 있다.

5 고난도 **이 시에 언급된 '외경(畏敬)'과 '연민(憐憫)'에 대해 〈보기〉를 참고하여 적절하게 설명한 것을 고르면?**

보기
외경(畏敬) : 경외(敬畏). 공경하면서 두려워함
연민(憐憫) : 불쌍하고 가련하게 여김

① 진정한 자유를 누린 사람에 대한 '외경'과 그렇지 못한 사람에 대한 '연민'을 말한다.
② 자유와 평화에 대한 '외경'과 이를 누리지 못하는 우리 민족에 대한 '연민'을 말한다.
③ 독재 정권의 권력에 대한 '외경'과 권력에 의해 끌려가는 우리 민족에 대한 '연민'을 말한다.
④ 자유에 대한 거부감으로서의 '외경'과 평화를 누리지 못하는 우리 민족에 대한 '연민'을 말한다.
⑤ 구속과 탄압에 대한 두려움으로서의 '외경'과 이로 인해 억압의 삶을 사는 우리 민족에 대한 '연민'을 말한다.

6 수능형 **이 시와 〈보기〉를 비교하여 감상한 내용으로 적절하지 않은 것은?**

보기
풀이 눕는다.
비를 몰아 오는 동풍에 나부껴
풀은 눕고 / 드디어 울었다.
날이 흐려서 더 울다가 / 다시 누웠다.

풀이 눕는다. / 바람보다도 더 빨리 눕는다.
바람보다도 더 빨리 울고 / 바람보다도 먼저 일어난다.

날이 흐리고 풀이 눕는다.
발목까지 / 발밑까지 눕는다.
바람보다 늦게 누워도 / 바람보다 먼저 일어나고
바람보다 늦게 울어도 / 바람보다 먼저 웃는다.
날이 흐리고 풀뿌리가 눕는다.
– 김수영, 〈풀〉

① 준세 : 이 시와 〈보기〉 모두 시어의 반복을 통해 시상을 부각시키고 있어.
② 환이 : 이 시와 〈보기〉 모두 부정적인 시대 분위기를 보여 주고 있다는 점에서 주목할 만해.
③ 승미 : 이 시는 수동적인 민중의 각성을 촉구하고 있지만, 〈보기〉는 민중을 능동적인 주체로 보고 있다는 점에서 차이가 있어.
④ 준원 : 이 시와 〈보기〉는 시행을 점층적으로 확대하는 방식을 사용하고 있다는 점이 유사한 것 같아.
⑤ 미수 : 이 시와 〈보기〉는 명령형 어조를 사용하여 상대에게 행동을 촉구하고 있다는 점도 공통적이야.

7 서술형 **이 시에서 진정한 하늘을 보기 위해 해야 할 일로 제시된 것을 서술하시오.**

06 꽃 · 샤갈의 마을에 내리는 눈

가 꽃

내가 그의 이름을 불러 주기 전에는
그는 다만
하나의 몸짓에 지나지 않았다.

소주제 1 대상의 본질을 인식하기 이전의 □□□한 존재

내가 그의 이름을 불러 주었을 때
그는 나에게로 와서 / 꽃이 되었다.

소주제 2 □□에 의해 의미 있는 존재가 됨

내가 그의 이름을 불러 준 것처럼
나의 이 빛깔과 향기에 알맞은
누가 나의 이름을 불러 다오.
그에게로 가서 나도 / 그의 꽃이 되고 싶다.

소주제 3 □□ 있는 존재가 되고 싶은 소망

우리들은 모두
무엇이 되고 싶다.
너는 나에게 나는 너에게
잊혀지지 않는 하나의 눈짓이 되고 싶다.

소주제 4 서로 의미 있는 존재가 되고 싶은 □□의 소망

– 김춘수

나 샤갈의 마을에 내리는 눈

샤갈의 마을에는 3월(三月)에 눈이 온다.

소주제 1 1행 : 눈 내리는 □□의 마을

봄을 바라고 섰는 사나이의 관자놀이에
새로 돋은 정맥(靜脈)이
바르르 떤다.

소주제 2 2~4행 : □□□의 모습에 나타난 봄의 생명력

바르르 떠는 사나이의 관자놀이에
새로 돋은 정맥(靜脈)을 어루만지며
눈은 수천수만의 날개를 달고
하늘에서 내려와 샤갈의 마을의
지붕과 굴뚝을 덮는다.

소주제 3 5~9행 : 샤갈의 마을을 덮는 □의 모습

3월(三月)에 눈이 오면
샤갈의 마을의 쥐똥만 한 **겨울 열매**들은
다시 **올리브 빛**으로 물이 들고
밤에 아낙들은
그해의 제일 아름다운 **불**을
아궁이에 지핀다.

소주제 4 10~15행 : 봄을 맞는 자연의 □□□과 아름다움

– 김춘수

작품 개관

[가]
- 갈래 자유시, 서정시
- 성격 관념적, 주지적, 상징적
- 주제 존재의 본질 구현에 대한 소망
- 특징
  ① 존재의 의미가 점층적으로 확대됨
  ② 사물에 대한 인식론과 존재론을 배경으로 함

[나]
- 갈래 자유시, 서정시
- 성격 감각적, 회화적, 환상적
- 주제 봄의 맑고 순수한 생명감
- 특징
  ① 의미 전달과 무관하게 서술적 이미지로만 연결됨
  ② 현재형 시제를 사용하여 봄의 생명력을 생동감 있게 표현함

1등급 노트

[가]

1. '꽃'의 상징적 의미
   - 구체적인 대상으로서의 의미가 아닌, 시인의 관념을 대변하는 추상적 존재
   - 명명 행위를 통해 의미를 부여받은 존재
2. 시상 전개 과정

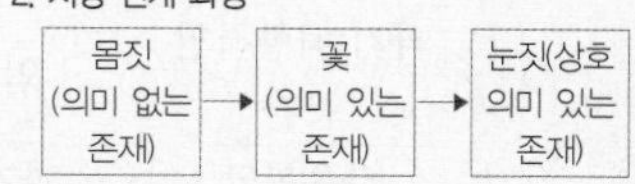

3. '이름 부르기'의 의미
   - 사물에 처음 의미를 부여하는 것
   - 사물의 존재를 인식하는 행위이자, '나'에게 의미 있는 존재로 받아들이는 것을 의미함

[나]

1. 감각적 색채어의 대비

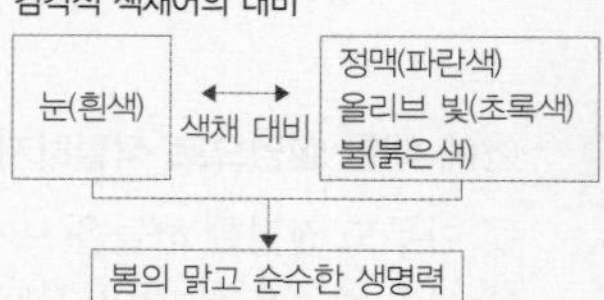

2. 샤갈의 〈나와 마을〉

마르크 샤갈, 〈나와 마을〉

〈나와 마을〉은 이 시의 창작 동기가 된 그림으로, 샤갈의 고향 마을과 유년 시절의 추억들이 자유롭고 몽상적으로 표현되어 있음. 소와 샤갈이 서로 바라보고 있는 모습을 붉은색과 푸른색의 색채 대비를 통해 감각적으로 드러냄

소주제 체크

[가] 1. 무의미 2. 명명 3. 의미 4. 우리
[나] 1. 사랑 2. 사나이 3. 눈 4. 생명력

정답과 해설 34쪽

1 [가]와 [나]에 대한 설명으로 가장 적절한 것은?

① [가]와 [나]는 자연물의 이미지를 통해 주제를 드러내고 있다.
② [가]와 [나]는 공간의 변화에 따라 시상을 전개해 나가고 있다.
③ [가]는 [나]와 달리 대상의 열거를 통해 계절감을 드러내고 있다.
④ [가]는 [나]와 달리 역사의식을 바탕으로 대상을 탐구하고 있다.
⑤ [나]는 [가]와 달리 이야기체의 서사적 구성 방식을 취하고 있다.

2 [가]에 대한 설명으로 적절하지 않은 것은?

① 관념적이고 주지적인 성격으로 서정성은 약하다.
② 대상과 자아의 진정한 관계 맺음을 추구하고 있다.
③ '꽃'이라는 상징을 통해 존재와 인식의 관계를 탐구하고 있다.
④ 유사한 통사 구조의 반복을 통해 화자의 소망을 강조하고 있다.
⑤ 과거의 행동을 반성하고 변화하고자 하는 화자의 태도가 드러나 있다.

출제 예감
3 [가]에 사용된 시어의 의미가 바르게 연결되지 않은 것은?

① 나 : 화자가 인식하고자 하는 대상
② 하나의 몸짓 : 의미 없는 존재
③ 꽃 : 의미 있는 존재
④ 빛깔과 향기 : 존재의 본질
⑤ 눈짓 : 상호 간에 의미 있는 존재

출제 예감
4 [가]의 시상 전개에 따라 〈보기〉의 내용을 바르게 나열한 것은?

보기
ⓐ 존재의 본질 구현에 대한 소망의 확대
ⓑ 존재의 본질 구현에 대한 근원적 갈망
ⓒ 명명에 의해 의미 있는 존재로 다가옴
ⓓ 대상을 인식하기 이전의 무의미한 존재

① ⓐ – ⓑ – ⓒ – ⓓ
② ⓑ – ⓒ – ⓓ – ⓐ
③ ⓒ – ⓓ – ⓐ – ⓑ
④ ⓒ – ⓓ – ⓑ – ⓐ
⑤ ⓓ – ⓒ – ⓑ – ⓐ

5 고난도 [가]의 '꽃'과 '눈짓'에 드러난 존재에 대한 인식의 차이로 가장 적절한 것은?

① '꽃'은 일방적 인식을, '눈짓'은 상호 인식을 나타낸다.
② '꽃'은 인식의 결과를, '눈짓'은 인식의 과정을 나타낸다.
③ '꽃'은 현재의 모습을, '눈짓'은 미래의 상황을 나타낸다.
④ '꽃'은 표면적 인식을, '눈짓'은 본질적 인식을 나타낸다.
⑤ '꽃'은 일시적인 교감을, '눈짓'은 영구적인 교감을 나타낸다.

출제 예감
6 [나]에 대한 설명으로 적절하지 않은 것은?

① 색채 대비를 통해 회화적 특성을 드러내고 있다.
② 현재형 시제를 사용하여 생동감을 형성하고 있다.
③ 복잡한 은유를 중첩시켜 화자의 긴장감을 강조하고 있다.
④ 마음속에 떠오르는 심상들을 감각적인 언어로 그려 내고 있다.
⑤ 샤갈의 그림을 모티프로 하여 의미의 전달보다 이미지의 형상화에 치중하고 있다.

7 다음 중 [나]의 '봄'과 의미가 가장 이질적인 것은?

① 눈
② 새로 돋은 정맥(靜脈)
③ 겨울 열매들
④ 올리브 빛
⑤ 불

8 [나]에 사용된 시어와 시구에 대한 이해로 적절하지 않은 것은?

① '샤갈의 마을'은 실재하지 않는 공간으로, 환상적인 분위기를 조성하고 있군.
② '바르르'라는 음성 상징어를 통해 봄의 기운이 퍼져 나가는 모습을 그려 내고 있군.
③ '수천수만의 날개를 달고'는 눈송이들이 날리는 모습을 활유법으로 생생하게 표현하고 있군.
④ '지붕과 굴뚝을 덮는다.'는 눈의 이미지를 통해 봄을 맞이하기 위해 인고의 시간이 필요함을 강조하고 있군.
⑤ '불을 / 아궁이에 지핀다'에서는 한국적인 풍속과 정서를 느낄 수 있는 시어를 활용하여 맑고 순수한 생명감을 나타내고 있군.

9 서술형 [나]에서 서로 긴밀한 관련성이 없는 시어들을 나열함으로써 얻게 된 효과를 작품의 분위기와 주제를 고려하여 서술하시오.

07 추억에서 · 엄마 걱정

가 추억에서

진주(晋州) 장터 생어물전(生魚物廛)에는
바다 밑이 깔리는 해 다 진 어스름을,

소주제 ❶ 저녁 무렵의 □□ □□

울엄매의 장사 끝에 남은 고기 몇 마리의
빛 발(發)하는 눈깔들이 속절없이
은전(銀錢)만큼 손 안 닿는 한(恨)이던가.
울엄매야 울엄매,

소주제 ❷ 가난으로 한이 맺힌 □□□의 삶에 대한 회고

별밭은 또 그리 멀리
우리 오누이의 머리 맞댄 골방 안 되어
손 시리게 떨던가 손 시리게 떨던가.

소주제 ❸ 추운 골방에서 어머니를 기다리는 □□□

진주(晋州) 남강(南江) 맑다 해도
오명 가명
신새벽이나 별빛에 보는 것을,
울엄매의 마음은 어떠했을꼬,
달빛 받은 옹기전의 옹기들같이
말없이 글썽이고 반짝이던 것인가.

소주제 ❹ 어머니의 □과 눈물

– 박재삼

나 엄마 걱정

열무 삼십 단을 이고
시장에 간 우리 엄마
안 오시네, 해는 시든 지 오래
나는 찬밥처럼 방에 담겨
아무리 천천히 숙제를 해도
엄마 안 오시네, 배춧잎 같은 발소리 타박타박
안 들리네, 어둡고 무서워
금간 창틈으로 고요한 빗소리
빈방에 혼자 엎드려 훌쩍거리던

소주제 ❶ □□□를 기다리던 어린 시절의 외로움 – 과거

아주 먼 옛날
지금도 내 눈시울을 뜨겁게 하는
그 시절, 내 유년의 윗목

소주제 ❷ 외로웠던 어린 시절에 대한 □□ – 현재

– 기형도

작품 개관

[가]
- 갈래 자유시, 서정시
- 성격 회고적, 애상적, 향토적
- 주제 한스러운 삶을 살다 간 어머니에 대한 회상
- 특징 연상과 비유에 의한 시각적 심상으로 한(恨)과 슬픔의 정서를 형상화함

[나]
- 갈래 자유시, 서정시
- 성격 회상적, 애상적
- 주제 어머니를 기다리던 어린 시절의 외로움
- 특징 감각적 이미지를 사용하여 화자의 외로운 정서를 생생하게 표현함

1등급 노트

[가]

1. 표현상의 특징
- 독특한 종결 어미('-을', '-가', '-꼬' 등의 가정이나 의문형 종결 어미) : 감정의 절제를 이루는 효과를 얻음
- 시구의 반복적 사용('울엄매야 울엄매', '손 시리게 떨던가 손 시리게 떨던가' 등) : 운율감을 형성하며 시인의 정서와 시적 이미지를 강조하는 효과를 거둠

2. 시각적 이미지
- '장사 끝에 남은 고기 몇 마리', '빛 발(發)하는 눈깔들', '달빛 받은 옹기전의 옹기들'과 같은 시각적 이미지의 시어를 통해 어머니의 한과 슬픔을 부각시킴
- 어머니의 고된 삶과 어머니를 기다리며 추위와 외로움에 떨던 오누이의 모습도 선명한 시각적 이미지로 제시됨

[나]

표현상의 특징
- 유사한 문장의 반복과 변조를 통해 운율을 형성하고, 화자의 외롭고 불안한 정서를 강조함
- 비유법, 음성 상징어, 감각적 이미지 등을 사용하여 외롭고 두려웠던 어린 시절의 기억을 생생하게 표현함

함께 엮어 읽기

◆ [가]와 [나]의 비교

두 작품은 가난했던 유년 시절을 회상하고 있는 작품이라는 점에서 유사하다. 하지만 [가]의 시가 어머니의 아픈 마음에 초점을 맞추고 있는 반면, [나]는 화자의 아픈 마음을 주로 드러내고 있다는 점에서 차이가 있다.

소주제 체크

[가] 1. 진주 장터 2. 어머니 3. 오누이 4. 한
[나] 1. 어머니 2. 회상

정답과 해설 34쪽

1 수능형 [가]와 [나]에 대한 감상으로 적절하지 않은 것은?

① [가]의 '생어물전' 과 [나]의 '시장' 은 어머니의 생활 터전이다.
② [가]와 [나] 모두 시적 화자의 어린 시절을 중심으로 시상을 전개하고 있다.
③ [가]의 '골방' 과 [나]의 '빈방' 은 슬프고 어두운 분위기를 드러낸다.
④ [가]의 '빛 발(發)하는 눈깔들' 과 [나]의 '배춧잎 같은 발소리' 는 어머니의 고달픈 삶의 모습을 보여 준다.
⑤ [가]와 [나] 모두 자연물을 중심 소재로 하여 어머니가 느끼는 한(恨)을 주된 정조로 애틋하게 표현하고 있다.

2 [가]에 대한 설명으로 적절하지 않은 것은?

① 화자 자신의 삶을 반성적으로 되돌아보고 있다.
② 시각적인 심상을 활용하여 주제를 형상화하고 있다.
③ 사랑하는 대상을 향한 그리움과 아픔이 드러나 있다.
④ 대조적 이미지의 시어를 통해 화자의 처지를 드러내고 있다.
⑤ 구체적인 지명을 사용하여 대상에 대한 친근감을 드러내고 있다.

3 [가]에서 화자가 말하고자 한 것으로 가장 적절한 것은?

① 불행했던 어린 시절의 한(恨)
② 가난이 초래한 슬프고 불행한 삶의 모습
③ 가난으로 인한 어머니의 한(恨)과 고달픈 삶
④ 어렸을 적에 효도를 다하지 못한 것에 대한 후회
⑤ 진주 남강 장터에서 살아가는 서민들의 삶의 애환

출제 예감

4 [가]의 구조를 다음과 같이 도식화했을 때, 빈칸에 들어갈 내용으로 적절한 것은?

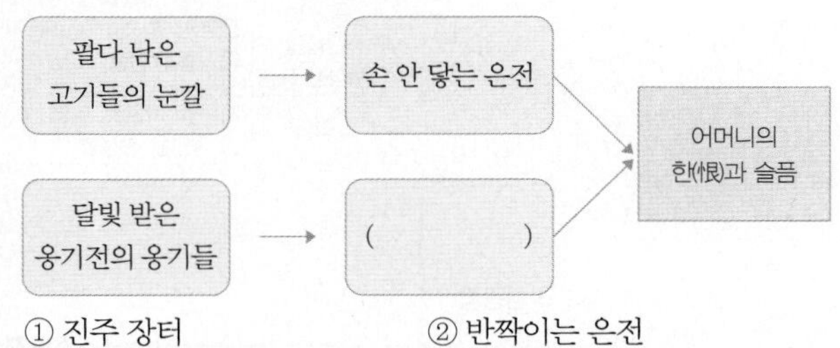

① 진주 장터
② 반짝이는 은전
③ 오누이의 시린 손
④ 남강에 비친 달빛
⑤ 어머니의 눈물

5 [가]에서 〈보기〉의 내용을 모두 충족하는 시행을 찾으면?

> 보기
> • 가정(假定)이나 의문형 종결 어미를 사용함
> • 향토적이고 토속적인 정감을 불러일으킴
> • 어머니의 마음을 헤아리는 시적 화자의 모습이 드러남

① 바다 밑이 깔리는 해 다 진 어스름을
② 은전(銀錢)만큼 손 안 닿는 한(恨)이던가.
③ 손 시리게 떨던가 손 시리게 떨던가.
④ 울엄매의 마음은 어떠했을꼬.
⑤ 말없이 글썽이고 반짝이던 것인가.

6 [나]의 화자에 대해 이해한 내용으로 적절하지 않은 것은?

① 화자는 어른이 되어 어린 시절을 회상하고 있어.
② 어린 시절 화자의 집안 형편은 무척 가난했던 것 같아.
③ 화자는 어린 시절에 외로움과 쓸쓸함을 많이 느꼈을 거야.
④ 화자는 가난을 통해 자신이 더욱 성숙해졌다고 생각하고 있어.
⑤ 화자는 어린 시절을 떠올릴 때면 어머니를 함께 연상하게 되는 것 같아.

출제 예감

7 [나]에 대한 감상 중, 표현론적 관점에 해당하는 것은?

① 비유법과 감각적 이미지를 사용하여 화자의 어린 시절을 생생하게 표현하고 있군.
② 비가 내리고 있는 상황은 시의 분위기와 화자의 정서를 더욱 고조시키고 있는 것 같아.
③ 일하러 나가신 어머니를 기다렸던 내 어린 시절의 기억을 떠올려 보는 계기가 되었어.
④ 외로웠던 어린 시절을 온돌방의 차가운 부분인 '윗목' 이라는 시어를 통해 드러내고 있어.
⑤ 작가는 실제로 가난한 유년 시절을 보냈다고 하던데, 시 속에 개인적인 경험과 생각을 녹여낸 것 같아.

8 서술형 [가]에서 영탄형, 의문형의 종결 어미를 사용하여 얻게 되는 효과를 서술하시오.

08 새 · 성북동 비둘기

가 새

1

하늘에 깔아 논 / 바람의 여울터에서나
속삭이듯 서걱이는 / 나무의 그늘에서나, 새는 노래한다.
그것이 노래인 줄도 모르면서 / 새는 그것이 사랑인 줄도 모르면서
두 놈이 부리를 / 서로의 죽지(새의 날개가 몸에 붙은 부분)에 파묻고
따스한 체온을 나누어 가진다.

소주제 1 새의 □□□ 노래와 사랑

2

새는 울어 / 뜻을 만들지 않고
지어서 교태로 / 사랑을 가식하지 않는다.

소주제 2 새의 □□ 없는 순수함

3

—— 포수는 한 덩이 납으로 / 그 순수를 겨냥하지만
매양 쏘는 것은 / 피에 젖은 한 마리 상한 새에 지나지 않는다.

소주제 3 인간에 의해 □□되는 새의 순수성

– 박남수

나 성북동 비둘기

성북동 산에 ⓐ번지가 새로 생기면서
본래 살던 성북동 ⓑ비둘기만이 번지가 없어졌다.
새벽부터 돌 깨는 산울림에 떨다가 / 가슴에 금이 갔다.
그래도 성북동 비둘기는 / 하느님의 광장 같은 새파란 아침 하늘에
성북동 주민에게 축복의 메시지나 전하듯 / 성북동 하늘을 한 바퀴 휘 돈다.

소주제 1 □□ 파괴로 삶의 터전을 잃어버린 비둘기

성북동 메마른 골짜기에는 / 조용히 앉아 콩알 하나 찍어 먹을
널찍한 ⓒ마당은커녕 가는 데마다
ⓓ•채석장 포성이 메아리쳐서 / 피난하듯 지붕에 올라앉아
아침 •구공탄 굴뚝 연기에서 향수를 느끼다가
산 1번지 채석장에 도로 가서 / 금방 따 낸 돌 온기에 입을 닦는다.

소주제 2 지향 없이 쫓기며 옛날을 그리워하는 □□□

예전에는 사람을 성자(聖者)처럼 보고
사람 가까이 / 사람과 같이 사랑하고
사람과 같이 평화를 즐기던 / ⓔ사랑과 평화의 새 비둘기는
이제 산도 잃고 사람도 잃고 / 사랑과 평화의 사상까지
낳지 못하는 쫓기는 새가 되었다.

소주제 3 □□과 □□의 사상을 잃은 비둘기

– 김광섭

어휘 다지기

- 채석장 : 석재(石材)로 쓸 돌을 캐거나 떠 내는 곳
- 구공탄 : 구멍이 뚫린 연탄을 통틀어 이르는 말

작품 개관

[가]
- 갈래 자유시, 서정시, 주지시
- 성격 주지적, 문명 비판적, 상징적
- 주제 순수한 삶의 추구와 인간 문명의 비판
- 특징
  ① 인간과 새의 이미지 대립을 통해 주제를 형상화함
  ② 인간 문명에 대한 비판과 인간 존재의 탐구를 보여 줌

[나]
- 갈래 자유시, 서정시
- 성격 문명 비판적, 상징적, 주지적, 우의적
- 주제 자연에 대한 향수와 문명에 대한 비판
- 특징 우의적인 표현으로 시상을 전개함

1등급 노트

[가]

1. 대립적 구조
'새'는 자연의 이미지, '포수'는 파괴적인 문명의 이미지로 대립 관계를 이룸 → '자연을 파괴하는 인간 문명의 비판'이라는 주제 의식을 부각시킴

2. 시어의 상징적 의미

새	자연의 아름답고 순수한 생명력
포수	순수를 파괴하는 비정하고 공격적인 인간 문명의 주체
한 덩이 납	파괴적인 인간의 문명

[나]

1. 구성상의 특징
   - 상징적 소재와 감각적인 시어를 활용하여 주제를 형상화함
   - 상황을 구체적으로 제시한 후 주제를 집약시키는 방식을 사용함 – 비둘기가 처한 상황을 1, 2연에서 구체적으로 묘사한 후, 3연에서 화자의 우의적 해석을 통해 주제를 드러냄

2. '비둘기'에 대한 해석
   - 인간(현대 문명)에 의해 파괴되어 가는 자연
   - 도시화와 개발에 의해 밀려난 소외 계층으로 비인간적 현대 문명에 의해 소외를 경험하는 현대인

3. 시어의 상징적 의미

번지	1행의 '번지'는 문명, 2행의 '번지'는 자연을 상징함
돌 깨는 산울림, 채석장 포성	문명의 횡포, 인간의 자연 파괴를 상징함
마당	자유를 마음껏 누릴 수 있는 공간을 상징함

소주제 체크

[가] 1. 순수한 2. 가식 3. 파괴 [나] 1. 자연 2. 비둘기 3. 사랑, 평화

정답과 해설 35쪽

1 [가]와 [나]에 대한 설명으로 적절하지 않은 것은?

① [가]는 관념적인 시어를 통해 주제를 형상화하였다.
② [가]는 개인적 감정을 배제한 주지적 성향을 드러내었다.
③ [나]는 사회 현실의 문제를 우의적으로 표현하였다.
④ [나]는 산문적이고 평이한 시어를 사용하여 표현하였다.
⑤ [가]와 [나] 모두 문명 비판적인 태도가 나타나 있다.

출제 예감

2 [가]와 [나]를 비교한 내용으로 적절하지 않은 것은?

① [가]의 '새'와 [나]의 '비둘기'는 문명에 의해 파괴되는 순수한 존재를 의미한다.
② [가]의 '체온'과 [나]의 '온기'는 자연에 대한 미련을 나타낸다.
③ [가]의 '바람의 여울터'는 [나]의 2행에 나타난 '번지'와 의미가 유사한 장소이다.
④ [가]의 '나무의 그늘'은 [나]의 '메마른 골짜기'와 대조적인 장소의 의미를 지닌다.
⑤ [가]의 '한 덩이 납'은 [나]의 '채석장 포성'과 상징적인 의미가 유사하다.

출제 예감

3 [가]의 구조를 〈보기〉와 같이 도식화하였을 때, ㉠과 ㉡에 들어갈 말이 바르게 연결된 것은?

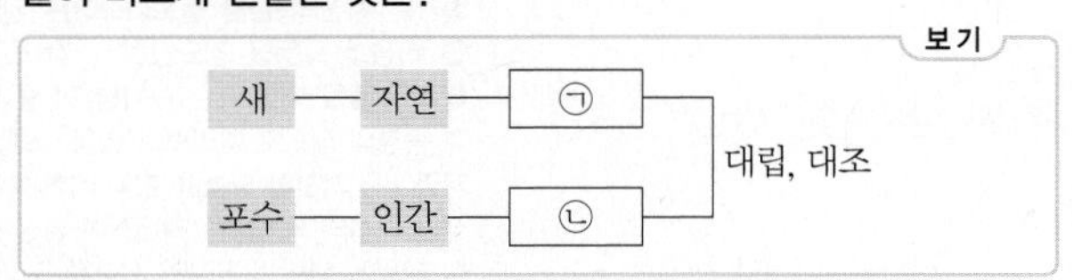

	㉠	㉡
①	순수의 표상	생명적 존재
②	순수한 생명력	문명의 이기성
③	문명의 이기성	인간의 파괴성
④	비생명적 존재	순수한 생명력
⑤	자연의 공격성	인간의 인위성

4 수능형 [가]에 드러난 정서와 가장 유사한 것은?

① 아! 그립다. / 내 혼자 마음 날같이 아실 이 / 꿈에나 아득히 보이는가. - 김영랑, 〈내 마음을 아실 이〉
② 파란 녹이 낀 구리거울 속에 / 내 얼굴이 남아 있는 것은 / 어느 왕조(王朝)의 유물(遺物)이기에 / 이다지도 욕될까. - 윤동주, 〈참회록〉
③ 수풀이 우는 새는 춘기(春氣)를 못내 계워 소리마다 교태(嬌態)로다. / 물아일체(物我一體)어니, 흥(興)이야 다룰소냐. - 정극인, 〈상춘곡〉
④ 말 마소, 내 집도 / 정주 곽산(定州郭山) / 차(車) 가고 배 가는 곳이라오. // 여보소, 공중에 / 저 기러기 / 공중엔 길 있어서 잘 가는가? - 김소월, 〈길〉
⑤ 그토록 아득하던 추락과 / 그 속력으로 / 몇 번이고 까무러쳤던 / 그런 공포의 기억이 진리라는 / 이 무서운 진리로부터 / 우리들의 이 소중한 꿈을 / 꼭 안아 지키게 해 주십시오. - 정한모, 〈가을에〉

5 ⓐ~ⓔ의 상징적 의미로 적절하지 않은 것은?

① ⓐ : 인간의 삶의 영역
② ⓑ : 문명에 의해 파괴되는 자연
③ ⓒ : 재개발이 이루어져 넓어진 공간
④ ⓓ : 문명의 횡포, 폭력성
⑤ ⓔ : 문명화되기 이전의 인간의 원초적 감정

6 [나]를 감상한 후 보일 수 있는 반응으로 적절하지 않은 것은?

① 자연과 공존하는 발전이 이루어져야 한다.
② 문명의 발달로 소외되어 가는 대상에 대한 관심이 필요하다.
③ 인간이 창조한 문명이 인간성의 파괴를 가져올 수 있다는 점을 기억해야 한다.
④ 자연은 이용의 대상이 아니므로 자연 개발 정책을 중단하고 파괴된 자연을 모두 회복시켜야 한다.
⑤ 현대인은 인간적인 가치보다 물질적인 가치만을 추구하는 문명 속에서 불안과 고독을 느끼며 살아가고 있다.

7 서술형 [가]에서 '피에 젖은 한 마리 상한 새'의 상징적 의미를 서술하시오.

09 납작납작 - 박수근 화법을 위하여 · 우리 동네 구자명 씨

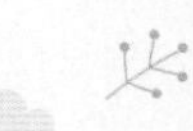

가 납작납작 - 박수근 화법을 위하여

㉠드문드문 세상을 끊어 내어 / **한 며칠 눌렀다가**
벽에 걸어 놓고 바라본다.
흰 하늘과 **쭈그린 아낙네 둘**이
벽 위에 납작하게 뻗어 있다.
가끔 심심하면 / **여편네와 아이들**도
한 며칠 눌렀다가 벽에 붙여 놓고
하나님 보시기 어떻습니까?
조심스럽게 물어본다.

소주제 ❶ □□의 작업 과정

발바닥도 없이 ㉡서성서성. / **입술도 없이** ㉢슬그머니.
표정도 없이 슬그머니. / 그렇게 웃고 나서
피도 눈물도 없이 ㉣바짝 마르기.
그리곤 드디어 납작해진 / 천지 만물을 한 줄에 꿰어 놓고
가이없이 한없이 ㉤펄렁펄렁. / 하나님, 보시니 마땅합니까?

소주제 ❷ 인물의 형상화를 통한 현실 □□

– 김혜순

나 우리 동네 구자명 씨

맞벌이 부부 우리 동네 **구자명 씨** / 일곱 달 된 아기 엄마 구자명 씨는
출근 버스에 오르기가 무섭게 / 아침 햇살 속에서 졸기 시작한다.
경기도 안산에서 서울 여의도까지 / 경적 소리에도 아랑곳없이
옆으로 앞으로 꾸벅꾸벅 존다.

소주제 ❶ 1~7행 : 출근길에 □□ 안에서 졸고 있는 구자명 씨

차창 밖으론 사계절이 흐르고 / 진달래 피고 밤꽃 흐드러져도 꼭
부처님처럼 졸고 있는 구자명 씨
그래 저 십 분은 / 간밤 아기에게 젖 물린 시간이고
또 저 십 분은 / 간밤 시어머니 약시중 든 시간이고
그래그래 저 십 분은
새벽녘 만취해서 돌아온 남편을 위하여 버린 시간일 거야

소주제 ❷ 8~16행 : □□을 위해 희생하는 삶을 사는 구자명 씨

고단한 하루의 시작과 끝에서 / 잠 속에 흔들리는 **팬지꽃 아픔**
식탁에 놓인 **안개꽃 멍에**
그러나 부엌문이 여닫기는 지붕마다
여자가 받쳐든 한 식구의 안식이 / 아무도 모르게
ⓐ죽음의 잠을 향하여
거부의 화살을 당기고 있다

소주제 ❸ 17~24행 : □□의 희생으로 유지되는 가정에 대한 비판

– 고정희

작품 개관

[가]
- 갈래 자유시, 서정시
- 성격 애상적, 비판적
- 주제 서민들의 애처로운 삶에 대한 서글픔과 연민
- 특징
  ① 서민들의 삶의 애환에 대한 연민을 설의적으로 표현함
  ② 미술 작품의 표현 기법을 시로 형상화하여 예술 장르 간의 변용을 보여 줌

[나]
- 갈래 자유시, 서정시
- 성격 현실 비판적, 페미니즘적
- 주제 여성의 일방적인 희생을 강요하는 현실에 대한 비판
- 특징
  ① 비유적인 표현('부처님', '팬지꽃', '안개꽃')으로 대상의 처지를 나타냄
  ② 대상의 처지를 나타내는 구체적인 상황을 제시함으로써 공감을 획득함
  ③ '구자명 씨' 개인의 모습을 보편적인 여성의 모습으로 확장하면서 주제 의식을 드러냄

1등급 노트

[가]

1. 시에 형상화된 '세 여인'
   박수근 화백의 작품 제목인 '세 여인'은 작품 속에 등장하는 세 인물을 가리킴. 세 여인은 이 시에서 '아낙네 둘', '여편네와 아이들'로 변용되어 나타나고 있고, 삶에 짓눌려 있는 서민들의 모습으로 표현되어 작가의 주제 의식을 드러내는 중심 소재임

[나]

1. 시상 전개

화자
(비판) 남성 중심의 가부정적 사회
(연민) 희생당하는 구자명 씨

2. 시어의 의미

시어	의미
팬지꽃 아픔	가정의 아름다움 속에 가려진 여성들의 희생
안개꽃 멍에	가정의 평온함을 위해 자신의 상처나 고통을 감수할 수밖에 없는 고단한 여성들의 삶

3. 화자의 태도
   화자는 자신의 삶을 돌보기보다는 일방적인 희생과 노동을 강요당하는, 현대 사회의 여성들을 대변하는 '구자명 씨'를 연민과 동정의 태도로 바라보고 있음. 또한 '구자명 씨' 개인의 모습을 한국 사회의 보편적인 여성의 모습으로 확대하여 남성 중심적 사회에 대한 비판적인 시각을 드러내고 있음

소주제 체크

[가] 1. 그림 2. 비판
[나] 1. 버스 2. 가족 3. 여성

정답과 해설 35쪽

1 [가]와 [나]의 공통점으로 가장 적절한 것은?

① 특정 장면을 포착하여 부정적 현실을 드러내고 있다.
② 자연과의 대비를 통해 인간사의 무상함을 강조하고 있다.
③ 사물에 감정을 이입하여 그리움의 정서를 드러내고 있다.
④ 역설적 표현을 활용하여 부조리한 현실을 고발하고 있다.
⑤ 공간이 지닌 상징성을 활용하여 현실 극복 의지를 표현하고 있다.

2 수능형 〈보기〉를 참고하여 [가]를 감상할 때, 가장 적절한 것은?

보기

박수근 화백은 가난한 서민들을 소재로 하여 그들의 애환을 나타내는 작품을 그렸다. 이 시는 〈세 여인〉이라는 그림을 보고 쓴 작품으로, 이 그림 역시 박수근 특유의 무채색과 평면적 화풍, 인물들의 희미한 윤곽 처리를 통해 서민들의 고달픈 삶을 드러내고 있다.

① '한 며칠 눌렀다가'는 박수근의 그림이 입체성을 띠고 있음을 짐작하게 한다.
② '쭈그린 아낙네 둘', '여편네와 아이들'은 박수근의 그림에 나타난 서민들의 이미지를 드러내고 있다.
③ '하나님 보시기 어떻습니까?'는 박수근의 그림에 대한 독자의 견해를 묻는 것이라고 볼 수 있다.
④ '발바닥도 없이', '입술도 없이'는 박수근의 그림에 나타난 정밀하고 구체적인 묘사를 드러내는 표현이다.
⑤ '피도 눈물도 없이'는 박수근의 그림 속에 그려진 서민들의 차갑고 냉정한 모습을 보여 주고 있다.

출제 예감

3 ㉠~㉤에 대한 설명으로 적절하지 않은 것은?

① ㉠ : 화폭에 그림을 그리는 과정을 나타낸다.
② ㉡ : 주변인으로 살아가는 사람들의 고달픔을 의미한다.
③ ㉢ : 세파에 시달리며 남의 눈에 띄지 않고 살아가는 모습을 드러낸다.
④ ㉣ : 힘겨운 삶 속에서 서로를 의지하며 살아가는 이웃들을 묘사한다.
⑤ ㉤ : 세상사에 휘둘리는 나약하고 안타까운 모습을 드러낸다.

4 [가]의 화자에 대한 설명으로 가장 적절한 것은?

① 대상을 통해 지향하는 가치를 발견하고 있다.
② 자신이 경험한 내용을 생생하게 묘사하고 있다.
③ 상황에 대한 인식이 심화되며 어조가 변화하고 있다.
④ 시적 상황에 대한 감정을 반어적으로 드러내고 있다.
⑤ 서민들의 삶의 애환과 그에 대한 연민을 표현하고 있다.

출제 예감

5 [나]에 대한 설명으로 적절하지 않은 것은?

① 여성의 고단한 삶의 모습을 사실적으로 제시하고 있다.
② 직유법을 통해 대상의 희생적 이미지를 보여 주고 있다.
③ 구체적 이름을 제시하여 내용에 사실성을 부여하고 있다.
④ 한 여성의 일상을 보편적인 여성의 삶으로 확대하고 있다.
⑤ 간밤에 '구자명 씨'에게 있었던 일을 화자가 직접 관찰하여 묘사하고 있다.

6 ⓐ의 의미로 가장 적절한 것은?

① 죽은 것처럼 움직이지 않는다.
② 버스 안에서 잠든 것처럼 죽었다.
③ 고단함이 지나쳐서 잠을 잘 수가 없다.
④ 너무 피곤해서 죽은 것처럼 깊이 잠들었다.
⑤ 힘든 삶으로 인해 죽음이 조금씩 앞당겨진다.

7 고난도 〈보기〉를 바탕으로 [나]의 표현에 대해 설명하였을 때, 적절하지 않은 것은?

보기

- 팬지꽃은 높이 15~30cm로 작은 편이며, 한 개의 꽃대 끝에 한 송이의 꽃이 핀다. 키가 작아서 땅을 덮으므로 일반적으로 화단에 가장 많이 심는다.
- 안개꽃은 무수히 많은 잔가지가 갈라져서 그 끝에 눈송이처럼 희고 작은 꽃이 피어 올라와 장미나 카네이션 등을 한층 돋보이게 해 준다.

① '아픔'과 '멍에'라는 추상적 시어를 '팬지꽃'과 '안개꽃'에 빗대어 시각적으로 구체화하고 있다.
② '팬지꽃'과 '안개꽃'의 원관념은 여성이 고통을 감수하며 지키려고 하는 '식구의 안식'임을 알 수 있다.
③ '팬지꽃 아픔'과 '안개꽃 멍에'에는 사회적 약자로서 여성에게 요구되는 역할에 대한 비판적 인식이 드러나고 있다.
④ '팬지꽃 아픔'은 팬지꽃이 작아 눈에 띄지 않듯이, 가정의 아름다움 속에 가려진 '구자명 씨'의 희생을 의미하고 있다.
⑤ '안개꽃 멍에'는 안개꽃이 다른 꽃을 돋보이게 해 주듯이, 가정의 평온함을 위해 자신의 희생을 감수하는 '구자명 씨'의 삶을 나타내고 있다.

8 서술형 [가]에서 제목의 '납작납작'이라는 표현은 어떠한 삶의 모습을 형상화하기 위한 것인지 서술하시오.

10 농무 · 벼

가 농무(農舞)

㉠징이 울린다 막이 내렸다. / 오동나무에 전등이 매어 달린 가설무대
㉡구경꾼이 돌아가고 난 텅 빈 운동장 / 우리는 분이 얼룩진 얼굴로
학교 앞 소줏집에 몰려 술을 마신다. / 답답하고 고달프게 사는 것이 원통하다.

소주제 ❶ 1~6행 : 농무 후의 허탈감을 □로 달램

㉢꽹과리를 앞장세워 장거리로 나서면 / 따라붙어 악을 쓰는 건 쪼무래기들뿐
처녀 애들은 기름집 담벽에 붙어 서서 / 철없이 킬킬대는구나.

소주제 ❷ 7~10행 : 피폐한 □□의 초라한 모습

보름달은 밝아 어떤 녀석은 / *꺽정이처럼 울부짖고 또 어떤 녀석은
*서림이처럼 해해대지만 이까짓 / ㉣산 구석에 처박혀 발버둥 친들 무엇하랴.
비료값도 안 나오는 농사 따위야 / 아예 여편네에게나 맡겨 두고

소주제 ❸ 11~16행 : 피폐한 농촌 현실에 대한 □□

쇠전을 거쳐 도수장 앞에 와 돌 때 / 우리는 점점 신명이 난다.
한 다리를 들고 날라리를 불거나 / ㉤고갯짓을 하고 어깨를 흔들거나.

(도수장: 도살장, 짐승을 잡는 곳 / 날라리: 태평소를 달리 이르는 말)

소주제 ❸ 17~20행 : 고달픈 현실과 분노를 □□를 통해 삭임

– 신경림

나 벼

벼는 서로 어우러져 / 기대고 산다.
햇살 따가워질수록
깊이 익어 스스로를 아끼고
ⓐ이웃들에게 저를 맡긴다.

소주제 ❶ 어우러져 사는 □의 모습

ⓑ서로가 서로의 몸을 묶어 / 더 튼튼해진 백성들을 보아라.
죄도 없이 죄지어서 더욱 불타는
마음들을 보아라. 벼가 춤출 때,
ⓒ벼는 소리 없이 떠나간다.

소주제 ❷ 벼의 내면적 □□

벼는 가을 하늘에도 / 서러운 눈 씻어 맑게 다스릴 줄 알고
바람 한 점에도 / 제 몸의 노여움을 덮는다.
ⓓ저의 가슴도 더운 줄을 안다.

소주제 ❸ 벼의 □□□ 태도(인고)

ⓔ벼가 떠나가며 바치는 / 이 넓디넓은 사랑,
쓰러지고 쓰러지고 다시 일어서서 드리는
이 피 묻은 그리움, / 이 넉넉한 힘…….

소주제 ❹ 벼의 생명력 □□

– 이성부

어휘 다지기

- 꺽정이 : 조선 시대 백정 출신 의적인 임꺽정
- 서림이 : 임꺽정의 참모로 권력에 빌붙어 그를 배신한 인물

작품 개관

[가]
- 갈래 자유시, 서정시, 농민시
- 성격 사실적, 묘사적, 비판적
- 주제 농민들의 한(恨)과 고뇌의 삶
- 특징
  ① 공간의 이동에 따라 시상 전개가 이루어짐
  ② 현실에 대한 화자의 인식을 직설적으로 드러냄
  ③ 반어적이며 역설적인 상황을 통해 농민들의 심리를 부각시킴

[나]
- 갈래 자유시, 서정시, 참여시
- 성격 예찬적, 상징적
- 주제 벼(민중)의 강인한 생명력
- 특징 비유적 표현을 통해 주제를 형상화함

1등급 노트

[가]

1. 참여시, 농민시로서의 성격
   - 1970년대 농민시의 대표작으로, 피폐된 농촌의 현실과 농민의 울분을 사실적으로 보여 줌
   - '텅 빈 운동장', '철없는 쪼무래기'들만 따라나서는 농무, '비료값도 안 나오는 농사' 등 : 농민의 소외감과 울분을 효과적으로 보여 줌
   - '쇠전을 거쳐 도수장 앞에 와 돌 때 / 우리는 점점 신명이 난다.' : 뿌리 깊은 울분을 농무의 신명이라는 역설적 상황을 통해 보여 줌
2. 시상 전개 과정(공간의 이동)
   운동장 → 소줏집 → 장거리 → 쇠전 → 도수장
   → 점점 빨라짐(신명의 고조 = 울분의 고조)

[나]

1. 표현상의 특징
   자연물인 '벼'를 의인화하여, 비유와 상징의 기법을 이용해 이 땅에서 살아온 민중의 한과 공동체 의식을 형상화함
2. 시어의 상징적 의미
   - 벼 : 공동체 의식에 바탕을 둔 민중의 생명력
   - 햇살 : 벼의 생존을 위협하는 외적인 상황
   - 피 : 자유와 평등의 세계를 위한 민중의 희생
   - 넉넉한 힘 : 희생을 통해 사랑을 이룩한 민중의 저력

함께 엮어 읽기

◆ 김수영, 〈풀〉
〈풀〉은 외부의 억압에 굴하지 않는 민중의 생명력을 상징하는 '풀'과 민중을 억압하는 외부 세력을 상징하는 '바람'의 관계를 통해 민중의 끈질긴 생명력을 형상화한 작품이다. 자연적 소재가 갖는 속성을 통해 민중의 삶을 형상화했다는 점에서 [나]와 유사하다.

소주제 체크

[가] 1. 술 2. 농촌 3. 울분 4. 농무 [나] 1. 벼 2. 덕성 3. 내면적 4. 예찬

정답과 해설 35쪽

1 [가]에 대한 설명으로 적절한 것은?

① 계층 간의 갈등과 화해의 과정을 그리고 있다.
② 역사적 사건을 중심으로 시상을 전개하고 있다.
③ 넉넉하고 풍요로운 민중의 힘에 대한 믿음이 드러나 있다.
④ 배경이 되는 시대적 현실에 대해 부정적 태도를 취하고 있다.
⑤ 소외 계층의 불행에 대한 적극적인 저항 의지를 표출하고 있다.

출제 예감
2 [가]는 공간의 이동에 따라 시상이 전개되고 있다. 그 경로가 적절한 것은?

① 운동장 → 장거리 → 도수장 → 쇠전 → 소줏집
② 소줏집 → 장거리 → 쇠전 → 도수장 → 운동장
③ 도수장 → 쇠전 → 소줏집 → 운동장 → 장거리
④ 운동장 → 소줏집 → 장거리 → 쇠전 → 도수장
⑤ 운동장 → 장거리 → 도수장 → 소줏집 → 쇠전

3 ㉠~㉤ 중, 〈보기〉의 설명과 관계 깊은 표현은?

보기
도시화, 공업화에 밀려 쇠락의 길에 접어든 농촌의 현실을 상징적으로 드러내는 역할을 하는 동시에, 이러한 상황에서 농민들이 느끼는 한탄의 정서를 형성한다. 또한 하강적 이미지를 통해 비애의 정서를 느끼게 한다.

① ㉠　② ㉡　③ ㉢　④ ㉣　⑤ ㉤

출제 예감
4 [가]에 대한 설명으로 적절하지 않은 것을 〈보기〉에서 고르면?

보기
이 시는 ㉮ 1970년대 산업화의 과정 속에 급속도로 와해되어 가던 농촌을 배경으로 ㉯ 농민들의 한과 고뇌를 노래한 작품이다. ㉰ 농촌의 절망과 농민의 울분을 고발, 토로하는 동시에 ㉱ 그를 해결해 나가고자 하는 농민들의 구체적인 의지와 행동을 그리고 있다. 이 시는 ㉲ 울분과 절망을 정반대의 '신명'으로 극복하고자 하는 농민들의 처절한 몸짓을 통해 그들의 아픔이 역설적으로 고양되는 효과를 얻고 있다.

① ㉮　② ㉯　③ ㉰　④ ㉱　⑤ ㉲

출제 예감
5 [나]에 대한 설명으로 적절하지 않은 것은?

① 시적 대상을 의인화하여 표현하였다.
② 비유적 표현을 통해 주제를 강조하고 있다.
③ 이상과 현실의 괴리에서 오는 화자의 고뇌가 나타나 있다.
④ 자연적 소재의 속성을 통해 민중의 삶을 형상화하고 있다.
⑤ '벼'는 공동체 의식에 바탕을 둔 민중의 생명력을 상징한다.

6 ⓐ~ⓔ에 대한 설명으로 적절하지 않은 것은?

① ⓐ는 벼의 공동체적 유대에 대한 신뢰감을 나타낸다.
② ⓑ는 힘을 합쳐 더 큰 힘을 내는 민중의 저력을 암시한다.
③ ⓒ는 이기적 태도를 버리고 자신을 긍정하는 모습을 보여 준다.
④ ⓓ는 벼도 저항할 수 있는 뜨거운 피를 지니고 있음을 강조한다.
⑤ ⓔ는 벼가 자기희생을 통해 사랑을 이룩하는 모습을 형상화한다.

7 [나]와 〈보기〉의 '피'를 비교한 내용으로 적절한 것은?

보기
푸른 하늘을 제압하는
노고지리가 자유로왔다고
부러워하던 / 어느 시인의 말은 수정되어야 한다 //
자유를 위해서 / 비상하여 본 일이 있는 / 사람이면 알지
노고지리가 / 무엇을 보고 / 노래하는가를
어째서 자유에는
피의 냄새가 섞여 있는가를
혁명은 / 왜 고독한 것인가를 〈후략〉　　- 김수영, 〈푸른 하늘을〉

① [나]와 〈보기〉 모두에서 '자기희생'을 상징한다.
② [나]와 〈보기〉 모두에서 '공동체적 유대감'을 상징한다.
③ [나]에서는 '민중'을, 〈보기〉에서는 '자유'를 상징한다.
④ [나]에서는 '생명력'을, 〈보기〉에서는 '혁명'을 상징한다.
⑤ [나]에서는 '고통받는 현실'을, 〈보기〉에서는 '고독'을 상징한다.

8 서술형 〈보기〉를 참고하여, [가]에 나타난 '농무'의 성격과 상징성을 시대 현실과 관련하여 서술하시오.

보기
시는 섬세하고 정서적인 아름다움만을 추구하는 것이 아니라 현실 상황으로 인한 개인과 사회의 고통과 아픔을 다루기도 한다. 이 작품의 시인은 화자가 처한 현실 상황을 사실적으로 그려 냄으로써 한 시대의 아픔을 표현하고 있다.

11 새들도 세상을 뜨는구나

영화가 시작하기 전에 우리는
일제히 일어나 애국가를 *경청한다.
삼천리 화려 강산의
*을숙도에서 일정한 군(群)을 이루며
갈대숲을 이륙하는 흰 새 떼들이
자기들끼리 끼룩거리면서
자기들끼리 낄낄대면서
일렬 이열 삼렬 *횡대로 자기들의 세상을
이 세상에서 떼어 메고
이 세상 밖 어디론가 날아간다.
우리들도 우리들끼리
낄낄대면서
깔쭉대면서
우리의 대열을 이루며
한 세상 떼어 메고
㉠이 세상 밖 어디론가 날아갔으면
하는데 대한 사람 대한으로
길이 *보전하세로
㉡ 각기 자기 자리에 앉는다.
주저앉는다.

– 황지우

소주제 1 1, 2행 : □□□의 경청

소주제 2 3~10행 : 이상향을 향한 □들의 자유로운 비상

소주제 3 11~20행 : 현실에 대한 이상과 □□

어휘 다지기

- 경청(傾聽) : 귀를 기울여 들음
- 을숙도 : 낙동강 하류에 있는 섬. 철새 도래지
- 횡대(橫隊) : 가로로 줄을 지어 늘어선 대형
- 보전(保全) : 온전하게 보호하여 유지함

작품 개관

- 갈래 자유시, 서정시
- 성격 현실 비판적, 풍자적
- 주제 암울한 현실에서 벗어나고픈 소망과 좌절
- 특징
  ① 반어적 표현을 통해 현실을 풍자함
  ② 대조적 상황을 통해 시적 화자의 좌절감을 강조함
  ③ 애국가가 나올 때의 배경 화면에 따라 시상이 전개됨

1등급 노트

1. 표현상의 특징
   - 반어적 표현 : 3행의 '삼천리 화려 강산'은 암울한 현실을 애국가 속 아름다운 정경으로 반대로 드러냄으로써 풍자의 효과를 얻고 있음
   - 냉소적 표현 : 12~13행의 '낄낄대면서', '깔쭉대면서'에서 화자는 비판적이고 냉소적인 표현으로 현실에 대한 조롱과 야유를 드러냄
2. '주저앉는다.'의 의미
   애국가가 진행되는 동안 새들처럼 이 세상을 떠나고 싶어 하는 화자는 애국가가 끝나자 자리에 주저앉음 → 현실적 제약으로 인한 안타까움과 깊은 좌절감을 의미함
3. 창작 당시의 시대적 상황
   - 군부 독재의 폭압적인 정치 상황 속에서 수많은 정치적 억압과 갈등을 겪어야 했던 1980년대의 우리 문학의 특성을 보여 주는 대표적인 작품임
   - 1980년대의 암울한 현실과 시대적 소망, 그리고 좌절감 등을 예리한 감수성으로 드러내고 있어 당대 사회의 억압적 분위기와 그 이면을 짐작할 수 있게 함

소주제 체크

1. 애국가 2. 새 3. 좌절

정답과 해설 35쪽

출제 예감

1 **이 시에 대한 설명으로 적절하지 않은 것은?**

① 이 시에서 '이 세상'은 자유와 이상의 세계를 의미한다.
② 억압적인 현실에 대한 시적 화자의 갈등이 나타나 있다.
③ 애국가의 가사를 인용하여 조국애를 강요하는 현실을 보여 주고 있다.
④ 군사 정권의 현실하에서 획일화된 삶을 살아가는 민중의 모습을 그리고 있다.
⑤ 이상화된 현실인 애국가의 배경 화면을 비판적으로 바라보는 시적 화자의 시각이 나타나 있다.

2 **이 시의 주제로 가장 적절한 것은?**

① 암울한 현실에 대한 비판과 좌절
② 어두운 시대 현실 속의 고뇌와 자기 반성
③ 공동체 의식으로 조화롭게 사는 삶의 추구
④ 현실의 고통을 벗어 버릴 수 있는 이상향의 추구
⑤ 무기력한 삶에 대한 반성과 새로운 삶에 대한 의지

3 **〈보기〉는 이 시에 대한 해설의 일부이다. 빈칸에 들어갈 시어로 적절한 것은?**

보기

이 시에서 (   )은/는 청중들을 모두 기립하게 하고, 또 앉게 만드는 구속력을 가진 보이지 않는 강제적인 힘을 상징한다.

① 영화 ② 애국가 ③ 을숙도
④ 흰 새 떼 ⑤ 삼천리 화려 강산

4 **㉠에 담긴 시적 화자의 소망을 적절하게 표현한 것은?**

① 새들처럼 자유롭게 현실에 안주했으면
② 현실에 적응해 일상의 편안함을 찾았으면
③ 절망으로 가득 찬 사회적 현실에서 벗어났으면
④ 자괴감과 괴로움에서 벗어나 새로운 사랑을 찾았으면
⑤ 사회적 성취감만을 강요하는 현실에서의 일탈을 꿈꿨으면

5 **이 시의 시어 중 의미상 대조를 이루지 않는 것은?**

① 우리 – 새 떼 ② 이 세상 – 이 세상 밖
③ 날아간다 – 주저앉는다 ④ 삼천리 화려 강산 – 이 세상
⑤ 자기들의 세상 – 을숙도

출제 예감

6 **㉡에 대한 설명으로 적절하지 않은 것은?**

① 현실적 제약을 인식하는 화자의 모습이 드러난 표현이다.
② 애국가 배경 화면 속의 새가 비상하는 것과 대조되는 표현이다.
③ 이 세상을 벗어나지 못하는 데서 생기는 안타까움의 표현이다.
④ 현실에 적응하는 소시민의 생명력과 삶의 의지를 나타낸 표현이다.
⑤ 꿈과 기대감이 사라지는 데서 오는 허탈감과 좌절감을 나타낸 표현이다.

7 **수능형** **이 시를 내재적 관점에서 감상한 사람은?**

① 홍주 : 영화를 보러 간 극장에서조차 획일적인 문화를 강요받아야 했던 당대 현실이 놀라워.
② 수진 : 그래. 그렇지만 지금의 우리 사회에도 이와 유사한 모습이 존재하고 있다는 것을 간과해서는 안 될 것 같아.
③ 병학 : 지금도 '이 세상 밖 어디'를 생각하며 우리 사회에서 벗어나고 싶어 하는 사람이 많은 것은 아닐까?
④ 현중 : 그렇지만 포기하거나 절망하지는 말아야 해. 우리 모두 노력하면 좋은 세상이 올 거야.
⑤ 하늘 : 그런데 음성 상징어의 사용으로 시적 화자의 냉소적 태도를 나타낸 점이 참 재미있고 효과적인 것 같아.

8 **서술형** **'흰 새 떼'의 의미와 기능을 시적 화자의 처지와 관련하여 서술하시오.**

12 우리가 물이 되어

우리가 물이 되어 만난다면
가문 어느 집에선들 좋아하지 않으랴.
우리가 키 큰 나무와 함께 서서
Ⓐ우르르 우르르 비 오는 소리로 흐른다면.

흐르고 흘러서 •저물녘엔
저 혼자 깊어지는 강물에 누워
㉠죽은 나무뿌리를 적시기도 한다면.
아아, 아직 처녀(處女)인
부끄러운 바다에 닿는다면.

소주제 1 □이 되어 만나고 싶은 소망

그러나 지금 우리는
불로 만나려 한다.
벌써 숯이 된 뼈 하나가
세상에 불타는 것들을 쓰다듬고 있나니

소주제 2 □로 만나려는 현재 상황

만 리(萬里) 밖에서 기다리는 그대여
㉡저 불 지난 뒤에
흐르는 물로 만나자.
Ⓑ푸시시 푸시시 불 꺼지는 소리로 말하면서
올 때는 •인적(人跡) 그친
넓고 깨끗한 하늘로 오라.

소주제 3 □이 지난 뒤에 □로 만나고자 함

– 강은교

어휘 다지기

- 저물녘 : 날이 저물 무렵
- 인적(人跡) : 사람의 발자취. 또는 사람의 왕래

작품 개관

- 갈래 자유시, 서정시
- 성격 상징적, 의지적
- 주제
  ① 원시적 생명력과의 만남에 대한 희구(순수한 마음으로 만나는 삶)
  ② 현실의 부조리를 해소하고 조화로운 합일을 이루고 싶은 소망
- 특징
  ① 가정법의 형태로 간절한 소망을 표현함
  ② '물'과 '불'의 대립적 이미지로 만남을 노래함

1등급 노트

1. '물'과 '불'의 대립적 이미지

물	• 생명의 기원, 화합, 재생의 상징 • 불순한 것을 정화시켜 주는 순수한 존재 • 고립된 개체인 '나'와 '그대'를 '우리'로 합일시켜 주는 존재
↕	
불	• 죽음, 파괴, 대결, 소멸의 이미지 • 바람직하지 않은 삶의 방향

2. 가정법 사용의 효과
   1, 4, 7, 9행에 '~다면'이라는 가정법을 사용하여 만남에 대한 시적 화자의 소망이 간절함을 드러냄

3. 시인이 지향하는 삶의 모습
   마지막 연의 '넓고 깨끗한 하늘'은 시적 화자가 지향하는 창조적 만남의 공간으로, 완전한 합일과 충만한 생명을 맛볼 수 있는 곳을 의미함

함께 엮어 읽기

◆ '물'과 '불'의 대립적 이미지가 드러난 작품

1. 주요한, 〈불놀이〉
   '물'이 죽음이라면 '불'은 삶의 표상으로, 이러한 죽음과 삶의 대립은 어둠과 밝음, 슬픔과 기쁨의 대립으로 이어진다.
2. 김남조, 〈겨울 바다〉
   '불'과 '물'은 각각 소멸과 생명의 이미지로, '불'과 '물'의 대립은 사랑을 둘러싼 욕망과 좌절, 육신과 영혼, 감성과 현실, 세속과 신성, 죽음과 소생의 대립을 상징한다.

소주제 체크

1. 물 2. 불 3. 불, 물

정답과 해설 36쪽

1 이 시에 대한 설명으로 적절하지 않은 것은?

① 상반된 이미지를 대립시켜 주제를 형상화하고 있다.
② 역설의 표현 기교를 활용하여 의미를 심화시키고 있다.
③ 청각적 이미지를 통해 대상을 감각적으로 표현하고 있다.
④ 가정의 형식을 통해 화자의 소망이 절실함을 드러내고 있다.
⑤ 시적 화자가 추구하는 바람직한 세계를 상징적으로 드러내고 있다.

2 이 시에 나타난 시적 화자의 태도로 가장 적절한 것은?

① 부정적 현실을 극복할 수 없음을 인식하고 비탄에 빠져 있다.
② 부정적 현실의 부당성과 몰가치성을 풍자하여 비판하고 있다.
③ 부정적 현실을 인식하고 이를 극복하려는 의지를 가지고 있다.
④ 부정적 현실에 대한 패배를 인정하면서도 대결을 감행하고 있다.
⑤ 부정적 현실과의 대결을 포기하고 자연으로의 도피를 꿈꾸고 있다.

출제 예감
3 이 시의 '물'과 '불'에 대한 설명으로 적절하지 않은 것은?

① '물'은 생명력, 정화력을 지닌 존재이다.
② '불'은 갈등, 소멸, 파괴의 이미지를 드러낸다.
③ '불'은 바람직하지 않은 삶의 방향을 상징한다.
④ '불'은 세상의 모든 것을 소멸시켜 세상을 허무주의에 물들게 한다.
⑤ '물'로 만나 조화로운 합일을 이루기 위해서는 먼저 '불'로 만나야 한다.

4 고난도 각 시어의 이미지 연결이 가장 적절한 것은?

① 물 – 불 – 인적
② 바다 – 숯 – 그대
③ 우리 – 바다 – 물
④ 강물 – 바다 – 하늘
⑤ 우리 – 뿌리 – 불 꺼지는 소리

출제 예감
5 ㉠이 의미하는 바로 가장 적절한 것은?

① 순수한 마음을 가진 존재
② 원초적 생명의 세계를 가진 존재
③ 절대적인 허무 의식을 가진 존재
④ 공동체적 삶의 문화를 창조한 존재
⑤ 현대 사회의 메마름 속에 생명력을 잃은 존재

6 수능형 Ⓐ와 Ⓑ에 대한 설명으로 가장 적절한 것은?

① Ⓐ는 물의 결핍감을, Ⓑ는 불의 충족감을 비유하고 있다.
② Ⓐ는 비의 부정적 의미를, Ⓑ는 소리의 긍정적 의미를 함축하고 있다.
③ Ⓐ는 비에 대한 불안감을, Ⓑ는 소리에 대한 불안감을 반영하고 있다.
④ Ⓐ는 물의 생동하는 힘을, Ⓑ는 불이 소멸하는 상황을 형상화하고 있다.
⑤ Ⓐ는 상승하는 물의 움직임을, Ⓑ는 하강하는 불의 움직임을 구체화하고 있다.

7 서술형 이 시에서 ㉡은 어떤 상태를 의미하는지 서술하시오.

출제 예감
8 서술형 이 시에서 가정법을 통해 소망을 표출함으로써 얻을 수 있는 효과에 대해 서술하시오.

13 라디오와 같이 사랑을 끄고 켤 수 있다면 · 프란츠 카프카

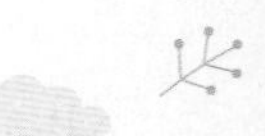

가 라디오와 같이 사랑을 끄고 켤 수 있다면

내가 ⓐ단추를 눌러 주기 전에는
그는 다만
하나의 ⓑ라디오에 지나지 않았다.

소주제 ❶ □□를 누르기 전의 무의미한 존재

내가 그의 단추를 눌러 주었을 때
그는 나에게로 와서
ⓒ전파가 되었다.

소주제 ❷ 단추를 누르자 □□ □□ 존재가 됨

내가 그의 단추를 눌러 준 것처럼 / 누가 와서 나의
굳어 버린 핏줄기와 황량한 가슴 속 버튼을 눌러 다오.
그에게로 가서 나도
그의 ⓓ전파가 되고 싶다.

소주제 ❸ 의미 있는 존재가 되고 싶은 '나'의 □□

우리들은 모두 / 사랑이 되고 싶다.
끄고 싶을 때 끄고 켜고 싶을 때 켤 수 있는
ⓔ라디오가 되고 싶다.

소주제 ❹ □□□ 편리한 사랑을 원하는 '우리'

– 장정일

나 프란츠 카프카

– MENU –

샤를르 보들레르 800원
(프랑스의 시인)
칼 샌드버그 800원
(미국의 시인)
프란츠 카프카 800원
(체코의 문학가)
이브 본느프와 1,000원
(프랑스의 시인)
에리카 종 1,000원
(미국의 소설가)
가스통 바슐라르 1,200원
(프랑스의 철학자)
이하브 핫산 1,200원
(포스트모더니즘의 주창자)
제레미 리프킨 1,200원
(미국의 문명 비평가)
위르겐 하버마스 1,200원
(독일의 철학자)

소주제 ❶ 1~10행 : □□□된 정신적 가치

시를 공부하겠다는
미친 제자와 앉아
커피를 마신다
제일 값싼
프란츠 카프카

소주제 ❷ 11~15행 : □□와 함께 값싼 커피를 마심

– 오규원

작품 개관

[가]
- 갈래 자유시, 서정시
- 성격 비판적, 풍자적
- 주제 쉽게 만나고 헤어지는 현대인들의 사랑에 대한 비판
- 특징 패러디 기법을 통해 추상적이고 관념적인 의미를 구체적 사물을 활용하여 풍자적으로 드러냄

[나]
- 갈래 자유시, 서정시
- 성격 비판적, 시각적, 풍자적
- 주제 물질적 가치만 중시하는 사회 현실 비판
- 특징 정신적 가치가 상품화되는 것을 메뉴판 형식으로 표현함

1등급 노트

[가]

'라디오'와 주제의 연관성
무의미한 존재였던 '라디오'는 '단추'를 매개체로 전원을 켰을 때 '전파'가 되어 의미를 부여받는다. 그러나 '끄고 싶을 때 끄고 켜고 싶을 때 켤 수 있는' 특성은 쉽게 만나고 헤어지는 현대인들의 사랑에 비유되면서 비판과 풍자를 위한 소재로 활용되었다.

[나]

1. 정신적 가치의 상품화 효과
메뉴판의 형식을 빌려 문학과 사상의 가치마저 물질적 가치로 평가하는 현대 물질 만능주의를 풍자함 → 대상의 상품화, 물신화(物神化)

2. 시인의 자조적 현실 인식
자신도 시를 쓰면서 시를 공부하겠다는 제자를 '미친'으로 표현함 – 자조적 태도(물질 만능의 시대에 대한 비판)

더 알아보기

◆ 패러디(parody)
이미 사람들에게 익숙한 특정 작품의 소재, 형식이나 내용, 작가의 문체 등을 모방하여 과장이나 풍자로써 재창조하는 수법, 또는 그런 작품을 말한다. 자신의 의도를 효과적으로 드러내기 위해 사용되는 방법이기도 하다.

함께 엮어 읽기

◆ 김춘수, 〈꽃〉
대상이 의미 있는 존재가 되어가는 과정을 보여 주면서, 존재의 본질을 인식하려는 화자의 소망을 표현하고 있는 작품이다. 〈라디오와 같이 사랑을 끄고 켤 수 있다면〉은 이 작품을 패러디의 기법으로 재창작하였다. 기존의 시가 관념적이고 철학적인 주제를 가지고 있는 데 비해, 재창작된 시는 구체적인 사물을 활용하여 현대인의 가벼운 사랑을 풍자하고 있다.

소주제 체크

답 [가] 1. 단추 2. 의미 있는 3. 소망 4. 가볍고 [나] 1. 상품화 2. 제자

정답과 해설 36쪽

1 [가]와 [나]에 공통적으로 나타난 현실 인식 태도로 가장 적절한 것은?

① 현대 사회에 대해 긍정적으로 인식하고 있다.
② 현실을 부정적으로 인식하며 이상향을 꿈꾸고 있다.
③ 현실에 대해 체념적이며 무기력한 태도를 보이고 있다.
④ 현대 사회의 불합리한 현실에 대해 적극적으로 거부하고 있다.
⑤ 현대 사회의 특정한 현상에 대해 비판적인 태도를 지니고 있다.

2 [가]에 대한 설명으로 가장 적절한 것은?

① 관습적 표현을 통해 대상의 속성을 묘사하고 있다.
② 단호한 어조를 통해 화자의 의지를 강화하고 있다.
③ 청각적 이미지를 통해 화자의 정서를 드러내고 있다.
④ 시적 대상을 그림 그리듯이 생생하게 표현하고 있다.
⑤ 추상적인 의미를 구체적 사물을 활용하여 드러내고 있다.

출제 예감

3 [가]의 작품이 〈보기〉를 모방한 것이라고 할 때, 유사한 의미의 시어끼리 묶이지 않은 것은?

보기

내가 그의 이름을 불러 주기 전에는
그는 다만 / 하나의 몸짓에 지나지 않았다.

내가 그의 이름을 불러 주었을 때
그는 나에게로 와서 / 꽃이 되었다.

내가 그의 이름을 불러 준 것처럼
나의 이 빛깔과 향기에 알맞은
누가 나의 이름을 불러 다오.
그에게로 가서 나도 / 그의 꽃이 되고 싶다.

우리들은 모두 / 무엇이 되고 싶다.
너는 나에게 나는 너에게
잊혀지지 않는 하나의 눈짓이 되고 싶다.

– 김춘수, 〈꽃〉

	〈보기〉	[가]
①	이름	ⓐ
②	몸짓	ⓑ
③	꽃	ⓒ
④	무엇	ⓓ
⑤	눈짓	ⓔ

4 [나]의 표현상 특징으로 적절하지 않은 것은?

① 자조적 독설이 드러나 있다.
② 저명한 문학가와 철학가의 이름을 사용하였다.
③ 대상을 시각적으로 나열하여 주제 의식을 드러내고 있다.
④ 메뉴판 형식을 빌려 표현함으로써 새로운 느낌을 주고 있다.
⑤ 일상생활에서 볼 수 없는 소재를 차용하여 충격을 주고 있다.

5 [나]와 〈보기〉의 공통점으로 가장 적절한 것은?

보기

神策究天文 그대의 신기한 책략은 하늘의 이치를 다했고,
妙算窮地理 기묘한 헤아림은 땅의 이치를 다했도다.
戰勝功旣高 전쟁에 이겨 그 공이 이미 높으니,
知足願云止 만족함을 알고 그만두기를 바라노라.

– 을지문덕, 〈여우장우중문시〉

① 점층적 표현으로 주제 의식을 심화하고 있다.
② 반어적 표현으로 화자의 심리를 드러내고 있다.
③ 객관적인 시선을 유지하며 감정을 절제하고 있다.
④ 냉소적 어조로 현실에 대한 울분을 토로하고 있다.
⑤ 대비적 소재를 활용하여 화자의 정서를 강조하고 있다.

출제 예감

6 [나]에서 메뉴판에 나온 사람들에게 가격을 붙인 이유로 가장 적절한 것은?

① 정신적 가치의 상품화 풍자
② 현대 철학의 기능 상실 비판
③ 현실을 도외시한 문학의 문제점 조명
④ 인물들에 대한 가치 판단의 기준 제시
⑤ 정신적 가치와 물질적 가치의 상관관계 탐구

7 서술형 [가]와 〈보기〉의 작품이 사랑을 소재로 하였다고 할 때, 두 화자가 보이는 태도상의 차이점을 서술하시오.

보기

청산(靑山)은 내 뜻이오 녹수(綠水)는 님의 정(情)이,
녹수(綠水) 흘러간들 청산(靑山)이야 변(變)홀손가.
녹수(綠水)도 청산(靑山)을 못 니져 우러 예어 가는고. – 황진이

비책

14 미스터 방

▶ **전체 줄거리** 짚신 장수의 아들 방삼복은 돈을 벌어 오겠다며 가족을 남기고 집을 나와 외국을 떠돌다 10여 년 만에 더 초라해져서 돌아온다. 그 후 서울로 올라와 신기료장수를 하던 중, 해방을 맞아 영어를 할 줄 아는 덕택에 미군 장교의 통역(미스터 방)이 된다. S 소위의 권세를 등에 업고 벼락부자가 된 그에게 같은 고향의 친일파 지주 백 주사가 찾아와 독립 때문에 잃게 된 재산을 찾을 수 있게 해 달라고 부탁하고, 방삼복은 승낙한다. 삼복이 늘 하던 대로 양치질을 한 후 노대 아래로 뱉은 물이 공교롭게도 마침 그를 찾아온 S 소위의 얼굴에 떨어지게 되고, 삼복은 그에게 턱을 얻어맞는다.

1945년 8월 15일, 역사적인 날. / 이날도 신기료장수(구두 따위를 수선하는 사람) 방삼복은 종로의 공원 건너편 응달에 앉아서, 구두 징을 박으면서, 해방의 날을 맞이하였다. 그러나 삼복은 감격한 줄도 기쁜 줄도 모르겠었다. 지나가는 행인이, 서로 모르던 사람끼리면서 덤쑥 서로 껴안고 기뻐하고 눈물을 흘리고 하는 것이, 삼복은 속을 모르겠고 차라리 쑥스러 보일 따름이었다. 몰려 닫는 군중이 오히려 성가시고, 만세 소리가 귀가 아파 이맛살이 지푸려질 지경이었다. / 몰려다니고 만세를 부르고 하기에 미쳐 날뛰느라고 정신이 없어, 손님이 없어, 손님이 부쩍 줄었다.

"우라질! 독립이 배부른가?" / 이렇게 그는 두런거리면서 반감이 솟았다.

이삼일 지나면서부터야 삼복에게도 삼복에게다운 해방의 혜택이 나누어졌다. / 십 전이나 십오 전에 박아 주던 징을, 오십 전을 받아도 눈을 부라리는 순사를 볼 수가 없었다. 순사가 없어졌다면야, 활개를 쳐 가면서 무슨 짓을 하여도 상관이 없고 무서울 것이 없던 것이었다.

"옳아, 그렇다면 독립도 할 만한 건가 보다." / 삼복은 징 열 개를 박아 주고 오 원을 받아 넣으면서 이렇게 속으로 중얼거리기까지 하였다. / 그러나 며칠이 못 가서 삼복은 다시금 해방을 저주하여야 하였다. 삼복이 저 혼자만 돈을 더 받으며, 더 받아 상관이 없는 것이 아니라, 첫째 도가(都家)(도매상)들이 제 맘대로 재료값을 올리던 것이었었다. 징, 가죽, 고무, 실 모두가 오 곱 십 곱 비싸졌다. / 그러니 신기료장수는 손님한테 아무리 비싸게 받는댔자 재료를 비싼 값으로 사야 하니, 결국 도가만 살찌울 뿐이지 소득은 전과 크게 다를 것이 없었다. / "이런 엠병헐! 그눔에 경제곈 다 어디루 가 뒈졌어. 독립은 우라진다구 독립을 헌담." / 석양 때 신기료 궤짝을 어깨에 멘 채 홧김에 막걸리청으로 들어가, 서너 사발 들이켜고는 그는 이렇게 게걸거렸다(상스러운 말투로 불평스럽게 자꾸 떠들었다). 〈중략〉

소주제 1 자신의 □□에 따라 해방을 대하는 태도가 바뀌는 방삼복

옛날의 영화가 꿈이 되고, 일조에 몰락하여 가뜩이나 초상집 개처럼 초라한 자기가 또 한 번 어깨가 옴츠러듦을 느끼지 아니치 못하였다. 그런 데다 이 녀석이, 언제 적 저라고 무엄스럽게(보기에 삼가거나 어려워함이 없이 아주 무례한 데가 있게) 굴어 심히 불쾌하였고, 그래서 엔간히(대중으로 보아 정도가 표준에 꽤 가깝게) 자리를 털고 일어설 생각이 몇 번이나 나지 아니한 것도 아니었었다. 그러나 참았다. / 보아하니 큰 세도를 부리는 것이 분명하였다. 잘만 하면 그 힘을 빌려 분풀이와 빼앗긴 재물을 도로 찾을 여망(아직 남은 희망)이 있을 듯싶었다. 분풀이를 하고, 더구나 재물을 도로 찾고 하는 것이라면야, 코 삐뚤이 삼복이는 말고, 그보다 더한 놈한테라도 머리 숙이는 것쯤 상관할 바 아니었다.

"그러니, 여보게, 미씨다 방……."

있는 말 없는 말 보태 가며 일장(어떤 일이 벌어진 한 판) 경과 설명을 한 후에, 백 주사는 끝을 맺기를,

"어쨌든지 그놈들을 말이네, 그놈들을 한 놈 냉기지 말구섬 죄다 붙잡아다가 말이네, 괴수 놈들일랑 목을 썰어 죽이구, 다른 놈들일랑 뼉다구가 부러지두룩 두들겨 주구, 꿇어앉히구 항복받구, 그리구 빼앗긴 것 일일이 도루 다 찾구. 집허구 세간 쳐부순 것 말끔 다 물리구……. 그렇게만 해 준다면, 내, 내, 재산 절반 노나 주문세, 절반. 응, 여보게, 미씨다 방."

"염려 마슈." / 미스터 방은 선뜻 쾌한(시원스러운) 대답이었다. / "진정인가?"

"머, 지끔 당장이래두, 내 입 한 번만 떨어진다 치면, 기관총 들멘 엠피가 백 명이구 천 명이구

작품 개관

- 갈래 단편 소설, 세태 소설, 풍자 소설
- 성격 풍자적, 현실 비판적
- 시점 전지적 작가 시점
- 배경 [시간적] 광복 직후
  [공간적] 서울
- 주제 권력을 좇아 자신의 이익을 추구하는 세태와 인물 비판
- 특징
  ① 과거와 현재가 혼합된 입체적 구성
  ② 판소리 사설체를 사용하여 서술자의 개입이 자주 나타남

1등급 노트

1. 등장인물의 성격

방삼복	보잘것없는 신기료장수에서 해방 이후 진주한 미군 장교의 통역이 되어 출세하는 인물. 광복 직후 혼란한 사회에서 발 빠르게 권력을 추구하는 기회주의적 인물을 대표함
백 주사	일제 강점기에 순사인 아들 덕에 부를 쌓은 전형적인 친일파. 방삼복의 힘을 빌려 복수를 하고 자신의 부를 되찾기 위해 비굴함도 참고 아첨함
S 소위	해방 이후 혼란한 정국에서 실질적인 권력자로 묘사되는 제3의 인물. 방삼복의 출세와 몰락을 결정함

2. 인물의 희화화
독자에게 웃음을 유발하고, 비판적인 시각을 갖도록 유도하기 위함 → 골계미(대상을 역전시키는 과정에서 유발되는 웃음의 미학)를 느낄 수 있음 → 당대 사회의 부조리, 모순과 관련하여 비판의 기능을 수행함

3. 풍자적인 요소
- 가족이나 조국, 독립보다 개인의 삶을 중시하고, 권력에 빌붙어 살아가는 인물의 허세와 자기 과시에 대한 풍자를 통해 바람직한 인간상을 드러냄(역설적)
- 방삼복이 우연한 계기에 의해 팔자가 바뀌는 과정을 해학적, 냉소적으로 그림

더 알아보기

◆ 우리 문학에 나타난 기회주의적 인간형
전광용의 〈꺼삐딴 리〉에 등장하는 이인국 박사는 일제 강점하에서는 '친일파', 해방 이후 혼란기에서는 '친러파', 그 이후에는 '친미파'로 변신하면서 자신의 부귀영화와 영달을 위해 이기적인 모습을 보이는 인물이다. 이러한 인물형은 당시의 부도덕한 지식인 계층의 모습을 대표적으로 보여 준 것이다. 따라서 〈꺼삐딴 리〉의 이인국 박사나 〈미스터 방〉의 방삼복은 모두 기회주의자로서의 전형적 인물이라고 할 수 있다.

정답과 해설 36쪽

들끓어 내려가서, 들이 쑥밭을 만들어 놉니다, 쑥밭을." / "고마우이!"

백 주사는 복수하여지는 광경을 선히 연상하면서, 미스터 방의 손목을 덥석 잡는다.

잊히지 않고 눈앞에 생생하게 보이는 듯이

"백골난망이겠네." / "놈들을 깡그리 죽여 놀 테니, 보슈." / "자네라면야 어련하겠나."

남에게 큰 은덕을 입었을 때 고마움의 뜻으로 이르는 말

"흰말이 아니라 참 이승만 박사두 내 말 한마디면 고만 다 제바리유."

터무니없이 자랑으로 떠벌리거나 거드럭거리며 허풍을 떠는 말

소주제 ❷ 자신의 □□를 자랑하며 백 주사의 부탁을 승낙하는 방삼복

– 채만식

소주제 체크

1. 이익 2. 권세

1 이 글에 대한 설명으로 가장 적절한 것은?

① 우화적 기법을 사용하였다.
② 해방 직후의 혼란한 사회상을 반영하였다.
③ 등장인물의 내면 심리를 세밀하게 분석하였다.
④ 한 인물의 변신 과정을 환상적 · 상징적으로 그려 내었다.
⑤ 급변하는 사회의 모순에 적극적으로 저항하는 인간형이 제시되었다.

출제 예감

2 이 글 전체의 서술상 특징으로 적절하지 않은 것은?

① 회상을 통해 서정적 분위기를 자아내고 있다.
② 해학적인 어조를 통해 인물을 희화화하고 있다.
③ 비속어를 활용하여 작중 상황에 현실감을 부여하고 있다.
④ 부정적 인간형에 대한 서술자의 냉소적 어조가 노출되고 있다.
⑤ 판소리 사설체를 사용함으로써 언어의 재미를 느끼게 해 주고 있다.

3 이 글에서 '방삼복'이 독립을 대하는 태도로 가장 적절한 것은?

① 일제의 패망에 가슴 아파한다.
② 독립 이후의 혼란한 상황을 우려한다.
③ 개인적 손익에 따라 독립에 대한 생각이 달라진다.
④ 민족의 발전과 이익을 추구할 수 있는 계기로 생각한다.
⑤ 일본의 압제에서 벗어나게 된 자유로운 현실로 생각한다.

4 수능형 이 글 전체에 등장하는 인물들에 대한 평가로 적절하지 않은 것은?

① 방삼복은 백 주사에게 허장성세(虛張聲勢)를 부리고 있군.
② 방삼복은 미군 장교의 힘을 빌려 호가호위(狐假虎威)하고 있군.
③ 백 주사는 표리부동(表裏不同)한 태도로 방삼복을 대하고 있군.
④ 백 주사는 자신의 처지를 자업자득(自業自得)이라 여기고 있군.
⑤ 방삼복과 백 주사 모두 후안무치(厚顔無恥)한 모습을 보이고 있군.

5 고난도 이 글의 결말 부분을 요약한 〈보기〉를 참고할 때, '미스터 방'의 삶의 궤적을 도표화한 것으로 가장 적절한 것은?

보기

미스터 방이 된 뒤로 그는 술을 마신 뒤 양치하는 습관이 생겼다. 그가 양치한 물을 버리려 노대로 나와 양칫물을 뱉은 순간, 나오는 기척을 눈치챈 S 소위가 인사를 하려고 고개를 들었고 그 물은 S 소위 얼굴에 떨어지게 되었다. S 소위는 손바닥을 싹싹 비비는 미스터 방을 어퍼컷으로 한 대 갈겼다.

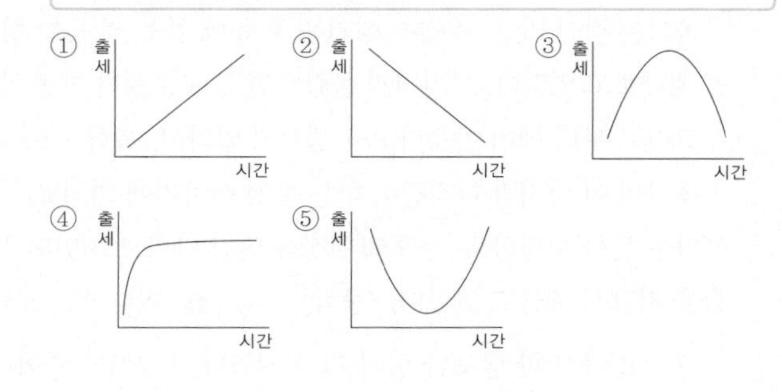

출제 예감

6 작가가 '미스터 방'이라는 인물을 창조한 궁극적인 의도로 가장 적절한 것은?

① 실제 인물인 방삼복의 입신출세 과정을 보여 주기 위해서
② 작가의 친일 행각이 어쩔 수 없는 일이었음을 변명하기 위해서
③ 세상을 살아가는 데는 권력과의 타협이 필요함을 제시하기 위해서
④ 평화로운 시대를 살아가는 데 필요한 바람직한 인간상을 그려 내기 위해서
⑤ 권력을 좇아 자신의 이익만을 추구하는 해방 직후의 세태와 인간상을 비판하기 위해서

7 서술형 '방삼복'의 삶이 역전될 수 있었던 이유를 그의 성격과 시대적 상황을 고려하여 서술하시오.

비책

15 역마(驛馬)

▶ **앞부분 줄거리** 과거 남사당패의 우두머리가 화개 장터에서 주막집 홀어미와 하룻밤 인연을 맺어 옥화를 낳는다. 어머니에게서 주막을 물려받은 옥화는 떠돌이 중과의 사이에서 낳은 아들 성기의 타고난 역마살을 없애기 위해 그를 쌍계사에 보내고 장날에만 집에 와 있게 한다. 한편 체 장수가 된 남사당패 우두머리는 어린 딸 계연을 데리고 주막에 들러, 계연을 주막에 맡기고 장삿길을 떠난다. 옥화는 성기의 역마살을 막기 위해 성기와 계연이 가깝게 지내도록 한다. 그러던 어느 날 계연의 귓바퀴에 난 사마귀를 본 옥화는 계연이 자신의 동생일지 모른다는 생각을 하고, 체 장수 영감이 돌아와 옥화와 계연이 이복 자매임이 밝혀지게 된다. 그 후 계연은 체 장수 영감을 따라 떠나고, 성기는 실연의 아픔을 이기지 못해 앓아눕게 된다.

— 그해 아직 봄이 오기 전, 보는 사람마다 성기의 회춘을 거의 다 단념하곤 하였을 때, 옥화는 이왕 죽고 말 것이라면 어미의 맘속이나 알고 가라고, 그래, 그 체 장수 영감은 서른여섯 해 전 남사당을 꾸며 와 이 화개 장터에 하룻밤을 놀고 갔다는 자기의 아버지임에 틀림이 없었다는 것과, 계연은 그 왼쪽 귓바퀴 위의 사마귀로 보아 자기 동생임이 분명하더라는 것을 통정하노라면서 자기의 왼쪽 귓바퀴 위의 같은 검정 사마귀까지를 그에게 보여 주었다.

(회춘: 중한 병에서 회복되어 건강을 되찾음 / 남사당: 무리를 지어 떠돌아다니며 소리나 춤을 팔던 사내)

"나도 처음부터 영감이 '서른여섯 해 전'이라고 했을 때 가슴이 섬찟하긴 했다. 그렇지만 설마 했지, 그렇게 남의 간을 뒤집어 놀 줄이야 알았나. 하도 아슬해서 이튿날 악양으로 가 명도까지 불러 봤더니 요것도 남의 속을 빤히 들여다보는 듯이 재줄대는구나. 차라리 망신을 했지."

(명도: 점쟁이)

옥화는 잠깐 말을 그쳤다. 성기는 두 눈에 불을 켜 듯한 형형한 광채를 띠고, 그 어머니의 얼굴을 쳐다보고 있었다. / "차라리 몰랐으면 또 모르지만 한번 알고 나서야 인륜이 있는디 어쩌겠냐."

그러고 부디 에미 야속타고나 생각지 말라고, 옥화는 아들의 뼈만 남은 손을 눈물로 씻었다.

옥화의 이 마지막 하직같이 하는 통정 이야기에 의외로 성기는 도로 힘을 얻은 모양이었다. 그 불타는 듯한 형형한 두 눈으로 천장을 한참 바라보고 있던 성기는 무슨 새로운 결심이나 하듯 입술을 지그시 깨물고 있었다. 〈중략〉

소주제 ❶ 계연과 인연을 끊게 한 이유가 자신의 □□이기 때문임을 말하는 계화

그리고 나서 한 달포나 넘어 지난 뒤였다. / 성기가 좋아하는 여러 가지 산나물이 화갯골에서 연달아 자꾸 내려오는 이른 여름의 어느 장날 아침이었다. 두릅회에 막걸리 한 사발을 쭉 들이켜고 난 성기는 옥화에게, / "어머니, 나 엿판 하나만 맞춰 주."

하였다. / "……." / 옥화는 갑자기 무엇으로 머리를 얻어맞은 듯이 성기의 얼굴을 멍하니 바라보고 있었다.

소주제 ❷ 엿장수가 되어 □을 떠나기로 결심한 성기

그런 지도 다시 한 보름이나 지나, ㉠뻐꾸기는 또다시 산울림처럼 건드러지게 울고, 늘어진 버들가지엔 햇빛이 젖어 흐르는 아침이었다. 새벽녘에 잠깐 가는 비가 지나가고, 날은 다시 유달리 맑게 갠 화개 장터 삼거리 길 위에서, 성기는 그 어머니와 하직을 하고 있었다. 갈아입은 옥양목 고의적삼에, 명주 수건까지 머리에 질끈 동여매고 난 성기는, 새로 맞춘 새하얀 나무 엿판을 걸빵해서 느직하게 엉덩이 즈음에다 걸었다. 윗목판에는 새하얀 가락엿이 반 넘어 들어 있었고, 아랫목판에는 팔다 남은 이야기책 몇 권과 간단한 방물이 좀 들어 있었다.

(옥양목: 생목보다 발이 고운 무명 / 걸빵: 짐을 어깨에 걸어 매는 끈 / 방물: 여자가 쓰는 화장품, 바느질 기구, 패물 따위)

그의 발 앞에는, 물과 함께 갈리어 길도 세 갈래로 나 있었으나, 화갯골 쪽엔 처음부터 등을 지고 있었고, 동남으로 난 길은 하동, 서남으로 난 길이 구례, 작년 이맘때도 지나 그녀가 울음 섞인 하직을 남기고 체 장수 영감과 함께 넘어간 산모롱이 고갯길은 퍼붓는 햇빛 속에 지금도 환히 장터 위를 굽이 돌아 구례 쪽을 향했으나, 성기는 한참 뒤 몸을 돌렸다. 그리하여 그의 발은 구례 쪽을 등지고 하동 쪽을 향해 천천히 옮겨졌다. / 한 걸음, 한 걸음, 발을 옮겨 놓을수록 그의 마음은 한결 가벼워져, 멀리 버드나무 사이에서 그의 뒷모양을 바라보고 서 있을 어머니의 주막이 그의 시야에서 완전히 사라져 갈 무렵 하여서는, ㉡육자배기 가락으로 제법 콧노래까지 흥얼거리며 가고 있는 것이었다.

소주제 ❸ □□을 받아들이고 유랑의 길을 떠나는 성기

– 김동리

작품 개관

- 갈래 단편 소설, 순수 소설
- 성격 무속적(巫俗的), 운명적
- 시점 전지적 작가 시점
- 배경 [시간적] 구체적인 시간이 제시되지 않음
  [공간적] 전라도와 경상도의 경계 지역인 화개 장터
- 주제 한국적 운명관(역마살)에 순응하며 사는 삶과 그에 따른 인간 구원(救援)의 문제
- 특징
  ① 민속적인 소재로 한국인의 토속적인 삶과 운명관을 연결시킴
  ② 시간의 전개에 따른 5단 구성을 취하면서 내용상 역전적 구성의 면모를 보임

1등급 노트

1. 등장인물의 성격
   - 성기 : 역마살을 타고난 인물. 남사당패를 외할아버지로, 떠돌이 중을 아버지로 둠. 가족의 노력과 계연과의 사랑에 의해 해결되려 하던 역마살의 극복이 좌절되자, 결국 운명에 순응하여 유랑의 길로 들어섬
   - 옥화 : 화개 장터에서 주막을 운영하는 성기의 어머니이자 체 장수 영감의 딸. 아들의 역마살을 없애려 노력하나 실패하고 운명에 순응하게 됨
   - 계연 : 체 장수 영감의 딸이자 옥화의 이복 자매로, 성기와 이루어질 수 없는 사랑을 함
2. 배경('화개 장터')의 의미
   역마살이 낀 인생들의 집결지라고 할 수 있음 – 유랑과 이동의 공간인 장터의 불안정한 속성
3. 주된 갈등
   '역마살'이라는 운명에 저항하려는 인간의 노력과 운명과의 대결이 나타남
4. '세 갈래 길'의 의미
   - 화갯골 쪽으로 난 길 : 지금까지 성기가 살아왔던 곳으로, 역마살을 부정하며 살기를 바라는 어머니가 만들어 놓은 성기의 과거의 삶을 의미함
   - 구례 쪽으로 난 길 : 계연이 떠나간 길로, 성기에게는 운명을 거역하는 삶을 의미함
   - 하동 쪽으로 난 길 : 자신에게 주어진 역마살(운명)을 수용하는 유랑의 삶을 의미함. 운명에 패배한 것이 아니라 순응함으로써 마음의 평화를 얻게 됨

소주제 체크

1. 동생 2. 장 3. 운명

정답과 해설 36쪽

1 **이 글에 대한 설명으로 가장 적절한 것은?**

① 인간의 내면에 존재하는 원죄 의식을 제재로 삼고 있다.
② 주인공의 삶을 통해 불교의 윤회 사상을 구현하고 있다.
③ 이복 남매의 이루어질 수 없는 사랑을 주제로 하고 있다.
④ 토속적이며 전통적인 한의 정서를 종교적으로 승화시키고 있다.
⑤ 인간과 운명의 문제를 초인간적인 질서의 차원으로 이해하고 있다.

출제 예감
2 **이 글의 전체 내용을 볼 때, 등장인물에 대한 설명으로 적절하지 않은 것은?**

① 체 장수 영감은 성기의 외할아버지이다.
② 성기의 아버지는 떠돌이 중으로 성기에게 역마살을 대물림한 인물이다.
③ 옥화는 역마살을 타고난 아들을 결국 떠나보내며 운명에 순응하는 인물이다.
④ 계연은 이루어질 수 없는 사랑을 하는 비극적 여인으로 떠돌이의 운명을 타고난 인물이다.
⑤ 이 글에 등장하는 남성들은 모두 역마살에 의해 정상적인 가족 관계를 유지하지 못하는 떠돌이들이다.

3 **이 글에서 <보기>의 '왼손잡이'와 유사한 역할을 하는 것을 찾아 3음절로 쓰시오.**

보기

이효석의 <메밀꽃 필 무렵>에서 독자는 허 생원과 동이가 부자 관계라는 것을 짐작할 수 있는데, 그것은 허 생원과 동이가 모두 왼손잡이로 묘사되어 있기 때문이다. 작품의 결말 부분에서 허 생원은 동이가 왼손으로 채찍을 잡고 있는 것을 보게 되는데, 이는 독자에게 두 인물이 부자 관계임을 암시하기 위해 작가가 의도적으로 설정한 장치라고 할 수 있다.

출제 예감
4 **이 글의 배경인 '화개 장터'의 상징적 의미로 적절하지 않은 것은?**

① 전통 사회에서의 농민들의 삶을 상징하는 공간이다.
② 남사당패, 방물장수 등 다양한 인간들이 모여드는 공간이다.
③ 만남과 헤어짐이 무수히 반복되며 수많은 인연이 만들어지는 공간이다.
④ 태어나면서부터 역마살을 타고난 성기의 운명에 개연성을 부여하는 공간이다.
⑤ 성기와 계연이 혈연으로 이어져 혼인할 수 없게 되는 운명에 개연성을 부여하는 공간이다.

5 **이 글에 형상화된 갈등에 대한 설명으로 적절하지 않은 것은?**

① 인물의 내적 갈등(사랑 ↔ 이별)
② 인물과 사회와의 갈등(성기 ↔ 관습)
③ 인물과 인물 간의 갈등(옥화 ↔ 성기)
④ 인물과 운명과의 갈등(성기 ↔ 역마살)
⑤ 인물과 환경과의 갈등(성기 ↔ 화개 장터)

6 **㉠의 배경 묘사가 이 글에서 담당하는 기능으로 가장 적절한 것은?**

① 성기의 심리 변화와 행동에 필연성을 부여한다.
② 성기의 앞날에 고난과 시련이 계속될 것임을 암시한다.
③ 성기와 옥화 사이의 갈등이 다시 시작될 것임을 암시한다.
④ 성기와 옥화 사이의 갈등이 완전히 해소되었음을 암시한다.
⑤ 성기가 자신의 운명을 받아들일 수 있을 만큼 성장했음을 암시한다.

7 **이 글에서 ㉡을 통해 전달하려는 인물의 심리로 가장 적절한 것은?**

① 화창한 초여름 날씨에서 느끼는 상쾌함
② 운명에 순응할 때 생기는 마음의 평안함
③ 여행을 떠나는 데에서 느끼는 기쁨과 즐거움
④ 어머니의 간섭을 받지 않아도 될 나이가 되었다는 자부심
⑤ 복잡하고 괴로운 현실을 도피하는 데에서 느끼는 홀가분함

8 수능형 **이 글을 영상물로 제작하려고 할 때, 그 내용으로 적절하지 않은 것은?**

① 성기와 계연이 다시 만나게 될 것을 암시하는 장면으로 끝맺는다.
② 병석에 누운 성기가 잠결에 계연의 이름을 부르는 장면을 삽입한다.
③ 나무 엿판을 걸고 길을 떠나는 성기의 흥겨운 모습이 잘 드러나게 한다.
④ 길을 떠나는 성기의 뒷모습을 안타까워하며 바라보는 옥화의 모습을 삽입한다.
⑤ 엿판을 맞춰 달라는 성기의 말을 듣고 놀라는 옥화의 모습을 클로즈업한다.

출제 예감
9 서술형 **성기의 역마살과 관련하여 결말 부분에 나타난 '세 갈래 길'의 의미를 바르게 서술하시오.**

비책

16 독 짓는 늙은이

▶ **앞부분 줄거리** 송 영감의 아내는 어린 자식 당손이를 버려 두고 젊은 조수와 눈이 맞아 도망친다. 송 영감은 어린 아들 당손이를 위해 독 짓는 일을 다시 시작하지만, 아내와 조수에 대한 증오와 병세의 악화로 인해 손이 떨려 일이 되지 않는다. 쓰러지는 횟수가 늘면서도 송 영감은 독 짓기를 포기하지 않는다. 조급한 마음에 한 가마가 차지 못하는 독들을 굽기로 결심한 송 영감은 조수가 지어 놓은 독과 자신이 지은 독을 함께 굽는다. 갑자기 송 영감의 독들이 터져 나가고, 송 영감은 쓰러진다.

이튿날 송 영감은 애를 시켜 앵두나뭇집 할머니를 오게 했다. 앵두나뭇집 할머니가 오자 송 영감은 애더러 놀러 나가라고 하며 유심히 애의 얼굴을 쳐다보는 것이었다. 마치 애의 얼굴을 잊지 않으려는 듯이. / 앵두나뭇집 할머니와 단둘이 되자 송 영감은 눈을 감으며, 요전에 말하던 자리에 아직 애를 보낼 수 있겠느냐고 물었다. 앵두나뭇집 할머니는 된다고 했다. 얼마나 먼 곳이냐고 했다. 여기서 한 이삼십 리 잘 된다는 대답이었다. 그러면 지금이라도 보낼 수 있느냐고 했다. 당장이라도 데려가기만 하면 된다고 하면서 앵두나뭇집 할머니는 치마 속에서 지전 몇 장을 꺼내어 그냥 눈을 감고 있는 송 영감의 손에 쥐여 주며, 아무 때나 애를 데려오게 되면 주라고 해서 맡아 두었던 것이라고 했다. / 송 영감이 갑자기 눈을 뜨면서 앵두나뭇집 할머니에게 돈을 도로 내밀었다. ㉠자기에게는 아무 소용없으니 애 업고 가는 사람에게나 주어 달라는 것이었다. 그러고는 다시 눈을 감았다. 앵두나뭇집 할머니는 애 업고 가는 사람 줄 것은 따로 있다고 했다. 송 영감은 그래도 그 사람을 주어 애를 잘 업어다 주게 해 달라고 하면서, 어서 애나 불러다 자기가 죽었다고 하라고 했다. 앵두나뭇집 할머니가 무슨 말을 하려는 듯하다가 저고리 고름으로 눈을 닦으며 밖으로 나갔다. / 송 영감은 눈을 감은 채 가쁜 숨을 죽이고 있었다. 그리고 무슨 일이 있더라도 눈물일랑 흘리지 않으리라 했다.

소주제 1 □□□를 입양시키기로 한 송 영감

그러나 앵두나뭇집 할머니가 애를 데리고 와, 저렇게 너의 아버지가 죽었다고 했을 때, 송 영감은 절로 눈물이 흘러내림을 어찌할 수 없었다. 앵두나뭇집 할머니는 억해 오는 목소리를 겨우 참고, 저것 보라고 벌써 눈에서 썩은 물이 나온다고 하고는, 그러지 않아도 앵두나뭇집 할머니의 손을 잡은 채 더 아버지에게 가까이 갈 생각을 않는 애의 손을 끌고 그곳을 나왔다.

그냥 감은 송 영감의 눈에서 다시 ㉡썩은 물 같은, 그러나 뜨거운 새 눈물 줄기가 흘러내렸다. 그러는데 어디선가 애의 훌쩍훌쩍 우는 소리가 들리는 듯했다. 눈을 떴다. 아무도 있을 리 없었다. 지어 놓은 독이라도 한 개 있었으면 싶었다. 순간 *뜸막 속 전체만 한 공허가 송 영감의 *파리한 가슴을 억눌렀다. 온몸이 오그라들고 차 옴을 송 영감은 느꼈다.

그러는 송 영감의 눈앞에 독 가마가 떠올랐다. 그러자 송 영감은 그리로 가리라는 생각이 불현듯 일었다. 거기에만 가면 몸이 녹여지리라. 송 영감은 기는 걸음으로 뜸막을 나섰다. 〈중략〉

송 영감은 다시 일어나 가마 안쪽으로 기기 시작했다. 무언가 지금의 온기로써는 부족이라도 한 듯이. 곧 예사 사람으로는 더 견딜 수 없는 뜨거운 데까지 이르렀다. 그런데도 송 영감은 기기를 멈추지 않았다. 그렇다고 그냥 덮어놓고 기는 것은 아니었다. 지금 마지막으로 남은 생명이 발산하는 듯 어둑한 속에서도 이상스레 빛나는 송 영감의 눈은 무엇을 찾고 있는 것이었다. 그러다가 열어젖힌 곁창으로 새어 들어오는 늦가을 맑은 햇빛 속에서 송 영감은 기던 걸음을 멈추었다. 자기가 찾던 것이 예 있다는 듯이. 거기에는 ㉢터져 나간 송 영감 자신의 독 조각들이 흩어져 있었다.

송 영감은 조용히 몸을 일으켜 단정히, 아주 단정히 무릎을 꿇고 앉았다. 이렇게 해서 그 자신이 터져나간 자기의 독 대신이라도 하려는 것처럼.

소주제 2 □ □□ 속에서 죽음을 기다리는 송 영감

– 황순원

어휘 다지기

- 뜸막 : 띠, 부들 따위로 거적처럼 엮어 만든 움막
- 파리한 : 몸이 쇠약하여 핏기가 없이 핼쑥한

작품 개관

- 갈래 단편 소설, 심리 소설
- 성격 회고적, 심리적
- 시점 전지적 작가 시점
- 배경 [시간적] 가을
  [공간적] 어느 시골
- 주제 독 짓는 노인의 장인 정신과 좌절
- 특징
  ① 대화에 의한 장면 제시 없이 서술자가 주인공의 심리를 묘사하는 방식으로 전개됨
  ② 갈등을 통해 전통적인 가치가 붕괴되는 세태의 변화를 표현함

1등급 노트

1. 이 글 전체의 갈등 양상

송 영감이 겪는 좌절
① 아내와 조수의 배신 : 송 영감 몰래 눈이 맞아 도망을 친 젊은 조수와 아내
② 병으로 인해 쇠약해진 송 영감 : 외부의 어떤 갈등 요인에도 적극적으로 저항하지 못하고, 독 짓는 일까지 불가능하게 됨
③ 독 짓기의 실패 : 힘든 몸으로 어렵게 지은 독들이 모두 깨짐. 자신이 살아 있음을 확인하는 유일한 방법을 잃는 계기가 됨
④ 아들과의 이별 : 세 가지 좌절을 통해 송 영감은 결국 자신의 피붙이인 아들을 다른 집 양자로 보내게 됨

↓

깨진 자신의 독과 함께 생을 마감하는 것
네 가지 좌절을 '장인 정신을 통한 예술적 승화'로 극복하고자 하는 행동

2. 이 글에 나타난 미의식
장인 정신을 지닌 송 영감이 전통적 가치를 지키려다 죽음을 맞이하는 결말에서 '비장미(悲壯美)'를 느낄 수 있음

3. 서술상의 특징과 효과
인물 간의 대화보다 작가의 설명적 전달과 서사적 묘사로 인물의 심리를 표현함
→ 전지적 작가 시점의 장점을 살려 인물의 내면 심리를 표현할 뿐 아니라 행동에 대한 해설 기능까지 수행함

4. 등장인물의 성격과 심리
- 송 영감 : 주인공. 장인 정신을 가지고 고집스럽게 독을 지으며 평생을 살아온 노인. 아내가 조수와 함께 도망하자 마지막 독을 짓고 독과 함께 자살함
- 당손이 : 송 영감의 아들. 송 영감이 죽음을 준비하며 남의 집에 양자로 보냄
- 앵두나뭇집 할머니 : 방물장수. 인정 많은 할머니로 송 영감을 걱정하며 당손이를 맡아 기를 집을 소개해 줌

소주제 체크

1. 당손이 2. 독 가마

정답과 해설 37쪽

출제 예감

1 이 글의 서술상 특징으로 가장 적절한 것은?

① 주인공이 자신이 겪은 일을 직접 말하고 있다.
② 대화를 통해 인물의 성격과 심리를 드러내고 있다.
③ 인물의 외양에 대한 구체적인 묘사가 이루어지고 있다.
④ 서술자의 진술이나 서사적인 묘사에 의해서 사건을 전개하고 있다.
⑤ 작품 밖 서술자가 자신이 관찰한 내용을 객관적인 입장에서 전달하고 있다.

2 이 글의 마지막 부분에 나타난 미의식으로 가장 적절한 것은?

① 비장미(悲壯美) ② 우아미(優雅美)
③ 숭고미(崇高美) ④ 골계미(滑稽美)
⑤ 해학미(諧謔美)

3 송 영감이 ㉠과 같이 말한 이유로 가장 적절한 것은?

① 아들에 대한 애틋한 마음 때문에
② 독을 팔면 큰돈을 벌 수 있기 때문에
③ 애 업고 가는 사람에게 주어야 할 돈이기 때문에
④ 예술가가 돈에 집착해서는 안 된다고 생각하기 때문에
⑤ 집을 나간 아내가 앵두나뭇집 할머니에게 맡겨 둔 돈이기 때문에

4 ㉡의 의미로 가장 적절한 것은?

① 육체의 고통으로 인한 눈물
② 자신의 생명을 바치겠다는 결의의 눈물
③ 만날 수 없는 자식에 대한 그리움의 눈물
④ 앵두나뭇집 할머니의 선행에 대한 감사의 눈물
⑤ 지난날에 대한 회한과 예술가로서의 삶을 마감하려는 비감함의 눈물

출제 예감

5 ㉢이 상징하는 바로 적절하지 않은 것은?

① 송 영감의 꿈의 좌절
② 송 영감 자신의 분신
③ 사라져 가는 과거의 전통
④ 무너져 버린 송 영감의 자존심
⑤ 독 짓기를 새로 시작하는 계기

6 송 영감이 깨어진 독과 함께 죽음을 맞이하게 된 직접적인 이유로 적절하지 않은 것은?

① 장인(匠人)으로서의 자존심
② 아들을 입양시켰다는 죄책감
③ 자신의 삶에 대한 회한과 좌절
④ 자신의 병으로 인한 죽음의 예감
⑤ 아내와 조수의 배신과 그로 인한 독 짓기의 어려움

7 고난도 이 글의 독자가 송 영감을 비판할 때, 그 내용으로 가장 적절한 것은?

① 아내를 너그럽게 이해하지 못하고 극단적으로 밀어붙여서 결국 파멸에 이르고야 말았군.
② 자신의 실패를 인정할 때 오히려 더욱 발전할 수 있는 법인데, 송 영감은 자신의 실패를 인정하지 않는군.
③ 현대의 입장에서 볼 때, 송 영감은 시대의 변화에 적응하지 못하고 퇴행하는 나약한 인간이라고 할 수 있어.
④ 다른 사람의 처지도 고려할 줄 알아야 하는데 자신의 이익에 따라 행동하는 기회주의적 태도로 살아가고 있군.
⑤ 삶이 고단해서 마음이 편치 않은 것은 이해할 수 있지만, 그래도 아무 이유 없이 다른 사람을 미워해서는 안 되겠지.

8 수능형 이 글 전체에 대한 감상을 심화, 발전시킨 내용으로 적절하지 않은 것은?

① 송 영감이 독 짓기에 실패하는 것은 세계와 대립했던 인간의 패배를 보여 준다.
② 독과 함께 자신의 인생을 끝마치려고 하는 송 영감의 집념과 좌절을 통해 전통적인 인간상을 형상화하고 있다.
③ 송 영감의 독에 대한 애착은 스스로 독으로 화신(化身)하려 하는 마지막 부분에서 극명하게 드러나 깊은 감동을 준다.
④ 사람들의 배신과 병든 몸에도 불구하고 독 짓기를 그만두지 않았던 송 영감의 모습은 작가의 주제 의식을 반영하는 것이다.
⑤ 아내의 가출에 따른 송 영감의 좌절이 죽음으로 이어짐으로써 인간 본연의 애정과 증오심의 극단적인 양면성이 적나라하게 드러난다.

9 서술형 송 영감에게 독 짓기가 가지는 의미를 서술하시오.

비책

17 비 오는 날

▸ **전체 줄거리** 동욱은 소아마비로 인해 한쪽 다리를 저는 여동생 동옥과 1·4후퇴 때 월남하여 살고 있다. 동욱은 그림을 좋아하고 동욱은 목사 지망생이었지만 전쟁으로 인해 삶이 완전히 바뀌어 버렸고, 미군을 상대로 초상화를 그려 생계를 유지하고 있다. 동욱의 오랜 친구인 원구가 남매의 허름한 집에 몇 차례 방문하면서 동옥은 원구에게 마음을 열고, 동욱은 원구가 동생과 결혼해 주기를 원한다. 얼마 후 남매의 벌이가 끊기고 돈을 떼인 동옥은 어려운 처지에 처하는데, 원구가 다시 찾아갔을 땐 남매는 보이지 않는다. 원구는 그들을 외면했던 자신에게 죄책감을 느끼며 무력하게 돌아온다.

그동안 무얼 하며 지냈느냐는 원구의 물음에 동욱은 끼고 온 보자기를 끄르고 스크랩북을 펴 보이는 것이었다. 몇 장 벌컥벌컥 뒤지는데 보니, 서양 여자랑 아이들의 초상화가 드문드문 붙어 있었다. 그 견본을 가지고 미군 부대를 찾아다니며, 초상화의 주문을 맡는다는 것이었다. 대학에서 영문과를 전공한 것이 아주 헛일은 아니었다고 하며 동욱은 닝글닝글 웃었다. 동욱의 그 닝글닝글한 웃음을 원구는 이전부터 몹시 꺼렸다. 상대방을 조롱하는 것 같은, 그러면서도 자조적(자기 자신을 비웃는 듯한 것)이요, 어쩐지 친애감조차 느껴지는 그 ㉠닝글닝글한 웃음은, 원구에게 어떤 운명적인 중압을 암시하여 감당할 수 없이 마음이 무거워지는 것이었다. 대체 그림은 누가 그리느냐니까, 지금 여동생 동옥이와 둘이 지내는데, 동옥은 어려서부터 그림을 좋아하더니 초상화를 곧잘 그린다는 것이다. 〈중략〉 술에 취한 동욱은 다자꾸 원구의 어깨를 한 손으로 투덕거리며, 동옥이 년이 정말 가엾어, 암만 생각해도 그 총기며 인물이 아까워, 그런 말을 되풀이하는 것이었다. 그러고는 다시 잔을 비우고 나서, ㉡할 수 있나 모두가 운명인걸 하고 고개를 흔드는 것이었다. 〈중략〉

소주제 ❶ 무기력하게 변한 □□과 재회한 원구

차차 거세 가는 빗소리와 도랑물 소리뿐, *황폐한 건물 자체가 그대로 주검처럼 고요했다. 원구는 좀 더 큰 소리로, 안녕하십니까? 하고 불러 보았다. 원구는 제 소리에 깜짝 놀랐다. 목에 엉겼던 가래가 풀리며 탁 터져 나오는 음성이 예상외로 컸던 탓인지, 그것은 마치 무슨 비명처럼 들렸기 때문이다. 그러자 문 안에 친 거적 귀퉁이가 들썩하며, 백지에 먹으로 그린 초상화 같은 여인의 얼굴이 나타난 것이다. 살결이 유달리 희고, 눈썹이 남보다 검은 그 여인은 원구를 내다보며 좀처럼 입을 열지 않았다. 저게 동옥인가 보다고 속으로 생각하며, 여기가 김동욱 군의 집이냐는 원구의 물음에, 여인은 말없이 약간 고개를 끄덕여 보였을 뿐이다. 눈썹 하나 까딱하지 않는 그 태도는 거만해 보이는 것이었다. 동욱 군 어디 나갔습니까? 하고 재차 묻는 말에도 여인은 먼저처럼 고개만 끄떡했다. 그러고 나서 원구를 노려보듯 하는 그 눈에는 ㉢까닭 모를 모멸과 일종의 반항적 태도까지 서려 있는 것이었다. 〈중략〉

소주제 ❷ 원구와 □□의 만남

동욱이가 부엌에서 혼자 바삐 돌아가는 동안 동옥은 역시 한자리에 앉아 꼼짝도 하지 않았다. 동옥은 가끔 하품을 하며 외국에서 온 낡은 화보를 뒤적이고 있었다. 그러한 동옥이와 마주 앉아 자기는 도대체 무엇을 생각해야 하며, 또한 어떠한 포즈를 지속해야 하는가? 원구는 이런 무의미한 *대좌(對坐)를 감당할 수 없어 차라리 부엌에 나가 풍로(화로의 하나. 취사용 도구)에 부채질이나마 거들어 줄까도 생각해 보는 것이었다. 그러나 그만한 행동도 이 상태로는 일종의 비약(순서를 밟지 않고 나아감)이라 적지 아니한 용기가 필요했다. 그러는 동안 원구는 별안간 엉덩이가 척척해 들어옴을 의식했다. 바께쓰의 빗물이 넘어서 옆에 앉아 있는 원구의 자리로 흘러내린 것이었다. 원구는 젖은 양복바지 엉덩이를 만지며 일어섰다. 그제서야 동옥도 바께쓰의 물이 넘는 줄을 안 모양이다. 그러나 동옥은 직접 일어나서 제 손으로 치우려고 하지도 않았다. 앉은 채 부엌 쪽을 향하여, 오빠 물 넘어, 했을 뿐이었다. 동욱은 사잇문을 반쯤 열고 들여다보며 ㉣이년아, 네가 좀 치우지 못해? 하고 목에 핏대를 세웠다. 그러자 자기가 나서기에 절호한 기회라고 생각한 원구는, 내가 내다 버리지 하고 한 손으로 바께쓰를 들어 올렸다. 그러나 한 걸음도 미처 발을 옮겨 놓을 사이도 없이 바께쓰는 철그렁 하는 소리와 함께 한옆이 떨어지며 물이 좌르르 쏟아졌다. 손잡이의 한쪽 끝 갈고리가 고리 구멍에서 벗겨진 것이었다. 순식

작품 개관

- 갈래 단편 소설, 전후 소설
- 성격 허무적, 실존적, 사실적
- 시점 전지적 작가 시점
- 배경 [시간적] 한국 전쟁 시기 장마철
  [공간적] 피란지 부산의 변두리
- 주제 전쟁이 가져다 준 인간의 무기력한 삶과 허무 의식
- 특징
  ① 소외된 인간상을 피학적(被虐的) 어조로 묘사함
  ② 격변기 사회에서 방황하는 사람들의 모습을 예리하게 관찰함

1등급 노트

1. 배경의 효과
   - 비
     - 전후의 암울한 시대를 살아가는 사람들의 삶을 상징함
     - 장마철의 눅눅함이 주는 불쾌감과 우울함이 이 글의 주제와 관련하여 무기력함과 절망감 등을 드러냄(음울한 분위기 조성)
   - 낡은 목조 건물
     - 이 글 전체의 비참한 분위기를 나타냄
     - 동욱과 동옥의 신체적·정신적 불구성을 선명히 드러냄
2. 표현상의 특징
   - 사회적 배경과 상황적 배경, 시간적 배경을 적절히 배합함으로써 생존의 비극성을 밀도 있게 구성함
   - '-것이다', '-것이었다'와 같은 종결 어미의 반복적 사용을 통해 사건을 간접적으로 제시하며, 사건보다 서술자(원구)의 우울한 감정을 전달함
3. 등장인물의 성격
   - 동욱 : 전쟁으로 인해 월남하여 동생이 그린 초상화를 미군 부대에 팔아 생활함. 겉으로는 퉁명스러우나 속으로는 정이 많은 인물임
   - 동옥 : 동욱의 동생으로 소아마비로 인해 대인 기피적인 성격을 가지고 있지만, 원구에게 차차 마음을 열게 됨. 생계를 위해 미군을 상대로 초상화 그리는 일을 함
   - 원구 : 이 글의 화자이며 동욱의 친구로, 월남하여 피란지에서 리어카에다 잡화를 팔아 생계를 유지함. 우유부단한 성격으로, 동욱 남매가 떠나자 그들을 돕지 못한 죄책감으로 괴로워함

더 알아보기

◆ **전후 소설(戰後小說)**
전쟁을 배경으로 하거나 전쟁 경험을 바탕으로 한 소설을 말한다. 주로 전쟁 후의 허무 의식을 바탕으로 한 허무주의적 경향을 띤 작품이 많다. 한국의 전후 소설은 6·25 전쟁 이후에 발생한 소설이다. 이러한 소설에 나타난 6·25 전쟁 체험은 인간 그 자체를 신뢰하는 휴머니즘의 가치를 부각하는 문학의 한 경향을 이루게 된다. 대표작으로 손창섭의 〈잉여 인간〉, 선우휘의 〈불꽃〉, 오상원의 〈유예〉, 이범선의 〈오발탄〉, 황순원의 〈학〉 등이 있다.

정답과 해설 37쪽

간에 방바닥은 물바다가 되고 말았다. 여지껏 꼼짝 않고 앉아 있던 동옥도 그제만은 냉큼 일어나 한 걸음 비켜서는 것이었다. 그 순간의 동옥의 동작이 예사롭지가 않았다. 원구에게 또 하나 우울의 씨를 뿌려 주는 것이었다. 원피스 밑으로 드러난 동옥의 왼쪽 다리가 어린애의 손목같이 가늘고 짧았기 때문이다. 그러한 다리를 옮겨 디디는 순간, 동옥의 전신은 한쪽으로 쓰러질 듯이 기울어지는 것이었다. 동옥은 다시 한번 그 가늘고 짧은 다리를 옮겨 놓는 일 없이, 젖지 않은 구석 자리에 재빨리 주저앉아 버리고 말았다. 그러고는 ⓜ희다 못해 파랗게 질린 얼굴에 독이 오른 눈초리로 원구를 잡아먹을 듯이 노려보는 것이었다.

소주제 ❸ 동옥의 □□가 불편하다는 사실을 알게 되는 원구

– 손창섭

어휘 다지기

- 황폐한 : 거칠고 피폐한
- 대좌(對坐) : 마주 대하여 앉음

소주제 체크

1. 동옥 2. 동옥 3. 다리

1 이 글의 주제로 가장 적절한 것은?

① 전후의 무기력한 삶과 허무 의식
② 이루지 못한 사랑과 간절한 소망
③ 사회 변동에 따른 세대 간의 갈등
④ 맑고 깨끗한 이상 세계를 향한 염원
⑤ 전쟁이 주는 참혹함과 인간의 잔인성

2 ㉠~ⓜ에 대한 설명으로 적절하지 <u>않은</u> 것은?

① ㉠ : 자신의 삶과 세상에 대한 자조적 태도가 드러난다.
② ㉡ : 부정적인 현실에 대응하지 못하는 무기력한 태도가 드러난다.
③ ㉢ : 폐쇄적이고 비참한 삶을 살며 불구적인 성격을 갖게 됐음을 보여 준다.
④ ㉣ : 동옥의 소극적이고 의존적인 태도를 증오하고 있음을 알 수 있다.
⑤ ⓜ : 불편한 다리를 드러낸 상황이 수치스러워 공격적인 태도를 취하고 있다.

3 수능형 이 글의 서술상의 특징에 대한 설명으로 적절한 것은?

① 대상이나 인물에 대해 묘사적으로 진술하고 있다.
② 주로 현재형 문장을 사용하여 생동감을 부여하고 있다.
③ 풍자적 어조를 통해 이야기의 비극성을 약화시키고 있다.
④ 요약적 서술을 통해 인물의 성격이 왜곡된 이유를 설명하고 있다.
⑤ 서술자가 인물과 사건을 권위적으로 논평하여 주제를 선명하게 드러내고 있다.

4 이 글과 〈보기〉에서 알 수 있는 '원구'에 대한 설명으로 가장 적절한 것은?

> 보기
>
> 사나이는 자기가 이 집 주인이노라 하고 나서, 동욱은 외출한 채 소식 없이 돌아오지 않게 되었고, 그 뒤 동옥 역시 어디로 가 버렸는지 모르겠다는 것이었다. 동욱이가 안 돌아오는 지는 열흘이나 되었고, 동옥은 바로 이삼 일 전에 나갔다는 것이다. 원구는 더 무슨 말이 없이 서 있었다. 한 손에 보자기 꾸러미를 들고 한 손으로는 우산을 받고 선 채, 원구는 사나이의 얼굴만 멍하니 바라보는 것이었다.

① 자신의 이익을 위해 다른 사람을 이용하는 인물
② 상황에 적극적으로 대처하지 못하는 무기력한 인물
③ 체면을 중시하여 자신의 상황을 인정하지 못하는 인물
④ 가혹한 현실로 인해 삶의 의지를 잃고 타락해 가는 인물
⑤ 비참한 현실 속에서도 의지를 굽히지 않고 살아가는 인물

출제 예감

5 이 글의 배경에 대한 학생들의 대화로 적절하지 <u>않은</u> 것은?

① 지하 : 장맛비가 음울하고 음산한 분위기를 형성하고 있어.
② 상권 : 계속해서 내리는 비를 통해 작품의 어두운 결말을 짐작할 수 있어.
③ 유진 : 비는 인물의 심리를 대변하고 있어. 원구와 동욱의 어두운 심리를 간접적으로 제시한 셈이지.
④ 정현 : 이 글의 공간적 배경이 폐가처럼 묘사되고 있는데, 이것도 비와 함께 전쟁의 파괴성을 상징적으로 보여 준다고 할 수 있어.
⑤ 지은 : 비나 낡은 목조 건물과 같은 배경 설정은 부패와 타락이 극심한 현실적 상황을 상징적으로 드러낸 것으로 볼 수 있어.

출제 예감

6 서술형 이 글의 종결 어미에 주로 사용된 '–것이다', '–것이었다'의 효과에 대해 서술하시오.

18 유예(猶豫)

▶ **전체 줄거리** '나'는 국군 소대장으로 한국 전쟁에 참전하여 북으로 진격을 계속하다가 적의 배후 깊숙이 들어가게 된다. '나'의 부대는 몇 번의 전투 끝에 선임 하사를 포함한 여섯 명만 남게 된다. 후퇴 중 마지막 전투에서 결국 '나' 혼자 살아남아 남하하다가 어느 마을에서 인민군들에게 아군 병사가 처형되는 장면을 목격하고, 적의 사수를 향해 총을 쏘다가 포로가 되고 만다. 포로가 된 '나'는 자신의 죽음은 전쟁 중의 수많은 죽음 중 하나에 불과하다는 생각에 적의 전향 회유를 거부한다. 적 심문관은 사형 집행 처분을 내리고, '나'는 눈 쌓인 둑길을 걸으며, 죽는다는 것은 아무것도 아니라고 생각하면서, 적의 총탄을 맞고 흰 눈 위에서 서서히 죽어 간다. 본문에 수록된 부분은 '나'가 적에게 포로가 되어 처형당하는 이 글의 결말 부분이다.

나는 빨가벗은 채, 추위에 살이 빨가니 얼어서 흰 둑길을 걸어간다. 수 발의 총성. 나는 그대로 털썩 눈 위에 쓰러진다. 이윽고, 붉은 피가 하이얀 눈을 *호젓이 물들여 간다. 그 순간 모든 것은 끝나는 것이다. 놈들은 멋쩍게 총을 다시 거꾸로 둘러메고 본대로 돌아들 간다. 발의 눈을 털고, 추위에 손을 비벼 가며 방 안으로 들어들 갈 테지. 몇 분 후면 그들은 화롯불에 손을 녹이며, 아무 일도 없었던 듯 담배들을 말아 피우고 기지개를 할 것이다.

누가 죽었건 지나가고 나면 아무것도 아니다. 그들에겐 모두가 평범한 일들이다. 나만이 피를 흘리며 흰 눈을 움켜쥔 채 신음하다 영원히 묵살되어 묻혀 갈 뿐이다. 전 근육이 경련을 일으킨다. 추위 탓인가……. 퀴퀴한 냄새가 또 코에 스민다. 나만이 아니라 전에도 꼭 같이 이렇게 반복된 것이다. 〈중략〉

소주제 ❶ □□을 당하게 될 자신을 상상하는 '나'

"뭐 하고 있어! 빨리 나와!" / 착각이 아니었다. 그들은 벌써부터 빨리 나오라고 고함을 지르며 독촉하고 있었다. 한 단 한 단 정신을 가다듬고, 감각을 잃은 무릎을 힘껏 *괴어 짚으며 기어올랐다. 입구에 다다르자 억센 손아귀가 뒷덜미를 움켜쥐고 끌어당겼다. 몸이 밖으로 나가는 순간, 눈 속에 그대로 머리를 박고 쓰러졌다. 찬 눈이 얼굴 위에 스치자 정신이 돌아왔다. 일어서야만 한다. 그리고 정확히 걸음을 옮겨야 한다. 모든 것은 인제 끝나는 것이다. 끝나는 그 순간까지 정확히 나를 끝맺어야 한다. / 그는 눈을 다섯 손가락으로 꽉 움켜 짚고, 떨리는 다리를 바로잡아 가며 일어섰다. 그리고 한 걸음 한 걸음, 정확히 걸음을 옮겼다. 눈은 의지적인 신념으로 차가이 빛나고 있었다. / 본부에서 몇 마디 주고받은 다음, 준비 완료 보고와 집행 명령이 뒤이어 떨어졌다.

소주제 ❷ □□ 집행 명령이 떨어져 끌려 나가는 '나'

눈에 함빡 쌓인 흰 둑길이다. 오, 이 둑길…… 몇 사람이나 이 둑길을 걸었을 거냐. 훤칠히 트인 벌판 너머로 마주 선 언덕, ⓐ흰 눈이다. 가슴이 탁 트이는 것 같다. 똑바로 걸어가시오. 남쪽으로 내닫는 길이오. 그처럼 가고 싶어 하던 길이니 유감 없을 거요. 걸음마다 흰 눈 위에 발자국이 따른다. 한 걸음 두 걸음, 정확히 걸어야 한다. 사수 준비! 총탄 재는 소리가 바람처럼 차갑다. 눈앞엔 흰 눈뿐, 아무것도 없다. 인제 모든 것은 끝난다. 끝나는 그 순간까지 정확히 끝을 맺어야 한다. 끝나는 일 초 일각까지 나를, 자기를 잊어서는 안 된다.

걸음걸이는 그의 의지처럼 또한 정확했다. 아무리 한 걸음, 한 걸음 다가가는 걸음걸이가 죽음에 접근하여 가는 마지막 길일지라도 결코 허튼, 불안한, 절망적인 것일 수는 없었다. 흰 눈, 그 속을 걷고 있다. 훤칠히 트인 벌판 너머로, 마주 선 언덕, 흰 눈이다. 연발하는 총성, 마치 외부 세계의 잡음만 같다. 아니, 아무것도 아닌 것이다. 그는 흰 속을 그대로 한 걸음, 한 걸음 정확히 걸어가고 있었다. 눈 속에 부서지는 발자국 소리가 어렴풋이 들려온다. 두런두런 이야기 소리가 난다. 누가 뒤통수서 잡아 일으키는 것 같다. 뒤허리에 충격을 느꼈다. ㉠아니, 아무것도 아니다. 아무것도 아닌 것이다.

소주제 ❸ 눈이 쌓인 □□을 걷다가 처형 당하는 '나'

흰 눈이 회색빛으로 흩어지다가 점점 어두워 간다. 모든 것은 끝난 것이다. 놈들은 멋쩍게 총을 다시 거꾸로 둘러메고 본부로 돌아들 갈 테지. 눈을 털고 추위에 손을 비벼 가며 방 안으로 들어들 갈 것이다. 몇 분 후면 화롯불에 손을 녹이며 아무 일도 없었던 듯 담배들을 말아 피고 기지

작품 개관

- **갈래** 단편 소설, 전후 소설
- **성격** 독백적, 실존적
- **시점** 1인칭 주인공 시점 (부분적으로 전지적 작가 시점의 혼용)
- **배경** [시간적] 한국 전쟁 당시의 겨울 [공간적] 어느 산골 마을의 눈 덮인 들판
- **주제** 전쟁의 비극성과 인간성 파괴에 대한 고발
- **특징**
  ① 의식의 흐름 기법을 사용함
  ② 상반된 이미지의 소재를 사용함으로써 주제 의식을 극대화함
  ③ 짧은 문장의 사용으로 전쟁 속에서 죽음에 직면한 인간의 불안정한 심리와 단절 의식을 효과적으로 표현함

1등급 노트

1. **의식의 흐름 기법**
   - 현실에 대한 객관적 묘사보다 철저하게 주관화된 내면 의식을 보여 주는 데 초점을 맞춤
   - 주인공 자신의 생각이나 과거의 상황 등은 시간의 순차성을 무시하고 주인공의 의식 속에서 융해되어 주관화된 채로 드러남
   - 급박한 형태의 단문으로 나타나며, 독자에게 죽음의 공포를 같이 느끼게 함
2. **이 글의 시점**
   1인칭 시점과 3인칭 시점을 교차시키면서 주인공의 의식 세계와 독백을 중심으로 서술함 → 서술에 박진감을 부여하면서 과거 – 현재 – 미래를 자유롭게 오가며 인물의 심리를 사실적으로 묘사할 수 있음
3. **'흰 눈'의 상징성**
   - 총살 직전의 절망, 냉혹한 상황과 연결되어 전쟁에서 인간의 생명이 무가치함을 드러냄
   - 붉은 피와의 선명한 대조를 통해 전쟁의 비극적 분위기를 강조함

함께 엮어 읽기

◆ **전후 소설의 예**

1. 황순원, 〈학마을 사람들〉
   한 마을에서 자란 사람들이 이념 때문에 서로 적이 되는 상황을 통해 전쟁의 참상을 폭로한, 반전 의식과 인류애를 그린 작품이다.
2. 최인훈, 〈광장〉
   사상적 편향성을 보이지 않고 남북한의 이념에 대해 모두 비판적인 태도를 취함으로써 분단 극복의 방향을 모색한 작품이다.
3. 윤흥길, 〈장마〉
   이념보다는 전쟁이 민족에게 안겨 준 상처에 주목한 작품으로, 민족의 상처를 민족 전통의 정서를 통해 극복해 나갈 수 있다는 방향을 제시한 작품이다.

정답과 해설 37쪽

개를 할 것이다. 누가 죽었건 지나가고 나면 아무것도 아니다. 모두 평범한 일인 것이다. 의식이 점점 그로부터 어두워 갔다. 흰 눈 위다. 햇볕이 따스히 눈 위에 부서진다.

소주제 ④ 자신의 □□ 이후를 상상하며 죽어 가는 '나'

- 오상원

어휘 다지기

- 호젓이 : 무서운 느낌이 들 만큼 고요하고 쓸쓸하게
- 괴어 : 쓰러지거나 기울지 않도록 아래를 받쳐 안정시켜

소주제 체크

1. 총살 2. 사형 3. 눈길 4. 죽음

출제 예감

1 이 글 전체의 서술상의 특징으로 적절하지 <u>않은</u> 것은?

① 시간의 순차성을 거의 무시하고 있다.
② 1인칭 시점과 3인칭 시점을 혼용하여 사건을 서술하고 있다.
③ 서술자가 직접 경험하지 않은 것도 상상을 통해 서술하고 있다.
④ 인물의 내적 독백을 통해 복잡한 의식과 그 흐름을 나타내고 있다.
⑤ 인물을 객관적으로 묘사하여 독자가 마치 영화를 보는 듯한 느낌이 들게 한다.

2 이 글에서 색채 대비를 통해 죽음의 비극성을 강화시키고 있는 문장을 찾아 쓰시오.

3 주인공 '나'에 대한 설명으로 가장 적절한 것은?

① 거대한 운명의 힘에 쉽게 굴복하는 나약한 인물이다.
② 극한 상황 속에서 자신의 존재를 자각하는 실존적 인물이다.
③ 현실의 모순을 해결하는 데 실마리를 제시하는 문제적 인물이다.
④ 주어진 상황의 어려움을 끈기와 인내로 견뎌 내는 낙천적 인물이다.
⑤ 절망적 현실에 대항하지 못하고 피하려고만 하는 현실 도피적 인물이다.

출제 예감

4 ⓐ에 대한 설명으로 적절하지 <u>않은</u> 것은?

① 차가운 이미지로 제시되어 있다.
② 이 글 전체의 배경이 되는 소재이다.
③ 붉은 피와 선명한 시각적 대조를 이룬다.
④ 전쟁의 비극성을 감각적으로 형상화한다.
⑤ 전쟁으로 훼손될 수 없는 인간의 순수한 내면세계를 상징한다.

5 고난도 〈보기〉와 같은 관점에서 이 글을 이해한다고 할 때, 빈칸에 들어갈 내용으로 가장 적절한 것은?

> 보기
>
> 인간은 죽음에 직면하게 되면 본능적으로 공포를 느끼고 생명의 소중함을 더욱 절실하게 깨닫게 마련이다. 하지만 이 소설의 주인공은 자신의 죽음을 평범하고 아무것도 아닌 것으로 생각하고 당당하게 죽음을 맞이한다. 그러나 이러한 생각은 전쟁이라는 극한 상황에 의해 강요당한 것일 뿐이다. 또 죽음의 순간에 이르러서야 비로소 인간의 존엄성과 자기 존재를 확인하게 되는 상황도 전쟁이 가져온 아이러니라고 할 수 있다. 이렇게 볼 때, 이 작품에서 작가는 (   ).

① 전쟁의 상황 속에서는 그 누구라도 비인간적인 행위를 저지를 수 있음을 보여 주고자 하였다.
② 삶이란 죽음에 근접해 있음을 보여 줌으로써 죽음과 삶이 하나라는 인식을 드러내고자 하였다.
③ 전쟁이 생명에 대한 가치와 애착조차 부정하게 만드는 비인간적인 상황임을 보여 주고자 하였다.
④ 전쟁이 삶의 모든 것을 파괴하는 재앙인 반면, 새로운 출발점이 될 수도 있다는 사실을 환기시키고자 하였다.
⑤ 전쟁이 역설적으로 삶을 되돌아보고 생명의 고귀한 가치를 되찾게 하는 계기가 될 수 있음을 보여 주고자 하였다.

6 수능형 ㉠에 내포된 인물의 심리로 가장 적절한 것은?

① 총에 맞은 사실을 무시함으로써 자신의 고통과 죽음을 회피하려고 한다.
② 자신이 처한 상황을 전면 부정하는 것을 통해 역설적으로 삶에 대한 애착을 드러낸다.
③ 전쟁에서 죽음은 특별한 일이 아니라고 되새기면서 죽음을 초연하게 받아들이려 한다.
④ 죽음이라는 절체절명의 순간을 사소한 일로 치부함으로써 자신의 신념을 강조하고자 한다.
⑤ 결심을 반복하여 표현함으로써 최후의 순간까지 인간의 존엄성을 지키려는 의지를 드러낸다.

7 서술형 이 글에서 대체로 짧은 문장을 사용한 이유를 서술하시오.

비책

19 광장

▶ **앞부분 줄거리** 아버지의 친구 집에서 지내며 철학을 전공하는 이명준은 현실 정치에 깊은 환멸을 느끼고 있다. 그러다가 남로당 중심 인물이었던 아버지 때문에 경찰서에 끌려가 정신적 · 육체적 고통을 겪게 된다. 하루아침에 불온 인물로 취급을 받게 된 그는 애인인 윤애에게 의지하지만, 남쪽 사회의 부조리한 상황에 환멸을 느끼고 결국 그녀마저 버린 채 월북하고 만다. 그러나 북쪽 사회도 개인의 자유가 구속되고 개성적인 삶이 보장되지 않는 곳임을 알게 된다. 그러던 중 은혜라는 여인을 만나 사랑에 빠지지만, 그녀는 모스크바로 떠나 버린다. 낙동강 전선에서 간호병으로 참전한 은혜를 다시 만나지만 그녀는 전사하고, 그는 포로가 되어 판문점의 포로 송환 위원회에 서게 된다.

앞에 앉은 장교가, 부드럽게 웃으면서 말한다.

"동무, 앉으시오." / 명준은 움직이지 않았다. / "동무는 어느 쪽으로 가겠소?"

"중립국."

㉠그들은 서로 쳐다본다. 앉으라고 하던 장교가, 윗몸을 테이블 위로 바싹 내밀면서, 말한다.

"동무, 중립국도, 마찬가지 자본주의 나라요. 굶주림과 범죄가 우글대는 낯선 곳에 가서 어쩌자는 거요?" / "중립국." / "다시 한번 생각하시오. 돌이킬 수 없는 중대한 결정이란 말요. 자랑스러운 권리를 왜 포기하는 거요?"

"중립국." / 이번에는, 그 옆에 앉은 ㉡장교가 나앉는다.

"동무, 지금 인민 공화국에서는, 참전 용사들을 위한 연금 법령을 냈소. 동무는 누구보다도 먼저 ㉢일터를 가지게 될 것이며, 인민의 영웅으로 존경받을 것이오. 전체 인민은 동무가 돌아오기를 기다리고 있소. 고향의 초목도 동무의 개선을 반길 거요." / "중립국."

그들은 머리를 모으고 소곤소곤 상의를 한다. / 처음에 말하던 장교가, 다시 입을 연다.

"동무의 심정도 잘 알겠소. 오랜 포로 생활에서, 제국주의자들의 간사한 꼬임수에 유혹을 받지 않을 수 없었다는 것도 용서할 수 있소. 그런 염려는 하지 마시오. 공화국은 동무의 하찮은 잘못을 탓하기보다도, 동무가 조국과 인민에게 바친 충성을 더 높이 평가하오. 일체의 보복 행위는 없을 것을 약속하오. 동무는㉣……." / "중립국."

중공 대표가, 날카롭게 무어라 외쳤다. 설득하던 장교는, 증오에 찬 눈초리로 명준을 노려보면서, 내뱉었다. / "좋아." <중략>

소주제 ❶ 명준을 설득하는 것을 포기하는 □□ 설득자들

"허허허. 강요하는 것이 아닙니다. 다만 내 나라 내 민족의 ㉤한 사람이, 타향 만 리 이국땅에 가겠다고 나서서, 동족으로서 어찌 한마디 참고되는 이야기를 안 할 수 있겠습니까? 우리는 이곳에 남한 2천만 동포의 부탁을 받고 온 것입니다. 한 사람이라도 더 건져서, 조국의 품으로 데려오라는……."

"중립국."

"당신은 고등 교육까지 받은 지식인입니다. 조국은 지금 당신을 요구하고 있습니다. 당신은 위기에 처한 조국을 버리고 떠나 버리렵니까?"

"중립국." / "지식인일수록 불만이 많은 법입니다. 그러나, 그렇다고 제 몸을 없애 버리겠습니까? 종기가 났다고 말이지요. 당신 한 사람을 잃는 건, 무식한 사람 열을 잃는 것보다 더 큰 민족의 손실입니다. 당신은 아직 젊습니다. 우리 사회에는 할 일이 태산 같습니다. 나는 당신보다 나이를 약간 더 먹었다는 의미에서, 친구로서 충고하고 싶습니다. 조국의 품으로 돌아와서, 조국을 •재건하는 일꾼이 돼 주십시오. 낯선 땅에 가서 고생하느니, 그쪽이 당신 개인으로서도 행복이라는 걸 믿어 의심치 않습니다. 나는 당신을 처음 보았을 때, 대단히 인상이 마음에 들었습니다. 뭐, 어떻게 생각지 마십시오. 나는 동생처럼 여겨졌다는 말입니다. 만일 남한에 오는 경우에, 개인적인 조력(힘을 써 도와줌)을 제공할 용의가 있습니다. 어떻습니까?"

명준은 고개를 쳐들고, 반듯하게 된 천막 천장을 올려다본다. 한층 가락을 낮춘 목소리로 혼잣

작품 개관

- 갈래 장편 소설, 분단 소설, 관념 소설
- 성격 관념적, 회상적, 독백적
- 시점 전지적 작가 시점
- 배경 [시간적] 해방 직후~6 · 25 전쟁 종전
  [공간적] 남한과 북한, 타고르호
- 주제 이데올로기의 갈등 속에서 바람직한 삶의 방식을 추구하려는 지식인의 모습
- 특징
  ① 남북 분단 문제를 정면에서 다룬 최초의 작품임
  ② 남북한의 문제를 '밀실'과 '광장'이라는 인간의 본래적인 존재의 문제와 연결시킴
  ③ 남북한의 이데올로기를 같은 차원에 놓고 비판함으로써 이데올로기 일반에 대한 비판의 차원으로 확장시킴

1등급 노트

1. '중립국'의 상징적 의미
   - 이념이 배제된 공간을 의미함
   - 남북한 모두 광장의 의미를 상실한 공간이라는 깨달음 이후의 소극적 선택임
2. '광장'과 '밀실'의 의미
   - 광장 : 사회 구성원들이 공동의 이념을 추구하면서 바람직한 사회 건설을 위해 토론하고 실천하는 공간
   - 밀실 : 개인이 삶의 행복을 추구하고 사랑을 나누며 자신의 역량을 키워 가는 공간
   - 바람직한 사회상 : 광장이 건재하되 밀실이 존중되는 사회

남한(밀실)	↔	북한(광장)
사적 공간		공적 공간
지향점을 상실하여 삶의 보람을 찾을 수 없는 텅 빈 공간		자유를 상실한 채 이데올로기의 허상을 섬기는 공간

이명준이 추구하는 '광장'의 의미
- 광장과 밀실이 조화롭게 공존하는 사회
- 인간적인 교감이 이루어지는 자유로운 공간

3. 이명준의 중립국행과 자살의 의미

중립국행의 의미	남북한 어느 곳에서도 살아갈 수 없다는 절망과 인식의 결과
자살의 의미	중립국행이 적극적 의미의 선택(이상 실현을 위한 실천)이 아니라 소극적 · 부정적 의미의 선택(절망 속의 체념)이었음을 보여 줌

정답과 해설 37쪽

말 외듯 나직이 말할 것이다. / "중립국."

설득자는, 손에 들었던 연필 꼭지로, 테이블을 툭 치면서, 곁에 앉은 미군을 돌아볼 것이다. 미군은, 어깨를 추스르며, 눈을 찡긋하고 웃겠지. 소주제 ② 명준을 설득하는 것을 포기하는 □□ 설득자들에 대한 상상

나오는 문 앞에서, 서기의 책상 위에 놓인 •명부에 이름을 적고 천막을 나서자, 그는 마치 재채기를 참았던 사람처럼 몸을 벌떡 뒤로 젖히면서, 마음껏 웃음을 터뜨렸다.

소주제 ③ □□□을 선택한 데 대한 통쾌함을 느끼는 명준

▶ **뒷부분 줄거리** 끝내 중립국을 택한 이명준은 제3국인 인도로 향하는 타고르 호에서 갈매기를 은혜와 딸의 환영으로 보고 바다로 뛰어들어 자살하고 만다.

– 최인훈

어휘 다지기

- 재건(再建) : 무너진 것을 다시 건설함
- 명부(名簿) : 어떤 일에 관련된 사람의 이름, 주소 등을 적어 놓은 장부

소주제 체크

1. 북측 2. 남측 3. 중립국

1 이 글 전체에 대한 설명으로 적절하지 <u>않은</u> 것은?

① 남한과 북한의 분단을 소재로 하고 있다.
② 주인공은 이상향을 추구하며 운명에 맞서는 적극적인 인물이다.
③ 주인공을 통해 역사와 민족, 인간적 삶의 방향에 대한 문제를 제기하고 있다.
④ 관념적이고 사변적인 독백과 사색을 통한 의식의 흐름 기법이 나타나고 있다.
⑤ 남북 모두를 비판함으로써 이념 자체에 대한 일반적 비판의 차원으로 주제를 확장하고 있다.

출제 예감

2 이명준이 중립국을 선택한 이유로 적절하지 <u>않은</u> 것은?

① 이념 대결의 현장에서 벗어나기 위하여
② 자신이 추구했던 이상이 헛된 것임을 알았기 때문에
③ 모든 것을 잊고 익명성이 보장되는 세상으로 가기 위하여
④ 중립적인 태도를 취함으로써 새로운 길을 모색하기 위하여
⑤ '밀실'과 '광장'이 조화롭게 공존하는 곳을 남북 어디에서도 발견하지 못하였기 때문에

3 이 글의 국문학사적 의의로 적절한 것은?

① 지식인의 이념적 편향성을 비판한 정치 소설이다.
② 남북 문제를 소년의 시각에서 바라본 성장 소설이다.
③ 남북 분단의 이념 문제를 정면에서 다룬 분단 소설이다.
④ 남북 북단의 아픔을 가족사를 통해 추적해 낸 가정 소설이다.
⑤ 남북 통합의 문제를 전통 사상의 측면에서 형상화한 소설이다.

4 수능형 ㉠~㉤에 대한 설명으로 알맞은 것은?

① ㉠과 ㉡은 다른 입장을 지니고 있다.
② ㉡을 통해 시대적 배경을 알 수 있다.
③ ㉢은 명준이 가장 필요로 하는 것이다.
④ ㉣은 말하는 이가 할 말을 잃었음을 의미한다.
⑤ ㉤은 중립국으로 가려는 명준을 가리키는 말이다.

5 이 글 전체를 통해 작가가 전달하고자 하는 바가 무엇일지 토의해 보았다. <u>잘못</u> 이해하고 있는 사람은?

① 수영 : 인간은 각자 진실된 공간으로서의 밀실을 필요로 해.
② 완욱 : 진정 자유로운 삶은 이데올로기가 배제된 중립국에서만 가능해.
③ 은정 : 인간은 사회적 존재니까 공동체적 삶의 공간인 광장 또한 무시할 수 없지.
④ 민성 : 명준의 최종 선택에서 당시 현실에 회의를 느꼈던 지식인들의 모습을 엿볼 수 있어.
⑤ 택상 : 남한이냐 북한이냐를 선택하기를 강요받는 명준의 모습을 통해 당시 우리 민족이 겪었던 이데올로기적 대립과 갈등을 느낄 수 있어.

출제 예감

6 서술형 이명준이 추구하는 바람직한 사회의 모습을 '밀실'과 '광장'이라는 용어를 사용하여 서술하시오.

20 황만근은 이렇게 말했다

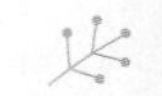

"㉠만그인지 반그인지 그 바보 자석 하나 때문에 소 여물도 못하러 가고 이기 뭐라. 스무 바리 나 되는 소가 한꺼분에 밥 굶는 기 중요한가, 바보 자석 하나가 어데 가서 술 처먹고 집에 안 오는 기 중요한가, 써그랄."

'마리'의 방언(경남, 충북)

마을에서 연장자 축에 들고 가장 학식이 높아 해마다 한번씩 지내는 용왕제(龍王祭)에 축(祝)을 초(草)하는 황재석 씨가 받았다.

제사 때에 읽어 신명(神明)께 고하는 글

"그래도 질래 있던 사람이 없어지마 필시 연유가 있는 기라. 사람이 바늘이라, 모래라, 기양 없어지는 기 어디 있어. 암만 그래도 우리 동네 사람 아이라. 반그이, 아이다. 만그이가 여게서 나서 사는 동안 한 분도 밖에서 안 들어온 적이 없는데 말이라."

"아이지요. 어르신. 가가 군대 간다 캤을 때 여운지 토깨인지 하고 밤새도록 싸우니라고 하루는 안 들어왔심다."

용왕제에서 집사 역을 하는 황동수가 우스개처럼 말을 이었다. 아침밥을 먹기도 전 황만근의 아들이 찾아와 황만근이 집에 돌아오지 않았다고 하길래 얼결에 동네 사람들을 불러 모으는 역할을 하게 된 민 씨는 분위기가 이상하게 돌아간다 생각하고 참견을 했다.

제사를 진행하는 동안 필요한 잡무를 담당하는 사람

"㉡어제 궐기 대회 한다 하고 간 사람이 누구누구십니까. 황만근 씨하고 같이 간 사람은요? 궐기 대회 하는 동안 본 사람은 없나요?"

자리에 모인 대여섯 명의 황씨들은 서로의 얼굴을 마주보더니 모두 고개를 흔들었다. 〈중략〉

소주제 1 황만근의 □□으로 마을 사람들이 모임

다음날 새벽, 민 씨는 새벽녘에 잠깐 동네 어귀에서 탈탈거리는 경운기 소리를 들었다. 탁, 탁, 탁……. ㉢시동이 잘 걸리지 않는 모양이었다. 타닥, 닥, 타닥, 탁, 탁, 탈, 탈, 탈, 탈탈탈탈……. 그 뒤에도 궐기 대회 가는 집마다 경운기를 끌고 나오려면 온 동네가 시끄럽겠다고 생각했지만 ㉣웬일인지 다른 경운기 소리는 더 이상 들려오지 않았다. 경운기 소리가 아득히 멀어져 가는 소리를 들으며 민 씨는 까무룩 잠이 들었다.

소주제 2 혼자서 □□□를 끌고 궐기 대회에 간 황만근

전날 밤, 분명 꿈은 아니었다, 민 씨는 황만근의 말을 이렇게 들었다.

[A]

"농사꾼은 빚을 지마 안 된다 카이."

(한번 빚을 지면 그 빚을 갚으려고 무리하게 일을 벌인다. 동네 곳곳에 텅 빈 우사(牛舍), 마른 똥만 뒹구는 축사, 잡초만 무성한 비닐하우스를 보라. 농어민 복지, 소득 향상, 생활 개선? 다 좋다. 그걸 제 돈으로 해야 한다. 제 돈으로 하지 않으면 그건 노름이나 다를 바 없다. 빚은 만근산의 눈덩이, 처마의 고드름처럼 자꾸 커진다.)

소 등이 기거하는 시설물

"기계화 영농 카더이마 집집마다 바퀴 달린 기계가 및이나 되나. 깅운기, 트랙터, 콤바인, 이앙기, 거다 탈곡기, 건조기에…… 다 빚으로 산 기라. 농사지 봐야 그 빚 갚느라고 정신없다."

(한 집에서 일 년에 한 번 쓰는 이앙기를 들여 놓으면 그게 일 년 내내 돌아가던가. 놀 때는 다른 집에 빌려 주면 된다. 옛날에는 소를 그렇게 썼다. 그런데 지금은 그렇게 하지 않는다. 서로 도와 가면서 농사짓던 건 옛말이다. 한 집에서 기계를 놀리면서도 안 빌려 주면 옆집에서는 화가 나서라도 산다. 어차피 빚으로 사는데 사기가 어려울까. 기계에 들어가는 기름은 면세유(免稅油)다. 면세유 가지고 기계를 다 돌리기는 힘들다. 옆집에는 경운기가 두 댄데 면세유는 한 대분밖에 나오지 않는다. 경운기가 왜 두 대씩 필요할까. 한 사람이 한꺼번에 두 대를 모는 것도 아닌데.) 〈중략〉

작품 개관

- 갈래 단편 소설, 농촌 소설
- 성격 해학적, 풍자적, 향토적, 세태 비판적
- 시점 전지적 작가 시점
- 배경 [시간적] 1990년대
  [공간적] 농촌 마을(신대리)
- 주제 이기적인 현대인에 대한 비판과 부채로 무너져 가는 농촌 현실 고발
- 특징
  ① 사투리의 사용으로 현장감과 사실성을 부여함
  ② 해학적인 표현으로 웃음을 유발하고 농촌 현실을 풍자함
  ③ '전(傳)' 양식을 창조적으로 계승함

1등급 노트

1. 제목의 의미
   황만근은 말로써 특별한 메시지를 전하기보다는 몸소 행동으로 보여 주고 있음. 즉, 작가는 황만근의 삶을 통해 농촌 사회의 모순과 불합리함을 비판하며 동시에 그의 행적을 통해 교훈을 주고 우리가 어떻게 살아야 하는가를 제시하고 있음
2. 등장인물의 성격과 심리
   - 황만근 : 지능은 떨어지지만 이타적이고 순수한 농민으로 자신의 일에 충실함. 농민 궐기 대회에 낡은 경운기를 끌고 나갔다가 사고가 나서 죽음을 맞이함
   - 민 씨 : 외지에서 마을로 귀농한 인물. 황만근이 죽은 뒤 그를 추모하는 글을 지음
   - 마을 사람들 : 평소에는 황만근을 무시했지만, 막상 그가 없어지자 아쉬워하는 이기적인 인물들
3. 이 글에 나타난 전(傳)의 양식
   이 글은 전통적인 서사 양식인 '전(傳)'의 양식을 사용함. 전은 일반적으로 남들에게 교훈이 될 만한 사람의 행적을 기록하고 그에 대한 논평을 덧붙이는 형식임. 이 글 역시 '황만근'의 일생을 재구성하여 서술하고 있다는 점에서 '전'의 양식을 취함. 그러나 예전의 방식을 그대로 답습하는 대신, 현대 사회의 모순을 드러내기 위해 창조적으로 재구성함

더 알아보기

◆ 1990년대 농촌 현실

이 글의 배경이 되는 1990년대 후반은 IMF에서 금융 구제를 받는 등 한국 사회 전체가 경제적인 위기를 겪었던 시기이다. 특히 6~70년대부터 중공업을 집중적으로 육성한 국가 정책에 밀려 소외되었던 농촌은 도시와의 소득 격차가 심해지고, 부채가 쌓여 더 큰 어려움을 겪을 수밖에 없었다. 이 글은 농가 부채 문제와 물질 만능주의, 개인주의로 해체되는 농촌 공동체를 다루며 농촌 현실의 어두운 단면을 비판하고 있다.

정답과 해설 37쪽

> "내가 왜 빚을 안 졌니야고. 아무도 나한테 빚 준다고 안 캐. 바보라고 아무도 보증서라는 이야기도 안 했다. 나는 내 짓고 싶은 대로 농사지민서 안 망하고 백 년을 살 끼라."

소주제 ③ 황만근이 생각하는 □□의 현실과 문제점

일주일 뒤에 황만근은 돌아왔다. 그의 아들이 그를 안고 돌아왔다. ㉤한 항아리밖에 안 되는 그의 뼈를 담고 돌아왔다. 경운기도 돌아왔다. 수레는 떼어 내고 머리 부분만 트럭에 실려 돌아왔다. 황만근 아니면 그 누구도 작동시킬 수 없는 그 머리가, 바보처럼 주인을 태우지 않고 돌아왔다.

소주제 ④ 일주일 만에 죽어서 돌아온 □□□

- 성석제

소주제 체크

1. 실종 2. 경운기 3. 농촌 4. 황만근

1 이 글에 대한 설명으로 가장 적절한 것은?

① 서술자를 교체하여 새로운 갈등을 암시하고 있다.
② 대화와 회상을 통해 주인공의 면모를 드러내고 있다.
③ 비현실적 사건을 통해 비극적인 분위기를 조성하고 있다.
④ 시대적 배경을 자세히 묘사하여 현실 문제를 실감나게 드러내고 있다.
⑤ 인물의 외양을 사실적으로 묘사하여 인물의 성격을 직접적으로 제시하고 있다.

출제 예감
2 이 글의 인물에 대한 설명으로 적절하지 않은 것은?

① 황만근의 아들은 민 씨에게 황만근의 실종을 알렸다.
② 황동수는 황만근의 실종을 대수롭지 않게 여기고 있다.
③ 황만근은 그의 성품 때문에 마을 사람들에게 비난을 받고 있다.
④ 민 씨는 황만근이 경운기를 끌고 궐기 대회에 간 사실을 기억하고 있다.
⑤ 황재석은 황만근의 평소 행실을 근거로 그가 돌아오지 않는 것을 걱정하고 있다.

3 수능형 ㉠~㉤에 대한 설명으로 적절하지 않은 것은?

① ㉠ : 황만근에 대한 마을 사람들의 인식이 드러난다.
② ㉡ : 민 씨는 마을 사람들이 황만근의 행적을 알고 있을 것이라고 생각한다.
③ ㉢ : 황만근이 경운기 운전에 미숙함을 드러내어 이후 일어날 사건을 암시한다.
④ ㉣ : 황만근을 제외한 나머지 사람들은 궐기 대회에 경운기를 끌고 가지 않았음을 의미한다.
⑤ ㉤ : 허무하게 죽은 황만근의 죽음을 실감할 수 있게 한다.

4 [A]를 이해한 내용으로 적절하지 않은 것은?

① 농민으로서 황만근이 가진 확고한 신념을 드러내고 있다.
② 공동체 의식이 사라진 삭막한 농촌 현실을 비판하고 있다.
③ 농기계를 사느라 빚을 지고 힘겹게 살아가는 농민들의 실상을 보여 주고 있다.
④ 황만근의 말 뒤에 농촌의 현실을 덧붙여 황만근의 말이 옳음을 뒷받침하고 있다.
⑤ 원칙을 지키지 않고 자기가 짓고 싶은 대로 농사를 짓는 황만근의 이기심을 보여 주고 있다.

출제 예감
5 <보기>를 참고하여 이 글을 감상한 내용으로 적절하지 않은 것은?

> **보기**
> 이 작품은 우직하고 성실한 황만근과 자신들의 이익만을 챙기는 마을 사람들을 대조적으로 제시하여, 현대인의 이기적인 면모를 비판하고 이해타산적으로 변해가는 농촌의 부정적 현실을 풍자하고 있다. 또한 황만근의 이타적인 행적을 통해 현대인들이 어떻게 살아가야 하는지를 제시하고 있다.

① '바보'라고 불리는 인물의 삶을 통해 삭막해진 농촌 현실을 풍자하고 있다.
② 자신에게 맡겨진 책임을 다하던 황만근이 무시당하는 모습을 통해 부정적 현실을 드러내고 있다.
③ 민 씨의 회상을 통해 황만근이 가진 평소 생각을 제시함으로써 현대인이 본받을 만한 가치를 드러내고 있다.
④ 궐기 대회에 참가하다가 스스로를 희생하여 죽음을 맞이한 황만근을 통해 희생하는 삶의 고귀함을 보여 주고 있다.
⑤ 이타적인 황만근과 이해타산적인 마을 사람들의 대조를 통해 진짜 바보는 마을 사람들임을 간접적으로 제시하고 있다.

6 서술형 이 글은 '황만근'의 실종으로 글을 시작하고 있다. 이러한 구성이 독자에게 주는 효과를 서술하시오.

비책

21 병신과 머저리

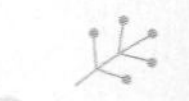

▶ **앞부분 줄거리** 화가인 '나'는 형의 소개로 만난 혜인의 이별 통보를 무기력하게 받아들인다. 의사인 형이 소설을 쓰기 시작한 것은 형이 수술하던 한 소녀의 죽음으로 인해 정신적인 타격을 입은 다음부터이다. 소설에서 형은 6·25 전쟁 중에 동료를 살해한 경험을 그리고 있다. 형의 상사였던 오관모는 부상을 당한 김 일병을 죽이려 하고, 형은 모든 것을 아는 듯 조용하기만 한 김 일병을 보며 그가 죽어도 좋다고 생각한다. 소설은 거기에서 중단되어 있었다. '나'는 소설의 내용이 진전되기를 기다리다가 형 몰래 원고를 가져와 형이 김 일병을 죽이는 것으로 결말을 맺는다. 형은 '나'가 쓴 소설의 결말을 읽고 찢어 버린 후, 형이 관모를 쏘는 것으로 결말을 고친다.

㉠《'나'는 관모가 나타날 때까지 동굴을 들락날락하고만 있다. 드디어 관모는 동굴까지 올라왔다. 그 얼굴이 어둠 속에서 땀에 번들거렸다. 그는 대뜸 "동강 나간 팔 핑계를 하고 드러누워 처먹고만 있을 테냐."고 하며 "오늘은 네놈도 같이 겨울 준비를 해야겠다."면서 김 일병을 일으켜 끌고 동굴을 나간다. '내'가 불현듯 관모의 팔을 붙잡는다. 관모가 독살스러운 눈으로 '나'를 쏘아본다. '나'는 아무 말도 못하고 고개를 떨어뜨린다. "넌 구경이나 하고 있어……." 타이르듯 낮게 말하고 관모는 김 일병을 앞세우며 산을 내려간다. 말끝에서 '나'는 '이 참새 가슴아' 하고 말하고 싶어 하는 관모의 소리를 들은 것 같았다. 뜻밖의 기동을 해서 발걸음이 침착하게 걷고 있는 김 일병은 단 한 번 길을 내려가면서 '나'를 돌아본다. 그러나 그 눈에는 아무것도 찾아볼 수가 없다. 둘은 눈길에 검은 발자국을 내며 골짜기로 내려갔다.》〈중략〉

(기동: 몸을 일으켜 움직임)

소주제 ❶ 김 일병을 데리고 동굴을 나선 □□

"병신 새끼……."

이번에는 형이 손으로는 연신 원고를 찢어 불에 넣으면서도 눈은 내 쪽에 주며 분명히 말했다.

"그래, 도망간 아가씨의 얼굴이 그리고 싶어졌군!"

나는 아직도 더 참을 수 있다고 생각했다. 아주머니는 여전히 형과 나의 얼굴을 무표정하게 번갈아 보고만 서 있었다. / "다 소용없는 짓이야……. 오해였어."

형은 다시 중얼거리는 투였다. 나는 지금 형에게 원고를 불태우는 이유를 이야기시키려는 것은 소용없는 일일 것 같았다. 방으로 들어가려고 했다. / "거기 있어!"

형이 벌떡 몸을 일으키는 체하며 호령했다.

㉡"기껏해야 김 일병이나 죽인 주제에…… 임마, 넌 이걸 다 읽고 있었다……. 불쌍한 김 일병을……. 그 아가씨가 널 싫어한 건 당연하다." 〈중략〉

소주제 ❷ 삶을 대하는 '나'의 □□□ 태도를 비난하는 형

"넌 내가 소설을 불태우는 이유를 묻지 않는군……." / 너무나 *정색을 한 목소리여서 나는 형의 얼굴을 보려고 했으나 형의 손이 귀를 놓아 주지 않았다.

"그런데 너 또 읽었겠지만, 거 내가 죽인 관모 놈 있지 않아. 오늘 밤 나 그놈을 만났단 말야."

그러고는 잠시 말을 끊고 나를 찬찬히 살펴보고 있었다. 그 눈은 술에 젖어 있었으나, 생각이 멀리 있는 것처럼 보이는 것은 결코 술 때문만은 아닌 것 같았다. 그러나 형은 이제 안심이라는 듯 큰 소리로, / "그래 이건 쓸데없는 게 되어 버렸지……. 이 머저리 새끼야!" 〈중략〉

소주제 ❸ □□을 불태우는 형

그렇다고 해도 이제 형은 곧 일을 시작하게 될 것이다. 형은 자기를 솔직하게 시인할 용기를 가지고 마지막에는 관모의 출현이 착각이든 아니든 사실로서 오는 것에 보다 순종하여 관념을 파괴해 버릴 수 있는 힘이 있었다. 무엇보다도 형은 그 아픈 곳을 알고 있었으니까. 어쨌든 형을 지금까지 지켜 온 그 아픈 관념의 성은 무너지고 말았지만, 그만한 용기는 계속해서 형에게 메스를 휘두르게 할 것이다. 그것은 무서운 창조력일 수도 있었다.

(메스: 수술이나 해부를 할 때 쓰는 칼)

그러나 —— / 나는 멍하니 드러누워 생각을 모으려고 애를 썼다.

나의 아픔은 어디서 온 것인가. 혜인의 말처럼 형은 6·25의 전상자이지만, 아픔만이 있고 아

작품 개관

- 갈래 단편 소설, 액자 소설
- 성격 논리적, 심리적, 추리적
- 시점 1인칭 관찰자 시점과 주인공 시점의 혼용
- 배경 [외부] 1960년대 남한의 화실과 병원
  [내부] 6·25 전쟁 당시 북한 강계 지역
- 주제 삶의 방식이 다른 두 형제의 아픔과 그 극복 의지
- 특징
  ① 이야기 안에 또 다른 이야기가 있는 액자식 구성을 취함
  ② 원인을 추적해 가면서 사건의 전말을 서서히 밝히는 추리적 방식을 사용함

1등급 노트

1. 제목 '병신과 머저리'의 의미
1960년대에 정신적 방황을 거듭하는 지식인들의 모습을 지칭함 – '병신'은 6·25라는 전쟁 체험으로 인해 실존적 방황을 하는 존재(형)이며, '머저리'는 구체적 체험에 근거하지 않은 관념적 혼돈을 보이는 4·19 세대(동생)를 지칭함

2. 소설 '쓰기'와 '태우기'의 의미

쓰기	기억하기 싫은 전쟁의 상처를 극복하기 위하여 소설을 씀
태우기	소설 속에서 죽인 관모를 현실에서 우연히 목격하게 됨으로써 소설 속 결말이 부질없다고 느끼게 되어 원고를 불태움

3. 형과 '나'의 현실 대응 태도
'나'는 김 일병을 죽이는 것으로 소설의 결말을 맺지만, 형은 김 일병을 괴롭혀 왔던 오관모를 죽이는 것으로 결말을 맺음 → '나'는 소극적 대응 태도를 보이나 형은 불의에 대항하는 태도를 보임

4. 액자식 구성 방식
처음과 끝 부분에 외부 이야기를 배치하고 중간에 내부 이야기를 배치하는 일반적인 액자식 구성 방식과 달리, 형이 소설을 쓰면서 자신의 아픔을 극복하는 방식을 취함으로써 외부 이야기와 내부 이야기를 동시에 진행시킬 수 있음 → 주인공의 고통과 그 극복 과정을 입체적으로 형상화함

5. 등장인물의 성격
- 형 : 외과 의사로, 6·25 전쟁에 참전했을 때 동료의 죽음을 방치했던 경험을 가진 인물. 아픔의 원인을 인식하고 능동적으로 극복함
- '나' : 화가로, 매사에 무기력하고 패배감을 느끼는 인물임
- 혜인 : '나'의 애인이었으나 소극적인 '나'를 버리고 다른 남자와 결혼함
- 오관모 : 인간의 이기심과 생존 본능을 잘 보여 주는 인물로, 부하인 김 일병을 성적으로 학대하다가 부상을 입자 그를 죽이려 함

정답과 해설 38쪽

픔이 오는 곳이 없는 나의 *환부는 어디인가. 혜인은 아픔이 오는 곳이 없으면 아픔도 없어야 할 것처럼 말했지만 그렇다면 지금 나는 엄살을 부리고 있다는 것인가.

나의 일은, 그 나의 화폭은 깨진 거울처럼 산산조각이 나 있었다. 그것을 다시 시작하기 위하여 나는 지금까지보다 더 많은 시간을 망설이며 허비해야 할는지도 모른다.

어쩌면 그것은 나의 힘으로는 영영 찾아내지 못하고 말 ⓐ얼굴일는지도 모를 일이었다. 나의 아픔 가운데에는 형에게서처럼 명료한 얼굴이 없었다.

소주제 ④ □□를 알지 못하는 '나'의 아픔에 대한 비애

– 이청준

어휘 다지기

- 정색 : 얼굴에 엄정한 빛을 나타냄
- 환부 : 병이나 상처가 난 자리

소주제 체크

1. 문단 2. 소극적 3. 소설 4. 환부

1 이 글에서 '형'과 '나' 사이에 존재하는 갈등의 근본 요인으로 적절한 것은?

① 연애에 대한 관점의 차이
② 전쟁에 관한 견해의 차이
③ 현실에 대응하는 태도의 차이
④ 다양한 경험과 기억의 존재 유무 차이
⑤ 소설의 결말을 맺는 방식에 대한 차이

출제 예감

2 이 글의 제목에 등장하는 '머저리'에 대한 설명으로 적절한 것은?

① 직접적으로는 '형'을 가리킨다.
② 육체적 장애를 지닌 사람을 가리킨다.
③ 다른 사람에게 복종하기만 하는 사람을 가리킨다.
④ 자신의 아픔의 원인을 알지 못하는 '동생'을 가리킨다.
⑤ 환부를 감추고 재빠르게 현실에 복귀하는 사람을 가리킨다.

3 수능형 이 글 전체에서 형이 원고를 불태운 이유로 가장 적절한 것은?

① 전쟁 경험 세대와 그 후 세대 간의 정신적 단절을 분명히 드러내기 위해서이다.
② 현실이 불만족스럽기는 하나 그 현실을 이겨 낼 힘이 없음을 스스로 인정했기 때문이다.
③ 소설 속의 관념이 현실과 똑같다고 여김으로써, 극한 상황에서 맛보았던 환멸과 아픔을 소설 속에서 치유했기 때문이다.
④ 허위로 가득찬 삶을 살았던 자신에 대한 면밀한 반성을 통해, 자신의 소설이 읽을 가치가 없다는 것을 깨달았기 때문이다.
⑤ 소설 속에서 관모를 죽인 것은 다만 관념에 지나지 않으며, 폭력에 굴복한 자신의 비굴함은 여전히 남아 있다는 것을 깨달았기 때문이다.

4 ㉠을 영화로 제작하기 위해 토의한 내용으로 적절하지 않은 것은?

① 전체적인 배경은 눈 덮인 겨울 산으로 해야겠군.
② 어둡고 음산한 분위기의 동굴 세트장을 만들어야겠어.
③ 전쟁터의 느낌을 살려 많은 단역 배우를 등장시켜야겠어.
④ '오관모' 역할을 맡은 배우는 표독스러운 눈빛을 연기할 수 있어야겠어.
⑤ '나' 역할을 맡은 배우는 소심하고 내성적인 성격이 드러나게 연기해야겠어.

5 형이 ㉡과 같이 말한 까닭으로 가장 적절한 것은?

① 김 일병의 죽음이 너무나 안타까워서
② 자신의 소설에 손을 댄 것이 어이가 없어서
③ 결말에서 보이는 동생의 삶의 태도에 화가 나서
④ 실연당한 동생이 소설이나 쓰고 있는 것이 불만스러워서
⑤ 동생이 동료의 죽음을 방치했던 자신의 상처를 알게 되어서

6 ⓐ의 의미로 적절한 것은?

① 아픔의 실체 ② 혜인의 얼굴
③ 일상적 생활 ④ 전쟁의 고통
⑤ 소설적 진실

7 서술형 '형'과 '나'의 성격상의 차이를 현실을 대하는 태도와 관련하여 서술하시오.

비책

22 사평역

내면 깊숙이 할 말들은 가득해도
청색의 손바닥을 불빛 속에 적셔 두고
모두들 아무 말도 하지 않았다.

– 곽재구의 시 〈사평역에서〉

소주제 ❶ 삶의 애환을 □□으로 삭이는 사람들

ⓐ막차는 좀처럼 오지 않았다.

별로 복잡한 내용이랄 것도 없는 장부를 마저 꼼꼼히 확인해 보고 나서야 늙은 역장은 돋보기 안경을 벗어 책상 위에 놓고 일어선다.

벌써 삼십 분이나 지났군.

출입문 위쪽에 붙은 낡은 벽시계가 여덟 시 십오 분을 가리키고 있다. 하긴 뭐 벌써라는 말을 쓰는 것도 새삼스럽다고 그는 고쳐 생각한다. 이렇게 작은 산골 ⓑ간이역에서 제시간에 정확히 도착하는 *완행열차를 보기가 그리 쉬운 일은 아님을 익히 알고 있는 탓이다. 더구나 오늘은 눈까지 내리고 있지 않는가. 〈중략〉

소주제 ❷ 작은 산골 □□□과 늙은 역장

봄날 몸을 푼 강물이 흐르듯 반원을 그리며 유유히 산모퉁이를 돌아 사라지는 철길의 끝을 보고 있노라면 마치도 모든 걸 다 마치고 평온하게 죽음을 맞이하는 어느 노년의 모습처럼 그것은 퍽이나 안온하고 평화로운 느낌을 주곤 하는 것이다. 하지만 지금, 철길은 훨씬 앞당겨져서 끝나 있다. 수은등 불빛이 약해지는 부분에서부터 차츰 희미해져 가다가 이윽고 흐물흐물 녹아 버렸는가 싶게 철길은 더 이상 볼 수가 없다. 그 저편은 칠흑 같은 어둠이다. 어둠에 삼키어져 버린 철길의 끝이 오늘 밤은 까닭 없이 늙은 역장의 가슴 한구석을 썰렁하게 만든다. 〈중략〉

소주제 ❸ □□을 바라보는 늙은 역장

역장은 먼지 낀 유리를 통해 대합실 안을 대충 휘둘러본다. 대합실이라고 해야 고작 국민학교 교실 하나 정도의 크기이다. 〈중략〉 지금 ⓒ*대합실에 남아 있는 사람은 모두 다섯이다. 한가운데에 ㉠톱밥 난로가 놓여 있고 그 주위로 세 사람이 달라붙어 있다. 난로는 양철통 두 개를 맞붙여서 세워 놓은 듯한 꼬락서니로, 그나마 녹이 잔뜩 슬어 있어서 그간 겨울을 몇 차례나 맞고 보냈는지 어림잡기조차 힘들다. 〈중략〉

이따금 노인의 기침 소리가 났고, 난로 속에서 톱밥이 톡톡 튀어올랐다.

㉡"흐유, 산다는 게 대체 뭣이간디……."

불현듯 누군가 나직이 내뱉었다. / 그러자 사람들은 그 말꼬리를 붙잡고 저마다 곰곰히 생각해 보기 시작한다. 정말이지 산다는 게 도대체 무엇일까…….

중년 사내에겐 산다는 일이 그저 ⓓ벽돌담 같은 것이라고 여겨진다. 햇볕도 바람도 흘러들지 않는 폐쇄된 공간. 그곳엔 시간마저도 아무런 흔적을 남기지 않는다. 마치 이 작은 산골 간이역을 빠른 속도로 무심히 지나쳐 가 버리는 ⓔ특급 열차처럼…… 사내는 그 열차를 세울 수도 탈 수도 없다는 것을 잘 알고 있다. 〈중략〉 농부의 생각엔 삶이란 그저 누가 뭐래도 흙과 일뿐이다. 계절도 없이 쳇바퀴로 이어지는 노동. 농한기라는 겨울철마저도 융자금 상환과 농약값이며 비료값으로부터 시작하여 중학교에 보낸 큰아들 놈의 학비에 이르기까지 이런저런 걱정만 하다가 보내고 마는 한숨 철이 되고 만 지도 오래였다. 〈중략〉 / 서울 여자에겐 돈이다. 그녀가 경영하고 있는 음식점 출입문을 들어서는 사람들은 모조리 그녀에겐 돈으로 뵌다. 어서 오세요. 입에 붙은 인사도 알고 보면 손님에게가 아니라 돈에게 하는 말일 게다.

소주제 ❹ □□를 기다리며 각자의 삶을 성찰하는 사람들

작품 개관

- **갈래** 단편 소설
- **성격** 서정적, 회상적, 성찰적
- **시점** 전지적 작가 시점
- **배경** [시간적] 1970~80년대
  [공간적] 시골 간이역 대합실
- **주제** 간이역 대합실에서 나누는 삶에 대한 교감
- **특징**
  ① 곽재구의 시 〈사평역에서〉에 서사적 상상력을 가미하여 서술함
  ② 중심인물 없이 여러 인물들의 쓸쓸한 내면 풍경을 액자식으로 구성하여 제시함

1등급 노트

1. 소재의 상징적 의미
- 기차(막차) : 삶의 희망(행복), 삶에 대해 성찰하는 계기
- 사평역(간이역) : 사회적으로 소외된 공간
- 톱밥 난로 : 회상과 성찰의 매개체, 인물들을 서로 교감하게 하는 매개체
- 특급 열차 : 산업화의 상징

2. 등장인물 분석
- 농부 : 평생 농사를 짓고도 가난과 근심에서 헤어나지 못함
- 중년 사내 : 이데올로기의 대립 속에서 자신의 신념을 지키려다 감옥에 갇혀 살다가 출옥한 전과자
- 대학생 : 독재 정권 시절, 학생 운동을 하다가 제적당한 무능력한 지식인. 내면에 순수함을 지니고 있음
- 서울 여자 : 과부이자 식당집 주인. 탐욕적이며 물질을 추구하나 보기와는 달리 인정이 많고 따뜻한 심성을 지님
- 춘심이 : 술집 작부. 산업화의 그늘에서 어쩔 수 없이 몸을 팔 수밖에 없었던 인물
- 행상꾼 아낙네들 : 정이 많은 떠돌이 행상꾼의 전형

3. 곽재구의 〈사평역에서〉와의 관계
- 이 글은 〈사평역에서〉라는 시에 서사적 상상력을 가미하여 창작한 소설로, 주제와 '막차', '대합실' 등의 소재나 상황 등이 〈사평역에서〉와 유사함
- 시와 소설의 표현 방법의 차이

임철우, 〈사평역〉	곽재구, 〈사평역에서〉
인물들의 삶에서 겪는 아픔이 구체적인 이야기로 나타나 있음	시적 화자의 느낌이나 분위기가 형상화됨

4. 이 글의 배경과 특징
이 글은 눈 내리는 겨울밤 시골 간이역인 사평역 대합실에서 막차를 기다리는 인물들을 통해 1970~80년대(산업화 시대)를 살아가는 민중들의 고단한 삶의 모습과 그들의 내면을 보여 줌

정답과 해설 38쪽

▶ **뒷부분 줄거리** 제적당한 후 고향집에 다녀가는 대학생, 자신의 음식점에서 일을 하다 돈을 갖고 도망친 사평댁을 잡기 위해 내려왔던 서울 여자, 서울의 술집에서 일을 하다 고향에 다녀가는 춘심이, 사평에 물건을 팔러 다니는 행상꾼 아낙네 등 대합실에 모인 사람들의 사연이 각각 소개된다. 그들이 기다리는 야간 완행열차는 두 시간을 연착한 후에야 도착한다. 모두들 기차를 타고 뿔뿔이 흩어지고, 늙은 역장은 난로를 독차지하고 대합실에서 편안히 잠든 미친 여자를 발견한다. 그리고 그녀를 위해 난로에 톱밥을 가져다 부어 주려 사무실로 들어간다.

– 임철우

어휘 다지기

- 완행열차 : 빠르지 않은 속도로 달리며 각 역마다 멎는 열차
- 대합실 : 공공시설에서 손님이 쉬며 기다릴 수 있도록 마련한 곳

소주제 체크

1. 침묵 2. 간이역 3. 철길 4. 기차

1

이 글에 대한 설명으로 적절하지 않은 것은?

① 공간적 배경을 세밀하게 묘사하고 있다.
② 중심인물 없이 이야기가 진행되고 있다.
③ 같은 배경의 다른 문학 작품을 인용하고 있다.
④ 인물들 간의 대립 구도를 활용하여 사건을 전개하고 있다.
⑤ 무명의 호칭 방식을 통해 평범한 인물들의 모습을 전형적으로 그리고 있다.

2

수능형 〈보기〉를 활용하여 이 글을 감상한다고 할 때 적절하지 않은 것은?

> **보기**
> 〈사평역〉에는 곳곳에 상징 또는 은유적 표현이 드러나는데, 작가는 이를 통해 정치적 · 경제적으로 암담했던 1970~80년대에 대한 자신의 비판적인 인식을 독자들에게 전달하고자 하고 있다.

① '늙은 역장'은 당대의 부정적인 현실에서 민중들을 억압하며 착취하는 인물을 상징하는군.
② '수은등 불빛'은 가시적인 현상만 밝힐 뿐 당대의 부정적 현상을 제대로 밝히지 못하는 상황을 상징하는군.
③ '칠흑 같은 어둠'은 한치 앞도 제대로 볼 수 없었던 당대의 시대적 상황을 상징하는군.
④ 어둠에 삼키어져 버린 '철길'은 앞으로 나아갈 길을 알 수 없었던 당대의 암울한 상황을 상징하는군.
⑤ '먼지 낀 유리'는 당시 민중들이 처해 있던 시대적 현실을 파악할 수 없도록 통제받았던 상황을 상징하는군.

3

출제 예감

ⓐ~ⓔ의 상징적 의미로 적절하지 않은 것은?

① ⓐ : 힘든 삶의 고통
② ⓑ : 사회적으로 소외된 공간
③ ⓒ : 서민들의 삶의 애환이 느껴지는 공간
④ ⓓ : 인생의 막막함
⑤ ⓔ : 빠른 속도로 진행되는 산업화

4

출제 예감

이 글에서 ㉠이 수행하는 기능으로 적절한 것을 모두 고르면? (정답 2개)

① 등장인물들 간의 정신적 교감의 매개체이다.
② 등장인물들 간의 관계를 전환하는 효과가 있다.
③ 따뜻한 이미지를 통해 등장인물들의 상처를 치유한다.
④ 등장인물들이 서로의 성격을 파악하는 데 도움을 준다.
⑤ 등장인물들이 자신의 삶을 회상하며 성찰하게 하는 매개체이다.

5

이 글에서 ㉡이 하는 역할로 가장 적절한 것은?

① 글의 내적 배경의 분위기를 전환시킨다.
② 이후에 일어날 사건을 암시하는 복선이다.
③ 등장인물들이 서로의 삶을 이해하는 계기가 된다.
④ 등장인물들 사이의 갈등을 촉발하는 단서가 된다.
⑤ 등장인물들이 삶에 대해 생각하는 계기를 마련한다.

6

이 글을 한 편의 영화로 만드는 과정에서 나눈 의견으로 적절하지 않은 것은?

① 늦은 밤에 송이눈이 펑펑 내리는 산골 간이역의 풍경을 배경으로 담아야겠어.
② 안정된 구조를 위해서 대합실 화면의 중앙에 난로를 배치하는 게 좋을 것 같아.
③ 대합실의 분위기는 조용하면서도 화기애애한 느낌이 들게 하는 것이 좋을 것 같아.
④ '역장' 배역을 맡은 사람은 따뜻하면서도 여유로운 모습이 드러나도록 연기해야 할 것 같아.
⑤ 대합실에 피곤한 모습으로 앉아 열차를 기다리며 상념에 잠긴 사람들의 모습도 넣어야 할 것 같아.

7

서술형 이 글의 서두에 '시'를 인용한 효과를 간략히 서술하시오.

비책

23 해산 바가지

▶ **앞부분 줄거리** 외며느리가 둘째도 딸을 낳았다고 불쾌해하는 친구의 모습을 본 '나'는, 딸을 넷이나 출산한 자신에게 싫은 내색 한 번 없이 사랑으로 손녀들을 돌봐 준 시어머니에 대해 생각한다. '나'는 그런 시어머니의 태도를 존경해 왔으나, 시어머니가 치매에 걸리게 되면서 점점 지쳐가게 되고, 남편과 함께 노인 수용 기관을 알아보러 다닌다.

내가 첫애를 뱄을 때 시어머님은 해산달(아이를 낳을 달)을 짚어 보고 섣달(음력으로 한 해의 맨 끝 달)이구나, 좋을 때다, 곧 해가 길어지면서 기저귀가 잘 마를 테니, 하시더니 그해 가을 ㉠일부러 사람을 시켜 시골에 가서 해산 바가지를 구해 오게 했다. / "잘생기고, 여물게 굳고, 정한(맑고 깨끗한) 데서 자란 햇바가지여야 하네. 첫 손자 첫국밥 지을 미역 빨고 쌀 씻을 소중한 바가지니까." / 이러면서 후한 값까지 미리 쳐주는 것이었다. 그럴 때의 그분은 너무 경건해 보여 나도 덩달아서 아기를 가졌다는 데 대한 경건한 기쁨을 느꼈었다. 이윽고 정말 잘 굳고 잘생기고 정갈한 두 짝의 바가지가 당도했고, 시어머니는 그걸 신령한 물건인 양 선반 위에 고이 모셔 놓았다. 또 손수 장에 나가 보얀 젖빛 사발도 한 쌍을 사다가 선반에 얹어 두었다. 그건 해산 사발이라고 했다.

㉡나는 내가 낳은 첫아이가 딸이라는 걸 알자 속으로 약간 켕겼다. 외아들을 둔 시어머니가 흔히 그렇듯이 그분도 아들을 기다렸음 직하고 더구나 그분의 남다른 엄숙한 해산 준비는 대를 이을 손자를 위해서나 어울림 직했기 때문이다. 그러나 퇴원한 나를 맞아들이는 그분에게서 섭섭한 티 따위는 조금도 찾아볼 수 없었다. 그 잘생긴 해산 바가지로 미역 빨고 쌀 씻어 두 개의 해산 사발에 밥 따로 국 따로 퍼다가 내 머리맡에 놓더니 정성껏 산모의 건강과 아기의 명과 복을 비는 것이었다. ㉢그런 그분의 모습이 어찌나 진지하고 아름답던지, 비로소 내가 엄마 됐음에 황홀한 기쁨을 느낄 수가 있었고, 내 아기가 장차 무엇이 될지는 몰라도 착하게 자라리라는 것 하나만은 믿어도 될 것 같은 확신이 생겼다. 대문에 인줄(금줄. 부정한 것의 접근을 막기 위하여 문이나 길 어귀에 건너질러 매는 새끼줄)을 걸고 부정을 기(忌)하는(꺼리거나 피하는) 삼칠일 동안이 끝나자 해산 바가지는 정결하게 말려서 다시 선반 위로 올라갔다. 다음 해산 때 쓰기 위해서였다. 다음에도 또 딸이었지만 그 희색(기뻐하는 얼굴빛)이 만면하고도 경건한 의식은 조금도 생략되거나 소홀해지지 않았다. 다음에도 딸이었고 그 다음에도 딸이었다. 네 번째 딸을 낳고는 병원에서 밤새도록 울었다. 의사나 간호사까지 나를 동정했고 나는 무엇보다도 시어머니의 그 경건한 의식을 받을 면목이 없어서 눈물이 났다. 그러나 그분은 여전히 희색이 만면했고 경건했다. ⓐ다음에 아들을 낳았을 때도 더도 아니고 덜도 아닌 똑같은 영접을 받았을 뿐이었다. 그분은 어디서 배운 바 없이, 또 스스로 노력한 바 없이도 저절로 인간의 생명을 어떻게 대접해야 하는지를 알고 있는 분이었다. 그분이 아직 살아 있지 않은가. ㉣그분의 여생도 거기 합당한 대우를 받아 마땅했다. 나는 하마터면 큰일을 저지를 뻔했다. 그분의 망가진 정신, 노추한 육체만 보았지 한때 얼마나 아름다운 정신이 깃들었었나를 잊고 있었던 것이다. 비록 지금 빈 그릇이 되었다 해도 사이비 기도원 같은 데 맡겨 있지도 않은 마귀를 내쫓게 하는 수모와 학대를 당하게 할 수는 없는 일이었다.

소주제 1 시어머니의 모습을 회상하며 □□에 대한 자세를 환기함

나는 남편이 막걸릿병을 다 비우기도 전에 길을 재촉해 오던 길을 되돌아섰다. 암자 쪽을 등진 남편은 더 이상 땀을 흘리지 않았다. 시어머님은 그 후에도 삼 년을 더 살고 돌아가셨지만 그동안 힘이 덜 들었단 얘기는 아니다. 그분의 망령은 여전히 해괴하고 새록새록 해서 감당하기 힘들었지만 나는 효부인 척 위선을 떨지 않음으로써 조금은 숨구멍을 만들 수가 있었다. ㉤너무 속상할 때는 아이들이나 이웃 사람의 눈치 볼 것 없이 큰 소리로 분풀이도 했고 목욕시키거나 옷 갈아입힐 때는 아프지 않을 만큼 거칠게 다루기도 했다. 너무했다 뉘우쳐지면 즉각 애정 표시에도 인색하지 않았다.

작품 개관

- 갈래 단편 소설
- 성격 사회 비판적, 회상적, 고백적
- 배경 [시간적] 1980년대
  [공간적] 서울
- 주제 생명의 소중함과 생명 존중의 자세
- 특징
  ① 과거 회상을 통해 주인공의 내적 심리 변화를 드러냄
  ② 당대의 사회적 가치관에 대한 문제의식을 드러냄
  ③ 바깥 이야기와 안 이야기로 구성된 액자 형식의 구성을 취함

1등급 노트

1. 등장인물의 성격과 심리
   - '나' : 시어머니가 치매에 걸린 후 갈등을 겪지만, 생명을 소중히 여기던 시어머니의 모습을 떠올린 뒤에 진심으로 시어머니를 대함
   - 시어머니 : 생명을 소중히 여기고 손자와 손녀를 차별 없이 정성으로 키움. 치매에 걸려 '나'와 갈등을 빚지만, '나'의 보살핌 속에 편안히 생을 마감함
   - 남편 : 치매에 걸린 자신의 어머니를 노인 수용 기관에 보내야 한다는 사실에 불편함을 느낌
2. '해산 바가지'의 의미와 역할
   - '해산 바가지'의 의미 : 산모와 아이의 건강과 행복을 비는 마음이 깃든 소재. 아들과 딸을 구별하지 않고 언제나 경건한 자세로 축복을 빌던 시어머니의 모습으로 볼 때, '해산 바가지'는 남녀를 차별하지 않는 생명 존중 의식을 상징함
   - '해산 바가지'의 역할
     - 사건의 전환 : 과거 회상의 매개체. 시어머니의 생명 존중 사상을 환기하게 함
     - 갈등의 해결 : 치매에 걸린 시어머니를 노인 수용 기관에 보내려던 일을 포기하게 함
3. 이 글에 담긴 사회 문제와 해결책

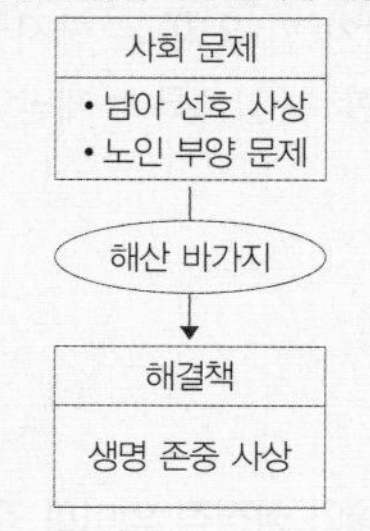

정답과 해설 38쪽

위선을 떨지 않고 마음껏 못된 며느리 노릇을 할 수 있고부터 신경 안정제가 필요 없게 됐다. 시어머니도 나를 잘 따랐다. 마치 갓난아기처럼 천진한 얼굴로 내 치마꼬리만 졸졸 따라다녔다. 외출했다 늦게 돌아오면 그분은 저녁도 안 들고 어린애처럼 칭얼대며 골목 밖에서 나를 기다리고 있곤 했다. 임종 때의 그분은 주름살까지 말끔히 가셔 평화롭고 순결하기가 마치 그분이 이 세상에 갓 태어날 때의 얼굴을 보는 것 같았다.

소주제 ② □□을 버리고 진심을 담아 시어머니를 모시다 보내 드림

– 박완서

소주제 체크

1. 생명 2. 위선

1 이 글에 대한 설명으로 알맞은 내용끼리 묶인 것은?

> ㄱ. 요약적 진술을 통해 사건을 빠르게 전개시키고 있다.
> ㄴ. 사건이 진행됨에 따라 인물 간의 갈등이 심화되고 있다.
> ㄷ. 상징적 소재를 활용하여 주제 의식을 형상화하고 있다.
> ㄹ. 의식의 흐름 기법을 통해 인물의 심리를 부각하고 있다.

① ㄱ, ㄷ ② ㄴ, ㄷ ③ ㄴ, ㄹ
④ ㄴ, ㄷ, ㄹ ⑤ ㄱ, ㄷ, ㄹ

2 이 글의 시점에 대한 설명으로 가장 적절한 것은?

① 작품 밖의 서술자가 모든 것을 꿰뚫어 보며 서술하고 있다.
② 작품 밖의 서술자가 객관적 입장에서 사건을 서술하고 있다.
③ 작품 안의 서술자가 관찰자의 입장에서 사건을 서술하고 있다.
④ 작품 안의 서술자가 자신의 경험을 주관적으로 서술하고 있다.
⑤ 장면에 따라 서술자의 위치와 태도를 달리하여 서술하고 있다.

출제 예감
3 이 글의 구조를 〈보기〉와 같이 나타낼 때, 가장 적절한 설명은?

보기

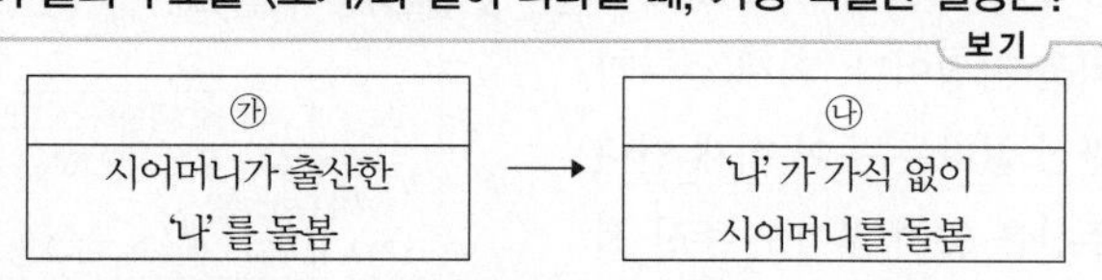

① ㉮에서 발생한 갈등의 근본 원인이 ㉯에서 해소된다.
② ㉮에서 숨기고 있었던 '나'의 비밀이 ㉯에서 드러난다.
③ ㉮에서 나타난 개인적 문제가 ㉯에서 사회적으로 확대된다.
④ ㉮에서의 시어머니의 태도가 ㉯에서 '나'의 태도로 이어진다.
⑤ ㉮에서 ㉯로 진행되면서 시어머니가 '나'의 마음을 이해하게 된다.

4 이 글의 인물에 대한 설명으로 적절하지 않은 것은?

① '나'는 효부인 척 위선적으로 행동한 적이 있다.
② '나'는 '시어머니'가 돌아가실 때까지 직접 모셨다.
③ '시어머니'는 생명을 소중하게 여기는 태도를 지녔다.
④ '시어머니'는 나이가 들어 정신적으로 문제가 생겼다.
⑤ '남편'은 집안의 대를 이을 아들이 태어나기를 원했다.

5 ㉠~㉤에 대한 설명으로 적절하지 않은 것은?

① ㉠ : 아들을 바라는 시어머니의 마음이 드러나 있다.
② ㉡ : 남아 선호 사상에서 자유롭지 못한 '나'의 심정이 드러나 있다.
③ ㉢ : '나'가 시어머니의 태도를 통해 출산의 기쁨을 느끼고 있다.
④ ㉣ : 시어머니를 모시는 것에 대한 '나'의 생각이 달라지고 있다.
⑤ ㉤ : '나'가 진심을 담아 시어머니를 돌보게 되었음을 나타내고 있다.

6 수능형 〈보기〉는 이 글을 쓴 작가의 말이다. 밑줄 친 관점에서 이 글을 감상한 내용으로 가장 적절한 것은?

> 보기
> "내 소설이 역사책은 아니지만 제가 잊힌 오랜 후에라도 내 소설이 한 시대를 증언하는 데 어떤 역할을 하리라고 생각합니다."

① 생명이 지닌 가치를 알고 존중하는 작가 의식이 투영되어 있어.
② 당시에는 남아 선호의 성차별적 가치관이 만연했음을 알 수 있군.
③ 시어머니는 '나'가 출산할 때마다 정성으로 산바라지를 해 주었어.
④ 여성의 삶을 주로 다루었던 작가의 작품 세계가 뚜렷하게 드러나는군.
⑤ 글을 읽으면서 시골에서 농사지으시며 홀로 지내시는 할머니가 생각났어.

출제 예감
7 ⓐ에 나타난 '시어머니'의 태도와 유사한 한자 성어는?

① 각주구검(刻舟求劍) ② 구밀복검(口蜜腹劍)
③ 시종일관(始終一貫) ④ 오불관언(吾不關焉)
⑤ 표리부동(表裏不同)

8 서술형 이 글의 사건 전개 과정을 고려할 때, '해산 바가지'가 상징하는 의미를 서술하시오.

비책

24 외딴 방

▸ **앞부분 줄거리** 소설가인 '나'는 옛 친구의 전화를 계기로 지난 시절의 이야기를 쓰기로 결심한다. 열여섯의 '나'는 1970년대 말 시골에서 무료한 삶을 살다가 외사촌 언니와 함께 큰오빠가 있는 서울로 상경하게 된다. 가리봉동의 '외딴 방'에 살게 된 '나'는 낮에는 구로 공단에 있는 전기 공장에서 일하고, 저녁에는 산업체 특별 학급에 다니며 공부를 하다가 회의를 느끼고 학교에 나가지 않는다.

학교에 나가지 않으면 나는 다섯 시에 컨베이어(물건을 연속적으로 이동·운반하는 띠 모양의 운반 장치) 앞을 떠날 수 없을 것이다. 선생님은 버스 정류장에서 내일은 꼭 학교에 나오라고 한다. / "우선 학교에 나와서 얘기하자." / 버스에 올라탄 선생님이 나를 향해 손을 흔든다. 선생님의 손 뒤로 공장 굴뚝이 울뚝울뚝하다. 처음으로 공장 속에서 사람을 만난 것 같다. ㉠버스가 떠난 자리에 열일곱의 나, 우두커니 서 있다. 선생님의 손길이 남아 있는 내 어깨를 내 손으로 만져 보며. 소주제 ❶ '나'가 학교에 안 나가자 담임 선생님이 □□ □□을 옴

다음 날 교무실로 나를 부른 선생님은 내게 반성문을 써 오라 한다.

"하고 싶은 말 다 써서 사흘 후에 가져와 봐."

반성문을 쓰기 위해 학교 앞 문방구에서 대학 노트를 한 권 산다. 지난날, 노조(노동 조합) 지부장에게 왜 외사촌과 내가 학교에 가야만 하는가를 뭐라구 뭐라구 적었듯이 이젠 선생님에게 학교 가기 싫은 이유를 뭐라구 뭐라구 적는데 어느 참에서 마음속의 이야기들이 왈칵 쏟아져 나온다. 열일곱의 나, 쓴다. 내가 생각한 도시 생활이란 이런 것이 아니었으며, 내가 생각한 학교생활도 이런 것이 아니었다고. 나는 주산 놓기도 싫고 부기책도 싫으며 지금은 오로지 마음속에 남동생 생각뿐으로 다시 그곳으로 돌아가서 그 애와 함께 살고 싶다고. ㉡반성문은 노트 삼분의 일은 되게 길어진다. / 반성문을 다 읽은 선생님이 말한다. / "너 소설을 써 보는 게 어떻겠냐?" //

내게 떨어진 소설이라는 말. 그때 처음 들었다. 소설을 써 보라는 말. //

그는 다시 말한다. / "주산 놓기 싫으면 안 놓아도 좋다. 학교에만 나와. 내가 다른 선생들에게 다 말해 놓겠어. 뭘 하든 니가 하고 싶은 걸 하거라. 대신 학교는 빠지지 말아야 돼." / 그는 내게 한 권의 책을 건네준다. / "내가 요즘 최고로 잘 읽은 소설이다." / 표지에 난쟁이가 쏘아 올린 작은 공이라고 씌어 있다. 〈중략〉 소주제 ❷ 선생님에게 〈□□□□ □□ □□ □□ □〉을 받음

최홍이 선생님. 이후 나는 그 선생님을 보러 학교에 간다. 어색한 이향으로 마음에 가둬졌던 그리움들이 최홍이 선생님을 향해 방향을 돌린다. 열일곱의 나, 늘 난쟁이가 쏘아 올린 작은 공을 가지고 다닌다. 어디서나 난쟁이가 쏘아 올린 작은 공을 읽는다. 다 외울 지경이다. 희재 언니가 무슨 책이냐고 묻는다. / "소설책." / ㉢소설책? 한 번 반문해 볼 뿐 관심 없다는 듯이 희재 언니가 고갤 떨군다. 최홍이 선생님이 마음 안으로 가득 들어찬다. 정말 주산을 놓지 않아도 주산 선생님은 그냥 지나간다. 부기 노트에 대차 대조표(기업이 결산 때에 재정 상태를 한눈에 볼 수 있게 도식화한 표)를 그리지 않아도 부기 선생은 탓하지 않는다. //

주산 시간에 국어 노트 뒷장을 펴고 난쟁이가 쏘아 올린 작은 공을 옮겨 본다. //

……사람들은 아버지를 난쟁이라고 불렀다. 사람들은 옳게 보았다. 아버지는 난쟁이었다. 불행하게도 사람들은 아버지를 보는 것 하나만 옳았다. 그 밖의 것들은 하나도 옳지 않았다. 나는 아버지, 어머니, 영호, 영희, 그리고 나를 포함한 다섯 식구의 모든 것을 걸고 그들이 옳지 않다는 것을 언제나 말할 수 있다. 나의 '모든 것'이라는 표현에는 '다섯 식구의 목숨'이 포함되어 있다. //

㉮ ……이제 열일곱의 나는 컨베이어 위에서도 난쟁이가 쏘아 올린 작은 공을 노트에 옮기고 있다. 천국에 사는 사람들은 지옥을 생각할 필요가 없다, 고. 그러나 우리 다섯 식구는 지옥에 살면서 천국을 생각했다, 고. 단 하루라도 천국을 생각해 보지 않은 날이 없다, 고. 하루하루의 생활이 지겨웠기 때문이다, 고. 우리의 생활은 전쟁과도 같았다, 고. 우리는 그 전쟁에서 날마다 지기만 했다, 고. 그런데도 어머니는 모든 것을 잘 참았다, 고. //

작품 개관

- **갈래** 장편 소설, 성장 소설
- **성격** 자전적, 회상적, 고백적
- **시점** 1인칭 주인공 시점
- **배경** [시간적] 1970년대 말, 1990년대 초 [공간적] 농촌, 서울의 공단, 제주도 등
- **주제** 성장 과정의 자기 고백을 통한 내면 성숙
- **특징** 과거의 '나'의 이야기와 현재의 글쓰기 상황을 서로 교차시키면서 전개함

1등급 노트

1. 서술상의 특징

- 현재의 삶을 사는 서술자가 자신의 과거를 되돌아보며, 현재의 삶과 과거의 삶을 병치시켜 서술함 – 과거의 '나'가 성장하는 과정과, 작가가 된 현재의 '나'의 삶이 함께 서술됨
- 주로 현재의 사건은 과거 시제로, 과거의 사건은 현재 시제로 서술함 – 과거의 사건과 현재의 사건이 별개의 사건이 아니라 서로 불가분의 관계를 맺고 있음을 의미함

2. 등장인물 분석

- '나' : 농촌에 살다가 서울로 올라와 공장과 산업체 학교를 다니며 생활함. 후에 작가가 되어 과거를 회상하는 글을 씀
- 최홍이 선생님 : 반성문을 통해 '나'가 가진 글쓰기 재능을 알아보고 '나'에게 소설 쓰기를 권함. '나'가 도시 생활을 이어 가는 데 위안과 희망을 줌

3. '글쓰기'가 가지는 의미

과거
• 노동과 학업을 병행하는 가난하고 고달픈 삶에 대한 고민(선생님께 제출하는 반성문) • 작가가 되고 싶은 '나'의 소망

현재
• 과거와 현재를 이어 주는 매개체 • '나'의 자의식을 일깨우는 과정

4. 제목 '외딴 방'의 의미

서울에 올라온 '나'와 큰오빠가 살던 구로 공단의 변두리 단칸방을 가리키며, 미로와 같이 복잡한 구조와 좁고 허름한 공간은 소외된 도시 노동자들의 삶을 상징함. '나'에게 있어서는 작가가 되고 싶은 꿈을 가지고 글쓰기를 하는 사적 체험의 공간이기도 함

정답과 해설 38쪽

㉣최홍이 선생이 소설을 써 보는 게 어떻겠느냐는 말 대신 시를 써 보는 게 어떻겠느냐고 했으면 나는 시인을 꿈꾸었을 것이다. 그랬었다. 나는 꿈이 필요했었다. 내가 학교에 가기 위해서, 큰오빠의 가발을 담담하게 빗질하기 위해서, 공장 굴뚝의 연기를 참아 낼 수 있기 위해서, 살아가기 위해서. // 소설은 그렇게 내게로 왔다. 〈중략〉

소주제 ❸ 책을 옮겨 적으며 □□□의 꿈을 키움

글을 쓰기로 마음을 먹었을 땐 나는 그 시절을 다 극복한 것도 같았다. 그래서 그 시절에 대해서 할 수 있는 한 자세히 써 보기로 했다. ㉤그때의 기억을 복원시켜 내 말문을 틔워 보고 내 인생의 페문 앞에서 끊겨 버린 내 발자국을 연결시켜 줘 보기로.

소주제 ❹ 지난 시절의 이야기를 쓰기로 □□함

\- 신경숙

소주제 체크

1. 가정 형편 2. 난쟁이가 쏘아 올린 작은 공
3. 소설가 4. 결심

1 이 글의 서술상 특징으로 가장 적절한 것은?

① 주변 인물이 카메라의 눈처럼 작중 상황을 전달하고 있다.
② 주인공이 자신의 경험을 고백하듯이 차분하게 서술하고 있다.
③ 작품 밖의 서술자가 사건을 객관적인 입장에서 관찰하고 있다.
④ 서술자가 중심인물들의 내면 심리를 드러내는 데 초점을 맞추고 있다.
⑤ 작품 밖의 서술자와 작중 인물이 번갈아 가며 사건의 전달자 역할을 담당하고 있다.

출제 예감

2 이 글에 나타난 소재에 대한 설명으로 적절하지 않은 것은?

① '컨베이어'는 '나'에게 부정적인 대상으로, 고된 노동의 공간과 관련된다.
② '반성문'은 '나'가 소설가의 꿈을 키우게 되는 계기로 작용한다.
③ '주산'은 '나'가 최홍이 선생님에게 인간적인 유대감을 느끼게 하는 소재이다.
④ '소설'은 '나'로 하여금 암울한 생활에서 희망을 느끼게 해 주는 역할을 한다.
⑤ '난쟁이가 쏘아 올린 작은 공'은 '나'의 힘겨운 처지를 간접적으로 보여 준다.

3 고난도 〈보기〉를 참고할 때, 이 글의 공간적 배경에 대한 이해로 적절하지 않은 것은?

보기

[열일곱 살 시절 '나'의 공간적 배경]

[A] 외딴 방 – [B] 공장 – [C] 학교

① [A]는 소외된 도시 노동자들의 삶을 상징한다.
② [B]는 '나'가 느끼는 힘겨운 도시 생활의 원인이 된다.
③ [C]는 '나'가 [B]에서 일시적으로 벗어나는 공간이다.
④ [B]와 [C]는 모두 '나'의 절망을 계속 심화시키는 공간이다.
⑤ [A], [B], [C]는 모두 '나'의 서울 생활과 관계있는 공간이다.

출제 예감

4 수능형 ㉮에 대한 설명으로 적절한 것끼리 묶인 것은?

ㄱ. '나'가 소설을 옮겨 적으며 스스로를 위안하고 있다.
ㄴ. '나'가 소설 창작의 어려움을 점차 깨달아 가고 있다.
ㄷ. '나'가 부정적 현실에 대한 저항 의식을 기르고 있다.
ㄹ. '나'가 장소를 가리지 않고 소설 쓰기를 배워 가고 있다.

① ㄱ, ㄴ ② ㄱ, ㄹ ③ ㄴ, ㄷ
④ ㄴ, ㄹ ⑤ ㄷ, ㄹ

5 ㉠~㉤에 대한 이해로 적절하지 않은 것은?

① ㉠ : 선생님의 예상치 못한 관심에 심적 부담을 느끼고 있다.
② ㉡ : 마음속에 묻어 두었던 이야기가 많았음을 짐작할 수 있다.
③ ㉢ : 언니에게 소설은 중요 관심사가 아니었음을 드러내고 있다.
④ ㉣ : '나'에게 현실을 견딜 수 있는 꿈이 필요했음을 알 수 있다.
⑤ ㉤ : 현재의 '나'가 자신의 과거를 되살려 글로 쓸 것을 결심하고 있다.

6 이 글을 감상하는 관점이 다른 하나는?

① 대체로 간결한 문장으로 서술되고 있다.
② 주인공은 자신의 어린 시절을 회상하고 있다.
③ 인물 간의 갈등보다 주인공의 내적 갈등이 잘 드러나 있다.
④ 작품을 통해 글쓰기와 관련된 작가의 실제 고민을 짐작할 수 있다.
⑤ 대화를 통한 묘사보다 주로 주인공의 서술을 통해 심리를 드러내고 있다.

출제 예감

7 서술형 〈보기〉를 참고하여 이 글의 문체상 특징에 대해 서술하시오.

보기

이 글은 과거의 '나'에 대한 회상과 현재의 글쓰기 상황을 서로 교차시키면서 이야기를 전개하고 있다. '나'가 경험했던 과거는 이 글의 전체적인 흐름을 주도하고 있으며, 과거의 경험은 현재까지도 '나'에게 영향을 미치고 있다.

비책

25 참새

짹짹 짹. 짹 짹. 뭇 **참새**의 조잘대는 소리, 반가운 소리다. 벌써 아침나절인가. 오늘도 맑고 고운 아침. 울타리에 햇발이 들어 따스하고 명랑한 하루를 예고해 주는 귀여운 것들의 조잘대는 소리다. ㉠기지개를 켜고 눈을 비빈다. 캄캄한 밤이 아닌가. 전등의 스위치를 누르고 책상 위의 시계를 보니, 새로 세 시다. 형광등만 훤하다. 다시 눈을 감아도 금방 들렸던 참새 소리는 없다. 눈은 멀거니 천정을 직시한다.

소주제 ❶ 참새 소리를 듣고 새벽에 □에서 깸

직시: 똑바로 봄

[A] ⓐ참새는 공작같이 화려하지도, 학같이 고귀하지도 않다. 꾀꼬리의 아름다운 노래도, 접동새의 구슬픈 노래도 모른다. 시인의 입에 오르내리지도, 완상가에게 팔리지도 않는 새다. 그러나 그 조그만 몸매는 귀엽고도 매끈하고, 색깔은 검소하면서도 조촐하다. 어린 소녀들처럼 모이면 조잘댄다. 아무 기교 없이 솔직하고 가벼운 음성으로 재깔재깔 조잘댄다. 쫓으면 후루룩 날아갔다가 금방 다시 온다. 우리나라 방방곡곡, 마을마다 집집마다 없는 곳이 없다. 〈중략〉

완상가: 즐겨 구경하는 사람
재깔재깔: 나직한 소리로 떠드는 소리

소주제 ❷ 귀엽고 조촐하며 우리 가까이에 있는 □□

"위혀어, 위혀어" 긴 목소리로 새 쫓는 소리가 가을 들판에 메아리친다. 들곡식을 축내는 새들을 쫓는 소리다. ㉡그렇게 보면 참새도 우리에게 해로운 새일지 모르지만 봄여름에는 벌레를 잡는다. 논에 허수아비를 해 앉히고 새를 쫓아, 나락 먹는 것을 금하기는 하지만 쥐 잡듯 잡아 없애지는 않는다. 만일 참새를 없애자면 그리 불가능한 일은 아니다. 반드시 추녀 끝에 서식하기 때문이다. 그러나 그렇게 매몰하지도 않았고, 이삭이나 북데기까리나 겨 속의 낟알, 수채의 밥풀에까지 인색하지는 아니했다. "새를 쫓는다."라고 하지 않고 "새를 본다."라고 하는 것도 애기같이 귀엽게 여긴 부드러운 말씨다. 그리하여 저녁때는 다 같이 집으로 돌아온다.

나락: '벼'를 이르는 말
수채: 집 안에서 버린 물이 집 밖으로 흘러 나가도록 만든 시설
북데기: 짚이나 풀 따위가 함부로 뒤섞여 엉클어진 뭉텅이

소주제 ❸ 참새에게 너그러웠던 우리 □□

지금 생각하면 황금빛 들판에서 푸른 하늘을 향하여 "위혀어, 위혀어" 새 쫓는 소리도 유장하기만 하다. 새보는 일은 대개 소녀들의 일이다. 문득 목단이 모습이 떠오른다. 목단이는 우리 집 앞 논에 새를 보러 매일 오는 아랫말 처녀다. 나는 웃는 목단이가 공주 같다고 생각한 일이 있다. ㉢나보다 너댓 살 손위라 누나라고 불러 달라고 했지만, 나는 굳이 목단이라고 부르고 누나라고 불러 주지 아니했다. 그는 가끔 삶은 밤을 까서 나를 주곤 했다. 혼자서는 종일 심심한 까닭에 내가 날마다 와서 같이 놀아 주기를 바라는 것이었다. 그도 만일 지금 살아 있다면 물론 할머니가 되었을 것이다.

유장하다: 급하지 않고 느릿함

소주제 ❹ 목단이에 대한 □□

패가한 집을 가리켜 "참새 한 마리 안 와 앉는 집"이라고 한다. 또 참새 많이 모이는 마을을 복마을이라고도 한다. 후덕스러운 말이요, 이유 있는 말이기도 하다. 참새는 양지바르고 잔풍한 곳을 택한다. 여러 집이 오밀조밀 모인 대촌(大村)을 택하고 낟알이 풍족하고 방앗간이라도 있는 부유한 마을을 택하니 복지일 법도 하다. 풍족한 마을에서는 새한테도 각박하지가 않다.
언제인가 나는 어느 새 장수와 만난 적이 있었다. 조롱 안에는 십자매, 잉꼬, 문조, 카나리아 기타 이름 모를 새들도 많았다. 나는 "참새만 없네."하다가, 즉시 뉘우쳤다. 실은 참새가 잡히지 아니해서 다행인 것을……. ㉣나는 어려서 조롱(鳥籠)을 본 일이 없다. 시골서 새를 조롱에 넣어 기르는 사람은 한 사람도 없었다. 제비는 찾아와서 《논어》를 읽어 주고, 까치는 찾아와서 반가운 소식을 전해 주고, 꾀꼬리는 문 앞 버들가지로 오르내리며 "머리 곱게 빗고 담배밭에 김매러 가라."라고 일깨워 주고, 또한 참새는 한집의 한 식구인데 조롱이 무엇이 필요하랴.

잔풍하다: 고요하고 잔잔하게 바람이 부는
대촌: 큰 마을
복지: 행복하게 살 수 있는 땅
조롱: 새장. 새를 넣어 기르는 장

뒷문을 열면 진달래 개나리가 창으로 들어오고, 발을 걷으면 복사꽃 살구꽃 가지각색 꽃이 철 따라 날고, 뜰 앞에 괴석에는 푸른 이끼가 이슬을 머금고 있다. 여기에 만일 꽃꽂이를

괴석: 돌멩이

작품 개관

- 갈래 경수필
- 성격 회고적, 성찰적, 비판적
- 주제 우리 민족의 후덕함과 과거를 떠올리게 하는 참새에 대한 상념
- 특징
  ① 옛 것에 대한 애착을 드러냄
  ② 담담하고 회고적인 소박한 문체를 사용함
  ③ 제재를 통해 연상된 것들을 서술함

1등급 노트

1. 이 글의 구성

처음
참새 소리에 깨어나 사색을 함

↓

중간 1
참새의 특성과 참새와 친했던 우리 민족을 떠올림

↓

중간 2
어린 시절을 회상하며, 참새가 사라져 가는 현실에 대한 안타까움과 비판적 태도를 드러냄

↓

끝
추억을 떠올리게 해준 참새 소리

2. 표현상의 특징
- 참새와 관련된 상념을 나열한 후 참새가 사라져 가는 현대 사회의 각박함에 대한 안타까움을 드러냄
- 사라져 가는 과거의 것들에 대한 그리움의 정서를 담담하고 회고적인 문체로 드러냄
- 작고 보잘것없는 자연물일지라도 따뜻한 애정을 지니고 바라보는 글쓴이의 인생관이 나타남

함께 엮어 읽기

◆ 윤오영, 〈사발시계〉
윤오영의 수필인 〈사발시계〉는 글쓴이의 추억이 깃든 '사발시계'를 제재로 하여 시간에 대한 깨달음을 쓴 수필이다. 글쓴이는 사발시계를 묻던 과거의 기억은 애상적이고 무를 묻는 것은 현실적인 것이냐고 자문하면서 과거와 현재는 같은 시간 안에 존재하는 것이라는 깨달음을 얻는다.

정답과 해설 39쪽

[B] 한다고 꽃가지를 꺾어 방 안에서 시들리고, 돌을 방구석에 옮겨 놓고 먼지를 앉혀 이끼를 말리고 또 새를 잡아 가두어 놓고 그 비명을 향락하는 자가 있다면, 그는 분명 악취미요, 그것은 살풍경이었을 것이다. 〈중략〉

소주제 ⑤ 복스러운 참새에 대한 생각과 □□에 대한 비판

짹 짹 짹. 잠결에 스쳐 간 참새 소리는 나에게 무엇을 깨우쳐 주려는 것인가. 날더러 어디로 돌아가라는 것인가. 사십 년간 꿈에도 생각해 본 적이 없는 네 소리. 무슨 인연으로 사십 년 전 옛 추억……. ㉤가 버린 소년 시절, 고향 풍경을 이 오밤중에 불러일으켜 놓고 어디로 자취를 감춘 것이냐. 잠결에 몽롱하던 두 눈은 이제 씻은 듯 깨끗하다.

나는 문득 일어나 불을 피워 차를 달이며 고요히 책상머리에 앉는다.

소주제 ⑥ □□을 떠오르게 해 준 참새 소리

– 윤오영

소주제 체크

1. 참 2. 참새 3. 민족 4. 회상 5. 새장 6. 추억

1 이 글에 대한 설명으로 적절하지 않은 것은?

① 특정 소재를 통해 연상한 것들을 서술하고 있다.
② 개성적이고 자유로운 형식이 특징인 갈래의 글이다.
③ 공간 이동에 따라 변화하는 대상의 모습이 나타난다.
④ 담담하고 소박한 문체로 생각과 느낌을 표현하고 있다.
⑤ 대상과 관련된 과거 경험에 대한 회상이 나타나고 있다.

출제 예감
2 [A]의 서술 방식에 대한 설명으로 가장 적절한 것은?

① 소박하고 조촐한 참새의 특성을 대조를 통해 제시하고 있다.
② 고결하고 아름다운 참새의 특성을 비유를 통해 표현하고 있다.
③ 귀엽고 기품 넘치는 참새의 특성을 설의적 표현으로 부각하고 있다.
④ 솔직하고 친근한 참새의 특성을 반어적 표현을 통해 드러내고 있다.
⑤ 화려한 노래를 즐겨 부르는 참새의 특성을 반복을 통해 강조하고 있다.

3 ㉠~㉤에 대한 설명으로 적절하지 않은 것은?

① ㉠ : 예상과 다른 상황에 당황스러워 하고 있다.
② ㉡ : 참새가 끼치는 양면적인 영향을 함께 살피고 있다.
③ ㉢ : 글쓴이가 목단이에게 관심이 있었다는 것을 짐작할 수 있다.
④ ㉣ : 가난 때문에 새를 키울 여유가 없는 사회였음을 알 수 있다.
⑤ ㉤ : 참새 소리가 과거 회상의 매개체였음을 알 수 있다.

4 글쓴이가 [B]를 통해 드러내려 한 의미로 가장 적절한 것은?

① 사라져 가는 옛것에 대한 그리움의 정서
② 작고 보잘것없는 미물에 대한 종교적 사랑
③ 개인의 개성이 존중되는 자연 개발의 필요성
④ 자연에 대한 사랑이 인간의 삶에 미치는 영향
⑤ 자연물을 대하는 현대인의 태도에 대한 비판적 인식

출제 예감
5 이 글의 글쓴이에 대한 이해로 적절한 것만을 바르게 묶은 것은?

보기
ㄱ. 인간의 자연 파괴에 대한 대책을 모색하고 있군.
ㄴ. 대자연 속에서 자연과 하나가 된 삶을 추구하고 있군.
ㄷ. 평범한 대상에 애정을 가지는 소박한 성품이 나타나는군.
ㄹ. 작은 계기에서 출발하여 다양한 생각을 펼치는 사색적인 면을 지니고 있군.

① ㄱ, ㄴ ② ㄱ, ㄹ ③ ㄴ, ㄷ
④ ㄴ, ㄹ ⑤ ㄷ, ㄹ

6 수능형 이 글의 ⓐ와 〈보기〉의 ⓑ를 비교한 내용으로 적절한 것은?

보기
黃雀何方來去飛 ⓑ참새야, 어디서 오가며 나느냐,
一年農事不曾知 일 년 농사는 아랑곳하지 않고,
鰥翁獨自耕耘了 늙은 홀아비 홀로 갈고 맸는데,
耗盡田中禾黍爲 밭의 벼며 기장을 다 없애다니.

– 이제현, 〈사리화(沙里花)〉

① ⓐ는 글쓴이의 소망을, ⓑ는 화자의 반성을 드러내는 대상이다.
② ⓐ는 글쓴이가 애정을 드러내는, ⓑ는 화자가 비판하는 대상이다.
③ ⓐ는 글쓴이에게 원망을 받는, ⓑ는 화자에게 감흥을 주는 대상이다.
④ ⓐ는 글쓴이의 달관적 태도를, ⓑ는 화자의 체념적 태도를 드러내는 대상이다.
⑤ ⓐ는 글쓴이가 미래를 예측하게 하는 대상이고, ⓑ는 화자가 과거를 돌아보게 하는 대상이다.

7 서술형 [A]의 뒤에 〈보기〉가 이어진다고 할 때, '참새'와 '참꽃'의 공통적인 특성은 무엇인지 서술하시오.

보기
진달래꽃을 일명 **참꽃**이라 부르는 것은 무슨 까닭인가. 삼천리강산 가는 곳마다 이 연연한 꽃이 봄소식을 전해 주지 않는 데가 없어 기쁘든 슬프든 우리의 생활과 떠날 수 없이 가까웠던 까닭이다.

비책

26 은전 한 닢

가 내가 상해(上海)에서 본 일이다.

소주제 ① □□ 제시

나 늙은 거지 하나가 *전장(錢莊)에 가서 떨리는 손으로 일 원짜리 은전 한 닢을 내놓으면서,

"황송하지만 이 돈이 못 쓰는 것이나 아닌지 좀 보아 주십시오."

하고 그는 ㉠마치 선고를 기다리는 죄인과 같이 전장 사람의 입을 쳐다본다. 전장 주인은 거지를 물끄러미 내려다보다가 돈을 두들겨 보고, '좋소.' 하고 내어 준다. 그는 '좋소'라는 말에 기쁜 얼굴로 돈을 받아서 가슴 깊이 집어 넣고 절을 몇 번이나 하며 간다. 그는 뒤를 자꾸 돌아다보며 얼마를 가더니, 또 다른 전장을 찾아 들어갔다. 품속에 손을 넣고 한참을 꾸물거리다가 그 은전을 내놓으며,

ⓐ"이것이 정말 은으로 만든 돈이오니까?"

하고 묻는다. 전장 주인도 호기심 있는 눈으로 바라다보더니,

"이 돈을 어디서 훔쳤어?"

거지는 떨리는 목소리로

"아닙니다. 아니에요."

"그러면 길바닥에서 주웠다는 말이냐?"

"누가 그렇게 큰 돈을 빠뜨립니까? 떨어지면 소리는 안 나나요? 어서 도로 주십시오."

거지는 손을 내밀었다. 전장 사람은 웃으면서 '좋소' 하고 던져 주었다.

소주제 ② □□의 진위 여부를 재차 확인하는 거지

다 그는 얼른 집어서 가슴에 품고 *황망히 달아난다. ㉡뒤를 흘끔흘끔 돌아다보며 얼마를 허덕이며 달아나더니 별안간 우뚝 선다. 서서 그 은전이 빠지지나 않았나 만져 보는 것이다. ㉢거친 손가락이 누더기 위로 그 돈을 쥘 때 그는 다시 웃는다. 그리고 또 얼마를 걸어가다가 어떤 골목 으슥한 곳으로 찾아들어가더니, 벽돌담 밑에 쭈그리고 앉아서 돈을 손바닥에 놓고 들여다보고 있었다. 그는 얼마나 열중해 있었는지 내가 가까이 간 줄도 모르는 모양이었다.

소주제 ③ 늙은 □□의 기이한 행동

라 "누가 그렇게 많이 도와 줍디까?"

하고 나는 물었다. ㉣그는 내 말소리에 *움칠하면서 손을 가슴에 숨겼다. 그러고는 떨리는 다리로 일어서서 달아나려고 했다.

"염려 마십시오. 뺏어 가지 않소."

하고 나는 그를 안심시키려고 하였다.

한참 머뭇거리다가 그는 나를 쳐다보고 이야기를 하였다.

"이것은 훔친 것이 아닙니다. 길에서 얻은 것도 아닙니다. 누가 저 같은 놈에게 일 원짜릴 줍니까? *각전(角錢) 한 닢을 받아 본 적이 없습니다. 동전 한 닢 주시는 분도 백에 한 분이 쉽지 않습니다. 나는 한 푼 한 푼 얻은 돈에서 몇 닢씩을 모았습니다. 이렇게 모은 돈 마흔여덟 닢을 각전 닢과 바꾸었습니다. 이러기를 여섯 번을 하여 겨우 이 귀한 대양(大洋) 한 푼을 가지게 되었습니다. 이 돈을 얻느라고 여섯 달이 더 걸렸습니다."

㉤그의 뺨에는 눈물이 흘렀다. 나는,

"왜 그렇게까지 애를 써서 그 돈을 만들었단 말이오? 그 돈으로 무엇을 하려오?"

작품 개관

- 갈래 경수필
- 성격 체험적, 회상적, 콩트적, 서사적
- 주제
  ① 맹목적 욕망에 대한 인간적 연민
  ② 물질에 대한 인간의 소박한 욕심
- 특징
  ① 콩트와 같은 소설적 구성을 취함
  ② 현재 시제를 사용하여 현장감을 부여함
  ③ 간결체의 문장으로 사건을 속도감 있게 전개함
  ④ 작가의 직접적인 체험을 회고적 형식으로 표현함
  ⑤ 과감한 생략을 통해 독자에게 생각할 기회를 제공함

1등급 노트

1. 이 글과 소설 장르의 차이점

은전 한 닢	소설 장르
• 글쓴이가 자신의 체험담을 말함 • 일정한 갈등 요소 없이 목격한 사실을 사실대로 전개함	• 작가가 만들어 낸 서술자가 허구적 이야기를 말함 • 인물 간의 갈등 구조를 바탕으로 사건이 전개됨

2. 도입부의 효과
[가]에서 앞으로 전개될 화제를 제시함으로써, 독자의 흥미 유발 및 신뢰감을 부여하는 효과를 거둠

3. 결말 처리 방법의 특징과 효과
- 거지에게 은전 한 닢이 소박하고도 맹목적인 소망이었음을 밝히는 구절 – 이야기의 극적 전환
- 논평을 생략한 결말 처리 방식은 작품의 전체적인 격조를 높여 주고, 독자에게 깊은 여운을 줌
- 늙은 거지에 대해 인간적인 동정심을 불러일으키려는 글쓴이의 의도가 내포됨
- 주제를 함축적으로 제시함(작품 전체를 수렴하는 상징성을 지님)

더 알아보기

◆ 콩트
단편 소설보다 짧은 소설로, 인생의 순간적인 한 단면을 예리하게 포착하여 표현한다. 기발하고 압축된 구성을 통해 기지, 유머, 풍자를 드러낸다.

정답과 해설 39쪽

하고 물었다. 그는 다시 머뭇거리다가 대답했다.

ⓑ"이 돈 한 개가 갖고 싶었습니다."

소주제 ④ 거지가 은전 한 닢을 갖기까지의 □□

- 피천득

어휘 다지기

- 전장(錢莊) : 돈을 바꾸는 집
- 황망히 : 마음이 급하여 당황하고 허둥거리며
- 움칠 : 깜짝 놀라 갑자기 몸을 움츠리는 모양
- 각전(角錢) : 예전에 일 전이나 십 전 따위의 잔돈을 이르던 말

소주제 체크

1. 화폐 2. 은전 3. 가치 4. 과정

1 이 글에 대한 설명으로 적절하지 <u>않은</u> 것은?

① 콩트와 같은 서사적 구성을 취하고 있다.
② 인물의 대화와 행동을 통해 사건을 전개하고 있다.
③ 서술자가 인물의 행적을 요약적으로 제시하고 있다.
④ 간결한 문장을 사용하여 사건을 속도감 있게 전달하고 있다.
⑤ 회고의 형식을 취하고 있지만 현재형 시제를 사용하여 현장감을 주고 있다.

2 이 글이 소설과 <u>다른</u> 가장 큰 요소는?

① 구성의 긴밀함 ② 속도감 있는 전개
③ 개성적 인물의 등장 ④ 글쓴이의 직접 체험 제시
⑤ 갈등 구조의 필연성

출제 예감
3 [가]와 관련 있는 내용을 〈보기〉에서 알맞게 골라 묶은 것은?

보기
㉮ 앞으로 전개될 화제를 제시하고 있다.
㉯ 이어지는 사건에 대한 갈등의 실마리를 제공하고 있다.
㉰ 글쓴이의 체험담임을 밝혀 내용에 사실성을 부여하고 있다.
㉱ 글의 내용에 대한 독자의 흥미를 유발하고 있다.
㉲ 화제에 대한 지은이의 심리적 태도를 암시하고 있다.

① ㉮, ㉯, ㉰ ② ㉮, ㉰, ㉱ ③ ㉯, ㉰, ㉱
④ ㉯, ㉱, ㉲ ⑤ ㉰, ㉱, ㉲

4 이 글에서 늙은 거지가 ⓐ의 질문을 반복하는 궁극적인 이유는?

① 은전을 생전에 한 번도 본 적이 없었기 때문에
② 자신이 갖고 있는 은전이 가짜라고 생각했기 때문에
③ 남들에게 은전 한 닢을 은근히 자랑하고 싶었기 때문에
④ 주위 사람들과 은전 한 닢을 통해 교류하고 싶었기 때문에
⑤ 자신이 실현한 소중한 목표를 다른 사람의 입을 통해서 확인받고 싶었기 때문에

출제 예감
5 ⓑ에 대한 설명으로 적절하지 <u>않은</u> 것은?

① 늙은 거지의 말을 통해 주제를 함축적으로 제시하고 있다.
② 늙은 거지가 '은전 한 닢'을 얻으려고 했던 이유가 드러난다.
③ 독자에게 늙은 거지에 대한 인간적인 동정심을 불러일으킨다.
④ 늙은 거지의 맹목적인 집착에 대한 '나'의 연민을 직접적으로 드러낸다.
⑤ 일체의 군말을 생략하여 독자에게 깊은 여운을 남기는 효과를 얻고 있다.

6 ㉠~㉤에 담긴 인물의 심리가 적절하지 <u>않은</u> 것은?

① ㉠ – 초조함 ② ㉡ – 불안감 ③ ㉢ – 안도감
④ ㉣ – 두려움 ⑤ ㉤ – 허무함

7 고난도 〈보기〉의 관점에 따라 늙은 거지를 평가한다고 할 때, 적절하지 <u>않은</u> 것은?

보기
우리가 비존재인 소유 양식을 감소시키는 정도만큼 — 즉 우리가 가지고 있는 것에 집착함으로써, 그 상태를 '계속함'으로써 우리의 에고와 소유물에 매달림으로써 획득할 수 있는 안전과 주체성을 추구하는 것을 그만두는 정도에 비례해서 — 존재 양식은 나타난다. '존재하는 것'은 이기주의를 포기할 것을 요구한다. 흔히 신비주의자들이 쓰는 말을 빌리면 자신을 '텅 비게', '가난하게' 할 것을 요구한다.
- 에리히 프롬, 〈소유냐 존재냐〉

① 늙은 거지는 소유에 집착함으로써 존재를 추구하지 못하고 있다.
② 은전 한 닢을 소유하고자 하는 늙은 거지의 노력은 무의미한 것이다.
③ 은전 한 닢에 대한 집착은 자신의 존재를 더욱 초라하게 만드는 것이다.
④ 늙은 거지의 행위는 자신의 주체적인 존재를 찾아가는 과정 중 하나이다.
⑤ 여섯 달에 걸친 늙은 거지의 노력은 비존재인 소유 양식을 증가시키는 행위이다.

8 서술형 이 글의 '나'와 소설 속의 '나'의 차이점을 서술하시오.

비책

27 나무

가 나무는 덕(德)을 지녔다. 나무는 주어진 분수에 만족할 줄을 안다. 나무로 태어난 것을 탓하지 아니하고, 왜 여기 놓이고 저기 놓이지 않았는가를 말하지 아니한다. 등성이(산등성이)에 서면 햇살이 따사로울까, 골짜기에 내려서면 물이 좋을까 하여, ㉠새로운 자리를 엿보는 일도 없다. 물과 흙과 태양의 아들로, 물과 흙과 태양이 주는 대로 받고, 후박(厚薄)(많고 넉넉함과 적고 모자람)과 불만족을 말하지 아니한다. ㉡이웃 친구의 처지에 눈떠 보는 일도 없다. 소나무는 소나무대로 스스로 족하고, 진달래는 진달래대로 스스로 족하다.

소주제 ① 나무의 안분지족하는 □

나 나무는 고독(孤獨)하다. 나무는 모든 고독을 안다. 안개에 잠긴 아침의 고독을 알고, 구름에 덮인 저녁의 고독을 안다. 부슬비 내리는 가을 저녁의 고독도 알고, 함박눈 펄펄 날리는 겨울 아침의 고독도 안다. 나무는 파리 옴짝(몸의 한 부분을 조금 옴츠렸다 폈다 하는 모양) 않는 한여름 대낮의 고독도 알고, 별 얼고 돌 우는 동짓달 한밤의 고독도 안다. 그러나 나무는 어디까지든지 고독에 견디고 고독을 이기고 또 고독을 즐긴다.

소주제 ② 나무의 □□

다 나무에 아주 친구가 없는 것은 아니다. 달이 있고, 바람이 있고, 새가 있다. ㉢달은 때를 어기지 아니하고 찾고, 고독한 여름밤을 같이 지내고 가는 의리 있고 다정한 친구다. 웃을 뿐 말이 없으나, 이심전심(以心傳心)(마음과 마음으로 서로 뜻이 통함) 의사가 잘 소통되고 아주 *비위에 맞는 친구다. 바람은 달과 달라 아주 변덕 많고 수다스럽고 믿지 못할 친구다. 그야말로 바람잡이 친구다. 자기 마음 내키는 때 찾아올 뿐 아니라, 어떤 때는 쏘삭쏘삭 알랑대고, 어떤 때는 난데없이 휘갈기고, 또 어떤 때에는 공연히 뒤틀려 우악스럽게 남의 팔다리에 생채기(손톱 따위로 할퀴어 생긴 작은 상처)를 내놓고 달아난다. 새 역시 바람같이 믿지 못할 친구다. 자기 마음 내키는 때 찾아오고, 자기 마음 내키는 때 달아난다. 그러나 가다 믿고 와 둥지를 틀고, 지쳤을 때 찾아와 쉬며 푸념하는 것이 귀엽다. 그리고 가다 흥겨워 노래할 때 노래 들을 수 있는 것이 또한 기쁨이 되지 아니할 수 없다.

나무는 이 모든 것을 잘 가릴 줄 안다. 그러나 좋은 친구라 하여 달만을 반기고, 믿지 못할 친구라 하여 새와 바람을 물리치는 일도 없다. 그리고 달을 유달리 후대(厚待)(아주 잘 대접함. 또는 그런 대접)하고 새와 바람을 박대(薄待)(인정 없이 모질게 대함)하는 일도 없다. ㉣달은 달대로, 새는 새대로, 바람은 바람대로 다 같이 친구로 대한다. 그리고 친구가 오면 다행으로 생각하고, 오지 않는다고 하여 불행해 하는 법이 없다. 같은 나무, 이웃 나무가 가장 좋은 친구가 되는 것은 두말할 것이 없다. 나무는 서로 속속들이 이해하고 진심으로 동정하고 공감한다. 서로 마주 보기만 해도 기쁘고, 일생을 이웃하고 살아도 싫증 나지 않는 참다운 친구다.

소주제 ③ 나무의 □□

라 그러나 나무는 친구끼리 서로 즐긴다느니보다는, ㉤제각기 하늘이 준 힘을 다하여 널리 가지를 펴고, 아름다운 꽃을 피우고, 열매를 맺는 데 더 힘을 쓴다. 그리고 하늘을 우러러 항상 감사하고 찬송하고 묵도(默禱)(눈을 감고 말없이 마음속으로 빎)하는 것으로 일삼는다. 그러기에 나무는 언제나 하늘을 향하여 손을 쳐들고 있다. 온갖 나뭇잎이 우거진 숲을 찾는 사람이, 거룩한 전당에 들어선 것처럼 엄숙하고 경건한 마음으로 절로 옷깃을 여미고, 우렁찬 찬가에 귀를 기울이게 되는 이유도 여기 있다.

소주제 ④ 나무의 삶의 □□

마 나무에 하나 더 원하는 것이 있다면, 그것은 천명(天命)(타고난 수명)을 다한 뒤에 하늘 뜻대로 다시 흙과 물로 돌아가는 것이다. 그러나 사람은 가다 장난삼아 칼로 제 이름을 새겨 보고, 흔히 자기 쓸 곳 닿는 대로 가지를 쳐 가고, 송두리째 베어 가곤 한다. 나무는 그래도 원망하지 않는다. 새긴 이름은 도리어 그들의 원대로 키워지고, 베어 간 재목이 혹 자기를 해칠 도끼자루가 되고 톱 손잡이가 된다 하더라도 이렇다 하는 법이 없다.

소주제 ⑤ 천명대로 살며 아무도 □□하지 않는 나무

작품 개관

- 갈래 경수필
- 성격 사색적, 예찬적, 교훈적
- 주제 나무가 지닌 덕(德)에 대한 예찬
- 특징 나무를 의인화하여 특성을 사실적으로 묘사하고 인생의 교훈을 전달하고 있음

1등급 노트

1. 이 글의 특성
   ① 형식적 특성
   - 자연물에서 느낀 감상을 진솔하게 표현한 서정적 수필임
   - 글쓴이의 감상과 깨달음을 집약적이고 간결하게 드러내어 비교적 글의 길이가 짧음

   ② 표현적 특성
   - '나무는 ~다.'와 같은 표현을 반복하여 사용함
   - 나무를 의인화하여 그 성품과 덕을 생생하고 사실적으로 묘사하고 예찬함
   - 나무를 인간과 비교하여 독자에게 바람직한 삶의 태도와 관련된 교훈을 전달하려고 함
2. 이 글의 구성

나무의 속성
장소에 상관없이 환경에 적응하고, 주변의 자연과 공존하는 속성

↓ 의인화

나무의 태도
- 주어진 분수에 만족할 줄 앎
- 고독을 견디고 고독을 이기고 고독을 즐김
- 어떤 친구든 너그럽게 인정하고 좋아함
- 늘 감사하는 마음을 가지고 원망하지 않음

↓ 예찬

나무의 성품
훌륭한 견인주의자, 고독의 철인, 안분지족의 현인

↓ 교훈

나무의 덕(德)을 본받고, 덕을 지닌 나무가 되고 싶은 소망

함께 엮어 읽기

◆ 이양하, 〈나무의 위의(威儀)〉

이양하의 또 다른 수필인 〈나무의 위의(威儀)〉는 〈나무〉와 마찬가지로 나무를 의인화하여 그 미덕을 본받자는 교훈을 담고 있다. 작가는 나무가 지닌 은근하고 독특한 풍취는 고유성이 있어 돋보이며, 인간이 따르기 어려운 관용과 거룩한 위의(威儀)를 가지고 있다고 예찬한다.

정답과 해설 39쪽

나무는 훌륭한 *견인주의자(堅忍主義者)요, 고독의 철인(哲人)(어질고 사리에 밝은 사람)이요, *안분지족(安分知足)의 현인(賢人)(어질고 현명한 사람)이다. / 불교(佛敎)의 소위 *윤회설(輪回說)이 참말이라면, Ⓐ나는 죽어서 나무가 되고 싶다. '무슨 나무가 될까?' 이미 나무를 뜻하였으니 진달래가 될까, 소나무가 될까는 가리지 않으련다.

소주제 ❻ 나무의 □□과 '나'의 소망

– 이양하

어휘 다지기

- 비위(脾胃) : 어떤 음식물이나 일에 대하여 먹고 싶거나 하고 싶은 마음
- 견인주의자(堅忍主義者) : 욕정이나 욕망 따위를 의지의 힘으로 굳게 참고 견디어 억제하려는 자
- 안분지족(安分知足) : 편안한 마음으로 제 분수를 지키며 만족할 줄을 앎
- 윤회설(輪回說) : 중생이 해탈을 얻을 때까지 끝없이 생사를 반복한다는 불교의 설(說)

소주제 체크

1. 덕 2. 고독 3. 친구 4. 태도 5. 원망 6. 섭리

출제 예감

1 이 글에 대한 설명으로 적절하지 않은 것은?

① 대상에 인격을 부여하고 있다.
② 대상의 특성을 열거하고 있다.
③ 대상을 통해 삶의 태도를 이야기하고 있다.
④ 대상을 객관적으로 관찰하여 묘사하고 있다.
⑤ 대상을 본받고자 하는 자세를 드러내고 있다.

2 ㉠~㉤의 문맥적 의미에 대한 설명으로 적절하지 않은 것은?

① ㉠ : 나무는 더 좋은 것을 욕심내지 않는다.
② ㉡ : 나무는 다른 이를 부러워하지 않는다.
③ ㉢ : 달은 매일 밤 일정하게 뜬다.
④ ㉣ : 나무는 달, 새, 바람이 모두 의리 있고 다정하여 친구로 지낸다.
⑤ ㉤ : 나무는 자신의 본분을 다하기 위해 노력한다.

출제 예감

3 이 글에 드러난 '나무'의 속성으로 적절하지 않은 것은?

① 나무는 자연의 섭리에 순응한다.
② 나무는 사교성이 뛰어나고 적극적이다.
③ 나무는 고독을 감내하고 고독을 즐긴다.
④ 나무는 포용력 있는 삶의 태도를 보인다.
⑤ 나무는 주어진 상황에 만족할 줄을 안다.

4 [나]의 '나무'가 〈보기〉의 화자에게 할 수 있는 말로 가장 적절한 것은?

보기

보슬보슬 봄비는 못에 내리고 / 찬바람이 장막 속 스며들 제
뜬시름 못내 이겨 병풍 기대니
송이송이 살구꽃 담 위에 지네.

– 허난설헌, 〈봄비〉

① 주변 사람들에게 당신의 심정을 표현해 보세요.
② 당신보다 더 외로운 저를 보면서 위로받으세요.
③ 고독의 원인이 무엇인지 끊임없이 반성해 보세요.
④ 저도 당신처럼 고독감 때문에 힘겨워하고 있어요.
⑤ 당신이 처한 고독을 견디고 즐기려고 노력해 보세요.

5 글쓴이가 Ⓐ와 같이 생각한 이유로 가장 적절한 것은?

① 현실에서의 삶보다 이상향에서의 삶을 갈망하고 있다.
② 진달래와 같은 꽃보다 나무를 긍정적으로 생각하고 있다.
③ 불가능한 상상이므로 어느 쪽이든 상관없다고 생각하고 있다.
④ 어떤 나무처럼 살고 싶은지에 대한 고민을 해소하지 못하고 있다.
⑤ 나무의 종류를 가리지 않고 나무의 덕을 본받아 살고자 하고 있다.

6 수능형 이 글의 내용을 고려할 때, 〈보기〉에 대한 반응으로 가장 적절한 것은?

보기

어제 산림청이 발표한 통계 자료에 따르면 도심에 심어져 있는 가로수 중에 인위적인 낙서와 훼손으로 인해 가로수가 죽어가는 비율이 크게 증가하고 있음이 밝혀졌다.

– ○○ 신문

① 나무는 낙서를 하는 인간들의 행위를 응징하려 할 거야.
② 나무는 이러한 현실을 바꾸기 위해 적극적으로 노력할 거야.
③ 나무는 자신이 해를 입더라도 인간들을 원망하지 않을 거야.
④ 나무는 인간들의 세계에서 벗어나 초월적 공간을 지향할 거야.
⑤ 나무는 낙서로 인한 고통보다는 차라리 고독한 삶을 택할 거야.

7 서술형 이 글과 〈보기〉의 공통점을 간략히 서술하시오.

보기

나모도 아닌 거시 플도 아닌 거시
곳기는 뉘 시기며 속은 어이 뷔연는다
뎌러코 四時(사시)예 프르니 그를 됴하 ᄒᆞ노라

– 윤선도, 〈오우가〉

비책

28 무소유(無所有)

〈전략〉 나는 지난해 여름까지 ㉠난초(蘭草) 두 분(盆)을 정성스레, 정말 정성을 다해 길렀었다. 〈중략〉 우리 다래헌을 찾아온 사람마다 싱싱한 난(蘭)을 보고 한결같이 좋아라 했다.

소주제 1 □□를 애지중지 기른 경험

지난해 여름 장마가 갠 어느 날 봉선사로 운허 노사(耘虛老師)를 뵈러 간 일이 있었다. 한낮이 되자 장마에 갇혔던 햇볕이 눈부시게 쏟아져 내리고 앞 개울물 소리에 어울려 숲 속에서는 매미들이 있는 대로 목청을 돋우었다. / 아차! 이때에야 문득 생각이 난 것이다. 난초를 뜰에 내놓은 채 온 것이다. 모처럼 보인 찬란한 햇볕이 돌연 원망스러워졌다. 뜨거운 햇볕에 늘어져 있을 난초잎이 눈에 아른거려 더 지체할 수가 없었다. 허둥지둥 그 길로 돌아왔다. 아니나다를까, 잎은 축 늘어져 있었다. 안타까워하며 샘물을 길어다 축여 주고 했더니 겨우 고개를 들었다. 하지만 어딘지 생생한 기운이 빠져버린 것 같았다.

나는 이때 온몸으로, 그리고 마음속으로 절절히 느끼게 되었다. 집착(執着)이 괴로움인 것을. 그렇다. 나는 난초에게 너무 집념해 버린 것이다. 이 집착에서 벗어나야겠다고 결심했다. 난을 가꾸면서는 산철—승가(僧家)의 유행기(遊行期)—에도 나그네 길을 떠나지 못한 채 꼼짝 못하고 말았다. 밖에 볼일이 있어 잠시 방을 비울 때면 환기가 되도록 들창문을 조금 열어 놓아야 했고, 분(盆)을 내놓은 채 나가다가 뒤미처 생각하고는 되돌아와 들여놓고 나간 적도 한두 번이 아니었다.

그것은 정말 지독한 집착이었다.

소주제 2 난초를 기르면서 깨달은 □□의 괴로움

며칠 후, 난초(蘭草)처럼 말이 없는 친구가 놀러 왔기에 선뜻 그의 품에 분을 안겨 주었다. 비로소 나는 얽매임에서 벗어난 것이다. 날 듯 홀가분한 해방감. 삼 년 가까이 함께 지낸 '유정(有情)'을 떠나보냈는데도 서운하고 허전함보다 홀가분한 마음이 앞섰다. 이때부터 나는 하루 한 가지씩 버려야겠다고 스스로 다짐을 했다. 난을 통해 무소유(無所有)의 의미 같은 걸 터득하게 됐다고나 할까. 〈중략〉

(유정: (불교에서) 마음을 가진 살아 있는 중생)

소주제 3 난초를 통해 □□□의 의미를 깨달음

소유욕은 이해(利害)와 정비례한다. 그것은 개인뿐 아니라 국가 간의 관계도 마찬가지다. 어제의 맹방(盟邦)들이 오늘에는 맞서게 되는가 하면, 서로 으르렁대던 나라끼리 친선 사절을 교환하는 사례를 우리는 얼마든지 보고 있다. 그것은 오로지 소유(所有)에 바탕을 둔 이해관계 때문인 것이다. 만약 인간의 역사가 소유사(所有史)에서 무소유사(無所有史)로 그 향(向)을 바꾼다면 어떻게 될까. 아마 싸우는 일은 거의 없을 것이다. 주지 못해 싸운다는 말은 듣지 못했다.

(맹방: 동맹국)

소주제 4 소유에 바탕을 둔 인간의 □□와 그 부정적 측면

간디는 또 이런 말도 하고 있다. "내게는 소유가 범죄처럼 생각된다……." 그는 무엇인가를 갖는다면 같은 물건을 갖고자 하는 사람들이 똑같이 가질 수 있을 때 한한다는 것. 그러나 그것은 거의 불가능한 일이므로 자기 소유에 대해서 범죄처럼 자책하지 않을 수 없다는 것이다. 우리들의 소유 관념(所有觀念)이 때로는 우리들의 눈을 멀게 한다. 그래서 자기의 분수까지도 돌볼 새 없이 들뜨게 되는 것이다. 그러나 우리는 언젠가 한 번은 빈손으로 돌아갈 것이다. 내 이 육신마저 버리고 훌훌히 떠나갈 것이다. 하고 많은 물량일지라도 우리를 어떻게 하지 못할 것이다.

크게 버리는 사람만이 크게 얻을 수 있다는 말이 있다. 물건으로 인해 마음이 상하고 있는 사람들에게는 한 번쯤 생각해 볼 말씀이다. ㉡아무것도 갖지 않을 때 비로소 온 세상을 갖게 된다는 것은 무소유(無所有)의 역리(逆理)이니까.

소주제 5 무소유의 본질과 □□

– 법정

작품 개관

- 갈래 경수필
- 성격 체험적, 사색적, 교훈적
- 주제 무소유를 통해 얻게 되는 마음의 평화와 자유
- 특징
  ① 인용을 통해 자신의 생각을 뒷받침함
  ② 불교적 사유(私有) 방식을 구체적이고 쉽게 제시함
  ③ 자신의 체험을 고백적으로 서술하여 설득력을 높임
  ④ 무거울 수 있는 철학적 주제를 평이한 문체의 담담한 어조로 서술함

1등급 노트

1. 이 글의 주제 의식
인간의 괴로움과 번뇌는 무언가에 대한 집착과 소유욕에서 비롯되는 것이므로, 이러한 욕심을 버릴 때 진정한 자유와 행복을 얻을 수 있음

2. '난초'의 역할
- 난초는 글쓴이에게 기쁨을 주기도 하지만 끊임없이 집착하게 하는 소유욕의 대상임
- 사군자(四君子)의 하나이며 곧고 깨끗한 기품을 상징하는 난초를 소유욕의 대상으로 설정함으로써 주제를 더욱 분명하게 형상화함

3. '소유'와 '무소유'의 관계

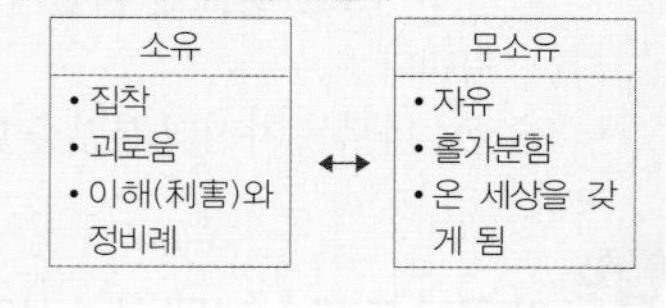

더 알아보기

◆ 이 글의 구성

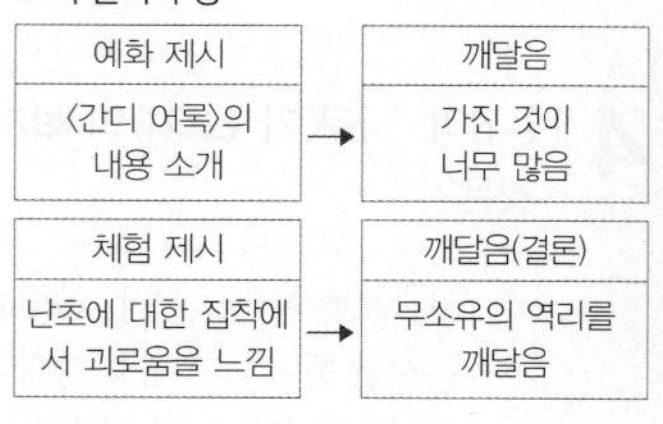

소주제 체크

1. 난초 2. 집착 3. 무소유 4. 역사 5. 역리

정답과 해설 39쪽

1 이 글에 대한 설명으로 적절하지 않은 것은?

① 적절한 인용을 통해 글쓴이의 생각을 뒷받침하고 있다.
② 소유욕의 허망함을 고백적 말하기를 통해 서술하고 있다.
③ 다소 무거운 주제를 평이한 문체를 사용해 드러내고 있다.
④ 개인적 체험에서 얻은 생각을 사회적 차원으로 확장시키고 있다.
⑤ 자연물에 대한 관찰을 통해 자연에서 배울 수 있는 삶의 가치를 강조하고 있다.

2 이 글의 글쓴이가 난초를 기른 경험을 이야기한 이유로 적절한 것은?

① 난초를 기른 경험을 제시하여 생명의 고귀함을 가르쳐 주기 위해
② 난초를 기른 경험에서 터득하게 된 무소유의 의미를 알려 주기 위해
③ 난초의 이로운 점을 알려 주어 자연을 사랑하는 정신을 일깨우기 위해
④ 계획적인 난초의 관리 경험담을 통해 계획의 중요함을 알려 주기 위해
⑤ 스님도 실수하는 인간임을 보여 주어 인간 존재의 불완전성을 깨우쳐 주기 위해

출제 예감
3 이 글에서 ㉠이 의미하는 바를 가장 잘 설명한 사람은?

① 선희 : 사람들이 집착하는 세속적인 욕망으로 소유욕을 의미해.
② 민수 : 글쓴이가 정성껏 기른 식물로 어리석은 중생의 모습을 의미해.
③ 정환 : 끈질긴 생명력을 가진 존재로 연약한 것 같지만 강인한 민중을 의미해.
④ 현아 : 외롭게 살아가는 글쓴이에게 위안과 안식을 주는 자식과 같은 존재를 의미해.
⑤ 보영 : 사군자(四君子)의 하나로 어떠한 역경에도 굴하지 않는 선비의 지조와 절개를 의미해.

4 인간의 소유욕과 관련된 속담이 아닌 것은?

① 감기 고뿔도 남을 안 준다
② 말 타면 경마 잡히고 싶다
③ 한 섬 빼앗아 백 섬 채운다
④ 공것이라면 양잿물도 먹는다
⑤ 부뚜막의 소금도 집어넣어야 짜다

5 고난도 이 글의 내용을 다음과 같이 정리하였을 때, 적절하지 않은 것은?

	소유	무소유
①	난초를 기름	난초를 벗에게 줌
②	집착	자유로움
③	괴로움	홀가분함
④	국가 간의 싸움 유발	싸우는 일이 없음
⑤	이해(利害)와 정비례	이해(利害)와 반비례

6 수능형 이 글을 바탕으로 강연회를 개최할 때, 다음 초청장의 빈칸에 들어갈 내용으로 적절한 것은?

〈초대의 글〉
바른 삶 실천 운동 본부에서 법정 스님의 가르침에 관하여 다음과 같이 강연회를 개최하려고 하오니, 부디 참석하시어 자리를 빛내 주시기 바랍니다.
• 일시 : 20○○년 ○월 ○일 3시
• 장소 : ○○시 문예 회관 강당
• 주제 : (   )

① 나눔의 실천, 해탈로 가는 첩경
② 소외된 이웃에게 사랑과 자비를 베풀자.
③ 풍요로운 미래를 위해 절약하는 오늘의 삶
④ 소유의 집착을 벗어던지고 마음의 평화를 찾자.
⑤ 가난의 괴로움을 즐겨라, 부처님의 자비를 깨닫게 되리라.

출제 예감
7 이 글에 나타난 글쓴이의 인생관이 가장 잘 반영된 것은?

① 인생은 빈손으로 왔다가 빈손으로 가는 것이다.
② 우리의 인생은 우리가 노력한 만큼의 가치가 있다.
③ 열심히 하는 것은 기본이며, 중요한 것은 무엇을 열심히 하느냐이다.
④ 우리는 항상 인생이 짧은 것을 한탄하면서도 마치 끝없이 살 것처럼 행동한다.
⑤ 남에게 손가락질할 때마다 세 개의 손가락은 항상 자기 자신을 가리키고 있음을 잊지 말라.

8 서술형 ㉡에 나타난 표현 기법의 특징과 그 의미에 대해 서술하시오.

비책

29 미안합니다

㉠서양 사람들에 비해 우리나라 사람들에게 단연코(두말할 것도 없이 매우 분명하게) 인색한 말이 있다면 아마도 '고맙다' 는 말과 '미안하다' 는 말일 것이다. 아주 작고 사소한 일에도 걸핏하면 '땡큐, 쏘리(Thank you, Sorry)'를 되뇌는 외국인들에 비해 우리는 여간해서는 이런 말을 잘 하지 않는 듯하다.

오랜 유학 생활 덕분에 나는 그나마 '고맙다' 는 말은 꽤 자주 하는 편이다. 조교나 학생들이 심부름을 해 주거나 시중을 들어주면 곧잘 '고마워' 라는 말을 하곤 한다.

그러나 이에 비해 '미안해' 라는 말은 여간 어렵지 않다. 분명히 내게 잘못이 있다는 사실을 알고 있으면서도, '미안해' 라는 말을 하려면 목소리가 기어들거나 가능하면 슬쩍 얼버무려 버린다. 마음속으로 미안한 감정을 느끼지 않아서가 결코 아니다. 너무나 미안하다고 생각할 때도 그렇다. 〈중략〉

소주제 ❶ '□□□□' 라는 말을 하기 어려워함

오후에 퇴근 준비를 하고 있는데, 학생 하나가 찾아와 진상을 알려 주었다. 김영수는 아주 심각한 말더듬이 증세를 갖고 있고, 그 증세는 사람들 앞에서 말하거나 읽거나 하는 스트레스 상황에서는 더욱 악화된다는 것이었다. 그러니 아까 갑자기 말문이 막혀 책을 읽을 수도, 그렇다고 말을 더듬어서 못 읽겠다고 설명할 수도 없는 처지였을 것이고, 그 사정을 잘 아는 서훈이가 당황하는 친구를 도와주려고 대신 읽었다는 것이다.

㉡이야기를 듣고 나서, 나는 정말이지 쥐구멍에라도 숨고 싶은 심정이었다. 어렸을 때 나도 한때 말더듬이 비슷한 증세가 있었기 때문에 영수가 느꼈을 충격과 고뇌, 그리고 수업 시간 이후의 기분을 잘 알 수 있었다.

미안하다고 해야겠다. 나는 속으로 생각했다. 하지만 어떻게? 영수에게 수업 후에 오라고 할까? 그러면 영수가 더 부끄러워하지 않을까? 아니면 삐삐(무선 호출기) 번호를 알아내어 내게 전화하라고 할까? 하지만 말더듬이 증상은 전화로 말할 때 더 심각해지니까 그것도 별로 좋은 생각이 아닌 듯하다.

[A] 그렇다면 어떻게 사과를 할까. 이런저런 궁리를 하다가 가만히 생각해 보니, ㉢정말로 내가 사과해야 하는 상황인가에 대해 의구심(믿지 못하고 두려워하는 마음)이 일어났다. 요컨대 그게 정말 내 잘못이었는가 말이다. 영수에게 그런 문제가 있다는 것을 나는 모르지 않았는가? 학기 시작할 때 미리 자기에게 이러이러한 문제가 있으니 호명(이름을 부름)하지 말아 달라고 한마디라도 해 줬으면 어련히 알아서 했을까 말이다.

게다가 선생 체면에 학생에게 그런 말 했다고 해서 사과할 필요까지 있겠는가. 그리고 지금쯤은 영수도 다 잊어버리고 있을지도 모르는데 괜히 사과해서 오히려 긁어 부스럼이 될 수도 있다. 〈중략〉

소주제 ❷ 미안하다는 말을 하기 어려워 자신의 상황을 □□□함

"아, 글쎄 기다리려면 저기 주차장 안에 차를 대고 기다리란 말예요! 왜 하필이면 현관 앞에 차를 대냐고요."

"미안합니다. 조금만." / 아버지는 계속 '미안합니다' 를 반복하고 계셨다. 물론 차를 현관 근처에 대는 것은 금지되어 있지만, ㉣경비원에게 머리를 조아리는 아버지의 모습을 보자 너무 자존심 상하고 화가 나서 나는 경비원을 한 번 흘끗 쳐다보고는 차에 올라탔다.

경비원은 잠시 나와 목발을 번갈아 가며 쳐다보았다. 그러고는 아버지에게 깊이 머리를 숙이더니, / "아이구, 정말 죄송합니다. 왜 이분을 기다리고 있다고 말씀해 주시지 그랬어요. 만약 그랬다면 아무 말도 하지 않았을 텐데요. 이분이라면 몸이 불편하시니까 여기 대셔야지요. 이분을 자주 봬요."

작품 개관

- 갈래 경수필
- 성격 자아 성찰적, 반성적, 체험적
- 주제 '미안합니다' 라는 말이 지닌 위력과 가치
- 특징
  ① 대조되는 두 가지 일화를 제시하여 교훈적 주제를 전달함
  ② 경험을 통해 깨달은 점을 바탕으로 반성적 인식을 드러냄

1등급 노트

1. 글쓴이와 아버지의 태도 비교

글쓴이	학생을 오해하여 나무란 일에 대해 '미안하다' 는 말을 하지 않기 위해 자신의 행동을 합리화함
아버지	경비원이 화를 내자 '미안하다' 라는 말로 문제 상황을 원만히 해결함

2. '미안합니다' 라는 말의 효력

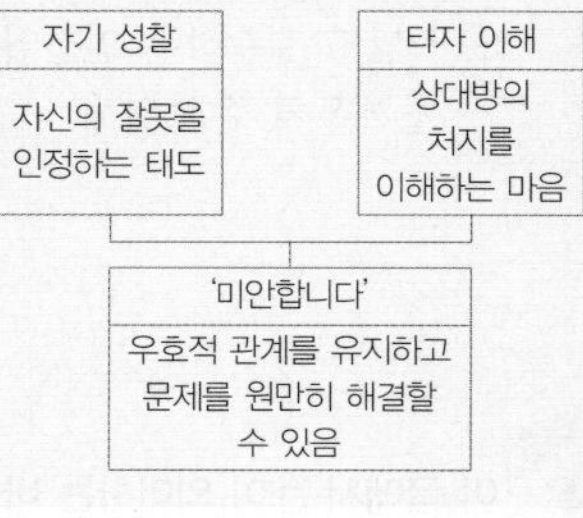

더 알아보기

◆ 글쓴이의 생애와 문학 세계

글쓴이인 장영희는 영문학자이자 수필가 · 번역가이다. 생후 1년 만에 두 다리를 쓰지 못하는 소아마비 1급 장애인이 되었으나 장애를 이겨내고 영문학과에 진학하여 미국 유학을 통해 박사 학위를 취득한 뒤 모교인 서강대학교 영어영문학과 교수로 재직하였다. 2001년과 2004년에 암 투병 끝에 회복하여 다시 강단에 섰으나, 2008년 간암으로 전이되어 치료를 받던 중 2009년 57세의 나이에 사망하였다. 평생 장애를 안고 살아가면서도 긍정적이고 열정적인 삶의 자세로 《내 생애 단 한 번》, 《문학의 숲을 거닐다》 등의 작품집을 통해 세상에 대한 희망의 메시지를 전하였다.

정답과 해설 40쪽

말을 하는 와중에도 그는 중간중간 "미안합니다, 죄송합니다."라는 말을 여러 번 되풀이했다.

아버지는 또 아버지대로 ⓜ"괜찮습니다. 제가 잘못한 건데요. 죄송합니다."라고 사과했고, 두 사람은 서로에게 인사하고 헤어졌다. 차가 떠날 때 경비원은 손까지 흔들며 우리들을 배웅해 주었다.

얼마나 아름다운 결말인가! 서로 얼굴 붉히고 마음 상하고 헤어졌을 수도 있는 일이었지만, 두 사람은 모두 기꺼이 "미안합니다." 하고 사과를 했기 때문에 결과는 해피 엔딩이었다.

소주제 ③ 아버지와 경비원이 서로 미안하다고 하며 문제 상황이 원만히 □□됨

\- 장영희

소주제 체크

1. 미안합니다 2. 합리화 3. 해결

1 이 글에 대한 설명으로 가장 적절한 것은?

① 극적 반전을 통해 부정적인 세태를 풍자하고 있다.
② 특정한 독자를 대상으로 친교의 의도를 전달하고 있다.
③ 문제 상황이 해결되는 과정을 통해 교훈을 드러내고 있다.
④ 꾸며 낸 일화를 통해 현대인의 문제점을 드러내고 있다.
⑤ 이상과 현실 사이에서 겪는 내적 갈등을 드러내고 있다.

출제 예감

2 이 글의 서술상의 특징으로 적절하지 않은 것은?

① 의문형 문장을 통해 독자의 공감을 유도하고 있다.
② 영탄적 어조를 사용해 고조된 감정을 드러내고 있다.
③ 관용적 표현을 통해 의미를 인상 깊게 전달하고 있다.
④ 인물들의 대화를 직접 인용하여 현장감을 부여하고 있다.
⑤ 반어적 표현을 사용해 글쓴이의 궁극적인 의도를 강조하고 있다.

3 이 글에 제시된 인물들에 대한 설명으로 적절하지 않은 것은?

① '서훈'은 난처한 상황에 놓인 '영수'를 도와주는 인물로, 배려심이 깊다.
② '나'는 자신의 경험에 비추어 '영수'의 심정을 헤아리고 미안한 마음을 느꼈다.
③ '나'는 미안하다는 말을 하지 않기 위해 갖은 구실로 자신의 행동을 합리화하였다.
④ '아버지'는 상대방의 입장을 이해하고, 자신의 잘못에 대해 거듭 사과하였다.
⑤ '경비원'은 '아버지'의 행동에 대한 이유를 알게 된 후에도 융통성 없이 원칙만을 내세웠다.

4 이 글을 통해 글쓴이가 전달하고자 하는 주제 의식으로 가장 적절한 것은?

① 타인에게 피해를 주는 행동을 삼가자.
② 어려운 상황에 처해 있는 사람을 배려하자.
③ 자신의 이익만 따지는 이기적 태도를 버리자.
④ 항상 깊이 잘 생각한 다음 상대방을 판단하자.
⑤ 자신의 잘못을 기꺼이 인정하는 태도를 지니자.

5 수능형 〈보기〉를 참고할 때, 이 글에 대한 감상으로 적절하지 않은 것은?

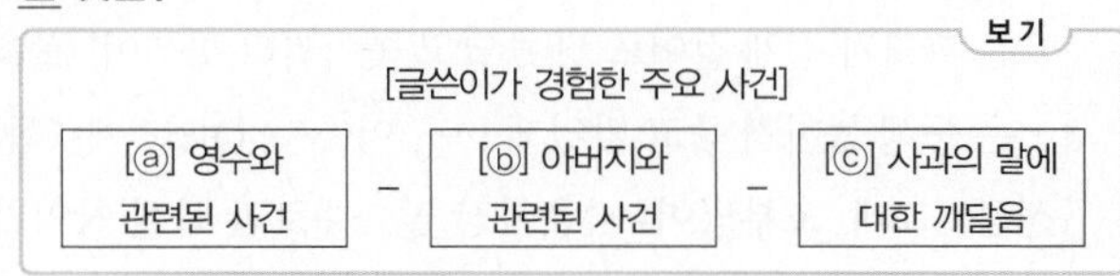

① ⓐ, ⓑ, ⓒ는 시간의 경과에 따라 일어나고 있군.
② ⓐ와 ⓑ가 복합적으로 작용하여 ⓒ에 이르게 되는군.
③ ⓐ에서 나타난 태도는 ⓑ, ⓒ를 거치면서 달라지겠군.
④ ⓐ보다 ⓑ가 상대적으로 ⓒ에 더 많은 영향을 미치는군.
⑤ ⓐ와 ⓑ에서 유사한 경험이 반복되면서 ⓒ가 강화되는군.

6 ㉠~ⓜ에 대한 설명으로 적절하지 않은 것은?

① ㉠ : 글쓴이가 부정적으로 인식하는 우리나라 사람의 특성이 제시되고 있다.
② ㉡ : 글쓴이가 영수의 상황에 대해 전혀 모르고 있었음을 짐작할 수 있다.
③ ㉢ : 미안하다는 말을 하고 싶지 않은 마음에서 비롯된 의문으로 볼 수 있다.
④ ㉣ : 자신의 처지를 배려해 주지 않은 경비원에 대한 불쾌함이 드러나 있다.
⑤ ⓜ : 상대를 배려하는 아버지의 태도가 긍정적 결말을 이끌어 내는 데 영향을 주고 있다.

출제 예감

7 [A]에 나타난 글쓴이의 태도를 설명하기에 적절한 말은?

① 노심초사(勞心焦思)　② 동병상련(同病相憐)
③ 아전인수(我田引水)　④ 좌정관천(坐井觀天)
⑤ 침소봉대(針小棒大)

8 서술형 아버지와 경비원의 태도에서 드러나는 '미안합니다'라는 말의 효력을 서술하시오.

30 만선(滿船)

▸ **앞부분 줄거리** 칠산 바다에 •부서 떼가 몰려들자, 우직한 어부 곰치는 며칠만 부서를 더 잡으면 악덕 선주 임제순에게 진 빚 이만 원을 갚고 작은 배라도 한 척 장만할 수 있으리라는 꿈에 부푼다. 그러나 한껏 자기 이득을 챙기려는 임제순은 배를 묶어 버린다. 눈앞에 부서 떼를 두고도 묶인 배 때문에 고기잡이를 못해서 미칠 듯한 곰치는 임제순이 요구하는 대로 다음 날까지 빚을 갚겠다는 각서에 손도장을 찍고는 바람을 무릅쓰고 바다로 나간다. 곰치는 그가 갈망하던 대로 만선의 꿈을 이루지만 거센 바람 때문에 배가 뒤집혀 잡은 고기는 물론 아들과 딸의 애인인 연철마저 잃고 자신만 겨우 구조된다. 임제순은 빚을 갚으라고 곰치를 위협하고, 구포댁은 아들인 도삼의 죽음을 알고는 정신이 이상해진다. 그러나 곰치는 만선의 꿈을 포기하지 않고, 하나 남은 아들마저 어부로 만들기로 결심한다.

성삼 : 자네도 그만 고집 버릴 때도 됐어! / **곰치** : (불만스럽게) 고집?

성삼 : (못을 박아) 아니고 뭣잉가?

곰치 : (꼿꼿이 서선) 나는 고집 부리는 것이 아니다! 뱃놈은 그렇게 살어사 쓰는 것이여! 누구는 아들 잃고 춤춘다냐? (무겁게) 내 속은 아무도 몰라! 이 곰치 썩는 속은 아무도 몰라……. (회상에 잠기며) 내 조부님이 그러셨어, 만선이 아니면 노 잡지 말라고……. 우리 아부지도 만선 될 고기 떼는 파도가 집채 같어도 쌍돛 달고 쫓아가라 하셨어! (쓸쓸하게) 내 형제가 위로 셋, 아래로 한나 남은 동생 놈마저 죽고 말었제……. 어……. (허탈하게) •독으로 안 살면 으찌께 살어?

성삼 : 그래. 조부님이나 •춘부장 말씀대로만 하실 참잉가?

곰치 : (단호하게) 내일이라도 당장 배 탈 참이다! 흥! 임 영감 배 아니면 탈 배 없어?

성삼 : 도삼이 생각도 안 나서? / **곰치** : (격하게) 시끄럿! (침착하게) 또 있어! 아들은 또 있어…….

성삼 : 갓난쟁이? (고개를 설레설레 내저으며) 후유 — 지독한 놈!

곰치 : 그놈도…… 그놈도……. 열 살만 묵으면 그물 말어…….

소주제 ❶ □□에 대한 곰치의 집념과 강인한 의지

(이때 어부 A 숨이 차서 들어온다.)

어부A : 곰치! 크 큰일 났네! / **곰치** : 아니, 뭣이 큰일 나?

어부A : 배가 떴어! / **두 사람** : (영문을 몰라) 배가 떠?

어부A : 자네 안사람이 우실이네 배를 띄웠단 마시! / **곰치** : 뭣이라고? 〈중략〉

(구포댁 뭐라 중얼대며 들어온다. 그네의 등엔 애기가 없다.)

곰치 : (와락 달려들어) 아니, 으쨌다고 남의 배를 띄웠나? 엉?

구포댁 : (실실 웃으며) 나 배 안 띄웠어! 참말! / **곰치** : (목을 움켜쥐고) 말을 했! 어서! (구포댁의 등을 보곤 기겁해서) 아니, 애기는? 애기는 으따 뒀어? 엉?

구포댁 : (손을 내저으며) 몰라! 나는 몰라! 숨줄이 끊어져도 참말로 몰라!

곰치 : 뭣이? 말 안해? (목을 바싹 졸라대며) 이래도? 이래도?

성삼 : (황급히 곰치의 손을 떼어 놓으며) 이라먼 못써! 물어봐사제, 이라먼 못써! (구포댁에게) 아짐씨, 나 성삼인디 나, 알지라우?

구포댁 : (연방 고개를 내저으며) 애기는 몰라! 나는 몰라!

곰치 : (다시 구포댁의 목을 졸라 잡고) 이것을 나 죽이고 말거여! 말 안 할래? ㉠애기 으따가 뒀어? 응? 어서 말을 해! / **구포댁** : 갔다! 가 부렀어!

곰치 : 뭣이? 가? / **구포댁** : 쩌그 •뭍으로 갔다! 가 뿌렀어!

곰치 : 배에다 실어 보냈구나! 응?

구포댁 : 아믄! 뭍으로 가야 안 죽어! 지 명대로 살라먼 뭍으로 가야 해! 좋은 사람 부모 만나서 호강하고 크라고! 그래사 지 명대로 살탱께! 쩌그 뭍으로 배 타고 갔다!

곰치 : 이런 육실헐! (살기등등한 눈으로 사정없이 목을 조른다.) 〈후략〉

소주제 ❷ 실성한 구포댁이 빈 배에 □□를 띄워 보냄

– 천승세

작품 개관

- 갈래 장막극, 사실주의극, 비극
- 성격 사실적, 비극적
- 배경 [시간적] 현대(1960년대)
  [공간적] 남해안 어느 섬의 어촌
- 주제 한 어부의 만선에 대한 집념과 도전 의지, 인간의 꿈에 대한 집념과 그 좌절
- 특징
  ① 어부들의 꿈과 좌절이 사실적으로 형상화됨
  ② 비속어와 사투리를 사용하여 향토적인 친근감과 현실감을 높임
  ③ 인물의 의지와 집념, 그 과정에서의 갈등을 섬세하게 표현함

1등급 노트

1. 이 글의 갈등 양상

- 곰치와 바다의 갈등 : 인간과 자연의 갈등
- 곰치와 선주의 갈등 : 빈부 간의 갈등
- 곰치와 만선의 갈등 : 운명(세계)과 의지(인간)의 갈등
- 곰치와 구포댁의 갈등 : 운명을 대하는 태도 차이로 인한 인간과 인간의 갈등

곰치	구포댁
바다에 대한 집념	바다를 벗어나고자 하는 집념
만선의 소망을 실현하고자 하는 집념	자식의 생명을 지키려는 집념
운명을 받아들이고 자연과 싸우고자 하는 부성(父性)의 억셈	자식을 죽음의 숙명에서 벗어나게 하려는 모성(母性)의 몸부림

2. 등장인물의 태도와 심리

- 곰치 : 49세. 가난하지만 만선의 꿈을 가지고 바다의 거센 풍랑과 싸우는 어부. 좌절을 모르는 강인하고 우직한 인물
- 구포댁 : 48세. 곰치의 아내로 바다를 떠나고 싶어 하는 인물. 자식의 죽음에 충격을 받아 정신 이상 상태에 이름
- 도삼 : 30세. 곰치의 아들로 고기를 잡으러 나갔다가 풍랑을 만나 바다에서 죽음
- 성삼 : 47세. 곰치의 친구이자 어부. 곰치의 가정에 연민을 지니고 있으며, 만선에 대한 곰치의 고집을 만류함

3. 이 글의 비극성

곰치의 지칠 줄 모르는 집념과 강인한 의지가 오히려 파멸의 원인으로 작용하는 비극의 구성 방식을 취함. 관객들은 '만선'에 대한 곰치의 의지가 파멸되는 과정을 보면서 공포와 연민의 감정을 느끼게 되고 이를 통해 감정과 정서가 정화되는 카타르시스(catharsis)를 느끼게 됨

더 알아보기

◆ **'만선(滿船)'의 의미**

제목 '만선(滿船)'의 사전적 의미는 '물고기 따위를 많이 잡아 가득히 실은 배'를 의미한다. 그러나 이 작품에서는 단순히 어획량을 의미하는 것이 아니라 곰치의 삶의 목표이며 지향하고자 하는 이상 세계이다.

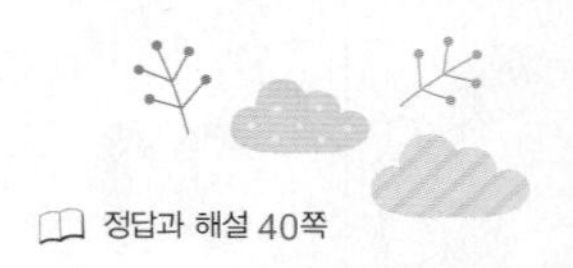

정답과 해설 40쪽

어휘 다지기

- 부서 : 조기와 생김새가 흡사한 물고기. '부세'의 방언
- 춘부장(椿府丈) : 남의 아버지를 높여 이르는 말
- 독 : 독기. 사납고 모진 기운이나 기색
- 뭍 : 섬이 아닌 본토

소주제 체크

1. 만선 2. 아기

1 이 글 전체에 대한 설명으로 적절하지 않은 것은?

① 인간의 강인한 의지와 도전 정신이 형상화되어 있다.
② 행동 지시문이 인물의 갈등 심리를 섬세하게 표현해 주고 있다.
③ 인간과 자연, 인간과 운명, 인간과 인간의 대결과 갈등이 드러나 있다.
④ 인물의 죽음이 사건 전개의 핵심을 이루면서 비극성을 드러내고 있다.
⑤ 현대 도시 문명과 대립되는 공간적 배경은 주제를 강화하는 역할을 한다.

2 고난도 방언으로 이루어진 대사의 효과로 적절하지 않은 것은?

① 작품의 사실성을 높인다.
② 인물의 성격을 효과적으로 드러낸다.
③ 독자의 관심을 끌고 흥미를 유발한다.
④ 토속적이고 향토적인 분위기를 조성한다.
⑤ 배경의 서정성을 부각시키며 주제를 암시한다.

출제 예감

3 이 글의 '곰치'와 가장 유사한 성격을 보이는 인물은?

① 오 헨리의 〈마지막 잎새〉에서 담벽에 담쟁이 잎을 그려 소녀의 목숨을 구하고 죽은 늙은 화가 베어먼
② 헤밍웨이의 〈노인과 바다〉에서 큰 고기를 잡으려는 희망을 가지고 상어와 사투를 벌이는 늙은 어부 산티아고
③ 김만중의 〈구운몽〉에서 인생의 부귀영화를 다 누리고 난 다음, 그것이 꿈인 걸 알고 인생의 무상함을 깨달은 성진
④ 최인훈의 〈광장〉에서 남과 북, 어느 곳에서도 삶의 진정한 광장을 찾지 못하고 제3국으로 가던 중 자살하고 마는 명준
⑤ 모파상의 〈목걸이〉에서 친구에게 빌린 다이아몬드 목걸이를 잃어버리고, 그것을 갚기 위해 10년 동안 고생한 로와젤 부인

4 ㉠이 의미하는 바로 볼 수 없는 것은?

① 곰치의 마지막 희망
② 하나밖에 안 남은 아들
③ 끈질긴 인간의 생명력
④ 갈등을 촉발시키는 매개체
⑤ 구포댁의 모성애의 대상

5 수능형 이 글을 연극으로 공연하기 위한 회의 내용으로 적절하지 않은 것은?

① 조명 담당 : 극이 진행될수록 조명을 점차 밝게 하여 곰치 일가의 불행을 암시하도록 할게.
② 연출자 : 배우들은 작품의 향토적인 분위기를 잘 살리도록 사투리를 능숙하게 구사하도록 연습해야 해.
③ 무대 장치 담당 : 무대 한쪽에 그물을 걸고, 무대 뒤쪽에 작은 어촌 마을을 배경 그림으로 보여 줘야지.
④ 분장 담당 : 구포댁의 안색은 창백하고 옷과 머리는 흐트러진 모습으로 꾸며 실성한 사람처럼 나타내야겠어.
⑤ 음향 담당 : 곰치와 구포댁이 도삼의 죽음을 이야기하는 부분에서는 낮고 애절한 음악을 사용하여 슬픈 감정을 고조시켜야지.

출제 예감

6 다음은 '곰치'와 '구포댁'의 갈등을 정리한 것이다. 이에 대한 설명으로 적절하지 않은 것은?

곰치	↔	구포댁
바다에 대한 집념		바다를 벗어나고자 하는 집념
만선에 대한 집념		자식에 대한 집념

① 운명을 대하는 곰치와 구포댁의 태도 차이로 인해 일어나는 갈등이다.
② 무모할 정도로 만선에의 의지를 불태우는 곰치는 비극적 인간형이라 할 수 있다.
③ 악덕 선주로 인해 가난의 굴레에서 헤어나지 못하는 곰치 일가의 내부에서 빚어지는 갈등이다.
④ 어린 막내아들만이라도 살려 보려고 육지로 떠나 보낸 구포댁은 전통적인 모성(母性)을 대표하는 인물이라 할 수 있다.
⑤ 거친 바다와 맞서 싸우는 강인한 성격의 인물과 자식을 죽음의 숙명에서 벗어나게 하려는 인물이 첨예하게 대립하고 있다.

7 서술형 이 글에 나타난 '곰치'의 성격을 긍정적인 면과 부정적인 면을 모두 언급하여 서술하시오.

비책

31 •파수꾼

▶ **앞부분 줄거리** 이리 떼의 습격을 미리 알리기 위해 세 명의 파수꾼이 마을 밖의 황야에 있는 망루에서 들판을 지킨다. 새로 파견된 파수꾼 '다'는 실제로 이리 떼를 보지 못했으며, '이리 떼가 나타났다.'고 외치는 파수꾼들의 신호만 들을 뿐이다. 어느 날 파수꾼 '다'는 망루에 올라가게 되고 이리 떼의 정체가 흰 구름에 불과하다는 사실을 알게 된다. 그리하여 파수꾼 '다'는 마을 사람들에게 진실을 알리자는 편지를 촌장에게 보낸다.

•**촌장** : 나를 이곳에 오도록 해서 고맙다. 한 가지 유감(遺憾)스러운 건, 이 편지를 가져온 운반인이 도중에서 읽어 본 모양이더라. '이리 떼는 없구, 흰 구름뿐.' 그 수다쟁이가 사람들에게 떠벌리고 있단다. 조금 후엔 모두들 이곳으로 몰려올 거야. 물론 네 탓은 아니다. 넌 나 혼자만을 와 달라구 하지 않았니? 몰려오는 사람들은 말하자면 불청객이지. 더구나 어떤 사람은 도끼까지 들고 온다더라. / **다** : 도끼를 왜 들고 와요?

촌장 : •망루를 부순다고 그런단다. '이리 떼는 없구, 흰 구름뿐.' 이것이 구호(口號)처럼 외쳐지구 있어. 그 성난 사람들만 오지 않는다면 난 너하구 딸기라도 따러 가고 싶다. 난 어디에 딸기가 많은지 알고 있거든. ㉠이리 떼를 주의하라는 팻말 밑엔 으레히 잘 익은 딸기가 가득하단다.

다 : 촌장님은 이리가 무섭지 않으세요? / **촌장** : 없는 걸 왜 무서워하겠니?

다 : 촌장님도 아시는군요? / **촌장** : 난 알고 있지.

소주제 1 □□을 밝히려는 파수꾼 '다'를 찾아온 촌장

다 : 아셨으면서 왜 숨기셨죠? 모든 사람들에게, 저 덫을 보러 간 파수꾼에게, 왜 말하지 않는 거예요?

촌장 : 말해 주지 않는 것이 더 좋기 때문이다.

다 : 거짓말 마세요, 촌장님! 일생을 이 쓸쓸한 곳에서 보내는 것이 더 좋아요? 사람들도 그렇죠! '이리 떼가 몰려온다.' 이 헛된 두려움에 시달리는데 그게 더 좋아요?

촌장 : 얘야, 이리 떼는 처음부터 없었다. 없는 걸 좀 두려워한다는 것이 뭐가 그렇게 나쁘다는 거냐? ㉡지금까지 단 한 사람도 이리에게 물리지 않았단다. 마을은 늘 안전했어. 그리고 사람들은 이리 떼에 대항하기 위해서 단결했다. 그들은 질서를 만든 거야. 질서, 그게 뭔지 넌 알기나 하니? 모를 거야, 너는. 그건 마을을 지켜 주는 거란다. 〈중략〉

촌장 : 아냐, 아무것두……. 난 아직 안심이 안 돼서 그래. (㉢온화한 얼굴에서 혀가 낼름 나왔다가 들어간다.) 지금 사람들은 도끼까지 들구 온다잖니? 망루를 부순 다음엔 속은 것에 더욱 화를 낼 거야! 아마 날 죽이려구 덤빌지도 몰라. 아니, 꼭 그럴 거다. 그럼 뭐냐? 지금까진 이리에게 물려 죽은 사람은 단 한 명도 없었는데, 흰 구름의 첫날 살인이 벌어진다.

다 : 살인이라구요?

촌장 : ⓐ그래, 살인이지. (난폭하게) 생각해 보렴, 도끼에 찍힌 내 모습을. 피가 샘솟듯 흘러내릴 거다. 끔찍해. 얘, 너는 내가 그런 꼴이 되길 바라고 있지? / **다** : 아니에요, 그건! 〈중략〉

촌장 : 그래? 그럼 너는 내일까지 기다려야 해. (괴로워하는 파수꾼 '다'를 껴안으며) ㉣오늘은 나에게 맡겨라. 그러면 나도 내일은 너를 따라 흰 구름이라 외칠 테니.

다 : 꼭 약속하시는 거죠? / **촌장** : 물론 약속하지. 〈중략〉

소주제 2 대의명분을 내세워 파수꾼 '다'를 □□하는 촌장

다 : ㉤이리 떼다, 이리 떼! 이리 떼가 몰려온다!

(파수꾼 '가'의 손이 번쩍 들려지며 그도 외친다. 파수꾼 '나'는 신이 나서 양철북을 두드린다. 북소리, 한동안 계속된다.) 〈중략〉

촌장 : 얘, 나 좀 보자. (•한갓진 곳으로 데리고 가서) 너한테는 안됐다만, 넌 이곳에서 일생을 지내야 한다. / **다** : …… 네?

작품 개관

- 갈래 단막극, 풍자극
- 성격 풍자적, 상징적, 우화적
- 배경 [시간적] 불특정 시대
  [공간적] 어느 마을의 황야에 있는 망루
- 주제 진실이 통하지 않는 사회의 비극과 진실에 대한 열망
- 특징
  ① 상징성이 강한 인물과 소재를 사용함
  ② 이솝 우화 〈늑대와 양치기 소년〉을 모티프로 현실을 그려 냄

1등급 노트

1. 시대적 배경과 특징
1970년대는 군사 독재 시대로 공산 국가인 북한과의 대립이 극심했고, 이에 따라 반공 사상이 팽배했던 시대임. 군사 독재 정권은 이런 대립 상황을 잘 이용하여 내부의 반대 여론을 잠재우고 권력을 유지함 → 이 글의 '촌장'은 '독재 정권', '마을 사람들'은 진실을 모른 채 살아가던 당시의 '민중'을 상징함 → 비판적인 내용을 우화의 기법을 통해 상징적으로 드러냄

2. 소재의 상징적 의미
- 이리 떼 : 체제 유지를 위해 도구로 삼은 가공의 적
- 흰 구름 : 진실
- 딸기 : 진실의 왜곡을 통해 촌장이 홀로 누리게 되는 실리
- 양철북 : 가공의 적에 대한 대중의 불안감을 키우기 위한 수단
- 팻말 : 명분 뒤에 숨겨진 실리를 촌장이 독차지하게 하는 수단

3. 인물의 성격과 유형
- 촌장 : 자신의 권력을 유지하기 위해 진실 왜곡도 서슴지 않는 교활하고 위선적인 권력자
- 파수꾼 '가', '나' : 독재 권력의 지배 질서를 합리화하고 이에 정당성을 부여해 주는 하수인
- 파수꾼 '다' : 독재 권력에 저항해 진실을 추구하지만 결국 지배자의 회유에 굴복하고 마는 나약한 지식인
- 마을 사람들 : 독재 권력과 하수인에게 기만당하며 살아가는 대다수의 우매한 민중

4. 이 글의 결말
촌장에게 설득당하여 망루에 오른 파수꾼 '다'는 이리 떼가 없다는 말에 흥분해서 몰려온 마을 사람들에게 이리 떼가 있다고 말함. 그 후 진실이 영원히 밝혀지지 않게 하려는 촌장의 계략으로 인해 망루에서 일생을 보내게 됨

함께 엮어 읽기

◆ 김명수, 〈하급반 교과서〉
〈하급반 교과서〉는 독재 권력하에서 획일적 가치관을 강압적으로 요구하는 암담한 현실을 아이들의 책 읽기를 통해 비판한 시이다. 이 글과 마찬가지로 위정자의 논리를 아무런 비판 없이 수용해 버린 우매한 대중과 시대적 상황을 풍자하고 있다.

정답과 해설 40쪽

촌장 : 마을엔 오지 말아라. / 다 : (침묵) 〈후략〉

소주제 ❸ 촌장의 회유와 협박에 □□한 파수꾼 '다'

– 이강백

어휘 다지기

- 파수꾼 : 경계하여 지키는 일을 하는 사람
- 촌장(村長) : 마을 일을 두루 맡아 보던 마을의 큰 어른
- 망루(望樓) : 적이나 주위의 동정을 살피기 위해 높이 지은 다락집
- 한갓진 : 한가하고 조용한

소주제 체크

1. 진실 2. 회유 3. 굴복

출제 예감

1 이 글에 대한 설명으로 적절하지 않은 것은?

① 인물 간의 대립을 형상화하고 있다.
② 권력의 위선과 허위를 폭로하고 있다.
③ 상징적 의미를 지닌 소재들을 사용하고 있다.
④ 〈늑대와 양치기 소년〉의 우화를 차용하고 있다.
⑤ 1970년대 시대 상황을 사실적으로 표현하고 있다.

출제 예감

2 소재의 상징적 의미가 바르지 않은 것은?

① 흰 구름 : '이리 떼'와 대비되는 소재로 진실을 상징한다.
② 이리 떼 : 체제 유지를 위해 도구로 삼은 가공의 적이다.
③ 딸기 : 진실의 왜곡을 통해 촌장이 홀로 누리게 되는 실리이다.
④ 양철북 : 가공의 적에 대한 대중의 불안감을 키우기 위한 수단이다.
⑤ 팻말 : '이리 떼'라는 위협으로부터 '딸기'라는 공동체적 가치를 보호하는 기능을 하는 도구이다.

3 ㉠~㉤의 의미로 적절하지 않은 것은?

① ㉠ : 진실을 왜곡하여 모두가 누려야 할 행복을 촌장이 독차지하고 있음을 의미한다.
② ㉡ : 가상의 적에 대한 공포감을 조장하여, 독재 체제를 유지해 온 권력에 대한 작가의 비판적 의도가 담겨 있다.
③ ㉢ : 겉모습과 다르게 속으로는 파수꾼 '다'를 설득하기 위해 위선적 태도를 취하고 있음을 암시하는 동작이다.
④ ㉣ : 진실을 주장하는 파수꾼 '다'의 신념과 의지에 결국 촌장이 진실을 밝히기로 약속하고 있다.
⑤ ㉤ : 촌장의 회유에 넘어간 파수꾼 '다'가 마을 사람들에게 거짓을 말하고 있다.

4 ㉡과 ㉢에 해당하는 한자 성어가 바르게 짝지어진 것은?

	㉡	㉢
①	견강부회(牽强附會)	표리부동(表裏不同)
②	아전인수(我田引水)	결초보은(結草報恩)
③	양두구육(羊頭狗肉)	살신성인(殺身成仁)
④	선공후사(先公後私)	구밀복검(口蜜腹劍)
⑤	적반하장(賊反荷杖)	면종복배(面從腹背)

5 ⓐ에 나타난 '촌장'의 말하기 방식으로 적절한 것은?

① 자신의 지위를 이용하여 파수꾼 '다'에게 복종을 강요하고 있다.
② 끔찍한 상황을 가정하여 파수꾼 '다'의 동정심에 호소하고 있다.
③ 인생의 풍부한 경험을 바탕으로 파수꾼 '다'의 생각을 혼란스럽게 만들고 있다.
④ 자신의 정치적 소신을 강하게 주장하여 파수꾼 '다'의 생각을 돌리려 하고 있다.
⑤ 자신의 정치적 의도를 감추기 위해 보편적 논리를 내세워 파수꾼 '다'의 논리를 무력화하려 하고 있다.

6 고난도 이 글 전체를 읽고 나눈 대화의 내용으로 적절하지 않은 것은?

① 상우 : 진실을 말하려고 했던 파수꾼 '다'의 용기가 참 대단한 것 같아.
② 성훈 : 하지만 교활한 촌장의 덫에 걸려 진실을 말하려던 모든 노력은 수포로 돌아갔어.
③ 선태 : 맞아. 마을 주민들에게 어떤 도움도 주지 못하고 오히려 권력의 나팔수로 전락하고 말았지.
④ 연경 : 그건 파수꾼 '다'가 너무 순진했기 때문이야. 결국 평생 북을 쳐야 하는 신세가 되었어.
⑤ 미선 : 그런 파수꾼 '다'의 처지가 참 불쌍하고 안타까워. 망루에서 작은 보람이라도 찾았으면 좋겠어.

7 서술형 이 글과 〈보기〉의 작가가 공통적으로 말하고자 하는 바가 무엇인지 서술하시오.

보기

아이들이 큰 소리로 책을 읽는다.
나는 물끄러미 그 소리를 듣고 있다.
한 아이가 소리 내어 책을 읽으면
딴 아이도 따라서 책을 읽는다.
청아한 목소리로 꾸밈없는 목소리로
"아니다 아니다!" 하고 읽으니
"아니다 아니다!" 따라서 읽는다.
"그렇다 그렇다!" 하고 읽으니
"그렇다 그렇다!" 따라서 읽는다.
외우기도 좋아라 하급반 교과서

– 김명수, 〈하급반 교과서〉

비책

32 •오발탄

▶ **앞부분 줄거리** 철호는 계리사 사무실에서 일하며 근근히 살아가는 샐러리맨이다. 그는 전쟁의 충격으로 "가자!"라는 말만 되풀이하는 병든 노모와 만삭의 아내, 부상을 입고 제대한 아우 영호, 그리고 양공주가 된 누이동생 명숙 등 부양 가족에 대한 책임과 걱정 속에서 살아간다. 그러나 그는 주어진 현실에 묵묵히 순응하면서 양심을 지키고 성실하게 살려고 하는 인물이다. 반면, 동생 영호는 양심이나 윤리 따위는 아랑곳하지 않고 세상 돌아가는 대로 사는 것이 옳다고 생각한다. 그러던 중 영호는 은행 강도를 하다가 체포되어 수감된다. 경찰서에서 나와 집으로 간 철호는 아내가 위독하다는 소식을 듣고 다시 병원으로 향하지만 아내는 이미 시체가 되어 있다. 이에 절망한 철호는 방황하다가 치과에 들러 평소 앓던 이를 모두 빼 버린다. 그러고는 과다한 출혈로 점점 의식을 잃어 간다.

S#116. 그 집 앞

(그 집 옆 골목으로 비틀거리고 나온 철호가 시궁창에 가서 쭈그리고 앉는다. / "왈칵" 쏟아져 나오는 피. / 그는 저고리 소매로 입술을 닦으며 일어선다. / 눈앞이 빙글빙글 돌기 시작한다. / 그는 휘청거리고 나가서는 지나가는 자동차를 세우고 던져지듯 털썩 차 안에 쓰러지자 택시는 구르기 시작한다.)

소주제 ❶ □□이 불분명한 상태에서 택시를 타는 철호

S#117. 자동차 안

조수 : 어디로 가시죠? / **철호** : 해방촌! / (자동차가 원을 그리며 돌자) / **철호** : 아냐. 동대문 부인 병원으로. / (이번엔 반대로 커브를 돌리자) / **철호** : 아냐. 종로서로 가아!

(운전수와 조수가 못마땅해서 힐끗 돌아본다.)

소주제 ❷ 마음의 정처를 잃고 갈 곳을 몰라 하는 □□

S#118. 동대문 부인과 •산실

(아이는 몇 번 앙! 앙! 거리더니 이내 그친다. / 그 옆에 허탈한 상태에 빠진 명숙이가 아이를 멍하니 바라보며 앉아 있다. / 여기에 ㉠W되는 명숙의 소리.)

명숙 : 오빠 돌아오세요, 빨리. 오빠는 늘 아이들의 웃는 얼굴이 세상에서 젤 좋으시다고 하셨죠? 이 애도 곧 웃을 거예요. 방긋방긋 웃어야죠. 웃어야 하구 말구요. 또 웃도록 우리가 만들어 줘야죠.

소주제 ❸ 무의식 중에 떠올린 □□의 죽음

S#119. 경찰서 앞 / (택시가 와 선다.)

S#120. 자동차 안 / (조수가 뒤를 보며)

조수 : 경찰섭니다. / (혼수상태의 철호가 눈을 뜨고 경찰서를 물끄러미 내다보다가 뒤로 쓰러지며)

철호 : 아니야. 가! / **조수** : 손님 종로 경찰선데요. / **철호** : 아니야. 가! / **조수** : 어디로 갑니까?

철호 : 글쎄 가재두 —. / **조수** : 참 딱한 아저씨네. / **철호** : …….

(운전수가 자동차를 몰며 조수에게)

운전수 : 취했나? / **조수** : 그런가 봐요.

운전수 : 어쩌다 오발탄 같은 손님이 걸렸어. 자기 갈 곳도 모르게.

(철호가 그 소리에 눈을 떴다가 스르르 감는다. / 밤거리의 풍경이 쉴 새 없이 뒤로 흘러간다. / 여기에 철호의 소리가 W한다.)

철호 : (　㉡　) 아들 구실, 남편 구실, 애비 구실, 형 구실, 오빠 구실, 또 사무실 서기 구실, 해야 할 구실이 너무 많구나. 그래, 난 네 말대로 아마도 조물주의 오발탄인지도 모른다. 정말 갈 곳을 알 수가 없다. 그런데 지금 나는 어딘지 가긴 가야 하는데—.

(이때 네거리에 자동차가 벨 소리와 함께 선다.)

조수 : (돌아보며) 어딜 가시죠? / (철호가 의식이 몽롱해진 소리로)

철호 : 가자—.

소주제 ❹ 의식이 점점 □□해지는 철호

작품 개관

- 갈래 시나리오
- 성격 비판적, 사회 고발적
- 배경 [시간적] 한국 전쟁 직후
  [공간적] 서울 해방촌 일대
- 주제 전후의 가치관이 상실된 암울한 세태 비판
- 특징
  ① 전후 한국 사회의 빈곤과 부조리를 고발한 이범선의 동명(同名) 소설이 원작임
  ② 주인공 철호의 인간상과 내면의 허무 의식 표출에 역점을 둠
  ③ 문제의 해결보다는 절망적인 상태를 보여 주며 끝맺음으로써 여운을 남김
  ④ 다양한 고도의 영상 기법을 사용하여 비극적인 상황을 효과적으로 형상화함

1등급 노트

1. 오발탄(誤發彈)의 상징성

'잘못 발사된 탄알'을 뜻하는 것으로, 현실의 중압감을 견디지 못하여 방향을 상실하고 방황하는 철호의 모습을 상징함 → 전후의 비참한 현실 속에서 방황하는 인간의 비극을 함축함 → 가난 때문에 삶을 온전하게 살지 못하는 가족들의 비극적 상황은 철호를 방향 감각을 상실한 오발탄과 같은 존재로 만듦

2. 치통과 이를 뽑는 행위의 상징성

- 철호의 치통은 그가 처한 현실을 상징함 → 생활고로 인해 고통을 참고 살아옴
- 아내의 죽음으로 인해 절망에 빠진 그는 아픈 이를 모두 뽑기로 결심함 → 부조리한 현실에 대한 일종의 항거. 즉, 지금까지 지켜 왔던 양심의 걸림돌을 뽑아 버리려는 의도이자 그를 얽매어 왔던 가난과 가족에 대한 압박감으로부터 벗어나고자 하는 의식의 표출로 볼 수 있음

3. 마지막 장면에 나타난 작가의 의도

'유성'과 '목적지를 모르는 채 달려가는 택시'는 탈출구 없는 현실의 절망적 상황을 상징적으로 보여 줌 → 바르게 살려고 아무리 노력해도 소용없는 현실적 비극과 절망의 표현임

정답과 해설 40쪽

S# 121. 하늘

(도시의 소음이 번져 가는 초저녁 하늘. / •유성(流星)이 하나 길게 꼬리를 문다.)

S# 122. 교차로

(때르릉 벨이 울리자 — 신호가 켜진다. / 철호가 탄 차도 목적지를 모르는 채 꼬리에 꼬리를 물고 행렬에 끼어서 멀리멀리 사라져 간다.)

소주제 ❺ □□□ 없이 떠도는 절망적인 현실

– 이범선 원작 / 나소운 · 이종기 각색

어휘 다지기

- 오발탄 : 잘못 쏜 탄환
- 산실 : 병원 등에서 해산하는 방
- 유성(流星) : 지구의 대기권 안으로 들어와 빛을 내며 떨어지는 작은 물체

소주제 체크

1. 양심 2. 철호 3. 아이 4. 울음 5. 목적지

1 이 글과 같은 갈래의 특징으로 적절하지 않은 것은?

① 사건이 현재형의 진술로 전개된다.
② 영상물로 제작되어 필름으로 보존된다.
③ 서술자가 사건 전개에 있어 중요한 역할을 한다.
④ 인물의 행동과 대사를 통해 삶의 모습이 드러난다.
⑤ 이야기의 전개에 따른 장면 전환이 비교적 자유롭다.

2 ㉠에 따른 화면 처리 방법으로 가장 적절한 것은?

① 화면이 점점 밝아지게 처리한다.
② 화면이나 대사를 겹치게 처리한다.
③ 화면의 피사체가 차츰 사라져 가게 한다.
④ 한 화면이 차츰 사라지며 다른 화면으로 변하게 한다.
⑤ 화면은 그대로 두고 목소리만 들리는 효과음으로 처리한다.

3 ㉡에 들어갈 시나리오 용어로 적절한 것은?

① W ② E ③ F.O ④ O.L ⑤ C.U

4 수능형 이 글을 영화로 제작할 때, 감독이 촬영 전에 주문할 사항으로 적절하지 않은 것은?

① S# 116. – 분장 담당은 철호의 혼미하고 어지러운 상태를 잘 나타낼 수 있도록 분장에 신경을 써 주세요.
② S# 117. – 촬영 담당은 자동차가 원을 그리며 도는 장면을 실감나게 촬영해 주세요.
③ S# 118. – 조연출은 아이가 몇 번 울다가 그칠 수 있도록 아이 부모에게 미리 이야기를 하고 양해를 구하세요.
④ S# 120. – 운전수와 조수는 절망하는 철호를 아랑곳하지 않고 제 할 일만 하는 모습이 잘 드러나도록 무심한 어조로 연기해 주세요.
⑤ S# 120. – 철호는 독백이 중요하니까 표정과 대사에서 절망감과 방향 상실감이 잘 드러나도록 연기해 주세요.

5 이 글에서 빈번하게 나타나는 장면 전환의 의미로 가장 적절한 것은?

① 이상적인 세계의 출현
② 주인공의 의식의 혼란
③ 세상에 대한 분노와 적개심
④ 과거의 삶에 대한 회귀 본능
⑤ 비극적인 현실에 대한 극복 의지

6 이 글에서 방향을 상실하고 방황하는 '철호'의 처지를 단적으로 나타낸 단어를 쓰시오.

7 이 글의 결말 부분인 S# 121과 S# 122에 대한 설명으로 적절하지 않은 것은?

① 문제의 해결 없이 끝맺음으로써 관객에게 여운을 남기고 있다.
② 상징적인 배경의 처리로 인물의 심리 상태를 간접적으로 제시하고 있다.
③ '철호가 탄 차'가 사라지는 장면은 절망적인 사회 현실을 외면하는 지식인의 모습을 암시한다.
④ 떨어지는 '유성'은 아무런 탈출구도 없이 절망과 비극에 처한 철호의 처지를 상징적으로 드러낸다.
⑤ 올바르게 살려고 아무리 노력해도 헛된 꿈으로 끝나고 마는 현실적 비극을 '유성'에 투사하여 표현하고 있다.

8 서술형 이 글의 원작자가 '철호' 일가의 삶을 통해 고발하고자 하는 것은 무엇인지 서술하시오.

01 공무도하가 · 구지가 · 황조가

p.12

[공무도하가]

고조선 때 뱃사공 곽리자고가 새벽에 일어나 배를 손질하고 있는데 머리가 센 미친 사람(백수 광부)이 머리를 풀고 술병을 낀 채 물살을 헤치며 건너려 하였다. 그의 아내가 뒤따르며 막아 보려 했으나 막지 못하고 미친 사람은 결국 물에 빠져 죽고 말았다.

이에 그의 아내는 공후를 타며 공무도하(公無渡河)의 노래를 지었는데 그 소리가 매우 구슬펐으며, 노래를 마치고는 스스로 물에 몸을 던져 죽었다. 곽리자고는 집으로 돌아와 이 이야기를 아내인 여옥에게 했고 여옥은 백수 광부의 아내가 부르던 노래를 다시 노래로 불렀다.

[구지가]

옛날 가락국의 김해라는 마을 북쪽에 구지봉이란 산이 있는데 그곳에서 이상한 소리가 들려왔다. 마을 사람들 2, 3백 명이 구지봉으로 몰려가니 아무 모습도 보이지 않는데 어디선가 사람 소리가 들렸다.

"이곳에 사람이 있느냐, 없느냐?"

아홉 명의 추장들(구간)이 무릎을 꿇고 하늘을 우러러 소리쳤다.

"예, 저희들이 이곳에 와 있습니다."

다시 하늘에서 소리가 들려왔다.

"내가 와 있는 곳이 어디냐?"

"바로 구지봉이란 곳입니다."

하늘에서 / "황천께서 내게 명령하시기를 이곳에 가서 나라를 새롭게 하여 왕이 되라고 하셨다. 내가 일부러 이곳에 내려왔으니 너희들은 마땅히 산꼭대기에서 흙을 파면서 노래를 부르고 춤을 추어서 나를 맞이하도록 하여라." / 하였다.

그곳에 모인 추장과 많은 사람들이 이 소리를 듣고 땅에 엎드려 정성껏 빌고 하늘에서 가르쳐 준 노래를 부르며 춤을 추었다. 그러자 하늘에서 내려온 황금 알 여섯이 사람으로 변하였는데 그중에 처음으로 나온 사람을 '수로'라 한다.

[황조가]

고구려 제2대 왕인 유리왕 3년에 왕비 송 씨가 세상을 떠나자 왕은 다시 두 여자를 계비로 맞아들였다. 하나는 골천(鶻川) 여자 화희(禾姬)요, 다른 하나는 한인(漢人) 여자 치희(雉姬)였다. 두 여자는 왕의 사랑을 다투어 사이가 좋지 않았다. 어느 날 왕이 기산으로 사냥을 나가 이레 동안 돌아오지 않았다. 이때 두 여인 사이에 큰 싸움이 일어났는데 화희가 치희에게 "너는 한나라 집에서 온 천한 계집의 몸으로 어찌 그리 무례하게 구느냐?"라고 꾸짖었다. 이에 치희는 부끄럽고 분해서 제 나라로 돌아가 버렸다. 뒤늦게 왕이 말을 달려 치희를 찾아 나섰으나 치희는 노여워 돌아오지 않았다. 왕은 혼자 돌아오는 길에 마침 쌍쌍이 노니는 꾀꼬리를 보고 이 노래로써 외로움을 읊었다.

02 정읍사 · 처용가

p.14

[정읍사]

정읍은 전주에 소속된 현이다. 이 고을 사람이 행상을 떠나 돌아오지 않으므로 그 아내가 산 위의 바위에 올라 남편이 밤길을 오다가 해를 입을 것에 대한 염려를 진흙물에 더러워짐에 비유하여 이 노래를 불렀다. 남편을 기다리던 고개에 돌(망부석)이 남아 있다고 한다.

〈참고 – 망부석 설화〉

신라 눌지왕 때에 박제상이 왕의 동생 미사흔을 데리러 일본으로 가서 미사흔은 구출했지만 자신은 돌아오지 못했다. 그의 아내는 자녀를 데리고 치술령에 올라가 일본을 바라보며 남편을 기다리다가 돌이 되는데 그 돌을 '망부석'이라고 하게 되었다. 뒷날 사람들은 그의 아내를 치술령 신모(神母)로 모시고 이를 소재로 '치술령곡'을 지었다.

[처용가]

신라 제49대 헌강왕 때에는 서울에서 지방까지 집과 담이 연이어져 있고 초가집은 하나도 없었다. 길거리에 풍악이 그치지 않고 비바람도 사철 순조로웠다. 이때에 왕이 개운포에 놀러 나갔다가 곧 돌아오려고 하면서 물가에서 쉬는데, 문득 짙은 구름과 안개가 끼어 길을 분간하기 어려웠다. 괴이하게 여겨 좌우에게 물으니, 아뢰기를

"이는 동해 용왕의 조화이므로 마땅히 용왕을 위해 좋은 일을 하여 그 마음을 풀어 주셔야 합니다."

하였다. 용을 위하여 절을 세우라는 왕의 명이 떨어지자 안개가 걷히고 구름이 개었으므로 '개운포'라고 이름지었다. 이윽고 동해 용왕이 기뻐하여 일곱 아들을 데리고 헌강왕 앞에 나와 춤을 추게 했다.

그때 용왕의 아들 하나가 헌강왕을 따라 서울에 와서 정사를 보좌하였는데 이름을 '처용'이라 했다. 왕은 미녀를 골라 아내를 삼게 하고 급간 벼슬을 주어 머물게 했다. 그 아내가 매우 아름다웠으므로 역신이 흠모하여 사람의 형상으로 변해 밤에 몰래 들어와 동침했다. 밖에서 놀다가 밤늦게 돌아온 처용은 그 광경을 보고 노래를 부르고 춤을 추며 물러나갔다. 그러자 역신이 감복하여 앞에 꿇어 앉아 말하기를,

"내가 공의 아내를 흠모하여 지금 잘못을 범하였는데, 노하지 않으시니 감격하여 아름답게 여기는 바입니다. 이후로는 맹세코 공의 모습을 그린 그림만 보아도 그 집에는 들어가지 않겠습니다."

하였다. 이로 말미암아 나라 사람들은 처용의 형상을 문에 붙여서 사귀(邪鬼)를 물리치고 경사를 맞아들였다.

03 찬기파랑가 · 제망매가

p.16

[찬기파랑가]

신라 경덕왕 때의 일이다. 3월 삼짇날 왕이 귀정문 문루에 나와 좌우에 있는 사람더러 이르기를

"누가 길에 나서서 훌륭하게 차린 중 하나를 데려올 수 있겠느냐?"

하였다. 마침 상당한 지위에 있는 한 중이 점잖고 깨끗하게 차리고 슬렁슬렁 오는 것을 좌우에 있던 사람이 보고 곧 데려왔다. 왕이 말하기를

"내가 훌륭하게 차려야 한다고 말한 것은 이런 것이 아니다."

라고 하여 그만 돌려 보냈다. 또 한 중이 옷을 기워 입고 벚나무로 만든 통을 지고 남쪽으로부터 오고 있었다. 왕이 기쁘게 대하면서 문루 위로 맞아들였다. 그 통 속을 들여다보니 차 다리는 제구가 들어 있을 뿐이었다. 왕이 묻기를

"그대는 누구인가?"

중이 말하기를

"충담입니다."

또 묻기를

"어디서 오는 길인가?"

중이 말하기를

"소승이 매년 3월 삼짇날과 9월 9일 날은 차를 다리어 남산 삼화령에 계신 부처님께 올립니다. 지금도 차를 올리고 막 돌아오는 길입니다."

왕이 말하기를

"나도 그 차 한 잔을 얻어 마실 연분이 있겠는가?"

중이 차를 다리어 올리었는데 차 맛이 희한하고, 차 중에서 이상한 향기가 무럭무럭 났다. 왕이 말하기를

"내가 일찍이 듣건대 대사의 기파랑을 찬양한 사뇌가는 그 뜻이 심히 높다고 하는데 과연 그런가?"

대답하기를

"네, 그렇습니다."

왕이 말하기를

"그러면 나를 위해서 백성을 편안히 살도록 다스리는 노래를 지으라."

중이 그 즉시 임금의 명령에 의해서 노래를 지어 바치었더니 왕이 잘 지었다고 칭찬하고 왕사(王師)로 봉하였다. 그러나 중은 두 번 절한 다음 그 벼슬을 사양하고 받지 않았다.

[제망매가]

월명사가 죽은 여동생을 추모하는 재(齋)를 지내던 중 이 노래를 지어 부르니, 갑자기 불어온 광풍이 지전(紙錢 ; 죽은 자에게 주는 노자(路資))을 서쪽으로 날리었다고 한다.

새 문학 교과서·EBS·기출 필수 작품을 총정리한

최고의 **문학 문제집**

문학 비책

정답과 해설

전국 2만여 교·강사의 문학 수업 비법을 매년 모아
문학비책에 가득 담았습니다.

정답과 해설

정답

Ⅰ 상고 시대

01 공무도하가 · 구지가 · 황조가

p.12 1① 2③ 3① 4④ 5③ 6① 7⑤ 8② 9④ 10 [나]는 집단의 소망이 이루어지기를 바라는 주술성이 강한 집단 서사시인 데 반해, [가]와 [다]는 임을 잃은 슬픔이라는 개인의 감정을 표현한 서정시이다.

02 정읍사 · 처용가

p.14 1③ 2② 3⑤ 4④ 5④ 6② 7④ 8 역신(疫神)이 처용의 아내를 침범하였다는 것은 처용의 아내가 병이 들었다는 것을 비유한 표현이며, 무당이었던 처용이 이를 알고 이 노래로 아내의 병을 고친 것으로 볼 수 있다.

03 찬기파랑가 · 제망매가

p.16 1⑤ 2④ 3② 4② 5① 6② 7① 8 화자는 누이의 죽음으로 인한 슬픔을 종교적 차원(불교적 윤회 사상)에서 극복하고자 한다.

04 추야우중 · 제가야산독서당 · 여수장우중문시

p.18 1④ 2① 3⑤ 4④ 5④ 6⑤ 7② 8 [B]는 상대의 적장인 우중문의 승승장구에 대해 칭찬을 하는 것처럼 보이지만, 이면에는 싸움을 그치지 않으면 가만두지 않겠다는 의도를 전달하고 있다.

05 단군 신화

p.20 1⑤ 2② 3④ 4④ 5③ 6⑤ 7① 8③ 9 인간이 되기 위해 곰과 호랑이는 굴속에서 쑥과 마늘을 먹으면서 백 일 동안 햇빛을 보지 말아야 했다.

06 주몽 신화

p.22 1② 2⑤ 3② 4⑤ 5③ 6③ 7 주몽이 왕자의 질투 때문에 나무에 묶이는 것이 첫 번째 시련이며, 남행하는 도중에 개사수에서 배가 없어 길이 막히는 것이 두 번째 시련에 해당한다.

07 바리데기

p.24 1④ 2⑤ 3② 4⑤ 5⑤ 6③ 7 바리데기가 약려수를 구하기 위해 무상 신선으로부터 9년간의 노동과 출산의 고통을 받게 되므로 '고난'의 과정에 해당한다.

08 조신의 꿈

p.26 1② 2⑤ 3⑤ 4③ 5 '세규사'와 '정토사'는 전설의 구체적인 증거물로서 작품의 신빙성을 더해 준다.

09 화왕계

p.28 1③ 2② 3① 4① 5② 6⑤ 7⑤ 8 좋은 약은 입에 쓰듯이, 임금은 간사하고 아첨하는 자보다 정직하고 강직한 신하를 가까이 두어야 한다.

Ⅱ 고려 시대

01 가시리 · 서경별곡

p.32 1② 2② 3⑤ 4 Ⓐ : 애원, Ⓑ : 원망, Ⓒ : 체념, Ⓓ : 기원 5④ 6③ 7② 8③ 9④ 10⑤ 11③ 12⑤ 13③ 14② 15④ 16③ 17 [가]와 [나]에 이별의 상황과 어울리지 않는 후렴구가 쓰인 것은 민간에서 불려지다가 궁중으로 들어와 궁중의 속악으로 채택되어 불리는 과정에서 후렴구가 덧붙여졌기 때문인 것으로 추정된다.

02 정석가

p.36 1⑤ 2② 3⑤ 4② 5⑤ 6 불가능한 상황을 설정한 후 그것이 이루어질 때 이별하겠다고 말하여 이별을 거부하고 있다.

03 동동

p.38 1① 2③ 3③ 4③ 5② 6① 7④ 8⑤ 9④ 10⑤ 11① 12① 13① 14 고려 가요는 조선 시대에 문자로 정착되어 궁중 의식에 사용되면서 개작되기도 하였는데, 이 작품이 궁중 연악으로 쓰이면서 임금에 대한 송축의 의미를 지닌 장이 덧붙여진 것이 [가]라고 추측할 수 있다.

04 청산별곡

p.42 1④ 2① 3④ 4① 5④ 6④ 7③ 8 구조상 청산 노래와 바다 노래가 대칭을 이루어 화자가 지향하는 이상향을 노래하고 있다고 해석할 수 있기 때문이다.

05 정과정

p.44 1③ 2④ 3⑤ 4① 5④ 6④ 7 이 작품의 화자가 자신은 잘못이 없다고 말하고 있는 반면, 〈보기〉의 화자는 자신의 행동이 지나쳤다는 것을 인정하고 있다.

06 한림별곡

p.46 1⑤ 2③ 3④ 4② 5② 6① 7 ㉡은 유흥을 즐기기 위한 단순한 소재로 사용되고 있으나, 〈보기〉의 '그네'는 현실의 구속에서 벗어나 이상 세계로 나아가고자 하는 화자의 열망을 상징하는 소재로 사용되고 있다.

07 송인 · 사리화 · 부벽루

p.48 1⑤ 2④ 3 물 4④ 5② 6④ 7⑤ 8④ 9 [가]의 결구는 과장법을 사용하여 이별을 슬퍼하는 화자의 내면적 정서를 강조하여 드러내고 있다.

08 ᄒᆞᆫ 손에 막ᄃᆡ 잡고 ~ 외

p.50 1① 2③ 3② 4⑤ 5① 6③ 7② 8⑤ 9 구름이 밝은 햇빛을 따라다니며 가리기 때문이다.

09 공방전

p.52 1③ 2④ 3⑤ 4④ 5⑤ 6④ 7② 8 돈의 긍정적 측면과 부정적 측면의 양면성이 있음을 나타내고 있다.

10 국선생전

p.54 1① 2② 3④ 4⑤ 5 성(聖)이 자기 스스로 물러날 때를 알아 천수를 다하는 모습을 통해 신하도 때를 보아 물러날 줄 알아야 한다는 작가의 의도를 전달하고 있다.

11 경설 · 이옥설

p.56 1③ 2① 3⑤ 4④ 5④ 6⑤ 7① 8③ 9 '거울'은 인간의 내면을 비춰 주는 도구로, 바람직한 삶의 자세와 처세의 방법을 일깨워 주는 역할을 한다.

Ⅲ 조선 전기

01 용비어천가

p.60 1① 2① 3④ 4② 5⑤ 6③ 7 육조의 사적을 중국의 사적과 비교함으로써 조선 건국의 정당성을 중국의 권위에 의존하여 밝히려 하고 있다.

02 춘망 · 강촌 · 귀안

p.62 1⑤ 2① 3④ 4③ 5① 6 '장기판'과 '낚시 바늘'이라는 소재가 인간사의 다툼과 모략을 나타내는 것으로 보고, 이러한 현실을 풍자하고자 하는 의도가 담겨 있는 것으로 해석할 수 있다.

03 무어별 · 곡자

p.64 1⑤ 2③ 3⑤ 4⑤ 5③ 6④ 7 ㉠과 ⓐ는 모두 작품의 애상적 분위기를 고조시키는 기능을 하고 있다.

04 흥망이 유수ᄒᆞ니~ 외

p.66 1② 2③ 3④ 4① 5① 6④ 7③ 8③ 9 고려 왕조의 멸망으로 인한 한과 인생무상의 심정을 나타내고 있다.

05 수양산 ᄇᆞ라보며~ 외

p.68 1④ 2② 3② 4④ 5⑤ 6③ 7④ 8 [가]에서 화자는 숭고한 절의를 상징하는 '백이와 숙제'를 비판함으로써 자신의 충절 의지를 강조하고 있다.

06 어부단가 외

p.70 1④ 2② 3③ 4③ 5④ 6① 7⑤ 8④ 9 세속적 명리(名利)를 초월하고 자연 속에서 자연과의 조화로운 삶을 추구하고 있다.

07 동지ㅅ돌 기나긴 밤을~ 외

p.72 1⑤ 2④ 3③ 4① 5④ 6① 7⑤ 8 '뫼버들'과 '아츰 약'은 임에게 보내는 사랑을 상징하고 있다.

08 강호사시가

p.74 1② 2③ 3④ 4② 5② 6④ 7 우리나라 최초의 연시조이며, 강호가도(江湖歌道)의 선구적 작품이다.

09 도산십이곡

p.76 1⑤ 2① 3② 4⑤ 5③ 6⑤ 7④ 8 〈언지(言志)〉는 자연에 동화된 감흥을 노래하고 있고, 〈언학(言學)〉은 주로 학문 수양에 대한 의지를 드러내고 있다.

10 상춘곡

p.78 1⑤ 2④ 3② 4③ 5⑤ 6⑤ 7① 8② 9④ 10⑤ 11 조선 전기 가사는 향유층이 양반 위주이며, 그 내용이 '강호 한정, 안빈낙도' 등에 한정되어 있었다.

11 사미인곡

p.81 1① 2④ 3③ 4② 5② 6⑤ 7⑤ 8 '심산(深山) 궁곡(窮谷)'은 임금의 선정이 미치지 못하는 곳으로, 화자가 있는 유배지를 포함하는 것으로 볼 수 있다. 화자는 임금의 선정을 기대하면서 억울하게 물러난 자신의 처지를 임금이 알아주기를 바라고 있다.

12 속미인곡

p.84 1④ 2① 3① 4④ 5⑤ 6③ 7④ 8 '낙월'은 잠깐 동안 임을 바라보다 사라지는 것(소극적)이고, '구즌비'는 오랫동안 임의 가까이에서 내릴 수 있는 것(적극적)으로 을녀의 눈물을 함축적으로 나타내어 임을 그리는 애타는 마음을 전할 수 있다.

13 규원가

p.87 1⑤ 2⑤ 3③ 4④ 5⑤ 6③ 7① 8 화자는 남편의 사랑을 잃고 독수공방하며 슬픔에 잠겨 있다.

14 주옹설

p.90 1② 2③ 3④ 4④ 5③ 6④ 7 주옹은 위험 속에서 늘 조심하는 삶을 강조하고 이를 위해 중용의 자세를 지닐 것을 말하고 있다.

15 만복사저포기

p.92 1② 2① 3⑤ 4⑤ 5④ 6 '배꽃나무, 비취새, 원앙새'는 인물의 외로움을 심화시키는 역할을 한다.

16 이생규장전

p.94 1⑤ 2④ 3② 4④ 5③ 6⑤ 7③ 8 ㉮에 묘사된 배경은 전란으로 인해 폐허가 된 집 내부의 모습이다. ㉮는 쓸쓸한 분위기를 조성하여 가정의 파멸과 사랑하는 여인을 잃은 상실감으로 인해 슬픔에 잠긴 이생의 심리를 효과적으로 드러내는 역할을 한다.

Ⅳ 조선 후기

01 보리타작 · 고시 7

p.98 1① 2③ 3③ 4④ 5① 6② 7① 8 화자는 열심히 일하는 농민들의 모습을 보다가 벼슬길에 집착하던 자신의 삶을 반성하면서 몸과 마음이 합일되는 즐거운 삶을 다짐하고 있다.

02 내 삿갓 · 절명시

p.100 1① 2③ 3① 4① 5④ 6④ 7③ 8 [나]는 나라를 잃은 상실감에서 기인하는 비애와 절망을 노래하고 있으므로, 비장미가 잘 나타난다.

03 짚방석 내지 마라~ 외

p.102 1④ 2① 3③ 4③ 5④ 6③ 7④ 8② 9 서검의 뜻을 이루지 못한 회한을 청산에서 해소하고자 함

04 붉가버슨 아해ㅣ들리~ 외

p.104 1① 2④ 3① 4⑤ 5⑤ 6① 7② 8④ 9 [다]의 화자는 '실솔(蟋蟀)'의 넋이 되어 잠든 임을 깨우는 방법을 통해 임에 대한 그리움의 한을 풀려고 하고 있다.

05 어이 못 오던다~ 외

p.106 1⑤ 2④ 3④ 4① 5③ 6③ 7② 8 [가]~[다]는 〈보기〉와 같은 평시조에 비해 두 구 이상의 중장이 길어진 사설시조로서의 특징을 보인다.

06 동기로 세 몸 되어~ 외

p.108 1⑤ 2⑤ 3③ 4⑤ 5⑤ 6⑤ 7④ 8 [가]는 평시조로서 압축되고 절제된 형식인 데 반해 [나]와 [다]는 사설시조로서 다소 장황하고 산만한 형식이다. 이러한 차이가 발생한 이유로는 임진왜란과 병자호란의 양란을 거치면서 급성장한 서민 의식과 산문 정신의 확산을 들 수 있다.

07 나모도 바히 돌도 업슨 뫼헤~ 외

p.110 1⑤ 2③ 3① 4④ 5① 6① 7② 8⑤ 9② 10 삶의 답답함을 가슴에 창을 내어 여닫음으로써 해소해 보겠다고 했기 때문이다.

08 댁들에 동난지이 사오~ 외

p.112 1④ 2⑤ 3④ 4③ 5⑤ 6④ 7① 8① 9④ 10 [가]와 [다]의 화자는 비판 대상을 해학적이며 풍자적으로 그리고 있다.

09 어부사시사

p.114 1⑤ 2③ 3⑤ 4③ 5③ 6① 7① 8 화자는 강촌(자연)에서 어부 생활을 하며 흥겨운 삶을 살고 있다.

10 만흥

p.116 1⑤ 2⑤ 3② 4④ 5⑤ 6① 7 화자가 찾은 '자연'은 현실을 벗어난 공간으로 볼 수 있다. 이는 현실에 대한 부정적이고 비판적인 화자의 태도가 반영된 것이라고 할 수 있다.

11 누항사

p.118 1⑤ 2③ 3④ 4② 5④ 6 화자는 궁핍하고 누추한 현실과 안빈낙도하는 삶 사이에서 갈등하고 있다.

12 농가월령가

p.120 1② 2① 3① 4④ 5⑤ 6 농사일을 열심히 하고 세시 풍속을 지켜 나가기를 권장하기 위해서이다.

13 일동장유가

p.122 1④ 2② 3④ 4③ 5④ 6⑤ 7② 8 이 작품과 〈보기〉 모두 여행 과정에서의 견문과 감상을 적은 기행 가사이다.

14 정선 아리랑

p.124 1④ 2② 3④ 4② 5① 6③ 7 저물어 가는 봄이 몰락한 고려 왕조를 의미하므로, 늦봄에 우는 두견새의 울음이 한의 정서를 통해 애상감을 자아낸다.

15 시집살이 노래

p.126 1① 2② 3④ 4⑤ 5⑤ 6③ 7 이 작품과 〈보기〉의 화자 모두 시집살이를 하는 며느리라는 공통점을 갖지만, 이 작품의 청자는 동생인 데 반해, 〈보기〉의 청자는 시어머니라는 점에서 차이점을 보인다.

16 홍길동전

p.128 1⑤ 2⑤ 3④ 4④ 5⑤ 6⑤ 7 적서 차별이라는 봉건적 사회 제도와 부패한 정치 현실에 대한 비판을 담고 있다.

17 사씨남정기

p.130 1⑤ 2④ 3⑤ 4② 5⑤ 6 처첩의 신분상의 차이와 첩에 대한 부당한 대우 등 당시 만연했던 축첩 제도의 불합리성이 갈등의 근본 원인이라고 할 수 있다.

정답

18 유충렬전

p.132 1④ 2② 3⑤ 4① 5④ 6 영웅 서사 구조의 유형성을 충실하게 유지한 영웅 소설의 대표작이다.

19 홍계월전

p.134 1② 2⑤ 3② 4① 5⑤ 6 계월이 여성임에도 뛰어난 능력을 발휘하고 전쟁 후 가정에 돌아가서도 공적 지위를 유지한 것에서 여성의 위치에 대한 의식의 성장을 보여 주고 있다.

20 박씨전

p.136 1③ 2⑤ 3④ 4① 5④ 6④ 7① 8 여성도 남성 못지않게 우수한 능력을 갖추어 국난을 타개할 수 있다는 의식을 반영한 것으로 볼 수 있다.

21 광문자전

p.138 1② 2④ 3③ 4③ 5⑤ 6③ 7 일반적인 고전 소설의 주인공은 〈보기〉와 같이 명문가의 후예이거나 뛰어난 능력을 지닌 경우가 많지만, 광문은 미천한 비렁뱅이이다.

22 구운몽

p.140 1② 2⑤ 3④ 4① 5⑤ 6④ 7 (1) 세속적 욕망은 뜬구름처럼 덧없는 것이라는 의미이다. (2) 입몽과 각몽으로 이어지는 환몽 구조와 관련된다.

23 흥부전

p.142 1③ 2① 3④ 4⑤ 5② 6② 7④ 8 판소리가 소설로 정착하면서 현장에서 관객을 대상으로 직접 공연하던 판소리의 특징이 남아 있기 때문이다.

24 춘향전

p.144 1④ 2⑤ 3③ 4 옥중화 5⑤ 6① 7 춘향에게 '옥'은 시련의 장소인 동시에, 사랑을 완성하기 위해 반드시 거쳐야 할 통과 제의적 공간이다.

25 장끼전

p.146 1⑤ 2① 3③ 4① 5③ 6④ 7④ 8 장끼는 까투리의 말을 듣지 않고 콩을 먹으려다가 덫에 걸린다. 이는 장끼의 권위주의적이고 고집스러운 성격 때문이라고 할 수 있다.

26 심청가

p.148 1④ 2㉮: 심청전, ㉯: 강상련 3④ 4⑤ 5① 6⑤ 7 심 봉사는 자식에 대한 부성애가 강한 인물이며, 자신의 처지로 인해 심청이 죽고 말았다는 죄책감에 사로잡혀 있다.

27 흥보가

p.150 1③ 2③ 3⑤ 4 골계미 5⑤ 6⑤ 7① 8 매품을 팔아야 할 정도로 경제적인 궁핍을 겪는 사람들이 많았다. 또, 죄를 지어도 돈으로 죗값을 치를 수 있을 만큼 부정부패가 만연했다.

28 통곡할 만한 자리

p.152 1② 2⑤ 3③ 4③ 5④ 6 울음과 웃음 모두 복받쳐 나오는 감정이 이치에 맞아 터지는 것이기 때문이다.

29 한중록

p.154 1② 2④ 3⑤ 4② 5② 6③ 7① 8③ 9⑤ 10 ① 역사적 인물이 쓴 글이므로 역사의 보조 자료가 된다. ② 임오화변을 재검토하는 데 도움을 주는 실기 문학(實記文學)이다. ③ 궁중 문학이라는 점에서 궁중 풍속의 연구 자료가 된다.

30 서포만필

p.156 1② 2④ 3③ 4③ 5⑤ 6⑤ 7④ 8③ 9 인간의 성정이 자연스럽게 드러나며, 저속하지 않고, 순우리말의 구사가 돋보인다.

31 조침문

p.158 1⑤ 2⑤ 3⑤ 4③ 5③ 6① 7 바늘을 의인화하여 마치 대화하듯이 글쓴이의 애통한 심정을 제문 형식으로 표현하였다. 또, 내간체를 사용하여 문장의 가락이 유려하고 여성 특유의 섬세한 감정과 치밀함이 돋보인다.

32 봉산 탈춤

p.160 1⑤ 2② 3⑤ 4⑤ 5⑤ 6 탈춤은 상층의 양반과 하층의 서민들이 함께 향유하였기 때문에 한자어와 비속어가 함께 사용되었다.

33 양주 별산대놀이

p.162 1④ 2① 3① 4④ 5⑤ 6 양반이 가난하여 납채를 못 들이거나 권력을 이용하여 뇌물을 챙기는 모습에서 양반들의 경제적 몰락상과 부패한 사회상을 확인할 수 있다.

V 개화기 ~ 광복 이전

01 해에게서 소년에게

p.166 1③ 2④ 3⑤ 4⑤ 5② 6② 7④ 8 '바다'는 서구 문물로 대표되는 근대 문명을 의미하며, '소년'은 근대 문명을 이끌어 갈 새로운 세대를 의미한다.

02 빼앗긴 들에도 봄은 오는가

p.168 1⑤ 2⑤ 3③ 4⑤ 5② 6③ 7⑤ 8 '빼앗긴 들'은 '일제 강점하의 조국'을, '봄'은 '조국 광복'을 의미하는 것으로, '~봄은 오는가'라는 의문형으로 끝이 난 것은 시적 화자가 조국 광복을 간절히 기다리지만 봄이 오기는 어려울 것이라고 회의하고 있음을 나타낸다. 즉 국권을 상실한 민족의 비통한 현실을 나타내는 것이다.

03 초혼

p.170 1① 2④ 3④ 4② 5① 6④ 7 '끝끝내 버릴 수 없는 민족애와 조국 광복에의 의지'를 의미한다.

04 접동새 · 산유화

p.172 1④ 2⑤ 3③ 4⑤ 5 작은 새 6⑤ 7 인간의 삶은 근원적으로 고독하다.

05 님의 침묵 · 알 수 없어요

p.174 1③ 2① 3④ 4④ 5④ 6④ 7④ 8④ 9 [가]의 시적 화자는 만남은 곧 헤어짐이요, 헤어짐은 곧 만남이라는 역설적 진리의 깨달음을 통해 이별이 만남을 위한 전제 조건임을 깨달았기 때문에 이별의 슬픔을 희망으로 전환시키고 있는 것이다.

06 향수

p.176 1① 2⑤ 3③ 4④ 5⑤ 6④ 7 '실개천', '질화로' 등의 향토적 정감이 물씬 풍기는 시어는 고향에 대한 추억을 환기시키고, '금빛 게으른 울음', '옛이야기 지줄대는 실개천' 등의 공감각적 이미지는 고향에 대한 정서를 환기시키며 시의 서정성을 높여 준다.

07 고향 앞에서

p.178 1④ 2③ 3④ 4④ 5① 6 이 시에서 '상실한 고향'은 '빼앗긴 조국'을 의미하는 것으로 식민지 치하에서 빼앗긴 조국을 되찾지 못하는 한, 고향의 모습 역시 과거 속의 기억으로만 존재할 수밖에 없기 때문에 화자의 귀향은 불완전할 수밖에 없는 것이다.

08 모란이 피기까지는 · 독을 차고

p.180 1⑤ 2⑤ 3③ 4④ 5⑤ 6 뚝뚝 7 [가]에서 '모란'은 시적 화자가 추구하는 삶의 보람이며 소망의 대상을 의미한다.

09 남신의주 유동 박시봉방

p.182 1⑤ 2② 3③ 4① 5⑤ 6⑤ 7④ 8 편지에 적는 발신 주소의 형식으로 되어 있는 '남신의주 유동 박시봉방'이라는 제목은 셋방에 살고 있는 화자의 근황을 알려 주며, 편지 형식을 통해 화자의 내면 의식과 정서를 보다 진솔하게 드러낼 수 있게 한다.

10 흰 바람벽이 있어

p.184 1④ 2④ 3④ 4③ 5④ 6② 7② 8 시퍼러둥둥하니 추운 날 9 가난하고 힘든 화자의 상황을 구체적으로 드러내는 소재이다.

11 거울

p.186 1③ 2③ 3④ 4① 5① 6⑤ 7 현실적 자아와 내면적 자아 사이의 분열이 심화되어 '거울 속의 나'와 '거울 밖의 나'가 완전히 독립적인 존재가 되었음을 의미한다.

12 낡은 집

p.188 1⑤ 2① 3④ 4③ 5⑤ 6⑤ 7 '낡은 집'은 일제 시대 우리 농촌의 비참한 삶을 상징하고 있다.

13 산도화 · 청노루

p.190 1④ 2② 3③ 4③ 5③ 6⑤ 7③ 8④ 9 청노루

14 승무

p.192 1⑤ 2⑤ 3③ 4③ 5② 6① 7④ 8 시적 허용을 통해 일상어에 비해서 예스럽고 부드러운 느낌을 자아내고 있다.

15 절정 · 교목 · 그날이 오면

p.194 1⑤ 2③ 3⑤ 4② 5② 6② 7 까마귀 8 '교목'은 어떤 유혹과 압력에도 흔들리지 않는 화자의 단호한 의지를 나타내는 객관적 상관물이며, 일제 강점하의 암담한 현실 속에서 굽힘 없이 꿋꿋하게 살고자 하는 화자의 삶의 자세를 형상화하고 있다.

16 서시 · 또 다른 고향

p.196 1⑤ 2④ 3⑤ 4② 5 오늘 밤에도 별이 바람에 스치운다. 6⑤ 7④ 8① 9 시적 화자인 '나'는 나약하고 현실 도피적 자아인 '백골(白骨)'과 현실을 극복하려는 이상적 자아인 '아름다운 혼' 사이에서 갈등하며 상실감과 비애감을 느끼고 있다.

17 자화상 · 참회록

p.198 1② 2④ 3④ 4④ 5① 6③ 7⑤ 8 시인은 일제 강점기의 암울한 시대 상황 속에서 어떠한 대응도 하지 못한 채 살아야 하는 자신의 모습에 부끄러움을 느끼고 이를 반성하는 마음으로 시를 썼으므로 제목을 '참회록'이라고 한 것이다.

18 쉽게 씌어진 시

p.200 1⑤ 2② 3⑤ 4① 5⑤ 6② 7 이 시에서는 '악수'를 통해 반성적(내면적) 자아와 현실적 자아의 화해가 이루어지지만, <보기>에서는 내면적 자아를 '악수를 모르는 왼손잡이'라고 표현함으로써 내면적 자아와 현실적 자아 사이의 화해가 불가능함을 드러낸다.

19 금수회의록

p.202 1④ 2② 3③ 4⑤ 5③ 6⑤ 7 효(孝)란, 인간으로서 마땅히 행해야 할 기본적인 덕목이다.

20 무정

p.204 1⑤ 2③ 3⑤ 4④ 5① 6⑤ 7③ 8 삼랑진 수재민들을 통해 민족이 처한 현실을 직접 목격함으로써 민족 교육의 필요성을 확실히 깨닫게 되며, 영채와 선형은 이를 통해 문명개화의 필요성을 자각하게 되므로 '산 교육'이라 한 것이다.

21 고향

p.206 1⑤ 2④ 3④ 4① 5 조선의 얼굴 6⑤ 7 <보기>에서 '나'는 '그'를 못마땅하게 생각했지만, ㉯에서는 '그'에 대해 연민과 슬픔, 공감의 심정을 보이고 있다.

22 만세 전

p.208 1⑤ 2① 3② 4③ 5④ 6⑤ 7② 8 ⓐ는 일제로부터 부당한 대우를 받고 착취를 당하면서도 이를 자각하지 못하고 무기력하게 살아가는 조선인의 모습을 의미한다.

23 만무방

p.210 1③ 2④ 3② 4③ 5② 6① 7② 8② 9 아우에 대한 동정과 연민, 그리고 세상에 대한 분노와 원망의 감정이 섞여 매를 들게 된 것이다.

24 동백꽃

p.212 1① 2④ 3④ 4② 5⑤ 6⑤ 7⑤ 8 '나'가 점순이의 호의를 무시한 감자 사건에서부터 갈등이 시작되어 닭싸움으로 갈등이 심화되다가 '나'가 엉겁결에 점순이네 닭을 죽이게 되고, 이를 점순이가 눈감아 줌으로써 사랑과 화해의 분위기가 조성되면서 갈등이 해소된다.

25 날개

p.214 1④ 2① 3④ 4③ 5⑤ 6 '날개'는 진정한 자아와 자유로운 삶과 이상을 상징한다.

26 치숙

p.216 1② 2④ 3④ 4③ 5⑤ 6 신빙성 없는 서술자인 '나'가 등장하여 아저씨를 비판하지만, 그런 '나'도 결국 비판의 대상이 되는 이중의 풍자성을 띠고 있다.

27 메밀꽃 필 무렵

p.218 1③ 2⑤ 3④ 4② 5③ 6⑤ 7 <보기>에 공통적으로 나타나는 표현 방식은 감각의 전이로, 이 글의 서정적 분위기를 고조시켜 준다.

28 복덕방

p.220 1② 2⑤ 3 안 초시의 자살 4⑤ 5③ 6④ 7④ 8 복덕방 안은 소외된 노인들이 연민과 위로를 나누는 따뜻한 공간이며, 복덕방 밖은 물질주의와 출세를 지향하는 사람들의 냉혹한 공간이다.

29 태평천하

p.222 1⑤ 2③ 3④ 4① 5④ 6⑤ 7 이 글은 판소리 사설의 문체, 즉 경어체의 문체를 사용함으로써 독자와 서술자 간의 거리를 가깝게 하고, 독자가 등장인물에 대해 비판적 거리를 유지할 수 있도록 한다. 또한 반어와 희화화를 통한 풍자적이며 해학적인 문체를 사용하여 주인공을 비판하고 있다.

30 산촌 여정

p.224 1③ 2⑤ 3⑤ 4⑤ 5⑤ 6④ 7⑤ 8 글쓴이는 도회에 남기고 온 가족에 대해 걱정하고 있으며 또, 도회의 삶을 그리워하고 있다.

31 권태

p.226 1⑤ 2④ 3② 4① 5① 6① 7② 8 글쓴이는 권태를 인식하는 신경마저 버리고 완전히 허탈해 버려야 한다고 하면서 권태롭다고 느끼는 것조차 인식하지 않으려는 치열한 의지가 필요함을 역설하고 있다.

32 동승

p.228 1① 2① 3② 4③ 5② 6 도념의 여정이 순탄하지 않을 것임을 암시한다.

Ⅵ 광복 이후

01 해 · 청산도

p.232 1① 2② 3② 4③ 5② 6③ 7⑤ 8 [가]와 [나]의 주제는 '이상 세계에 대한 소망'으로 집약될 수 있는데, 음성 상징어는 그러한 소망의 간절함을 생동감 있게 효과적으로 부각시키는 효과를 주고 있다.

02 추천사 – 춘향의 말 1 · 신선 재곤이

p.234 1④ 2⑤ 3③ 4③ 5⑤ 6 개인주의적 가치관이 만연한 현대인의 삶을 성찰하게 하고, 어려운 이웃과 더불어 살아야 한다는 공동체 의식을 일깨워 준다.

03 어느 날 고궁을 나오면서

p.236 1④ 2③ 3③ 4② 5① 6② 7② 8 자신의 속된 모습을 노출하여 사소한 일에만 분개하는 옹졸한 모습을 부각하기 위해서이다.

04 눈 · 껍데기는 가라

p.238 1② 2③ 3② 4⑤ 5⑤ 6④ 7④ 8 운율을 형성하는 형식적 효과와 부정적 현실을 거부하는 화자의 단호한 태도를 나타내며 주제를 강조하는 내용적 효과를 지닌다.

정답

05 누가 하늘을 보았다 하는가

p.240 1① 2① 3② 4② 5② 6⑤ 7 마음속의 구름을 닦고, 머리 위의 쇠 항아리를 찢어야 한다.

06 꽃 · 샤갈의 마을에 내리는 눈

p.242 1① 2⑤ 3① 4⑤ 5① 6③ 7③ 8④ 9 상호 연관성이 떨어지는 시어들을 자유로운 연상을 통해 나열함으로써 환상적인 분위기를 형성하고, 맑고 순수한 봄의 생명력을 부각시킨다.

07 추억에서 · 엄마 걱정

p.244 1⑤ 2① 3③ 4⑤ 5④ 6④ 7⑤ 8 [가]에서는 직설적인 단정형의 종결 어미 '-다'를 사용하지 않고, 의문형, 영탄형의 종결 어미를 사용하여 화자가 지나친 감상에 빠지지 않고 효과적으로 감정을 절제할 수 있게 하고 있다.

08 새 · 성북동 비둘기

p.246 1① 2② 3② 4⑤ 5③ 6④ 7 인간의 문명에 대한 욕심과 탐욕 때문에 파괴된 자연의 순수성을 의미한다.

09 납작납작 – 박수근 화법을 위하여 · 우리 동네 구자명 씨

p.248 1① 2② 3④ 4⑤ 5⑤ 6④ 7② 8 무언가에 짓눌린 서민들의 삶의 모습을 형상화하고 있다.

10 농무 · 벼

p.250 1④ 2④ 3① 4④ 5③ 6③ 7① 8 '농무'는 1970년대에 산업화로 인해 피폐된 농촌 현실과 농민의 울분을 역설적으로 드러낸 소재로, 삶의 한을 풀어 내는 집단적인 신명풀이의 성격을 지닌다.

11 새들도 세상을 뜨는구나

p.252 1① 2① 3② 4③ 5④ 6④ 7⑤ 8 '흰 새 떼'는 시적 화자의 처지와 상반된 자유로운 존재로, 현실에 주저앉을 수밖에 없는 시적 화자의 절망감을 강조하며 좌절감을 부각시킨다.

12 우리가 물이 되어

p.254 1② 2③ 3④ 4④ 5⑤ 6④ 7 부정적인 것이 모두 소멸된 상태를 의미한다. 8 이 시의 1, 4, 7, 9행에서 '-다면'의 가정법을 사용함으로써 만남에 대한 시적 화자의 소망의 간절함을 극대화시킬 수 있다.

13 라디오와 같이 사랑을 끄고 켤 수 있다면 · 프란츠 카프카

p.256 1⑤ 2⑤ 3⑤ 4⑤ 5② 6① 7 [가]의 화자는 쉽게 만나고 헤어지는 세태를 비판하고 있고, 〈보기〉의 화자는 변치 않는 사랑을 다짐하고 있다.

14 미스터 방

p.258 1② 2① 3③ 4④ 5③ 6⑤ 7 방삼복의 기회주의적인 성격이 해방 정국의 혼란한 시대상과 맞물려 인생을 역전시킬 수 있는 기회를 잡았던 것이다.

15 역마

p.260 1⑤ 2④ 3 사마귀 4① 5⑤ 6⑤ 7② 8① 9 '세 갈래 길'은 각각의 삶을 상징하는 것으로 화갯골 쪽으로 난 길은 과거의 삶, 구례 쪽으로 난 길은 운명을 거역하는 삶, 하동 쪽으로 난 길은 역마살을 수용하는 유랑의 삶을 의미한다.

16 독 짓는 늙은이

p.262 1④ 2① 3① 4⑤ 5⑤ 6② 7③ 8⑤ 9 송 영감에게 독을 짓는 행위는 자신의 삶을 유지하는 생존 방법이자, 아내와 조수에 대한 대결 방법이며, 자신이 살아 있음을 확인하는 유일한 방법이다.

17 비 오는 날

p.264 1① 2④ 3① 4② 5⑤ 6 '-것이다'와 '-것이었다'는 무기력한 원구의 눈을 통해 사건을 간접적으로 제시하는 동시에 독자들의 의식 속에 사건보다는 그 사건에 의해 환기된 서술자의 우울한 감정을 전달하는 효과를 준다.

18 유예

p.266 1⑤ 2 이윽고, 붉은 피가 하이얀 눈을 호젓이 물들여 간다. 3② 4⑤ 5③ 6③ 7 극한 상황에 처한 주인공의 의식이 숨 가쁘게 흘러가는 과정을 보여 줌으로써 상황의 긴박감을 표현하려 한 것이다.

19 광장

p.268 1② 2④ 3③ 4⑤ 5② 6 이명준이 추구하는 바람직한 사회는 사회적 공간인 광장이 건재하되 개인적 공간인 밀실이 존중되는 사회, 즉 개인과 사회가 조화를 이루는 사회이다.

20 황만근은 이렇게 말했다

p.270 1② 2③ 3③ 4⑤ 5④ 6 앞으로 전개될 사건과 '황만근'에 대한 흥미를 유발하여 독자의 관심을 유도한다.

21 병신과 머저리

p.272 1③ 2④ 3⑤ 4③ 5③ 6① 7 형은 현실 속의 환부를 알고 적극적이고 현실적으로 대결하는 인물인 데 반해, '나'는 자신의 환부를 모른 채 관념적 고통만 느끼는 소극적 인물이다.

22 사평역

p.274 1④ 2① 3① 4①, ⑤ 5⑤ 6③ 7 이 글은 시 〈사평역에서〉에 서사적 상상력을 가미한 소설로, 시를 서두에 인용함으로써 시와의 연관성을 짐작하게 하고 글의 분위기 및 등장인물들의 모습을 암시한다.

23 해산 바가지

p.276 1① 2④ 3④ 4⑤ 5① 6② 7③ 8 '해산 바가지'는 남녀 차별 없는 생명 존중 의식을 상징한다.

24 외딴 방

p.278 1② 2③ 3④ 4② 5① 6④ 7 과거의 이야기는 현재형 문장으로, 현재의 이야기는 과거형 문장으로 서술하고 있다.

25 참새

p.280 1③ 2① 3④ 4⑤ 5⑤ 6② 7 주변에서 흔히 볼 수 있고 우리의 생활과 밀접한 존재이다.

26 은전 한 닢

p.282 1③ 2④ 3② 4⑤ 5④ 6⑤ 7④ 8 이 글의 '나'는 글쓴이 자신이지만, 소설 속의 '나'는 작가가 만들어 낸 허구적 대리인이다.

27 나무

p.284 1④ 2④ 3② 4⑤ 5⑤ 6③ 7 자연물을 의인화하여 그 덕을 예찬하고 있다.

28 무소유

p.286 1⑤ 2② 3① 4⑤ 5⑤ 6④ 7① 8 겉으로 볼 때는 모순인 역설적 표현으로, 소유에 대한 욕심을 버리고 마음을 비웠을 때 비로소 세상을 바로 볼 수 있고, 또 그것을 통해 참된 자유와 평안을 얻을 수 있다는 의미이다.

29 미안합니다

p.288 1③ 2⑤ 3⑤ 4⑤ 5⑤ 6④ 7③ 8 '미안합니다'라는 말은 이해와 반성을 통해 우호적인 관계를 유지하고 문제를 원만히 해결할 수 있게 하는 힘을 지녔다.

30 만선

p.290 1⑤ 2⑤ 3② 4③ 5① 6③ 7 어려운 처지에 굴하지 않는 강인한 의지와 꿈을 이루기 위해 노력한다는 점은 긍정적이지만, 지나친 집착과 무모한 도전으로 파멸을 초래한다는 점에서는 부정적이다.

31 파수꾼

p.292 1⑤ 2⑤ 3④ 4① 5② 6⑤ 7 지배 권력의 논리를 아무런 비판 없이 수용하는 우매한 민중에 대해 풍자하고 있다.

32 오발탄

p.294 1③ 2④ 3② 4④ 5② 6 오발탄 7③ 8 6·25 전쟁 후의 사회 현실을 사실적으로 그려 냄으로써 전후 한국 사회의 빈곤과 부조리를 고발하고 있다.

정답과 해설

I 상고 시대

01 공무도하가 · 구지가 · 황조가

p.12

1 ① 2 ③ 3 ① 4 ④ 5 ③ 6 ① 7 ⑤ 8 ② 9 ④ 10 [나]는 집단의 소망이 이루어지기를 바라는 주술성이 강한 집단 서사시인 데 반해, [가]와 [다]는 임을 잃은 슬픔이라는 개인의 감정을 표현한 서정시이다.

1 [가]에서는 임에 대한 지극한 사랑이 애상적으로 표현되어 있다. 화자의 만류에도 불구하고 강을 건너던 임이 결국 돌아올 수 없게 되었기 때문이다. 역설적인 표현은 찾아볼 수 없다.

2 1행에서의 '물'은 임과 헤어지지 않으려는 화자의 사랑을, 2행에서의 '물'은 임과 화자 사이의 이별을 의미한다. 그리고 3행에서의 '물'은 불가항력적인 임의 죽음을 의미한다.

3 [가]에서 화자는 임에게 자신에게서 떠나지 말라고 애원하지만 임은 떠나가고, 화자는 '그예'라는 표현을 통해 그 안타까움(초조)을 드러낸다. 임이 물에 빠져 죽자 화자는 임을 잃은 비극적 상황에 탄식하고 있다.

4 [나]는 소망(신령스러운 임금의 강림)을 이루기 위해 대상에게 요구(머리를 내어라)하고 위협(머리를 내놓지 않으면 구워서 먹겠다)하는 형식으로 이루어져 있다.

5 [나]에서는 '명령(요구)과 그 명령의 불이행의 가정을 통한 위협'이라는 말하기 방식이 사용되고 있다. ③ 역시 '이달 말까지 물건의 도착'이라는 명령과 '도착하지 않을 때'라는 명령 불이행의 가정, '당신의 회사와 거래를 끊겠습니다.'라는 위협으로 이루어져 있다.

6 [나]에서 신령스러운 존재로서 주술의 대상이 되는 것은 '龜', 즉 '거북'이다.

7 [나]는 가락국의 건국 신화에 삽입되어 있는 노래이다. 그러나 <보기>는 수로 부인의 무사 귀환을 기원하는 노래로, 건국 신화와는 관련이 없다.

8 [다]에서 '꾀꼬리'는 화자의 감정을 드러내는 데 중요한 역할을 하는 자연물이기는 하지만, 화자의 정서를 대신 드러내는 감정 이입의 대상은 아니다. 감정 이입이 되기 위해서는 '꾀꼬리'도 화자와 동일하게 외로운 처지로 묘사되어야 하기 때문이다.

9 [다]에서 '꾀꼬리'는 암수 정답게 어울리는 모습을 보여 주어 화자가 외로움을 느끼게 하는 대상으로 실연의 슬픔을 환기시켜 주는 존재이다.

02 정읍사 · 처용가

p.14

1 ③ 2 ② 3 ⑤ 4 ④ 5 ④ 6 ② 7 ④ 8 역신(疫神)이 처용의 아내를 침범하였다는 것은 처용의 아내가 병이 들었다는 것을 비유한 표현이며, 무당이었던 처용이 이를 알고 이 노래로 아내의 병을 고친 것으로 볼 수 있다.

1 [가]는 남편의 안전을 기원하는 아내의 심정을 노래한 망부가로, 현전하는 유일한 백제의 개인적 서정 가요이다. 따라서 남녀가 서로 사랑하면서 즐거워하는 가사라는 뜻으로, 조선 시대에 사대부들이 고려 가요를 낮잡아 이르던 말인 '남녀상열지사(男女相悅之詞)'와는 관련이 없다.

2 [가]에는 돌아오지 않는 남편에 대한 화자의 염려와 걱정이 드러나 있을 뿐, 다른 여인에 대한 원망은 나타나지 않는다.

3 '어긔야 어강됴리 / 아으 다롱디리'는 노래 가락을 맞추기 위한 의미 없는 여음구로, 여음구가 없어도 시상은 성립될 수 있다. 또한 '드듸욜셰라'는 '디딜까 두렵습니다.'로, '졈그롤셰라'는 '(날이) 저물까 두렵습니다.'로 해석할 수 있다.

4 '돌'은 화자가 남편의 안전을 기원하는 대상이자, 어둠을 물리치는 광명의 이미지를 지닌 존재로 그려지고 있다.

5 [나]는 향가이다. 향가는 중국의 한시에 대하여 '우리 민족의 노래'라는 의미를 지니며, 우리 문학의 주체성을 잘 보여 준다.

6 [나]는 '시볼 불기 드래'를 통해 시간적 배경과 공간적 배경을 제시하고 있고, 남녀 사이의 치정 관계를 담은 노래가 아니라 역신을 물리치는 벽사진경 또는 무가의 기원으로 보는 것이 적절하다. 또한 향가 중 가장 완성된 형태는 10구체인데, 이 작품은 8구체 형식을 지닌다.

7 ㉡에는 역신(疫神)에게 아내를 빼앗긴 것에 대한 화자의 체념과 관용의 정서가 나타나 있다. ④에서는 논개의 충절에 대한 추모와 예찬을 드러내고 있으므로 적절하지 않다. ① 임을 잃은 것에 대한 슬픔과 체념 ② 생에 대한 운명적 체념 ③ 임을 붙잡지 못하는 감정의 절제와 체념 ⑤ 늙은 자신의 모습에 대한 한탄과 체념

03 찬기파랑가 · 제망매가

p.16

1 ⑤ 2 ④ 3 ② 4 ② 5 ① 6 ② 7 ① 8 화자는 누이의 죽음으로 인한 슬픔을 종교적 차원(불교적 윤회 사상)에서 극복하고자 한다.

1 [가]에서 화자가 기파랑의 모습과 사상을 추모하기는 하지만, 이를 과거 지향적 태도를 통해 현실의 모순을 비판한다고 볼 수는 없다.

2 [가]에서 화자는 기파랑을 예찬하면서 그의 고매한 정신을 따르겠다는 미래 지향적이고 진취적인 기상과 의지를 나타내고 있다.

3 ①, ③, ④, ⑤는 모두 기파랑의 고매한 인품을 비유한 시어로, 화자가 긍정적으로 평가하여 따르고 싶어 하는 대상이나, ②는 이와 관련이 없다.

4 [가]는 화자가 혼자 말하는 독백 형식인 데 반해, <보기>는 1~3행은 화자의 물음, 4~8행은 달의 대답, 9 · 10행은 화자의 독백으로 이루어진 문답 형식이다.

5 [나]는 신라 시대의 승려 월명사가 죽은 누이를 추모하기 위해 지은 노래이다.

6 [나]는 동일한 구절을 반복해서 화자의 감정을 강조하고 있지는 않다. 화자의 슬픔이나 그 극복 의지는 고도의 비유법을 사용하여 잘 보여 주고 있다.

7 [나]에서 누이는 화자에게 간다는 말도 못하고 갑작스럽게 죽었으므로, 편지의 내용 중에서 ⓐ의 '오랜 투병 생활'은 적절하지 않다.

04 추야우중 · 제가야산독서당 · 여수장우중문시

p.18

1 ④ 2 ① 3 ⑤ 4 ④ 5 ④ 6 ⑤ 7 ② 8 [B]는 상대의 적장인 우중문의 승승장구에 대해 칭찬을 하는 것처럼 보이지만, 이면에는 싸움을 그치지 않으면 가만두지 않겠다는 의도를 전달하고 있다.

1 [가]의 전구에 나타나는 '비'는 화자의 애상감을 더욱 자극하기는 하지만, '비' 자체가 화자의 괴로움의 원인은 아니다. 화자의 괴로움은 자신을 알아주지 않는 세상으로 인한 것이다.

2 [가]에서 가을밤 창밖에 내리고 있는 '비'는 외롭고 쓸쓸한 정취를 자아내는데, 이 '비'를 통해 화자의 외로움과 고뇌가 심화되므로 ①은 적절하다. ②, ③ '가을바람, 비, 밤'과 같은 자연물은 화자의 정서를 심화시키는 역할을 하고 있다. ④ '만리심'은 화자가 느끼는 세상(고국)과의 거리감을 나타낸 표현이다. ⑤ '창'은 세상에 대한 단절과 통로(미련)라는 이중적 의미를 지니고 있다.

3 [가]는 최치원이 당나라에 머물 때 지은 것인가, 고국에 돌아온 이후에 지은 것인가에 따라 해석이 크게 달라진다. 전자의 경우로 보면 고향에 대한 그리움이라는 갈등은 귀국하면 쉽게 해결될 수 있지만, 후자의 경우로 보면 귀국한 이후 자신을 알아주지 않는 세상에 대한 갈등은 쉽게 해결될 수 없다. 따라서, 두 경우의 해결 방식을 하나로 보는 ⑤는 적절하지 않다.

4 [나]에는 화자의 감정을 대상 속에 이입시켜 마치 대상이 그렇게 느끼고 생각하는 것처럼 표현하는 감정 이입 방법이 사용되고 있지 않다.

5 [나]에서 '물'은 표면적으로는 '자연의 공간'을 의미하는 것이지만, 상징적으로는 속세와 단절된 공간, 화자에게 안식을 주는 평안의 공간으로 해석될 수 있다.

6 [다]에서는 우선 올리고 후에 누르는 억양법과 참뜻과는 반대되게 표현하는 반어법을 사용해서 자신의 의도를 나타내고 있다. 비유와 상징은 나타나지 않으며, 서정적인 느낌을 주고 있지도 않다.

7 [A]에서 화자는 상대의 신기한 계책과 기묘한 헤아림을 칭찬하는 듯하지만, 실제로는 야유하고 조롱하고 있다. 여기에는 표면적 의미와 내면적 의미가 상반되는 반어적 표현이 사용되고 있다. ②에서도 이별을 하는 상황에서 화자가 죽어도 눈물을 흘리지 않겠다는 것은 실제 자신의 감정과 상반되게 표현한 것이라 할 수 있다.

05 단군 신화

p.20

1⑤ 2② 3④ 4④ 5③ 6⑤ 7① 8③
9 인간이 되기 위해 곰과 호랑이는 굴속에서 쑥과 마늘을 먹으면서 백 일 동안 햇빛을 보지 말아야 했다.

1 설화는 신화 · 전설 · 민담의 세 가지로 나뉘는데, 이 작품은 설화 중 신화, 특히 건국 신화에 해당한다. 나무나 바위, 지명 등의 구체적인 증거물이 제시되는 것은 전설이다.

2 이 작품에는 다른 신화들과는 달리 건국을 위한 투쟁과 갈등 과정이 드러나 있지 않다.

3 이 작품에서 곰은 시련과 고통을 이기고 그 소망을 달성한 인내심을 지닌 존재로 그려지고 있다. 이러한 심성을 지닌 웅녀와 환웅과의 결합으로 단군이 탄생하여 나라를 세운 것이므로, 덕성보다 투쟁성을 우위에 두었다는 설명은 옳지 않다.

4 ㉮는 작품을 당시의 사회 · 문화적 배경과 관련지어 감상하는 반영론적 관점에 해당한다. ④는 당시 사회가 농경을 중시했다는 사실과 연결 지어 이 글을 감상한 것으로 ㉮에 해당한다.

5 단군 왕검은 천손의 혈통(ㄱ)으로, 1천 5백 년 동안 나라를 다스렸으며, 1천 9백 8세에 산신이 되었다(ㅂ, ㅅ).

6 ㉠은 널리 인간을 이롭게 한다는 '홍익인간(弘益人間)'의 건국 이념이 드러난 구절이다. ② 사람이 곧 하느님이며 만물이 모두 하느님이라고 보는 천도교의 중심 교리 ③ 불교를 억제하고 유교를 숭상함 ④ 사람의 힘을 더하지 않은 그대로의 자연, 또는 그런 이상적인 경지

7 '천부인(天符印)'은 신의 위력과 영험한 힘의 표상으로, 환웅의 대외 진출 의지와는 관련이 없다.

8 이 작품은 우리나라 최초의 국가인 고조선의 건국 신화로, 단군은 고조선을 건국하고 그 시조가 된다. 〈보기〉는 가락국 시조인 김수로왕 강림 신화의 삽입 가요이다.

06 주몽 신화

p.22

1② 2⑤ 3② 4⑤ 5③ 6③ 7 주몽이 왕자의 질투 때문에 나무에 묶이는 것이 첫 번째 시련이며, 남행하는 도중에 개사수에서 배가 없어 길이 막히는 것이 두 번째 시련에 해당한다.

1 주몽의 과업이 현실에서 나라를 세우는 것이라는 점을 고려할 때, 내세적인 성취를 강조한다는 설명은 적절하지 않다.

2 주몽이 하늘로 올라간 것은 주몽을 신격화하기 위한 것이지, 천신과 수신의 대립을 의미하는 것은 아니다.

3 〈보기〉의 〈단군 신화〉에는 단군이 나라를 건국하는 내용은 나오지만, 고난과 시련을 극복하기 위한 투쟁의 과정은 나타나지 않는다.

4 '큰 나무'는 단순한 공간적 배경으로, 주몽이 나라를 세우는 것과는 무관하다.

5 주몽이 말을 기르는 과정에서 주몽의 지혜로움이 드러나긴 하지만, 금와왕이 주몽에게 말을 기르게 하여 그 뜻을 시험하고자 한 것을 신성성으로 보기는 어렵다.

6 이 작품의 '주몽'과 〈보기〉의 '나(탈해왕)'는 어머니의 배에서 알로 태어나는데, 이를 인생란 설화라고 한다. '환몽 설화'는 '현실－꿈－현실'의 환몽 구조를 갖춘 설화, '우화 설화'는 동물을 의인화하여 풍자성과 교훈성을 전달하는 설화, '인신 공희 설화'는 사람을 제물로 바치는 내용을 담은 설화, '천부지모형 설화'는 천상적 존재(父)와 지상적 존재(母)의 혼인이 나타나는 설화를 말한다.

07 바리데기

p.24

1④ 2⑤ 3② 4⑤ 5⑤ 6③ 7 바리데기가 약려수를 구하기 위해 무상 신선으로부터 9년간의 노동과 출산의 고통을 받게 되므로 '고난'의 과정에 해당한다.

1 이 작품은 무속 제의에서 불리는 구비 문학의 일종으로 주술적 기능이 중요한 요소가 된다. 이 외에도 오락적 · 문학적 기능도 함께 지니고 있어 죽은 사람뿐만 아니라 산 사람도 위로의 대상이 된다.

2 〈보기〉에 제시된 작품들은 모두 여성의 수난과 그 극복을 주된 내용으로 하고 있다. 이 작품 역시 딸이라는 이유만으로 부모에게 버림받고, 가사 노동과 출산의 고통 등의 고난을 이겨 내어 결국 무신이 되는 이야기 구조로, 여성의 수난과 그 극복의 모티프를 가지고 있다.

3 바리데기는 여자라는 이유로 부모에게서 버림받았으므로 '남아 선호 사상에 희생당한 여성(③)'이며, 병든 부모를 구하기 위해 온갖 고난을 참고 견뎌 내어 약을 구하므로 '효를 실천하기 위해 자신을 희생하는 여성(④)'이고, 결국 약을 구해 부모의 병을 고쳐 주므로 '질병 구원의 여성(①)'이라고 볼 수 있다. 또한, 그 공으로 죽은 사람의 영혼을 천도하게 되므로 '혼령을 저승으로 이끄는 천도자(⑤)'라고도 할 수 있다.

4 '석가세존'은 바리데기에게 '라화'를 주어 큰 바다를 무사히 건널 수 있도록 도와주는 조력자 역할을 한다.

5 이 작품의 결말에서 바리데기는 부모를 회생시키고 그 공으로 죽은 사람을 저승으로 인도하는 무신(巫神)이 된다.

6 ⓒ은 서술자가 직접 작중에 개입한 부분이다. 서술자의 개입이란 서술자가 진행 중인 사건이나 인물의 언행 등에 대하여 자신의 견해를 직접 밝히는 것으로 편집자적 논평이라고도 한다. ③은 제시된 사건에 대한 서술자의 견해가 나타나 있지 않다.

08 조신의 꿈

p.26

1 ② 2 ⑤ 3 ⑤ 4 ③ 5 '세규사'와 '정토사'는 전설의 구체적인 증거물로서 작품의 신빙성을 더해 준다.

1 이 작품은 현실과 꿈의 이원적 구성을 보이고 있지만, 현실과 꿈 모두 지상을 배경으로 하고 있다. 따라서 천상과 지상의 이원적 공간으로 구성되었다는 설명은 적절하지 않다.

2 '현실 – 꿈 – 현실' 안의 사건들은 순차적인 시간의 연속으로 재구성될 수 없다. 꿈속에서 조신은 아내와 50년을 함께 보내지만, 현실에서는 하룻밤을 보냈을 뿐이기 때문이다.

3 '호화'와 '부귀'가 거짓이고 꿈이라는 ⑤가 이 작품의 주제인 '인생무상(人生無常)'과 직접적으로 연결된다. ① 자연 귀의에 대한 소망 ② 임에 대한 그리움 ③ 임금의 승하에 대한 애도 ④ 조정 현실에 대한 개탄과 우국애민(憂國愛民)

4 이 작품은 꿈속에서 조신과 아내의 부부로서의 삶을, 〈보기〉에서는 주인공의 출장입상(出將入相) 및 팔 낭자와의 애정을 주로 다루고 있다. 따라서 이 작품보다 〈보기〉에서 꿈 속에 나타난 사건의 서사적 규모가 더 크다.

09 화왕계

p.28

1 ③ 2 ② 3 ① 4 ① 5 ② 6 ⑤ 7 ⑤ 8 좋은 약은 입에 쓰듯이, 임금은 간사하고 아첨하는 자보다 정직하고 강직한 신하를 가까이 두어야 한다.

1 이 작품은 설총이 지은 창작 설화이기는 하지만, 장편이라고 볼 수는 없다.

2 '화왕'은 처음에 백두옹의 청원을 적극적으로 받아들이지 않았지만, 백두옹의 충간 이후에는 바로 자신의 잘못을 바로잡았다. 따라서 타인의 충고를 배척하는 인물이라고 보기는 힘들다.

3 '관괴', '맹자', '풍당'은 백두옹과 관련된 것들이고, '가인'은 장미를 일컫는 말이다.

4 ㉠에서 장미는 화왕에게 잘 보이기 위하여 교태를 부리며 아첨하는 말을 하고 있으므로 '아첨하는 말과 알랑거리는 태도'라는 의미의 '교언영색(巧言令色)'이, ⓒ에서 백두옹은 임금의 잘못을 시정하는 충언이 필요함을 말하고 있으므로, '좋은 약은 입에 씀'이라는 의미의 '양약고구(良藥苦口)'가 어울린다. ③ '자기의 몸을 희생하여 인(仁)을 이룸'을 의미하는 '살신성인(殺身成仁)'은 신하의 충언의 필요성에 대해 이야기하고 있는 ⓒ과는 거리가 있다.

5 이 작품에서 꽃을 의인화한 것은 자연의 진정한 가치에 대해 말하고자 함이 아니다. 작가는 '장미'와 '백두옹' 등 꽃을 의인화하여 제왕의 도리에 대해 말하고 있다.

6 '맹자'와 '풍당'은 좋은 인재가 등용되지 못한 역사적 사례에 해당한다. 백두옹은 자신의 처지와 유사한 역사적 사례를 들어 자신의 청원을 들어주지 않는 화왕에게 간사한 무리를 멀리하고 충성스러운 인재를 등용하라는 충언을 하고 있다.

7 [A]와 [B]에서는 뛰어난 인재들이 등용되지 못한 현실을 비판하고 있다. 따라서 '동량재', 즉 뛰어난 인재가 제대로 쓰이지 못하고 있는 상황을 그리고 있는 ⑤와 가장 관계가 깊다. ① 궁핍한 농촌 생활에 대한 한탄 ② 충군연주(忠君戀主)의 정 ③ 인생에 대한 달관 ④ 자연을 벗 삼은 소박한 삶

Ⅱ 고려 시대

01 가시리 · 서경별곡

p.32

1 ② 2 ② 3 ⑤ 4 Ⓐ : 애원, Ⓑ : 원망, Ⓒ : 체념, Ⓓ : 기원 5 ④ 6 ③ 7 ② 8 ③ 9 ④ 10 ⑤ 11 ③ 12 ⑤ 13 ③ 14 ② 15 ④ 16 ③ 17 [가]와 [나]에 이별의 상황과 어울리지 않는 후렴구가 쓰인 것은 민간에서 불려지다가 궁중으로 들어와 궁중의 속악으로 채택되어 불리는 과정에서 후렴구가 덧붙여졌기 때문인 것으로 추정된다.

1 고려 가요는 평민들이 부르던 민요적 시가를 말하며, 대부분 분절식으로 구성되어 있다. 또한, 아무런 뜻이 없이 악률을 맞추기 위한 장치로 후렴구가 발달되어 있다. 그 내용은 주로 남녀 간의 사랑이나 이별, 자연에 대한 예찬 등 평민들의 소박하고 솔직한 정서를 표현하였다. ②의 전대절과 후소절로 구성된 것은 경기체가이다.

2 [가]의 화자는 자신의 마음을 소박하지만 직설적으로 표출하고 있다. 그러나 이러한 직접적인 감정 표현과는 달리 임과의 이별에 대해서는 소극적이며 자기 희생적인 태도를 보인다.

3 [가]의 화자는 이별의 슬픔을 드러내고 있다. ①~④는 모두 임과의 이별로 인한 슬픔을 노래하고 있으나, ⑤는 소박하고 평화로운 전원 생활의 즐거움을 노래하고 있다.

5 [가]의 화자는 떠나는 임을 붙잡으면 임이 서운하여 돌아오지 않을까 봐 걱정을 하며 임을 보내고 있을 뿐, 임을 보낸 것을 후회하고 있지는 않다.

6 '잡ᄉᆞ와'는 화자가 떠나는 임을 잡고 싶다는 것으로, 행위의 주체는 바로 화자이다. 나머지 시구들의 행위의 주체는 모두 임이다.

7 [가]의 화자는 떠나는 임이 바로 돌아오기를 바라고 있고, 〈보기〉의 화자는 돌아오지 않는 임을 그리워하는 모습을 보이고 있으므로, 그리움의 정서를 표현한 ②가 가장 적절하다.

8 [가]와 〈보기〉는 모두 임과의 이별의 슬픔을 노래하고 있다. ① 〈보기〉는 서경(기구와 전구)과 서정(승구와 결구)이 조화를 이루며 화자의 정서를 드러내고 있다. ②와 ⑤는 [가]에 대한 설명이고, ④는 〈보기〉에 대한 설명이다.

9 화자는 간결하고 소박하며 함축적인 시어를 사용하여 이별의 슬픔을 말하고 있다.

10 [나]의 화자는 임에 대한 자신의 감정을 직설적으로 표현하는 데 반해, 〈보기〉의 화자는 임에 대한 자신의 감정을 '잊었노라'와 같이 반어적으로 표현하고 있다.

11 〈보기〉는 '골계미'에 대한 설명이다. 3연에서 화자는 임이 강을 건너고 나면 다른 여자를 만날 것이라는 것과 사공의 아내가 바람난다는 것을 폭로함으로써 골계미를 드러내고 있다.

12 [나]의 3연에서 화자는 배를 내어 놓은 사공을 꾸짖는 태도를 보이고 있다. ⑤에서 역시 화자는 남의 아내를 훔쳐 간 거북을 꾸짖고 있다.

13 '바회'는 구슬(사랑)을 깨뜨리는 장애물이며, '대동강'은 임과 '나'의 사랑이 깨지는 이별의 강으로 역시 임과 '나'와의 사랑을 갈라놓는 장애물이라고 할 수 있다.

14 ㉠은 '화자가 서경을 사랑하지마는', ㉡은 떠나는 '임이 화자를 사랑해 준다면', ㉢은 '화자가 울면서 떠나는 임을 좇아가겠다.'는 의미이다.

15 [가]의 화자는 감정의 절제와 체념을 통해 임과의 재회를 소망하며 자기 희생적 태도를 보이고 있다. 반면, [나]의 화자는 직설적인 감정을 강하게 표출하며 임과의 이별을 거부하는 적극적인 자신의 의지를 표현하고 있다.

16 [가]와 [나]는 우리 민족의 전통적 정서인 이별의 정한을 노래하고 있다. 이와 같이 이별의 정한을 노래한 시는 ③이다. ① 평화롭고 아름다운 내면 세계를 노래함 ② 부끄러움 없는 삶에 대한 소망과 의지 ④ 극한 상황에 대한 초극 의지를 드러냄 ⑤ 절대적 존재에 대한 복종과 그 기쁨

02 정석가

p.36

1 ⑤ 2 ② 3 ⑤ 4 ② 5 ⑤ 6 불가능한 상황을 설정한 후 그것이 이루어질 때 이별하겠다고 말하여 이별을 거부하고 있다.

1 6연 또한 임에 대한 영원한 사랑과 믿음을 노래하고 있다.

2 이 작품은 불가능한 상황을 제시하여 화자의 의도를 강조하고 있다. ②는 감정이 이입된 대상인 '산새'를 통해 화자의 비애를 드러내고 있을 뿐, 불가능한 상황을 상정하면서 시상을 전개하고 있는 것은 아니다.

3 '밤, 연꽃, 옷(털릭), 소'는 모두 각 연의 중심 소재로 불가능한 상황의 중심에 놓여 있는 것들이다. 반면 '바위'는 '구슬'이라는 사랑을 부서지게 만드는 시련을 상징하고 있어 그 의미가 다르다.

4 이 작품과 〈한림별곡〉은 모두 고려 시대의 노래로, 3음보를 기본 율격으로 한다. ①, ③, ④는 〈한림별곡〉에, ⑤는 〈정석가〉에만 해당하는 설명이다.

5 '삼동'은 그 해석에 두 가지 견해가 있다. '세 묶음'이라는 견해와 '한겨울〔三冬〕'이라는 견해가 그것이다. 하지만 '세 번'과는 무관하다.

03 동동

p.38

1 ① 2 ③ 3 ③ 4 ③ 5 ② 6 ① 7 ④ 8 ⑤ 9 ④ 10 ⑤ 11 ① 12 ① 13 ① 14 고려 가요는 조선 시대에 문자로 정착되어 궁중 의식에 사용되면서 개작되기도 하였는데, 이 작품이 궁중 연악으로 쓰이면서 임금에 대한 송축의 의미를 지닌 장이 덧붙여진 것이 [가]라고 추측할 수 있다.

1 이 작품은 현존하는 가장 오래된 월령체 노래이지만, 고려 가요 중 가장 오래된 것은 아니다.

2 계절에 따라 새로워지는 화자의 다양한 감정을 효과적으로 드러내고 있지만, 익살스러운 표현은 나타나 있지 않다.

3 Ⅰ은 '유두'로 6월령의 '빗', Ⅱ는 '한가위'로 8월령의 '가배', Ⅲ은 '중양절'로 9월령의 '황화'를 통해 알 수 있다.

4 이 작품에서 화자는 임에게 버림받고 외로움과 그리움을 안고 살아가다 생각지도 않은 사람에게 시집가게 된다. 따라서 임이 돌아오리라는 확신을 지니고 있지는 않다.

5 〈보기〉는 자연과 인간을 대조하여 임과 이별한 화자의 고독과 슬픔을 강조하고 있다. [나]에서는 '나릿믈'과 화자를, [마]에서는 '곳고리새'와 '녹사님'을 대조하여 화자의 외로운 정서를 부각시키고 있다.

6 〈보기〉의 밑줄 친 부분은 '임과 함께 하지 않는 상황에선 좋은 시절에 아름다운 경치를 봐도 아무 생각이 없다.'라는 뜻이다. [자]의 8월령 역시 한가위라는 좋은 명절을 맞이하지만 사랑하는 임이 없어 진정한 한가위가 아니라고 말하고 있다.

7 [파]는 귀한 손님 같은 임께 올릴 상을 차려, 임께서 쓰시라고 가지런히 젓가락을 올렸더니 엉뚱한 사람이 가져다 써 버렸다는 내용이다. 여기서 젓가락은 화자를 나타내는 것으로, 임에게 버림받고 뜻하지 않은 사람에게 시집가게 된 화자의 안타까운 심정이 잘 나타나 있다.

8 이 작품의 화자는 임에게 버림받은 여성으로 설정되어 있다. ⑤의 덕과 복을 빌고 임의 장수를 기원하는 송도, 송축적인 태도는 궁중 음악으로 편입되어 첨가된 내용으로, 화자를 임금의 덕과 복을 빌고 있는 신하로 볼 수도 있으므로, 여성 화자의 특성을 드러내지는 않는다.

9 '아으 동동(動動)다리'는 고려 가요의 주된 형식적 특징 가운데 하나인 후렴구로 각 연을 나누고 음악적 흥취를 고조시키는 역할을 한다. '동동'은 북소리를 흉내낸 의성어이나 화자의 감정이 이입되지는 않았다.

10 9월령에서는 국화꽃이 피어나니 임이 안 계신 초가가 더욱 적막하게 느껴진다고 노래하고 있다. 따라서 '황화'는 임이 없는 쓸쓸함을 부각시키는 역할을 한다.

11 '곰비예'는 '뒤에', '신령님께' 등의 의미이다.

12 〈보기〉의 '잣ㅅ가지'는 예찬의 대상인 기파랑의 높고 고결한 절개를 나타낸다. 이는 임의 고매한 인품을 나타낸 ⓐ와 그 의미가 통한다. ⓑ 임에 대한 화자의 정성과 사랑, ⓒ 임에게 버림받은 화자, ⓓ 쓸쓸한 화자의 처지를 부각시키는 소재, ⓔ 화자가 인연을 맺게 된 다른 사람을 나타낸다.

13 이 작품은 월령체 형식으로 시간, 계절의 변화에 따라 시상이 전개되고 있기는 하지만, 공간의 변화는 뚜렷이 드러나지 않는다. ② 이 작품에 드러난 세시 풍속은 민속학적으로도 의미가 있다. ③ 송도(頌禱)의 뜻을 담고 있는 1연은 민간에서 불려지던 노래가 궁중으로 유입되는 과정에서 덧붙여진 것으로 볼 수 있다. ⑤ 전체적으로 시상이 일관적으로 전개되지 않으며 연마다 주제도 다르다.

04 청산별곡

p.42

1 ④ 2 ① 3 ④ 4 ① 5 ④ 6 ④ 7 ③ 8 구조상 청산 노래와 바다 노래가 대칭을 이루어 화자가 지향하는 이상향을 노래하고 있다고 해석할 수 있기 때문이다.

1 고려 가요가 주로 서민들이 즐겼던 노래라는 점을 고려할 때, 이 작품을 관념적인 내용을 담고 있는 사대부들의 노래라고 보기 어렵다.

2 이 작품에서 화자는 고독한 현실에 절망감을 느껴 이상 세계인 청산과 바다에서 살기를 소망하고 있다. 따라서 화자가 고독을 즐기고자 한다는 설명은 적절하지 않다.

3 6연의 '바다'는 '청산'과 대응되는 또 하나의 이상향으로, '속세에 대한 희망'과는 무관하다.

4 '갈던 밭이랑'과 '쟁기'라는 의미를 고려할 때, ㉮에 들어갈 화자는 '유랑 농민'임을 알 수 있다. 또한 화자가 '이별한 여인'과 '변방의 병사'임을 고려할 때, ㉯와 ㉰에는 각각 '떠나간 임'과 '이끼 낀 병기'가 들어가는 것이 적절하다고 할 수 있다.

5 5연의 '돌'은 운명적 비애를 상징하는 소재로, 화자가 다른 사람들과 편을 갈라 싸우는 장면과는 어울리지 않는다.

6 이 작품에서 후렴구가 경쾌한 리듬으로 흥을 돋우면서 고려인의 낙천성을 반영한다고 할 수 있지만, 후렴구에 특별한 의미가 있는 것은 아니다. 따라서 서사적인 내용을 담고 있다는 설명은 적절하지 않다.

7 이 작품에서 '청산'은 화자가 지향하는 동경의 대상이고, 〈보기〉에서 '청산'은 화자가 현재 안분지족을 즐기고 있는 생활의 공간이다.

05 정과정

p.44

1 ③ 2 ④ 3 ⑤ 4 ① 5 ④ 6 ④ 7 이 작품의 화자가 자신은 잘못이 없다고 말하고 있는 반면, 〈보기〉의 화자는 자신의 행동이 지나쳤다는 것을 인정하고 있다.

1 이 작품은 구전되어 오다가 훈민정음 창제 후에 기록되었기 때문에 향찰이 아닌, 한글로 표기되어 있다.

2 이 작품에서 화자의 처지를 안타까워하는 신하에 대한 언급은 전혀 나타나지 않는다.

3 이 작품에서 화자가 소망하는 바는 임이 다시 자신을 사랑해 주는 것, 곧 자신이 유배의 몸에서 풀려나 다시 벼슬로 돌아가는 것이다. 이는 '아소 님하, 도람 드르샤 괴오쇼셔.'에 잘 나타나 있다.

4 ㉠은 화자가 자신의 억울함을 호소하는 대상으로, 화자의 결백을 밝혀 줄 존재라고 할 수 있다.

5 이 작품은 고려 가요로, 시조보다 이른 시기에 등장한 노래이다. 따라서 시조에서 영향을 받았다는 설명은 적절하지 않다.

6 〈보기〉에서는 '고신원루(孤臣冤淚)'를 통해 화자의 억울한 심정을 짐작할 수는 있으나, 모함하는 사람들에 대한 원망은 직접 나타나 있지 않다.

06 한림별곡

p.46

1 ⑤ 2 ③ 3 ④ 4 ② 5 ② 6 ① 7 ㉡은 유흥을 즐기기 위한 단순한 소재로 사용되고 있으나, 〈보기〉의 '그네'는 현실의 구속에서 벗어나 이상 세계로 나아가고자 하는 화자의 열망을 상징하는 소재로 사용되고 있다.

1 경기체가는 고려 중엽 무신정변 이후 새롭게 등장한 신흥 사대부들에 의해 향유된 별곡체 형태의 시가이므로, 조선 후기까지 창작된 갈래라는 설명은 옳지 않다.

2 이 작품은 문장가, 시인 등의 명문장, 명저 등을 나열하면서 그에 대한 느낌이나 흥취를 드러내고 있다.

3 이 작품을 낭송한다면 신흥 사대부들의 문학적 경지와 자부심, 풍류적 삶에 대한 긍지 등이 드러나도록 뽐내는 어조로 노래해야 할 것이다.

4 〈제8장〉은 다른 장과는 달리 우리말의 아름다움을 살려 그네 뛰는 광경을 생동감 있게 표현하고 있기 때문에 다른 장보다 문학성이 뛰어나다는 평을 듣고 있다.

5 ㉯의 내용은 외재적 관점 중 작품과 현실의 관계를 중심으로 이해하는 반영론적 관점의 감상이다.

6 이 작품에서 ㉠은 단순한 의문문이 아니라 상황이 매우 훌륭하다는 의미를 가지는 표현이다. 이는 화자 자신의 능력과 삶의 방식에 대해 과시하는 표현이라고 할 수 있다.

07 송인 · 사리화 · 부벽루

p.48

1 ⑤ 2 ④ 3 물 4 ④ 5 ② 6 ④ 7 ⑤ 8 ④
9 [가]의 결구는 과장법을 사용하여 이별을 슬퍼하는 화자의 내면적 정서를 강조하여 드러내고 있다.

1 [가]는 '기-승-전-결'의 구조로 되어 있는데, 시상의 전환은 전구에서 일어난다. 따라서 시상 전환의 매개물은 '대동강 물'이라고 할 수 있다.

2 '何時盡(하시진)'은 화자의 의지가 함축된 구절이 아니라, 푸른 물결에 이별의 눈물이 해마다 보태져 어느 때도 마르지 않을 것이라는 설의적 의문문에 해당한다.

4 비 갠 자연의 풍경은 화자의 애상감을 자극하는 대조적인 배경으로 사용되었다. 따라서 화자의 처지가 생동감 넘치는 정서와 일치된다고 말하는 것은 적절하지 않다.

5 [나]는 권력층(탐관오리)을 상징하는 '참새'와 힘없는 백성을 상징하는 '늙은 홀아비'를 통해 권력자들의 농민 수탈에 대한 비판과 가혹한 수탈로 인한 농민의 피폐한 삶이라는 주제를 형상화하고 있다.

6 〈보기〉를 참고할 때, '사리화(沙里花)'는 농부들이 목이 쉬고 근심하며 얻은 꽃, 즉 '백성들이 힘들게 수확한 곡식'이라는 의미로 해석할 수 있다.

7 [다]에서는 화자 자신이 고구려의 옛 도읍지인 평양의 부벽루에 올라 지난 역사를 회고하고 있다.

8 [다]와 〈보기〉의 화자는 자연의 영원함과 인간 역사의 유한함을 대비하여 인생 무상으로 인한 쓸쓸함의 정서를 나타내고 있다.

08 ᄒᆞᆫ 손에 막ᄃᆡ 잡고~ 외

p.50

1 ① 2 ③ 3 ② 4 ⑤ 5 ① 6 ③ 7 ② 8 ⑤
9 구름이 밝은 햇빛을 따라다니며 가리기 때문이다.

1 [가]~[라]는 고려 말기부터 발달하여 온 우리 나라 고유의 정형시인 평시조로, 초장 · 중장 · 종장의 3장 6구 4음보의 기본 형태를 가진다. '다'는 악장, '라'는 고려 가요에 해당하는 설명이다.

2 [가]에는 어떻게 해도 늙음을 막을 수 없다는 한탄과 체념, 인생에 대한 무상감이 드러나 있을 뿐, 늙음을 인위적으로 막으려는 세태에 대한 비판은 드러나 있지 않다.

3 늙음을 막으려고 여러 가지 방법을 써 보았으나 백발이 알고 먼저 와 있다는 내용을 통해 늙음을 피할 수 없는 인간의 한계에 대한 무상감을 드러내고 있다. ③ 사람이 늙음을 막을 수 없다는 데 대한 안타까움이 드러나 있을 뿐, 늙음이 모든 사람에게 평등하게 찾아온다는 깨달음으로 확대 해석하는 것은 적절하지 않다.

4 [나]의 모든 이미지와 정서는 중장의 '춘심(春心)'으로 집약되어 있다. 즉, 나뭇가지에서 느낄 수 있는 봄밤의 애상적인 정서를 '일지춘심(一枝春心)'으로 집약하고 있는 것이다.

5 [다]는 간신 신돈을 구름이라는 대상에 빗대어 풍자하고 있는 시조이다. ② 간신 신돈의 횡포를 풍자하고 있다. ③ 전형적인 평시조로 4음보 율격을 지닌다. ④ '중천(中天)'은 '조정, 권력의 핵심'을 의미한다. ⑤ '구름'은 부정적 의미, '광명한 날빛'은 긍정적 의미로 사용되고 있다.

6 [다]는 신돈을 구름의 속성에 빗대어 화자의 감정을 드러내고 있다.

7 [라]는 직설적인 표현을 사용하여 화자의 굳은 충절을 강조하고 있다.

8 〈보기〉는 고려의 충신 정몽주를 회유하기 위해 지어진 이방원의 〈하여가(何如歌)〉이다. 〈보기〉의 종장은 칡덩굴이 어울려 사는 것처럼 고려 유신과 조선 신하들이 이방원의 뜻에 따라 함께 살아갈 것을 권유하는 것이다.

09 공방전

p.52

1 ③ 2 ④ 3 ⑤ 4 ④ 5 ⑤ 6 ④ 7 ② 8 돈의 긍정적 측면과 부정적 측면의 양면성이 있음을 나타내고 있다.

1 근원 설화를 바탕으로 하는 것은 판소리계 소설에 해당한다.

2 이 작품은 주로 서술에 의해 사건이 전개되고 있다.

3 '가전(假傳)'은 작가의 창작에 의한 허구의 작품이다(㉣). 또한 이 작품의 중심인물인 '공방'은 비판의 대상이 되는, 부정적 성격의 인물이다(㉤).

4 이 작품은 돈을 의인화하여 인간 세태를 우의적으로 비판하고 있다. ④에서 또한 두꺼비를 의인화하여 탐관오리(양반)의 횡포와 허장성세를 우의적으로 풍자하고 있다.

5 '돈의 폐해에 대한 경계'라는 이 작품의 주제는 [마]의 '공우'의 말을 통해 드러나고 있다.

6 [나]에는 농사를 국가 경제의 근본으로 보는 작가의 중농주의적 의식이 나타난다. 따라서 이와 가장 유사한 것은 농사일의 중요성을 말하고 있는 ④라고 할 수 있다.

7 ㉡에서 권세 있는 자에게 붙어 아첨하는 것은 '교언영색(巧言令色)', 권세 있는 자의 힘에 기대어 자기도 권세를 부리는 것은 '호가호위(狐假虎威)'에 해당한다.

10 국선생전

p.54

1 ① 2 ② 3 ④ 4 ⑤ 5 성(聖)이 자기 스스로 물러날 때를 알아 천수를 다하는 모습을 통해 신하도 때를 보아 물러날 줄 알아야 한다는 작가의 의도를 전달하고 있다.

1 〈보기〉에는 비록 잘못을 저질렀지만 명예를 회복한 후에 때를 알고 물러난 성(聖)을 긍정적으로 바라보는 작가의 시선이 드러난다.

2 [다]에서 성(聖)은 나라를 위해서 병사들과 고락을 같이 하며 전쟁을 치렀으므로 장수의 기개를 노래한 ②가 가장 적절하다.

3 ⓓ는 '붓'을 의인화한 말이다.

4 〈보기〉는 순(醇)의 일대기를 통해 방탕한 군주와 간신배들에 대한 풍자를 보여 주고 있다.

11 경설 · 이옥설

p.56

1 ③ 2 ① 3 ⑤ 4 ④ 5 ④ 6 ⑤ 7 ① 8 ③
9 '거울'은 인간의 내면을 비춰 주는 도구로, 바람직한 삶의 자세와 처세의 방법을 일깨워 주는 역할을 한다.

1 [가]는 '설(說)'로서 교훈을 주기 위해 쓰여진 글이다. 그러므로 논리적인 문체로 사물의 이치와 본질을 밝히기 위한 것이 목적이라고 할 수 있다.

2 [가]에서 글쓴이는 묻고 답하기의 형태를 취해 자신의 주장을 드러내고 있다. 즉, 글쓴이의 관점을 대변하는 '거사'에게 '나그네'가 질문을 하고 답변을 들음으로써 좀 더 객관적으로 주장을 드러내고 있는 것이다.

3 [가]에서 글쓴이는 상대방의 결점까지도 수용하는 너그러운 자세와 처세를 강조하고 있다.

4 [가]에서 '나그네'는 사물의 현상적 측면만 보는 고정 관념을 가진 인물로, 거울에 대한 상식적으로 판단하고 있다. 반면 '거사'는 사물의 본질을 꿰뚫어 보는 통찰력을 지닌 인물로, 거울을 새로운 관점에서 해석하고 있다.

5 [나]는 '집수리'라는 일상적 체험에서 얻은 깨달음의 이치를 인간사 일반과 정치에까지 확대 적용하여 접근하고 있다.

6 [나]에서는 '행랑채 수리의 과정'을 '사람의 몸', '정치'에까지 확대 적용하여 유추하고 있다. ⑤에서 역시 다양한 요소들이 문학을 이루는 것을 건물을 짓는 재료로 집을 이루는 것에 빗대어 설명하고 있다.

7 ㉠은 '탐관오리'를 뜻한다. 〈보기〉에서도 농민을 수탈하는 탐관오리의 모습을 '참새'로 상징하여 제시하고 있다.

8 ㉡은 바로잡으려 했으나 때가 늦었다는 말이다. ③은 일이 이미 잘못된 뒤에는 손을 써도 소용이 없음을 의미하므로, ㉡의 상황과 가장 잘 어울린다.

Ⅲ 조선 전기

01 용비어천가

p.60

1 ① 2 ① 3 ④ 4 ② 5 ⑤ 6 ③ 7 육조의 사적을 중국의 사적과 비교함으로써 조선 건국의 정당성을 중국의 권위에 의존하여 밝히려 하고 있다.

1 악장은 개인적인 서정보다는 설득적인 성격이 강조되는 목적 문학으로 상징과 비유에 의한 함축성이 떨어진다. 이 작품의 전체 125장 중 고도의 상징과 비유에 의한 함축성과 참신성을 지니는 것은 〈제2장〉 정도이다.

2 이 작품에서 전절에 중국의 사적을 쓴 이유는 조선 건국의 정당성을 중국의 권위에 의존하여 밝히려고 했던 것이지, 육대조의 위업을 중국에 알리기 위해서가 아니었다.

3 이 작품에서 먼저 경치를 묘사하고 나중에 개인의 생각이나 느낌을 표출하는 선경 후정의 구조는 드러나지 않는다.

4 '뮐쌔'는 '흔들리므로'라는 의미이다.

5 〈제2, 4, 48장〉은 2절 4구의 대구 형식을 취하고 있다. 그러나 〈제1장〉은 1절 3구로, 〈제125장〉은 3절로 파격을 보이고 있다. 또한 〈제125장〉에서는 고사를 예로 들어 후대 왕에게 '경천근민'의 권계를 전하고 있다.

6 이 작품은 조선 건국의 정당성을 알리려는 전달 동기가 두드러진다. ①, ④는 문명 개화와 애국을 촉구하는 노래이며, ②는 학문에 정진할 것을 권유하는 노래, ⑤는 계급 의식을 고취하고자 하는 의도가 깔려 있는 목적 문학이다. ③은 임을 잃은 슬픔으로 방황하다 새로운 삶의 의지를 회복해 가는 화자의 모습이 드러나 있는 시로, 감상적 낭만성이 두드러진다.

02 춘망 · 강촌 · 귀안

p.62

1 ⑤ 2 ① 3 ④ 4 ③ 5 ① 6 '장기판'과 '낚시 바늘'이라는 소재가 인간사의 다툼과 모략을 나타내는 것으로 보고, 이러한 현실을 풍자하고자 하는 의도가 담겨 있는 것으로 해석할 수 있다.

1 [가]에는 부정적 현실에 대한 한탄, [나]에는 한가로운 자연 속에서 누리는 삶에 대한 만족감이 드러나 있다. [다]에서는 '기러기'와 화자의 대비를 통해 고향에 대한 그리움을 표현하고 있다.

2 [가]에는 전란을 겪으면서 늙고 초라해진 화자 자신에 대한 비애가, [다]에는 고향에 대한 그리움이 애상적인 어조로 드러나 있다.

3 [가]의 화자는 전란으로 인해 가족과 떨어져 있는 상황이므로, ④는 적절하지 않다.

4 [나]에는 안분지족(安分知足)하고자 하는 화자의 태도가 잘 드러나 있다. ③도 산촌에 살면서 세속의 부귀영화를 꺼려 하는 안빈낙도의 태도가 잘 드러나 있다.

5 [다]에 등장하는 '그려기'는 고향으로 돌아가지 못하는 화자와 대조되어 고향에 대한 그리움을 부각시키는 대상으로, ①과 그 성격이 유사하다. ①의 '꾀꼬리'도 임을 잃은 화자의 처지와 대조되는 대상으로, 화자의 심회를 북돋우는 역할을 한다.

03 무어별 · 곡자

p.64

1⑤ 2③ 3⑤ 4⑤ 5③ 6④ 7 ㉠과 ⓐ는 모두 작품의 애상적 분위기를 고조시키는 기능을 하고 있다.

1 [가]는 임과 헤어진 상황이, [나]는 자식들을 잃게 된 상황이 시를 쓰게 된 계기를 제공하고 있다. ①, ②는 [가]에만 해당되며, ③, ④는 [나]에만 해당되는 설명이다.

2 '광릉 땅'은 죽은 아이들을 추모하고 있는 공간으로, 시적 화자의 슬픔을 환기하고 있을 뿐 죽은 아이들과 내세의 만남을 희망하는 공간은 아니다.

3 [가]와 <보기> 모두 화자가 표면에 나타나지 않고, 대상('아가씨', '늙은이')이 처한 상황을 객관적으로 전달하고 있다. ① [가]에서도 화자의 감정이 절제되어 표현되고 있다. ② <보기>가 시선의 이동(산→길→배→낚시질)에 따라 시상이 전개되고 있다. ③ [가]와 <보기> 모두 반어적 표현은 사용되지 않았다. ④ [가]에만 해당되는 설명이다.

4 무덤에서 제를 올리는 것은 죽은 남매의 넋을 위로하고 명복을 비는 행위일 뿐, 이 작품에서 슬픔을 극복하려는 화자의 의지는 드러나지 않는다.

5 [나]에서는 '슬프고 슬프구나'와 같이 자식을 잃은 슬픔을 직설적으로 드러내고 있는 반면, <보기>에서는 '감정의 대위법(두 가지 상반된 정서가 어울려 감정을 절제하는 효과를 주는 표현 기법)'을 사용하여 절제된 어조로 자식을 잃은 슬픔을 노래하고 있다.

6 시적 화자는 자식의 죽음을 자신의 탓으로 돌리며 자책하는 심정을 드러내기 위해서 자식을 죽인 어미를 책망하는 '황대사'를 읊조리는 것이다.

04 흥망이 유수ᄒᆞ니~ 외

p.66

1② 2③ 3④ 4① 5① 6④ 7③ 8③ 9 고려 왕조의 멸망으로 인한 한과 인생무상의 심정을 나타내고 있다.

1 [가]에는 고려 왕조의 멸망 혹은 신흥 왕조의 탄생에 대한 풍자적인 태도가 드러나지 않는다.

2 [가]의 화자는 종장의 '눈물계워 ᄒᆞ노라.'라는 부분에서 알 수 있듯이, 저항적이고 적극적이기보다는 소극적인 자세를 취하고 있다.

3 [나]는 전통적으로 충신의 절개를 상징하는 '대나무'의 이미지를 통해 화자의 절의를 강조하고 있다.

4 ㉠은 새 왕조에 협력하도록 강요하는 무리들(이성계 일파)을 의미한다. ①의 '가마귀' 역시 절개를 지키는 충신을 노리는 간신배, 신흥 세력(이성계 일파)을 상징한다고 볼 수 있다.

5 [나]와 <보기>는 각각 '대나무'와 '소나무'의 이미지를 활용하여 임금에 대한 충절에의 다짐을 우의적으로 표현하고 있다.

6 [가]와 [다]의 화자는 고려 왕조의 패망을 한탄하고 있다. 따라서 고국의 멸망을 한탄함을 이르는 ④가 가장 적절하다. ① 재능을 발휘할 때를 얻지 못하여 헛되이 세월만 보내는 것을 한탄함 ② 아내의 죽음을 한탄함 ③ 시기에 늦어 기회를 놓쳤음을 안타까워함 ⑤ 효도를 다하지 못한 채 어버이를 여읜 자식의 슬픔

7 [다]에서는 무상한 인간사(고려 인재의 유한성)와 유구한 자연(산천의 무한성)을 대조시켜 고려 왕조 멸망으로 인한 화자의 한(恨)과 안타까움을 형상화하고 있다.

8 [라]의 종장 '아희야, 무릉(武陵)이 어듸오, 나는 옌가 ᄒᆞ노라.'에는 제3자를 불러 말을 건네는 듯하면서 화자 자신의 정서를 드러내는 문답법이 사용되었으며, 이를 통해 자신의 감흥을 부각하여 드러내고 있다. 화자가 실재하는 '아희'와 말을 주고받은 것은 아니다.

05 수양산 ᄇᆞ라보며~ 외

p.68

1④ 2② 3② 4④ 5⑤ 6③ 7④ 8 [가]에서 화자는 숭고한 절의를 상징하는 '백이와 숙제'를 비판함으로써 자신의 충절 의지를 강조하고 있다.

1 [가]는 수양 대군을 따르지 않겠다는 태도를 강조하기 위해 지조와 절개를 지킨 사람의 대명사격인 '백이와 숙제'의 행위를 문제 삼고 있으며(ㅁ), 초장에서 화자의 생각을 단정적으로 제시한 다음 중장과 종장에서 그 이유를 밝히고 있다(ㄹ). 또한 초장의 '수양산'은 자연물이면서 수양 대군을 가리키는 중의성을 띠고 있다(ㄴ).

2 [가]는 수양 대군이 단종을 몰아내고 왕위를 찬탈한 계유정난에 항거하여 지은 작품으로 비장미가 드러난다고 할 수 있다.

3 [나]는 전통적 상징과 적절한 비유를 통해 충신의 굳은 절개를 표현하고 있다. [나]에 중의법은 사용되지 않았다.

4 [나]와 [다]는 모두 절의가이지만, [나]는 남성적 어조로 화자의 강한 신념을 나타내는 반면, [다]에서는 여성적 어조로 임과의 이별로 인한 슬픔을 나타내고 있다는 점에서 차이를 보인다.

5 [다]는 단종과의 이별로 인한 화자의 안타까운 마음과 슬픔을 여성적 어조로 표현하고 있다.

6 ㉠은 단종에 대한 애달픈 화자의 감정이 이입된 사물이다. ③의 '믈' 역시 흘러가는 시냇물 소리에 화자의 슬픔과 괴로움을 이입한 대상이다. 역사적 배경을 볼 때 '고은 님'은 단종을 의미하는 것으로 화자의 충성심과 연민의 정이 드러난다.

7 [라]에서는 임에 대한 간절한 그리움과 사랑을 '별 돌'이라는 시각적 이미지를 통해 감각적으로 형상화하였다.

06 어부단가 외

p.70

1④ 2② 3③ 4③ 5④ 6① 7⑤ 8④ 9 세속적 명리(名利)를 초월하고 자연 속에서 자연과의 조화로운 삶을 추구하고 있다.

1 [가]는 '일엽편주(一葉片舟)', '만첩청산(萬疊青山)' 등의 한자어를 많이 사용하여 주변 풍경을 드러내고 있다.

2 [가]에는 한가롭게 지내고 있는 상황에 대한 만족감과 번거롭고 속된 인간 세계에 대한 거부감이 함께 드러나고 있다.

3 〈보기〉는 효용론적 관점에 대한 설명으로, 독자가 받은 감동이나 교훈 등의 효용을 기준으로 작품을 감상하는 것을 말한다. 따라서 화자의 가치관을 독자가 본받아야 할 필요가 있다고 언급한 ③이 효용론적 관점에 해당한다.

4 중장의 '돌'과 '청풍(맑은 바람)'은 화자인 '나'와 함께 동등하게 어우러지고 있으며, 자연과 인간을 하나로 인식하는 화자의 정신세계를 보여 주는 소재이다.

5 [나]에는 청빈한 생활을 하면서 자연의 아름다움을 즐기려는 화자의 태도가 드러나 있다. '청운지지(青雲之志)'는 높은 지위에 오르고자 하는 욕망을 의미하는 말로, 화자의 태도와 대조적인 한자 성어이다. ① 사물과 마음이 구분 없이 하나의 근본으로 통합됨 ② 가난한 생활을 하면서도 편안한 마음으로 도를 즐겨 지킴 ③ 자연의 아름다운 경치를 몹시 사랑하고 즐기는 성질이나 버릇 ⑤ 맑은 바람과 밝은 달 따위의 아름다운 자연을 즐기는 사람

6 '청산'과 '유수'에는 의연하고 영원한 자연이라는 가치를, '청풍'과 '명월'에는 누구나 마음껏 즐길 수 있는 자연이라는 가치를 부여하여 자연 속에서 사는 즐거움을 강조하고 있다(ㄱ). 그리고 '업슨'이라는 시어를 반복하면서 인간의 부정적인 모습과 다른 자연의 속성을 드러내는 동시에 자연이 누구의 소유물도 아님을 강조하고 있다(ㄴ). 또 초장과 중장에서 통사 구조가 반복되면서 리듬감을 형성하고, 대상의 의미를 강조하고 있다(ㄷ).

7 ⓑ는 항상 푸르다는 속성을 통해 화자로 하여금 변함없이 꾸준히 학문에 정진하겠다는 의지를 다짐하게 하는 자연물로, 현실 도피적인 공간으로 보기 어렵다. ⓐ에서도 현실 도피적인 성격은 드러나지 않는다. ⓐ와 ⓑ 모두 세속적인 명리(名利)를 초월한 자연의 세계로 제시되고 있다.

8 '무심하얘라'는 세상과 명리에 대한 욕심이 없다는 것을 나타내며, '분별업시'는 세속에서 겪는 근심과 걱정이 없는 것을 의미한다.

07 동지ㅅ돌 기나긴 밤을~ 외

p.72

1 ⑤ 2 ④ 3 ③ 4 ① 5 ④ 6 ① 7 ⑤
8 '뮛버들'과 '아춤 약'은 임에게 보내는 사랑을 상징하고 있다.

1 [가]~[다]에는 모두 이별한 임을 그리워하는 여인의 모습이 드러나 있다. 가부장제 속에서의 여성의 존재감과는 거리가 멀다.

2 [가]에서는 시간이라는 추상적 개념을 잘라 놓는다고 표현하여 구체적 사물로 형상화하고 있다.

3 [나]의 중장의 '제 구틔야'는 도치법과 행간 걸침이 사용된 부분이다. 즉, 도치법으로 보아 '임이 구태여 가랴마는'으로 해석할 수도 있고, 행간 걸침으로 보아 '내가 구태여 보내고'로 해석할 수도 있다.

4 [나]는 겉으로 강한 척하며 내세우는 화자의 '자존심'과 외롭고 약한 '연정' 사이에서 나타나는 심리적 갈등을 절묘하게 표현하고 있다.

5 [다]와 〈보기〉는 공통적으로 의미 구조의 대립이 드러나 있다. [다]는 불변성을 상징하는 '청산(青山)'과 가변성을 상징하는 '녹수(綠水)'가 대비되고 있고, 〈보기〉는 유구성과 영원성을 상징하는 '산'과 순간성과 유한성을 상징하는 '물'이 대비되고 있다.

6 [라]의 초장에서 '님의손딕'는 '임에게' 화자의 정성과 사랑을 보내는 것을 강조하기 위해 의도적으로 도치한 표현이라고 할 수 있다.

7 [마]는 '이화우(梨花雨)', '추풍낙엽(秋風落葉)'과 같이 하강의 이미지를 가진 시어를 통해 이별의 상황을 효과적으로 제시하고 있다.

08 강호사시가

p.74

1 ② 2 ③ 3 ④ 4 ② 5 ② 6 ④ 7 우리나라 최초의 연시조이며, 강호가도(江湖歌道)의 선구적 작품이다.

1 이 작품의 화자는 자연을 즐기며 한가롭게 살아가면서도 그렇게 사는 것 또한 임금의 은혜라고 말하고 있다. 따라서 자연은 유유자적하는 공간이지, 은둔의 장소라고 할 수 없다.

2 이 작품의 각 중장을 보면 계절에 따른 화자의 구체적인 생활 모습이 드러나고 있다. 그러므로 ㉰에 자연의 아름다운 경치를 표현한 내용이 들어가는 것은 적절하지 않다.

3 ㉠은 자연을 예찬하면서도 충의(忠義)의 정신을 잊지 않는 시풍이 드러난 표현이다. ④ 역시 임금의 은혜는 부모의 은혜와 같다고 하여 임금에 대한 충의의 정신을 강조하고 있다.

4 이 작품의 '강호(江湖)'는 자연을 대유적으로 표현한 것이다. ①은 속세를, ②는 자연을, ③은 지극한 즐거움을, ④는 두어 칸의 초가를, ⑤는 자연을 즐기는 사람을 의미한다.

5 [다]에는 가을의 계절감이 드러난다. ①은 여름, ②는 가을, ③은 봄, ④와 ⑤는 겨울의 계절감이 드러나 있다.

6 〈보기〉는 문학 작품을 비평하는 관점 중에서 작품 자체의 내적 요소를 중심으로 작품을 이해하는 내재적 감상, 즉 절대론적 관점에 대한 설명이다. ④는 작가의 의도가 작품에 어떻게 표현되었는지에 주목하고 있다. 작가는 작품의 외적 요소로 외재적 감상, 즉 표현론적 관점과 관련된다.

09 도산십이곡

p.76

1 ⑤ 2 ① 3 ② 4 ⑤ 5 ③ 6 ⑤ 7 ④
8 〈언지(言志)〉는 자연에 동화된 감흥을 노래하고 있고, 〈언학(言學)〉은 주로 학문 수양에 대한 의지를 드러내고 있다.

1 [나]에서 화자는 옛 성현의 삶을 본받아 실천하며 살겠다는 다짐을 드러내고 있다. 그러나 옛 성현의 삶을 따르지 않은 것에 대한 회한과 절망은 드러나 있지 않다.

2 [가]에서 화자는 자연을 벗삼아 소박하지만 스스로 만족하는 삶을 지향하고 있다. ①은 세상일을 떨치고 자연에 묻혀 사는 즐거움을 노래한 시조로, [가]의 화자의 태도와 가장 유사하다. ② 근면한 노동 생활에 대한 권유 ③ 임금에 대한 변함없는 충절 맹세 ④ 부모에 대한 효심 ⑤ 자연에서 느끼는 고독

3 [나]는 옛 성현들이 행하는 진리의 길을 좇아 학문 수양에 힘쓸 것을 노래하고 있다. 이처럼 진리를 좇기 위해서 학문에 정진하는 자세는 오늘날에도 본받을 만한 가치가 있는 것이다.

4 ⓔ는 '다른 데, 다른 곳'의 뜻으로, 벼슬길이나 입신양명의 길을 의미한다. 나머지는 모두 학문 수양의 길을 의미한다.

5 [나]는 학문의 업적이 높은 옛 성현을 따라서 열심히 학문에 정진해야 함을 노래하고 있다. 따라서 ㉠의 의미는 '학문적 업적이 높은 성현'이라고 할 수 있다.

6 '고인 몯 뵈 → 고인을 몯 뵈도', '녀던 길 알퓌 잇닉 → 녀던 길 알퓌 잇거든'에서 연쇄법이, '아니 녀고 엇뎔고'에서 설의법이 쓰이고 있다.

7 [라]는 학문 수양에 대한 화자의 의지를 나타내고 있다. ④에서도 고산에 정사를 짓고 주자학을 배우겠다고 하며 학문에 대한 결의를 보여 주고 있다.

10 상춘곡

p.78

1 ⑤ 2 ④ 3 ② 4 ③ 5 ⑤ 6 ⑤ 7 ① 8 ② 9 ④ 10 ⑤ 11 조선 전기 가사는 향유층이 양반 위주이며, 그 내용이 '강호 한정, 안빈낙도' 등에 한정되어 있었다.

1 이 작품에서 '현재 – 과거 – 현재' 등의 시간의 역행적 구성은 보이지 않는다.

2 이 작품은 좁은 공간인 '수간모옥'에서 시작하여 '정자, 시냇가, 산봉우리'와 같은 넓은 공간으로 화자의 시선을 이동하면서 내용을 전개하고 있다.

3 이 작품의 화자는 봄의 아름다운 경치를 즐기면서 부귀나 공명에 얽매이지 않고 유유자적하며 사는 삶의 즐거움을 노래하고 있다. 그러므로 여기에서 자연은 화자에게 기쁨과 즐거움을 주는 존재이다.

4 이 작품의 화자는 자연에서 혼자 있는 즐거움을 노래하고 있다. 이웃 사람에게 산수 구경을 가자고 권유하기는 하지만, 시를 지어 주고받는 모습은 나타나 있지 않다.

5 이 작품에서 화자는 자연 속에서 소박하고 단출한 삶을 살아가고 있지만, 그것에 대해 만족하고 있는 상태이다. 따라서 자연 속에서 가난하게 사는 상황을 안타깝게 생각하거나 힘겨워하고 있지는 않으므로, ⑤는 적절하지 않다.

6 이 작품에서 화자는 자연 속에서 살아가며 느끼는 자신의 감상을 혼자 읊고 있다. 보조적 인물이 등장하면 서로 말을 주고받는 형태가 되어 대화체가 되기 마련인데, 이 작품에서는 그렇지 않다.

7 이 작품은 홍진(紅塵), 즉 번거로운 세상에서 살아가는 사람들에게 산림(山林), 즉 자연에 묻혀 사는 화자가 그 삶의 즐거움에 대해 쓰고 있으므로, '홍진(紅塵)'과 '산림(山林)'은 대립적 의미를 갖는 시어이다.

8 이 작품에서 '훗튼 혜음'이란 부귀와 공명을 가리킨다. 화자는 이러한 부귀, 공명에 연연하지 않고 자연 속에서 유유자적하며 살아가는 삶의 즐거움을 노래하고 있다. 그런데 ②의 〈소학언해〉에 실린 내용은 입신출세(立身出世)를 의미하는 것이므로, 이 작품의 화자가 말하는 '훗튼 혜음'과 가장 관련이 깊다.

9 ④는 부모님이 돌아가셔서 효도하고 싶어도 할 수 없음을 슬퍼하는 것을 말한다. 이 작품에서는 효도에 대한 부분은 나오지 않았다.

10 조선 전기 사대부가 지은 작품 속에는 풍류를 읊을지라도 이를 임금의 은혜와 결합시키는 경우가 많이 있지만, 〈상춘곡〉의 경우에는 이러한 모습이 나타나 있지 않다.

11 사미인곡

p.81

1 ① 2 ④ 3 ③ 4 ② 5 ② 6 ⑤ 7 ⑤ 8 '심산(深山) 궁곡(窮谷)'은 임금의 선정이 미치지 못하는 곳으로, 화자가 있는 유배지를 포함하는 것으로 볼 수 있다. 화자는 임금의 선정을 기대하면서 억울하게 물러난 자신의 처지를 임금이 알아주기를 바라고 있다.

1 이 작품은 여성 화자를 내세워, 4계절로 이루어진 구성을 통해 임에 대한 그리움을 형상화한 작품이지만, 세시 풍속이 드러나지는 않는다.

2 이 작품에 지속되고 있는 화자의 정서는 임에 대한 그리움이다. ④에서 화자는 자연에서 느낄 수 있는 유유자적함과 만족감을 읊고 있다.

3 〈정과정〉은 충신연주지사의 효시이며, 유배 문학의 효시이다. 따라서 〈사미인곡〉을 충신연주지사의 원류로 본 것은 잘못이다.

4 〈보기〉는 〈면앙정가〉의 '하사' 부분으로, '녹양(綠楊), 수음(樹陰), 양풍(凉風)'이라는 단어를 통해 여름임을 알 수 있다.

5 이 작품은 각각의 계절에 따라 '매화 – 임의 옷 – 청광 – 양춘'을 통해 화자의 사랑과 정성을 드러내고 있다.

6 [B]에서는 지금까지의 서술을 종합하여 '자신의 변함없는 충성심'을 드러내는 방식으로 마무리하고 있다. 이러한 서술은 죽음 후의 세계를 가정하여 드러내고 있을 뿐, 살아서의 재회를 직접 드러내고 있지는 않다.

7 이 작품은 계절의 변화에 따라 시상을 전개하고 있으며, 임에 대한 변함없는 사랑과 정성을 노래하고 있다. ① 대화체는 〈속미인곡〉과 관련된 특징이다. ② 정서의 〈정과정〉과 관련되는 내용이다. ④ 이별을 희망으로 받아들이는 내용은 한용운의 시에 자주 등장하는 역설의 방법이나, 이 작품에서 그러한 표현을 찾을 수는 없다.

12 속미인곡

p.84

1 ④ 2 ① 3 ① 4 ④ 5 ⑤ 6 ③ 7 ④ 8 '낙월'은 잠깐 동안 임을 바라보다 사라지는 것(소극적)이고, '구즌 비'는 오랫동안 임의 가까이에서 내릴 수 있는 것(적극적)으로 을녀의 눈물을 함축적으로 나타내어 임을 그리는 애타는 마음을 전할 수 있다.

1 이 작품은 한 인물이 자신의 서러운 사연을 토로하면 다른 인물이 이를 위로하거나 공감을 표시하는 등의 대화 형식으로 내용이 전개된다. 그러나 화자는 시종일관 임을 그리워하고 있을 뿐, 계절에 따른 심정의 변화는 나타나지 않는다.

2 ①은 갑녀의 말이며, 나머지는 모두 을녀의 말이다.

3 이 작품에 사용된 '구름'은 '바람'과 함께 임과 화자 사이를 가로막는 장애물(간신)을 의미한다. 따라서 '순수성과 열정의 대상'이라는 ①의 설명은 적절하지 않다.

4 잠깐 동안 잠이 든 을녀는 꿈속에서 임을 만나지만 방정맞은 닭 울음소리로 인해 임에 대한 그리움의 사연과 정을 나누지 못하고 잠에서 깬다.

5 이 작품은 결사의 내용을 통해 임에게 자신의 심정을 드러내려는 적극성을 보여 주고, 〈보기〉는 임이 자신을 몰라도 임을 따르겠다는 소극성을 드러낸다.

6 이 작품에서 '님'은 '임금'을 의미한다. 이와 같은 의미로 사용된 것은 ③이다. ③은 단종 임금을 유배지에 남겨 두고 돌아와야만 했던 화자의 안타까움과 죄책감을 흐르는 시냇물에 감정을 이입하여 표현한 시조이다.

7 '오면된'의 뜻은 '방정맞은'으로, ⓓ는 '방정맞은 닭 울음소리에'로 풀이하는 것이 옳다.

13 규원가

p.87

1 ⑤ 2 ⑤ 3 ③ 4 ④ 5 ⑤ 6 ③ 7 ① 8 화자는 남편의 사랑을 잃고 독수공방하며 슬픔에 잠겨 있다.

1 이 작품은 현전하는 최고의 여류 가사(내방 가사, 규방 가사)로, 남성 중심의 봉건적 규범 아래 속박된 여성이 겪는 고통과 한(恨), 그리고 그리움을 드러내고 있을 뿐, 양반가 아녀자의 처신과 도리를 묘사하고 있지 않다.

2 이 작품의 화자는 자신의 현재 상황(임이 떠난 후 돌아오지 않는 상황)에 대해 감정을 절제하지 않고 다양한 수사법을 사용하여 임에 대한 원망이나 그리움을 표출하거나, 자신의 신세를 한탄하는 등의 감정을 표출하고 있다.

3 '긴 한숨 디는 눈물 속절업시 혬만 만타.' 등에서 알 수 있듯이, 화자는 불행한 결혼 생활로 독수공방하며 눈물과 한숨으로 세월을 보내고 있다.

4 [A]는 임에 대한 화자의 그리움과 외로움을 귀뚜라미에 이입해 표현하고 있는 부분이다. ④ 역시 가을밤 임이 부재한 상황에서 홀로 지내는 외로움과 임에 대한 그리움이 드러나 있다. ① 자연의 솔바람 소리에서 느끼는 한정(閑情) ② 고려 왕조에 대한 충절 다짐 ③ 신하를 떠나보내는 임금의 애달픈 마음 ⑤ 임금의 사랑이 식은 것에 대한 탄식

5 ㉠과 〈보기〉의 '구름'은 화자와 임 사이의 장애물을 의미한다. 참고로 〈보기〉의 '산(山)' 역시 장애물에 해당한다.

6 ㉡은 화자의 정서(서글픈 심정)를 서러운 '새'의 소리에 이입(감정 이입)시켜 효과적으로 표현하고 있는 구절이다. ③ 역시 임(단종)과의 이별로 인한 슬픔을 촛불에 이입하여 표현하고 있다.

7 내재적 관점이란, 작품의 내적 요소를 살펴 작품을 분석하고 감상하는 것을 말한다. ①은 화자의 심리와 그 심리를 표현한 방법에 중심을 두고 작품을 감상하고 있다. ②와 ④는 표현론적 감상, ③은 효용론적 감상, ⑤는 반영론적 감상으로 외재적 관점에 해당된다.

14 주옹설

p.90

1 ② 2 ③ 3 ④ 4 ④ 5 ③ 6 ④ 7 주옹은 위험 속에서 늘 조심하는 삶을 강조하고 이를 위해 중용의 자세를 지닐 것을 말하고 있다.

1 이 작품은 '주옹(舟翁)'을 내세워 진정한 삶의 자세에 대해 말하고 있는 설(說)로, 해학적인 언어 구사를 통해 재미를 주고 있지는 않다.

2 이 작품은 묻고 답하는 대화(문답) 형식으로 구성되어 있다. ③도 게 장수와 손님이 말을 주고받는 대화를 통해 게 장수의 현학적 태도를 비판하고 있다.

3 주옹은 안정적인 삶은 태연하고 느긋하게 하여 위험하지만, 늘상 위태로운 삶은 이를 경계하고 조심하게 하여 도리어 안전함을 말하고 있다. 사람들도 몸이 건강하면 어느새 이를 믿고 건강 관리에 게을러지지만, 오히려 몸이 약하면 건강 관리에 신경을 써서 더욱 건강해질 수 있으므로, ④가 주옹과 유사한 삶의 인식을 보여 주는 상황이라고 할 수 있다.

4 [A]에는 자연과 더불어 욕심 없이 사는 안분지족(安分知足)의 삶의 자세가 나타난다. ④에서도 세속의 물욕과 명리를 초월한 유유자적한 삶의 자세를 보여 준다. ① 당쟁을 일삼는 간신배 풍자 ② 임을 그리워하는 마음 ③ 임금의 승하에 대한 애도 ⑤ 굳은 지조와 절개

5 ㉠은 위태롭지만 조심하는 주옹의 배 위에서의 삶을 의미한다. 이에 반해 ㉡은 '안전할 때는 후환(後患)을 생각지 못하고, 욕심을 부리느라 나중을 돌보지 못하다가, 마침내는 빠지고 뒤집혀 죽는 자가 많다.'라는 표현에서 알 수 있듯이 안정적이지만 나태에 빠진 삶을 의미한다고 볼 수 있다.

6 ⓐ는 매우 위태로운 상황을 말하므로 ①, ②, ③, ⑤와 관련된다. ④는 '정도를 지나침은 미치지 못함과 같다.'의 의미이므로 적절하지 않다.

15 만복사저포기

p.92

1 ② 2 ① 3 ⑤ 4 ⑤ 5 ④ 6 '배꽃나무, 비취새, 원앙새'는 인물의 외로움을 심화시키는 역할을 한다.

1 이 작품은 명나라 구우가 지은 소설 《전등신화》의 영향을 받은, 우리나라 최초의 소설이다.

2 양생과 여인 모두 짝(배필)을 얻지 못해서 외로워하고 있다. ①에도 화자의 외로움과 쓸쓸함이 나타나 있다. ② 자연에 묻혀 지내는 한가로움 ③ 귀향의 기쁨과 변함없는 자연 예찬 ④ 어버이를 여읜 자식의 슬픔 ⑤ 늙음에 대한 탄식

3 이 작품에서 [A]의 삽입 시를 통해 인물 간의 외적 갈등이 심화되지는 않는다.

4 ㉮에서는 고전 소설의 일반적 특성인 전기성(傳奇性)이 나타난다. 〈보기〉에서 박 씨가 허물을 벗고 절세가인이 된 것(㉣)과 도술을 부린 것(㉤) 또한 전기성에 해당한다.

5 양생이 자신의 운명을 저포(주사위)에 맡기려고 하는 것은 양생의 운명론적 인생관을 반영하는 것이라고 할 수 있다.

16 이생규장전

p.94

1 ⑤ 2 ④ 3 ② 4 ④ 5 ③ 6 ⑤ 7 ③
8 ㉮에 묘사된 배경은 전란으로 인해 폐허가 된 집 내부의 모습이다. ㉮는 쓸쓸한 분위기를 조성하여 가정의 파멸과 사랑하는 여인을 잃은 상실감으로 인해 슬픔에 잠긴 이생의 심리를 효과적으로 드러내는 역할을 한다.

1 이 작품은 보통의 고전 소설과는 달리 이생과 최랑이 결국 이별하게 되는 비극적인 결말 구조를 보이고 있다. 또한 권선징악(勸善懲惡)적 주제와도 관련이 없다.

2 이 작품은 '이생이 최랑의 담장을 엿봄 → 이생 부모의 반대로 인한 일시적 이별 → 이생과 최랑이 평생의 가약을 맺고 정을 나눔 → 홍건적의 난으로 최랑이 죽음 → 이생과 최랑의 재회 → 이생과 최랑의 영원한 이별'로 구성되어 있다.

3 이 작품에서 이생과 최랑은 죽음과 같은 엄청난 시련을 극복하고 사랑을 이루고 있다.

4 이 작품에서 가장 강하게 드러나는 갈등은 개인(이생과 최랑)과 운명(명부의 법칙) 사이의 갈등이다.

5 이 작품에 삽입된 시는 의미의 함축성을 강조하여 감동을 지속시키게 하며, 인물의 심리를 비유적이고 함축적으로 표현하기도 하고, 주제를 집약적으로 전달하기도 한다. 또한 사건 전개의 방향을 암시하기도 하고, 서정적인 작품의 분위기를 형성하기도 한다. 그러나 독자에게 삶을 성찰하게 하지는 않는다.

6 [B]에서 '저승과 이승 사이'가 두 사람을 갈라놓는 장애물이 되는 것은 맞지만, [A]의 '흩어진 해골'은 최랑의 처지를 말하고 있는 것일 뿐 두 사람 사이의 장애물을 나타내고 있는 것이라고 볼 수 없다.

7 명부의 법칙 때문에 최랑과 영원히 헤어지게 된 이생은 머지않아 죽음을 맞게 된다. 이생의 죽음은 최랑을 잃은 슬픔과 그녀에 대한 사랑이 얼마나 큰 것이었는가를 보여 주는 사건이라고 할 수 있다.

Ⅳ 조선 후기

01 보리타작 · 고시 7

p.98

1 ① 2 ③ 3 ③ 4 ④ 5 ① 6 ② 7 ①
8 화자는 열심히 일하는 농민들의 모습을 보다가 벼슬길에 집착하던 자신의 삶을 반성하면서 몸과 마음이 합일되는 즐거운 삶을 다짐하고 있다.

1 [가]의 화자는 농민들의 삶을 통해 헛된 명분을 좇던 자신의 지난 삶에 대해 반성하고 있다. 반면 [나]의 화자는 지배층의 횡포 때문에 고통받는 백성에 대한 연민의 정서를 드러내고 있을 뿐 자신의 삶에 대해 반성하고 있지 않다.

2 [가]의 화자는 농민들의 건강한 삶의 모습을 관찰하고 이를 통해 자신의 삶을 돌아보며 반성하고 있다. 그러므로 농민과 화자의 삶의 공통점을 찾으려 한다는 것은 적절하지 않다.

3 [가]에서 농민들의 건강한 삶의 모습을 관찰한 화자는 지금까지 헛된 명분을 좇아 벼슬에 집착했던 자신의 삶을 반성하고 있다.

4 〈보기〉는 작품이 독자에게 미치는 영향에 초점을 두는 효용론적 관점이다. 이러한 관점에 의한 감상은 노동하는 삶의 아름다움을 깨달은 ④이다. ①, ⑤ 표현론적 관점 ② 반영론적 관점 ③ 절대론적 관점

5 [나]의 화자는 백성을 억압하는 지배 세력의 횡포를 우의적으로 비판하고 있으므로, 외부의 현실과 갈등하고 있다고 볼 수 있다. 또한 [나]를 당쟁에 휩싸여 고통을 당하는 작가 자신의 모습을 나타낸 시로 보았을 때에도 마찬가지로, 화자가 외부의 현실과 갈등하고 있다고 볼 수 있다.

6 [나]에서 '부평초'는 다른 풀과는 달리 뿌리가 없어 바람이 부는 대로 이끌려 다니는 나약한 존재로 나타나 있다. 이는 '뿌리'로 형상화된 정치적 후원자(정조)를 잃은 다산 정약용의 처지가 투영된 대상으로 볼 수 있다.

7 〈보기〉는 자연과 조화를 이루는 화자의 만족감을, [A]는 화자와 작가가 처해 있는 현실과의 갈등을 드러내고 있다.

02 내 삿갓 · 절명시

p.100

1 ① 2 ③ 3 ① 4 ① 5 ④ 6 ④ 7 ③
8 [나]는 나라를 잃은 상실감에서 기인하는 비애와 절망을 노래하고 있으므로, 비장미가 잘 나타난다.

1 [가]에서 야박한 인심과 세태를 비판적으로 고발하는 내용을 찾아볼 수 없다. 이 작품은 사대부들의 의관처럼 거추장스럽지 않고 편리하며 실용적인 '삿갓'을 통해 화자의 방랑 생활에 대한 자부심과 안빈낙도(安貧樂道)의 태도를 보여 주고 있다.

2 '삿갓'은 자유롭게 벗고 쓸 수 있다는 점에서 허위와 가식을 벗어 버린, 자유로운 방랑자의 삶을 상징하며, 비바람(세상의 모진 풍파, 현실적인 고통)에도 몸을 보호해 주는 방어막과 같은 존재를 의미한다. 또한 '목동은 가벼운 삿갓 차림으로 소 먹이러 나가고 / 어부는 갈매기 따라 삿갓으로 본색을 나타냈지.'에서 알 수 있듯이 '삿갓'은 친근한 서민들의 소박한 삶을 상징한다고도 할 수 있다.

3 ㉡에서는 사대부의 허위와 위선에 대한 비판이 나타나 있다. 〈보기〉의 ⓐ 역시 관서 지방 양반들이 시를 짓는다며 우쭐대는 허장성세(虛張聲勢)에 대한 풍자를 보여 주므로, ㉡과 연관된다.

4 [나]는 일제에 의한 국권 피탈의 상황 속에서 느끼는 개인적인 감회를 노래하고 있다.

5 [나]에서 화자가 책을 덮는다는 것은 자신의 상황을 되돌아보기 위한 성찰의 행위라고 할 수 있다.

6 [나]의 화자는 국난의 비극적 상황에서 선비가 해야 할 도리에 대해 고민하고, 올바로 역사를 이끌어 갈 힘을 잃은 지식인으로서의 책임을 통감하고 있다.

7 〈보기〉의 마지막 연은 어두운 시대를 살아가는 두 자아가 화합을 하는 것으로 볼 수 있다. '최초의 악수'는 새로운 출발을 위해 분열된 두 자아가 화합하는 것을 의미한다. 그러므로 ③은 〈보기〉에는 적용할 수 없는 내용이다.

03 짚방석 내지 마라~ 외

p.102

1 ④ 2 ① 3 ③ 4 ③ 5 ④ 6 ③ 7 ④
8 ② 9 서검의 뜻을 이루지 못한 회한을 청산에서 해소하고자 함

1 [가]는 산촌 생활에서 느끼는 한가로움과 안빈낙도(安貧樂道)를 인공적인 요소('짚방석', '솔불')와 자연적인 요소('낙엽', '달')의 대조를 통해 제시하고 있다. 다분히 풍류적이며, 전원적인 성격을 보이고 있으나, 시상 전개에서 과감한 생략은 드러나지 않는다.

2 낙엽에 앉아서 달빛에 비추어 산나물을 안주 삼아 한 잔의 술을 마시는 화자의 모습에서 자연과 인간이 하나가 되는 주객일체(主客一體)의 심경을 엿볼 수 있다.

3 ㉠은 '맛이 변변하지 못한 술과 산나물'이라는 의미로, 소박한 음식을 말한다. ③의 '쓴 나물 데온 물'도 '쓴 나물을 데운 국물'이라는 의미로, ㉠의 함축적 의미와 가장 유사하다.

4 [나]에는 자연 속에서 실컷 풍류를 즐기다가 돌아와, 거문고와 서책을 즐기며 남은 시간을 보내려는 화자의 여유로운 모습이 잘 드러나 있다.

5 [나]의 종장에서 화자는 자연을 즐기다가 돌아와서 금서(거문고, 책)를 준비하라고 말하고 있다. 이로 보아, 자연 속에서 풍류를 즐기다가 학문을 다 잊어버리게 된다고 말하는 것은 적절하지 않다.

6 [다]의 작가 김천택은 '경정산 가단'을 조직하고 시조집 《청구영언》을 간행한 조선 영조 때의 가객이다. 작가는 중인 신분이었으므로 [다]를 통해 조선 전기 양반 사대부층의 세계관을 드러내고 있다는 것은 적절하지 않다.

7 〈보기〉의 편지글은 (ㄱ) 인생에 대한 회의, (ㄴ) 자신의 모습 반성, (ㄷ) 자신의 현황 제시, (ㄹ) 사회 변혁의 노력, (ㅁ) 자연을 벗삼아 사는 삶에 대해 언급하고 있다. 이 중에서 [다]의 내용과 거리가 먼 것은 (ㄹ)로, [다]에서는 사회를 바꿔 보려는 화자의 노력을 찾아볼 수 없다.

8 [라]는 '맵고 쓰다'라는 미각적 심상을 활용하여 세상의 영예와 권력에 집착하는 사람들의 세태를 비판하고 있다.

04 붉가버슨 아해 | 들리~ 외

p.104

1 ① 2 ④ 3 ① 4 ⑤ 5 ⑤ 6 ① 7 ②
8 ④ 9 [다]의 화자는 '실솔(蟋蟀)'의 넋이 되어 잠든 임을 깨우는 방법을 통해 임에 대한 그리움의 한을 풀려고 하고 있다.

1 [가]에 쉽게 판단할 수 있는 사실을 의문의 형식으로 표현하여 상대편이 스스로 판단하게 하는 설의법은 나타나 있지 않다.

2 [가]에서 ㉠은 속이는 자, 즉 모해(謀害 ; 꾀를 써서 남을 해침)하는 사람이라고 할 수 있다. 〈보기〉의 ㉣는 '나'에게 허물이 있다고 우기던 사람이므로, ㉠의 상징적 의미와 가장 유사하다.

3 [가]에서는 서로 속고 속이는 약육강식의 각박한 세태를 풍자하고 있다.

4 [나]는 추운 겨울을 이겨 내는 국화를 의인화하여 화자의 꿋꿋한 절개를 보여 주고 있다.

5 화자가 실솔을 통해 깊이 잠든 임을 깨워 보고 싶다고 한 것은 임에 대한 사랑을 간접적으로 표현한 것이다.

6 [라]에서 화자는 노래로써 자신의 근심을 풀어나가고자 하는 의지를 보이고 있다.

7 작가는 서인과 동인으로 나뉘어져 당쟁을 벌이던 시절에 관직을 지냈고, 선조로부터 영창대군의 보필을 부탁받은 유교칠신(遺敎七臣)의 한 사람이

라는 이유로 광해군 때에 춘천으로 유배되기도 했다. 〈보기〉를 고려할 때, 작가가 시련을 겪어 마음의 평정을 찾지 못한 자신을 위로하기 위해 [라]를 썼다고 추측할 수 있다.

8 〈보기〉의 설명은 '감정 이입'에 관한 것이다. ⓐ~ⓔ의 시어 중, 화자의 감정이 이입된 소재는 ⓓ의 '실솔(蟋蟀)'로, 이는 임을 그리워하는 화자의 마음을 나타내기 위한 정서적 등가물이다. 즉, 다른 사물을 끌어와 그것도 자신과 같은 감정을 지니는 것이라고 상상하여 동일시한 표현인 것이다.

05 어이 못 오던다~ 외

p.106

1 ⑤ 2 ④ 3 ④ 4 ① 5 ③ 6 ③ 7 ②
8 [가]~[다]는 〈보기〉와 같은 평시조에 비해 두 구 이상의 중장이 길어진 사설시조로서의 특징을 보인다.

1 [가]의 중장에서는 마치 임이 구속된 것 같은 가상적인 상황을 장황하게 제시하여 임에 대한 답답한 마음을 나타내고 있으나, [다]에서는 가상적인 상황이 장황하게 제시된 부분을 찾을 수 없다.

2 [가]의 중장에서는 화자와 대상 사이를 가로막는 장애물(성, 담, 집, 두지, 궤, 자물쇠 등)을 연쇄적으로 나열함으로써 화자의 답답하고 안타까운 마음을 표출하고 있다.

3 [가]의 '용(龍)거북 ㅈ믈쇠'는 화자와 임의 만남을 방해하는 장애물이며, ④의 '뫼'는 임과의 거리를 좁히려는 화자의 소망 성취를 위한 공간이므로, 서로 시적 기능이 유사하지 않다. ④의 '구름'과 '안개'가 화자와 임 사이를 가로막는 장애물로, '용(龍)거북 ㅈ믈쇠'와 유사한 기능을 한다.

4 ㉠은 백성들을 착취하는 무리들, ㉡은 오지 않는 임에 대한 원망이 전가된 존재를 의미하므로, 둘 다 화자가 부정적으로 바라보는 대상이라 할 수 있다.

5 [나]는 백성을 괴롭히는 탐관오리를 곤충(물것)의 모습에, 〈보기〉는 두꺼비의 모습에 빗대어 해학적으로 표현하고 있다.

6 [다]의 화자는 오지 않는 임에 대한 원망을 애꿎은 개에게 전가하고 있다. 따라서 '노여움을 애매한 다른 데로 옮김'을 비유적으로 이르는 속담인 ③이 적절하다.

7 [다]의 화자는 미운 임은 반기고 고운 임은 내쫓는 개에 대한 미움과 원망을, 〈보기〉의 화자는 달밤에 지나가는 구름으로 인해 임이 오신 것으로 착각한 자신의 행동을 나타내고 있는데, 이를 통해 두 화자 모두 임에 대한 간절한 그리움을 간접적으로 표현하고 있다.

06 동기로 세 몸 되어~ 외

p.108

1 ⑤ 2 ⑤ 3 ③ 4 ④ 5 ⑤ 6 ⑤ 7 ④
8 [가]는 평시조로서 압축되고 절제된 형식인 데 반해 [나]와 [다]는 사설시조로서 다소 장황하고 산만한 형식이다. 이러한 차이가 발생한 이유로는 임진왜란과 병자호란의 양란을 거치면서 급성장한 서민 의식과 산문 정신의 확산을 들 수 있다.

1 화자는 전란으로 헤어진 두 동생들이 돌아오기를 바라는 마음에 매일 저녁 문 밖에서 동생들을 기다린다고 하였다. 동생들이 저녁 무렵에 나간 것은 아니다.

2 [가]에는 돌아오지 않는 아우에 대한 화자의 그리움의 정서가 나타나 있다. ⑤에서도 전쟁 때문에 가족과 헤어져 있는 화자의 상황과 가족에 대한 그리움이 드러나 있다. ① 인생에 대한 달관 ② 벗님과 함께 하는 풍류 생활 ③ 근면한 농사일과 상부상조 권유 ④ 세속을 벗어난 자연 속의 한가로움

3 [나]에서 '귀뚜라미'는 화자의 감정이 이입된 대상이다. 즉, 귀뚜라미의 울음소리가 슬프게 들리는 것은, 화자가 임을 잃은 슬픔에 젖어 있기 때문인 것이다. 따라서 귀뚜라미는 화자와 '동병상련'의 관계에 있는 존재임을 알 수 있다.

4 [나]에서는 화자가 귀뚜라미에 자신의 감정을 이입하여 임에 대한 그리움을 표현하고 있다. ④ 역시 화자가 촛불에 자신의 감정을 이입하여 임에 대한 그리움을 표현하고 있다.

5 [다]는 '겻비님븨 님븨곰븨 천방지방 지방천방', '위렁충창'과 같은 의태어와 의성어를 사용한 과장된 행동 묘사로 임에 대한 화자의 간절한 그리움을 드러내고 있다.

6 [다]의 화자는 자신의 행동이 밤이기에 망정이지 행여 낮이었다면 남을 웃길 뻔했다고 말하면서 자신의 경솔한 행동에 대해 겸연쩍어하고 있다.

7 [다]에서는 ㉠을 임으로 착각하는 화자의 모습을 해학적으로 표현하고 있다. 〈보기〉의 '구름'도 화자가 임으로 착각한 소재이다.

07 나모도 바히 돌도 업슨 뫼헤~ 외

p.110

1 ⑤ 2 ③ 3 ① 4 ④ 5 ① 6 ① 7 ②
8 ⑤ 9 ② 10 삶의 답답함을 가슴에 창을 내어 여닫음으로써 해소해 보겠다고 했기 때문이다.

1 조선 후기에는 서민층의 참여와 산문 정신의 영향으로 사설시조가 등장했으며, 이러한 사설시조는 현실을 풍자하거나 평민들의 생활 감정을 진솔하고 사실적으로 표현한 작품들이 많다. 그러나 평민들의 관념적이고 철학적인 생활 감정이 드러나는 것은 아니다.

2 [가]는 임을 여읜 절망적 슬픔을 그리고 있는 작품이다. 그런 측면에서 임에 대한 그리움을 표현하고 있다고 볼 수도 있으나, 그것을 풍자적으로 표현했다고 보기는 어렵다.

3 [가]에서는 화자의 절박한 심정을 강조하기 위해 비교법(②), 과장법(③), 열거법(④), 점층법(⑤)을 사용하고 있다. [가]에서 ①과 같은 도치법은 사용되지 않았다.

4 [가]는 임을 여읜 화자의 상황을 숨을 곳이 없는 산에서 매에게 쫓기는 까투리와 넓은 바다에서 나쁜 일이 겹쳐 일어나는 도사공의 상황과 비교하여 나타내고 있다. ④는 '선악의 결과에 따라 행복과 불행이 있음'을 의미하므로 적절하지 않다.

5 [나]의 화자는 자신의 괴로운 심정을 드러내기 위해 대화 형식이 아니라 독백체 형식을 사용하고 있다.

6 [나]의 화자는 열거법을 사용하여 답답한 상황을 벗어나고자 하는 노력을 해학적으로 보여 주고 있다.

7 ㉠은 민요 등에서 주로 사용되는 전통적인 율격 구조인 a-a-b-a의 형식을 보이고 있으나, ②는 그러한 구조로 이루어져 있지 않다.

8 [다]에서는 화자가 바뀌는 구조를 취하고 있다. 즉, 초·중장의 화자는 작가인 반면, 종장의 화자는 두꺼비로 전환되어 제시된다. 이는 두꺼비의 자기 합리화를 드러내기 위함인데, 이를 통해 작가의 표현 의도가 반대로 나타난 풍자적 아이러니를 엿볼 수 있다.

9 [다]와 비교해 볼 때, 두꺼비의 외양을 묘사하는 부분에서 〈보기〉가 '한 눈 멀고 한 다리 저는'이라고 더욱 자세히 표현하여 탐관오리의 모습을 더욱 부정적으로 형상화하고 있음을 알 수 있다.

08 댁들에 동난지이 사오~ 외

p.112

1 ④ 2 ⑤ 3 ④ 4 ③ 5 ⑤ 6 ④ 7 ① 8 ① 9 ④ 10 [가]와 [다]의 화자는 비판 대상을 해학적이며 풍자적으로 그리고 있다.

1 사설시조는 임진왜란, 병자호란 이후 급성장한 민중 의식과 실학사상의 영향으로 형성되었다. 또한 자신의 삶을 진솔하게 담아 내고자 하는 산문 정신도 사설시조의 등장과 깊은 관련이 있다. 그러나 '성리학에 대한 관심 고조'와 사설시조의 등장과는 관련이 없다.

2 [가]~[다]는 모두 사설시조이다. 사설시조는 일상생활과 관련된 구체적 어휘를 사용하여 주로 생활인으로서의 서민들의 삶을 진솔하게 그리는 데 주력하였다. ⑤는 평시조의 특징에 해당한다.

3 [가]는 쉬운 우리말을 두고 한자어만을 쓰려는 게젓 장수의 현학적 모습과 위선을 풍자한 것이지, 약육강식의 세태를 비판하고 있는 것은 아니다.

4 수미 상관이란, 첫 연을 끝 연에 되풀이하는 표현 방식을 말한다. [나]에는 노동, 휴식, 유흥의 행위가 열거되어 있을 뿐, 수미 상관의 표현법은 나타나지 않는다.

5 ①~④는 각각 시아버지, 시어머니, 시누이, 신랑(아들)을 비유하는 표현으로 부정적 성격을 가지나 ⑤는 며느리를 비유하는 표현으로 긍정적 성격을 가진다.

6 [다]에는 시댁 식구에 대한 비유적인 표현이 해학적으로 제시되어 있다. 아들의 경우, 품질이 낮은 곡식에 해당하는 '돌피'와 '샛노란 오이꽃'에 비유하여 병약한 상태임을 드러내고 있다.

7 ㉠은 현학적인 한문 어투를 사용하여 자신의 지식에 대한 허장성세(虛張聲勢)를 보이고 있다.

8 ⓐ는 '여러 자질구레한 일용 잡화'의 뜻이다.

9 사설시조는 사대부들이 주로 향유했던 평시조를 모방하여 창작된 것이 아니라 조선 후기의 시대적인 흐름인 서민들의 각성과 산문 정신에 의해 형성된 것이다. 따라서 양반 문화와 지배 이념에 대해 모방이 아니라 비판적 태도를 드러내거나 이를 극복하고자 하는 양상을 보였을 것이다.

09 어부사시사

p.114

1 ⑤ 2 ③ 3 ⑤ 4 ③ 5 ③ 6 ① 7 ① 8 화자는 강촌(자연)에서 어부 생활을 하며 흥겨운 삶을 살고 있다.

1 이 작품의 어부는 계절마다 달라지는 어촌의 아름다움과 주변 경치에 심취하여 여유롭고 한가한 마음으로 자연 속에서 지내며 소일거리 삼아 고기잡이를 하고 있다. 따라서 치열한 삶의 현실 속에서 살아가는 어부의 실제 모습은 잘 드러나지 않는다.

2 [나]에 고기잡이 나가는 화자의 즐거움이 드러나 있기는 하지만, 화자와 자연물인 '백구'를 대비하고 있지는 않다.

3 이 작품의 초장과 중장 사이의 후렴구는 각 계절마다 출항에서 귀항까지의 어부의 일과를 시간적 순서에 따라 읊고 있다. 따라서 계절에 따른 어부 생활의 흥취를 나타내는 이 작품의 내용과 밀접한 관련이 있다.

4 '백구'는 갈매기를 의미하는 것으로, 그 자체만으로는 계절감을 드러내지는 않는다.

5 〈보기〉는 'ᄀᆞ올'이라는 시어를 통해 계절적 배경이 가을임을 직접적으로 드러내고 있다. [다]에서는 '추강'이라는 시어를 통해 가을이라는 계절적 배경을 짐작할 수 있다.

6 [나]에는 화자의 안분지족(安分知足), 물아일체(物我一體)의 태도가 나타나 있다. 〈보기〉에도 띠집을 짓고 살며 분수에 만족하는 화자의 태도가 드러나 있다. 〈보기〉에 자연과 일체가 되고자 하는 경지가 명확하게 드러나 있지는 않으므로, '물아일체(物我一體)'와는 거리가 있다.

7 윤선도의 〈어부사시사〉는 이현보의 〈어부단가〉에 비해 우리말을 주로 사용하였고, 계절마다 펼쳐지는 어촌의 경치와 어부 생활의 흥취를 좀 더 구체적으로 나타내었다. 또한 이현보가 강호에 있으면서도 정치 현실을 완전히 망각하지 못한 심정을 그려 낸 데 반해, 윤선도는 속세를 완전히 벗어나 강호에서 누리는 여유로움과 풍류를 그려 내고 있다.

10 만흥

p.116

1 ⑤ 2 ⑤ 3 ② 4 ④ 5 ⑤ 6 ① 7 화자가 찾은 '자연'은 현실을 벗어난 공간으로 볼 수 있다. 이는 현실에 대한 부정적이고 비판적인 화자의 태도가 반영된 것이라고 할 수 있다.

1 이 작품에서 산이 말하거나 웃음도 짓지 않아도 좋다면서 산을 의인화하여 친근하게 표현한 부분은 〈제3수〉이다.

2 이 작품의 '하암'은 세상 물정에 어둡고 어리석은 시골뜨기라는 뜻으로 화자 자신을 낮추어 표현한 것이지, 자신의 무지를 탓하는 표현이 아니다. 이 작품의 '하암'과 〈보기〉의 '어부' 모두 자연 속에서 생활하는 화자 자신의 모습을 표현한 말이다.

3 이 작품에서 '산슈간 바회 아래, 바횟긋 믉ᄀᆞ, 먼 뫼, 님천'은 자연, '그나믄 녀나믄 일, 그리던 님, 삼공, 만승'은 현실(속세)와 관련된다.

4 〈제1수〉에서 다른 사람들이 화자를 비웃는 이유는 자연 속에서 생활하는 화자의 뜻을 모르기 때문이다. 화자가 다른 사람들의 비웃음을 피해 자연으로 들어온 것은 아니다.

5 이 작품에서는 자연 속에서 묻혀 사는 즐거움에 대해 말하고 있으므로, ①~④와 관계 깊다. ⑤는 나무에 올라가서 물고기를 구한다는 뜻으로, 도저히 불가능한 일을 굳이 하려 함을 비유적으로 이르는 말이므로 적절하지 않다.

6 〈보기〉의 화자는 자연을 통해 인생의 교훈을 발견하며 학문을 통한 자기 수양을 강조하고 있다.

11 누항사

p.118

1 ⑤ 2 ③ 3 ④ 4 ② 5 ④ 6 화자는 궁핍하고 누추한 현실과 안빈낙도하는 삶 사이에서 갈등하고 있다.

1 이 작품은 자연 속에서 즐겁게 노는 '음풍농월(吟風弄月)'이 아닌, 현실에서의 어려움과 이에 따른 자연으로의 운명적 귀의를 그리고 있다.

2 ①, ②, ④, ⑤는 모두 화자가 추구하는 삶의 모습과 관련된 것이지만, ③은 따뜻하게 입고, 배불리 먹는 것으로 화자가 추구하는 삶의 모습과 관련이 없다.

3 이 작품은 '빈곤'이라는 현실적 삶의 모습을 담으면서도, 당시 실제 생활에서 설득력을 잃은 '빈이무원, 안빈낙도'를 추구하고 있다는 점에서 한계를 갖는다.

4 이 작품에서 화자의 삶은, 농우를 빌리는 과정에서 겪는 수모로 인한 궁핍하고 고단한 삶의 모습으로부터 자연 속에서 유교적 덕목을 지향하는 유교적 삶을 추구하는 모습으로 변화됨을 알 수 있다.

5 이 작품은 가난하지만 그 가난을 원망하지 않는 '빈이무원(貧而無怨)'을, 〈보기〉는 자연 속에서 유유자적하며 즐거움을 추구하는 '강호 한정(江湖閑情)'을 노래하고 있다.

12 농가월령가

p.120

1 ② 2 ① 3 ① 4 ④ 5 ⑤ 6 농사일을 열심히 하고 세시 풍속을 지켜 나가기를 권장하기 위해서이다.

1 이 작품은 농가에서 행해야 할 일들을 월별로 노래한 월령체 가사로, 농사일을 권장하고 세시 풍속과 지켜야 할 예의 범절을 가르치고 있는 교훈적인 노래이다. 따라서 농촌 생활의 부지런한 활동을 실감나게 제시하고 있는 것이지, 농촌 생활의 한가함과 여유로움을 흥겹게 노래하고 있는 것이 아니다.

2 논밭에 곡식의 씨앗을 뿌리는 '파종하기'는 정월의 농사일로 소개되어 있지 않다.

3 〈보기〉는 최초의 월령체 노래인 고려 가요 〈동동〉으로, 〈농가월령가〉는 〈동동〉의 월령체 형식의 전통을 계승한 것이다. 그러나 〈동동〉은 일 년 열두 달 동안의 임에 대한 그리움을 표현한 것이고, 〈농가월령가〉는 일 년 열두 달의 농가의 실질적인 삶의 모습과 농사일, 세시 풍속 등을 표현한 것이라는 점에서 차이가 있다.

4 이 작품에서 자연은 노동의 현장이자, 생활의 현장으로, 사대부들이 관념적으로 생각했던 완상의 대상이 아니다. ④는 농사일의 즐거움을 노래한 시조로, 자연(농촌)을 땀흘리며 일하는 농민들의 구체적인 삶의 터전으로 그리고 있다. 나머지는 모두 자연의 경치를 즐기거나 자연의 넉넉함, 풍요로움을 노래하고 있을 뿐이다.

5 이 작품의 작가는 지배 계층인 양반의 입장에서 피지배 계층인 농민에게 농사에 힘쓸 것을 권하고 있으며, 달마다 다가오는 풍속과 지켜야 할 예의 범절을 가르치고 있다.

13 일동장유가

p.122

1 ④ 2 ② 3 ④ 4 ③ 5 ④ 6 ⑤ 7 ② 8 이 작품과 〈보기〉 모두 여행 과정에서의 견문과 감상을 적은 기행 가사이다.

1 이 작품은 일본 여행에서의 견문과 감상을 적은 기행 가사로, '수기'를 보고 감탄하면서 본받을 만하다고 주관적 감정을 드러내고 있다.

2 이 작품은 조선을 떠나서 일본을 여행하고 돌아오는 과정을 시간의 흐름(여정)에 따라 전개한 추보식 구성 방식을 취하고 있다.

3 이 작품을 통해 물레의 빈 통은 물레가 도는 과정 중에 저절로 내려오는 원리임을 알 수 있으며, 글쓴이는 물레가 인력을 들이지 않고도 끊임없이 물을 공급받게 해 준다는 점을 밝히고 있다.

4 이 작품에는 '정포'에서의 여정 이외에 '관소'에서 숙공을 받고, '정포'까지 배로 이동하는 여정과 '하내주'에 도착한 여정도 드러나 있다. ② 음력 1월 27일이라 날씨가 추웠을 것이라는 점, 배로 이동하였으므로 궂은 날씨가 아니라는 점 등을 추측할 수 있지만, 날씨에 대한 구체적인 언급은 없다.

5 글쓴이는 수기로 물을 운반하여 성안의 백성들이 편리하게 사용하는 것에 감탄하며 긍정적으로 바라보고 있다. ④도 청나라 여인들이 길쌈하는 모습을 실용적 관점에서 긍정적으로 평가하고 있으므로 대상에 대한 태도가 유사하다.

6 '불식(不息)하니'는 '쉬지 않으니'라는 뜻이며, '의심을 떨어 없앰'은 다른 의미의 '불식(拂拭)'이다.

7 수기의 구조는 구체적으로 제시되어 있으므로 심화 학습할 과제로 적절하지 않다.

14 정선 아리랑

p.124

1 ④ 2 ② 3 ④ 4 ② 5 ① 6 ③ 7 저물어 가는 봄이 몰락한 고려 왕조를 의미하므로, 늦봄에 우는 두견새의 울음이 한의 정서를 통해 애상감을 자아낸다.

1 이 작품의 갈래는 민요이며, 3장 6구의 형식을 지닌 우리 고유의 정형시는 민요가 아니라 시조이다.

2 후렴구는 연의 끝에서 반복됨으로써 작품 전체의 운율을 형성하는 데 큰 역할을 한다(ㄱ). 또한 형식 면에서 작품 전체에 통일성을 부여하는 역할을 하기도 한다(ㄷ).

3 [라]에서는 간절한 부탁의 말을 통해 절실한 마음을 표현하고 있으나, 영탄적 표현은 사용되지 않았다. '아우라지 뱃사공아'는 부탁을 들어줄 사람을 부르는 말(돈호법)로 영탄적 표현과는 거리가 멀다.

4 '만수산'에 모여드는 '검은 구름'은 이성계 일파를 상징하며, '눈, 비, 장마'는 고려 왕조의 고난과 역사적 혼란을 상징한다고 볼 수 있다. 그러므로 [가]는 몰락한 고려 왕조에 대한 비탄과 충절을 표현한 것이라 할 수 있다.

5 '뱃사공'은 임을 만나지 못하는 상황에서 화자가 자신의 안타까운 마음을 담아 부탁을 하는 존재이므로, 화자가 원망하는 존재는 아니다.

6 〈보기〉에서 '콩팥'은 화자가 열리길 기대하는 것, '아주까리 동백'은 기대하지 않는 것이라는 의미를 함축하므로 비유를 통해 정서를 표현한 것으로 볼 수도 있다. 하지만 [B]의 '동박'과 '낙엽'은 자연물일 뿐 의인화하여 표현되지 않았다.

15 시집살이 노래

p.126

1 ① 2 ② 3 ④ 4 ⑤ 5 ⑤ 6 ③ 7 이 작품과 〈보기〉의 화자 모두 시집살이를 하는 며느리라는 공통점을 갖지만, 이 작품의 청자는 동생인 데 반해, 〈보기〉의 청자는 시어머니라는 점에서 차이점을 보인다.

1 이 작품에서 중심 화자인 '형님'은 자신이 9년 동안 겪은 시집살이를 넋두리하듯 늘어놓을 뿐, 계절의 흐름(봄 → 여름 → 가을 → 겨울)에 따라 이야기하고 있지는 않다.

2 이 작품은 동생의 질문과 형님의 대답이라는 대화 형식을 보이고 있다. ② 역시 두 화자가 말을 주고받는 대화 형식으로 되어 있다.

3 ㉣은 고자질을 잘 하는 동서를 새에 비유한 표현이다.

4 이 작품에서 화자는 자신이 처한 부정적 현실을 해학적으로 극복하고자 한다. ⑤에서도 삶의 시름과 걱정을 나타내는 '한숨'을 희화화시켜 해학적으로 극복하는 태도를 보인다.

5 이 작품은 평민층의 부녀자가 부른 부요(婦謠)이고, 〈보기〉는 양반 사대부의 부녀자가 쓴 내방 가사이다. 소박한 일상어로 서민의 감정을 솔직하게 표현한 부요는 내방 가사에 비해 직설적이고 해학적인 표현이 더 잘 드러난다.

6 [A]에는 대구법(④), 은유법(②, ⑤), 설의법(①)이 사용되었으나, 역설법(③)은 사용되지 않았다.

16 홍길동전

p.128

1 ⑤ 2 ⑤ 3 ④ 4 ④ 5 ⑤ 6 ⑤ 7 적서 차별이라는 봉건적 사회 제도와 부패한 정치 현실에 대한 비판을 담고 있다.

1 〈홍길동전〉은 우리나라를 무대로 하며 사회 제도의 문제를 비판하는 실제적인 면이 있다는 점에서 일반적인 고전 소설들과 구별된다.

2 이 작품이 중국 소설 〈수호지〉의 영향을 받은 것은 사실이나, 우리나라를 무대로 함으로써 문학적 독자성을 지니고 있다고 할 수 있다.

3 이 작품은 영웅의 일대기 구성을 따르지만, 양육자에 의한 구출은 드러나지 않는다. 홍길동은 스스로 익힌 도술을 통해 위기를 극복하는 능동적이며 현실적인 성격을 지닌다는 점에서 다른 영웅들과 구별이 된다.

4 ㉣은 초란의 사주를 받은 특재가 상공의 뜻임을 강조하여 길동을 혼란시키려는 의도가 내재되어 있는 표현으로, 부자간의 갈등과는 관련이 없다.

5 '미애'는 작가를 중심으로 한 표현론적 관점, '용은'은 작품 자체를 중심으로 한 절대론적 관점, '주연'은 시대적 상황을 중심으로 한 반영론적 관점을 취하고 있다.

6 홍길동은 영웅이지만 신화의 인물들과는 달리 하늘과 관련된 혈통을 타고 났거나 특별한 존재의 도움으로 위기를 극복하는 모습을 보이지는 않는다. 〈보기〉의 주몽은 위기의 순간에 자신이 하늘과 강의 신의 자손임을 밝혀 도움을 받지만, 홍길동은 스스로 익힌 도술로 문제를 자력으로 극복한다. 이렇게 볼 때, 홍길동은 신화의 인물들에 비해 좀 더 능동적이고 적극적인 인물이라 할 수 있다.

17 사씨남정기

p.130

1⑤ 2④ 3⑤ 4② 5⑤ 6 처첩의 신분상의 차이와 첩에 대한 부당한 대우 등 당시 만연했던 축첩 제도의 불합리성이 갈등의 근본 원인이라고 할 수 있다.

1 이 작품은 산문체의 국문 소설로 정숙한 '사씨'와 그녀를 모함하는 '교씨'가 등장하여 사건을 주도하는데, 이 속에서 작가가 긍정하고 있는 사대부가 여성의 덕목이 제시되고 있다.

2 〈보기〉의 밑줄 친 부분은 서술자가 직접 개입하여 사건이나 인물에 대해 평가하는 편집자적 논평에 해당하는 부분이다. ㉣ 역시 서술자가 직접 개입하여 부부와 처첩 간의 관계에 대해 평가하는 부분이므로 편집자적 논평에 해당한다.

3 이 작품의 제시된 부분에서는 교씨의 말을 들은 유 한림이 평소 사씨의 행실을 들어 오히려 교씨를 믿지 않고 있으므로 사씨의 행실을 의심만 한다고 볼 수는 없다.

4 이 작품에 제시된 서술자의 말에 따르면 사씨가 교씨의 노래를 경계하여 충고한 이유는 음란한 노래가 장부(남편 유연수)를 그릇된 길로 이끌까 봐 염려했기 때문임을 알 수 있다.

5 〈보기〉의 설명을 통해서도 알 수 있듯이, 김만중은 숙종의 잘못을 깨닫게 하기 위해 이 작품을 쓴 것이다. 따라서 김만중 자신의 억울함을 알리려는 의도를 작품 곳곳에 나타냈다는 설명은 적절하지 않다.

18 유충렬전

p.132

1④ 2② 3⑤ 4① 5④ 6 영웅 서사 구조의 유형성을 충실하게 유지한 영웅 소설의 대표작이다.

1 이 작품에는 한 개인의 내면적인 갈등보다는 개인과 개인 간의 외적 갈등이 두드러지게 나타난다.

2 이 글은 천자에게 항복을 요구하는 정한담을 유충렬이 제압하는 부분으로 사건이 급박하게 전개되고 있다(ㄱ). 또한 '어찌 황천(皇天)인들 무심하리오.', '어찌 아니 급히 갈까.' 등에서 서술자가 직접 개입하여 사건이나 상황에 대해 의견을 피력하고 있다(ㅁ).

3 이 글에서 유충렬은 정한담을 물리치고 천자를 구해 도성으로 돌아가는 영웅적인 면모를 보여 주고 있으므로, Ⓔ에 해당한다.

4 〈보기〉와 같은 사실로 미루어 보아, 국가 변란과 위기에서 큰 공을 세워 조정의 권신으로 등장하여 과거 선조들의 명예를 회복하려는 몰락한 양반의 소망을 표현하기 위해 이 작품을 창작했다고 생각할 수 있다.

5 [가]에서 천자는 정한담이 항서를 강요하여 매우 곤란하고 위태로운 상황에 처해 있다. ④의 '와신상담(臥薪嘗膽)'은 불편한 섶에 몸을 눕히고 쓸개를 맛본다는 뜻으로 원수를 갚거나 마음먹은 일을 이루기 위하여 온갖 어려움과 괴로움을 참고 견딤을 비유적으로 이르는 말이다.

19 홍계월전

p.134

1② 2⑤ 3② 4① 5⑤ 6 계월이 여성임에도 뛰어난 능력을 발휘하고 전쟁 후 가정에 돌아가서도 공적 지위를 유지한 것에서 여성의 위치에 대한 의식의 성장을 보여 주고 있다.

1 평국이 곽 도사에게 배운 술법을 베푸는 장면인 '눈 깜짝할 사이에 태풍이 ~ 지척(咫尺)을 분별치 못할러라.'에서 비현실적인 요소가 두드러지게 나타나고 있다.

2 평국이 뛰어난 능력으로 보국을 제압하는 장면에서는 남성인 보국의 모습은 우스꽝스럽게 나타나는 반면, 여성인 평국의 영웅성은 부각되어 나타나 있다. 이는 당시 남성 중심적 현실에 대한 보상 심리가 반영된 것으로 볼 수 있다.

3 ㉡에서 보국은 단지 맹길이 평국으로 위장하여 자신을 위험에 빠뜨리려고 한다고 의심하고 있을 뿐이며, 평국의 승패 여부는 생각하고 있지 않다.

4 보국은 평국과의 대결에서 위험에 처하자 '평국은 어데 가서 보국이 죽는 줄을 모르는고.'라고 말하며 평국의 능력을 인정하고 있으므로, ①은 적절하지 않다.

5 이 작품에 제시된 부분은 여성 영웅 홍계월이 전쟁터에서 천자를 구한 다음의 장면에 해당하므로, ⓔ와 가장 관련이 깊다.

20 박씨전

p.136

1③ 2⑤ 3④ 4① 5④ 6④ 7① 8 여성도 남성 못지않게 우수한 능력을 갖추어 국난을 타개할 수 있다는 의식을 반영한 것으로 볼 수 있다.

1 이 작품에서 박씨 부인은 도술을 사용하여 호장을 물리치고 있다. 이는 이 작품의 전기적(傳奇的) 성격을 보여 주는 부분이라고 할 수 있다.

2 이 작품에서는 역사적 사건과 같이, 화친의 조건으로 대군을 볼모로 잡아가는 장면이 나온다. 따라서 ⑤는 적절하지 않다.

3 [가]~[다]는 박씨 부인이 도술을 써서 청나라 군사들을 물리치는 장면이다. 박씨 부인을 영웅 소설의 주인공으로 볼 때, 이는 능력을 갖춘 존재가 고난을 해결하는 Ⓓ에 해당하는 단계라고 할 수 있다.

4 실제 전쟁은 졌지만 정신적으로나마 보상을 받으려고 했던 작품의 창작 의도를 생각하면, '가슴에 맺힌 원한을 풀어 버림'의 의미인 ①과 연관지을 수 있다.

5 박씨 부인은 변신을 통해 아름다운 용모를 갖추게 되고, 이로써 남편과 시집 식구들에게 받아들여지면서 가정 내의 갈등을 극복하게 된다. 이후 청나라와의 전쟁에서 탁월한 능력을 발휘하여 영웅의 면모를 보이지만, 미모를 이용하여 활약하지는 않는다.

6 이 작품은 남성 중심의 지배 체제하의 현실 속에서 여성을 주인공으로 내세움으로써 여성들의 소외 의식을 보상해 주고 있다. 또 이는 여성의 위상이 신장되었음을 반영하는 것이기도 하다.

7 '웅거(雄據)'는 '일정한 지역을 차지하고 굳게 막아 지킴'이라는 뜻이며, '나가서 활동하지 않고 틀어박혀 있음'을 뜻하는 단어는 '칩거(蟄居)'이다.

21 광문자전

p.138

1 ② 2 ④ 3 ③ 4 ③ 5 ⑤ 6 ③ 7 일반적인 고전 소설의 주인공은 〈보기〉와 같이 명문가의 후예이거나 뛰어난 능력을 지닌 경우가 많지만, 광문은 미천한 비렁뱅이이다.

1 이 작품은 박지원의 한문 단편 소설을 우리말로 옮긴 것으로, 고전 소설에 등장하는 인물 유형과 다른 '광문'이라는 인물의 일화를 나열하여 새 시대에 필요한 인간형을 제시하고 있다.

2 거지는 가문 배경도, 권력도, 부(富)도 가지고 있지 않다. 이러한 거지인 광문을 통해 작가는 앞서 언급한 것들이 별로 중요한 것이 아니며, 인정과 의리를 지닌 성품이 중요함을 이야기하고 있다고 볼 수 있다.

3 앓는 거지 아이를 위해 먹을 것을 빌어 오거나, 거지 아이의 시신을 수습하여 묻어 주는 모습에서 광문의 따뜻한 인간애와 인정을, 다른 사람의 재물을 탐내지 않는 모습에서 정직함을 엿볼 수 있다.

4 광문이 거지 아이의 죽음을 통해 오해를 사고, 결국 거지들에게 쫓기게 되는 상황을 설정하기 위한 소설의 구성 장치이다.

5 〈보기〉에는 욕심에 얽매이지 않고 마음의 자유를 누리는 태도와 자신의 분수에 만족하며 사는 광문의 삶의 자세가 드러나 있다.

6 '돈으로 산 가짜 명성'이라는 표현으로 보아 양반 신분이 매매되고 있는 현실에 대해 비판하고 있음을 알 수 있다.

22 구운몽

p.140

1 ② 2 ⑤ 3 ④ 4 ① 5 ⑤ 6 ④ 7 (1) 세속적 욕망은 뜬구름처럼 덧없는 것이라는 의미이다. (2) 입몽과 각몽으로 이어지는 환몽 구조와 관련된다.

1 인물인 양소유(성진)와 호승(육관대사)의 대화와 행동을 통해 사건이 전개되고 있음을 확인할 수 있다. [라]에서 배경 묘사라고 할 수 있는 부분이 일부 나타나지만, 인물 간의 갈등을 암시하는 것은 아니다.

2 [마]의 내용을 통해 스승이 '성진'에게 책임을 물어 풍도(지옥)로 보내고 인세(인간 세상)에 환도했다는 것을 확인할 수 있으나, '성진'이 벌을 스스로 택했다는 내용은 나타나지 않는다.

3 [라]에서 호승(육관대사)이 석장을 들어 석난간을 두어 번 두드리자 '성진'은 꿈에서 깨어난다. 또한 구름이 일어나며 갑작스런 일기의 변화가 나타나는 부분은 고전 소설의 전기성을 잘 보여 주고 있다.

4 ㉠의 상황에는 '한바탕의 봄꿈이라는 뜻으로, 헛된 영화나 덧없는 일을 비유적으로 이르는 말'인 '일장춘몽(一場春夢)'이 어울린다. ② 누워서 몸을 이리저리 뒤척이며 잠을 이루지 못함 ③ 달리는 말에 채찍질한다는 뜻으로, 잘하는 사람을 더욱 장려함을 이르는 말 ④ 실속은 없으면서 큰소리치거나 허세를 부림 ⑤ 뻔뻔스러워 부끄러움이 없음

5 Ⅱ에서는 '몽중몽(꿈속의 꿈)'이 나타난다. [나]의 몽중몽에서는 포단 위에서 참선하는 자신(성진)의 모습을 보지만 '소유'는 이것이 현실임을 깨닫지 못하고 있다. [다]에서도 '소유'가 기억하는 몽중몽은 실제로는 현실의 일(성진의 삶)이지만 이를 깨닫지 못하고 꿈으로만 생각하고 있다.

6 ⓓ는 갑작스러운 변화에 당황하면서 상대에게 상황을 바로잡아 줄 것을 요구하는 말이다. '소유'는 사건의 진상을 파악하지 못한 채 당황하고 있으므로 사건의 전모를 파악하고 상대를 제압한다는 설명은 적절하지 않다.

23 흥부전

p.142

1 ③ 2 ① 3 ④ 4 ⑤ 5 ② 6 ② 7 ④
8 판소리가 소설로 정착하면서 현장에서 관객을 대상으로 직접 공연하던 판소리의 특징이 남아 있기 때문이다.

1 흥부의 모습을 통해 양반의 무능력함과 당시 사회의 부패함을 풍자하려는 의도를 이끌어 낼 수는 있으나, 이 작품이 당시의 신분 제도 자체를 풍자한다고 보기는 어렵다. 또한 작품 전체의 사건 전개 과정에서 실생활에 도움이 되는 학문을 수용하고 배워야 한다는 실학 정신이 드러나지도 않는다.

2 김딱직을 비롯한 인물들이 가난 자랑을 하는 대목은 과장된 표현이 사용되어 가난한 상황을 강조하고 웃음을 유발하고 있다(ㄱ). 또한 '흥부 아내 거동 보소' 등의 표현에서는 서술자가 독자에게 직접 말을 건네는 듯한 서술 방식이 드러난다. 이러한 방식은 독자와 서술자의 거리를 좁히고, 독자에게 상황에 대한 공감을 유발시킨다(ㄷ).

3 흥부는 자신이 가장 가난하다고 생각하여 가난 자랑으로 매품을 팔자고 제안하지만, 다른 사람들의 말을 듣고 나서는 매품 팔기를 포기하고 돌아온다. 이는 대화가 진행됨에 따라 흥부의 심리적인 태도가 달라진 것이라고 볼 수 있다.

4 이 작품은 공간적 배경이 구체적으로 드러나지 않은 고전 소설이다. 따라서 공간적 배경을 실제로 답사하는 것은 작품을 이해하기 위한 활동으로 적절하지 않다.

5 언어유희는 발음의 유사성이나 동음이의어의 활용, 유사한 음운의 반복, 언어 도치 등을 활용하여 해학적으로 표현하는 말장난을 의미한다. ㉡은 의인화와 과장을 통한 해학적인 표현으로 가난을 제시하였으며, 언어유희는 나타나지 않는다.

6 [A]의 인물들이 자신의 가난을 자랑하는 상황 자체가 해학과 풍자의 효과를 불러온다. 또한 가난한 상황을 설명하는 표현에 있어서도 '부엌의 노랑 쥐가 ~ 석 달 되었소.', '우리 아내와 나와 ~ 삼 년째 되었소.' 등 과장된 진술을 통해 웃음을 유발하고, 가난한 사람들이 많았던 당시의 시대 상황을 풍자하고 있다.

7 '생기는 대로 먹고 살지 남 대신으로 맞을까.'라는 말과 집으로 돌아온 흥부를 잡고 서럽게 우는 태도에서, 흥부 아내는 흥부가 매품을 팔려고 했던 것을 부정적으로 여겼음을 알 수 있다. 따라서 매도 맞지 못하고 그냥 돌아왔다는 흥부의 말을 듣고 기뻐했을 것임을 짐작할 수 있다.

24 춘향전

p.144

1 ④ 2 ⑤ 3 ③ 4 옥중화 5 ⑤ 6 ① 7 춘향에게 '옥'은 시련의 장소인 동시에, 신분을 초월하여 사랑을 완성하기 위해 반드시 거쳐야 할 통과 제의적 공간이다.

1 이 글은 판소리의 상층 문화 지향적인 특성(양반들을 관객과 후원자로 끌어들이고자 함)으로 인해 한문의 사용이 많다. 그러나 문장은 판소리 사설과 같이 현재형의 구어체적 표현이 사용되었다.

2 ⑤는 반어적 표현에 대한 설명인데, 이 작품의 한시에는 반어적 표현이 나타나지 않는다.

3 ㉮는 동음이의어(갈비)를 이용한 언어유희이다. ③의 '노새 원님'도 '노(老)생원님'과의 발음의 유사성을 이용해 양반을 조롱하는 언어유희의 표현이다.

5 이 작품에서 변 사또 생일잔치의 사치스러운 상황과 백성들의 고통을 대조한 것은 부자인 변 사또의 재물이 사실은 가난한 백성들로부터 빼앗은 것이라는 점을 강조하고, 그 부도덕성을 질타하기 위한 것이다. 이러한 비판에는 양반이나 백성이나 다를 것이 없고 마찬가지로 대접받아야 한다는 평등사상과 인간 존중의 사상이 자리 잡고 있다.

6 이 글의 '어사또'가 탐관오리(모든 수령)들에게 들려 주기에 가장 적절한 노래는 ①이다. ② 절의를 지키는 삶의 추구 ③ 가을 달밤의 풍류와 정취 ④ 충신에 대한 회유 ⑤ 자연의 불변성과 인생의 무상감

25 장끼전

p.146

1⑤ 2① 3③ 4① 5③ 6④ 7④ 8 장끼는 까투리의 말을 듣지 않고 콩을 먹으려다가 덫에 걸린다. 이는 장끼의 권위주의적이고 고집스러운 성격 때문이라고 할 수 있다.

1 이 작품은 판소리로 불리다가 후에 소설화된 판소리계 소설로, 특정 작가가 존재하지 않는다.

2 이 작품은 장끼와 까투리의 대화를 중심으로 전개되고 있으며, 등장인물들의 대화를 통해 각 인물의 성격이나 중심 사건이 드러난다. ② 이 작품은 많은 단어와 수식어를 사용하여 문장을 길게 늘어놓은 만연체를 사용하고 있다.

3 이 작품이나 〈보기〉에서 부정적 현실을 극복할 수 있는 영웅적 능력이 필요하다는 의도를 유추해 내기는 어렵다.

4 장끼는 까투리의 만류를 귀담아듣지 아니하고 지나쳐 흘려 버리고 있으므로 말의 귀에 동풍이 불어도 아랑곳하지 아니한다는 뜻의 ①이 장끼의 태도와 관계 깊다.

5 취할 것과 취하지 않을 것을 분명하게 구별하여 행동함을 강조하는 고사는 '백이숙제, 장자방'이고, 남의 충고를 듣지 않다가 망함을 강조하는 고사는 '진시황, 초패왕, 굴삼려'이다.

6 까투리가 아무리 만류를 하여도 장끼는 들으려고 하지 않고 자신의 고집만 피우고 있다. 까투리는 이러한 장끼의 태도에 대해 답답해하며 하소연하듯 연기하는 것이 적절하다.

7 ㉠은 이름에 콩 태(太) 자(字) 든 사람의 일부를 바탕으로 그것이 전체인 것처럼 말하고 있다. 이것은 불충분한 사례로부터 일반화시킨 성급한 일반화의 오류이다.

26 심청가

p.148

1④ 2 ㉮ : 심청전, ㉯ : 강상련 3④ 4⑤ 5① 6⑤
7 심 봉사는 자식에 대한 부성애가 강한 인물이며, 자신의 처지로 인해 심청이 죽고 말았다는 죄책감에 사로잡혀 있다.

1 이 작품은 전반적으로 유교의 덕목인 효를 강조하고 있으며, 불교의 인과응보가 주된 내용을 이루고 있다. 제시된 부분은 심 봉사와 심청의 이야기로 상생의 정신과 효 사상이 두드러지게 나타날 뿐, 지배 계층의 권위에 맞서는 서민층의 모습은 드러나지 않는다.

3 〈보기〉의 '굴'은 곰이 인간으로 되기 위한 통과 제의적 공간을 의미한다. 이 작품 속 '인당수' 역시 심청이 가난하고 비천한 신분에서 고귀한 신분으로 변모하기 위한 통과 제의적 성격의 공간이다.

4 심 봉사는 비참한 처지에 놓인 자신과 심청의 상황을 드러내어 연민(동정)에 호소하는 말하기를 하고 있다.

5 [B]에서 '부인들'은 심 봉사가 심청을 데리고 다니며 젖동냥을 하자 이를 적극적으로 돕고 있으며, 이러한 '부인들'의 태도에서는 타인의 어려움을 함께 나누고자 하는 상생의 정신이 드러난다. ①에서도 먹을 것과 입을 것이 없을 정도로 어려운 이들을 적극적으로 도와주려는 태도가 드러난다.

6 ㉠은 심 봉사에 이어 맹인 잔치에 참여한 모든 맹인과 눈먼 짐승들 등이 차례로 눈을 뜨는 대목이다. 그러므로 어떤 일이 차례로 벌어지거나 여러 가지 사건을 늘어놓는 대목에서 쓰이는 자진모리장단이 어울린다.

27 흥보가

p.150

1③ 2③ 3⑤ 4 골계미 5⑤ 6⑤ 7①
8 매품을 팔아야 할 정도로 경제적인 궁핍을 겪는 사람들이 많았다. 또, 죄를 지어도 돈으로 죗값을 치를 수 있을 만큼 부정부패가 만연했다.

1 이 작품은 구전 설화인 '방이 설화'와 '박 타는 처녀 설화' 등을 바탕으로 여러 설화적 요소들이 적층되어 만들어진 〈흥보가〉로, 조선 고종 때 신재효가 정리한 것이다.

2 흥보의 큰아들은 매품팔이를 가는 흥보를 걱정하고 만류하기는커녕 '각씨(閣氏)' 하나 사다 달라며 철없는 부탁을 하고 있다.

3 이 작품의 근원 설화는 '방이 설화'와 '박 타는 처녀 설화' 등이다. ①은 〈토끼전〉, ②는 〈심청전〉, ③은 〈변강쇠 타령〉, ④는 〈춘향전〉의 근원 설화이다.

4 ㉮에서는 극심한 가난으로 매품팔이를 할 수 밖에 없는 처지를 웃음을 유발하는 해학적 상황으로 표현하고 있고, 〈보기〉에서는 떠나는 임에 대한 원망과 새 여인에 대한 질투를 익살스럽게 표현함으로써 골계미를 드러내고 있다.

5 ㉠과 ①, ②, ③, ④는 언어유희의 표현이지만, ⑤의 "잘되었네, 잘되었네, 열녀 춘향 신세가 잘되었네!"는 반어적 표현이다.

6 [A]에서는 남루한 의관을 정제하는 흥보의 모습을 장황하게 묘사하고 있다. 갖출 것은 다 갖추어 채비를 하는 장면은 흥보의 가난과 대비되어 씁쓸한 웃음을 유발한다.

7 이 작품에서는 평민 계층의 언어와 '천불생무연지인이요 지부장무명지초라.'와 같은 한문 투의 표현, 즉 양반 계층의 언어가 함께 쓰이고 있다.

28 통곡할 만한 자리

p.152

1② 2⑤ 3③ 4③ 5④ 6 울음과 웃음 모두 복받쳐 나오는 감정이 이치에 맞아 터지는 것이기 때문이다.

1 이 작품은 기행 수필로, 죽은 사람에 대해 애도의 형식을 나타내는 제문의 형식이 사용되지 않았다.

2 '참된 소리'는 갓난아이의 울음에 빗대어 청나라의 넓은 세상을 접한 글쓴이의 감격을 표현한 부분이다.

3 ③은 '한눈에 바라볼 수 없을 정도로 아득하게 멀고 넓어서 끝이 없음'이라는 뜻으로 [B]의 광활한 요동 벌판을 나타내기에 적절한 한자 성어이다.

4 한나라의 문인인 '가의'는 자신의 울음터를 얻지 못하다가 '선실'로 비유된 한나라 정권을 향해 답답하고 억눌린 감정을 상소문에 담아 한번 크게 운 사람이다. 글쓴이는 '정말 칠정에서 우러나오는 지극하고 참다운 소리'에 대한 예로 '가의'의 울음을 들고 있으므로, ③은 적절하지 않다.

5 〈보기〉의 '일 년 삼백육십 일에 ~ 손톱은 다섯 치라.' 에서는 청나라 호인들의 생활 문화에 대한 화자의 경멸적 시선이 과장과 해학을 통해 나타나고 있다.

29 한중록

p.154

1② 2④ 3⑤ 4② 5② 6③ 7① 8③ 9⑤ 10 ① 역사적 인물이 쓴 글이므로 역사의 보조 자료가 된다. ② 임오화변을 재검토하는 데 도움을 주는 실기 문학(實記文學)이다. ③ 궁중 문학이라는 점에서 궁중 풍속의 연구 자료가 된다.

1 이 작품에는 혜경궁 홍씨가 사도 세자의 참변을 바라보는 시각만이 나타날 뿐, 다른 서술자의 입장은 나타나지 않는다.

2 이 작품을 수필로 보는 이유는 수필의 특성인 자신의 체험을 기록한 점 때문이다. 즉, 글쓴이인 '나'는 허구적인 인물이 아니라 혜경궁 홍씨 자신이다.

3 이 작품은 역사적 기록을 개인적으로 소화하여 주관적으로 기록한 것이 특징적이다.

4 이 작품은 '임오화변'이라는 역사적 사건을 개인적 시각에서 바라보고 품위를 잃지 않으면서 글쓴이의 심정을 드러내며 쓴 것이다.

5 이 작품에서 사도 세자가 위급한 상황에서 글도 읽고, 말씀도 다 듣겠다고 말하고는 있으나, ㄴ과 같이 평소 지난날의 잘못을 뉘우치고 새사람이 되려고 했다는 내용은 확인할 수 없다.

6 작품 감상의 관점 중 내재적 관점은 작품을 그 자체로서 완성된 하나의 미적 구조물이라고 보아 작품 자체를 작품 해석과 평가의 기준으로 삼는다. ③의 경우는 고아한 궁중 용어 사용을 통해 작품 표현의 아름다움을 밝혔기 때문에 내재적 관점으로 감상한 것이다. 나머지는 작품의 외부와 관련지어 작품을 감상하는 외재적 관점에 해당한다.

7 [A]에는 영조에게 불려 간 사도 세자로 인해 두려움에 떨고 있는 글쓴이의 심정이 나타나 있다. 이는 '마음이 불안하고 걱정스러움'을 의미하는 ①과 관련된다.

8 갑자기 까치 떼가 나타나 경춘전을 에워싸고 우는 것은 사도 세자의 죽음을 예고하는 복선 역할을 한다.

9 〈보기〉는 각 정파 간의 권력 다툼으로 인해 사도 세자가 억울하게 참소를 받고 죽은 사실을 언급하고 있다. 글쓴이는 자신의 남편이 이런 정쟁의 희생양이 되었다는 사실을 해명하기 위한 의도로 이 글을 썼다. 따라서 글쓴이 자신이 아니라 남편인 사도 세자가 사건에 연루되지 않았다는 것을 밝히기 위한 의도라고 할 수 있다.

30 서포만필

p.156

1② 2④ 3③ 4③ 5⑤ 6⑤ 7④ 8③ 9 인간의 성정이 자연스럽게 드러나며, 저속하지 않고, 순우리말의 구사가 돋보인다.

1 이 글에서는 '사람의 마음이 입으로 표현된 것이 말이요, 말의 가락이 있는 것이 시가문부(문학)'라고 하였다. 따라서 작가는 문학을 도(道)를 전달하는 수단으로 보지 않고, 인간의 성정을 표현한 언어 예술로 보고 있다.

2 김만중은 자기 말을 버려두고 다른 나라 말을 배워서 표현한 것은 단지 앵무새가 사람의 말을 하는 것이라고 하였으므로, 다른 나라의 말을 배워서 표현하는 것은 진정한 문학이라고 할 수 없다고 보았다.

3 이 글에서 김만중은 우리의 생각이나 감정을 잘 나타낼 수 있는 말은 중국의 말이 아닌 우리말임을 강조하였다. 또한 평민들이 부르는 우리말 노래가 학사대부들의 시부(詩賦)보다 더 뛰어나다고 보았으므로, 한자어를 빌리지 않은 ③을 가장 높게 평가할 것이다.

4 ⓒ의 '시가문부(詩歌文賦)'는 고유의 말의 가락을 지닌 문학을 일컫는 말로, 긍정적인 의미로 쓰였다. 반면에 ⓐ, ⓑ, ⓓ, ⓔ는 다른 나라의 말을 빌린 문학을 일컫는 말로 부정적인 의미로 쓰였다.

5 ㉠에서는 시가를 다른 나라의 말로 번역하면 시가가 지닌 본래의 아름다움이 사라진다는 번역 문학의 한계에 대해 설명하고 있다.

6 '결'은 송강 가사를 높이 평가하는 이유를 제시한 부분으로 '송강 가사 작품의 단점'을 제시하지는 않았다.

7 작가가 송강의 작품을 '우리나라의 이소'라고 한 것은 우리나라 시가 중에서 송강 정철의 작품이 최고라고 극찬한 것이다. 이는 작품의 가치에 대한 평가이므로 '가치적 판단'에 해당한다고 볼 수 있다.

8 작가는 송강의 작품이 '우리나라의 이소'라고 할 만큼 최고라고 극찬하며, 그중 〈후미인곡〉이 가장 뛰어나다고 평가하였다. 이에 어울리는 한자 성어는 '많은 사람 가운데서 뛰어난 인물을 이르는 말'인 '군계일학'이 적절하다.

31 조침문

p.158

1⑤ 2⑤ 3⑤ 4③ 5③ 6① 7 바늘을 의인화하여 마치 대화하듯이 글쓴이의 애통한 심정을 제문 형식으로 표현하였다. 또, 내간체를 사용하여 문장의 가락이 유려하고 여성 특유의 섬세한 감정과 치밀함이 돋보인다.

1 이 작품은 부러진 바늘을 마치 죽은 사람을 애도하듯이 조문하는 수필로서, 그에 어울리게 제문의 형식을 취하고 있다. 따라서 객관적인 태도보다는 글쓴이의 개인적인 사연과 심정이 주를 이루는 주관적인 태도를 보이고 있다.

2 '결사'에서 글쓴이는 '백년고락(百年苦樂)과 일시생사(一時生死)를 한가지로 하기를 바라노라.'라고 하며 바늘과 후세에 다시 만나 생사고락을 같이 하기를 바라고 있다.

3 〈보기〉는 〈규중칠우쟁론기〉 중 세요 각시, 즉 바늘이 자신의 공을 드러내고 있는 장면이다. 〈규중칠우쟁론기〉는 조선 시대에 사물을 의인화한 수필의 백미로, 교훈적인 주제를 드러내고 있는 작품이다. 그러나 〈조침문〉에서는 글쓴이가 부러진 바늘을 애도하고 있을 뿐, 세태를 풍자하거나 교훈을 주고 있지는 않다.

4 '모씨'는 글쓴이가 자신의 실명을 밝히지 않고 익명성에 기대어 표현한 것이므로, 글쓴이 자신을 가리키는 표현이다. 따라서 이 작품의 독자로 해석한 ③은 적절하지 않다.

5 이 작품에는 바늘을 의인화하여 표현하고 있는 의인법이 주로 사용되었다. ③도 빗방울을 의인화하여 표현하고 있다. ① 직유법 ② 대유법 ④ 은유법 ⑤ 상징법

6 이 작품에는 죽은 대상(바늘)에 대한 화자의 애절한 슬픔이 나타나 있다. ① 역시 죽은 임을 그리워하는 화자의 애통한 심정을 보여 주고 있다.

32 봉산 탈춤

p.160

1⑤ 2② 3⑤ 4⑤ 5⑤ 6 탈춤은 상층의 양반과 하층의 서민들이 함께 향유하였기 때문에 한자어와 비속어가 함께 사용되었다.

1 봉산 탈춤은 춤과 대사의 예술성이 뛰어난 가면극으로 봉건 사회를 풍자하는 내용을 담고 있어 조선 후기의 근대 서민 의식을 알 수 있게 해 준다. 전체 7개의 과장이 옴니버스식 구성으로 이루어져 각각 파계승, 양반, 가부장 남성을 비판하고 있으며, 노래와 춤, 대사가 같이 어우러져 극이 진행된다.

2 '평궁하기에 굿만 여기고 한 거리 놀고 가려고 들어온 할맘일세.'는 극중 인물인 미얄이 마치 놀이판에 구경 온 것처럼 행세한 것으로 무대와 객석의 구분이 엄격하지 않고, 극중 장소와 공연 장소가 일치하는 우리나라의 전통 가면극의 특징을 보여 주는 구절이다.

3 이 작품에서 악공은 극이 연희되는 동안 필요한 효과음을 연주하는 사람이면서 동시에 등장인물을 소개하고 사건을 진행시키는 역할을 한다. 또한 때때로 극에 개입해 혼자 등장한 인물의 대화 상대역을 하기도 한다.

4 ①은 '난간이마'라는 말에서, ②는 '주게턱', '웅케눈'이라는 말에서, ③은 '개발코'라는 말에서, ④는 '상통은 과녁판 같고'라는 말에서 알 수 있다. 그러나 영감의 키는 '석 자 네 치'의 작은 키이다.

5 ㉠은 글자를 맞춘(일원산 – 하로 자고, 이강경 – 이틀 자고, 삼부여 – 사흘 자고, 사법성 – 나흘 자고) 언어유희의 표현이다. ①은 개잘량의 '양', 개다리소반의 '반'에서, ②는 '이부(二夫) – 이부(李夫)'에서, ③은 '아주벰 – 도마뱀'에서, ④는 '서방 – 남방'에서 언어유희의 표현이 사용되고 있다. 그러나 ⑤의 '어찌 아니 명관(名官)인가'는 반어적 표현이다.

33 양주 별산대놀이

p.162

1 ④ 2 ① 3 ① 4 ④ 5 ⑤ 6 양반이 가난하여 납채를 못 들이거나 권력을 이용하여 뇌물을 챙기는 모습에서 양반들의 경제적 몰락상과 부패한 사회상을 확인할 수 있다.

1 이 작품에서는 특별한 무대 장치가 없어 장면의 전환이 자유로울 뿐 아니라, 극 중 인물이 관객과 소통하기에 용이하다.

2 쇠뚝이는 샌님을 돈으로 유혹하여 조롱하고 있으며, 샌님은 그 돈을 탐내고 있다.

3 ㉠을 중심으로 말뚝이와 쇠뚝이가 의막을 정해 샌님 일행을 몰아넣는 상황에서 샌님과 말뚝이가 의막을 정한 후 대화하는 상황으로 바뀌고 있다.

4 ㉡에서 쇠뚝이는 양반 계층에 걸맞지 않은 차림을 한 샌님의 모습에 대해 거침없이 조롱 · 비판하고 있다.

5 이 작품에서는 서민을 대표하는 전형적인 인물(말뚝이, 쇠뚝이)이 양반에게 저항하는 모습을 통해 무능하고 부패한 지배 계층에 대한 민중들의 비판 의식을 드러내고 있을 뿐, 신분제 자체를 타파한 모습은 찾아볼 수 없다.

V 개화기 ~ 광복 이전

01 해에게서 소년에게

p.166

1 ③ 2 ④ 3 ⑤ 4 ⑤ 5 ② 6 ② 7 ④
8 '바다'는 서구 문물로 대표되는 근대 문명을 의미하며, '소년'은 근대 문명을 이끌어 갈 새로운 세대를 의미한다.

1 이 시는 담화체(이야기를 주고받는 듯한 문장체) 형식을 사용하여 주제를 강조하는 효과를 거두고 있다.

2 이 시에서 '바다'는 시적 화자 자신으로 실제적인 자연물이라기보다는 시인의 생각과 느낌을 드러내기 위한 상징적이며 관념적인 대상으로 볼 수 있다. 즉, 인간처럼 표현하여 신문명의 예찬과 개화사상을 고취하기 위해 시인이 설정한 대리인인 것이다.

3 이 시는 서양 문물을 적극적으로 수용하여 새로운 시대를 개척해 나가자는 시대적 소명을 의인화된 '바다'를 통해 드러내고 있다. 이는 이전까지의 전통 시가가 지녔던 충성, 자연 예찬을 노래한 것과는 상당한 차이를 보이는 것으로, 자아와 세계에 대한 각성이 있었기 때문에 가능한 일이었다.

4 이 시는 형식적으로는 각 연의 처음과 끝에 의성어를 반복하여 형태적 안정감을 꾀하는 등 새로운 시도를 하였지만, 율격면에서는 고전 시가의 틀을 크게 벗어나지 못하였다.

5 ㉠은 조그만 성과에 만족하여 '우물 안 개구리' 식의 오만한 태도로 문명개화를 거부하는 부류를 비판하고 있다. ②는 우물 속에 앉아서 하늘을 본다는 뜻으로, 사람의 견문이 매우 좁음을 비판적으로 이르는 말이다.

6 이 시는 '파도 소리(음성 상징어)'를 각 연에 배치함으로써 생동감을 부여하고 새로운 시대에 대한 열망을 드러내고 있다. 또한 각 연의 처음과 끝에 위치하여 형태적 안정감을 획득하고 운율을 만들어 내고 있다. 이는 회화성과는 거리가 멀다.

7 이 시에서 '바다'는 신문명이 들어오는 통로로 긍정적으로 그려지고 있는 반면에, '육상'은 구시대의 잔재로 개화에 방해가 되는 여러 가지 요소를 포함하고 있는 대상이다.

02 빼앗긴 들에도 봄은 오는가

p.168

1 ⑤ 2 ⑤ 3 ③ 4 ⑤ 5 ② 6 ③ 7 ⑤
8 '빼앗긴 들'은 '일제 강점하의 조국'을, '봄'은 '조국 광복'을 의미하는 것으로, '~봄은 오는가'라는 의문형으로 끝이 난 것은 시적 화자가 조국 광복을 간절히 기다리지만 봄이 오기는 어려울 것이라고 회의하고 있음을 나타낸다. 즉 국권을 상실한 민족의 비통한 현실을 나타내는 것이다.

1 이 시는 대상에 대한 화자의 감정을 주로 다루고 있는 서정시로, 이야기체의 서사적 구성은 드러나지 않는다. 서사적 구성이란, 시에서 일정한 줄거리를 갖는 이야기를 포함하고 있는 경우를 말한다.

2 ㉠은 표면적으로는 지평선을 의미하며, 함축적으로는 화자가 가고 싶어 하고 지향하는 이상향, 즉, 광복을 이룬 조국을 의미한다.

3 이 시의 화자는 1연과 3연, 11연에서는 조국 상실로 인한 침체된 감정을 드러내고, 2연과 8연에서는 고조된 감정을 보이고 있다.

4 ⑤는 시적 화자의 봄을 맞이하는 기쁨과 들을 빼앗긴 슬픔이 교차하는 불안정한 심리 상태를 신체의 불구로 표현하고 있는 부분으로 현실과 이상 사이의 간극 속에서 지식인으로서 겪을 수밖에 없는 정서적 불균형 상태를 비유한 말이다.

5 ②는 아무런 말도 해 주지 않는 산천을 가리키는 말로 조국을 빼앗긴 암울한 상황을 암시한다. 나머지 시행들은 봄을 맞는 국토의 활기찬 모습을 나타낸 것이다.

6 ㉡은 서로 대비되는 감정인 '웃음'과 '설움'을 통해 기쁨과 비애가 교차되는 화자의 복잡한 감정을 드러내고 있으며, 서로 모순된 감정을 병치하는 역설법이 사용되고 있다. 화자의 평화로운 감정이 드러나는 것은 아니다.

7 ⓔ는 식민지 현실에 대한 허탈감을 자조적으로 표현한 것이다.

03 초혼

p.170

1 ① 2 ④ 3 ④ 4 ② 5 ① 6 ④ 7 '끝끝내 버릴 수 없는 민족애와 조국 광복에의 의지'를 의미한다.

1 시적 화자는 임의 이름을 부름으로써 임의 부재를 실감하고, 사랑을 고백하지 못한 것에 대해 자책하며 회한을 드러내고 있으나 이를 자아 성찰이라고 볼 수는 없다.

2 이 시는 '이름이여!', '그 사람이여!' 등의 호칭적 진술과 '부르노라' 등의 비슷한 통사 구조의 반복과 영탄을 사용해 사별로 인한 시적 화자의 슬픔을 표현하고 있다.

3 ⓐ의 관점은 시대 현실과 관련지어 작품을 감상하는 반영론적 관점이다. ④는 일제 강점기라는 당대의 현실을 고려하여 작품을 이해하고 있으므로 적절한 감상이다.

4 이 시의 시적 화자는 임의 죽음을 인식하고 그 슬픔에 절망하고 있다. 그러나 〈보기〉에서 아내는 남편이 죽었다는 사실을 모른 채, 오지 않는 남편을 기다리다 망부석이 되었다.

5 1연의 '불러도 주인 없는 이름이여!'는 이름에 주인이 없다는 모순된 표현을 사용해 임의 죽음이라는 상황을 더욱 강하게 암시하고 있다.

6 3연에서 시적 화자는 '낮'으로 상징되는 삶과 '밤'으로 상징되는 죽음의 경계에서 무기력하게 멀리서 임의 이름만 부르고 있을 수밖에 없는 상황에 처해 있다. 또한 객관적 상관물을 통해 시적 화자의 슬픔을 드러내고 있다(감정 이입).

04 접동새 · 산유화

p.172

1 ④ 2 ⑤ 3 ③ 4 ⑤ 5 작은 새 6 ⑤ 7 인간의 삶은 근원적으로 고독하다.

1 [나]에서 1연과 4연은 '피네/지네'의 차이만 있을 뿐 통사 구조가 동일하여 수미 상관을 이루고 있다. 그러나 [가]는 수미 상관의 구조가 나타나지 않는다.

2 ①~④의 화자는 [가]의 화자와 마찬가지로 혈육과의 이별로 인한 슬픔과 그리움의 정서를 드러내고 있다. 그러나 ⑤의 화자는 암담한 시대 현실에 맞서는 저항 의지를 그리고 있으므로, [가]의 화자가 처한 상황 및 정서와 유사하지 않다.

3 [A]는 a-a-b-a 구조로 운율감을 형성하고 있으나, ③에서는 이러한 구조가 나타나지 않는다.

4 '죽어서도 못 잊어'는 동생들을 잊지 못하는 누나의 그리움과 안타까움을 나타내고 있다.

5 [나]의 산에서 우는 '작은 새'는 화자의 외로운 처지를 나타내는 시어로, 고독한 존재의 모습을 보여 주고 있다.

6 '저만치' 혼자서 피어 있는 꽃의 모습에서 부정적인 사회 현실의 모습이나 이로 인한 화자의 안타까움은 찾아볼 수 없다.

05 님의 침묵 · 알 수 없어요

p.174

1 ③ 2 ① 3 ④ 4 ④ 5 ④ 6 ④ 7 ④ 8 ④ 9 [가]의 시적 화자는 만남은 곧 헤어짐이요, 헤어짐은 곧 만남이라는 역설적 진리의 깨달음을 통해 이별이 만남을 위한 전제 조건임을 깨달았기 때문에 이별의 슬픔을 희망으로 전환시키고 있는 것이다.

1 이 시의 시적 화자는 현재 임과 헤어진 상태로, 이별의 상황을 가정하고 있지 않다.

2 ⓐ는 임을 잃은 슬픔, 충격에서 나온 탄식이며, ⓑ는 현실적으로는 임이 떠났지만, 재회에 대한 의지와 확신만 있으면 임은 반드시 돌아올 것이라는 사실에 대한 깨달음에서 나온 것이다.

3 이 시에서 시적 화자는 시적 대상인 임과의 이별의 슬픔을 재회에 대한 희망으로 극복하고 있다.

4 마음속에서 임을 떠나보내지 않은 시적 화자는 현재의 이별 상황에서 임이 부재하는 것이 아니라 침묵하고 있는 것이라고 인식하고 있다. 즉 임과의 재회를 확신하고 있는 것이다.

5 [나]의 마지막 행에 언급된 '밤'은 임이 부재하는 암담한 현실을 나타내는 시어로, 화자는 이러한 밤을 몰아내려는 의지를 드러내고 있다. '검은 구름'은 세속적 번뇌와 고통을, '저녁놀'은 불성으로 정화된 경지를, '약한 등불'은 '밤'을 몰아내려는 화자의 희생정신을 형상화한 시어이다.

6 [나]는 처음부터 끝까지 의문형 통사 구조를 반복함으로써 존재의 본질, 혹은 절대자나 진리에 대한 끊임없는 탐구의 과정을 다루고 있지만, 화자의 물음에 대한 답은 제시되지 않고 있다.

7 굽이굽이 흐르는 '작은 시내'의 끝없는 흐름은 '세상을 즐겁게 해 주는 노래'로 형상화되고 있다. 이 시에서 '누구'는 초월적 힘을 지닌 절대적 존재로, 화자는 이러한 절대적 존재에 대한 동경과 구도의 정신을 보여 주고 있다.

8 '타고 남은 재'는 부정적인 대상인데, 화자는 이를 통해 '기름'이라는 긍정적 대상으로 나아가려 하고 있다. 이는 불교의 윤회설을 바탕으로 한 것으로, 소멸의 이미지를 생성의 이미지로 연결시키는 고차원적인 역설이라 할 수 있다. 화자의 끊임없는 구도 정신을 밝히고 있는 표현이다.

06 향수

p.176

1 ① 2 ⑤ 3 ③ 4 ④ 5 ⑤ 6 ④ 7 '실개천', '질화로' 등의 향토적 정감이 물씬 풍기는 시어는 고향에 대한 추억을 환기시키고, '금빛 게으른 울음', '옛이야기 지줄대는 실개천' 등의 공감각적 이미지는 고향에 대한 정서를 환기시키며 시의 서정성을 높여 준다.

1 제목 '향수(鄕愁)'에서 알 수 있듯이, 이 시는 고향에 대한 그리움을 노래한 시이지, 평화롭고 한가한 전원생활에 대한 동경을 노래한 시가 아니다.

2 '전설 바다'는 어린 누이의 검은 귀밑머리를 비유한 보조 관념으로 고향의 정경이 아니다. 그러나 '실개천, 질화로, 늙으신 아버지, 짚베개'는 한국의 어느 시골에서나 볼 수 있는 정경으로 고향에 대한 우리 민족의 보편적인 정서와 부합한다.

3 이 시의 후렴구는 반복을 통해 '고향에 대한 그리움'이라는 화자의 정서가 절실함을 드러내는 역할을 한다.

4 ㉣은 농사에 바빠서 신도 잘 추슬러 신을 새도 없이 고단한 삶을 사는 아내의 모습을 통해 가난한 고향 마을의 모습을 보여 주고 있다.

5 이 시에서 '함부로 쏜 화살'은 시적 화자의 '소년 시절의 소박한 꿈과 동경'을 뜻한다. 〈보기〉에서 이와 비슷한 의미를 지니는 시어는 '미래에 대한 소박한 꿈'을 의미하는 '도토리의 꿈'이다.

6 이 시와 〈보기〉의 화자가 고향을 그리워하는 이유는 고향이 가족의 따뜻함과 유년 시절의 기억이 있는 공간이기 때문이다. 그러나 〈보기〉의 시적 화자는 막상 되돌아온 고향에서 꿈속에서 그리던 고향의 모습과는 다른 모습을 발견하고 상실감에 젖는다. 이러한 상황에서 〈보기〉의 시적 화자는 이 시의 화자에게 ④와 같이 말할 수 있을 것이다.

07 고향 앞에서

p.178

1 ④ 2 ③ 3 ④ 4 ④ 5 ① 6 이 시에서 '상실한 고향'은 '빼앗긴 조국'을 의미하는 것으로 식민지 치하에서 빼앗긴 조국을 되찾지 못하는 한, 고향의 모습 역시 과거 속의 기억으로만 존재할 수밖에 없기 때문에 화자의 귀향은 불완전할 수밖에 없는 것이다.

1 이 시의 '장꾼'은 정해진 안식처가 없이 떠돈다는 측면에서는 화자와 동일한 입장이지만 고향을 못 잊어 그리워하고 있다고 할 수는 없다. '장꾼'들은 현실적 이익을 내기 위해 '상고'하며 떠도는 인물들이다.

2 이 시의 화자는 고향을 앞에 두고도 가지 못하는 인물로, 여기서 '주막'은 고향 소식을 접하기 위한 일시적 공간을 의미한다.

3 이 시의 화자는 과거와는 달리 쇠락하고 황량해진 고향의 모습을 떠올리며, 안타까움과 허탈감을 느끼고 있다.

4 이 시는 마지막 연에서 시각, 청각, 후각적 심상을 활용하여 고향에 대한 그리움을 표현하였고, 〈보기〉는 '흰나비'와 '새파란 초생달'의 색채 대비를 통해 절망의 깊이를 효과적으로 형상화하였다.

5 ㉠은 황폐해진 고향에 대한 화자의 회의와 절망감을 드러낸 표현으로, 일제 강점기의 가혹한 억압과 수탈로 인해 변해 버려 예전의 모습을 상실해 버린 고향과 그에 대한 화자의 심리가 드러난 ①이 가장 적절하다.

08 모란이 피기까지는 · 독을 차고

p.180

1 ⑤ 2 ⑤ 3 ③ 4 ④ 5 ⑤ 6 뚝뚝 7 [가]에서 '모란'은 시적 화자가 추구하는 삶의 보람이며 소망의 대상을 의미한다.

1 [가]는 여성적인 어조를 통해 순수한 감정과 정서를 드러내고 있으며, 관념을 배제하고 시의 음악성과 예술성을 추구한 순수 문학이다. 따라서 시대적 상황과 연관지어 조국 광복에 대한 확신을 노래했다고 보기는 어렵다.

2 [나]의 시대적 배경은 일제 강점기로, 시적 화자는 억압과 핍박을 받는 고통스러운 현실 속에서 순결성을 지키기 위해 '독(毒)'을 차는 것이다. 과거의 삶에 대한 미련은 나타나 있지 않다.

3 9행의 '다'는 모란이 지고 난 후에 화자가 느끼는 슬픔과 덧없음을 표현한 것이다. 모란이 피지 못할 것이라는 불안감은 나타나지 않는다.

4 [나]의 '벗'은 인생과 인간사를 허무주의적인 시각으로 바라보는 인물로, '나'에게 독을 버리라고 권유하는 존재이다.

5 [가]는 수미 상관의 구성 방식을 통해 '기다림 – 상실감 – 기다림'이라는 순환 구조를 나타내고 있고 〈보기〉 역시 수미 상관의 구조를 통해 '생성 – 소멸 – 생성'이라는 자연의 순환 구조를 드러내고 있다.

6 '뚝뚝'은 모란이 질 때의 화자의 절망감을 시각적 이미지로 강조한 표현이다.

09 남신의주 유동 박시봉방

p.182

1 ⑤ 2 ② 3 ③ 4 ① 5 ⑤ 6 ⑤ 7 ④
8 편지에 적는 발신 주소의 형식으로 되어 있는 '남신의주 유동 박시봉방'이라는 제목은 셋방에 살고 있는 화자의 근황을 알려 주며, 편지 형식을 통해 화자의 내면 의식과 정서를 보다 진솔하게 드러낼 수 있게 한다.

1 이 시에서 쉽게 판단할 수 있는 사실을 의문의 형식으로 표현하여 상대편이 스스로 판단하게 하는 설의적 표현은 사용되지 않았다. 화자는 편지의 형식을 빌려 자신의 근황과 더불어 고독과 외로움의 심리를 드러내고 있다.

2 이 시의 화자는 셋방에서 외롭게 살면서 지나온 삶에 대해 반성하며 자신의 심리를 솔직하게 표현하고 있다.

3 ㉠, ㉡, ㉣, ㉤은 모두 고난과 시련을 나타내는 시어인 데 반해 ㉢은 화자에게 일시적인 위안을 주는 역할을 하는 시어이다.

4 이 시에서 화자는 '시련과 역경'으로 상징되는 '눈'을 맞으며 굳게 서 있는 '갈매나무'를 생각하면서 시련 극복의 의지를 다지고 있다. 〈보기〉의 '매화' 역시 '눈'이라는 시련 속에서 꽃을 피운다는 점에서 '갈매나무'와 유사한 의미를 지닌 소재로 볼 수 있다.

5 '내 어지러운 마음에는 ~ 때쯤 해서는'에서 화자는 운명에 대한 깨달음이 가져다 준 감정의 정화를 느끼고 있다.

6 이 시에서 화자는 방 안에서 굳고 정한 '갈매나무'를 '생각'하며 새로운 삶을 다짐하고 있다. 따라서 갈매나무를 찾아 뒷산으로 가는 화자의 모습을 담는 것은 적절하지 않다.

7 〈보기〉의 화자는 자신의 가난한 처지를 운명으로 받아들이고 있다. 이 시의 화자 역시 자신의 의지와 능력이 아니라 운명이 자신을 현재 처지에 이르게 했다는 인식을 보이고 있다.

10 흰 바람벽이 있어

p.184

1 ④ 2 ④ 3 ④ 4 ③ 5 ④ 6 ② 7 ②
8 시퍼러둥둥하니 추운 날 9 가난하고 힘든 화자의 상황을 구체적으로 드러내는 소재이다.

1 '프랑시쓰 잼'과 '도연명'과 '라이넬 마리아 릴케'와 같이 이국적인 인물을 나열한 것은 맞지만, 체념적 정서를 드러내는 것은 아니다. 오히려 화자는 이를 통해 자기 위안과 현실 극복 의지를 드러내고 있다. ③ '-ㄴ다', '-듯이' 등을 반복하여 리듬감을 형성하고 있다.

2 화자가 위치한 공간은 좁은 방으로, '흰 바람벽'은 좁은 방에서 화자가 바라보는 벽면에 해당한다. 따라서 화자가 위치한 공간(좁은 방)과 '흰 바람벽'은 의미적으로 대립하는 것이 아니라 상통한다.

3 ⓓ에서 화자는 이 세상에서 가난하고 외롭고 높고 쓸쓸하게 살아가도록 태어났다고 생각하고 있으므로, 화자의 운명론적 태도(순응)가 드러난다.

4 ㉠ 이후에 흰 바람벽에 어머니가 등장하는 장면이 제시되고, ㉡ 이후에 흰 바람벽에 자막과 같은 글자들이 제시된다. 따라서 ㉠과 ㉡은 모두 장면을 전환하는 역할을 하고 있다.

5 화자는 자신이 가난하고 외롭고 쓸쓸하게 살아가도록 태어났다고 하면서, 하늘이 가장 귀하게 여기고 사랑하는 것들은 모두 사랑과 슬픔 속에 살도록 만들었다고 하였다. 즉 화자는 외로운 삶을 살아가야 하지만 하늘이 자신을 가장 귀히 여기고 사랑한다고 생각하며 위안을 받고 있는 것이다.

6 [A]에서는 '무와 배추'를, [B]에서는 '대구국'을 소재로 하여 가난한 늙은 어머니와 사랑하는 여인에 대한 그리움을 드러내고 있다.

7 '흰 바람벽'은 '흰' 색과 '벽'이 지닌 이미지가 복합적으로 작용하며 화자의 현실과 내면세계를 동시에 드러내고 있다. '좁다란 방' 역시 화자가 처한 가난과 고독의 상황을 드러낸다. 따라서 '흰 바람벽'과 '좁다란 방'은 의미적 대립을 이룰 수 없다.

8 '시퍼러둥둥하니 추운 날'은 '춥다'라는 촉각적 이미지를 '시퍼러둥둥하다'라는 시각적 이미지로 형상화하여 가난 때문에 힘들고 어렵게 사셨던 어머니의 가난하고 고달픈 삶을 드러내고 있다.

11 거울

p.186

1 ③ 2 ③ 3 ④ 4 ① 5 ① 6 ⑤ 7 현실적 자아와 내면적 자아 사이의 분열이 심화되어 '거울 속의 나'와 '거울 밖의 나'가 완전히 독립적인 존재가 되었음을 의미한다.

1 이 시는 초현실주의의 영향을 받은 시로, 띄어쓰기를 무시한 복잡한 서술 방식을 통해 전통적인 시 형태를 부정하고 있다. 또한 두 자아가 분열하는 과정을 통해 무의식의 세계를 표현하고, 의식의 분열과 이로 인한 괴리로 갈등하는 화자의 모습을 그리고 있다.

2 이 시에는 뚜렷한 심상이 나타나지 않으며, 직설적인 어조로 시상을 전개하고 있다.

3 이 시는 우리의 내면에 존재하는 두 자아의 분열 양상을 표현한 것으로 현실과 거울 속 세계, 현실의 '나'와 거울 속의 '나'가 대칭 구조를 이루고 있다. 따라서 '거울속'은 소란한 거울 밖의 현실과 단절된 이질적인 세계라 할 수 있다.

4 이 시는 자아 분열 양상과 현대인의 불안한 심리를 주제로 하고 있다. ㉠은 현실적 자아, 일상적 자아라고 할 수 있으며, ㉡은 내면적 자아, 무의식적 자아라 할 수 있다.

5 이 시의 '거울'은 거울 속의 나와 거울 밖의 나, 〈보기〉의 '유리'는 유리창 안의 살아 있는 부모와 유리창 밖의 죽은 자식의 만남을 가능하게 하면서도 그들 사이의 접촉을 가로막고 방해하는 양면적인 기능을 수행하고 있으므로 '만남과 단절의 매개체'라 할 수 있다.

6 ㉮에 나타난 표현 방법은 역설법으로, 지금 거울을 안 가지고 있는데도 거울 속에 내가 있다는 부재(不在)와 실재(實在)의 역설이다. ⑤ 역시 역설법을 사용하여 이별의 상황을 극복하고자 하는 화자의 의지가 드러나 있다.

12 낡은 집

p.188

1 ⑤ 2 ① 3 ④ 4 ③ 5 ⑤ 6 ⑤ 7 '낡은 집'은 일제 시대 우리 농촌의 비참한 삶을 상징하고 있다.

1 이 시는 상징적인 배경인 '낡은 집'을 통해 일제하의 우리 민족의 비참한 삶을 보여 주고 있다.

2 1연은 어른들로부터 전해 들은 털보네 이야기를 직접 화법으로 제시하고 있다. 2, 5, 6, 8연은 화자의 직접 체험에 의해 진술한 부분이다.

3 이 시에서 '털보의 죽음'을 암시하는 표현은 찾을 수 없다. '당나귀 몰고 간 애비 돌아오지 않는 밤'은 생계를 위해 늦게까지 일하는 털보의 모습을 보여 줄 뿐이다.

4 이 시는 일제 시대 농촌의 피폐함을 털보네 가족의 이주라는 사건을 통해 보여 주고 있다.

5 '이촌향도(離村向都)'는 농민이 다른 산업에 취업할 기회를 갖기 위하여 농촌을 떠나 도시로 이동하는 현상을 말하므로, '글거리'와 관련이 없다. '글거리'는 '낡은 집'과 유사한 의미를 지닌 시어로, 일제 시대 삶의 근원을 상실한 채 몰락해 버린 우리 민족의 피폐한 현실을 형상화하고 있다.

6 이 시의 6연에서는 가난으로 인해 삶의 터전을 떠나야 하는 털보네 가족의 모습을 나타내고 있다. 이는 남자는 지고 여자는 인다는 뜻으로, 가난한 사람들이 살 곳을 찾아 이리저리 떠돌아다님을 비유적으로 이르는 말인 ⑤와 가장 관계가 깊다.

13 산도화 · 청노루

p.190

1 ④ 2 ② 3 ③ 4 ③ 5 ③ 6 ⑤ 7 ③
8 ④ 9 청노루

1 [가]는 '구강산 → 산도화 → 옥 같은 물 → 암사슴'으로, [나]는 '청운사 → 자하산 → 느릅나무 → 청노루 → 눈(에 비친 구름)'으로 시선을 이동(원경에서 근경으로)하며 시상을 전개하고 있다.

2 '현학적'이란 '학식이 있음을 자랑하는. 또는 그런 것'이라는 뜻으로, 흔히 알맹이는 없으면서 장황하게 허세만 부리는 말과 글을 의미하므로, 관조적 태도가 나타나는 [가]와는 관련이 없는 설명이다.

3 ③은 양단수의 경치를 예찬하는 시조로, 복숭아꽃이 핀 무릉도원의 모습을 묘사한 부분이 [가]의 정경과 닮아 있다. 따라서 [가]처럼 세속과 구별되는 이상향의 자연관이 드러난 것으로 볼 수 있다.

4 내재적 관점은 시어의 운율과 표현, 구조 등 작품 자체를 근거로 작품을 감상하는 관점이다. 따라서 '사슴'이라는 시어의 상징적 의미를 주제와 관련짓는 것은 내재적 관점의 감상이다. ② 표현론적 관점 ④ 반영론적 관점 ⑤ 효용론적 관점

5 '구강산'은 화자의 머릿속에 존재하는 가상의 공간으로 이상향을 의미한다. 그러므로 화자가 실제로 머물고 있는 장소로는 보기 어렵다.

6 [나]는 봄의 정취를 노래한 작품으로 비음을 활용하여 아늑하고 은은한 분위기를 조성하고 있을 뿐, 화자의 고독감이나 적막감을 강조하는 것은 아니다.

7 '열두 굽이'를 통해 청운사에 이르는 길이 구불구불한 산길임을 알 수 있다.

8 4, 5연은 한 행이 1음보로 이루어져 있다. '맑은 눈에'의 경우 2어절이지만, 시의 흐름상 앞뒤가 모두 1음보이기 때문에 1음보로 봐도 무방하다.

9 [나]는 탈속적인 자연의 정취를 동양화처럼 형상화하고 있는데, 여기서 순수하고 고결한 생명을 상징하는 소재는 청노루이다.

14 승무

p.192

1 ⑤ 2 ⑤ 3 ③ 4 ③ 5 ② 6 ① 7 ④
8 시적 허용을 통해 일상어에 비해서 예스럽고 부드러운 느낌을 자아내고 있다.

1 이 시는 세속적 번뇌와 종교적 구도 사이의 갈등을 승무를 통해 승화하는 여승의 모습을 그리고 있다. 4음보의 율격을 지니고 있으며, 소재 면에서 전통성을 드러내고 있다.

2 이 시에서 세속적 번뇌를 초월한 자기 정화, 종교적 승화에 도달함을 보여 주는 부분은 7연이다.

3 수미 상관식 구성은 작품의 의미를 강조하고 음악성을 높이는 한편, 여운을 남겨 감동을 마무리하는 효과가 있다. 이 시에서도 수미 상관식 구성을 통해 계속되는 춤의 여운을 전해 주고 있다.

4 '별빛'은 여승이 승무를 통해 도달하고자 하는 지향점으로, 세속적 번뇌의 종교적 승화를 의미한다.

5 이 작품에서 여승은 승무를 통해 속세의 번뇌를 종교적으로 승화시키게 된다. 따라서 승무를 마친 여승이 고뇌에 찬 표정을 짓는 것은 어울리지 않는다.

6 1연은 춤을 추기 전 여승이 쓰고 있는 하얀 고깔을 나비에 비유하여 젊은 여승의 곱고 아름다운 모습을 드러내고 있다. 따라서 번뇌를 극복한 뒤의 허무한 마음이 드러나는 것으로 볼 수 없다.

7 〈승무〉와 〈바라춤〉은 세속적 번뇌의 승화라는 주제와, 불교적 색채가 드러나는 춤을 제재로 하고 있다는 점에서 동일하나, 〈바라춤〉은 춤 동작이 거의 없고 화자 자신의 현실적 번뇌로 인한 고통을 주로 형상화했다는 점에서 〈승무〉와 차이가 있다.

15 절정 · 교목 · 그날이 오면

p.194

1 ⑤ 2 ③ 3 ⑤ 4 ② 5 ② 6 ② 7 까마귀
8 '교목'은 어떤 유혹과 압력에도 흔들리지 않는 화자의 단호한 의지를 나타내는 객관적 상관물이며, 일제 강점하의 암담한 현실 속에서 굽힘 없이 꿋꿋하게 살고자 하는 화자의 삶의 자세를 형상화하고 있다.

1 [가]는 간결하고 압축된 시형과 극한적인 시어를 사용하여 가혹한 현실에 굴하지 않고 이를 초월하려는 시적 화자의 강인한 태도를 표현하고 있다.

2 ⓒ는 수직적 극한으로서의 공간을 상징한다.

3 [가]는 강렬하고 감각적인 시어와 점층적 표현을 사용하여 시적 화자가 처한 극한 상황을 형상화하고 있다.

4 [나]는 혹독한 시대 상황에 굴복하지 않는 시적 화자의 단호한 의지를 강인한 남성적 어조로 표현하고 있다.

5 [나]는 '차라리, 아예, 차마' 등의 부사어를 사용하여 단호한 자세와 강한 의지를 나타내며, '말아라, 아니라, 못해라' 등의 부정적인 종결 어미의 사용으로 저항의 의지를 표현하고 있다. 과거와 현재의 대비는 드러나지 않는다.

6 [다]는 일상어를 구사하여 시의 현실성을 강화하고 있다.

7 사람들이 잠든 밤하늘에 나는 까마귀는 시적 화자의 고독한 모습을 상징한다. 또한 '밤하늘'은 암담한 시대 현실을 나타내는 것으로, '까마귀'는 어두운 시대 상황에 홀로라도 저항하겠다는 화자의 결연한 태도를 나타낸다.

16 서시 · 또 다른 고향

p.196

1 ⑤ 2 ④ 3 ⑤ 4 ② 5 오늘 밤에도 별이 바람에 스치운다. 6 ⑤ 7 ④ 8 ① 9 시적 화자인 '나'는 나약하고 현실 도피적 자아인 '백골(白骨)'과 현실을 극복하려는 이상적 자아인 '아름다운 혼' 사이에서 갈등하며 상실감과 비애감을 느끼고 있다.

1 [가]에는 부정적인 현실에 처해 있더라도 양심에 따라 마땅히 할 일을 해야겠다는 화자의 의지가 엿보이고, [나]에는 현실 도피적 자아와 이상적 자아 사이에서 갈등하던 화자가 현실을 극복하고 이상 세계로 나아가려는 의지를 드러낸다.

2 [가]에서 시적 화자는 나뭇잎의 작은 흔들림에도 괴로워하는 모습을 보이지만, 부끄러움 없는 삶을 향해 꿋꿋하게 걸어가겠다고 노래하고 있다. 따라서 시간의 흐름에 따라 갈등이 심화된다고 보기 어렵다.

3 9행은 시적 화자가 처한 암담한 현실 상황을 나타내면서, '바람'에 부대낄수록 더욱 빛나는 '별'처럼 삶의 순결성과 양심을 지켜 나가겠다는 시적 화자의 의지를 암시한다.

4 ②는 매우 작고 사소한 바람으로, [가]의 화자는 이렇게 무심히 지나칠 수 있는 바람에조차 괴로워하고 있다. 이는 〈보기〉에 나타난 것처럼 화자가 하늘을 우러러 한 점 부끄러움 없는 삶을 살고자 하는 순결한 마음의 소유자이기 때문이다.

5 이 시는 '과거-미래-현재'로 시상 전개가 이루어지고 있으므로 현재('오늘 밤')를 나타낸 2연이 화자의 '현실'이다. 일제 강점기의 어두운 현실('밤')에서 시적 화자가 느끼는 내적 갈등을 화자의 소망이 담긴 '별'과 현실적 고난인 '바람'을 대립시켜 형상화하고 있다.

6 반영론적 관점은 현실 세계와의 관련성을 중시하여 작품을 이해하는 것을 말한다. 시대 상황을 고려하면, ㉠은 일제 강점기에 억압받는 우리 민족이라고 할 수 있으므로, 부정적인 시대 상황(식민지)을 상징하는 시어인 '밤'이 가장 적절하다.

7 '백골'이 현실에 안주하는 나약하고 소극적인 자아라면, '아름다운 혼'은 현실을 극복하고자 하는 이상적 자아이다. 이 시는 화자인 '나'가 '백골'과 '아름다운 혼' 사이에서 갈등하는 모습을 통해 시상을 전개하고 있다.

8 ㉡은 현실적 구속이 없는 세계, 화자가 추구하는 이상 세계이다. ①의 '청산' 역시 화자가 도달하고자 하는 이상향이다. ② 역사의 현장, 민족의 삶의 터전 ③ 시적 자아의 아름답고 순수한 정서적 상태 ④ 구속과 억압의 현실 ⑤ 백이 · 숙제가 은거했던 중국의 산, 수양 대군을 의미하는 중의적 표현

17 자화상 · 참회록

p.198

1 ② 2 ④ 3 ④ 4 ④ 5 ① 6 ③ 7 ⑤
8 시인은 일제 강점기의 암울한 시대 상황 속에서 어떠한 대응도 하지 못한 채 살아야 하는 자신의 모습에 부끄러움을 느끼고 이를 반성하는 마음으로 시를 썼으므로 제목을 '참회록'이라고 한 것이다.

1 [가]는 식민지 현실을 살아가는 자아의 성찰과 자신에 대한 애증을 '-ㅂ니다'의 형식으로 된 평이한 구어체 문장으로 구사하되, 완결된 문장 형식의 산문으로 표현하고 있다.

2 ㉠은 식민지 현실을 살아가는 화자가 자아를 성찰하게 되는 매개체이다. 〈보기〉의 ㉣도 자아 성찰의 매개체로 사용되었다.

3 ⓐ는 객관적인 성찰을 의미하는 것이고, ⓑ는 순수했던 과거의 자아 발견을 의미하는 것으로 과거의 자아와 현실의 자아 간의 화해를 의미한다고 볼 수 있다.

4 [나]의 마지막 연은 시적 화자의 비극적 삶의 모습을 암시하는 것으로, 이 시의 화자는 비극적 미래를 전망하는 것이 아니라 긍정적인 미래를 위해 자신이 비극적인 길을 갈 수밖에 없음을 직감하고 있다. 또한 현실을 겸허히 받아들이는 것이 아니라 일제 강점기의 현실에서 무기력하게 살아가는 자신에 대해 반성하며 참회하고 있다.

5 [나]의 '거울'은 시적 화자가 들여다보고 자신을 성찰하는 대상, 즉 '반성'의 매개체를 의미하며, 〈보기〉의 '거울'은 '거울 속의 나'와 '거울 밖의 나'의 만남을 가능하게 하면서도 이들 사이의 접촉을 가로막고 방해하는 '만남과 단절의 매개체'를 의미한다.

6 '밤'은 시적 화자가 자기 성찰을 하는 시간이면서 동시에 우리 민족이 처한 암울한 시대로서의 의미를 지닌다.

7 ㉡에서 시적 화자가 '거울'을 닦는 행위는 자아 성찰을 의미하며, '밤'은 자아 성찰의 시간이면서 일제 강점기의 암울한 상황을 암시하므로, ㉡은 현재의 암울한 상황을 극복하고 맞이하게 될 미래를 위한 준비의 의미로 볼 수 있다.

18 쉽게 씌어진 시

p.200

1 ⑤ 2 ② 3 ⑤ 4 ① 5 ⑤ 6 ② 7 이 시에서는 '악수'를 통해 반성적(내면적) 자아와 현실적 자아의 화해가 이루어지지만, 〈보기〉에서는 내면적 자아를 '악수를 모르는 왼손잡이'라고 표현함으로써 내면적 자아와 현실적 자아 사이의 화해가 불가능함을 드러낸다.

1 이 시는 윤동주가 일제 강점기에 일본 유학 중에 쓴 시로, 이 시에서 대학 강의를 듣고 공부를 하는 것은 현실 타협적인 삶을 의미하며, 반성의 대상이 되고 있다.

2 1연에서 암담한 현실을 인식한 화자는 7연까지는 반성적 자기 성찰을 하며 좌절하다가 그 이후부터는 자아와의 화해를 통해 희망을 갖게 된다.

3 이 시의 화자는 1연에서 암담한 시대적 상황에 대해 인식하면서 반성적 자아 성찰을 하게 된다. 그러다 8연에서 현실에 대한 재인식을 하게 되면서 현실 극복 의지를 다지게 된다.

4 이 시의 제목인 '쉽게 씌어진 시'는 무기력하게 살아가고 있는 화자의 현실을 표현한 것으로, 화자는 시 속에 존재하는 '시'를 통해 자신의 부끄러운 삶을 고백하고 있다.

5 이 시의 화자는 '시인'이 언어를 다룰 뿐 민족의 아픔에도 당장의 현실적 힘을 발휘하지 못하는 것에 대해 괴로워하고 있다.

6 ㉡은 '현실과는 동떨어진 낡은 지식'을 의미하는 것으로, 화자는 그런 강의를 들으러 가는 자신의 삶에 대해 반성하고 있다.

19 금수회의록

p.202

1 ④ 2 ② 3 ③ 4 ⑤ 5 ③ 6 ⑤ 7 효(孝)란, 인간으로서 마땅히 행해야 할 기본적인 덕목이다.

1 이 글은 동물들의 연설 회의 형식을 사용하여 우화적 수법으로 1910년대 당시의 사회 현실을 우회적으로 풍자 · 비판하고 있다.

2 이 글에서 까마귀는 '반포의 효'를 내세워 자신이 얼마나 부모에게 극진히 효를 행하는가를 이야기한 후에 인간의 불효와 대조하여 비판하고 있다. ②는 소반 위에 놓인 감을 보면서 돌아가신 부모님을 그리워하며 돌아가셔서 효를 다하지 못하는 서러움을 노래하고 있다.

3 이 글에서 까마귀가 주장하는 내용은 '효'에 관한 것으로, ③은 '고국의 멸망을 한탄함'을 이르는 한자 성어이므로 아무 관련이 없다. ⑤ '나갈 때는 반드시 아뢰고, 돌아오면 반드시 얼굴을 뵌다.'라는 뜻으로, 외출할 때와 귀가했을 때 부모에 대한 자식의 도리를 비유한 말

4 동물들의 입을 통해 대상을 비판하는 우화적인 기법을 사용함으로써 직접적인 비판을 피하면서 동시에 풍자성을 높이는 효과를 거둘 수 있다.

5 까마귀는 자신의 의견만을 일방적으로 제시하고 있으므로 ③은 적절하지 않다.

6 인간의 입장에서 여러 짐승들의 연설을 듣고 있는 '나'는 입이 있되, 어떤 변명도 반대도 할 수 없는 지경에 이르며, 짐승이 인간보다 상등이 되었다고 말하고 있다. 그러므로 입은 있으나 할 말이 없다는 뜻으로, 변명할 말이 없음을 이르는 ⑤가 '나'의 심정을 대변해 줄 수 있는 한자 성어로 가장 적절하다.

20 무정

p.204

1 ⑤ 2 ③ 3 ⑤ 4 ④ 5 ① 6 ⑤ 7 ③
8 삼랑진 수재민들을 통해 민족이 처한 현실을 직접 목격함으로써 민족 교육의 필요성을 확실히 깨닫게 되며, 영채와 선형은 이를 통해 문명개화의 필요성을 자각하게 되므로 '산 교육'이라 한 것이다.

1 이 글은 등장인물 간의 연애를 바탕으로 한 삼각관계의 갈등을 통해 자유연애 사상을 드러내고 있다. 전통적인 윤리관은 나타나 있지 않다.

2 이 글은 등장인물 간의 대화를 통해 주제를 직접적으로 드러내고 있다. 특히, "조선 사람에게 무엇보다 먼저 과학을 주어야겠어요. 지식을 주어야겠어요.", "교육으로, 실행으로." 등의 형식의 말을 통해 확인할 수 있다.

3 이 글에는 당대 민족이 처한 현실과 계몽을 통해 민족의 근대화를 이룩하려는 열망이 드러나 있다. 또한 신소설의 문어체를 극복하고 구어체를 통한 언문일치를 시도한 점, 고전 소설에서 흔히 보이는 영웅의 일대기적 구성이 아닌 분석적 구성 방식으로 전개한 점에서 근대적인 성격을 보여 주고 있다. 그러나 권선징악은 고전 소설에서 주로 나타나는 특징으로 근대 소설의 근거로 볼 수 없다.

4 〈보기〉의 [A]는 작가의 사상이나 감정 등을 중심으로 작품을 감상하는 표현론적 관점을 말한다. 그러므로 지식인이 민중을 이끌고 지도해야 한다는 이광수의 시혜 의식과 관련하여 이 글을 감상한 ④가 적절하다.

5 〈보기〉에서는 우리 민족이 고통을 겪은 원인을 우리 민족의 미개함이 아닌 외세의 침략에서 찾고 있다. 그러므로 문제의 가장 큰 원인인 외세의 침략에 대한 근본적인 해결책이 아닌 교육을 통한 계몽과 근대화는 당시 사회의 필연적인 해결책이 아니었음을 알 수 있다.

6 영채와 형식은 어린 시절 정혼한 사이이고, 선형은 형식과 현재 약혼한 사이이다. 형식은 영채와 선형 사이에서 갈등하게 되며, 영채와 선형은 형식을 사이에 두고 삼각관계를 이루고 있다. 그러나 이들은 수재민을 위한 자선 음악회를 열어 민족의 현실을 자각하고 민족의 개화와 계몽이라는 사명을 달성할 사람들이 자신들임을 깨달음으로써 갈등을 해소하고 있다.

7 형식은 교육과 실행으로 민족을 계몽해야 함을 세 처녀가 깨달을 수 있도록 질문을 통해 유도하고 있다.

21 고향

p.206

1 ⑤ 2 ④ 3 ④ 4 ① 5 조선의 얼굴 6 ⑤
7 〈보기〉에서 '나'는 '그'를 못마땅하게 생각했지만, ㉯에서는 '그'에 대해 연민과 슬픔, 공감의 심정을 보이고 있다.

1 이 글은 인물 간의 갈등이 아니라 요약적 제시를 통해 사건이 속도감 있게 전개되고 있다.

2 ㄴ은 '우리는 주거니 받거니 ~ 부르던 노래를 읊조렸다.'를 통해, ㄹ은 '직접으로 회사에 소작료를 ~ 점점 쇠진해 갔다.'를 통해 확인할 수 있다.

3 [A]는 일제 통치로 인한 우리 민족의 비극적 삶의 모습을 압축적으로 보여 주는 노래로, '그'의 내적 갈등이 해소되었음을 구체적으로 나타내고 있는 것은 아니다.

4 중간 소작인이 동양 척식 회사의 힘을 빌려 실작인에게 지주 행세를 하게 되었다고 하였으므로 '남의 권세를 빌려 위세를 부림'이라는 뜻의 '호가호위'가 적절하다.

6 이 글의 '그'는 일제의 착취로 쇠진해 가던 고향을 떠났다가 고향을 다시 찾았으나 폐허가 된 고향의 모습에 안타까움과 비통함을 느끼고 있으며, 〈보기〉의 화자는 어린 시절과 다르게 변해 버린 고향의 모습에 안타까움과 상실감을 느끼고 있다.

22 만세 전

p.208

1 ⑤ 2 ① 3 ② 4 ③ 5 ④ 6 ⑤ 7 ②
8 ⓐ는 일제로부터 부당한 대우를 받고 착취를 당하면서도 이를 자각하지 못하고 무기력하게 살아가는 조선인의 모습을 의미한다.

1 이 글은 1920년대 사실주의 계열의 소설로 당시 상황을 구체적으로 형상화하고 있으나 의식의 흐름 기법은 사용되지 않았다.

2 이 글은 이인화라는 식민지 지식인이 조국의 현실에 대해 자조적으로 인식하는 내용을 담고 있다.

3 이 글의 '나'는 민족적 현실에 무감했던 인물로, 일본인들의 대화를 듣고 민족의식을 각성하게 된다.

4 조선 사람들이 일본 사람들의 태도에서 반감을 느낀다고 한 것으로 보아, 일본 사람들이 조선 사람들을 멸시하고 있음을 알 수 있다.

5 '낭중취물(囊中取物)'은 '주머니 속에서 물건을 꺼내듯이 아주 손쉽게 얻을 수 있음을 이르는 말'이다.

6 이 글의 주인공인 '나'는 일본에서 서울로 귀국하는 길에 보고 겪은 일을 통해 민족적 현실에 대해 구체적으로 인식하게 된다.

7 이 글은 3 · 1 운동이 일어나기 직전의 상황을 당대 지식인의 눈을 통해 사실적으로 그려 내고 있다. 즉, 사실주의 기법에 충실하여 식민지 현실의 모습을 총체적으로 그린 소설이다.

23 만무방

p.210

1 ③ 2 ④ 3 ② 4 ③ 5 ② 6 ① 7 ②
8 ② 9 아우에 대한 동정과 연민, 그리고 세상에 대한 분노와 원망의 감정이 섞여 매를 들게 된 것이다.

1 이 글은 향토적 소재를 취하기는 했지만 낭만적인 분위기를 자아내고 있지는 않다. 일제 강점하의 농촌이 얼마나 황폐화되었는지를 드러내는 데 초점을 두고 있기 때문이다.

2 '응오'는 수확을 해 봐야 자기에게 아무것도 돌아오는 것이 없이 지주에게 모두 빼앗기게 될 것이기 때문에 자기 논의 벼를 훔친 것이다.

3 이 글에서 '응칠'은 터 잡고 살던 농촌을 떠나 도박과 절도를 일삼고 살아가는 인물로, 제목인 '만무방'은 표면적으로는 '응칠'을 가리키는 말이라고 할 수 있다. 그러나 결국은 일제 강점기의 우리 농민 모두를 가리킨다고 볼 수 있다.

4 〈보기〉는 작가 관찰자 시점을 사용하여 앞뒤 상황을 좀 더 자세히 설명하는 형식으로 바꾼 것이다. 이렇게 되면 인물의 내면을 드러내는 개성적인 부사어들이 없어지고 어조가 밋밋해진다는 것을 알 수 있다.

5 이 글에서 응칠은 벼를 훔친 도적이 동생이라는 점에서 처음에는 당황하고, 그 뒤에는 오죽하면 도둑질을 했을까 하는 마음에 동생을 안타깝게 여기게 된다.

6 자신을 때리는 사람이 형임을 알게 된 응오가 화를 내며 말하는 부분이다. 즉, 응오는 자신이 지은 수확물을 자신이 가져가는 것이 당연한 일 아니냐며 형에게 항의하고 있는 것이다.

7 〈보기〉를 통해 '응오'가 죽도록 일을 해 보아야 수확물이 자기에게 돌아오는 것이 아니라 모두 소작료나 장리 이자로 착취당한다는 것을 알 수 있다. ②는 애써 한 일을 남에게 빼앗기거나 엉뚱한 사람에게 이로운 일을 한 결과가 되었음을 이르는 속담으로, 응오의 처지를 나타내기에 적절하다.

8 이 글에서 응오가 자기 벼를 훔친 것은 일제 강점하의 사회 구조적인 모순을 보여 주기 위한 작가의 의도가 반영된 것이다. 따라서 응오의 행위를 윤리적인 측면에서 비판하는 것은 이 글을 감상하는 태도로 적절하지 않다.

24 동백꽃

p.212

1① 2④ 3④ 4② 5⑤ 6⑤ 7⑤
8 '나'가 점순이의 호의를 무시한 감자 사건에서부터 갈등이 시작되어 닭싸움으로 갈등이 심화되다가 '나'가 엉겁결에 점순이네 닭을 죽이게 되고, 이를 점순이가 눈감아 줌으로써 사랑과 화해의 분위기가 조성되면서 갈등이 해소된다.

1 이 글은 1인칭 주인공 시점의 소설로, 어리석고 우둔한 '나'가 자신이 체험한 이야기를 직접 서술하고 있다.

2 '나'는 소작농의 아들이라는 신분 때문에 마름의 딸인 점순을 함부로 대하지 못하고 있을 뿐, 자신을 좋아하는 점순의 마음을 전혀 모르고 있다.

3 '노란 동백꽃'은 '시골 청춘 남녀의 사랑'이라는 이 글의 주제를 효과적으로 부각시키는 소재이다.

4 이 글은 점순이의 적극적인 애정 표현을 '나'가 이해하지 못하여 생긴 이야기를 다룬 소설이다.

5 이 글에서 닭싸움은 미움과 애정이라는 이중적 감정 표현의 수단으로, 점순이는 '나'를 괴롭힘으로써 자신의 관심을 표현한다.

6 이 글의 화자인 '나'는 독자들에게 이야기를 전달하면서 독자들은 다 알고 있는 점순이의 마음을 정작 자신은 알아차리지 못함으로써 독자들의 웃음을 유발하고 있다. 즉 화자인 '나'의 우둔함과 어리숙함에 의해 해학성이 형성되는 것이다.

7 〈보기〉는 작가의 삶이나 사상이 작품에 표현되었다고 보는 표현론적 관점의 비평이다. 이런 관점에서 작품을 감상한 것은 ⑤이다. ① 효용론적 관점 ②, ④ 절대론적 관점 ③ 반영론적 관점

25 날개

p.214

1④ 2① 3④ 4③ 5⑤ 6 '날개'는 진정한 자아와 자유로운 삶과 이상을 상징한다.

1 이 글은 외부 세계에 대한 묘사가 아니라 일제 강점하 지식인의 절망적이고 무기력한 내면 심리에 대한 묘사가 중심을 이루고 있다.

2 이 글은 1인칭 주인공 시점으로 사건을 주관적으로 진술하기 때문에 사실성이 반감된다.

3 '거리'는 종속된 삶에서 벗어나 '나'가 자아를 회복하고자 하는 공간이며, '절름발이'는 비정상적인 부부의 관계를 드러낸다. '정오 사이렌'은 '나'의 의식이 깨어나게 되는 매개체로서의 역할을 한다.

4 '나'는 아내의 생활을 보호하는 인물이 아니라, 아내에게 종속된 삶을 살고 있는 인물이다.

5 〈보기〉의 화자는 일제 강점하 암담한 현실 속에서도 조국 광복에 대한 자신의 신념을 버리지 않는 의지적인 태도를 보이고 있다. 따라서 〈보기〉의 화자는 무기력하게 살아가는 식민지 지식인인 '나'에게 ⑤와 같이 충고할 수 있을 것이다.

26 치숙

p.216

1② 2④ 3④ 4③ 5⑤ 6 신빙성 없는 서술자인 '나'가 등장하여 아저씨를 비판하지만, 그런 '나'도 결국 비판의 대상이 되는 이중의 풍자성을 띠고 있다.

1 이 글에서 작품 안의 1인칭 서술자 '나'는 아저씨의 행적과 근황에 대해 요약적으로 전달하고 있다.

2 '나폴레옹이라는 서양 영웅이 그랬답니다. ~ 칠전팔기 모르시오?'에서 개인의 노력만으로 성공할 수 있다고 여기는 '나'의 가치관을 확인할 수 있다.

3 아저씨가 계속해서 '나'에게 이야기를 하는데도 '나'는 이를 받아들이지 않고 있으므로, '말귀를 알아듣지 못하는 상대를 비꼬는 말'인 '담벼락하고 말하는 셈이다'라는 속담이 아저씨의 심리를 나타내기에 가장 적절하다.

4 ㉢에는 돈을 버는 것을 중요하게 생각하는 '나'의 물질주의적 가치관이 나타나 있다.

5 〈보기〉를 통해 ⓐ에는 발음의 유사성을 이용한 언어유희가 드러나 있음을 알 수 있다. ⑤ 역시 발음의 유사성을 이용한 언어유희가 쓰였다.

27 메밀꽃 필 무렵

p.218

1③ 2⑤ 3④ 4② 5③ 6⑤ 7 〈보기〉에 공통적으로 나타나는 표현 방식은 감각의 전이로, 이 글의 서정적 분위기를 고조시켜 준다.

1 이 글은 전지적 작가 시점으로, 독자들은 등장인물에 대한 정보를 서술자를 통해 전달받으므로 독자와 등장인물 간의 거리는 멀다.

2 [가]에 나타난 서정적인 묘사는 낭만적인 분위기를 연출해 주며, 이 글의 주제를 효과적으로 표현하는 데 중요한 역할을 한다. 그러나 이러한 장면이 허 생원의 이상적인 삶을 형상화한 것은 아니다.

3 이 글의 등장인물들의 삶은 현실에 기반을 둔 삶이지, 속세를 초월한 삶(탈속적)이라고 볼 수 없다.

4 이 글에서는 '나귀'를 허 생원의 모습에 빗대어 표현하고 있다. 따라서 '피마'는 성 서방네 처녀를, '나귀 새끼'는 동이를 의미한다고 볼 수 있다.

5 ㉠은 묘사의 방법을 사용하여, 메밀꽃 핀 밤길을 환상적으로 표현하고 있다. ③ 역시 묘사의 방법을 사용하여 '그'의 겉모습을 표현하고 있다.

6 '아둑시니'는 '어둠의 귀신'이란 뜻의 방언으로, 이 글에서는 '눈이 어두워 사물을 제대로 분간하지 못하는 사람'이라는 의미로 쓰였다.

28 복덕방

p.220

1 ② 2 ⑤ 3 안 초시의 자살 4 ⑤ 5 ③ 6 ④ 7 ④ 8 복덕방 안은 소외된 노인들이 연민과 위로를 나누는 따뜻한 공간이며, 복덕방 밖은 물질주의와 출세를 지향하는 사람들의 냉혹한 공간이다.

1 이 글은 전지적 작가 시점으로, 인물의 대화와 행동, 서술자의 개입을 통해 서술되고 있다.

2 이 글은 안 초시의 자살과 그의 장례식에 참여한 두 노인이 푸념하는 내용으로, 사건이 마무리되는 결말 부분에 해당한다.

4 ㉠에서 '호사'란 좋은 장례란 뜻으로, 살아서는 딸의 눈치와 소외감으로 갖은 고생을 하다가 죽어서야 대접을 받는 안 초시의 처지를 반어적으로 드러낸 표현이다.

5 안경화는 자신의 명예를 지키고자 성대한 장례식을 치르고 있고, 영결식장에 온 조문객들의 대부분은 고인인 안 초시보다는 딸인 안경화를 보기 위해 온 손님들이다. 안 초시의 죽음을 진정으로 슬퍼하며 조문하기보다는 안경화와의 사회적 관계 때문에 온 그들의 가식과 허세가 마음에 들지 않아 노인들은 술집으로 다시 내려온 것이다.

6 안 초시가 자살하게 된 이유는 부동산 투자의 실패로 인하여 자신을 냉대하는 딸과의 세대 간의 불화 때문이다. 이 글의 작가는 물질주의와 출세욕에 사로잡혀 아버지를 돌보지 않는 딸을 통해 무너져 가는 가족 관계와 그로 인해 소외되어 가는 한 노인의 삶을 보여 주려고 했다.

7 이 글은 안 초시와 안경화의 관계 속에서 안 초시가 자살할 수밖에 없었던 상황에 대한 작가의 비판적 인식이 담겨 있다. 따라서 생명의 소중함이나 자살 방지 등은 이 글에 대한 감상을 심화 · 발전시킨 것으로 적절하지 않다.

29 태평천하

p.222

1 ⑤ 2 ③ 3 ④ 4 ① 5 ④ 6 ⑤ 7 이 글은 판소리 사설의 문체, 즉 경어체의 문체를 사용함으로써 독자와 서술자 간의 거리를 가깝게 하고, 독자가 등장인물에 대해 비판적 거리를 유지할 수 있도록 한다. 또한 반어와 희화화를 통한 풍자적이며 해학적인 문체를 사용하여 주인공을 비판하고 있다.

1 이 글은 일제 강점기를 살아가는 한 집안에서 벌어지는 반민족적, 반사회적 행태를 풍자하고 있으며, 더 나아가서는 왜곡된 식민지 현실 자체를 풍자하고 있다. 그러나 이를 가족 공동체가 붕괴된 현실을 풍자하는 것으로 보는 것은 적절하지 않다.

2 윤 직원은 자신의 아들이나 손자에게 너그럽거나 관대하게 대하지 않는다. 아들에게 반감을 드러내고 있으며 피검된 손자의 안부나 건강을 염려하고 있지도 않다.

3 윤 직원 영감의 대사에 전라도 사투리가 사용되었으나, 이것이 토속적이고 향토적인 정서를 고조시키고 있지는 않다.

4 이 글은 인물의 희화화를 통해 웃음을 자아낸다. 이와 같은 미의식을 '골계미'라고 한다.

5 사회주의는 빈부의 격차가 없는 평등한 세상을 지향하고 있었기에 기존 사회 체제에 위협이 되는 것으로 받아들여졌음이 윤 직원의 발언을 통해 확연히 드러나고 있다.

6 작가는 윤 직원을 통해 긍정적 사고방식의 중요성을 역설하는 것이 아니라, 그의 왜곡된 사고방식을 풍자하고 있는 것이다.

30 산촌 여정

p.224

1 ③ 2 ⑤ 3 ⑤ 4 ⑤ 5 ⑤ 6 ④ 7 ⑤ 8 글쓴이는 도회에 남기고 온 가족에 대해 걱정하고 있으며 또, 도회의 삶을 그리워하고 있다.

1 글쓴이는 산골의 풍경을 도시에서의 경험과 결합시켜 개성적으로 표현하고 있다.

2 이 글은 '정 형!'이라는 표현에서 알 수 있듯이 편지글 형식을 취하고 있는데, 이러한 형식은 글쓴이의 내면을 솔직하게 고백하는 듯한 느낌을 준다. 이 글에서는 상대에 대한 비판적 태도가 드러나지 않는다.

3 도회지 사람인 글쓴이는 산촌에서 생활하면서 도시에서의 생활을 그리워하고 있다.

4 '불행한 인구'는 글쓴이의 비망록에 쓰인 글씨들로, 글쓴이의 불행한 사연을 의미하나 이것은 가족들이 보낸 것이 아니다.

5 Ⓐ는 추상적인 대상인 '근심'을 구체적인 것으로 표현하여 온갖 근심을 떨쳐 버리고 싶은 글쓴이의 마음을 나타낸 것이다. ⑤에서도 추상적인 대상인 '흥'을 구체화하여 자연 속에서 풍류를 즐기는 화자의 마음을 나타내고 있다.

6 ㉣은 푸른 빛깔을 띤 응회암을 얹은 지붕을 말하는 것으로 산촌의 모습을 나타낸다. 나머지는 도시적 감수성과 관련된다.

7 이 글의 '도회의 여차장이 차표 찍는 소리 같은 그 성악', '파라마운트 회사 상표처럼 생긴 도회 소녀', 〈보기〉의 '낙엽은 폴란드 망명 정부의 지폐', '길은 한 줄기 구겨진 넥타이처럼 풀어져', '새로 두 시의 급행열차가 들을 달린다' 등에서 대상을 이국적이고 도시적인 이미지로 형상화한 부분을 찾을 수 있다.

31 권태

p.226

1 ⑤ 2 ④ 3 ② 4 ① 5 ① 6 ① 7 ② 8 글쓴이는 권태를 인식하는 신경마저 버리고 완전히 허탈해 버려야 한다고 하면서 권태롭다고 느끼는 것조차 인식하지 않으려는 치열한 의지가 필요함을 역설하고 있다.

1 뜨거운 날씨 속에서의 단조로운 농촌 풍경을 주관적이고 개성적인 눈으로 바라본 느낌을 권태로움으로 서술하고 있으나, 그것이 현실 사회의 문제점이며 타파해야 하는 대상이라고 역설한 부분은 나타나지 않는다.

2 이 글은 이 수필의 전반부로, 글쓴이가 어느 여름날 농촌의 단조로운 풍경을 본 느낌을 서술한 것이다. 즉, 글쓴이는 변함없는 농촌에 대해 권태로움을 느낀 것이지 그 투박함에 염증을 느낀 것이라고는 볼 수 없다.

3 ⓐ~ⓓ는 모두 권태를 느끼게 하는 대상이지만, ⓔ는 더위를 강조하기 위해 제시된 소재의 하나일 뿐이다.

4 ㉠은 넓은 백지처럼 할 일이 없는 하루를 표현한 것으로, 백지에다 무엇인가를 쓰듯이 오늘 하루 동안 아무 일이라도 해서 시간을 메워야 한다는 강박 관념이 드러나 있다.

5 ①은 '싫은 일을 억지로 함'을 의미하는 속담으로, ㉡에서 권태를 이기기 위해 억지로 장기를 두는 심리와 관련이 있다.

6 ①의 '수'는 '바둑이나 장기를 두는 기술'을 뜻하는 ㉮와 쓰임이 같다. ②는 '좋은 운수'를 의미하는 명사, ③은 '일을 처리하는 방법이나 수완'을 의미하는 명사, ④, ⑤는 의존 명사로, '어떤 일을 할 만한 능력이나 어떤 일이 일어날 가능성'을 의미한다.

7 이 글의 글쓴이는 단조로운 풍경과 일상에 대해 권태를 느끼고 있으며, 현재 상태에서 벗어나고자 하는 강박감을 갖고 있다. 그래서 최 서방의 조카와 장기를 두기도 하지만 이것 역시 결국 글쓴이의 권태로움을 강조하는 역할을 할 뿐이다. 결국 권태로움에서 벗어나지 못하고 지루한 일상에 머물러 있을 수밖에 없는 것이다.

32 동승

p.228

1 ① 2 ① 3 ② 4 ③ 5 ② 6 도념의 여정이 순탄하지 않을 것임을 암시한다.

1 이 글은 희곡으로, 무대 상연을 전제로 하기 때문에 시간과 공간(무대), 등장인물 수 등의 제약을 받는다.

2 이 희곡은 산속을 주된 배경으로 종교적 계율과 인간적 욕망의 갈등을 다룬 것으로 당시의 시대상을 잘 반영했다고 보기는 어렵다.

3 도념은 미망인의 양자가 되기 위해서가 아니라 어머니를 찾기 위해 주지의 뜻을 거스르고 길을 떠나는 것이다.

4 주지 스님은 속세의 삶이 인간에게 번뇌와 고통을 안겨 준다고 생각하고 있으며, 도념이 '부처님이 말리시는 육계'를 범할 것을 걱정하고 있다.

5 도념은 동냥을 다니다가 어머니를 만나게 되는 꿈을 초부에게 이야기해 주며, 어머니를 꼭 찾게 될 것이라는 기대감을 드러내고 있다.

Ⅵ 광복 이후

01 해 · 청산도

p.232

1 ① 2 ② 3 ② 4 ③ 5 ② 6 ③ 7 ⑤
8 [가]와 [나]의 주제는 '이상 세계에 대한 소망'으로 집약될 수 있는데, 음성 상징어는 그러한 소망의 간절함을 생동감 있게 효과적으로 부각시키는 효과를 주고 있다.

1 [가]는 화합과 평화의 세계에 대한 화자의 강렬한 소망을 상징적 시어를 사용해 표현하고 있는 작품으로, 화자의 체험이 서사적으로 드러나 있지 않다.

2 [가]에서는 시의 처음과 끝에 형태적 · 의미적으로 동일하거나 유사한 시구를 배열하는 방식인 수미 상관의 기법이 사용되지 않았다.

3 '해'는 광명과 정의를 상징하고 새로운 탄생과 창조의 원동력을 의미하는 시어로 '청산', '양지', '앳되고 고운 날'과 유사한 성격을 지닌다. 반면에 '달밤'은 암울한 현실을 상징하는 시어로, '해'와 이질적인 성격을 보인다.

4 3연의 '나'는 '해'를 가리킨다. 화자는 세상이 이상적인 모습으로 변하게 된다면 자신은 외로워도 좋다고 말하며 소망의 절실함을 나타내고 있을 뿐 누군가가 와서 자신을 '해'가 솟아 있는 '청산'으로 데려가 주기를 희망하고 있는 것은 아니다.

5 [나]는 '산아 / 우뚝 솟은 / 푸른 / 산아. / 철철철 / 흐르듯 / 짙푸른 / 산아!'에서 보듯이, 4음보를 바탕으로 운율을 형성하고 있다.

6 [나]에서는 시어의 반복을 통해 '이상향(푸른 산)'에 대한 시적 화자의 간절한 그리움을 형상화하고 있다.

7 [나]에서 '청산'은 평화롭고 건강한 이상적 세계이고, 〈보기〉에서의 '청산'은 현실의 시름과 고통을 잊기 위한 현실 도피적 이상향의 공간이다. 둘 다 현실과 대비되는 이상향으로서의 공통점이 있다.

02 추천사 – 춘향의 말 1 · 신선 재곤이

p.234

1 ④ 2 ⑤ 3 ③ 4 ③ 5 ⑤ 6 개인주의적 가치관이 만연한 현대인의 삶을 성찰하게 하고, 어려운 이웃과 더불어 살아야 한다는 공동체 의식을 일깨워 준다.

1 [가]는 현실적 가치에 애착을 가지고 있으면서도 그것에서 비롯되는 갈등과 고뇌로부터 벗어나 이상 세계를 소망하는 춘향의 심리적 갈등을 그린 시이다. 하지만 삶과 죽음 사이의 경계를 그리고 있지는 않다.

2 [가]의 춘향은 현실의 고뇌에서 벗어나려는 갈망을 노래하고 있지만, 결국 인간의 한계를 깨닫고 절망하게 된다. 하지만, 그러한 절망에 굴하지 않고 이상 세계에 도달하려는 노력을 포기하지 않는 모습을 보인다(5연).

3 [가]에서 시적 화자는 자신의 고통과 번민을 극복하기 위한 노력은 하고 있지만, 그것을 종교적으로 승화하려는 모습은 보이지 않는다.

4 화자는 표면에 등장하지 않은 채 이야기를 들려주는 듯한 어조로 '재곤이'와 마을 사람들의 삶의 모습을 전달하고 있다.

5 ㉤에서 마을 사람들은 어느 날 갑자기 마을에서 사라진 재곤이가 하늘로 '신선살이'를 간 것이라는 조 선달 영감의 해석에 동조하고 있다. 마을 사람들이 재곤이를 쫓아 버린 것이 아니며, 이를 합리화하고 있지도 않다.

03 어느 날 고궁을 나오면서

p.236

1 ④ 2 ② 3 ③ 4 ② 5 ① 6 ② 7 ②
8 자신의 속된 모습을 노출하여 사소한 일에만 분개하는 옹졸한 모습을 부각하기 위해서이다.

1 역설적 표현이란 겉보기에는 논리적으로 모순되어 보이나 그 속에 중요한 진실을 담고 있는 표현을 말하는데, 이 시에 역설적 표현은 사용되지 않았다.

2 화자는 부조리한 현실에는 반항하지 못하고 사소한 일과 힘없는 자에게만 분개하는 자신의 소시민적 모습을 반성하며 자신이 바람, 먼지, 풀보다 작다고 표현함으로써 자책하고 있다.

3 B는 화자의 사소하고 옹졸한 행위에 해당하므로, 포로수용소 시절 '스펀지 만들기와 거즈 접기'도 추가할 수 있다. ① 화자는 과거부터 나약한 소시민적 삶을 이어왔음을 밝히고 있다. ② '구청 직원'과 같이 힘 있는 자에게 반항하지 못하는 것은 B에 해당된다. ④ 화자는 A와 같은 의미 있는 일을 하지 않고 외면하지만, B와 같은 사소한 일에 대해서는 분개한다. ⑤ 화자는 B에 대해 반성하며 A를 외면하는 자신을 자책하고 있다.

4 화자는 ㉡에 이어 과거의 경험을 제시하고 있으나 과거의 경험이 현재 자신의 옹졸한 모습과 다르지 않으므로, 이를 통해 시적 분위기가 새롭게 전환되는 것은 아니다.

5 '설렁탕집 돼지 같은 주인년'은 '이발쟁이'나 '야경꾼'과 마찬가지로 사소한 문제 때문에 화자가 분노를 표출하고 있는 힘없는 이웃에 해당한다. 따라서 부당한 권력층에 대한 화자의 분노가 담겨 있다고 볼 수 없다.

6 화자는 자조적인 표현을 통해 옹졸한 자신의 모습을 반성하는 태도를 드러내고 있다. 따라서 화자에 공감하여 시를 읽으면서 독자는 도덕적 양심을 일깨워 스스로의 태도를 반성할 수 있다.

7 '아무래도'는 '아무리 생각해 보아도'의 의미이다. 이를 통해 화자가 불의한 현실에 항거하는 '절정'에서 비켜서 있다는 것에 변명의 여지가 없음을 드러내고 있다.

04 눈 · 껍데기는 가라

p.238

1 ② 2 ③ 3 ② 4 ⑤ 5 ⑤ 6 ④ 7 ②
8 운율을 형성하는 형식적 효과와 부정적 현실을 거부하는 화자의 단호한 태도를 나타내며 주제를 강조하는 내용적 효과를 지닌다.

1 [가]의 시적 화자는 비겁한 일상성, 소시민성, 속물성이 판을 치는 부정적인 삶에서 벗어나고 싶어 하며, 순수하고 정의로운 삶(참된 가치)에 대한 소망을 나타내고 있다.

2 [가]는 ㉠과 ㉡을 변형 · 반복함으로써 리듬감을 강조하고, 시적 긴장감을 더해 준다. 또한 시적 의미를 선명하게 해 주고, 점층적으로 의미를 강조한다.

3 '눈'은 〈보기〉의 '순수, 결백'이라는 상징적 의미와 '사물을 보고 판단하는 힘'이라는 의미를 종합하여 그 함축적 의미를 파악할 수 있다. 이는 곧 '현실 비판의 능력을 지닌 순수한 생명력, 옳고 그름을 판단할 수 있는 순수한 생명력'을 의미한다.

4 [가]에서 젊은 시인이 '기침'을 하는 것은 마음속에 고여 있는 불쾌하고 불결한 것들을 모두 쏟아 버리기 위해서이다. '가래'는 불결하고 부패한 부정적인 요소들로 [나]의 ⓐ와 유사한 의미를 나타낸다.

5 [나]의 시적 화자는 현실 사회에 부정적 요소가 있음을 인식하고, 그것에 대한 극복 의지를 직설적인 목소리로 드러내고 있으며 이와 함께 우리가 지향해야 할 삶의 모습이 무엇인지를 제시해 준다. 이처럼 사회 문제에 대해 뚜렷한 목적 의식을 가지고 발언하는 것은 이 시의 현실 참여적 경향을 보여 주는 것이다.

6 [나]에서 '아우성'은 동학 농민 전쟁의 순수한 정신과 열정을 의미한다.

7 아사달과 아사녀가 ⓑ와 같은 모습으로 만나는 것은 있는 그대로의 자신을 드러내기 위해서이다. 이는 곧 허위와 가식이 없는 순수한 모습을 의미한다.

05 누가 하늘을 보았다 하는가

p.240

1 ① 2 ① 3 ② 4 ② 5 ② 6 ⑤ 7 마음속의 구름을 닦고, 머리 위의 쇠 항아리를 찢어야 한다.

1 이 시는 상징적이고 대립적인 시어를 반복적으로 사용하여 시상을 전개하고 있다.

2 '하늘'은 이 시에서 '자유롭고 평화로운 세상'을 상징하는 핵심어이고, '먹구름'은 하늘을 가리는 1960년대 말 우리 사회의 '암담한 현실'을 상징하며, 지붕 덮은 '쇠 항아리'는 무겁고 답답한 이미지로 '구속과 억압', '현실 인식을 가로막는 장애물'을 상징한다.

3 ㉮의 '누가 하늘을 보았다 하는가'는 '설의법'이므로 누가 하늘을 본 것인지에 대한 의문을 드러내는 것이라기보다는 아무도 하늘을 보지 못했다는 의미를 강조하는 것이라 할 수 있다.

4 ㉯는 명령형 어조를 사용하여 구속과 억압을 벗어나려는 현실 극복 의지를 나타내고 있는데, 이는 소극적 지식인에게 한정된 것이 아니라, 불특정 다수인 민중 전체에 대한 행동 촉구로 보아야 한다.

5 이 시에서의 '외경'은 티 없이 맑은 하늘에 대한 외경으로, 자유와 평화에 대한 공경과 두려움의 마음이며, '연민'은 구속과 탄압의 부정적 현실 속에서 자유와 평화를 제대로 누리지 못하며 살아온 우리 민족에 대한 애처로운 마음의 표현이라고 할 수 있다.

6 ⑤는 이 시에만 해당하는 설명이다.

06 꽃 · 샤갈의 마을에 내리는 눈

p.242

1 ① 2 ⑤ 3 ① 4 ⑤ 5 ① 6 ③ 7 ③
8 ④ 9 상호 연관성이 떨어지는 시어들을 자유로운 연상을 통해 나열함으로써 환상적인 분위기를 형성하고, 맑고 순수한 봄의 생명력을 부각시킨다.

1 [가]는 '꽃'의 이미지를 통해 존재의 본질 구현에 대한 소망을 드러내고 있고, [나]는 '눈', '불' 등의 이미지를 통해 '봄의 맑고 순수한 생명감'이라는 주제를 드러내고 있다.

2 [가]의 화자는 존재와 인식의 관계를 고찰하고, 이를 바탕으로 존재들 사이의 진정한 관계 맺음을 소망하고 있다.

3 [가]에서 '나'는 화자로 인식의 주체이며, '그(너)'가 인식하고자 하는 대상인 객체가 된다.

4 [가]는 '대상을 인식하기 이전의 무의미한 존재(1연) – 명명에 의해 의미 있는 존재로 다가옴(2연) – 존재의 본질 구현에 대한 근원적 갈망(3연) – 존재의 본질 구현에 대한 소망의 확대(4연)'의 순서로 시상이 전개된다.

5 '꽃'은 내가 '그'의 이름을 불러 주었을 때나 누군가 '나'의 이름을 불러 주었을 때 의미 있는 존재로 인식되는 것을 나타내며, '눈짓'은 '우리'가 서로에게 '눈짓(무엇)'이 되고 싶다는 점에서 상호 의미 있는 존재 인식이라 할 수 있다.

6 [나]는 봄의 맑고 순수한 생명감을 노래하고 있을 뿐, 복잡한 은유를 중첩시켜 화자의 긴장감을 강조하고 있지 않다.

7 '봄'은 맑고 순수한 생명감을 느끼게 하는 시어로, '눈', '정맥' '올리브 빛', '불' 역시 '봄'과 더불어 이 시에서 생명력을 불러일으키는 시어들이다. 그러나 '겨울 열매들'은 메마르고 움츠러든 존재로 '봄'의 이미지와는 거리가 멀다.

8 지붕과 굴뚝을 덮는 눈송이들은 마을을 따뜻하게 덮고, 메말랐던 열매들에게 따뜻한 생명력을 부여하는 역할을 한다.

07 추억에서 · 엄마 걱정

p.244

1 ⑤ 2 ① 3 ③ 4 ⑤ 5 ④ 6 ④ 7 ⑤
8 [가]에서는 직설적인 단정형의 종결 어미 '-다'를 사용하지 않고, 의문형, 영탄형의 종결 어미를 사용하여 화자가 지나친 감상에 빠지지 않고 효과적으로 감정을 절제할 수 있게 하고 있다.

1 [가]와 [나]는 모두 가난했던 유년 시절을 회상하고 있는 작품으로, 자연물이 중심 소재라고 보기 어렵다. 또 [나]는 어머니의 한(恨)보다는 어머니를 기다리는 시적 화자의 외로움을 주로 형상화하고 있다.

2 [가]의 시적 화자는 어릴 적 가난했던 생활을 회상하고 있으나, 자신의 삶을 반성적으로 되돌아보는 것은 아니다.

3 [가]의 화자는 가난으로 인해 한스러운 삶을 살다 간 어머니에 대한 회상을 노래하고 있다.

4 [가]의 화자는 어머니가 팔지 못한 생선들의 빛나던 눈깔에서 가난에서 벗어나지 못한 한을 떠올린다. 또한 밤늦게 집에 돌아오며 남몰래 글썽이셨을 어머니의 눈물(한)을 달빛 받은 옹기의 반짝임을 통해 감각적으로 표현하였다.

5 ④에는 가난한 생활에 힘들어 했을 어머니의 마음을 헤아리는 화자의 모습이 드러나며, '울엄매'라는 경상도 방언에서 향토적 정감을 느낄 수 있다.

6 [나]는 가난했던 어린 시절의 외로운 모습과 이를 추억하는 화자의 그리움을 그리고 있는 작품이다. [나]의 화자가 가난한 어린 시절을 보낸 것은 맞지만, 가난을 통해 자신이 더욱 성숙해졌다고 말하고 있지는 않다.

7 작가와 관련지어 작품을 이해하는 표현론적 관점에 해당하는 것은 ⑤이다. ①, ②, ④는 내재적 관점이고, ③은 효용론적 관점이다.

08 새 · 성북동 비둘기

p.246

1 ① 2 ② 3 ② 4 ⑤ 5 ③ 6 ④ 7 인간의 문명에 대한 욕심과 탐욕 때문에 파괴된 자연의 순수성을 의미한다.

1 [가]는 '새'로 표상되는 순수한 삶의 태도를 인간 문명의 폭력성과 대비시켜 표현함으로써 문명 비판적인 태도를 주된 정서로 삼고 있으며, 주제를 형상화함에 있어 관념적인 시어를 활용하기보다는 감각적 이미지를 통해 구현하고 있다.

2 [가]의 '체온'은 새의 사랑을 설명하는 것으로, 행동을 꾸미거나 특별히 의식하지 않고 나누는 순수한 사랑을 뜻하고, [나]의 '온기'는 떠나온 파괴된 보금자리에 대한 미련을 형상화한 것이다.

3 [가]는 '생명의 순수함과 아름다움'을 '인간의 인위성, 문명의 파괴성'에 대립시켜 문명 비판적 주제를 드러낸 시이므로 ㉠에는 '순수함, 생명력' 등이, ㉡에는 '문명의 파괴성, 이기성, 인위성' 등이 들어가는 것이 적절하다.

4 [가]는 순수한 삶에 대해 옹호하고 인간과 문명의 인위적이고 폭력적인 속성에 대해 비판하고 있으므로 물질문명의 폭력으로부터 순결한 삶을 지키게 해 달라는 기원을 담고 있는 ⑤가 적절하다.

5 ⓒ는 자유를 마음껏 누릴 수 있는, 비둘기가 휴식을 취할 수 있는 공간을 의미한다.

6 [나]는 무자비한 문명화로 인한 자연의 파괴에 대해 고발하고 있는 시이다. 현대 문명이 자연을 파괴하고 사랑과 평화 같은 인간성마저 상실하게 하는 무서운 존재라는 점을 말하고자 하는 것이다. 따라서 자연과의 공존을 이루는 문명화와 인간성의 파괴와 관련된 내용이 시에 대한 반응으로 적절하다. ④는 한쪽에 치우친 극단적인 사고라고 할 수 있다.

09 납작납작 – 박수근 화법을 위하여 · 우리 동네 구자명 씨

p.248

1 ① 2 ② 3 ④ 4 ⑤ 5 ⑤ 6 ④ 7 ② 8 무언가에 짓눌린 서민들의 삶의 모습을 형상화하고 있다.

1 [가]는 그림 속 인물의 모습을 장면화하여 서민들의 삶의 애환과 서글픔을 드러내고 있으며, [나]는 아침 일찍 출근하면서 버스에서 졸고 있는 '구자명 씨'의 모습을 묘사하여 가사 노동과 직장 생활에 시달리는 여성의 삶의 고통을 형상화하고 있다.

2 '쭈그린', '여편네' 등의 시어를 통해 박수근의 그림에 등장하는 서민들의 가난한 삶의 모습을 드러내고 있다.

3 '바짝'은 '마르기'를 수식하는 부사어로 '물기가 마르거나 졸아붙은 모양'을 의미한다. 피나 눈물이 마른다는 것은 인간다운 감정이 사라진다는 의미이며, 고달픈 현실 속에 기본적인 감정마저 배제당하는 서민들의 삶을 드러낸 것이다.

4 화자는 가난한 서민들의 삶에 대한 연민과 안타까움의 감정을 노래하고 있다.

5 [나]의 화자는 '구자명 씨'에게 있었던 일을 직접 관찰한 것이 아니라 졸고 있는 '구자명 씨'의 상황을 추측하고 있다.

6 '구자명 씨'의 '죽음의 잠'은 너무 피곤한 나머지 죽은 것처럼 깊은 잠에 빠져 들었다는 뜻이다.

7 '팬지꽃'과 '안개꽃'은 가정에서의 여성의 희생과 고통을 드러내는 소재로 원관념은 '식구의 안식'이 아니라 '구자명 씨'로 볼 수 있다.

10 농무 · 벼

p.250

1 ④ 2 ④ 3 ① 4 ④ 5 ③ 6 ③ 7 ① 8 '농무'는 1970년대에 산업화로 인해 피폐된 농촌 현실과 농민의 울분을 역설적으로 드러낸 소재로, 삶의 한을 풀어 내는 집단적인 신명풀이의 성격을 지닌다.

1 [가]는 산업화로 인해 농촌이 피폐해져 가는 1970년대를 배경으로 모순된 사회 현실에 대한 농민들의 울분을 그려 내고 있다.

2 [가]는 공간의 이동에 따라 시상이 전개되는데, 학교 운동장에서 출발하여 소줏집 → 장거리 → 쇠전 → 도수장으로 이동한다.

3 ㉠에서 '막이 올랐다'가 아니라 '막이 내렸다'로 시작함으로써 쇠락의 길에 접어든 농촌의 현실을 드러내며 작품 전체에 비애의 정조가 느껴지게 하고 있다. 즉 막이 내린 가설무대는 피폐화되어 가는 농촌 현실과 그곳에서 살아가야 하는 농민들의 처지를 드러내기 위한 객관적 상관물인 것이다.

4 [가]에서 농민들은 농무를 추며 울분과 분노를 드러내긴 하지만, 문제를 해결하는 구체적인 의지와 행동은 드러나지 않는다. 이들의 농무는 오히려 한을 풀어서 해소하는 행위에 가까운 것이다.

5 [나]는 자연의 소재인 '벼'의 다양한 형상을 통해 민중의 삶의 모습을 형상화한 시로, 민중의 공동체 의식과 강인한 생명력을 예찬하고 있다. 이상과 현실의 괴리에서 오는 화자의 고뇌는 나타나 있지 않다.

6 ⓒ는 이기적인 삶을 버리고 대의를 위해 희생할 줄 아는 벼의 모습을 그리고 있다.

7 [나]에서 '피'는 민중들이 꿈꾸는 자유와 평등의 세계를 위해 희생하는 민중의 모습을 상징하고 있고, 〈보기〉에서 '피'는 자유를 얻기 위한 전제로서의 '희생, 투쟁'을 상징하고 있다. 이를 통해 [나]와 〈보기〉 모두에서 공통적으로 '자기희생'을 상징한다고 볼 수 있다.

11 새들도 세상을 뜨는구나

p.252

1 ① 2 ① 3 ② 4 ③ 5 ④ 6 ④ 7 ⑤ 8 '흰 새 떼'는 시적 화자의 처지와 상반된 자유로운 존재로, 현실에 주저앉을 수밖에 없는 시적 화자의 절망감을 강조하며 좌절감을 부각시킨다.

1 이 시에서 '이 세상'은 자유를 억압하는 군부 독재하의 조국을 의미한다.

2 이 시는 군사 정권의 폭압적인 정치 상황 속에서 강요된 애국심과 획일적으로 통제된 사회를 비판하고 있으며, 그런 현실 속에서 좌절할 수밖에 없는 시적 화자의 모습을 그리고 있다.

3 이 시에서 '애국가'는 청중들에게 경건한 애국심을 불러일으키는 것이 아니라 애국심을 강요하고 있으며, 청중들을 구속하는 보이지 않는 힘을 상징한다.

4 이 시의 화자는 절망으로 가득 찬 1980년대의 폭압적인 현실에서 벗어나고 싶은 마음을 자유롭게 날아다니는 새 떼에 투영시켜 표현하였다.

5 '삼천리 화려 강산'은 시적 화자가 처해 있는 부정적인 현실을 반어적으로 표현한 말이다. 이는 자유를 억압하는 군부 독재하의 조국을 뜻하는 '이 세상'과 동일한 의미를 가진 시어이다.

6 ㉡은 현실에서 벗어나기를 꿈꾸던 시적 화자가 애국가의 종료와 함께 그럴 수 없음을 깨닫고 좌절하는 모습을 나타낸 것이다.

7 '낄낄', '깔쭉' 이라는 음성 상징어는 조롱이나 야유의 의미를 가지고 있는 시어로 이를 통해 시적 화자의 현실에 대한 냉소적인 태도를 효과적으로 드러내고 있다. 이는 작품의 형식이나 내용에 초점을 맞춘 감상이므로 내재적 접근 방법을 취하고 있다고 할 수 있다.

12 우리가 물이 되어

p.254

1 ② 2 ③ 3 ④ 4 ④ 5 ⑤ 6 ④ 7 부정적인 것이 모두 소멸된 상태를 의미한다. 8 이 시의 1, 4, 7, 9행에서 '-다면'의 가정법을 사용함으로써 만남에 대한 시적 화자의 소망의 간절함을 극대화시킬 수 있다.

1 역설은 표면적으로 보기에는 모순된 진술이지만 그 속에 깊은 의미를 담고 있는 표현을 말하는 것으로 이 시에는 나타나지 않는다.

2 이 시는 '불'과 '물'이라는 대립적인 이미지를 통해 고독하고 메마른 현재의 삶에서 벗어나 '너'와 '나'가 '우리'가 되는, 즉 생명력이 충만하고 조화로운 합일을 이루는 삶을 추구하고 있다. 시적 화자는 부정적 현실을 인식하고 이를 극복하려는 의지를 보이고 있는 것이다.

3 이 시는 '나'와 '그대'라는 고립된 개체가 '불'이 아닌 '물'로 만날 때만이 진정으로 조화로운 삶을 이룰 수 있을 것이라고 노래하고 있다. 여기서 '불'은 죽음, 파멸 등 바람직하지 않은 삶의 방향을 상징하며, 세상을 모두 태우는 부정적인 의미를 지닌다. 허무주의와는 관련이 없다.

4 이 시는 '물'의 이미지에서 주제를 발전시키고 있는데, 이 물은 불순물이 걸러지는 공간인 '강물'에서 아무것도 경험하지 못한 순수한 '바다'로 확장되고 있다. 그 물은 생의 근원이자 완전한 합일의 경지인 '하늘'로 연결되고 있다.

5 ㉠은 현대 사회의 황폐함을 의미하는 것으로, 불모와 죽음의 이미지를 내포하고 있다.

6 이 시에서 물은 생명력을 상징하고 있으므로 Ⓐ의 '우르르 우르르'는 물의 생동하는 힘을 표현한 것이다. Ⓑ는 '푸시시 푸시시 불 꺼지는 소리'이므로 불이 소멸하는 상황을 표현한 것이다.

13 라디오와 같이 사랑을 끄고 켤 수 있다면 · 프란츠 카프카

p.256

1 ⑤ 2 ⑤ 3 ⑤ 4 ⑤ 5 ② 6 ① 7 [가]의 화자는 쉽게 만나고 헤어지는 세태를 비판하고 있고, 〈보기〉의 화자는 변치 않는 사랑을 다짐하고 있다.

1 [가]는 쉽게 만나고 헤어지는 현대인들의 사랑을 비판하고 있고, [나]는 물질적 가치만을 중시하는 현대 사회의 현실을 비판하고 있다.

2 추상적이고 관념적인 의미인 '사랑'을 '라디오'를 켜고 끄는 행위로 구체화하여 표현하고 있다.

3 〈보기〉의 '눈짓'은 의미 있고 소중한 존재를 의미하지만, [가]의 ⓔ는 가볍고 편하게 만나고 헤어지는 존재를 의미한다. ① 의미 있는 존재가 되기 위한 수단 ② 무의미한 존재 ③, ④ 의미 있는 존재

4 [나]는 '메뉴판'이라는 일상적이고 평범한 소재를 차용한 일종의 패러디로 볼 수 있다.

5 [나]는 '미친 제자', '제일 값싼 프란츠 카프카' 등에서 반어적 표현으로 물질적 가치만을 중시하는 현실을 풍자하고 있다. 〈보기〉의 화자는 상대의 신기한 계책과 기묘한 헤아림을 칭찬하는 듯하지만, 실제로는 야유하고 조롱하고 있으므로 반어적 표현이 사용되고 있다.

6 유명 문인과 철학자, 사상가 등에 가격을 매긴 메뉴판은 정신적 가치의 상품화를 드러내기 위한 시적 장치이다.

14 미스터 방

p.258

1 ② 2 ① 3 ③ 4 ④ 5 ③ 6 ⑤ 7 방삼복의 기회주의적인 성격이 해방 정국의 혼란한 시대상과 맞물려 인생을 역전시킬 수 있는 기회를 잡았던 것이다.

1 이 글은 해방 직후의 혼란한 사회 속에서 기회를 틈타 자신의 이익만을 추구하는 인물을 비판적으로 그리고 있다.

2 이 글은 과거와 현재가 혼합된 입체적 구성을 취하고 있지만, 회상을 통해 서정적 분위기를 자아내고 있지는 않다.

3 방삼복은 해방이 된 후 손님이 떨어지자 불만스러워하다가 마음대로 수선비를 올릴 수 있게 되자 그런 상황을 가져온 독립을 기뻐한다. 그러다 재료비가 올라 수입이 제자리로 돌아오자 다시 독립을 원망한다.

4 백 주사는 과거 친일을 했던 자신의 잘못은 생각지 않고 그저 민중들로부터 억울하게 전 재산을 빼앗겼다고 여기고 있다. 그런데 자업자득(自業自得)은 '자기가 저지른 일의 결과를 자기가 받음'이라는 뜻이므로, 백 주사의 태도를 설명하기에는 적절하지 않다.

5 보잘것없는 신기료장수였던 방삼복은 S 소위의 통역관이 됨으로써 출세가도를 달리다가 결국 S 소위의 눈 밖에 나 몰락하게 될 것이다.

6 이 글은 '방삼복'이라는 미천한 인물이 '미스터 방'이 되는 과정을 통해 광복 직후의 혼탁한 사회에 발 빠르게 적응해 가는 인물의 삶을 풍자적으로 그려 당시의 세태와 인간상을 비판하고 있다.

15 역마

p.260

1 ⑤ 2 ④ 3 사마귀 4 ① 5 ⑤ 6 ⑤ 7 ② 8 ① 9 '세 갈래 길'은 각각의 삶을 상징하는 것으로 화갯골 쪽으로 난 길은 과거의 삶, 구례 쪽으로 난 길은 운명을 거역하는 삶, 하동 쪽으로 난 길은 역마살을 수용하는 유랑의 삶을 의미한다.

1 성기는 자신의 운명(역마살)을 극복하려 하지만 결국 천륜에 의해 좌절하고, 그에 순응하는 모습을 보이고 있다. 즉, 작가는 '역마살'이라는 운명론적인 문제를 인간의 힘으로 해결할 수 없는 것으로 이해하고 있는 것이다.

2 계연은 옥화의 동생이자 성기의 이모로, 이루어질 수 없는 사랑으로 인해 비극적 헤어짐을 겪는 인물이지만 성기처럼 역마살을 타고난 인물인지는 파악할 수 없다.

4 '화개 장터'는 전통 사회에서 정착민이라 할 수 있는 농민들의 삶이 아니라, 남사당패, 방물장수, 보부상 등 떠돌이들의 삶을 상징하는 공간이다.

5 화개 장터는 인물과의 사이에서 갈등을 빚어내는 환경적 요소가 아니라, 주요 배경으로서 소설의 주제와 개연성을 부각시키는 역할을 한다. ②의 관습은 근친상간 금지라는 사회적 관습을 의미한다.

6 ㉠은 계절의 흐름에 따라 여름이 되었듯이, 성기가 집을 떠나는 것 역시 운명에 순응하는 자연스러운 행위임을 암시하는 것이다. 또한 여름을 성장의 계절로 여겨, 성기가 자신의 운명을 받아들일 정도로 성장했음을 의미한다고 보기도 한다.

7 역마살이라는 자신의 운명에 더 이상 대항하지 않고 그에 순응하기로 결심한 성기에게 있어, 엿장수가 되어 길을 떠나는 것은 차라리 홀가분한 일이며, 일종의 구원이라고도 볼 수 있다.

8 계연과 성기는 이모와 조카의 관계로 이루어질 수 없는 사이이며, 성기는 이미 이 사실을 받아들임으로써 자신의 타고난 운명(역마살)에 순응한 채 집을 떠난 것이다. 따라서 이 둘이 다시 만나게 될 것을 암시하는 장면을 넣는 것은 적절하지 않으며, 이 소설의 주제(운명에의 순응)와도 맞지 않는다.

16 독 짓는 늙은이

p.262

1 ④ 2 ① 3 ① 4 ⑤ 5 ⑤ 6 ② 7 ③ 8 ⑤ 9 송 영감에게 독을 짓는 행위는 자신의 삶을 유지하는 생존 방법이자, 아내와 조수에 대한 대결 방법이며, 자신이 살아 있음을 확인하는 유일한 방법이다.

1 이 글은 작가의 설명적 전달과 서사적 묘사를 통해 인물의 심리나 태도 등을 표현하고 있다.

2 이 글의 마지막 부분에서는 독 짓기에 실패한 노인이 죽음으로써, 평생을 건 장인으로서의 예술가적 혼을 이루려는 필사적 노력이 좌절됨을 보여 준다. 이를 통해 미적 범주의 하나로, 슬픈 감정과 함께 일어나는 아름다움을 이르는 '비장미'를 느낄 수 있다.

3 ㉠에는 아들에 대한 송 영감의 애틋하고 간절한 마음과 그의 죽음에 대한 암시가 드러난다.

4 ㉡의 '썩은 물'은 살아온 나날들에 대한 회한의 눈물이며, '뜨거운 새 눈물'은 예술가로서 예술 작품과 함께 생을 마감하려는 비감함에 젖어 흘리는 눈물이다.

5 이 글에서 송 영감이 독 짓기에 실패하는 것은 평생 독 짓기만을 업으로 삼아 온 송 영감의 꿈이 물거품이 되는 순간이면서, 나아가 과거의 전통이 단절되는 순간을 의미한다. 송 영감이 이를 계기로 죽음을 맞이하는 것으로 보아 독 짓기를 새로 시작하는 계기가 되지 못함을 알 수 있다.

6 송 영감이 처음부터 아들 당손이를 입양시키려고 했던 것은 아니며, 자신이 더 이상 독을 짓기가 불가능하다는 것을 깨닫고 또 죽음을 예감하면서 어쩔 수 없이 그렇게 한 것이므로 죽음의 직접적인 이유로 적절하지 않다.

7 이 글에서 송 영감은 사라져 가는 전통을 지키고자 하는 전통적 인간형을 상징한다. 따라서 독자는 변화를 추구하지 못하는 삶에 대해 비판적인 시각을 가질 수 있다.

8 아내의 가출이 송 영감에게 정신적 타격을 주고, 이 때문에 송 영감이 독을 잘 짓지 못하게 되긴 하지만 그 때문에 송 영감이 죽게 되는 것은 아니다.

17 비 오는 날

p.264

1 ① 2 ④ 3 ① 4 ② 5 ⑤ 6 '-것이다'와 '-것이었다'는 무기력한 원구의 눈을 통해 사건을 간접적으로 제시하는 동시에 독자들의 의식 속에 사건보다는 그 사건에 의해 환기된 서술자의 우울한 감정을 전달하는 효과를 준다.

1 이 글은 전후 소설로, 전쟁 후 사람들의 삶의 모습을 다룬 작품이다. 이 글에 등장하는 사람들은 전쟁이라는 극한 상황 속에서 개인의 희망이 좌절되고, 생계를 유지하는 데 급급하여 어떤 이념이나 행동으로 나아가기보다는 무기력함에 젖어 있게 된다.

2 원구와의 술자리 대화를 통해 동욱은 동옥에 대해 애틋함과 안타까움을 갖고 있음을 알 수 있다. 때문에 동욱이 동옥에게 가학적 태도를 보이는 것은 비참하고 절망적인 현실과 세상에 대한 울분의 표출이라고 할 수 있다.

3 동욱 남매의 폐가와 같은 집, 동욱과 동옥의 인상 등 배경과 인물에 대한 묘사가 주로 나타나고 있다. ④ 동옥의 냉소적인 성격이 불구 때문임이 드러나지만, 내용을 속도감 있게 전달하는 요약적 서술은 나타나지 않는다.

4 이 글의 서술자인 원구는 동옥이 사라진 것에 대해 자신의 책임을 절감하면서도 아무런 대응책도 마련하지 못한 채 무기력한 모습을 보인다.

5 '낡은 목조 건물'이나 '비'는 모두 현실의 암울함을 상징하고 있지만 현실의 부정부패나 타락을 상징하는 것은 아니다.

18 유예

p.266

1 ⑤ 2 이윽고, 붉은 피가 하이얀 눈을 호젓이 물들여 간다. 3 ② 4 ⑤ 5 ③ 6 ③ 7 극한 상황에 처한 주인공의 의식이 숨 가쁘게 흘러가는 과정을 보여 줌으로써 상황의 긴박감을 표현하려 한 것이다.

1 이 글은 1인칭 주인공 시점과 전지적 작가 시점이 혼용되고 있는데, 인물을 묘사할 때는 서술자가 자신의 의식 속에서 재구성된 것을 내적 독백을 통해 주관적으로 묘사하고 있다.

3 이 글의 '나'는 총살형을 당하는 비극적 상황을 맞이하여 죽음에 대해 냉정하게 독백하는 실존적 사고를 보이고 있다.

4 '흰 눈'은 '붉은 피'와 선명한 색채 대조를 이루는 차가운 이미지로, 전쟁이라는 극한 상황 속에서 한 생명이 무참하게 짓밟히는 비극성을 표현하고 있다.

5 〈보기〉에 따르면 주인공의 생각은 실제로는 전쟁에 의해 강요당한 것일 뿐이다. 작가는 이러한 주인공의 생각을 강요하는 전쟁이 얼마나 비극적이고 비인간적인 것인지를 말하고 있는 것이다.

6 '나'는 전쟁에서 적군에게 죽는 것은 으레 있게 마련인 당연한 일임을 강조함으로써 죽음을 의연하게 맞이하려는 강인한 의지를 보이고 있다.

19 광장

p.268

1 ② 2 ④ 3 ③ 4 ⑤ 5 ② 6 이명준이 추구하는 바람직한 사회는 사회적 공간인 광장이 건재하되 개인적 공간인 밀실이 존중되는 사회, 즉 개인과 사회가 조화를 이루는 사회이다.

1 이 글의 '이명준'은 현실에서 삶의 의미를 발견하지 못하고 좌절하는 지식인이므로 적극적인 인물이라고 할 수 없다.

2 이명준이 중립국을 선택한 이유는 남북한 모두 광장의 의미를 상실한 공간임을 깨달았기 때문이다. 따라서 새로운 길을 모색하기 위한 적극적인 선택이 아닌, 어쩔 수 없는 상황에서의 소극적인 선택이다.

3 이 글은 남북한의 문제를 '밀실'과 '광장'이라는 인간의 본래적인 존재의 문제와 연결시켜, 남북 분단 문제를 정면에서 다룬 본격적인 장편 소설이다.

4 ㉤의 '한 사람'은 중립국으로 가려는 명준을 가리킨다. ④의 말줄임표는 명준의 말과 맞물렸음을 의미하는 것일 뿐, 명준을 설득하려던 장교가 할 말을 잃었음을 드러내고 있는 것은 아니다.

5 '이명준'이 중립국을 선택한 것은 '밀실'과 '광장'이 조화롭게 공존하는 곳을 남북 어디에서도 발견하지 못한 상황에서 어쩔 수 없는 일이었다. 그러나 결국 중립국행 배에서 바다로 몸을 던져 자살을 한다는 것은 현실에서 진정한 삶의 의미를 찾지 못하였음을 의미한다. 따라서 중립국을 진정 자유로운 삶이 가능한 공간으로 보기는 어렵다.

20 황만근은 이렇게 말했다

p.270

1 ② 2 ③ 3 ③ 4 ⑤ 5 ④ 6 앞으로 전개될 사건과 '황만근'에 대한 흥미를 유발하여 독자의 관심을 유도한다.

1 마을 사람들의 대화를 통해 사람들에게 바보 취급을 받는 황만근의 면모가 드러나고 있으며, 황만근이 실종되기 전 황만근의 말과 행동을 떠올리는 민씨의 회상을 통해 황만근의 삶과 그의 생각을 조명하고 있다.

2 황만근을 '반그이', '바보'라 부르는 마을 사람들의 말과 '바보라고 아무도 나한테 보증 서라는 이야기도 안 했다'라는 황만근의 말을 통해 마을 사람들이 황만근을 무시하고 있었음을 알 수 있다. 그를 비난하고 있는 것은 아니다.

3 황만근의 경운기에 시동이 잘 걸리지 않았다는 사실에서 경운기가 고장난 상태임을 알 수 있다. 마지막 부분에서 경운기는 '황만근 아니면 그 누구도 작동시킬 수 없'었다고 했으므로 황만근이 경운기 운전에 미숙했다고 볼 수 없다.

4 '내 짓고 싶은 대로 농사 지민서'는 농민들 모두가 빚을 지는 상황에서 자신은 빚을 지지 않고 농사를 짓겠다는 황만근의 신념이 드러나는 부분이다. 황만근이 원칙을 지키지 않고 농사를 짓는다고 볼 수는 없다.

5 황만근은 경운기를 몰고 궐기 대회에 가다가 경운기 사고로 죽은 것이므로 스스로를 희생하여 죽음을 맞이한 것은 아니다. 평소에 그가 보여 준 이타적인 성품을 통해 교훈을 주고 있을 뿐, 그의 갑작스러운 죽음을 통해 희생하는 삶의 고귀함을 보여 주는 것은 아니다.

21 병신과 머저리

p.272

1 ③ 2 ④ 3 ⑤ 4 ③ 5 ③ 6 ① 7 형은 현실 속의 환부를 알고 적극적이고 현실적으로 대결하는 인물인 데 반해, '나'는 자신의 환부를 모른 채 관념적 고통만 느끼는 소극적 인물이다.

1 형은 자신이 느끼는 현실의 모순에 대하여 적극적으로 대처하는 데 반해, 동생인 '나'는 소극적인 태도로 일관하고 있다.

2 이 글의 제목인 '병신과 머저리'는 이 글에 등장하는 두 주인공을 가리킨다. 치료하던 소녀의 죽음과 6 · 25 전쟁 중에 겪은 환부를 지니고 있으나 그것을 극복하고 일상으로 돌아오는 형은 '병신'이라고 할 수 있지만, 아픔의 실체도 알지 못하는 동생은 '머저리'라고 볼 수 있다.

3 형이 자신의 소설을 태우는 것은 소설이라는 허구와 관념만으로는 현실을 변화시킬 수 없다는 인식을 했기 때문이며, 경험의 세계인 현실로 복귀하겠다는 형의 의지를 드러내는 행동이라고도 볼 수 있다.

4 ㉠은 이 글의 형이 쓴 소설의 내용으로 전쟁의 상황이기는 하나, 배경은 세 명의 병사가 낙오된 동굴로 제한되어 있으므로 ③은 적절하지 않다.

5 ㉡에서 김 일병을 죽이는 결말은 모순된 사회 권력에 순응하는 나약함을 의미하며, 이는 연인 사이에서도 관념으로만 일관하는 '나'의 소극적인 모습으로 이어진다. 형은 이와 같은 태도를 질책하고 있는 것이다.

6 동생인 '나'의 말을 통해 드러나는 '얼굴'은 아픔의 실체를 가리킨다. 형에게는 그것이 명료하게 존재하지만 '나'에게는 그렇지 못하다는 의미이다.

22 사평역

p.274

1 ④ 2 ① 3 ① 4 ①, ⑤ 5 ⑤ 6 ③ 7 이 글은 시 〈사평역에서〉에 서사적 상상력을 가미한 소설로, 시를 서두에 인용함으로써 시와의 연관성을 짐작하게 하고 글의 분위기 및 등장인물들의 모습을 암시한다.

1 이 글에는 특별하게 대립되거나 첨예하게 갈등하는 인물들이 제시되어 있지 않으며, 인물의 내면 심리에 초점을 맞추고 있다.

2 '늙은 역장'은 간이역이라는 공간에서 고단한 민중들의 삶을 지켜보며 자신에게 주어진 역무원으로서의 역할을 묵묵히 수행하는 인물이다. 따라서 민중들을 억압하며 착취하는 인물로는 볼 수 없다.

3 ⓐ는 고단한 삶을 살아가는 사람들이 기다리는 대상으로, '삶의 행복'을 상징한다.

4 ㉠은 미미한 온기를 내뿜는 난로로, 대합실 안의 사람들은 추위를 달래기 위해 난로 가까이 모여들게 된다. 이때 사람들은 자신의 삶을 회상하며 성찰하고 정신적 교감을 느끼게 된다.

5 난롯가에 모인 사람들은 ㉡을 계기로 각기 사색과 성찰에 빠져든다.

6 대합실의 분위기는 쓸쓸하고 암울한데, 이는 막차를 기다리는 사람들의 내면 풍경을 그리고 있는 것이다. 화기애애한 분위기와는 거리가 멀다.

23 해산 바가지

p.276

1 ① 2 ④ 3 ④ 4 ⑤ 5 ① 6 ② 7 ③
8 '해산 바가지'는 남녀 차별 없는 생명 존중 의식을 상징한다.

1 이 글에서는 '나'가 암자를 찾아가던 길에서 되돌아온 뒤의 사건을 요약적으로 진술함으로써 사건 진행 속도를 빠르게 하고 있으며(ㄱ), '해산 바가지'라는 상징적 소재를 활용하여 '생명 존중'이라는 주제 의식을 뚜렷하게 형상화하고 있다(ㄷ).

2 이 글은 작품 속 서술자이자 주인공인 '나'가 시어머니와 관련된 자신의 경험을 주관적 입장에서 직접 서술하는 1인칭 주인공 시점을 취하고 있다.

3 ㉮에서 시어머니는 출산한 '나'를 정성껏 보살피며 남녀 구분 없이 생명 자체를 존중하는 태도를 보인다. 그리고 이런 시어머니의 태도는 ㉯에서 치매에 걸린 시어머니를 정성껏 진심으로 대하는 '나'의 태도로 이어지고 있다.

4 '외아들을 둔 시어머니'라는 구절에서 남편이 하나뿐인 외아들임을 알 수 있고, '네 번째 딸을 낳고는'과 '다음에 아들을 낳았을 때도'에서 '나'는 딸 넷을 낳은 다음에 겨우 아들을 얻었음을 알 수 있다. 하지만 '나'의 남편이 아들을 원했는지의 여부는 확인할 수 없다.

5 시어머니가 일부러 사람을 시켜 좋은 해산 바가지를 구해 오게 한 것은 시어머니가 아들을 바랐기 때문이 아니라, 생명 탄생 자체를 경건하고 소중하게 여기는 마음, 또 아이가 건강하게 자라기를 바라는 마음에서 비롯된 행동으로 보는 것이 적절하다.

6 〈보기〉의 밑줄 친 부분은 소설과 소설이 대상으로 삼는 현실과의 관계를 비교하여 감상하는 반영론적 관점에 해당한다. ②는 이 글을 바탕으로 남아 선호 사상이 만연했던 당시의 사회상을 이끌어 내는 감상을 하고 있으므로, 〈보기〉의 관점에 부합한다.

7 ⓐ에서 시어머니는 며느리인 '나'가 딸 넷을 낳은 다음 겨우 아들을 낳았는데도 딸을 낳았을 때와 똑같은 태도로 대접하고 있다. 이런 시어머니의 태도는 '일 따위를 처음부터 끝까지 한결같이 함'이라는 뜻을 지닌 ③으로 설명하기에 적절하다.

24 외딴 방

p.278

1 ② 2 ③ 3 ④ 4 ② 5 ① 6 ④ 7 과거의 이야기는 현재형 문장으로, 현재의 이야기는 과거형 문장으로 서술하고 있다.

1 이 글은 1인칭 주인공 시점으로 작품의 주인공이 자신의 경험을 고백하듯이 서술하고 있다.

2 '주산'은 '부기'와 더불어 학교에서 배우는 과목으로, '나'의 학교생활을 힘들게 만드는 요인이다.

3 '나는 꿈이 필요했었다. ~ 공장 굴뚝의 연기를 참아 낼 수 있기 위해서'로 미루어 볼 때, [B]는 고된 노동이 이루어지는 곳으로, '나'의 절망이 계속 심화되는 공간이라 할 수 있다. 그러나 [C]는 '이후 나는 그 선생님을 보러 학교에 간다. ~ 난쟁이가 쏘아 올린 작은 공을 가지고 다닌다.'로 미루어 볼 때, '나'의 절망이 계속 심화되는 공간이라 할 수 없다.

4 ㄱ. '나'는 자신과 유사한 처지에 있는 소설 속 주인공들에게 공감하면서 스스로를 위안하고 있다. ㄹ. '나'는 공장의 컨베이어 위에서도 소설의 한 문장 한 문장을 꼼꼼하게 옮겨 적고 있는데, 이런 '나'의 행위는 장소를 가리지 않고 적극적으로 소설 쓰기를 배워 나가는 과정으로 볼 수 있다.

5 앞뒤의 내용으로 볼 때, ㉠은 최홍이 선생님의 따뜻한 관심에 도시 생활에서 처음으로 인간미를 느낀 '나'가 버스를 타고 떠난 선생님을 떠올리며 그 마음을 되새기고 있는 것으로 이해할 수 있다.

6 ①, ②, ③, ⑤는 내재적 관점(절대론적 관점)인 데 반해, ④는 작가의 체험, 가치관 등과 관련하여 감상하는 표현론적 관점에 해당한다.

25 참새

p.280

1 ③ 2 ① 3 ④ 4 ⑤ 5 ⑤ 6 ② 7 주변에서 흔히 볼 수 있고 우리의 생활과 밀접한 존재이다.

1 이 글은 '참새'라는 소재를 통해 연상한 것과 과거 회상이 나타나며 담담하고 소박한 문체를 보여 준다. 공간 이동에 따라 대상이 변화하는 모습은 드러나지 않는다.

2 [A]의 첫 세 문장을 통해 소박하고 조촐한 참새의 특성이 다른 대상과의 대조를 통해 제시되고 있음을 파악할 수 있다.

3 참새를 비롯한 여러 가지 새를 가까이서 함께 지내는 식구와 같은 존재로 생각했기 때문에 새를 조롱에 넣어 기르는 사람이 없었음을 알 수 있다.

4 [B]는 개인적 취향에 따라 자연물을 즐기기 위해 자연물의 원래 상태를 훼손하고 가두는 현대인의 태도에 대한 비판적 인식이 드러난 부분이다.

5 글쓴이는 참새라는 평범한 대상에 애정을 가지는 소박한 성품이며(ㄷ), 참새 소리 때문에 잠에서 깬 작은 계기에서 출발하여 다양한 생각을 펼치는 사색적인 면모(ㄹ)를 보여 준다.

6 이 글의 ⓐ '참새'는 글쓴이가 애정을 갖고 바라보는 대상이며, 〈보기〉의 ⓑ '참새'는 백성들을 수탈하는 권력자(탐관오리)를 상징하므로 화자가 비판하는 대상이다.

26 은전 한 닢

p.282

1 ③ 2 ④ 3 ② 4 ⑤ 5 ④ 6 ⑤ 7 ④
8 이 글의 '나'는 글쓴이 자신이지만, 소설 속의 '나'는 작가가 만들어 낸 허구적 대리인이다.

1 이 글은 인물의 대화와 행동 위주로 사건을 전개하고 있으며, 인물의 행적 역시 행동 묘사와 인물의 대화를 통해 드러나고 있다.

2 이 글은 소설과 유사한 느낌을 주지만 이야기의 내용이 글쓴이가 체험한 사실 그대로라는 점에서 허구적 이야기인 소설과 근본적인 차이를 보인다.

3 [가]는 앞으로 전개될 화제를 제시한 문장으로, 독자의 흥미를 유발하며 전개될 이야기가 글쓴이가 체험한 내용임을 알려 준다.

4 늙은 거지가 은전이 진짜인지를 거듭 확인하는 것은 은전의 진위 여부에 대한 궁금증을 드러내는 행동이기도 하지만, 동시에 은전이 거지에게 매우 중요한 것임을 나타내는 것이기도 하다. 거지는 그동안 삶의 목표였던 은전 한 닢을 손에 넣은 사실을 다른 사람의 입을 통해 확인받고 싶어 하는 것이다.

5 ⓑ에서 글쓴이는 일체의 논평을 생략하여 객관적인 태도를 유지하고 독자에게 깊은 여운을 남기고 있다.

6 ㉤에는 은전 한 닢을 얻기까지의 고생에 대한 늙은 거지의 감화와 기쁨이 나타나 있다.

7 〈보기〉에서는 소유를 감소시키는 정도만큼 존재 양식이 나타난다고 하며, '소유 양식=비존재'라는 관점을 드러내고 있다. 이렇게 볼 때 은전을 소유하고자 하는 거지의 행동은 무의미한 것이며 자신의 존재를 초라하게 만드는 것이다. 따라서 주체성과는 거리가 먼 맹목적인 행위라고 할 수 있다.

27 나무

p.284

1 ④ 2 ④ 3 ② 4 ⑤ 5 ⑤ 6 ③ 7 자연물을 의인화하여 그 덕을 예찬하고 있다.

1 이 글에서는 나무를 객관적으로 관찰하여 묘사하고 있는 것이 아니라, 개성적인 시각으로 나무를 바라보고 삶의 의미를 찾아 내고 있다.

2 세 대상이 모두 의리 있고 다정하여 친구로 지내는 것이 아니라, 믿지 못할 만한 점도 있지만 각각 나름의 속성을 인정하고 좋아한다는 의미이다.

3 나무가 사교성이 뛰어나고 적극적이라는 내용은 본문에서 찾을 수 없다. 나무가 친구들이 많은 것은 사교성과 적극성 때문이 아닌 너그러운 성품 때문이다.

4 [나]에서 나무는 자신이 처한 고독을 견디고, 이기고, 즐기고 있다. 〈보기〉에는 규중 여인의 외롭고 고독한 정서가 드러나 있으므로, 화자의 고독감을 위로할 말로는 ⑤의 내용이 적절하다.

5 글쓴이는 이 글 전체를 통해 나무의 속성을 예찬하면서, Ⓐ에서는 죽어서 나무가 되기를 소망하고 있다. 이미 나무의 너그럽고 따지지 않는 성품을 닮기로 하였으므로 나무의 종류 역시 따지지 않겠다는 글쓴이의 태도가 드러나 있다.

6 〈보기〉에는 나무에게 해를 입히는 인간들의 행위가 드러나 있다. [마]에서 나무는 자신의 가지를 쳐 가고 송두리째 베어 가더라도 원망하지 않는다고 하고 있으므로 ③이 가장 적절하다.

28 무소유

p.286

1 ⑤ 2 ② 3 ① 4 ⑤ 5 ⑤ 6 ④ 7 ①
8 겉으로 볼 때는 모순인 역설적 표현으로, 소유에 대한 욕심을 버리고 마음을 비웠을 때 비로소 세상을 바로 볼 수 있고, 또 그것을 통해 참된 자유와 평안을 얻을 수 있다는 의미이다.

1 이 글은 '난초'에 얽힌 글쓴이의 체험을 통해 무소유의 자세를 갖춤으로써 진정한 자유와 행복을 얻을 수 있다는 교훈을 주는 수필로, 자연에서 배울 수 있는 삶의 가치를 강조하고 있지는 않다.

2 글쓴이는 난초를 기른 경험을 통해 소유에 대한 집착이 괴로움을 가져온다는 깨달음과 마음의 자유와 평정을 이루기 위해서는 소유욕을 버려야 한다는 깨달음을 얻고 있다.

3 ㉠은 글쓴이에게 기쁨을 주는 한편 끊임없이 집착하게 하는 존재이므로 사람들이 집착하는 세속적인 욕망, 소유욕 등을 의미한다.

4 ⑤는 '아무리 좋은 조건이 마련되었거나 손쉬운 일이라도 힘을 들여 이용하거나 하지 않으면 안 됨'의 의미로, 인간의 욕심과는 관련이 없다.

5 '무소유'는 이해에 반비례하는 것이 아니라 이해의 얽매임에서 벗어나는 것이다.

6 이 글을 바탕으로 한 강연회이므로 마음의 평정과 자유를 얻기 위해서는 무소유의 자세를 가져야 한다는 이 글의 주제와 관련된 내용이 들어가야 한다.

7 이 글은 인간의 괴로움과 번뇌는 어떤 것에 집착하고, 더 많이 가지려는 소유욕에서 비롯된다고 이야기하고 있다. 즉, '무소유의 자세를 가져야 한다.'는 것이 글쓴이의 인생관이라고 할 수 있다. 그러므로 ①이 적절하다.

29 미안합니다

p.288

1 ③ 2 ⑤ 3 ⑤ 4 ⑤ 5 ⑤ 6 ④ 7 ③
8 '미안합니다'라는 말은 이해와 반성을 통해 우호적인 관계를 유지하고 문제를 원만히 해결할 수 있게 하는 힘을 지녔다.

1 이 글은 미안하다는 말을 잘 하지 않던 글쓴이가 아버지와의 일화를 통해, 문제 상황이 해결되는 과정을 보고 '미안하다'는 말이 지닌 힘에 대한 깨달음을 얻는 과정을 보여 주고 있다.

2 이 글에서는 일부러 나타내려는 뜻과는 반대로 진술함으로써 원래의 의도를 강조하는 반어적 표현은 사용되지 않았다.

3 "아이구, 정말 죄송합니다. ~ 몸이 불편하시니까 여기 대셔야지요."라는 말에서, '경비원'이 원칙을 중시하지만 상황에 맞는 융통성도 발휘할 수 있는 인물임을 알 수 있다.

4 글쓴이는 경험을 통해 '미안합니다'라는 말이 평화로운 관계를 유지해 주고 문제를 원만히 해결해 주는 긍정적인 기능을 한다는 것을 깨닫고 이 말이 지닌 위력에 대해 전하고 있다. 이와 함께 '분명히 내게 잘못이 ~ 가능하면 슬쩍 얼버무려 버린다.'라는 글쓴이의 진술을 종합해 보면, 글쓴이는 궁극적으로 상대방의 처지를 이해하면서 자신의 잘못을 기꺼이 인정하는 삶의 태도를 이 글의 주제 의식으로 삼고 있음을 알 수 있다.

5 ⓐ와 ⓑ는 유사한 경험이 아니라 대조적인 경험이다. 글쓴이는 ⓐ에서 '영수'에게 미안하다는 말을 하지 않기 위해 자신의 잘못을 합리화하며 문제 상황을 회피한다. 하지만 ⓑ에서 아버지는 자신의 잘못을 인정하고 경비원에게 미안하다는 말을 반복함으로써 문제 상황을 원만히 해결한다. 그리고 글쓴이는 ⓐ와 ⓑ의 대조적인 경험을 통해 미안하다는 말의 위력을 깨닫고 자신의 잘못을 인정하는 태도의 중요성을 알게 된다.

6 글쓴이는 아버지를 힐책하는 경비원에게 거듭 사과하는 아버지의 모습 때문에 화가 나고 자존심이 상한 것이지, 자신을 배려해 주지 않았다는 이유로 불쾌감을 느낀 것은 아니다.

7 [A]에서 글쓴이는 '영수'의 마음을 지레 짐작하는 등 '영수'에게 미안하다는 말을 피하기 위한 갖가지 구실로 자신의 행동을 합리화하고 있다. 이런 글쓴이의 태도는 자기 논에 물 대기라는 뜻으로, 자기에게만 이롭게 되도록 생각하거나 행동함을 이르는 말인 '아전인수'로 설명할 수 있다.

30 만선

p.290

1 ⑤ 2 ⑤ 3 ② 4 ③ 5 ① 6 ③ 7 어려운 처지에 굴하지 않는 강인한 의지와 꿈을 이루기 위해 노력한다는 점은 긍정적이지만, 지나친 집착과 무모한 도전으로 파멸을 초래한다는 점에서는 부정적이다.

1 '어촌'이라는 공간적 배경은 도시 문명과 대립되는 공간이 아니라 어부들의 꿈이 좌절되는 비극적인 공간이다.

2 이 글에서 방언은 어촌의 향토적인 삶의 특색을 드러내어 작품의 사실성을 높이고, 곰치의 우직한 성격을 효과적으로 드러내는 역할을 한다. 또한 독자의 흥미를 끄는 요소나 방언으로 인해 주제가 암시되는 것은 아니다.

3 곰치는 아들을 바다에서 잃고도 만선의 꿈을 포기하지 않는 우직한 집념의 소유자이다. 〈노인과 바다〉의 산티아고도 인간의 한계에 굴하지 않고 끊임없이 도전하는 집념과 끈기를 지닌 인물이다.

4 ㉠은 곰치 부부의 어린 막내아들로 어부 생활을 이어 갈 곰치의 마지막 희망이자 하나밖에 남지 않은 자식이다. 구포댁은 아기를 살리기 위해 배에 태워 보냈고, 이로 인해 곰치 부부의 갈등이 촉발되고 있다.

5 불행과 관련된 것이므로 조명은 전체적으로 비장하고 음울한 분위기가 느껴지도록 어둡게 하는 것이 적절하다.

6 곰치는 어부로서의 숙명에 도전하려고 하고, 구포댁은 그러한 숙명으로부터 벗어나고자 하여 갈등하고 있으므로 ③은 곰치와 구포댁의 갈등에 대한 적절한 설명이 아니다.

31 파수꾼

p.292

1 ⑤ 2 ⑤ 3 ④ 4 ① 5 ② 6 ⑤ 7 지배 권력의 논리를 아무런 비판 없이 수용하는 우매한 민중에 대해 풍자하고 있다.

1 이 글은 우화를 차용하여 독재 권력에 의해 통치되던 1970년대의 정치 상황을 풍자하고 있다.

2 '팻말'은 '이리 떼'를 주의하라는 거짓 명분 뒤에 숨겨진 '딸기'라는 실리를 촌장이 독차지하게 하는 수단이다.

3 ㉣은 위기를 극복할 시간을 벌고 파수꾼 '다'를 회유하여 자신의 의도대로 따르게 하려는 촌장의 계략이다.

4 ㉡은 촌장이 억지 주장을 하는 부분이므로 '이치에 맞지 않는 말을 억지로 끌어 붙여 자기에게 유리하게 함'을 의미하는 '견강부회(牽强附會)'가, ㉢은 촌장의 위선적인 태도를 나타내므로 '마음이 음흉하고 불량하여 겉과 속이 다름'을 의미하는 '표리부동(表裏不同)'이 적절하다.

5 촌장은 자신이 마을 사람들에게 희생당하는 끔찍한 상황을 가정하여 말함으로써, 파수꾼 '다'의 동정심에 호소하고 있다.

6 파수꾼 '다'는 촌장의 거짓말에 동조한 것이 약점이 되어 평생 진실을 왜곡하는 권력의 하수인이 되어야 한다. 그런 비극적 상황에 처한 '다'에게 작은 보람이라도 찾길 바란다는 미선의 말은 적절하지 않다.

32 오발탄

p.294

1 ③ 2 ④ 3 ② 4 ④ 5 ② 6 오발탄 7 ③
8 6·25 전쟁 후의 사회 현실을 사실적으로 그려 냄으로써 전후 한국 사회의 빈곤과 부조리를 고발하고 있다.

1 시나리오는 희곡과 마찬가지로 인물의 행동과 대사를 통해 사건이 전개되기 때문에 서술자가 등장하지 않는다.

2 ㉠의 뒷부분에 이어지는 명숙의 대사는 철호가 상상하는 장면의 대사로 실제 현실에서 일어난 일이 아니다. 그러므로 한 화면이 닦아 내는 것처럼 조금씩 없어지고 다른 화면으로 바뀌는 'W(wipe)'로 처리하는 것이 적절하다.

3 ㉡ 뒷부분의 대사는 철호의 독백이므로 ㉡에 들어갈 시나리오 용어는 ②가 적절하다. E는 효과음(effect)으로 화면은 앞 화면 그대로 유지한 채 소리만 덧붙이는 기법이다. ③ F.O(fade out) : 화면이 점점 어두워짐 ④ O.L(over lap) : 화면과 화면이 겹침. 시간의 경과, 회상 등을 나타낼 때 쓰임 ⑤ C.U(close up) : 화면의 확대

4 S#120에서 운전수와 조수는 절망과 비극으로 방향 감각을 상실한 철호를 못마땅해하며 '오발탄' 같은 손님이라고 말하고 있다.

5 이 글에 나타나는 빈번한 장면 전환은 절망에 빠진 주인공의 의식의 혼란을 효과적으로 표현하기 위해 사용한 것이다.

6 '오발탄'은 '잘못 발사된 탄알'을 뜻하는 것으로, 현실의 중압감을 견디지 못하여 방향을 상실하고 방황하는 철호의 모습을 상징한다.

7 이 글은 주인공의 절망적인 상태를 제시함으로써 끝맺고 있다. 특히 '철호가 탄 차'는 목적지 없이 부동하는 전후의 소시민상을 보여 주며, 출구 없는 현실의 절망적인 상황을 상징한다.

- 상고 시대부터 현대까지, 고대 가요에서 현대 희곡까지
  시대별·갈래별 작품 엄선
- 학교 시험과 수능에 출제될 가능성이 높은
  필수 문학 작품 194편 총정리
- 작품의 핵심 내용과 관련 자료를 한번에 정리한
  작품 개관, 1등급 노트, 함께 엮어 읽기
- 시험에 나올 만한 중요 내용으로 고득점을 보장하는
  다양한 내신&수능형 문제 수록

내신 · 수능 대비 필수 작품을
친절하고 꼼꼼하게 분석한

모든 것 시리즈

현대시의 모든 것(개선판) | 현대산문의 모든 것(개선판)
고전시가의 모든 것 | 고전산문의 모든 것 | 문법·어휘의 모든 것

- 국어와 문학의 실력을 기르기 위한 국어 학습의 필수 지침서!
- 국어 · 문학 교과서 작품, EBS 교재 수록 작품, 기출 작품,
  주요 작가의 낯선 작품 등 필수 작품 총망라!
- 꼼꼼한 분석, 일목요연한 정리, 보기 편한 구성과 친절한 해설!
- 출제 빈도가 높은 필수 문제로 내신 · 수능 만점 대비!

꿈틀 국어 교재 목록

고등 국어 기초 실력 완성

고고 시리즈

고등 국어 공부, 내신과 수능 대비에 필요한 모든 내용을 알차게 정리한 교재

기본
문학
독서
문법

일목요연한 필수 작품 정리

모든 것 시리즈

새 문학 교과서와 EBS 교재 수록 작품, 그 밖에 수능에 나올 만한 작품들을 총망라한 교재

현대시의 모든 것 | 고전시가의 모든 것
현대산문의 모든 것 | 고전산문의 모든 것
문법·어휘의 모든 것

수능 학습의 나침반

첫 기본완성 시리즈

수능의 기본 개념과 핵심 유형별 문제를 수록한 수능의 기본서

수능 국어 기본완성
수능 문학 기본완성
수능 비문학 기본완성

밥 먹듯이 매일매일 국어 공부

밥 시리즈

기출 공부를 통해 수능 필살기를 익힐 수 있도록 돕는 친절한 학습 시스템

처음 시작하는 문학 | 처음 시작하는 비문학 독서
문학 | 비문학 독서
언어와 매체 | 화법과 작문
어휘력

문학 영역 갈래별 명품 교재

명강 시리즈

수능에 출제될 만한 주요 작품과 실전 문제가 갈래별로 수록된 문학 영역 심화 학습 교재

고전시가
고전산문

국어 기본 실력 다지기

국어 개념 완성

국어 공부에 꼭 필요한 개념을 예시 작품을 통해 완성할 수 있는 교재

문이과 통합 수능 실전 대비

국어는 꿈틀 시리즈

문이과 통합 수능 경향을 반영하여 수능 실전에 대비할 수 있도록 구성한 교재

문학
비문학 독서
단기 언어와 매체

내신·수능 대비

고등 국어 통합편

고1 국어 교과서 핵심 내용을 한 권으로 완벽하게 총정리하는 교재

문학 비책

필수&빈출 문학 작품 194편을 한 권으로 완벽하게 총정리하는 교재